# *Sociolingüística del español*

Desarrollos y perspectivas
en el estudio de la lengua española
en contexto social

José Luis Blas Arroyo

# *Sociolingüística del español*

## Desarrollos y perspectivas en el estudio de la lengua española en contexto social

SEGUNDA EDICIÓN

CÁTEDRA

LINGÜÍSTICA

1.ª edición, 2005
2.ª edición, 2008

Esta obra ha sido editada con ayuda de la Dirección General del Libro, Archivos y Bibliotecas del Ministerio de Cultura.




Juan Ignacio Luca de Tena, 15. 28027 Madrid
Depósito legal: M. 18.322-2008
ISBN: 978-84-376-2248-4
*Printed in Spain*
Impreso en Lavel, S. A.
Humanes de Madrid (Madrid)

# Índice

## UNIDAD TEMÁTICA II: LOS FACTORES SOCIALES

## UNIDAD TEMÁTICA III: EL CAMBIO LINGÜÍSTICO



## UNIDAD TEMÁTICA IV: TEMAS DE SOCIOLINGÜÍSTICA INTERACCIONAL

## UNIDAD TEMÁTICA VI: CONSECUENCIAS LINGÜÍSTICAS DEL BILINGÜISMO SOCIAL

# Agradecimientos

Una obra de estas características es siempre deudora de algunas personas e instituciones que han contribuido de uno u otro modo a hacerla posible. Comenzando por estas últimas quisiéramos mostrar inicialmente nuestro agradecimiento a diversas instituciones por la concesión de algunas becas y ayudas que nos han facilitado la tarea de su redacción al liberarnos de nuestras actividades docentes durante algunos meses. Es el caso de la Universidad Jaume I de Castellón, la cual nos concedió un curso sabático (2002-2003), con el que realizamos una estancia en la Universidad del Sur de California en Los Ángeles, una institución cuyos medios humanos y materiales se pusieron siempre a nuestra disposición. A las autoridades de esta última, y en particular a los miembros de su Departamento de Español y Portugués y a su ex directora, Carmen Silva-Corvalán, que tuvo la gentileza de invitarnos en calidad de Investigador Invitado, hacemos extensivo, lógicamente, nuestro agradecimiento. Sin olvidarnos de Martha Galván, Marianna Chodorowska-Pilch y el personal de sus excelentes bibliotecas, cuya amabilidad y entrega nos facilitaron enormemente la empresa.

Asimismo, en este capítulo institucional debemos hacer referencia inexcusable a la Consejería de Educación de la Generalitat Valenciana (Programa de Ayudas Postdoctorales en Centros de Investigación fuera de la Comunidad Valenciana: septiembre-diciembre de 2002) y al Ministerio de Educación y Cultura (Programa de Estancias de Profesores de Universidad e Investigadores del CSIC en centros extranjeros y españoles: ref. PR2003-0009, marzo-julio de 2003) por la concesión de sendas ayudas que hicieron posible nuestra estancia en Los Ángeles.

En el capítulo individual, y junto a algunas personas ya mencionadas anteriormente, queremos destacar también la generosa ayuda prestada por los profesores Emilio Ridruejo Alonso y Hernán Urrutia Cárdenas, que leyeron algunos capítulos de la obra y cuyos comentarios y orientaciones nos han sido de gran valor, aunque, desgraciadamente, no hayan podido evitar los errores que el lector sin duda encontrará y de los que somos responsables en exclusiva. Por su parte, Pilar Ortega nos proporcionó abundante información bibliográfica, extraída con extraordinaria paciencia de la *Bibliografía Española de Lingüística,* tarea que agradecemos muy sinceramente. Y lo mismo sucede con Rosa Gómez Castaño, quien nos alertó sobre algunas referencias que desconocíamos sobre las comunidades bilingües españolas, y con Paloma Garrido, responsable de la biblioteca de la Universidad Jaume I, siempre dispuesta a ayudarnos en nuestras pesquisas bibliográficas con su proverbial simpatía.

Y gracias, sobre todo, a mi mujer y mis hijos, por las largas ausencias.

# Introducción

El volumen que el lector tiene en sus manos quiere ser un manual de Sociolingüística de la Lengua Española, y no sólo de sociolingüística general ni, incluso, de sociolingüística anglosajona, con ocasionales aplicaciones a la lengua española. Todas estas «sociolingüísticas» no son, en la práctica, incompatibles: de hecho, la del español ha sido, en buena medida, un excelente campo de pruebas de principios, temas y métodos, ensayados previamente en otras comunidades de habla por autores de sobra conocidos tras varias décadas de praxis investigadora. Cuando es así, y a menudo lo es, la referencia a la bibliografía especializada allende nuestras fronteras es inevitable, pues las ideas de los Labov, Sankoff, Poplack, Romaine, Trudgill y tantos otros forman parte ya del acervo científico general en el que se desenvuelve cualquier estudio sobre las relaciones entre la lengua y la sociedad. Por otro lado, las principales contribuciones a la disciplina general son también del interés de cualquier comunidad idiomática, y como no podía ser de otro modo, se recogen en este volumen.

Ahora bien, como podrá comprobarse tras su lectura, el carácter «hispánico» inunda todas las páginas del libro, ya que los problemas y centros de interés específicos toman siempre como punto de referencia la lengua española, tanto en el contexto peninsular como en el americano. Ello hace que en su desarrollo tengan una presencia preeminente algunos temas particulares del mundo hispánico, sin correlato en otros dominios geolingüísticos, al tiempo que se han eludido ciertos contenidos recurrentes en la sociolingüística general que, o bien no han interesado de cerca a la sociolingüística del español, o bien no han tenido entre nosotros el desarrollo esperado.

El contenido del libro responde a dos principios. En primer lugar, a nuestra propia concepción de la sociolingüística como disciplina científica y académica. Sin pretender, como se ha propuesto alguna vez que «sólo la sociolingüística es (verdadera) lingüística», sí nos parece que el consenso en torno al carácter social de la lengua justifica una concepción *sociolingüística per se* de la misma. Esto es, una interpretación de nuestra materia como un objeto de estudio básico y autónomo, y no como un mero instrumento auxiliar, más o menos provechoso para la investigación de otros dominios estructurales, que, pese a toda evidencia, algunos siguen considerando como más «esenciales».

En segundo lugar, y a diferencia ahora de no pocos «variacionistas», concebimos la sociolingüística desde una perspectiva amplia, y más aún si, como ocurre en el presente caso, pretende servir como guía a estudiantes e investigadores en una materia que empieza a tener ya un peso específico en los estudios universitarios de todo el mundo hispánico. Como es sabido, el problema de los límites de nuestra disciplina lleva ocupando a los especialistas desde sus mismos orígenes, sin que hasta el momento exista un consenso, siquiera relativo, en torno a esta cuestión. Para algunos, *la sociolingüística* es fundamentalmente la de orientación variacionista, y no sólo porque los estudios cuantitativos del habla se han desarrollado en paralelo al éxito de la disciplina, sino —sobre todo— porque tales investigaciones abarcan, precisamente, aquellos aspectos del lenguaje —sonidos, formas léxicas, construcciones gramaticales— que se consideran centrales en la lingüística teórica. Por otro lado, la deuda de esta corriente variacionista con respecto a uno de los paradigmas estructurales más influyentes en la lingüística contemporánea, como es la gramática generativa, y que está presente en formalizaciones como la aplicación de reglas o los modelos de representación, ha contribuido también a asentar el presente estado de cosas.

A nuestro juicio, sin embargo, la lengua es no sólo *símbolo* sino también *síntoma*, y hasta *indicio* de otras realidades, y por ello, tan digna de estudio es una faceta como las otras. Es verdad que en un caso trabajamos preferentemente con nociones que se vienen considerando como patrimoniales de la lingüística teórica, y en el otro, sin embargo, con conceptos más vinculados a otras disciplinas, como la lingüística aplicada, la sociología, la ciencia política, etc. Pero el hecho de que esta división entre lo patrimonial y lo inicialmente auxiliar a la lingüística se haya consolidado desde la revolución de la lingüística contemporánea a comienzos del siglo XX no implica que deba tener, necesariamente, una validez categórica e indiscutible en cualquier circunstancia. En la práctica, los estudios sociolingüísticos en sentido «amplio» demuestran con frecuencia la interacción entre realidades estructurales y extralingüísticas. Valga un ejemplo para ilustrar nuestro punto de vista, y que desarrollaremos por extenso en las páginas de este libro: las actitudes lingüísticas, que desde una óptica rigurosamente estructural no son un objeto estricto de la ciencia lingüística, pueden ayudarnos a explicar no sólo hechos sociales de envergadura, como la distribución de las lenguas y variedades en el repertorio verbal de las comunidades de habla, sino también numerosos fenómenos —lingüísticos— de variación y cambio que operan en su seno.

En consecuencia, a nuestro modo de ver tan «sociolingüísticos» son la escuela *variacionista* como la llamada *sociología del lenguaje* y los temas de los que esta corriente de estudio se ha venido ocupando en las últimas décadas, preferentemente en las sociedades bilingües o multilingües.

La estructura de la obra responde, pues, a estos principios. Ello justifica la división en bloques (unidades) temáticos, los cuales se dividen a su vez en diversos capítulos, cuyo número y extensión varía en función de las áreas de investigación consolidadas en la sociolingüística hispánica, así como de algunas necesidades expositivas.

Los tres primeros bloques están dedicados al estudio variacionista del español desde diferentes ángulos. Aun conscientes de que las divisiones establecidas no siempre responden a la realidad de los hechos, hemos decidido operar de este modo para facilitar la comprensión de la obra. De este modo, los primeros temas pasan revista a ciertos conceptos esenciales de la lingüística variacionista, como ocurre en el primero con la noción de *variable* y sus principales condicionantes *estructurales* (lingüísticos) y *estilísticos*. Esta materia introductoria se completa con el estudio de la *variación fonológica* en español, el primer nivel del análisis que fue objeto de una atención sistemática por parte de los especialistas. A este capítulo le siguen un par de temas dedicados a otros niveles, como el *gramatical* y el *léxico*, tanto desde una perspectiva teórica general (tema II), como desde el estudio detallado de algunos de los fenómenos de variación *morfológica* y *sintáctica* sobre los que ha recaído un interés creciente en la sociolingüística hispánica (tema III). Por último, este bloque se cierra con un tema dedicado a las *variables sociolingüísticas* y a sus principales tipos, así como al comentario de los *esquemas de distribución sociolingüística* que aquéllas suelen adoptar en nuestras comunidades de habla (tema IV).

La segunda unidad temática aborda de forma monográfica la incidencia de ciertos factores sociales sobre los fenómenos de variación, cuyos condicionantes lingüísticos y estilísticos hemos desarrollado en la sección anterior. Aunque la nómina podría incrementarse de forma indefinida, hemos preferido centrar nuestra atención en el tratamiento de aquellas variables cuya influencia ha quedado demostrada de forma más sistemática en la bibliografía sociolingüística, como ocurre con el *sexo* (tema V), la *edad* (tema VI) o las diferencias *sociales* y *culturales* entre los individuos (tema VII), sin descuidar, por supuesto, la interacción entre las mismas.

Por último, dedicamos también una atención destacada a la dimensión social del *cambio lingüístico* en español, cuyos principales desarrollos teóricos y metodológicos dan cuerpo al tercer bloque temático, compuesto esta vez por un único capítulo (tema VIII).

Por lo que a la siguiente unidad temática se refiere, hemos de reconocer inicialmente que sus áreas de interés son quizá las menos definidas, ya que algunos de sus temas de estudio son reivindicados también por otras disciplinas, como la pragmática o el análisis de las interacciones verbales. Ahora bien, con ser esto cierto —como también lo es la afinidad de origen entre todas éstas— no lo es menos el hecho de que los temas tratados por todas ellas pueden abordarse en cada caso con un énfasis diferente: más estructural y fuera de las coordenadas contextuales del discurso en el caso de la pragmática, o más pendiente de éstas y, en particular, de las de orden social, en el caso de la *sociolingüística* —precisamente por ello— *interaccional.* El primer tratamiento correspondería, en suma, a pragmáticos y analistas de la conversación, sin intereses «específicamente» sociolingüísticos. El segundo, por el contrario, interesa ya a la sociolingüística, pues la variación no sólo afecta a los elementos discretos de la lengua, como fonemas, morfemas, etc., sino también a otras unidades discursivas e interaccionales. Con todo, no está de más insistir en que nos encontramos ante un dominio fronterizo, por lo que en el presente libro hemos limitado nuestra atención a una de las manifestaciones más codificadas en español de la *deixis* social, los *pronombres de tratamiento,* y su relación con el principio de la *cortesía* verbal (tema IX). Por otro lado, el bloque se completa con la inclusión de dos temas dedicados al estudio de las *actitudes* lingüísticas. El primero de ellos aborda algunas cuestiones teóricas y metodológicas esenciales, que dan paso al análisis de las actitudes hacia la variación intradialectal en diversos dominios hispánicos (tema X). El segundo, que, además actúa como nexo de unión respecto a la unidad temática siguiente, se detiene en las actitudes lingüísticas en las situaciones de bilingüismo social, ya sea las que los hablantes dispensan hacia las lenguas y los individuos que las hablan, ya sea hacia algunas de las principales consecuencias estructurales del contacto interlingüístico (tema XI).

Al igual que este último tema, los que componen la segunda parte del libro abordan aspectos que afectan al español en comunidades bilingües o multilingües. La distribución de esta materia se estructura en dos bloques temáticos, el primero de los cuales atiende a la vertiente más sociológica del contacto, mientras que el segundo —y último— lo hace con la faceta más lingüística, aunque sin olvidar sus condicionantes sociales y comunicativos. Por lo que al primero se refiere, y bajo el título genérico de «Usos y funciones de las lenguas en las comunidades hispánicas», hemos agrupado cuatro capítulos en los que se revisan diversos temas clásicos en la descripción del bilingüismo social, como las relaciones *diglósicas* y *conflictivas* entre las lenguas (tema XII), los modelos de representación de la *elección de lenguas* en las situaciones de contacto (tema XIII), los procesos de *mantenimiento, sustitución y muerte* lingüísticos (tema XIV) y las tareas asociadas a la *planificación lingüística* (tema XV).

Finalmente, las principales consecuencias lingüísticas del contacto en el discurso bilingüe serán el objeto de atención de la última unidad, compuesta esta vez por dos temas extensos que se reparten otras tantas materias de estudio, a saber: los procesos *interferenciales* (tema XVI) y el fenómeno del *cambio de código* (tema XVII).

Una obra de estas características, extensa necesariamente por su propio objeto de estudio, lleva siempre a establecer algunas prioridades y a prescindir de otras. En nuestro caso, y como indicábamos al principio, hemos querido que la materia de estudio respondiera plenamente a su objeto principal, la lengua española en su contexto social. Ello hace que en el desarrollo de sus páginas hayamos obviado, o tratado de forma más superficial, algunas cuestiones teóricas o metodológicas relacionadas con nuestra disciplina que, por lo demás, se hallan suficientemente bien tratadas desde hace años en la bibliografía. Así ocurre, por ejemplo, con la introducción a ciertos conceptos generales previos, como las nociones de *lengua* y *dialecto*, y otras *(jergas, tecnolectos, comunidad de habla*, etc.) que pueblan la bibliografía al uso, y sobre las que el lector interesado puede encontrar abundante información en otros manuales y tratados de dialectología y sociolingüística. Y lo mismo sucede con los instrumentos metodológicos, como las técnicas para la obtención de muestras de habla representativas o los programas estadísticos para el análisis de los datos, ambos consustanciales al desarrollo de nuestra disciplina, pero también desde una perspectiva general —bien tratada, asimismo, en la bibliografía— y no necesariamente hispánica.

Asimismo, hemos prescindido de otras aproximaciones epistemológicas afines, especialmente en los bloques destinados al contacto de lenguas, donde han quedado fuera de nuestra atención algunos temas que habitualmente son abordados por disciplinas o subdisciplinas a las que suele reconocerse un estatus autónomo, y en las que lo social no es el componente más destacado, en beneficio de otros aspectos cognitivos, psicológicos, educativos, etc. Así ocurre, entre otros, con los procesos de aprendizaje de lenguas, los modelos cognitivos de bilingüismo individual, los procesos de pidginización y criollización, etc. Y aunque no sea siempre fácil establecer los límites entre la dialectología y la sociolingüística, hemos obviado también en muchos casos aquellos tratamientos dialectológicos meramente descriptivos sobre problemas de los que posteriormente se ha ocupado nuestra disciplina, y de los que, sin embargo, nos separan algunos principios y métodos esenciales. Ni que decir tiene que en estos casos, el lector interesado puede ampliar sus conocimientos sobre aquéllos acudiendo a la profusa bibliografía que a estas alturas ofrece la dialectología hispánica, así como a algunos excelentes manuales de conjunto publicados en los últimos años.

Como indicábamos al principio, el presente manual quiere servir como un instrumento útil para estudiantes e investigadores interesados en el estudio social de la lengua española, de ahí que en el desarrollo de cada tema hayamos intentado ofrecer una revisión detallada y representativa de las principales líneas de investigación llevadas a cabo en los inmensos dominios del español. Hemos tratado, pues, de ofrecer una síntesis actualizada sobre el desarrollo de una disciplina que, tras poco más de tres décadas de andadura, se ha mostrado muy vital entre nosotros, pese a que hayan sido escasos los intentos de sistematizar sus resultados. En todo caso, el lector debe ser consciente de que en una obra general como ésta ciertos temas no alcanzarán la profundidad de desarrollo que, lógicamente, obtendrían si fueran el objeto monográfico de atención.

Por último, el carácter práctico de la obra se manifiesta también en el abundante empleo de ejemplos, así como de material gráfico y estadístico extraído de numerosas fuentes, que esperamos contribuyan a hacer más fácil la lectura del libro.

# UNIDAD TEMÁTICA PRIMERA

## *Sociolingüística variacionista. Las variables lingüísticas*

Tema primero

# Introducción a la sociolingüística variacionista. El concepto de variable lingüística. El estudio de la variación fonológica en español

## 1. Introducción

Para numerosos sociolingüistas, la materia que se presenta en esta sección temática constituye, precisamente, el núcleo de la *sociolingüística*. No en vano, los estudios cuantitativos del habla se han desarrollado en paralelo al éxito de la disciplina, y para numerosos investigadores —en especial para quienes ven en la estructura del lenguaje el principal interés de la lingüística— esta modalidad supone la contribución más relevante de la sociolingüística, ya que proporciona datos nuevos, que a menudo deben ser conciliados con las teorías más actuales. Y es que, como advirtiera R. Hudson (1981: 151) hace ya un par de décadas, los trabajos cuantitativos del habla parecen particularmente relevantes para la teoría lingüística ya que abarcan, precisamente, aquellos aspectos del lenguaje —sonidos, formas léxicas, construcciones gramaticales— que los lingüistas consideran centrales.

El objetivo de los cuatro primeros temas de este libro, que dedicamos a la sociolingüística variacionista, es servir como introducción a los principios teóricos esenciales de la disciplina y su aplicación al estudio de las comunidades de habla hispánicas. En ellos abordaremos conceptos básicos, como los de *variable* y *variante lingüística, niveles y tipos de variación, perfiles de distribución sociolingüística,* etc. La estructura de esta sección queda como sigue: en el presente tema nos ocuparemos de los principios esenciales del variacionismo y su aplicación al estudio de la variación fonológica en español. A éste le seguirán dos temas sobre otros niveles de la variación, que han recibido también una considerable atención en los últimos tiempos, en especial los dedicados al orden morfosintáctico (temas II y III). Por último, dedicaremos el tema IV a la evaluación de otros conceptos relevantes de la disciplina, como los tipos de variables sociolingüística o los modelos de estratificación que es posible encontrar entre los principales fenómenos de variación en nuestra lengua. Por razones expositivas, en estos primeros temas nos ocuparemos principalmente de los aspectos *estructurales* (lingüísticos) y *estilísticos* de la variabilidad, dejando para más adelante el estudio sistemático de la correlación entre los fenómenos lingüísticos y diversos *factores sociales* (temas V al VII).

## 2. La variable lingüística como unidad del análisis variacionista

Con anterioridad a los sociolingüistas, algunos autores habían llamado ya la atención acerca de la existencia de variantes que fluctúan en el interior de la lengua. A la observación pionera del alemán Schuchardt a finales del siglo XIX, de que la pronunciación de los individuos no está exenta de variación, seguiría, unas décadas más tarde, la afirmación rotunda de Sapir (1921: 147), según la cual: «Everyone knows that language is variable.»

Entre tales hitos y el estudio sistemático de la variabilidad en la lengua a partir de los años 60 del pasado siglo, la lingüística había venido mostrando dos actitudes diferentes con respecto a una realidad que, obviamente, nadie podía negar. La primera, representada, entre otros, por autores como Fries y Pike (1949), explicaba la variación como la coexistencia de sistemas lingüísticos diferentes, a los que tendrían acceso los hablantes, quienes, de este modo, podrían alternar entre unos y otros según las circunstancias.

En la lingüística hispánica algunos autores han propuesto en los últimos tiempos explicaciones de este tipo, que darían cuenta de un cierto de grado de «bilingüismo» por parte de los hablantes, especialmente en aquellas regiones cuyas normas regionales se hallan más diferenciadas del español general, como ocurre con las hablas caribeñas. Así lo ha hecho, por ejemplo, Guitart (1997) para caracterizar la variabilidad observada en el ámbito de las consonantes finales. Para este autor, todos los hablantes de esta área geográfica han adquirido más de un sistema fonológico, si bien no todos muestran el mismo control sobre los mismos. De hecho, la causa última de la variación fonológica en estas hablas vendría a ser, precisamente, dicho control desigual sobre los sistemas fonológicos adquiridos.

Por su parte, Almeida Toribio (2000a) cree que estos mismos rasgos, junto con otros que singularizan uno de los dialectos caribeños más característicos, el dominicano[1], justifican la convivencia dentro de esta región de dos sistemas paramétricos diferentes. Por ejemplo, la expresión de los sujetos pronominales *(¿qué tú quieres?)* en una proporción mucho más elevada que en otras hablas latinoamericanas o peninsulares supondría que el español dominicano (y cabría aventurar que el caribeño en general) pertenece al mismo grupo que otras lenguas de expresión obligatoria del sujeto, como el inglés o el francés, a diferencia del español estándar, que se sitúa junto a las lenguas de sujeto nulo. Ahora bien, justamente porque junto al sistema vernáculo es posible descubrir también muestras características del español estándar, cabría postular que en la variedad dominicana no sólo conviven estos dos sistemas diferentes, sino que, al mismo tiempo, en ella asistimos a un proceso de cambio lingüístico en marcha. Desde este punto de vista, no es, pues, el rasgo vernáculo el que se aleja del español general, sino más bien al contrario: son las normas extranjeras del español estándar las que penetran en la comunidad de habla y compiten con aquél, en un característico proceso de cambio lingüístico (sobre este concepto, más adelante tema VIII).

Ahora bien, con independencia del juicio que merezcan los intentos por aplicar los principios minimalistas de la gramática universal a los hechos de variación intradialectales, el corolario teórico que se deriva de ellos parece insostenible desde la perspectiva de la sociolingüística variacionista: la imposibilidad de mezclar elementos de uno y otro sistema impediría la concurrencia de los mismos en una misma unidad discursiva (conversación, texto escrito, etc.), postulado que el variacionismo ha demostrado erróneo. Decenas de estudios en los más diversos ámbitos geográficos y sociolingüísticos, incluido el hispánico, han avalado a lo largo de las últimas décadas la idea de que los hablantes

---

[1] Por ejemplo, la expresión frecuente del pronombre de sujeto, incluso entre las formas que no se prestan a ambigüedad funcional, o el característico orden marcado Sujeto-Verbo-Objeto para la expresión de cualquier modalidad oracional, incluida la interrogativa.

no sólo pueden utilizar formas alternantes en sus discursos, sino que, en la práctica, así lo hacen con mucha frecuencia. Como ya destacaran Weinreich, Labov y Herzog (1968), en uno de los artículos liminares de la sociolingüística, la actuación de los individuos sugiere la existencia de un único sistema, en el que conviven diversas variantes de una misma unidad lingüística, y no de sistemas heterogéneos.

Junto a las interpretaciones anteriores, otras versiones previas de la gramática generativa hicieron suya una actitud diferente hacia la variabilidad inherente de la lengua. Bajo el concepto de *variación libre,* los generativistas daban a entender que las variantes lingüísticas son impredecibles, obedecen básicamente al azar y, por lo tanto, no pueden ser el objeto de estudio principal de una disciplina lingüística que se pretende científica. Pese a ello, también en este caso la sociolingüística ha demostrado la invalidez de las implicaciones teóricas derivadas del concepto de variación libre. Frente a la imposibilidad de predecir la variación que postulan los generativistas, la lingüística variacionista ha demostrado sobradamente a lo largo de las últimas décadas que las variantes se hallan asociadas probabilísticamente con factores lingüísticos y extralingüísticos que contribuyen a explicar su aparición en el discurso[2].

Hasta la aparición de la sociolingüística en los años 60 de la pasada centuria, todas las unidades del análisis —fonemas, sonidos, morfemas, sintagmas, oraciones...— se habían interpretado cualitativamente como invariantes, esto es, como elementos discretos. Sin embargo, para la sociolingüística variacionista, la variable no es nada de esto. Labov (1966) la define como una unidad estructural variante, continua y por ende, de naturaleza cuantitativa. Es *variante* desde el momento en que se realiza de diferente manera en diferentes contextos estilísticos, sociolectales o, incluso, idiolectales. Es *continua,* en el sentido de que ciertas variantes adquieren con frecuencia una significación social a partir de su mayor o menor proximidad con la variante estándar. Y es de naturaleza *cuantitativa* por cuanto este significado social no viene determinado simplemente por la presencia o ausencia de sus varian-

[2] Chambers (1995: 25 y ss.) define el *axioma de categoricidad* como uno de los principios esenciales en la tradición científica que desde Saussure hasta Chomsky recorre la lingüística de este siglo (con antecedentes en las ideas de Humboldt y su conocida distinción entre el lenguaje como *ergon* y como *energeia).* Según este principio, en el lenguaje cabe distinguir dos planos perfectamente delimitados, uno de naturaleza homogénea e invariante y, por lo tanto, digno objeto de estudio de una disciplina científica como la lingüística, y otro heterogéneo y cambiante, cuyo análisis, en todo caso, debería ser de interés secundario.

tes, sino las más de las veces por la frecuencia relativa de las mismas. Veamos un primer ejemplo.

En su estudio sobre la variación de *(-s) implosiva* —probablemente la variable fonológica más estudiada en el mundo hispánico— en el español hablado en Puerto Rico, Cameron (1992) ha comprobado que dicha variable responde plenamente a estos caracteres. Como puede observarse en la tabla 1 (página siguiente), el hecho de que sea *variante* se demuestra en la existencia de tres formas diferentes *(sibilante, aspirada* y *elidida)*, que dan cuenta de las realizaciones de este segmento fonológico en dicha comunidad. Complementariamente, la significación social de estas variantes viene otorgada por su correlación con determinados factores relevantes. Así, por ejemplo, sabemos que la realización estándar (sibilante) es propiciada significativamente más por las clases altas (P .40), las mujeres (P .25) y las personas mayores (P .41). Y que en el extremo contrario, sin embargo, la variante más estigmatizada (el cero fonético) aparece con más frecuencia en el habla de las clases bajas (P .45), los hombres (P .42) y la población más joven (P .49). Por último, la naturaleza *cuantitativa* de esta variable queda implícita en la descripción anterior, al comprobar que las diferencias sociolectales no son de inventario, esto es, no son debidas a la presencia o ausencia de las variantes en determinados grupos, sino más bien a que su realización es más o menos frecuente en cada uno de ellos.

A la vista de estos caracteres, una de las principales tareas de nuestra disciplina es analizar la relación probabilística —estadística— entre una serie de variables dependientes (los fenómenos lingüísticos que son objeto de estudio en cada caso) y otras variables o factores, que llamamos independientes, y entre los que distinguimos tres clases principales, en función de su naturaleza: *lingüística, estilística* y *social*, respectivamente.

Pese a lo anterior, hay que reconocer que, de la misma manera que no todos los hechos de variación desembocan en cambios lingüísticos (véase más adelante tema VIII), existen también numerosas parcelas de la lengua en las que, o bien no se observa variación alguna, o bien ésta es (casi) inapreciable. Incluso puede darse el caso de que una misma unidad del análisis muestre variación en determinados contextos, pero no en otros. Veamos un ejemplo de esto último.

En su estudio sobre la posición de los adjetivos demostrativos en español en una muestra de población andaluza (Puente Genil, Córdoba), la sociolingüista norteamericana Diana Ranson (1999: 139) ha comprobado que la variabilidad observada en esta comunidad difiere considerablemente según la función semántica principal que desempeñen dichas unidades. Así, la posición del adjetivo no varía en absoluto

TABLA 1
Probabilidades estadísticas asociadas a la realización de las variantes de (-s) por factores sociales en Puerto Rico, según Cameron (1992)[3]

| | VARIABLE (-S) | | |
|---|---|---|---|
| | S | H | Ø |
| CLASE SOCIAL | | | |
| Alta | .40 | .36 | .22 |
| Baja | .25 | .28 | .45 |
| SEXO | | | |
| Mujer | .38 | .36 | .25 |
| Hombre | .28 | .29 | .42 |
| EDAD | | | |
| Preadolescentes | .18 | .32 | .49 |
| Adolescentes | .35 | .31 | .32 |
| 20-30 años | .38 | .33 | .27 |
| 40-50 | .35 | .33 | .31 |
| 60-85 | .41 | .31 | .26 |

cuando el demostrativo encierra un significado deíctico temporal, como en (1), ya que en estos casos, aquél aparece siempre antepuesto. La anteposición es claramente favorecida también en los contextos espaciales, como en (2), si bien se aprecia ya un pequeño margen (12 por 100) para las posposiciones, las cuales tienen lugar, por ejemplo, en los casos de primera mención de un referente ausente, como en (3):

[3] Las cifras indican la probabilidad —en una escala de 0 a 1— de que un factor influya en la selección de una determinada variante. De este modo los pesos numéricos próximos a 1 favorecen la elección de cada variante, mientras que, en el extremo opuesto, los más cercanos 0 la desfavorecen. Por el contrario, los situados en cifras intermedias ni favorecen ni desfavorecen la aplicación de la regla variable. Con todo, estos números difieren en función del tipo de modelo de regresión utilizado. Así, en los programas binomiales, en los que se trabaja con tan sólo dos variantes, las probabilidades neutrales giran en torno al 0.5. Por el contrario, en los modelos trinomiales, como el que se emplea en el presente estudio, dada la existencia de tres variantes, esta cifra desciende hasta .33. Por encima de ésta, decimos que un factor determinado favorece una variante, mientras que por debajo la desfavorece.

(1) *Aquel* verano nos vimos mucho.
(2) Me voy a quedar con *esta* foto.
(3) El dormitorio *aquel*... el dormitorio de matrimonio, cuatrocientas mil.
(4) El profesor *este*, el irlandés que conocisteis el año pasado.
(5) Vienen las madres de las reproductoras... y de *esas* madres salen las gallinas reproductoras.

Estos mismos factores justifican la mayor variación observada en el tercer contexto, aquellos casos en los que el demostrativo desempeña una función referencial, ya que sirve para localizar las entidades referidas en el propio discurso. Pese a que la anteposición continúa siendo la posición más privilegiada (64 por 100), los ejemplos de posposición alcanzan ahora cifras nada despreciables. Un análisis más pormenorizado, como el que ofrece la tabla siguiente, muestra, incluso, que las proporciones se invierten en determinados contextos discursivos. Así, los porcentajes de posposición son mucho altos en los casos de mención catafórica (62 por 100) —véase (4)— o en la referencia a entidades que no encontramos en el cotexto previo o siguiente (no textuales: 86 por 100). Por el contrario, en los contextos anafóricos —ejemplo en (5)— esta posición se halla claramente en desventaja (23 por 100), a favor de las anteposiciones (77 por 100).

TABLA 2
Distribución de los adjetivos demostrativos
en la función referencial, según Ranson (1999: 133)

| | TEXTUAL | | NO TEXTUAL | TOTAL |
|---|---|---|---|---|
| | *Anáfora* | *Catáfora* | *Conocido* | |
| Anteposición | 40 (77%) | 5 (38%) | 1 (14%) | 46 (64%) |
| Posposición | 12 (23%) | 8 (62%) | 6 (86%) | 26 (36%) |
| Total | 52 | 13 | 7 | 72 |

## 3. VARIABLES LINGÜÍSTICAS Y SOCIOLINGÜÍSTICAS EN ESPAÑOL

En las etapas iniciales de la investigación variacionista suele establecerse una distinción entre variables *lingüísticas* y variables *sociolingüísticas*. De hecho, una misma variable lingüística puede convertirse en distintas variables sociolingüísticas en diferentes comunidades de habla. En la bibliografía variacionista es conocida a este respecto la evolución del segmento /r/ postvocálico (por ej., *car, war,* etc.) en el mundo anglosajón. Como mostró Labov (1972a), las normas de prestigio en diversas zonas de Gran Bretaña y EE.UU. varían considerablemente en la pronunciación del fonema, lo que origina una configuración diferente de los perfiles de distribución sociolingüística en cada una de ellas.

Entre nosotros no faltan los ejemplos de este mismo tipo. Así ocurre con el fenómeno de concordancia en el seno de las oraciones impersonales gramaticalizadas con *haber,* cuya distribución sociolingüística difiere considerablemente entre América y España, y aun dentro de esta última, entre regiones y sociolectos diferentes. Como es sabido, la difusión de variantes concordadas como las de (6) y (7) está ampliamente documentada en la tradición dialectológica hispanoamericana e incluso algunos estudios sociolingüísticos contemporáneos han mostrado su amplia difusión tanto en la matriz lingüística como en la social:

(6) *Habían* flores en el jardín.
(7) *Hubieron* fiestas en el pueblo la semana pasada.

En el español peninsular, sin embargo, la distribución sociolingüística de estas variantes es más irregular, y, por lo general, en los casos en que se produce, se encuentra marcada sociolectalmente, de forma que las variantes que practican la concordancia no aparecen sistemáticamente en todos los dialectos y cuando lo hacen, surgen con más frecuencia entre los sociolectos medio-bajos y bajos[4]. Pese a ello, este modelo distribucional tiene una excepción importante: el español hablado en las comunidades de habla del ámbito lingüístico catalán. En diversos estudios variacionistas sobre la cuestión en otras tantas comar-

[4] Ello explicaría las escasas muestras halladas por A. Quilis *et al.* (1985) en su estudio sobre el habla culta madrileña, uno de los pocos trabajos disponibles en los que encontramos referencias cuantitativas sobre el tema en España, con la excepción de las regiones del ámbito lingüístico catalán (Blas Arroyo 1992, 1993a). O también, la afirmación de De Mello (1994), quien, tras analizar el fenómeno en una muestra de habla correspondiente a once ciudades de habla hispana, sostiene que la concordancia no se produce en el español peninsular, al menos en el sociolecto culto. Obviamente, entre las hablas analizadas no figura ninguna del ámbito lingüístico catalán, donde dicho fenómeno se practica masivamente, tanto en español como en la lengua catalana.

cas valencianas (Blas Arroyo 1993a) hemos tenido la ocasión de comprobar cómo la concordancia representa una variante muy extendida en estas regiones entre la mayoría de los sociolectos, aunque con diferencias favorables a los hablantes más autóctonos (por ej., valencianohablantes habituales, nacidos en territorios de habla catalana) que apuntan hacia la posibilidad de un fenómeno de convergencia gramatical con el catalán, lengua donde la concordancia es, asimismo, muy frecuente en el discurso oral, aunque —al igual que en español— tampoco normativa desde el punto de vista preceptivo (sobre la concurrencia de factores internos y externos en la explicación de este fenómeno, véase más adelante el tema XVI).

En definitiva, y como consecuencia de un proceso de convergencia lingüística con el catalán, en el español hablado en estas comunidades bilingües, la concordancia entre el verbo *haber* y el sustantivo siguiente representa la variante claramente mayoritaria, sin que la significación sociolectal que se advierte en otras regiones españolas tenga aquí la misma relevancia.

Otro fenómeno de variación bien conocido y estudiado, como es la alternancia entre las terminaciones *-ra/-se* para la expresión del imperfecto y el pluscuamperfecto de subjuntivo *(cantara vs. cantase),* revela, por su parte, la importancia del factor temporal en la extensión y valoración social de las variantes de una misma variable lingüística en la historia de la lengua. A este respecto, es sabido que, mientras que las formas en *-se* han gozado de mayor difusión y prestigio en la mayoría de las regiones de habla hispana, al menos hasta la mitad del siglo XIX, en la actualidad la situación parece haberse invertido radicalmente, por lo que se deduce de los numerosos estudios dialectológicos y sociolingüísticos de que disponemos y de los que nos ocuparemos con detalle más adelante (véase tema III, § 2).

## 4. Caracteres y definición de las variables lingüísticas en español

Según una conocida definición, el concepto de variable lingüística da cuenta de «un conjunto de equivalencia de realizaciones o expresiones patentes de un mismo elemento o principio subyacente« (Cedergren 1983: 150). Un ejemplo: si las investigaciones fonológicas sobre el español indican que una serie de realizaciones como *(s, h, ø)* constituyen un conjunto de equivalencia correspondiente al fonema */s/* en posición implosiva, *(-s)* es, pues, una variable y sus realizaciones de superficie, variantes de la misma (López Morales 1989: 33)[5].

Por otro lado, la definición de este «conjunto de equivalencia» precisa que se identifiquen los factores que determinan su distribución. A este respecto, pueden distinguirse cuatro posibilidades teóricas:

1. variables condicionadas exclusivamente por factores lingüísticos;
2. variables condicionadas exclusivamente por factores de orden social;
3. variables condicionadas conjuntamente por factores lingüísticos y sociales;
4. variables no condicionadas ni por factores lingüísticos ni por factores sociales.

La sociolingüística variacionista se ha ocupado principalmente de dos de estos desenlaces, los representados por las opciones 1 y 3. Como veremos más adelante (véase tema II), algunos estudios de variación gramatical sugieren que la variabilidad aparece determinada fundamentalmente por restricciones lingüísticas, pero no por factores sociales. Con todo, y aunque no faltan ejemplos de ello, la validez general de este principio parece estar lejos de haber sido probada. Por otro lado, el análisis de la variación fonológica en español ha permitido hallar abundantes casos en los que se conjugan condicionantes de ambos tipos.

Pese a ello, no es infrecuente que entre los resultados de una misma investigación podamos encontrarnos con ambas posibilidades. Recientemente, por ejemplo, Torres Cacoullos (2001) ha advertido algo de esto en el proceso de gramaticalización que afecta a las perífrasis aspectuales *estar + gerundio* y *andar + gerundio* en un corpus oral mexicano:

(8) ¿Hasta qué horas *está pisteando* ahí usted?
(9) Las otras calles, están libres, pero toda la gente *anda dándose* no más la vuelta por esa calle.

En este trabajo se comprueba cómo ambas perífrasis, que cuentan con valores aspectuales frecuentativos o habituales similares en el pre-

[5] Sin embargo, en la sociolingüística hispánica es conocida la opinión de autores como Terrell (1981), quien niega que en el español caribeño —al menos en algunos sociolectos jóvenes— el segmento */s/* pueda considerarse como la representación subyacente de la variable. Al contrario, para esta autora, las escasas apariciones de las sibilantes se explican como resultado de la aplicación de una regla de inserción que opera según criterios estilísticos.

sente estadio de lengua, se ven favorecidas por ciertas clases de verbos principales[6]. Sin embargo, tan sólo la perífrasis *andar + gerundio* aparece condicionada significativamente por factores no estructurales. Frente a la mayor neutralidad sociolectal de *estar + gerundio,* las expresiones con *andar* aparecen preferentemente en el habla de los sociolectos bajos (P .690 *vs.* P .188 para el «habla culta») así como en la alusión a actividades que tienen lugar preferentemente en contextos rurales y al aire libre (P .624 *vs.* P .150 para «actividades interiores»).

TABLA 3
Porcentajes y probabilidades de aparición de *andar + gerundio* en diversos contextos lingüísticos y extralingüísticos, según Torres Cacoullos (2001)

| | % | P |
|---|---|---|
| CLASE DE VERBOS (GERUNDIO) | | |
| Movimiento no direccional | 87 | .981 |
| Otros verbos de movimiento | 21 | .641 |
| Actividades físicas | 23 | .665 |
| Verbos de lengua | 11 | .508 |
| Acción (general) | 13 | .495 |
| Acción corporal | 8 | .351 |
| Estativos, locativos, mental... | 4 | .173 |
| CORPUS | | |
| Popular | 22 | .690 |
| Culto | 3 | .188 |
| Entrevista | 12 | .459 |
| LUGAR DE LA ACTIVIDAD | | |
| Fuera (rurales...) | 36 | .624 |
| Dentro | 3 | .150 |
| Indeterminado | 15 | .544 |

[6] En el caso de *andar,* por ejemplo, los verbos que favorecen su presencia son los verbos de movimiento, como en (9), o verbos que implican actividades físicas *(v. gr.,* «jugando», etc.). Sin embargo, tanto los verbos estativos y locativos como los de percepción desfavorecen las perífrasis con *andar,* al contrario de lo que sucede con *estar.*

Finalmente, y aunque menos numerosos por lo general, también podemos encontrar ejemplos en los que la variabilidad lingüística se ve influida tan sólo por factores extralingüísticos.

Recientemente hemos obtenido un resultado de este tipo en un estudio sobre la variabilidad que afecta a la formación del plural en un préstamo del árabe que durante el pasado reciente conoció una extraordinaria difusión en español. Nos referimos al término *talibán*, usado —tanto en función nuclear como adyacente— para referirse a la etnia integrista musulmana que dirigió Afganistán hasta su derrota en la guerra con EE.UU. (Blas Arroyo 2002a). Tras el estudio variacionista correspondiente de más de dos mil ocurrencias del mismo, tanto en corpus orales como escritos[7], hemos comprobado como la elección de las variantes en conflicto *(talibán vs. talibanes)* no viene determinada por factores lingüísticos[8], sino por variables extralingüísticas. Entre éstas destaca por encima de todas la presión ejercida desde diversas instituciones normativas, como la Real Academia, que condujo a un cambio lingüístico abrupto en poco tiempo, especialmente en algunos medios de comunicación escritos. Como puede observarse en la tabla 4, el cambio en detrimento del plural «los talibán», más frecuente en el periodo anterior al comienzo de la guerra de Afganistán (1.º periodo), y favorable, por consiguiente, a la forma hispanizada «talibanes» es general tanto en el corpus oral como en el escrito, pero en este último la velocidad del cambio es mucho más radical.

---

[7] El subcorpus oral se extrae de las secciones de «debate, foros, chats, etc.» destinados a la participación de los lectores y que aparecieron en las secciones de Internet de los correspondientes diarios durante algunos meses entre septiembre de 2001 y mediados de 2002. A diferencia de los textos escritos, que corren a cargo de los redactores de los periódicos, la mayoría de aquéllos se caracterizan por rasgos como la inmediatez, la ausencia de formalidad y el carácter oralizante con que son elaborados. Así pues, pese al formato en que aparecen, su naturaleza es básicamente oral, y hasta coloquial en muchas ocasiones, lo que favorece su comparación con el discurso escrito y formal.

[8] Hay apenas una excepción, como la que corresponde al factor que llamamos *tipo de determinación*. En líneas generales, tanto la ausencia de determinación (Ø + N) como la presencia de determinantes diferentes al artículo (posesivos, demostrativos...) favorecen la variante afijada *(talibanes)*, mientras que el artículo se presenta como un factor más favorable para la forma etimológica *(talibán)*. Con todo, este factor interacciona a menudo con otros de carácter extralingüístico, como los que se explican arriba.

TABLA 4
Distribución de la variante *(los) talibán* tras el cruce entre los criterios tipo de corpus y periodo temporal, según Blas Arroyo (2002a)

| | 1.º PERIODO | | 2.º PERIODO | |
|---|---|---|---|---|
| | corpus escrito % | corpus oral % | corpus escrito % | corpus oral % |
| *El País* | 97 | 35 | 2 | 26 |
| *ABC* | 95 | 32 | 4 | 21 |
| *El Mundo* | 81 | 35 | 82 | 20 |
| *La Vanguardia* | 100 | 41 | 93 | 13 |
| *El Periódico* | 6 | n. d.* | 0 | 8 |

* n. d.: no disponible.

## 5. CLASES DE VARIABLES LINGÜÍSTICAS EN LAS COMUNIDADES DE HABLA HISPÁNICAS

Uno de los debates recurrentes en la investigación variacionista responde al grado en que la variación afecta a las diversas clases de elementos lingüísticos. Numerosos autores han subrayado a este respecto las diferencias entre las unidades fonológicas, por un lado, y otros niveles del análisis, como la morfología, la sintaxis, la pragmática o el léxico. R. Hudson (1981: 54-56) ha destacado, por ejemplo, la influencia del inglés de EE.UU. sobre el de Gran Bretaña, notable en el plano léxico, pero prácticamente nula en el plano fonético. Por otro lado, considera el diferente papel sociolingüístico que la pronunciación y otros niveles pueden desempeñar:

> [...] así, por ejemplo, pudiera ser que usáramos la pronunciación para identificarnos con nuestro origen (o para *dar a entender* que originalmente pertenecíamos a un determinado grupo, perteneciéramos o no de hecho a él) [...]. Por el contrario, podemos emplear la morfología, la sintaxis y el léxico para dar a entender nuestro estado social actual, como, por ejemplo, el grado de educación que hemos recibido (55).

Por ello es posible distinguir, como se ha hecho alguna vez, entre comunidades de habla en las que el prestigio lingüístico se localiza fundamentalmente en la pronunciación (el caso del inglés en países como Gran Bretaña) y otras en las que la norma se elabora fundamentalmente para el uso escrito —«protector de la gramática»—, por lo que la realización oral pierde importancia sociolingüística. En estos casos, la comunidad suele mostrar una tolerancia mucho mayor hacia la pronunciación que hacia la variabilidad gramatical.

Las variables que son objeto de atención por parte de la sociolingüística variacionista deben reunir algunas propiedades mínimas, que Labov (1976: 53) resume en las tres siguientes:

a) que las unidades lingüísticas investigadas sean frecuentes en el habla de la comunidad. Como veremos más adelante, tal requisito explica la sobreestimación del nivel fonológico en detrimento de otras parcelas de la lengua, al menos durante los primeros años de investigación sociolingüística;
b) que formen parte de la estructura gramatical de la lengua[9], y
c) que la distribución del fenómeno en cuestión se halle estratificada social o estilísticamente.

En las páginas siguientes exponemos algunas de las cuestiones teóricas y metodológicas que afectan al estudio de la variación del español en diversos niveles del análisis. Como señalamos al principio, en el presente tema nos ocuparemos fundamentalmente de los factores lingüísticos y estilísticos que influyen en la variación fonológica del español, para completar el cuadro en los capítulos siguientes con el estudio de diferentes esferas de la gramática, que han recibido una atención más tardía de los investigadores, aunque no por ello menos prominente. Y es que, pese a las dificultades que supone deslindar estos factores de los de carácter social, hemos decidido proceder de esta manera por razones expositivas y didácticas. Asimismo, dejamos para una sección posterior el análisis de aquellos casos de variación lingüística en los que la influencia del contacto de lenguas se ha demostrado determinante (véase tema XVI).

## 6. El estudio de la variación fonológica en español

### 6.1. *Cuestiones teóricas y metodológicas en el análisis de las variables fonológicas*

Como se ha destacado numerosas veces, las razones que explican el éxito de la investigación sociolingüística en este nivel estriban no

[9] El hecho de que se hable de «estructura gramatical» se explica a la luz del modelo generativista en el que Labov trabaja. Como es sabido, para Chomsky (1965) y sus seguidores los niveles fónico y semántico, tradicionalmente independientes en la investigación lingüística, son dos componentes más de la gramática de una lengua, que interpretan los datos procedentes de la sintaxis. Por ello, un rasgo fónico también forma parte integral de la estructura gramatical de una lengua.

sólo en una mera —pero ciertamente relevante— cuestión metodológica, como es la considerable mayor recurrencia de las unidades fonológicas en relación con otras del análisis lingüístico, sino también en el hecho de que el material fonológico aparece integrado en el seno de sistemas cerrados, lo que facilita enormemente su estudio. Por otro lado, las variables fonológicas muestran con no poca frecuencia una notable estratificación social y estilística, lo que ha atraído el interés de los estudiosos acerca de las relaciones entre la lengua y la sociedad (Moreno Fernández 1998: 21)

En la práctica sociolingüística, la variable fonológica se considera habitualmente como el segmento fonológico subyacente, mientras que las realizaciones de superficie —esto es, sus variantes— constituyen el conjunto de equivalencia al que nos referíamos anteriormente. Pese a ello, una caracterización como ésta de las unidades del análisis variacionista no se halla exenta de dificultades. En ocasiones, por ejemplo, se ha llamado la atención acerca del hecho de que los límites de una variable fonológica pueden no corresponder exactamente con los de un fonema (J. Milroy y L. Milroy 1997: 61). Por otro lado, fonemas distintos pueden coincidir parcialmente en sus realizaciones de superficie, como ocurre en español en los casos de neutralización de ciertas consonantes, como las líquidas. En su estudio sobre la realización de estas consonantes en una variedad rural panameña, Broce y Torres Cacoullos (2002: 342) han visto, por ejemplo, cómo, pese a que los patrones cuantitativos de distribución señalan la existencia de dos variables fonológicas, ambas comparten las mismas variantes: vibrantes y laterales estándares, variantes geminadas y elididas.

TABLA 5
Variantes de *(r)* y *(l)* en Coclé (Panamá):
cifras globales para el corpus (N = 6424) y distribución
según los fonemas */r/* y */l/*, según Broce y Torres Cacoullos (2002)

| | N | % SOBRE TOTAL | /r/ | /l/ |
|---|---|---|---|---|
| Vibrante *[r]* | 2.503 | 40 | 84 | 16 |
| Lateral *[l]* | 2.326 | 36 | 10 | 90 |
| Elidida (∅) | 1.170 | 18 | 86 | 14 |
| Geminada | 362 | 6 | 33 | 67 |
| Otras (aspirada, etc.) | 63 | 1 | 65 | 35 |

Otro problema importante con el que se enfrenta a menudo el investigador es la delimitación de los conjuntos de equivalencia que representan las variantes de una variable fonológica (Moreno Fernández 1998: 22). Por lo general, la solución que se adopta en este caso consiste en el establecimiento de clases o tipos de sonidos, que pueden ser agrupados en variantes discretas, dado que las posibilidades de realización de un fonema son indefinidas. Así se ha hecho en los ya numerosos estudios que han tenido al sistema fonológico del español como principal objeto de interés. Veamos algunos ejemplos representativos.

En su investigación sobre el fonema */ĉ/* en el español de San Juan de Puerto Rico, A. Quilis y M. Vaquero (1973) descubrieron la presencia de seis tipos acústicos diferenciados: 1) africado puro, 2) fricativo puro, 3) africado con tres momentos, 4) fricativo con dos momentos de fricación, 5) fricativo con tres momentos de fricación y 6) africado con dos momentos de fricación. Sin embargo, el conjunto de equivalencia utilizado para este trabajo estuvo integrado sólo por dos realizaciones: una fricativa, que agrupaba los sonidos 2, 4 y 5, y otra africada, representante de los demás (citado en López Morales 1983a: 149). En otra comunidad de habla americana, Alba (1988) realizó una abstracción semejante a partir de la alofonía detectada en la pronunciación del segmento */l/* en posición implosiva en el español dominicano, limitando el análisis a cuatro variantes: lateral *[l]*, vibrante *[r]*, vocalizada *[i]* y cero [Ø]. Y a este lado del Atlántico, Martínez Martín (1983a) redujo también a cuatro tipos las ocho variantes que detectó en su análisis del segmento */ll/* en la ciudad castellana de Burgos.

Por otro lado, y como recuerda López Morales (1989: 35) la determinación de las unidades de estos conjuntos no ha estado regida por el detalle que procede de los espectrogramas, sino por la realidad oída, lo que, en ocasiones, ha dificultado la delimitación de las variantes, cuya nómina puede diferir entre unos estudios y otros[10]. Tomemos como ejemplo la variable *(-s)* en posición implosiva, probablemente el segmento fonológico del español más estudiado desde una perspectiva variacionista. Las variantes de esta variable parten de una tríada elemental, que marca las etapas más señaladas del proceso de debilitamiento consonántico: la sibilante *[s]*, la aspiración *[h]* y la elisión [Ø].

---

[10] Con todo, en los últimos años han comenzado a realizarse estudios de variación fónica basados en análisis sonográficos y acústicos, especialmente en comunidades de habla americanas (cfr. Cepeda *et al.* 1988, 1991, 1992, Cepeda y Poblete 1993, Roldán 1998, etc.).

Ahora bien, en algunos estudios repartidos por todo el mundo hispánico, a ésta se han añadido algunas formas adicionales. En su estudio sobre el habla de Santiago de los Caballeros (República Dominicana), Orlando de Alba (1982a) incluye, por ejemplo, una variante asimilada adicional, y lo mismo se ha hecho con otras poblaciones americanas y peninsulares[11]. Incluso otros autores, como Hidalgo (1990), han llegado a plantear la existencia de cinco variantes —tensa, predorsoalveolar, aspirada, interdentalizada y omitida— en su análisis sobre la distribución de *(-s)* en el español de Mazatlan (México). Un número similar al empleado por Martín Butragueño (1992) (sibilante, aspirada, asimilada, elidida y *[r])* entre la población inmigrante de Getafe (Madrid)[12].

Las diferencias reseñadas en los párrafos anteriores aumentan la dificultad para el estudio comparativo de una misma variable en comunidades diferentes, incluso entre aquellas que se encuentran próximas geográficamente. Ello ha ocurrido, por ejemplo, en el estudio del fonema */d/* en algunos contextos intervocálicos, otra de las variables estudiadas como mayor profusión entre nosotros. Así, en su estudio sobre esta variable fonológica en el español hablado en Caracas, D'Introno y Sosa (1986) propusieron el análisis de tres variantes diferenciadas (una fricativa plena, un sonido de transición debilitado y una variante elidida). Por el contrario, algunos años más tarde, otro estudioso de la variación fonológica venezolana tomaba sólo en consideración dos de estas formas (fricativa y elidida) en el habla de otra ciudad, Puerto Cabello *(vid.* Navarro 1995). Lógicamente, entre las realizaciones fricativas de esta última investigación debieron incluirse algunas variantes debilitadas, por lo que resulta difícil hacerse una idea cabal de las posibles diferencias distribucionales entre ambas comunidades.

---

[11] Así ocurre, por ejemplo, en las investigaciones emprendidas en comunidades urbanas como La Habana (Terrell 1979), Panamá (Cedergren 1973, 1978), Rosario (Donni de Mirande 1987b), Filadelfia (Poplack 1979), Caracas (Longmire 1976), San Juan de Puerto Rico (López Morales 1983a), Las Palmas (Samper 1990) y Toledo (Calero 1993), entre otras.

[12] Las variantes básicas de *(-s)* (sibilante, aspiración y elisión) han sido analizadas también en otras posiciones silábicas. Así lo han hecho, por ejemplo, García y Tallón (1995) a partir de una muestra del español hablado en San Antonio (Texas). La principal conclusión de este trabajo es que el proceso de debilitamiento que afecta a esta consonante en posición inicial de sílaba en dicha comunidad norteamericana se limita a unas pocas unidades léxicas *(v. gr.*, el pronombre *nosotros* > *nohotros)*, por lo que se propone la existencia de un fenómeno de variabilidad morfológica más que fonológica. Distinto es, sin embargo, el panorama que ofrece Lipski (1983) en el español de Honduras, donde los casos de aspiración de */-s-/* intervocálica interior e inicial de palabra parecen extenderse rápidamente por todo el espectro social.

Desde una perspectiva cualitativa, podemos distinguir asimismo dos clases de variables en función de su naturaleza fonética (Wardhaugh 1986: 165). Por un lado, se encuentran aquellas cuyas variantes se hallan suficientemente diferenciadas desde el punto de vista articulatorio y acústico. Así ocurre en español con *(-s),* cuyas variantes principales (sibilante, aspiración y Ø fonético) cumplen con los requisitos anteriores. Por el contrario, existen otras variables fonológicas, cuyos alófonos no se distinguen tanto desde el punto de vista cualitativo cuanto desde otro meramente cuantitativo. En este segundo caso, la variación se produce a lo largo de un *continuum* fonético a partir de una determinada propiedad acústica (cantidad, nasalización, labialización, etc.), entre cuyos extremos se sitúan las diversas variantes que son objeto de estudio[13].

Con todo, la polémica en torno a la naturaleza de las variantes y su relación con la variable objeto de estudio no ha dejado de preocupar a los estudiosos. En relación de nuevo con la variable *(-s),* por ejemplo, cabe plantearse si resulta lícito seguir asumiendo que la forma [Ø] es una más de sus variantes, a la misma altura que las realizaciones sibilantes, incluso en comunidades en las que los hablantes apenas realizan estas últimas. Como destacaba J. Harris (1984: 303) hace ya un par de décadas, en los casos en que compiten dialectos estándares y no estándares resulta difícil aceptar que las variantes en cuestión constituyen manifestaciones superficiales de una misma representación profunda. Lo que viene a demostrar una vez más que las variables con las que trabaja la sociolingüística no siempre se corresponden netamente con las unidades convencionales del análisis lingüístico. O también, que nuestra disciplina no ha profundizado lo suficiente en la resolución de este problema teórico, limitándose las más de las veces a considerar las variables lingüísticas como simples instrumentos analíticos (Winford 1996: 178).

Por otro lado, en los primeros estudios sobre variación fonológica la mayoría de los investigadores proponían trayectorias independientes para la evolución de ciertos fonemas desde las variantes normativas hasta las variantes no normativas. Desde este punto de vista, las variantes representarían etapas entrelazadas en un proceso de debilitamiento

---

[13] Un ejemplo de este tipo de variables nos lo ofrecen algunos estudios sobre fenómenos como la nasalización vocálica en algunas regiones del español de América, como Venezuela, donde algunos investigadores han llamado la atención acerca de una fuerte nasalización vocálica entre los grupos sociales bajos de ciudades como Caracas y Maracaibo (cfr. Obediente 1998: 12; Chela-Flores 1986: 294).

fónico. Así, en su estudio sobre la distribución social de *(-s)* implosiva en el español de Rosario (Argentina), y siguiendo la senda emprendida anteriormente por otros investigadores en diversas regiones hispanoamericanas, Donni de Mirande (1989, 2000) ha indicado la existencia de dos de estas reglas, aspiración y elisión, cada una de las cuales viene favorecida por factores diversos:

1. s → h
2. h → Ø

Según la autora argentina, la primera regla —aspiración— es impulsada preferentemente por la posición interna de palabra («tosco»; P .61), los contextos preconsonánticos («cascos»; P .69) y prevocálicos («toscos y...»; P .61) y el estatus gramatical del fonema en la morfología verbal («tienes»; P .61). La aspiración muestra también una correlación significativa con el nivel sociocultural de los hablantes así como con el estilo, de manera que las variantes aspiradas aumentan conforme disminuye el nivel educacional de los hablantes y el grado de formalidad[14].

Sin embargo, y al margen de algunos factores ya reseñados en el párrafo anterior (estatus gramatical en la morfología verbal, nivel sociocultural y estilo), la regla de elisión (h → Ø) viene favorecida por otros factores diferentes. Así, entre los de carácter lingüístico sobresale ahora el contexto prepausal (P .65), el cual, sin embargo, no alentaba la regla de aspiración. Y en el plano social, los jóvenes, que favorecían ligeramente la regla de aspiración, no lo hacen ahora (P .48).

Más complejo sería aún el caso de otros fenómenos, como la evolución de *(-r)*, para el que se han propuesto dos caminos evolutivos diferentes: uno de trueque de *[r]* → *[l]*, y otro, de debilitamiento, por el que *[r]* realiza el siguiente recorrido hasta llegar a la elisión (cfr. Cedergren 1973: 112; Poplack 1986: 97):

*[r]* → variante espirantizada → variante aspirada → variante geminada → variante elidida

Sin embargo, Broce y Torres Cacoullos (2002: 346) han propuesto más recientemente un análisis en el que todas estas variantes se inter-

[14] Complementariamente, los hablantes jóvenes son los únicos que alientan levemente esta regla dentro de la pirámide generacional.

pretan como independientes entre sí. Dicho de otra manera, no suponen que son el resultado de reglas ordenadas que operan solamente después de haberse aplicado otra regla anterior. Por el contrario, estas autoras consideran que las variantes asimiladas y espirantizadas no se producen durante un proceso de debilitamiento hacia el cero fonético. Aunque hay quien sostiene que la elisión pasa por una etapa previa de aspiración (D. Sankoff 1986), Broce y Torres Cacoullos dicen hallar muy pocas ocurrencias de esta última en el español de Coclé (Panamá) como para que puedan considerarse como una fase previa en la evolución hasta la variante elidida.

### 6.2. *Restricciones estructurales en la variación fonológica del español*

La variación fonológica se halla condicionada a menudo por factores lingüísticos, sociales y estilísticos, generalmente por este orden de relevancia. Los primeros aluden a las presiones internas del sistema lingüístico y entre ellos es frecuente distinguir diversas clases, en especial las tres siguientes:

a) *distribucionales,* los cuales afectan a la posición en que aparece la variable objeto de estudio en el seno de la cadena hablada (posición inicial, intermedia o final de sílaba, palabra...);
b) *contextuales:* dan cuenta de los elementos que aparecen en el co-texto contiguo —previo o siguiente— del segmento fonológico analizado, y
c) *funcionales:* aluden a la naturaleza gramatical de la variable (función gramatical, clase de morfema, etc.)[15].

[15] A estos factores se ha añadido más excepcionalmente otros, que han demostrado ser también significativos en ciertas investigaciones sobre variación fonológica. Así ocurre, por ejemplo, en el estudio de Orlando de Alba (1982a) sobre *(-s)* implosiva en Santiago de los Caballeros, en el que se incluye el número de sílabas de la palabra como factor explicativo de la variación: las palabras polisilábicas *(cuatrocientos)* favorecen el debilitamiento de la consonante, mientras que las monosilábicas *(dos)* lo desfavorecen. En la misma línea, Cepeda (1991) ha visto que en el español de Valdivia (Chile) la retención de *(-s)* es mayor en monosílabos y palabras sin acento. Por el contrario, la elisión aparece con mayor frecuencia en las palabras tónicas y en aquellas que cuentan con varias sílabas.

Otro factor estructural considerado en algunos estudios sobre variación fonológica es la frecuencia de los elementos en el discurso. Así, en su estudio sobre la variabilidad demostrada por el fonema labial */b/* en el español hablado en Nuevo México, Torres Cacoullos y Ferreira (2000) advierten que la variante labiodental, *[v]*, se ve claramente favo-

A continuación mostraremos algunos casos de variación fonológica que permiten ejemplificar la incidencia de dichos factores en diversas regiones hispánicas.

Para empezar nos haremos eco del fenómeno de la lateralización de *(-r)*, fenómeno muy frecuente en algunas comunidades de habla caribeñas y centroamericanas. Uno de los primeros estudios variacionistas sobre este rasgo lo debemos a Shouse de Vivas (1978) en el español de Puerto Rico. Como muestra la tabla 6, los niveles de realización de la variante lateral *[cantar > cantal]* fluctúan considerablemente en función de algunos de los factores mencionados. Así, un hecho contextual como el contexto «prefricativo» (como en «perfecto») se configura como el menos favorecedor del proceso de lateralización (8 por 100). Por el contrario, otros factores de la misma naturaleza *(v. gr.*, ante consonante lateral, como en «Carlitos») (48 por 100), así como algunos de carácter *distribucional (v. gr.*, la posición «prepausal») (60 por 100) y *funcional (v. gr.*, la marca de «infinitivo», como en «cantar») (52 por 100), se sitúan a la cabeza en la difusión del lambdacismo en la matriz lingüística de este fenómeno variable.

TABLA 6
Factores lingüísticos que afectan a la regla de lateralización en Puerto Rico, según Shouse de Vivas (1978)

| FACTORES LINGÜÍSTICOS | *[r]* → *[l]* (%) |
|---|---|
| Prepausal | 60 |
| Final de palabra | 38 |
| Posición interna | 28 |
| Prelateral | 48 |
| Prenasal | 25 |
| Preficativa | 8 |
| Prealveolar/dental | 39 |
| Otras | 20 |
| Infinitivo | 52 |
| Monomorfémica | 25 |

recida entre las palabras más frecuentes. Un hecho, por cierto, que les obliga a desechar el influjo interferencial como el elemento más importante en este hecho de variación fonológica (sin embargo, véase Phillips 1982 para el español de Los Ángeles; más detalles sobre esta cuestión en tema XVI, § 5.3.2).

La distribución que muestra este trueque fonético en la comunidad panameña de Coclé (Panamá) es parcialmente distinta *(vid.* Broce y Torres Cacoullos 2002: 344). En primer lugar, esta comunidad muestra una considerable inclinación mayor hacia el *rotacismo (l → r)* que las áreas caribeñas, donde, por el contrario, es más habitual el *lambdacismo (r → l)*[16]. Con todo, en este último desenlace fonético aparecen implicados algunos factores estructurales similares a los que advertíamos en la comunidad portorriqueña. Como puede verse en la tabla 7, de todas las variables estructurales consideradas, es de nuevo la posición prepausal la que más favorece la variante lateral (16 por 100). Sin embargo, otros contextos que en el caso anterior resultaban significativos no lo son ahora. Así ocurre, por ejemplo, cuando la consonante va seguida por sonidos, líquidos o vocelicos, cuyos resultados son casi simbólicos en la comunidad panameña (1 por 100).

TABLA 7
Factores lingüísticos que afectan a la regla de lambdacismo en Coclé (Panamá), según Broce y Torres Cacoullos (2002)

| CONTEXTOS | *[r] → [l]* (%) |
|---|---|
| Obstruyente | 8 |
| Vocal | 1 |
| Pausa | 16 |
| Líquida | 1 |
| Nasal | 7 |

Otro excelente banco de pruebas para comprobar la incidencia variable de estos factores estructurales lo representan también aquellos trabajos empíricos que se han ocupado hasta la fecha del estudio acerca de la variación de *(-s)* implosiva en diferentes comunidades de habla del mundo hispánico. En su análisis sobre esta variable en el español de Las Palmas de Gran Canaria, Samper (1990) ha comprobado, por ejemplo, que ésta depende de todos los factores estructurales mencionados en mayor o menor medida. Limitando los datos a la variante más frecuente en esta comunidad canaria, la aspiración, esta investiga-

[16] El orden de frecuencia relativa de las variantes es el siguiente: *(r)* = *[r]* > 0 (elisión) > *[l]* (lateralización) > geminadas.

ción variacionista demuestra que la misma se ve favorecida en: a) la posición *interna* de palabra (95,5 por 100 frente a tan sólo un 45,78 por 100 de aspiraciones en posición final de palabra); b) los contextos *prevocálicos* (58,24 por 100)[17], seguidos por los *preconsonánticos* (51,52 por 100). Por el contrario, la posición *prepausal* desfavorece claramente dicha variante (14,62 por 100); y c) el *estatus gramatical* del fonema, aunque en el presente caso con diferencias mucho menos significativas que las detectadas en algunos dialectos caribeños: 49,05 por 100 cuando la *(-s)* desempeña una función gramatical, como la marcación del plural en los sintagmas nominales *(mesas)* o la de persona en la conjugación verbal *(empiezas)*, frente a un 43,22 por 100 cuando no cumple dichas funciones.

Sin embargo, en otra comunidad de habla, esta vez situada al otro lado del Atlántico (la ciudad de Rosario, en Argentina), Donni de Mirande (1987a, 1989) ha visto que, de las tres clases de factores considerados inicialmente, tan sólo los contextuales resultan determinantes: el contexto prevocálico es el que más favorece la retención de la sibilante, seguido del prepausal y por último, del preconsonántico. Por el contrario, para la aspiración es el contexto preconsonántico, seguido del prevocálico, el entorno más favorecedor.

Especialmente problemáticos resultan los factores de naturaleza *funcional*, cuya incidencia en la variación de *(-s)* ha arrojado ocasionalmente resultados muy diferentes. Algunas investigaciones han destacado que la elisión de este segmento disminuye en los contextos en que posee un valor funcional relevante, como ocurre cuando la *-s* es marca de plural *(diccionarios)* o permite distinguir entre la segunda y la tercera persona del singular en la conjugación de algunos paradigmas verbales *(cantabas vs. cantaba)*. Así en un estudio variacionista pionero sobre el dialecto portorriqueño de la ciudad de Jersey, Ma y Herasimchuk (1971) vieron cómo este papel gramatical de la *-s* influía positivamente en la retención del segmento, de manera que los porcentajes de elisión disminuían conforme se incrementaban las posibilidades de ambigüedad funcional. Años más tarde, y esta vez en una comunidad peninsular, Calero (1993) llamaba también la atención sobre el hecho de que la ya de por sí escasa propensión a las realizaciones elididas de *(-s)* en el habla de Toledo (España) decrecía todavía más en aquellos contextos en los que el fonema representaba el morfo de plural en los sintag-

[17] Y dentro de éstos, los prevocálicos átonos 66,68 por 100 frente a los 28,52 por 100 para los tónicos.

mas nominales. Estos resultados vendrían a avalar la llamada *hipótesis funcional*, enunciada entre otros por Kiparsky (1972: 175) y Terrell (1977, 1980-1981), y según la cual: «... si una regla está gobernada principalmente por determinantes gramaticales, los determinantes actuarán de manera que se conserve la representación morfológica de las categorías gramaticales primarias».

Sin embargo, otros estudios variacionistas sobre el mismo segmento han restado valor a dichos factores funcionales. En su investigación acerca del español hablado en San Juan de Puerto Rico, López Morales (1983a) advertía, por ejemplo, que salvo en algunos casos que afectan a palabras monomorfemáticas *(dos)* los papeles gramaticales atribuibles al fonema */-s/* no reforzaban las variantes sibilantes y aspiradas[18]. Por su parte, Valdivieso *et al.* (1988) han comprobado también cómo en las ciudades chilenas de Concepción y Valparaíso la función gramatical no resulta significativa en la variación de *(-s)*[19]. Y en la misma línea argumental, Ranson (1988) asegura que sus datos acerca del español y andaluz no confirman la hipótesis funcional. Entre otras razones porque, las más de las veces, la elisión de *-s* no provoca dificultades de comprensión, ya que la regla se aplica en sintagmas en los que pueden utilizarse otras informaciones gramaticales y contextuales para inferir adecuadamente tanto el número de los nombres como la persona verbal.

Señalemos, por último, que la influencia de los factores estructurales puede diferir no sólo entre comunidades de habla diferentes, sino también entre sociolectos diversos dentro de una misma comunidad. En su estudio sobre la distribución social de diversas consonantes obstruyentes posnucleares en Caracas, J. González y M. E. Pereda (1994) han comprobado que, en posición interior de palabra, éstas presentan un espectro de realizaciones fuertemente asociado al nivel socioeconómico de los hablantes. Así, las variantes elididas *(pepsicola → pesicola, concepción → conceción...)* se producen con notable mayor frecuencia en-

---

[18] Ya anteriormente Poplack (1979) había advertido que en otra comunidad portorriqueña de EE.UU. (esta vez en la ciudad de Filadelfia) la elisión de *(-s)* y otras marcas morfológicas de plural no provocaba ambigüedad, y por lo tanto, no alentaba mecanismos compensatorios.

[19] Incluso en una tercera comunidad chilena, la ciudad de Valdivia, Cepeda (1992, 1995a) ha advertido una curiosa tendencia a la elisión de *(-s)*, precisamente en la formación de los plurales. En este proceso se ve afectada también la posición secuencial de la marca de plural en el seno del SN. De este modo, por ejemplo, la */-s/* redundante de los adjetivos pospuestos *(ojos tiernos)* tiende a elidirse con mayor frecuencia que en la posición antepuesta *(tiernos ojos)*.

tre los hablantes de los estratos sociales medios y bajos de la capital venezolana (74 por 100) que entre los correspondientes a los niveles altos (24 por 100). Sin embargo, el patrón distribucional es considerablemente distinto en el caso de la *(-d)* en posición final de palabra, contexto en el que la elisión *(verdá, ciudá...)* se produce de forma categórica en todo el espectro social.

### 6.3. *La influencia del* continuum *estilístico en la variación fonológica*

Las modificaciones en el eje estilístico desempeñan también un papel relevante en la variación fonológica. Por variación estilística entendemos inicialmente los cambios lingüísticos que tienen lugar cuando los hablantes participan en diferentes contextos comunicativos, lo cual supone reconocer que los individuos no hablan (o escriben) de la misma forma en cualquier ámbito (cfr. Labov 1972b; Bell 1984; Medina Rivera 1999).

Con todo, los estudios que consideran la incidencia de este factor difieren a la hora de interpretar cuáles son los parámetros que sirven para concretar mejor los diferentes estilos con los que puede enfrentarse el analista. En la mayoría de las ocasiones, éstos han seguido el modelo inicial de Labov (1966: 90 y ss.), quien consideraba que las diferencias estilísticas dependen de la atención que el hablante presta a su habla. Los investigadores que se decantan por esta forma de interpretar la variación estilística utilizan diversas estrategias para obtener diferentes estilos de formalidad. Una de las más frecuentes consiste en reunir diversas muestras de habla de un mismo hablante a partir de un *continuum* creciente de formalidad como el que suponen algunos —o todos— de los siguientes registros: a) conversación informal, b) entrevista semidirigida, c) lectura de textos y d) lectura de pares de palabras. Como es lógico, desde esta perspectiva el habla más cuidada tiene lugar en la lectura de pares léxicos, y el estilo más informal en la conversación libre, ya que se asume que en este caso los hablantes prestan mayor atención al contenido que a la forma de su discurso.

Un ejemplo claro de variación diafásica que utiliza estas fuentes para la obtención de diferentes estilos lo proporciona el gráfico 1, en el que se da cuenta de la distribución de realizaciones laterales de *(-r)* en el español de San Juan de Puerto Rico (López Morales 1983b).

Como puede observarse, el porcentaje de lateralizaciones (cantar > cantal) disminuye considerablemente desde el estilo más informal (A) hasta el estilo más formal (D: lectura de pares de palabras), como consecuencia de la activación progresiva de la conciencia lingüística de los hablantes.

GRÁFICO 1
Perfil diafásico de lateralizaciones de *-/r/* en San Juan de Puerto Rico, según López Morales (1983b)

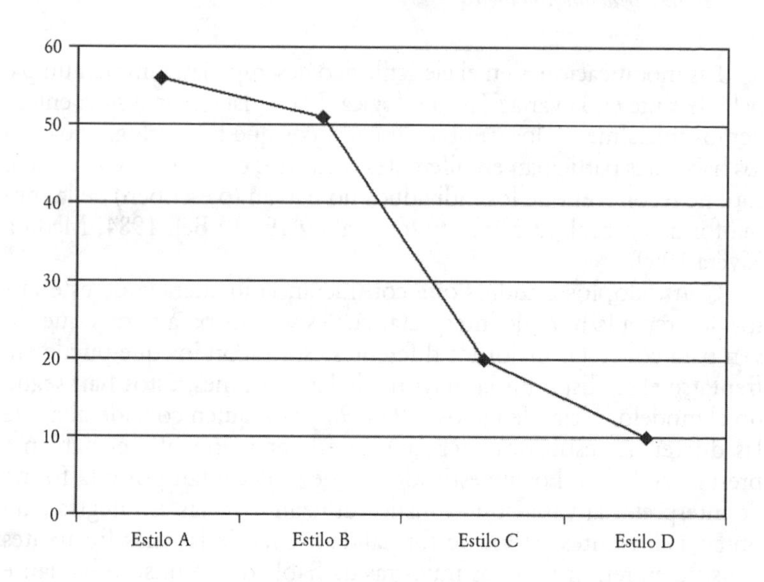


Otros autores, menos confiados en la bondad de estas estrategias, prefieren obtener las diferencias estilísticas a través de otros procedimientos. Así, para la obtención del estilo más casual, por ejemplo, algunos investigadores reservan la última parte de las entrevistas sociolingüísticas que sirven para la obtención de sus muestras de habla. Se supone que en esta fase la confianza del interlocutor se halla más asentada, lo que aprovecha el analista para preguntarle acerca de ciertos temas más personales, y destinados a incrementar su locuacidad (al tiempo que disminuye la atención que presta hacia su propia habla): hablar sobre los momentos más vergonzosos vividos por el informante, los sustos, accidentes o situaciones peligrosas, etc.[20]. Broce y Torres Cacoullos (2002: 346) recuerdan que en esta parte de la grabación (los últimos quince minutos de sus entrevistas, que, en contraste con la primera parte, utilizaron para extraer el estilo más espontáneo de habla) se produjeron abundantes risas y hasta en algunos casos, palabras obscenas. Ello contribuye a explicar por qué en las dos variables fonológicas analizadas en este trabajo —*(-r)* y *(-l)*— el factor estilístico resultara significativo: en comparación con la primera sección de las entrevistas, todas las variantes no estándares (elisión, lateralización o rotacismo, geminación) surgían ahora con mayor frecuencia. Limitando nuestra ejemplificación al caso de *(-r)*, obsérvese la tabla 8 cómo todas las variantes presentan esta diferencia estilística de forma significativa. Las realizaciones de la variante estándar *[r]* se ven favorecidas en el habla más cuidadosa (P .58 frente a P .35 para el habla causal). Y lo contrario sucede con las demás variantes, cuyas frecuencias y pesos probabilísticos se incrementan significativamente en los pasajes de habla más informales.

TABLA 8
Incidencia del eje estilístico en la variación de *(-r)*,
en Coclé (Panamá), según Broce y Torres Cacoullos (2002)

| ESTILO | *[r]* | | Ø | | *[l]* | | GEMINADAS | |
|---|---|---|---|---|---|---|---|---|
| | P | % | P | % | P | % | P | % |
| Casual | .35 | 47 | .57 | 34 | .70 | 12 | .68 | 5 |
| Cuidadoso | .58 | 67 | .46 | 26 | .39 | 4 | .40 | 2 |

Ahora bien, la importancia del factor estilístico se advierte todavía con mayor precisión cuando los hablantes con similares atributos sociológicos muestran diferentes patrones de variabilidad en función de factores discursivos particularmente relevantes. Pese a ello, son escasos hasta la fecha los estudios que analizan la incidencia de estos parámetros. Como ha recordado Medina Rivera (1999) a propósito de uno de ellos:

> La mayoría de los estudios en los que se toma en consideración la variación estilística no muestra la relación que existe entre el hablante

[20] Sobre los problemas metodológicos que plantean estos recursos, relacionados con la llamada *paradoja del observador*, véanse Moreno Fernández (1990) y L. Milroy (1987), entre otros.

y su interlocutor, o entrevistador y entrevistado, y en muchos casos, éstos ni siquiera hablan el mismo dialecto.

Por esta razón, en su análisis acerca de dos variables fonológicas en el español hablado en Puerto Rico —*(rr)* y *(r)*—, este autor propone un tratamiento de la variación estilística de acuerdo con la teoría sobre la *audiencia*, la cual permite distinguir cuatro factores situacionales diferentes[21]. Junto a la relación entre los interlocutores (a) informantes conocidos previamente por el entrevistador, y b) informantes desconocidos hasta el momento de la entrevista) se analizaron tres factores independientes, a saber:

1) la *situación comunicativa* (conversación individual, conversación en grupo y presentación oral);
2) el *género discursivo;* y
3) el *tema de la conversación.*

Los resultados del presente estudio muestran cómo dichos factores son incluso más significativos que los de orden social[22]. O dicho de otra manera, que algunas diferencias sociolectales abundantemente reseñadas en la bibliografía sociolingüística pueden neutralizarse como consecuencia de la intervención de este tipo de variables discursivas. Así, por ejemplo, y en relación con el primero de los factores considerados (véase tabla 9), Medina comprobó que la producción de variantes no estándares tenía lugar con mayor frecuencia en la conversación con los informantes conocidos previamente por el investigador (P .58 y P .51 para *(r)* y *(rr)* y *rr*, respectivamente). Por el contrario, la conversación con desconocidos o bien desfavorecía estas formas en algunos casos —así las de *(-r):* P .39—, o bien no ejercía influencia alguna —el caso de *(rr):* P .49.

Pese a ello, aún resultaron más reveladores tanto la situación comunicativa como el género discursivo. Como muestra la tabla 10, la probabilidad de que las variantes no estándares —por ejemplo, la velarización— se incrementen en el curso de la interacción está íntimamente relacionada con el tipo de entrevista en que intervienen los informantes. De este modo, y como cabía de esperar, las formas vernáculas se dan preferentemente en las conversaciones en grupo (P .66 y P .85), en las que la conciencia lingüística se diluye en mayor medida, seguidas por

---

[21] Las observaciones teóricas sobre el diseño del lenguaje de acuerdo con la *audiencia* sirvieron previamente a Finegan y Biber (1994) para comprobar empíricamente cómo los registros, sean orales o escritos, no existen al margen de la audiencia.

[22] También lo son otros de naturaleza lingüística, como el valor morfemático de las variables, el acento o el número de sílabas, pero por razones obvias no serán desarrollados aquí.

TABLA 9
Incidencia del tipo de interlocutor en la variación estilística de *(r)* y *(rr)* en Puerto Rico, según Medina Rivera (1999)

| | VARIANTES NO ESTÁNDARES DE *(r)* | | VARIANTES NO ESTÁNDARES DE *(rr)* | |
|---|---|---|---|---|
| | % | P | % | P |
| Interlocutor conocido | 44,4 | .58 | 10,7 | .51 |
| Interlocutor no conocido | 24,4 | .39 | 7,8 | .49 |

las conversaciones individuales (P .54) en el caso de *(r)* —no así en el de *rr*, la variante más estigmatizada de todas. Por el contrario, la formalidad de las presentaciones orales desfavorece claramente tales variantes subestándares (P .16 y P .40).

TABLA 10
Incidencia del tipo de entrevista en la variación diafásica de *(r)* y *(rr)* en Puerto Rico, según Medina Rivera (1999)

| | VARIANTES NO ESTÁNDARES DE *(r)* | | VARIANTES NO ESTÁNDARES DE *(rr)* | |
|---|---|---|---|---|
| | % | P | % | P |
| Grupo | 62,8 | .66 | 16,4 | .85 |
| Individual | 52,9 | .54 | 8,6 | .41 |
| Presentación | 6,6 | .16 | 5,3 | .40 |

Por último, la variable se correlaciona también significativamente con el tipo de discurso. Las formas vernáculas se difunden ante todo en las secuencias dialogales (P .59 y P .72 para *(-r)* y *(-rr)*, respectivamente) y en menor medida también en las narrativas (P .58 y P .56). Sin embargo, otros tipos de discurso, como los fragmentos expositivos y argumentativos, las desfavorecen, y potencian, por el contrario, la aparición de las variantes estándares[23].

[23] Sin embargo, el tema de conversación no resultó significativo en esta investigación, aunque quizá en ello pudieran tener alguna responsabilidad las notables «complicaciones» que supuso su análisis, como el mismo autor reconoce (pág. 539).

TABLA 11
Incidencia del género discursivo en la variación estilística de *(r)* y *(rr)* en Puerto Rico, según Medina Rivera (1999)

| | VARIANTES NO ESTÁNDARES DE *(r)* | | VARIANTES NO ESTÁNDARES DE *(rr)* | |
|---|---|---|---|---|
| | % | P | % | P |
| Diálogo | 58,4 | .59 | 24,2 | .72 |
| Narrativa | 43,3 | .58 | 12,8 | .56 |
| Otros | 37,5 | .48 | 4,4 | .47 |

Por último, algunos trabajos sobre variación fonológica han demostrado de forma más aislada, aunque no por ello menos significativa, que el estilo no ejerce siempre el mismo efecto en todos los contextos lingüísticos en que aparece una variable. Así, en su investigación sobre los factores que condicionan el debilitamiento de *(-s)* implosiva en el habla de los hablantes portorriqueños de la ciudad de Filadelfia, Poplack (1979) pudo comprobar cómo, mientras que en las palabras mono-morfémicas *(lunes, dos...)* se observaba una diferencia significativa entre el habla casual y el habla formal (esta última favorece la retención de la sibilante), dicho contraste no aparecía cuando el segmento *(-s)* era marca de plural. En este caso, la variable no se veía afectada por el *continuum* estilístico.

### 6.4. *Bibliografía complementaria sobre variación fonológica en español*

Para concluir esta sección, ofrecemos una relación adicional de investigaciones variacionistas en el plano sincrónico (eludimos las que tienen sólo carácter descriptivo y de momento también, las que se ocupan de fenómenos de cambio fonológico, que serán abordadas en un tema posterior), en las que se tratan diversos fenómenos de variación fonológica en comunidades de habla hispanas. Las referencias se agrupan por fenómeno, autor y comunidad estudiada:

*(-s):* Cedergren (1973): Ciudad de Panamá; Fontanella de Weinberg (1973): Buenos Aires; Poplack (1979): Filadelfia; Caravedo (1987): Lima; García Marcos (1987): costa granadina; Lafford (1982): Cartage-

na de Indias; Navarro (1995): Puerto Cabello; Lipski (1983): Honduras; López Morales (1983a): San Juan de Puerto Rico; López Scott (1984): Honduras; Calero (1993): Toledo; Alba (1982a): Santiago de los Caballeros; Cepeda (1990a): Valdivia; Tassara (1988): Valparaíso; Guillén (1992): Sevilla; Bedmar (1992): Ciudad Real; Moreno Fernández (1994): Orán (véanse más referencias sobre otras comunidades en Lipski 1996).

*(-d-):* Samper (1990): Las Palmas de Gran Canaria; Uruburu (1994): Córdoba (España); D'Introno y Sosa (1986): Caracas; García Marcos (1990): costa granadina; García Marcos y Fuentes González (1996): Almería; L. Williams (1987): Valladolid; Molina Martos (1992): Toledo; Blanco (1995): Alcalá de Henares; Martín Butragueño (1991): Getafe; F. Paredes (1994): La Jara (Cáceres); Turell (1996): Barcelona.

*(-n):* Haché de Yunen (1982): Santiago de los Caballeros; López Morales (1981): San Juan de Puerto Rico; Poplack (1978): Puerto Rico.

*(r)* y *(rr):* Moreno de Alba (1977), Perissinoto (1972): México; López Morales (1983b): San Juan de Puerto Rico; Cedergren, D. Sankoff y Rousseau (1986) y D. Sankoff (1986): Panamá; Gordon (1987): Bolivia.

Neutralización de */ll/* e */y/ (yeísmo):* Thon (1986): Corrientes; Chapman *et al.* (1983): Covarrubias.

*Rasgos suprasegmentales:* Chela-Flores (1994): esquemas entonacionales en el español de Maracaibo; Tapia (1995): diferencias generolectales en la entonación de preguntas y respuestas entre jóvenes chilenos; Cepeda (1995a), Cepeda y Roldán (1995): entonación femenina en Valdivia; Cepeda (1998): esquemas anticadenciales en el habla de Valdivia; Sosa (2000): análisis comparativo de los contornos entonacionales en el Caribe, América y España; Almeida (1999): tiempo y ritmo en el español de Canarias.

Tema II

# El análisis de la variación lingüística más allá de la fonología (I): Cuestiones teóricas sobre el estudio de la variación gramatical y léxica en español

## 1. Introducción

Pese a que los primeros trabajos sociolingüísticos pertenecen casi enteramente el ámbito de la fonología, por las razones que apuntábamos anteriormente, la extensión del modelo variacionista a otros niveles parecía justificada a juicio de algunos autores pioneros. Gillian Sankoff (1973: 168), por ejemplo, fue una de las primeras investigadoras en observar que la extensión del aparato probabilístico de las reglas variables desde la fonología a la sintaxis no era un paso conceptualmente difícil, y de ello daban prueba algunos resultados obtenidos ya a mediados de los años 70 en diversos trabajos empíricos sobre comunidades de habla norteamericanas y canadienses *(vid.* D. Sankoff y Laberge 1978). Esta tesis, que, sin embargo, pronto sería puesta en tela de juicio, supone que, al igual que en el nivel fonológico, la variación gramatical se halla condicionada también por factores lingüísticos internos, así como por restricciones extralingüísticas y estilísticas.

Como ha recordado Moreno Fernández (1998: 24), un repaso de los niveles del análisis situados más allá de la fonología induce a pensar que la variación que más se aproxima a las características de esta última es la morfología. Al igual que en aquélla, la variación morfológica aborda las más de las veces elementos frecuentes en el discurso, al tiempo que encorsetados en sistemas cerrados y perfectamente estructurados, y con frecuencia también estratificados estilística y socialmente. Es el caso, por ejemplo, de algunas formas alternantes en la conjugación verbal, como las terminaciones *-ste/-stes* para la segunda persona del pretérito simple, la segunda de las cuales se ha demostrado relacionada con el estatus social bajo de los hablantes, avalando la calificación de «vulgarismo» que tradicionalmente le venía otorgando la dialectología. Distinto es el caso de la alternancia entre los morfos *-ra/-se* para la expresión del imperfecto y al pluscuamperfecto de subjuntivo, terminaciones que no presentan una caracterización sociolectal tan marcada como la anterior, si bien los últimos tiempos son particularmente favorables a la primera en muchas comunidades hispánicas, invirtiendo así la tendencia general del español clásico, tradicionalmente favorable a *-se* (véanse más detalles en tema III, § 2).

(1) ¿*Saliste* el otro día por la noche?/¿*Salistes* el otro día por la noche?
(2) Me gustaría que me *llamaras* para ir al cine/Me gustaría que me *llamases* para ir al cine.

Ahora bien, así como los estudios fonológicos y morfológicos no han generado excesivos interrogantes teóricos, el análisis de la variación sintáctica ha planteado numerosos debates entre los especialistas. Para situar el problema en su dimensión justa, nos hacemos eco inicialmente de algunos argumentos esgrimidos en la bibliografía sociolingüística y que ha recogido, entre nosotros, Silva-Corvalán (1989: 98) (para una revisión general de estos problemas, véase también Winford 1996):

a) la variación sintáctica plantea como posible problema epistemológico insalvable la hipotética falta de equivalencia entre las formas supuestamente alternantes de una variable. Ello obedecería a diferencias de significado entre las mismas, que invalidarían el principio de equivalencia, cumplido sistemáticamente por las variantes en el nivel fonológico;

b) los contextos de ocurrencia de una variable sintáctica son también, por lo general, más difíciles de identificar;

c) la cantidad de variación sintáctica existente en la lengua es menor que la correspondiente a la variación fónica, lo cual dificulta notablemente su estudio. Por ejemplo, en su análisis comparativo sobre sendas variables, una fonológica *(-s)* y otra sintáctica (expresión del estilo directo), en San Juan de Puerto Rico, el sociolingüista norteamericano Richard Cameron (2000: 255-257) recuerda que para el análisis de la primera contó nada menos que con 9.359 ocurrencias del fonema */-s/* en posición implosiva. Estas cifras se redujeron, sin embargo, a 1.249 casos en su investigación posterior sobre la variabilidad en la expresión del estilo directo. Pese a ello, podríamos considerar que este autor aún tuvo suerte al contar con una muestra relativamente amplia, ya que numerosos estudios sobre variables gramaticales (especialmente sintácticas) parten de cifras mucho más bajas;

d) con no poca frecuencia, en la variación sintáctica no se hallan implicados factores estilísticos y sociales que, como hemos visto, son habituales en la variación fonológica. Por ejemplo, tras el análisis sociolingüístico de los fenómenos de *leísmo, laísmo* y *loísmo* en el habla de diversas poblaciones de la provincia de Madrid, Moreno Fernández *et al.* (1988) concluyeron que, pese a al extensión notable de los mismos —especialmente de los dos primeros—, podía afirmarse con rotundidad que ninguno se correlacionaba con factores extralingüísticos como la edad, el sexo o la procedencia de los hablantes[1].

## 2. La viabilidad del estudio sobre la variación sintáctica en español: sobre la sinonimia de las variantes

Con todo, ha sido, sin duda, el primer argumento, esto es, la cuestión relacionada con la sinonimia de las variables sintácticas, la que ha desatado una polémica más intensa entre los estudiosos. Y ello, pese a que el criterio de la equivalencia semántica no siempre se ha planteado de una forma clara. En este sentido, el problema principal que se plantea es la ausencia de unos parámetros rigurosos que permitan decidir lo que es o no equivalente.

En su intento por perfilar adecuadamente la definición de variable sociolingüística como una unidad estructural en la que alternan manifestaciones diferentes que, sin embargo, vienen a expresar lo mismo, Labov (1978: 2) sugirió que tales variantes deberían encerrar el mismo valor de verdad, o lo que es lo mismo, una sinonimia referencial bási-

[1] Sin embargo, las conclusiones en torno a esta cuestión no están del todo claras, y como veremos en las páginas siguientes, los estudios que sugieren lo contrario son muy numerosos. Como ha mostrado Martín Butragueño (1994) a partir de una muestra de 32 variables gramaticales del español, estudiadas en diferentes comunidades de habla, la intervención significativa de los factores extralingüísticos no puede descartarse, ya que con la excepción de las variables posicionales, una parte significativa de aquéllas covarían con parámetros de carácter social.

ca. Sin embargo, posteriormente algunos autores han criticado la apelación a este criterio veritativo como base para la equivalencia semántica, ya que puede conducir al absurdo de incluir como variantes de una misma variable construcciones que no poseen un significado descriptivo idéntico *(vid.* Romaine 1984a).

Así las cosas, la cuestión básica es delimitar con claridad aquellos criterios que deberían primar a la hora de establecer las variables posibles, una vez aceptado que éstos no pueden cifrarse exclusivamente en una equivalencia semántica radical. A este respecto, una de las primeras propuestas procedió de la sociolingüista argentina Beatriz Lavandera (1978), quien insistió en que las unidades sintácticas se hallan frecuentemente condicionadas por factores semánticos y pragmáticos que pueden introducir diferencias significativas importantes entre sus variantes. De ser ello cierto, éstas dejarían de ser alternativas sintácticas para expresar un mismo contenido, requisito indispensable, a su juicio, para la existencia de verdaderas variables lingüísticas. Si a ello añadimos el hecho, ya reseñado, de que la variación sintáctica tampoco se vería condicionada por factores sociales a juicio de algunos investigadores, habría que concluir con ellos que la llamada variación sintáctica debería interpretarse —y estudiarse— de una forma distinta a la fonológica.

Una de las defensoras más entusiastas de esta hipótesis en la sociolingüística hispánica ha sido desde el principio la profesora Erica García, quien la ha destacado en diversos estudios a propósito de otros tantos hechos de variabilidad sintáctica, entre los que ahora destacamos su conocida investigación acerca de los fenómenos de *dequeísmo* y *queísmo* en dialectos hispanoamericanos (E. García 1989). En este trabajo, García viene a concluir que en ambos casos las supuestas variantes implicadas en los fenómenos de variación encierran significados diferentes, por lo que nos encontramos ante unidades del análisis variacionista necesariamente distintas a las de la fonología. Y es que, aunque la presencia o ausencia de la preposición *de* se ha considerado tradicionalmente una cuestión de régimen verbal, ligada a la subcategorización de ciertos verbos, para esta autora tal afirmación debe rechazarse. En su opinión, cuando aparece la preposición, la relación entre el sujeto y el enunciado que sigue a *de* «es siempre menos segura, más parcial, menos directa, que en los casos en que falta *de*» (pág. 50). Desde esta perspectiva, una oración como (3) implicaría el escaso convencimiento del emisor sobre la confirmación futura de los hechos enunciados, frente a la mayor seguridad que supondría el uso normativo en (4)[2]:

[2] Los ejemplos son nuestros.

(3) Pienso *de que* la situación del terrorismo va a mejorar tras la guerra con Irak.
(4) Pienso *que* la situación del terrorismo va a mejorar tras la guerra con Irak.

Argumentos similares han utilizado otros autores en relación con diversas variables morfosintácticas. Así, Díaz-Peralta y Almeida (2000) afirman que las posibilidades de expresión de la futuridad verbal en el español hablado en Las Palmas de Gran Canaria —a saber: el presente de indicativo *(canto)*, el futuro morfológico *(cantaré)* y la perífrasis verbal *ir a + infinitivo (voy a cantar)*—, obedecen también a significados pragmáticos diferentes, de lo que se deriva que su consideración como variantes de una misma variable sintáctica no sería la más correcta. Más aún, para estos autores (Díaz-Peralta y Almeida 2000: 217):

> [...] on a continuum of epistemic modality [...], the speaker chooses the form ending in *-re*, the periphrastic construction, or the present indicative, depending on how much confidence is placed in the proposal contained in the statement. Maximum confidence that the action will take place is associated with the present *(voy* «I'm going»), while the greatest uncertainty is associated with the synthetic future *(iré* «I'll go»). Hence, it seems apparent that the verbal alternation produced in the expression of future time in the Spanish of Las Palmas de Gran Canaria corresponds to Lavandera's (1984: 49) approach.

Ahora bien, un problema serio que se deriva de este tipo de planteamientos es la dificultad que encuentra el analista para determinar cuáles son las intenciones (pragmáticas) del hablante al utilizar una u otra variante. Esto es, cómo es posible saber que la elección de la preposición en los contextos de *dequeísmo* obedece a las motivaciones esgrimidas por quienes niegan la posibilidad de estudio de este fenómeno bajo el paradigma variacionista[3]. O en el caso del futuro, cómo podemos estar seguros de que el hablante utiliza la forma sintética en *-ré* (cantaré) porque no está convencido del cumplimiento de su enuncia-

[3] A propósito de este fenómeno, López Morales (1989) señalaba hace unos años —y creemos que sus conclusiones siguen siendo válidas— que en el estadio actual de los estudios sobre el fenómeno del dequeísmo no parece posible llegar a conclusión alguna acerca de la identidad o diferenciación significativa de ambas formas. Para este autor, tampoco hay modo de saber si la elección de una de ellas está realmente inspirada en el interés del hablante en transmitir diferencias sutiles o, por el contrario, si se trata simplemente de una elección entre alternativas paralelas.

do. Y es que, como han destacado Poplack y Tagliamonte (1999: 321), dado que el investigador no puede acceder en la mayoría de las ocasiones a las intenciones de los hablantes o las inferencias realizadas por los receptores:

> [...] attributions of semantic motivations or interpretations of variant selection are no more valid than the alternative assumption [...] of the «neutralization» of any functions carried by these variants in «unreflecting discourse» (see D. Sankoff 1988). What we can objectively do in cases of grammatical variants is examine distribution constraints.

En el estudio sobre el futuro verbal Díaz-Peralta y Almeida (2000) señalan que han recurrido al uso de un cuestionario, en el que se pregunta a los informantes acerca de la sinonimia o no de las formas en conflicto[4]. Y lo mismo ha hecho Casanovas (1999) en otra investigación sobre variación sintáctica, esta vez sobre la alternancia entre oraciones activas y pasivas en el español hablado en Lérida. Según esta autora, el hecho de que los hablantes encuestados ofrezcan cifras tan dispares como las que pueden apreciarse en el gráfico 1, invalidaría la posibilidad de considerar ambas construcciones como variantes de una variable sintáctica y por lo tanto, su estudio no podría realizarse a partir de los presupuestos teóricos y metodológicos de la sociolingüística variacionista.

Ahora bien, aun reconociendo que el empleo de cuestionarios es siempre científicamente más válido que la mera asunción como ciertas de las intuiciones del investigador —el método tradicional de la lingüística—, es dudoso que sean el mejor instrumento en el presente caso. Los cuestionarios se han revelado útiles para algunos objetivos de la investigación sociolingüística —especialmente si logran encubrir las intenciones del investigador— como la obtención de formas poco habituales en el discurso o el análisis de las reacciones subjetivas hacia ciertas formas lingüísticas por medio de test de aceptabilidad, gramaticalidad, etc. (sobre éstas, véase más adelante tema X). Ahora bien, no parece que una cuestión tan sutil como la sinonimia entre las formas que estamos considerando —delicada incluso para la intuición del analista— pueda ser fácilmente resuelta por la mayo-

---

[4] Sobre el resultado de dicha prueba, estos autores señalan que sus intuiciones se ven confirmadas, pero en el estudio citado no aportan pruebas empíricas de que ello sea así.

GRÁFICO 1
Usos declarados como preferentes de las voces activa y pasiva sobre una muestra de hispanohablantes de la ciudad de Lérida (% sobre el total), según Casanovas (1999)

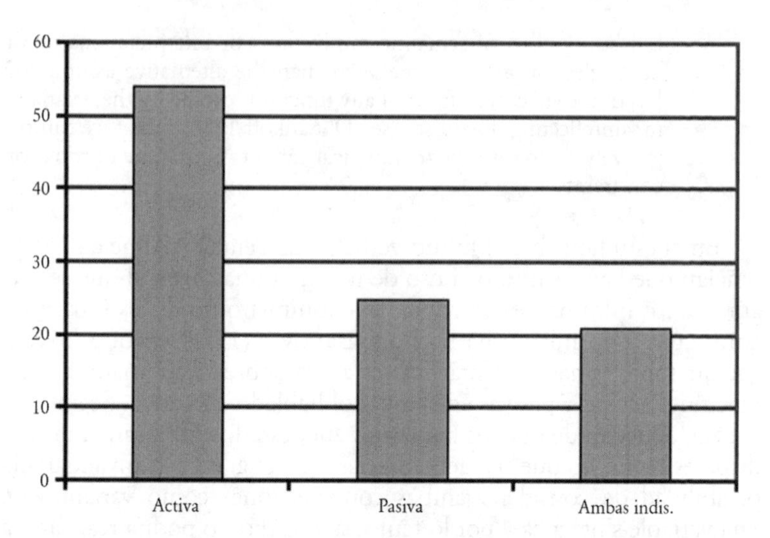


ría de los informantes. Como se ha destacado en diversas ocasiones, la capacidad para justificar de forma objetiva las creencias lingüísticas de los hablantes parece reservada a una minoría, por lo que no es previsible que los juicios mayoritarios sean una prueba definitiva acerca de la equivalencia o no entre las formas en conflicto *(vid.* López Morales 1989).

Por otro lado, es significativo que incluso algunos investigadores que niegan el estudio de la variación sintáctica —que no, obviamente, la variación misma, la cual es indiscutible— bajo los presupuestos de la sociolingüística variacionista no logren sustraerse a la tentación de analizar los factores lingüísticos y extralingüísticos que condicionan dicha variabilidad. Exactamente de la misma forma que como procedemos cuando estudiamos la variación fonológica, con la diferencia, eso sí, de que ciertos factores estructurales condicionantes son a menudo de diferente naturaleza en ambos niveles. Así, en el trabajo de Casanovas (1999: 251) al que nos referíamos en el párrafo anterior, y tras afirmar que «... la voz verbal no tendría que considerarse una variable sintáctica en términos labovianos porque no funciona como tal entre los hablantes...», esta autora aborda, sin embargo, el análisis de diversas correlaciones tanto sociales como lingüísticas. De este modo sabemos, por ejemplo, que la voz activa es más frecuente entre los segmentos de la sociedad generalmente más preocupados por el prestigio sociolingüístico de las variables lingüísticas, como las mujeres (especialmente las pertenecientes a grupos de instrucción medios y superiores). O también que la pirámide generacional ofrece un característico patrón de estratificación lineal, siendo los jóvenes los hablantes que más a menudo realizan la voz activa, seguidos por la generación intermedia y a considerable distancia de los más adultos, un hecho que podría apuntar hacia la existencia de un cambio en marcha, favorable a las construcciones activas en detrimento de la voz pasiva en el español de la comunidad de habla ilerdense de donde proceden los datos.

Incluso, la matriz lingüística muestra cómo las ocurrencias de la voz pasiva y la voz activa difieren en función de factores como el contexto situacional. Así, aunque la voz activa es la preferida en todos los contextos, su frecuencia es considerablemente más alta en algunos (respuesta al texto A)[5], con un 68 por 100, frente a tan sólo un 19 por 100 de voces pasivas y un 13 por 100 de preferencias indistintas. Por el contrario, en otros contextos situacionales (respuestas al texto B)[6], la inclinación hacia la voz pasiva (38 por 100) se aproxima ahora mucho más al nivel de la activa (46 por 100). Si a ello sumamos un 16 por 100 de hablantes que declaran que cualquiera de las dos estructuras resulta adecuada en dicho contexto, podemos intuir que éste es, sin duda, más favorable para la pasiva que el anterior. Por último, el papel temático que se otorga a los principales elementos de la oración (sujeto y objeto) arroja también algunas diferencias reveladoras, como las que se muestran en la tabla 1 (página siguiente). Y es que, como señala la propia autora: «...es significativamente diferente el tratamiento de la estructura pasiva, que se registra con mayor frecuencia en la variable o [cuando la entidad referida es el objeto]» (Casanovas 1999: 245).

[5] Texto A: «Mario era siempre muy amable con el senador. Mario era siempre muy atento con todos, pero quería esmerarse con el senador.»

Respuestas-resumen posibles: 1) El senador fue saludado por Mario *(pasiva);* 2) Mario saludó al senador *(activa);* 3) cualquiera de las dos *(activa-pasiva)* (Casanovas 1999: 257).

[6] Texto B: «El senador conocía a Mario, pero muy poco. Lo encontraba simpático, por eso se sintió satisfecho con el saludo.»

Respuestas-resumen posibles: 1) El senador fue saludado por Mario *(pasiva);* 2) Mario saludó al senador *(activa);* 3) cualquiera de las dos *(activa-pasiva)* (Casanovas 1999: 257).

TABLA 1

Incidencia de *factores sintácticos* en los usos declarados como preferentes de las voces activa y pasiva en una muestra de español hablado en Lérida, según Casanovas (1999)

| FUNCIÓN | SUJETO % | OBJETO % |
|---|---|---|
| Uso de la voz activa | 59 | 49 |
| Uso de la voz pasiva | 20 | 31 |
| Cualquiera de las dos (a favor de la sinonimia) | 21 | 20 |

De lo anterior se deduce que al estudioso de la variación sintáctica le corresponde realizar un análisis sistemático y detallado sobre el contexto variable en que se desenvuelven las unidades sintácticas. Ello supone estudiar también en este nivel la forma en que diversos factores lingüísticos, pero también estilísticos y sociales, inciden en la distribución de las formas que giran en torno a una misma unidad funcional. O lo que viene a ser lo mismo, una unidad del análisis que obedece a un mismo objetivo comunicativo (como puede ser también la expresión de la futuridad a través de diversas formas verbales). Sólo tras esta investigación exhaustiva estaremos en condiciones de afirmar que tal o cual factor favorece en mayor medida que otros la presencia en el discurso de unas expresiones lingüísticas en detrimento de otras. En este sentido, pues, la principal diferencia con la variación fonológica estriba, ciertamente, en la participación decisiva que ahora muestran las restricciones de carácter pragmático, generalmente ausentes en aquélla.

A nuestro juicio, pues, tan sólo en aquellos casos en que sea posible demostrar —tras el correspondiente análisis empírico, pero no antes— que ciertas variantes no alternan nunca en ciertos contextos, podremos negar la capacidad de los hechos de variación bajo el paradigma variacionista. Veamos un ejemplo de ello a propósito de la expresión del discurso diferido en español.

Graciela Reyes (1993: 41) ha advertido que la posibilidad de analizar el *estilo directo* y el *estilo indirecto* como dos variantes de una misma variable (el «discurso diferido») no es válida, ya que ambos representan «sistemas independientes». Así se desprende, por ejemplo, del hecho de que ciertos aspectos paralingüísticos y cinésicos de la comunicación (sonidos, gestos...) pueden reproducirse en estilo directo, pero nunca en estilo indirecto. Distinto es el caso, sin embargo, de las diversas estrategias que en español sirven para expresar el estilo directo, es decir, aquellos casos en los que una voz ajena se inserta en éste «directamente», como en (5), sin las transformaciones sintácticas que caracterizan al estilo indirecto, como en (6):

(5) Juan dijo: «Mi padre no ha llegado todavía.»
(6) Juan dijo que su padre no había llegado todavía.

En su estudio variacionista acerca de las formas de expresión del estilo directo en la comunidad de San Juan de Puerto Rico, Cameron (1998) ha visto que los hablantes alternan entre tres modalidades expresivas diferentes, las cuales participan de un mismo objetivo funcional, la reproducción directa de ideas, expresiones, gestos, etc., de otros participantes:

a) Con SN y verbo introductorio (decir, pensar, etc.):

(7) Entonces *yo digo:* «¡Ahora prepárate, que te voy a quitar un montón de cosas!»

b) Con SN, pero sin verbo introductorio:

(8) Y yo tenía miedo, y *yo* Ø: «¡Ea rayos! ¡De esto no me salva nadie!»

c) En *estilo directo libre*, mediante el cual la inserción de otras voces se realiza sin elemento introductorio alguno.

(9) Mi tío tenía una tienda cerca... Entonces me metía escapando y qué sé yo para la tienda.
Ø Ø «¿Qué pasó?
Ø Ø «No tengo clase»...

Para lo que ahora nos interesa, lo importante es subrayar que en dicha comunidad, *todas* las variantes aparecen en *todos* los contextos lingüísticos, estilísticos y sociales, si bien, ciertamente, algunos factores favorecen más que otros la difusión de cada una de ellas (para el detalle de éstos, véase más adelante § 5).

Con no poca frecuencia, además, los estudios sobre variación gramatical basados en criterios metodológicos rigurosos, y en los que se da cuenta de la actuación lingüística de diferentes hablantes —y no sólo de la intuición del investigador—, han permitido desterrar algunas observaciones difundidas durante tiempo en manuales de gramática y estudios descriptivos, aunque sin excesivo fundamento empírico. Los ejemplos de ello son numerosos y en el desarrollo de capítulos posteriores tendremos ocasión de ampliar la nómina. De momento permítasenos ejemplificar lo que decimos con el trabajo de otra sociolingüista norteamericana, Diana Ranson (1999: 126), al que ya nos referíamos anteriormente para otro propósito (véase tema primero, § 2), y en el que se somete a prueba la supuesta función expresiva —entre otras— de la posición de los adjetivos demostrativos en español.

Como es sabido, en la tradición gramatical española se ha señalado la función despectiva que el demostrativo muestra cuando aparece pospuesto al sustantivo («la señora *esa*» *vs.* «*esa* señora»; cfr. Gili Gaya 1961: 220; Alcina y Blecua 1975: 626). Sin embargo, del estudio emprendido por esta investigadora en la población cordobesa de Puente Genil se desprende que el valor positivo o negativo otorgado a los referentes nominales no parece guardar relación alguna con la posición del demostrativo. Como puede apreciarse en la tabla 2, las frecuencias de estos valores son casi iguales para las dos posiciones. La mayoría de los demostrativos expresan un valor afectivo neutro y muchos un valor positivo. Tan sólo un 8 por 100 de todos los casos se podrían clasificar como negativos, y entre éstos, la proporción de anteposiciones (8 por 100) y posposiciones (9 por 100) es casi idéntica (Ranson 1999: 126).

TABLA 2
Incidencia de factores expresivos en la posición de los adjetivos demostrativos en español, según Ranson (1999)

| | POSITIVO | NEUTRO | NEGATIVO | TOTAL |
|---|---|---|---|---|
| ANTEPOSICIÓN | 45 (40%) | 58 (52%) | 9 (8%) | 112 (78%) |
| Este | 29 | 35 | 4 | 68 |
| Ese | 16 | 17 | 5 | 38 |
| Aquel | 0 | 6 | 0 | 6 |
| POSPOSICIÓN | 13 (41%) | 16 (50%) | 3 (9%) | 32 (22%) |
| Este | 5 | 3 | 2 | 10 |
| Ese | 7 | 13 | 1 | 21 |
| Aquel | 1 | 0 | 0 | 1 |
| TOTAL | 58 (40%) | 74 (51%) | 12 (8%) | 144 (100%) |

Una muestra adicional de cómo diversas formas lingüísticas pueden alternar como variantes de una misma unidad funcional en un determinado corte sincrónico, la representan aquellos procesos de gramaticalización como consecuencia de los cuales dos o más formas semánticamente diferentes en etapas previas de la lengua han llegado a converger en torno a un mismo significado funcional básico, aunque no sin ciertos residuos derivados de los valores antiguos. Esta convivencia de significados antiguos y nuevos en lo que se ha dado en llamar procesos de *imbricación semántica (Semantic Layering)* ha sido advertida recientemente por Torres Cacoullos (1999a) en su investigación acerca de diversas perífrasis gerundivas en el español hablado en México, como las que se advierten en los ejemplos siguientes:

(10) Pero *estás hablando* de una forma de vida, Gordo.
(11) ¡Ay! *Ando buscando* unas tijeras, porque se me rompió una uña.

Aunque en su origen tales combinaciones con las formas del gerundio *(estar + gerundio* y *andar + gerundio)* tienen un significado diferente, en el presente estadio de lengua dichas expresiones presentan una distribución que podemos abordar perfectamente desde una perspectiva variacionista. De nuevo, del estudio empírico se desprende que *todas* las combinaciones perifrásticas surgen en el discurso oral mexicano en *todos* los contextos estudiados, con un significado aspectual continuativo básico. En (10) y (11), por ejemplo, podemos observar cómo tanto la perífrasis con «estar» como la perífrasis con «andar» sirven para expresar acciones que tienen lugar simultáneamente al momento de referencia[7]. De ahí que puedan interpretarse como dos variantes de una misma variable sociolingüística en el español hablado. Frente a la pretensión de que las perífrasis con «estar» poseen un significado «básicamente» progresivo, mientras que con «andar» éste es frecuentativo, Torres Cacoullos (1999a) destaca que, al menos en el español mexicano:

> As the present data indicate, it is hard to pinpoint a single invariant meaning for either *estar + gerund* or *andar + gerund.* As we have seen, both cover a range of uses, from locative and motion to progressive-continuous to frequentative-habitual; that is, both expressions are polysemous.

Lo que sucede es que, al igual que con otras variables sintácticas, determinados factores estructurales, sociales y estilísticos condicionan la

---

[7] Una prueba adicional sería que ambas se traducen al inglés con el llamado presente progresivo.

mayor o menor frecuencia de unas u otras variantes en según qué contextos. Por ejemplo, ciertos tipos de acciones y expresiones locativas favorecen más la presencia de unos verbos auxiliares que otros (véase tema primero, tabla 3). Así, las actividades que se desarrollan al aire libre, y en especial las que tienen lugar en contextos rurales, favorecen la aparición de «andar», mientras que lo contrario sucede con las combinaciones en que participa «estar». Y desde el punto de vista sociolectal se comprueba también que la perífrasis «andar + gerundio» aparece más frecuentemente asociada al habla de los grupos socioculturales bajos que al resto de la pirámide social, pese a que surja también en todo el espectro social.

## 3. Clases de variables gramaticales en español

Silva-Corvalán (1989: 100) ha propuesto un planteamiento conciliador entre los extremos teóricos que acabamos de reseñar, pero ha dejado claro también que los principios y métodos variacionistas son igualmente válidos para el estudio de la variación gramatical, y en particular también para la variabilidad sintáctica, la que mayores problemas suele plantear. Como la propia investigadora chilena advierte como conclusión a uno de sus estudios:

> [...] los estudios de variación sintáctica han seguido avanzando y dando prueba de que una variable cuyas variantes conllevan diferencias de significado en el nivel semántico-pragmático sí puede estudiarse dentro del marco variacionista. En verdad, nos parece que éste es el único método que permite avanzar nuestro conocimiento de los valores que tienen las unidades lingüísticas no arbitrarias en los diversos dialectos del español (Silva-Corvalán 1996-1997: 46).

Ahora bien, hay que reconocer que la naturaleza de las variables puede diferir considerablemente. A este respecto, Silva-Corvalán apunta la existencia de tres clases de variables, cuyos caracteres consideramos a continuación.

En primer lugar habría que considerar un tipo de variables que se hallan próximas a las fonológicas, en el sentido de que entre sus variantes no es posible apreciar diferencia significativa alguna en ningún contexto. Éste sería el caso, a juicio de esta autora *(vid.* Silva-Corvalán 1999) de las *copias pronominales,* fenómeno que alterna con la ausencia del pronombre en diversas variedades del español, como la chilena, de donde proceden sus datos:

(12) Si no hay *nada,* digamos físico, que te *lo* puedan diagnosticar ahí tienes que empezar a hacerte exámenes.
(13) *Lo* vimos *al doctor* en el parque.
(14) (El chileno) no cambia no va fijo a una *profesión,* que debe tener, que a él le guste.

Como advierte esta autora, la ocurrencia o no de un pronombre correferencial con su antecedente no plantea problemas desde el punto de vista del significado. De este modo, la posible alternativa (sin copia) a los ejemplos (12) y (13) dejaría la oración con el mismo significado referencial. Aunque eso sí, hay factores estructurales que favorecen cada variante, como la carga animada y humana de los referentes. Así, la duplicación mediante el clítico de un objeto inanimado, como en (12), es significativamente menos habitual que cuando dicho referente es animado o humano, como en (13) (para más detalles sobre este fenómeno, véase más adelante tema III).

Otras variables de este tipo serían asimismo los fenómenos del *leísmo, laísmo* y *loísmo,* los de *dequeísmo* y *queísmo,* si aceptamos que las variantes correspondientes no encierran las diferencias significativas esgrimidas —a nuestro juicio equivocadamente— por algunos autores. Y por supuesto, aquí incluiríamos también los casos más sencillos de variación morfológica *(cantara/cantase; talibán/talibanes, cantaste/cantastes,* etc.)[8].

En segundo lugar se situarían las variables cuyas variantes sí aparecen condicionadas por algunos factores semánticos, pragmáticos y discursivos relevantes, aunque ello no impida su aparición «variable» en cualquier contexto. Éste podría ser el caso de la alternancia entre oraciones *pasivas y activas* que analizábamos anteriormente. O de la expresión variable de la futuridad verbal, también reseñada más arriba.

Por último, aparecen las variables cuyas expresiones posibles se oponen sistemáticamente en algunos casos, si bien en otros tales oposiciones aparecen neutralizadas. Así ocurre, por ejemplo, con la alternancia entre las formas del *pretérito simple* y el *pretérito compuesto* en español. Como señalan las gramáticas, utilizamos el primero de ellos para expresar acciones puntuales perfectivas realizadas en el pasado lejano, como en (15), mientras que la forma compuesta, (16), alude a acciones o situaciones que se iniciaron en el pasado, pero cuyos efectos no han concluido todavía en el momento del habla:

---

[8] Con todo, todavía hay quien aprecia diferencias significativas en fenómenos de variación como la alternancia entre las terminaciones *-ra* y *-se* para la expresión del imperfecto o pluscuamperfecto de subjuntivo (véase más adelante tema III, § 2).

(15) Cervantes *nació* en Alcalá de Henares.
(16) A mi padre siempre le *ha gustado* conversar.

Ahora bien, estas diferencias significativas se neutralizan en no pocas ocasiones. Así, mientras que en el español hablado de muchas regiones españolas se recurre con frecuencia al pretérito compuesto para aludir a acciones perfectivas —especialmente si éstas guardan una especial resonancia con el momento del habla *(esta mañana he desayunado bien)*— en buena parte de Hispanoamérica (y en algunas peninsulares, como Galicia), las acciones perfectivas tienden a expresarse mediante el pretérito simple, incluidas las más inmediatas *(esta mañana desayuné bien)* (véanse más detalles sobre la distribución sociolingüística de esta variable en tema III, § 7).

Otros ejemplos de este mismo tipo de variables podrían ser las alternancias entre las *pasivas analíticas/pasivas con se,* los verbos *ser* y *estar* (véase más adelante tema III, § 8), etc.

Otro intento taxonómico sobre la variación gramatical en español lo debemos a Martín Butragueño (1994), quien ha propuesto una tipología en la que se distinguen diversos tipos de variables en función de algunos de los criterios reseñados hasta ahora.

El primero correspondería a las variables de tipo *morfológico,* a las que anteriormente ya hacíamos referencia, y que raramente se ven afectadas por restricciones sintácticas o semántico-pragmáticas, al tiempo que suelen mostrar correlaciones significativas con factores históricos, geográficos, sociales y estilísticos. A este grupo pertenecerían algunos fenómenos de variabilidad muy difundidos en extensas áreas del español, como las alternancias en diferentes paradigmas de la conjugación *(-mos/-nos, -ste/-stes, -ra/-se,* o *-ría/-ra,* etc.).

Frente a éstas, las variables de tipo *categorial* implican a menudo a la semántica o a la pragmática en la distribución de las variantes. Como contrapartida, no suelen correlacionarse significativamente con factores extralingüísticos. Entre los ejemplos mencionados por este autor destacamos los siguientes: el uso de subjuntivo o infinitivo con *para* en subordinadas finales *(toma quinientas pesetas para que vayas al cine vs. toma quinientas pesetas para ir al cine);* el empleo de diversas secuencias preposicionales *(voy a ir a por agua vs. voy a ir por agua);* el uso alternante de unidades sintácticas de diferente grado de complejidad estructural, etc.

El tercer tipo lo representan las llamadas variables de tipo *funcional,* las cuales si bien se sitúan también en el nivel sintáctico, al igual que las anteriores, no se ven afectadas por restricciones significativas relevantes. Y sin embargo, participan con frecuencia de correlaciones con factores extralingüísticos. En este paradigma, dicho autor menciona, por ejemplo, la variable constituida por el uso alternante de *de que vs. que*, decantándose de este modo implícitamente por la ausencia de variaciones significativas entre estas dos variantes, a las que anteriormente hacíamos referencia. Otros fenómenos de variabilidad sintáctica que formarían parte del presente apartado serían también: la presencia/ ausencia del sujeto pronominal *(yo canto vs. canto)*, la concordancia *vs.* no concordancia entre los verbos *haber* y *hacer* en oraciones impersonales *(habían flores en el jardín vs. había flores en el jardín; están haciendo unos días muy buenos vs. está haciendo unos días muy buenos)*; la presencia/ausencia de pronombres clíticos no argumentales *(este niño no me come vs. este niño no come)*; la alternancia *lo vs. los* para la expresión del OD cuando hay un OI plural *(se los dije vs. se lo dije)*, las «copias pronominales» mediante clíticos *(la vi a Juana el otro día vs. vi a Juana el otro día)*.

Finalmente, las variables que Martín Butragueño denomina *posicionales* se ven condicionadas casi siempre por factores suprasegmentales, como la entonación, y a ellas suelen asociarse diversos valores pragmáticos. Por otro lado, la variación se relaciona con la existencia de diferentes estilos comunicativos, pese a que, por lo general, no se correlacionan significativamente con factores extralingüísticos. Ejemplos en español de este tipo serían los fenómenos de variabilidad que afectan al orden de determinados constituyentes sintagmáticos, como sujeto/verbo, verbo/complementos, adjetivo/nombre, determinantes/nombre, etc.

## 4. Factores condicionantes de la variación gramatical

Al igual que ocurre en el análisis de la variación fonológica, la que tiene lugar en el nivel gramatical se ve afectada significativamente por factores diversos, entre los que ocupan un lugar preeminente los de carácter lingüístico. Éstos, a su vez, pueden ser de diferente tipo: categoriales, funcionales, contextuales, semánticos, pragmáticos, etc.

Un ejemplo de los primeros *(categoriales)* nos lo proporciona el estudio sobre la variación entre las terminaciones *-ra/-se* para las formas del imperfecto y pluscuamperfecto de subjuntivo en la comunidad de habla de Valencia (Venezuela). En ésta, el sociolingüista venezolano Manuel Navarro (1990) ha comprobado que la expresión de una u otra variante fluctúa considerablemente en función del paradigma verbal en que aparecen las formas alternantes. Así, y como muestra la tabla 3, la aparición de *-ra,* mayoritaria en la muestra analizada, es abrumadora en las formas del imperfecto de subjuntivo *(amara)* (94,7 por 100), pero mucho menos en las del pluscuamperfecto *(hubiera amado)* (63,3 por 100), donde la variante alternativa, *-se,* todavía demuestra una cierta productividad (36,7 por 100).

TABLA 3
Distribución de *-ra/-se* en función de los tiempos de la conjugación en Valencia (Venezuela), según Navarro (1990)

| | *-ra* (%) | *-se* (%) | N |
|---|---|---|---|
| Imperfecto | 94,7 | 5,3 | 832 |
| Pluscuamperfecto | 63,3 | 36,7 | 120 |

En su estudio sobre las copias pronominales en oraciones subordinadas de relativo en el español chileno, Silva-Corvalán (1999) ha visto también cómo aquéllas se ven favorecidas por una serie de factores categoriales, a los que hay que añadir otros de carácter *funcional.* Aunque las dos variantes implicadas en esta variable sintáctica aparecen en todos los contextos posibles, el análisis estadístico emprendido por esta autora demuestra que ciertos factores funcionales alientan más que otros la presencia de cada forma:

(17) *Las aguitas que me dio la Madre Teodosia,* que me *las* mandó con la Flora y la Isabel...
(18) Yo conozco muchos amigos que han tenido problemas en mi club.

Los que más contribuyen a la aparición del clítico son, por este orden, los contextos en que surgen: a) pronombres relativos en función de OD (.89); b) antecedentes indefinidos (.74); c) elementos intercalados entre el antecedente y la cláusula relativa (.68), y d) subordinadas de relativo no restrictivas (.65). Por el contrario, otros factores favorecen la aparición de la variante alternativa, esto es, la ausencia del pronombre correferencial. Se trata de: a) las subordinadas restrictivas (.42), b) las relativas de sujeto (.29), y c) los antecedentes definidos.

En el ejemplo (17) pueden observarse algunos de los factores que favorecen la copia del antecedente mediante el clítico «las». Por ejemplo, la presencia de elementos lingüísticos entre el antecedente y la subordinada de relativo donde se produce la copia (en este caso, otra subordinada del mismo tipo: «que me dio la Madre Teodosia»), la función de OD desempeñada por el pronombre «que», o el hecho de tratarse de una subordinada no restrictiva. Por el contrario, en (18) la ausencia del pronombre en la subordinada tiene lugar en el seno de una subordinada restrictiva. Asimismo, la función de «que» es ahora la de sujeto, y en la oración principal aparece un antecedente definido *(yo)*, factores todos ellos desfavorecedores, como hemos visto, de la regla que conduce a la duplicación del clítico[9].

En ocasiones se ha estudiado también la incidencia de factores de carácter *contextual*, es decir, aquellos que responden a los elementos que rodean a las unidades que son objeto de estudio. Es el caso, por ejemplo, de las variables condicionadas por paralelismos lingüísticos o, en general, por la presencia en el co-texto inmediato o siguiente de unidades de la misma naturaleza, las cuales estimulan —o frenan— la utilización de variantes similares, especialmente cuando éstas aparecen próximas en el discurso (cfr. Weiner y Labov 1983; Pereira Scherre y Naro 1991). Esta influencia, destacada en numerosos estudios de psicolingüística, se ha comprobado también empíricamente en investigaciones variacionistas sobre diversas lenguas. Entre nosotros, por ejemplo, G. Martínez (2001) ha llamado la atención sobre la significación positiva que para la alternancia *-ra/-se* tiene el hecho de que las formas del imperfecto o pluscuamperfecto de subjuntivo aparezcan también en los verbos de las cláusulas adyacentes[10]. Así, y como muestra el ejemplo (19), las variantes en *-se* se ven favorecidas en los casos en que aparece un verbo anterior bajo la otra forma *(-ra)* en el co-texto más inmediato:

(19) ... y *persuadiera* del modo que se *sugiriese* sus conocimientos.

Con todo, lo más característico de la variación gramatical, pero especialmente en la de orden sintáctico, es la implicación frecuente de factores de naturaleza *semántica* o *pragmática* que, por lo general, se hallan ausentes en la variación fonológica. A este grupo pertenecen,

---

[9] Para Silva-Corvalán (1999: 448), la explicación de estas restricciones se halla relacionada con rasgos que caracterizan todo procesamiento discursivo: «los elementos correferenciales en las cláusulas de relativo son más frecuentes cuando la falta de los mismos haría más difícil la activación del referente del antecedente o la recuperación de la función que éste cumple en la cláusula de relativo».

[10] Este trabajo aborda dicho fenómeno de variación morfológica desde la perspectiva de la sociolingüística histórica en textos del siglo XIX en Texas.

por ejemplo, las restricciones que regulan tanto la *expresión* como la *posición* de los sujetos en el español, variable que ha recibido una atención creciente en los últimos años en investigaciones como la emprendida por Silva-Corvalán (1982) en la comunidad hispana de Los Ángeles. Como muestra el siguiente cuadro (tabla 4), la sociolingüista chilena descubrió, por ejemplo, que el *cambio de referencia* del sujeto respecto del de la cláusula anterior tenía un efecto claramente favorecedor sobre la expresión superficial de dicha función (53 por 100 de todos los sujetos), al contrario que el factor opuesto —«idéntica referencia»—, cuya incidencia sobre esta variante era mucho más baja (25 por 100).

TABLA 4
Efectos del factor «cambio de referencia/idéntica referencia» sobre el número de sujetos expresos, según Silva-Corvalán (1982)

| | SUJETOS EXPRESOS N | SUJETOS EXPRESOS % | SUJETOS TOTALES N |
|---|---|---|---|
| Referencia idéntica | 77 | 25 | 304 |
| Cambio de referencia | 261 | 53 | 491 |
| Total | 338 | 42 | 795 |

Complementariamente, este factor se revelaba también significativo en relación con la *posición* del sujeto. El cuadro adjunto (tabla 5) permite comprobar, efectivamente, cómo la identidad referencial es aho-

TABLA 5
Efectos del factor «cambio de referencia/idéntica referencia» sobre la posición de los sujetos expresos, según Silva-Corvalán (1982)

| | POSICIÓN PREVERBAL N | POSICIÓN PREVERBAL % | SUJETOS EXPRESOS N |
|---|---|---|---|
| Referencia idéntica | 57 | 74 | 77 |
| Cambio de referencia | 137 | 53 | 261 |
| Total | 194 | 57 | 338 |

ra el factor que más propicia la posición no marcada de los sujetos expresos, esto es, la posición *preverbal* (74 por 100 frente a un 53 por 100 en el cambio de referencia).

Otro factor pragmático que condiciona fuertemente la posición de los sujetos expresos es la que atiende a su valor *informativo*. Así, mientras que la posición postverbal es claramente favorecida por los sujetos que poseen una mayor carga informativa (64 por 100), los sintagmas que contienen información ya consabida por el interlocutor son más proclives a figurar en la posición no marcada (antepuesta) (61 por 100) (véase tabla 6).

TABLA 6
Efectos del factor «información nueva/información antigua» sobre la posición de los sujetos expresos, según Silva-Corvalán (1982)

| | POSICIÓN POSTVERBAL | | POSICIÓN PREVERBAL | | TOTAL SUJETOS EXPRESOS |
|---|---|---|---|---|---|
| | N | % | N | % | N |
| Información consabida | 110 | 39 | 175 | 61 | 285 |
| Información nueva | 34 | 64 | 19 | 36 | 53 |
| Total | 144 | | 194 | | 338 |

## 5. LA INFLUENCIA DEL «CONTINUUM» ESTILÍSTICO EN LA VARIACIÓN GRAMATICAL

El factor *estilístico* se ha revelado también como otro importante factor explicativo en numerosos casos de variación gramatical en español. Así, en otro estudio sobre la expresión variable del sujeto pronominal, aunque esta vez en una comunidad de habla portorriqueña, Ávila Jiménez (1995) ha comprobado que las variantes se ven significativamente condicionadas por el cambio de estilo conversacional, de manera que los mayores porcentajes de sujetos explícitos surgen en el estilo *casual* (45 por 100), mientras que los estilos más *cuidados* favorecen la elisión (61 por 100)[11] (tabla 7).

[11] Estos resultados coinciden básicamente con los obtenidos en la misma comunidad unos años antes por Morales (1986).

TABLA 7
Distribución de los sujetos pronominales (expresos o elididos) a partir del estilo de habla, según Ávila Jiménez (1995)

| ESTILO | Ø | | EXPRESO | |
|---|---|---|---|---|
| | N | % | N | % |
| Formal | 2.444 | 61 | 1.536 | 39 |
| Casual | 454 | 55 | 366 | 45 |

Por su parte, Torres Cacoullos (1999b) ha llamado la atención sobre el hecho de que, en el español hablado en México, la frecuencia con que los pronombres clíticos se anteponen a ciertas perífrasis gerundivas, como en (20), es particularmente abultada en el registro coloquial, pero no tanto en los estilos de habla más formales (especialmente en la lengua escrita)[12], donde la posposición es preferente, como en (21):

(20) *Me* estoy cansando.
(21) La cultura occidental ha ido de crisis en crisis salvándo*se* unas veces en las ideas.

No en vano, y como señala esta autora:

> [...] in Spanish, the kinds of things talked about in formal situations require fewer *-ndo* constructions and a proportionally higher number of lone-standing gerunds, which in turn encourage postposition of clitics because of parallel structure effects. Postposed clitic position then becomes a mark of formality in its own right (pág. 165).

Distinta —al tiempo que más exhaustiva— es la aproximación al *continuum* estilístico de la que parte Cameron (1998) en su estudio sobre la expresión variable del estilo directo entre los hablantes portorriqueños, a la que hemos hecho ya referencia anteriormente por otros motivos. Junto a la atención dispensada por los informantes hacia su propia habla, en este trabajo se atiende también a otros factores que condicionan el eje estilístico. Así ocurre, por ejemplo, con el tipo de re-

[12] En el mismo sentido, Gómez Torrego (1995); en contra, sin embargo, véase Troya (2003) sobre datos de la norma culta y tres ciudades del mundo hispánico.

laciones que el hablante mantiene con su audiencia, una variable que se ha demostrado significativa en algunas investigaciones sobre variación fonológica (cfr. Medina-Rivera 1996: 214-217; Cameron 1996: 80, y anteriormente en tema primero). El sociolingüista norteamericano captura estas diferencias a través de la realización de entrevistas de dos tipos: a) *individuales* por un lado, y b) en pequeños *grupos,* por otro. Como vimos en otro lugar, en los estudios sobre variación fonológica se ha comprobado que estas últimas propician la aparición de variantes vernáculas en mayor medida que las entrevistas individualizadas. Por otro lado, el *continuum* estilístico en el sentido laboveano se deriva en este trabajo a) de la distinción entre fragmentos *narrativos vs.* fragmentos *no narrativos,* por un lado, así como b) de la *diversidad temática* que tiene lugar en el curso de las entrevistas sociolingüísticas, por otro (fragmentos de *humor, sorpresa, miedo* vs. *otros).* Los principales resultados de este estudio aparecen en el siguiente cuadro (tabla 8):

TABLA 8
Incidencia de diversos factores estilísticos en las estrategias de introducción del estilo directo en Puerto Rico, según Cameron (1998)

| FACTORES | N | SN + VERBO | SN (SIN VERBO) | ED LIBRE |
|---|---|---|---|---|
| | | P | P | P |
| *Audiencia* | | | | |
| Grupo | 519 | .41 | .28 | .30 |
| Individual | 730 | .26 | .38 | .35 |
| *Género discursivo* | | | | |
| Narrativo | 721 | .32 | .38 | .29 |
| No narrativo | 528 | .33 | .28 | .37 |
| *Tópico* | | | | |
| Miedo, sorpresa, humor | 628 | .26 | .41 | .31 |
| Otros | 621 | .40 | .25 | .33 |

A diferencia de lo observado en la aplicación de este modelo al estudio de una variable fonológica (véase anteriormente, tema primero, § 6.3), en el presente caso los factores que mejor explican la asociación entre el eje estilístico y la realización de variedades *estándares vs. no estándares* son los relacionados con la concepción laboveana del estilo como el grado de atención que el hablante dispensa a su habla. Obsérvese cómo tanto los discursos *narrativos* (P .38) como, sobre todo, los temas conversacionales *más espontáneos* (miedo, sorpresa, humor) (P .41) propician la variante vernácula, aquella en la que el fragmento de discurso diferido se introduce tan sólo mediante un sintagma nominal, como ocurre en (22). Por el contrario, los temas de conversación *menos espontáneos* (P .40) se asocian en mayor medida con la estrategia estándar, aquella que introduce la cita mediante un SN seguido de un verbo de lengua, como en (23). Y lo mismo sucede con los discursos *no narrativos* (P .37) y el llamado estilo directo libre, ejemplificado en (24):

(22) Y yo tenía miedo, y *yo* Ø: «¡Ea rayos! ¡De esto no me salva nadie!»
(23) Entonces *yo digo:* «¡Ahora prepárate, que te voy a quitar un montón de cosas!»
(24) Mi tío tenía una tienda cerca... Entonces me metía escapando y qué sé yo para la tienda.
«¿Qué pasó?»
«No tengo clase»...

Por el contrario, el *tipo de audiencia* muestra una significación contraria a la esperada. Así, las entrevistas en *grupos,* que en el nivel fonológico vimos que potenciaban la realización de variantes vernáculas, esta vez favorecen las expresiones más estándares (P .41). Justo al contrario de lo que sucede con las entrevistas individuales.

## 6. El estudio de la variación léxica en español: problemas, métodos y perspectivas

El estudio de la variación léxica adolece de algunos de los problemas advertidos hasta ahora en el análisis de las variables sintácticas, pero agravados todavía más por la propia naturaleza del vocabulario, lo que ha hecho de su investigación por parte de la sociolingüística variacionista un importante objeto de polémica.

Junto con las dificultades que plantea la propia existencia de «sinónimos» —o hipónimos, hiperónimos, etc.— en el vocabulario, tema discutido desde antiguo y todavía no resuelto, un inconveniente considerable que plantea el estudio sociolingüístico del léxico es la dificultad que supone encontrar muestras representativas de las variantes que son objeto de estudio en una muestra de habla representativa, debido a su baja frecuencia en el discurso. De ahí que en este nivel el recurso al cuestionario sea en muchos casos casi obligatorio, pese al reconocimiento por parte de los propios investigadores de los problemas teóricos y metodológicos que plantea esta técnica, relacionados en buena medida con la *paradoja del observador*. Como ha recordado Borrego (1994), el uso de la encuesta puede servir en el mejor de los casos para obtener muestras de vocabulario en el registro «cuidado», pero no en otras escalas del *continuum* estilístico, al menos si aceptamos que estas escalas representan puntos discretos y suficientemente diferenciados de aquél. Con todo, y como el propio Borrego (1981) demostrara en su investigación sobre el léxico en una población rural zamorana, una exégesis de la variación estilística en términos graduales y no discretos permitiría dar cuenta, siquiera aproximada, del empleo de ciertos sinónimos referenciales en el seno de la comunidad de habla. En su caso, este autor ordenó los ítem léxicos en una escala de «prestigio», cuyo extremo inicial venía representado por las palabras en proceso de abandono y lastradas por fuertes estereotipos, y el final por los vocablos más formales y librescos de la lengua española, pasando por otros niveles intermedios. Esta forma de estudiar la variación léxica logra, a su juicio, algunos objetivos realistas sobre el modo en que los hablantes utilizan diferentes elementos del vocabulario en función de los factores sociales y comunicativos que enmarcan las situaciones de habla. Entre otros otros, descata la posibilidad de conocer, siquiera aproximadamente: a) la frecuencia de cada palabra; b) el tipo de informante (hombre/mujer; joven/adulto; etc.) que la da como propia; o c) los juicios de los hablantes acerca de cada palabra.

Además de los anteriores, en el estudio variacionista del léxico nos enfrentamos con otras dificultades de no poca entidad teórica, como el carácter consciente de muchas elecciones léxicas (a diferencia de las variables fonológicas y de la mayoría de las gramaticales, cuyo uso es generalmente inconsciente) o las dificultades para delimitar y cuantificar las variantes de una supuesta variable lingüística ante el carácter abierto del vocabulario (Borrego 1994; Ueda 2003; Escoriza 2004).

A la vista de estos problemas teóricos y metodológicos, el estudio sociolingüístico del léxico es, sin lugar a dudas, la gran asignatura pendiente del variacionismo hispánico y en general, de todos los dominios lingüísticos. El resultado es una nómina de investigaciones mucho más reducida hasta el momento, cuando no la negación pura y simple de la investigación del léxico bajo el paradigma variacionista. Quienes han emprendido esta senda lo han hecho a menudo limitando su objeto de interés a campos o alternancias léxicas muy concretas, en los que aparecen implicadas pocas variantes. Por el contrario, son más escasos los estudios de conjunto en los que se analiza parcelas más amplias del vocabulario en una comunidad de habla. Con todo, desde hace algunos años disponemos ya entre nosotros de algunas muestras correspondientes a este último paradigma, especialmente en situaciones de contacto de lenguas o variedades lingüísticas, como el estudio de López Morales (1979b) sobre los anglicismos e indigenismos léxicos en el español hablado en Puerto Rico, las interferencias léxicas del vasco sobre el castellano hablado en Bilbao a cargo de Etxebarría (1985) o el ya aludido estudio de Borrego (1981) sobre el proceso de sustitución del léxico dialectal por vocabulario «estándar» en una población zamorana.

Pese a la escasez de estudios empíricos, de las investigaciones realizadas hasta la fecha se han derivado ya algunas conclusiones de interés. A este respecto se ha señalado, por ejemplo, que en la variación léxica los factores extralingüísticos son más determinantes que los estructurales, aunque ocasionalmente algunos de éstos pueden resultar también significativos. Para ejemplificar la forma en que los primeros afectan a la variación léxica, nos hacemos eco a continuación del estudio de Almeida y Vidal (1995-1996), en el que se analizan los factores extralingüísticos implicados en el empleo de eufemismos y disfemismos en dos comunidades de habla canarias, una rural (La Aldea SN) y otra urbana (Santa Cruz de Tenerife). Como revela el siguiente gráfico, la frecuencia de uso de ambas estrategias léxicas para la referencia a tabúes lingüísticos es significativamente más elevada entre los hablantes de origen urbano que entre los de origen rural[13]. Obsérvese cómo los habitantes de la ciudad son muy eufemísticos, al tiempo que muy disfemísticos también, con porcentajes que superan en ambos casos el 70 por 100 de la muestra. Por el contrario, los miembros de aquélla poco o nada eufemísticos-disfemísticos son muy escasos. En el marco rural de la La Aldea SN, sin embargo, junto con un descenso significativo de las personas que emplean dichas estrategias respecto a la comunidad urbana, llama especialmente la atención el elevado número de individuos que declaran no hacer uso nunca de sustitutos eufemísticos, pero más aún de carácter disfemístico. Si a estas cifras sumamos las corres-

[13] López Morales (1979b) había advertido previamente que el empleo de ambas estrategias léxicas se producía también de forma más habitual entre los hablantes jóvenes que entre los más adultos en Puerto Rico (véase tema VI, § 3).

pondientes a los hablantes que manifiestan un escaso empleo de ambas, nos encontramos con que la mayoría de los miembros de esta comunidad rural son poco o nada eufemísticos, así como poco o nada disfemísticos.

GRÁFICO 2
Porcentaje de empleo de eufemismos y disfemismos en dos comunidades de habla canarias, La Aldea SN y Sta. Cruz de Tenerife, según Almeida y Vidal (1995-1996)

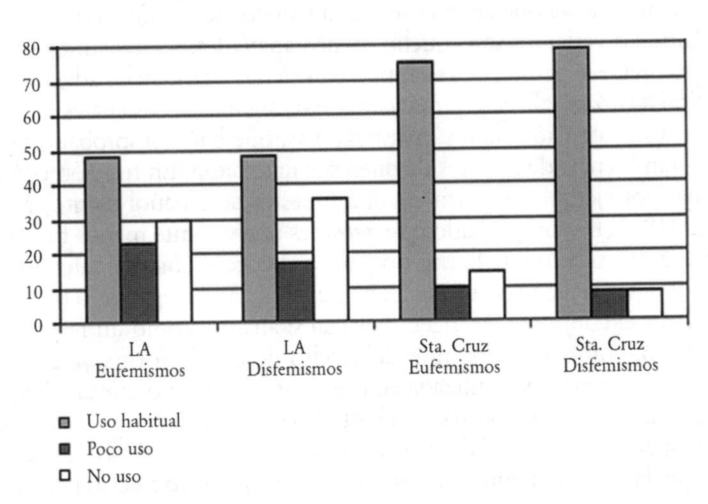


En otro estudio sobre variación léxica llevado a cabo recientemente, Rodríguez González y Rochet (1999) han visto, por su parte, que en la elección entre los miembros correspondientes a la tríada léxica *mujer/esposa/señora* en el español peninsular aparecen implicados también algunos factores sociales relevantes, junto a otros de carácter discursivo. A partir de una muestra de población de ambas Castillas, estos autores han comprobado en primer lugar la preeminencia de la primera variante *(mujer;* 69 por 100) respecto a las otras dos, cuyo empleo se halla mucho menos extendido (17 por 100 para *esposa* y 14 por 100 para *señora).* La forma *mujer* es, pues, la variante no marcada en el español peninsular contemporáneo, lo que contrasta con otras áreas dialectales del mundo hispánico, donde los otros términos tienen gran rendimiento funcional. Con todo, también en el contexto peninsular, y al igual que ocurre con la variación fonológica o la sintáctica, algunos factores discursivos favorecen el empleo de esas otras formas. Es el caso, por ejemplo del término *esposa,* cuya neutralidad connotativa hace que sea una variante especialmente extendida en algunos tecnolectos, como el lenguaje periodístico. Asimismo, tanto *esposa* como *señora* se configuran en estas comunides de habla castellanas como formas marcadas de respeto, que surgen preferentemente tanto en la interacción verbal con hablantes de edad avanzada, como en la referencia a estas personas.

A diferencia de los casos anteriores, y aunque más excepcionales, ciertos ejemplos de variación léxica implican escasos problemas teóricos para el analista, ya que las eventuales diferencias semánticas o pragmáticas entre las variantes son mucho menos aparentes, y en algunos casos inexistentes. Así ocurre, por ejemplo, con ciertas alternancias adverbiales del tipo *aquí/acá, allí/allá, quizá/quizás,* etc., algunas de las cuales han recibido ya la atención de los investigadores, que han comprobado también la influencia de factores de diferente naturaleza. En relación con la última, por ejemplo, y partir de una muestra de español escrito, Marquant (1985) ha comprobado que *quizás* es una variante menos frecuente que *quizá,* si bien este hecho no parece obedecer, como alguna vez se ha propuesto, a razones eufónicas, ni a diferencias de registros o tipos de texto. Por el contrario, el origen dialectal sí aparece como un factor significativo, como se desprende del hecho de que la forma *quizás* sea significativamente más utilizada en el español americano que en el español peninsular. Sin embargo, en el estudio sobre la alternancia *aquí/acá* en el español hablado en Caracas (Venezuela), Sedano (1994b) ha advertido que la variación entre ambas formas tan sólo se ve afectada por factores estructurales —principalmente la delimitación espacial: la mayor precisión favorece *aquí;* la menor, *acá*—, pero no por factores sociales, que en el presente caso no resultan significativos.

Uno de los ámbitos en que más aplicaciones ha tenido el uso de los cuestionarios para el análisis de la variación en el vocabulario es la llamada *disponibilidad léxica,* entendida «como caudal léxico utilizable en una situación dada» (López Morales 1995-1996: 245). Tras los primeros ensayos franceses, hace ya medio siglo, otros autores han realizado más tarde diversas incursiones sobre el tema en diferentes ámbitos geolingüísticos. En el mundo hispánico, el impulso inicial de López Morales sobre el español de Puerto Rico (1979a, 1999) sería completado por otros investigadores en países como Chile (Echeverría *et al.* 1987), México (López Chávez 1993), República Dominicana (Alba 1995) y España (M.ª J. Azurmendi 1982). En los últimos años el estudio de la disponibilidad léxica ha crecido considerablemente en este último país, como lo demuestra un ambicioso proyecto de investigación, coordinado por López Morales, a través del cual se han recogido muestras de léxico disponible en numerosos puntos de la geografía española como Madrid, Bilbao, Zamora, Salamanca, Las Palmas de Gran Canaria, Almería, Cádiz, Ceuta, Valencia, Alicante, Castellón, etc.

Junto con otras disciplinas, como la psicolingüística, la dialectología o la enseñanza de la lengua, la sociolingüística ha mostrado también su interés por los datos que ofrece la disponibilidad léxica. Y ello porque tanto la metodología como los principios teóricos que inspiran sus investigaciones permiten establecer comparaciones entre los grupos que integran la comunidad, a partir de variables sociológicas como el sexo, la edad, la clase social, etc. A este apartado, por ejemplo, pertenecen algunas investigaciones recientes emprendidas en las que se ha abordado la incidencia de ciertas variables extralingüísticas relevantes como el sexo (cfr. Cañizal Arévalo 198; Echeverría 1991; García Domínguez *et al.* 1994; González Martínez 1997, etc.), el tipo de red educativa (pública/privada) (cfr. Cañizal Arévalo 1987; López Morales 1999; Blas Arroyo y Casanova Ávalos 2003, etc.), la procedencia sociocultural de los alumnos (cfr. López Morales 1979b; Echeverría 1991; García Marcos y Mateo 1997; Blas Arroyo y Casanova Ávalos 2001-2002, etc.) o la lengua materna en las comunidades bilingües (Azurmendi 1982; Etxebarría 1996; Blas Arroyo y Casanova Ávalos 2001-2002), por citar sólo algunas (véase bibliografía actualizada en González Martínez 2003).

Particularmente interesante resulta la interacción entre algunos de estos factores, lo que demuestra que, a veces, la incidencia de unas variables sociológicos puede incrementar o, por el contrario, neutralizar las diferencias que obtenemos cuando aquéllas se consideran de forma aislada. Así lo hemos advertido, por ejemplo, en un estudio reciente sobre disponibilidad a partir de una muestra de 400 alumnos de las comarcas castellonenses (Blas Arroyo y Casanova Ávalos 2001-2002). Como puede apreciarse en el gráfico 3 (página siguiente), ello ocurre cuando cruzamos la *lengua materna* de los estudiantes (valenciano/castellano) con su *lugar de residencia* (entorno urbano/entorno rural). Aunque los castellanohablantes en general muestran un léxico disponible más amplio y variado que los valencianohablantes —como no podría ser de otra manera ya que analizábamos el léxico español— el comportamiento dentro de cada grupo difiere considerablemente en función del entorno que rodea al alumno. Como puede advertirse, al tiempo que en la capital de la provincia (Castellón) las diferencias entre castellanohablantes y valencianohablantes se atenúan, éstas se disparan entre los que viven en un hábitat rural, probablemente como consecuencia de la menor relevancia del español en la vida social de estas áreas, donde el valenciano representa, con diferencia, el principal instrumento de comunicación social.

GRÁFICO 3
Promedios globales de palabras disponibles por informante tras el cruce entre las variables *lugar de residencia* y *lengua materna*, según Blas Arroyo y Casanova Ávalos (2001-2002)

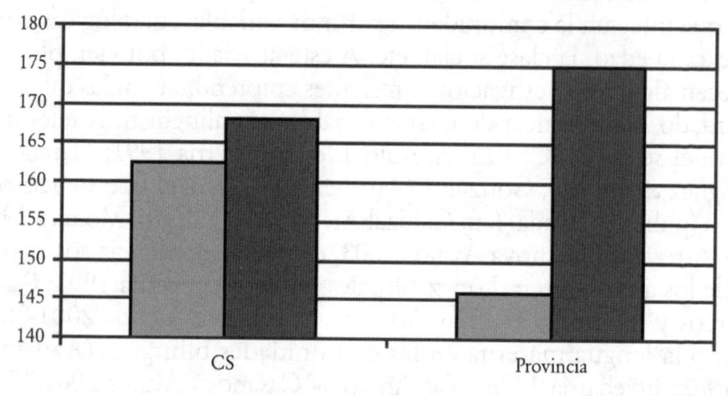

TEMA III

# El análisis de la variación lingüística más allá de la fonología (II): Fenómenos de variación gramatical en el mundo hispánico

## 1. INTRODUCCIÓN

Pese a las dificultades reseñadas en los epígrafes anteriores, en los últimos años han proliferado los estudios sobre variación gramatical, tanto en las comunidades monolingües como en aquellas en las que el español convive con otras lenguas. Ahora bien, puesto que de estas últimas nos ocuparemos con detalle en un tema posterior (véase tema XVI), en lo que sigue limitaremos básicamente nuestro interés a las investigaciones sociolingüísticas emprendidas en las últimas tres décadas acerca de hechos de variación gramatical característicos de las comunidades monolingües, incluidos, lógicamente, aquellos que tienen lugar en regiones bilingües, pero en las que el contacto lingüístico no se vislumbra como el factor más determinante. Nuestro interés se dirige al análisis de los principales fenómenos de variabilidad sobre los que se ha detenido la sociolingüística hispánica en las últimas décadas.

## 2. LA ALTERNANCIA «-RA/-SE»

Comenzamos este capítulo con un fenómeno de variación morfológica que ha recibido una atención considerable en la sociolingüística hispánica, como es el que afecta a la alternancia *-ra/-se* para la terminación de las formas del imperfecto o pluscuamperfecto de subjuntivo *(cantara vs. cantase)*. Como es sabido, el proceso evolutivo experimentado por estas formas ha permitido que ambas figuren en el paradigma verbal del español contemporáneo como significantes alternativos para cubrir un único contenido modal y temporal (cfr. Lapesa 1981; Ridruejo 1983). Y es que con excepción de algunos casos aislados y poco frecuentes[1], hoy parece ampliamente aceptada la equiparación funcional y significativa entre ambas formas, como se ha destacado en diversas gramáticas «la identificación entre *-ra* y *-se* es hoy completa; lo cual equivale a decir que ambas formas pueden sustituirse entre sí siempre que sean subjuntivas» (Gili Gaya 1961); «para el subjuntivo pretérito hoy no existe más que una unidad verbal que adopta indiferentemente los significantes *cantaras* y *cantases*. Los casos de no identificación son equivalentes a otras formas verbales» (Alarcos 1994, § 223).

Por otro lado, los trabajos dialectológicos y sociolingüísticos disponibles muestran de forma casi unánime el mayor empleo actual de la forma *cantara*. Por el contrario, el predominio de *cantase* había sido considerable durante todo el periodo clásico y al menos hasta mediados del siglo XIX[2], iniciándose a partir de ese momento un rápido de-

---

[1] Existen ciertamente usos de *cantara* que impiden su sustitución por *cantase*. Se trata fundamentalmente de aquellos en los que, como vestigio de su origen latino, *-ra* aparece con valor indicativo, convirtiéndose en sustituto de otras formas verbales de este mismo modo:

*-ra* en lugar del pretérito pluscuamperfecto *(había cantado)* para indicar anterioridad respecto al pasado: «Llevaba la diadema que le *regalara* su madre»;

*-ra* en lugar del pretérito indefinido *(cantó)* para referir al pasado absoluto (usual en el lenguaje periodístico): «Anularon el gol que *marcara* Ferrer en el último minuto»;

*-ra* no se identifica tampoco con *-se* en ciertos contextos sintácticos modalizados. Nos referimos concretamente a la apódosis de la oración condicional —aquí su aparición, en lugar de *cantaría*, se siente igualmente como afectada— y a su empleo en oraciones independientes con verbos modales *(querer, poder* y *deber)*. En este último caso, y en opinión de Lamíquiz (1971: 8), *-ra* expresa «último grado de opinión subjetiva o de evasión de cortesía» *(Quiero/Quería/Querría/* «*Quisiera* hacerle una pregunta»). Para Ridruejo (1989) estos usos «parecen simplemente residuos no funcionales del sistema ya caduco». De hecho se produce, en ocasiones, un empleo anómalo de la forma *-se* en lugar de *-ra (Miguel, que escribiese un libro sobre plantas en 1985...)*, lo que prueba la interpretación de ambas como simples variantes formales (Nowikov 1984).

[2] Algunos recuentos sobre textos antiguos en diversas variedades hispanas han confirmado, efectivamente, esta ventaja de la variante *-se* en épocas pasadas. Así, en la lengua escrita del siglo XVIII en Uruguay dicha forma dobla en número de ocurrencias a los verbos terminados en *-ra* (67 por 100 *vs.* 33 por 100, respectivamente; *vid.* Bertolotti 1999, citado en Ramírez Luengo 2001). Incluso para textos de la primera mitad del si-

clive que llega hasta nuestros días. La preeminencia contemporánea de la forma *-ra* en las hablas hispánicas es especialmente destacada en el español de América, donde según numerosos autores, ha eliminado prácticamente del habla corriente a las formas en *-se*. A este respecto, Zamora Munné y Guitart (1982: 117) señalan que:

> [...] las formas en *-se* del imperfecto del subjuntivo casi han desaparecido de la lengua hablada americana, desplazadas por las formas en *-ra*. Sólo en la lengua escrita se retienen las formas con *-se*, como recurso estilístico para evitar la redundancia fonética cuando hay que usar varios imperfectos de subjuntivo en sucesión.

Algunos estudios cuantitativos recientes han puesto a prueba la validez de estas impresiones, con resultados, por lo general, coincidentes. Según Nowikov (1984), por ejemplo, que ha expurgado textos periodísticos españoles y latinoamericanos[3], la frecuencia de *-ra* supera, efectivamente, a la de *-se* en todos los países del ámbito hispánico, con diferencias muy abultadas, si bien esta última terminación tiene todavía una cierta difusión —dos veces más elevada— en España (23 por 100) que en América (11,7 por 100). El cuadro siguiente muestra los resultados de dicha distribución por países.

TABLA 1
Frecuencia de uso de las variantes *-ra/-se* en la prensa de seis países de habla hispana, según Nowikov (1984)

| PAÍS | *-ra* | *-se* | TOTAL |
|---|---|---|---|
| España | 565 (77%) | 170 (23%) | 735 |
| Argentina | 398 (82%) | 86 (18%) | 484 |
| Colombia | 450 (91%) | 45 (9%) | 495 |
| Cuba | 382 (86%) | 44 (11%) | 426 |
| México | 472 (89,5%) | 55 (10,5%) | 527 |
| Venezuela | 409 (90%) | 46 (10%) | 455 |
| TOTAL | 2.676 (86%) | 446 (14%) | 3.122 |

glo XIX, Ramírez Luengo (2001: 178), ve incrementadas estas diferencias a favor de *-se* (77,7 por 100 *vs.* 22,3 por 100), lo que hace pensar que el cambio en la norma ha sido particularmente rápido en los últimos ciento cincuenta años.

[3] En concreto toma los datos de cien periódicos y revistas de seis países entre los años 1976-1979: España, Argentina, Colombia, Cuba, México y Venezuela.

Entre los estudios recientes sobre el tema que parten de presupuestos variacionistas a partir de muestras de habla oral, destacamos de nuevo la investigación de Navarro (1990) sobre el habla de Valencia (Venezuela), en la que se atestigua fehacientemente la preferencia abrumadora por la variante *-ra* de esta comunidad (90,7 por 100). Por el contrario, la forma *-se,* que en términos generales tan sólo alcanza un 9,2 por 100, tiene todavía algunos empleos dignos de mención en el paradigma del pluscuamperfecto de subjuntivo (véase anteriormente tema II, § 4), así como en la prótasis de las oraciones condicionales *(si no hubiese llovido, habríamos ido al cine).*

Estos resultados globales coinciden con los obtenidos por otros estudiosos en diversas comunidades de habla venezolanas (B. Flores 1995), argentinas (Donni de Mirande 1977; Nowikov 1984; De Mello 1993), uruguayas (Ramírez Luengo 2001), y de forma aún más radical en México, donde Moreno de Alba (1977) ha observado que el empleo de *cantase* no sobrepasa el 4 por 100 y el de *hubiese cantado* el 2 por 100 en una muestra de hablantes de la capital del país.

Sin embargo, Chumaceiro (1995) ha ofrecido más recientemente resultados algo distintos en su investigación acerca del habla de Caracas. En esta ciudad hasta un 28 por 100 de los hablantes emplean preferentemente la forma en *-se,* cifra a la que hay que añadir un 16 por 100 adicional que usa indistintamente cualquiera de las dos variantes. Interesante es también la observación realizada por esta autora, según la cual la forma en *-se* ha incrementado su prestigio social en los últimos tiempos a causa de su empleo en los principales medios de comunicación del país. A juicio de Chumaceiro, este hecho podría ser el motor de un cambio en marcha, que actuaría a favor de la variante hasta ahora minoritaria en la capital venezolana[4].

En el español peninsular, si bien *-se* presenta todavía una frecuencia de empleo nada despreciable, sobre todo en algunos registros formales (Blas Arroyo y Porcar 1994: 78), *-ra* ha adquirido también una preponderancia cada vez mayor, hecho señalado ya anteriormente en estudios descriptivos y dialectológicos (cfr. Tavernier 1979; Marín 1980a; Alvar y Pottier 1983; Nowikov 1984). Y como no podía ser de otra manera, ello ha tenido también un reflejo en trabajos socio-

---

[4] El empleo de *-se* asociado al prestigio sociolingüístico de ciertos hablantes se ha observado también en comunidades peninsulares. A. Williams (1982) ha señalado, por ejemplo, que en Navarra dicha forma es la más usual entre las clases sociales altas, mientras que el resto de la sociedad sigue los patrones distribucionales característicos del resto del mundo hispánico.

lingüísticos más recientes. Así ocurre, por ejemplo, con el habla de Sevilla, donde Lamíquiz (1985) ha observado que la variante *-se* apenas aparece en un 12 por 100 de las ocurrencias totales de la variable. Y parecidos resultados han advertido Martínez Martín (1983b), respecto al habla de la ciudad de Burgos, así como Blas Arroyo y Porcar (1994) en Castellón. Con todo, en este último caso las diferencias favorables a *-ra* no son tan abultadas como en otras regiones *(-ra:* 77,5 por 100 *vs. -se:* 22,5 por 100), por lo que no se descarta la posible influencia del contacto con el catalán, que para los mismos paradigmas de la conjugación tan sólo posee la forma en *-ra*[5]. En este trabajo hemos mantenido también que, al menos en esta comunidad de habla y en el presente estadio de lengua, la alternancia *-ra/-se* no parece hallarse condicionada por factores sintácticos o semánticos, como alguna vez se ha pretendido[6].

Sin embargo, en una reciente incursión sobre el tema en una comunidad canaria (La Laguna, Tenerife), M. J. Serrano (1996) ha destacado algunos de estos factores, principalmente de naturaleza semántica y pragmática, en la variabilidad que tiene lugar en un contorno sintáctico concreto: la prótasis de las oraciones condicionales. Esta autora observa que la selección de *-ra* aparece más frecuentemente en los enunciados con una mayor carga potencial, como en (1), mientras que la terminación *-se* se ve favorecida cuando en éstos prima una idea de irrealidad, como en (2):

(1) Si la carta *llegara* mañana, todavía estaríamos a tiempo.
(2) Si no *estuviese* lloviendo ahora, podríamos salir al cine.

Diferencias que se aproximan a la opinión de Lunn (1995), quien, pese a reconocer la posibilidad de intercambiar ambas formas, conside-

---

[5] Por otro lado, los datos de este último estudio se complementan con un análisis actitudinal de la variable, en el que se comprueba también una preferencia clara de los hablantes por las formas en *-ra*.

[6] Algunos lingüistas han pretendido que ambas formas no son absolutamente intercambiables. Es el caso de Bolinger (1956), quien hace ya unos años advertía lo siguiente en relación con el empleo de una u otra forma: «the inference is that *-se* implies "remoteness, detachment, hypothesis, lack of interest, vagueness, greater unlikelihood", while *-ra* brings everything into relatively sharper focus» (pág. 346). Ello explicaría, en opinión de este autor, la tendencia general al empleo de *-ra* sobre *-se* (dado que los hablantes prefieren el empleo de las formas verbales con un significado más inmediato) y, al tiempo, vendría a demostrar que el contraste señalado está en regresión en la lengua. Véanse también algunas opiniones que apuestan por la distinción significativa en Lamíquiz (1971).

ra que la forma en *-se* resulta menos asertiva que la forma en *-ra*. A nuestro juicio, sin embargo, tales diferencias, aun en el caso de que se den ocasionalmente, distan de ser generales en la mayoría de las regiones del mundo hispánico (Blas Arroyo y Porcar 1994: 78).

## 3. Los fenómenos de «leísmo», «laísmo» y «loísmo»

Otro caso de variación sintáctica bien conocido y estudiado desde diferentes perspectivas teóricas y metodológicas es el representado por los pronombres clíticos de tercera persona, y más concretamente por los fenómenos conocidos como *leísmo, laísmo* y *loísmo*. Entre éstos, el primero es, con diferencia, el que goza de una mayor extensión geográfica y social, mientras que los dos restantes se hallan por lo general mucho más marcados dialectal y sociolectalmente. Pese a ello, en los últimos tiempos ha habido diversos intentos por analizar todos estos fenómenos como manifestaciones complementarias de un mismo proceso evolutivo (cfr. E. García 1986, 1992; Klein-Andreu 1999)[7].

Como es sabido, desde un punto de vista etimológico y normativo, los fenómenos que nos ocupan suponen una evolución respecto al sistema etimológico original, en el que el uso de los pronombres está condicionado por distinciones casuales, como las que observamos en los ejemplos (3) al (6):

(3) Vi al abuelo de María → *Lo* vi (OD).
(4) Vi a la abuela de María → *La* vi (OD).
(5) Dimos un abrazo al abuelo de María → *Le* dimos un abrazo (OI).
(6) Dimos un abrazo a la abuela de María → *Le* dimos un abrazo (OI).

---

[7] Company (1997: 431 y ss.) ha defendido la tesis de que la ventaja del *leísmo* respecto a los otros fenómenos reflejaría un proceso evolutivo tendente a resaltar el dativo en detrimento del acusativo. Otros hitos en este mismo proceso serían, por ejemplo: a) la marcación anómala del acusativo en ciertas combinaciones *(se los dije* por *se lo dije),* b) la desmarcación de *a* personal en los objetos directos cuando van seguidos de un objeto indirecto *(el maestro presentó a su mujer,* pero *el maestro presentó Ø su mujer a sus alumnos),* c) los casos de duplicación del OI (véase más adelante § 4), d) la despronominalización habitual en el habla del clítico en función de OI plural *(dale a mis obras el debido premio* por *dales a mis obras el debido premio),* e) la resistencia al reanálisis con ciertos verbos en estructuras DAT + V + SUJETO, en las que el OI se interpreta como el sujeto semántico de la oración *(me gusta el café),* o f) la considerable frecuencia del orden V-OI-OD *(le pidió a Juan la renuncia),* frente a otras combinaciones posibles.

Este sistema viene retrocediendo desde hace siglos en algunas regiones hispánicas —pero particularmente en las hablas peninsulares— ante otro de naturaleza referencial, en el que las distinciones no obedecen ya a la función sintáctica desempeñada por los pronombres, sino a otros factores semánticos y pragmáticos sobre los que se ha escrito con profusión. A este respecto, diversos estudios variacionistas acerca de la distribución funcional de *le/s, la/s, lo/s* han destacado que estos fenómenos se hallan condicionados por las propiedades léxicas de los referentes (en especial los rasgos de *género, animalidad* y *contabilidad)* y determinados aspectos semánticos y discursivos, como la *transitividad* o el grado relativo de *participación* y *prominencia* de aquéllos. En relación con este último, por ejemplo, es conocida la tesis de Erica García (1986), quien ha advertido una diferencia significativa entre los pronombres de dativo *(le, les)* y los de acusativo *(lo, los, la, las).* Desde esta perspectiva, el uso de uno u otro pronombre varía en función del grado de participación o actividad del referente en la situación verbal: *le* implica un grado de participación mayor que *lo* en los enunciados siguientes. O dicho de otra manera, en (7) la persona referida como *le* (Pedro) acepta más activamente la ayuda del agente que en (8):

(7) *Le* ayudó en su trabajo *(a Pedro).*
(8) *Lo* ayudó en su trabajo *(a Pedro).*

Ello explicaría diversos hechos conocidos, como, por ejemplo, la mayor difusión del llamado *leísmo de persona* en relación con el de *cosa,* ya que, como es lógico, el grado de «actividad» de los entes humanos (y animados, en general) es más alto que el implícito en los referentes inanimados. Asimismo, justificaría el mayor alejamiento del sistema etimológico tradicional en los contextos verbales en que intervienen sólo dos participantes *(sujeto* y *objeto),* mientras que el respeto a la distinción causal es más elevado en aquellos en los que intervienen tres argumentos *(sujeto* y *dos objetos).* La explicación parece fácil si atendemos al carácter relativo de la distinción propuesta, ya que cuando hay un solo objeto, el hablante tiene mayor flexibilidad para interpretar éste como más o menos activo, esto es, involucrado en la actividad verbal, y de ahí la existencia de dobletes en español con *le* y *lo,* como el de (9)[8].

---

[8] El empleo de *le* para designar referentes humanos en contextos con dos participantes (sujeto y objeto) se encuentra tan arraigado que algunos verbos se especializan semánticamente en función del pronombres que les acompaña: *le* para personas y *lo/la* para seres inanimados (por ej., *enseñarlo:* mostrar el coche, el apartamento...; *vs. enseñarle:* educar a Juan...).

Por el contrario, cuando en la frase hay dos objetos, la capacidad para distinguir entre el nivel de actividad de ambos se halla más limitada, (10):

(9) *Lo* quieren *(eso)/Le* quieren *(a Juan).*
(10) Se *lo* dicen *(eso* a Juan)/*Se *le* dicen.

Con todo, el grado en que estas distinciones semánticas afectan al paradigma de los pronombres de tercera persona difiere considerablemente tanto en el interior del propio sistema lingüístico como en la matriz dialectal y sociolectal. En relación con el primer hecho, cabe mencionar, por ejemplo, la mayor profusión de usos *leístas* o *laístas* de determinados verbos o las diferencias frecuenciales observadas entre algunas formas del singular y las correspondientes del plural. Esto último sucede, por ejemplo, con los pronombres *le* y *les* en algunas regiones peninsulares, en las que se ha detectado un uso más frecuente del primero en los contextos de dativo (Klein-Andreu 1999: 200).

Por otro lado, incluso en las zonas tradicionalmente confundidoras, la difusión de estos fenómenos varía cuantitativamente de unas

GRÁFICO 1
Porcentajes de *le/les* en contextos con menos de tres participantes en Soria y Valladolid (referentes vivos), según Klein-Andreu (1999)

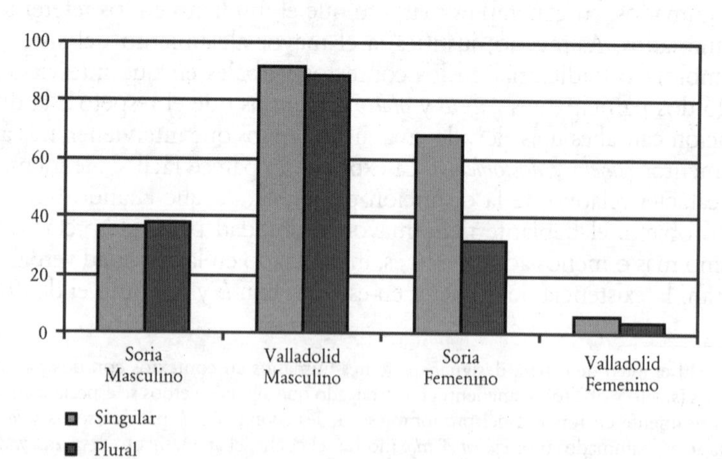

GRÁFICO 2
Porcentajes de *le/les* en contextos con menos de tres participantes en Soria y Valladolid (referentes inanimados), según Klein-Andreu (1999)

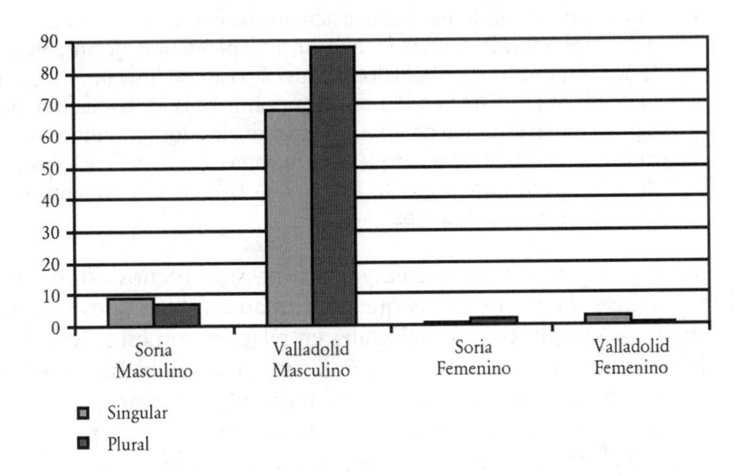


áreas a otras, lo que permite sospechar que, en la evolución respecto del sistema etimológico original, distintos dialectos han producido a su vez reinterpretaciones particulares del significado de cada pronombre. Esta tesis, defendida por Klein-Andreu (1999: 197 y ss.), sugiere que las diferencias dialectales entre algunas regiones castellanas obedecen a la preeminencia que en cada una de ellas poseen los factores semánticos y pragmáticos mencionados. De este modo, las distancias frecuenciales observadas en dos regiones castellanas con diferentes grado de alejamiento del sistema etimológico, como son las comarcas centro-orientales de Soria (+ conservador) y Valladolid (+ innovador), responderían al hecho de que, en cada una de ellas, operan en mayor medida unas distinciones que otras (véanse gráficos 1 y 2). Por ejemplo, en los contextos con tan sólo dos participantes (un único objeto), el dialecto soriano difiere del vallisoletano considerablemente: el uso de *le/s* tan sólo es significativo para referir a los seres vivos tanto masculinos como femeninos *(le* di un beso *a Marta; le* vio el otro día en el parque *[a Juan, a Juana]),* pero apenas para aludir a los seres inanimados. Por el contrario, en Valladolid *le/les* apenas se emplea en los contextos femeninos, lo que justifica la difusión en esta zona de variantes *laístas (la* di un beso *a María),* prácticamente ausentes en Soria. Y sin embargo, su empleo es también muy frecuente en la referencia a seres inanimados masculinos *(le* he comprado *[el libro]* en la librería del pueblo). En opinión de Klein-Andreu (1999: 201):

> El uso soriano es consecuente con conservación de distinción casual, en el sentido de «relativa actividad»: *le/s* se encuentra principalmente referido a seres vivos, con independencia de su género léxico. En cambio, en Valladolid se usa *le/s* casi exclusivamente para masculinos [...] Éste tiende a distinguir primero la individualización del referente: se usa *lo* para los no-individualizados (continuos) con independencia de su género léxico, mientras que se refiere a los individualizados por su género léxico, con *la/las* si son femeninos y con *le/les* si son masculinos[9].

Aunque la perspectiva sociolingüística ha sido menos estudiada, existen algunos datos empíricos que confirman también la existencia de diferencias sociolectales y dialectales en relación con estos fenómenos. Éstas se aprecian, por ejemplo, en la evaluación subjetiva que los hablantes realizan de las mismas. A este respecto, sabemos que el *leísmo de persona* es no sólo una variante tolerada, sino también prestigiosa en Castilla[10], y que tanto este fenómeno como el *leísmo de cosa* o el *laísmo* funcionan, cada uno a su manera, como claros indicadores de significación diatópica y diastrática. Pese a ello, los juicios en torno a estas diferencias sociolectales varían considerablemente entre unas zonas y otras *(vid.* Klein-Andreu 1979, 1980, 1999)[11]. Como puede obser-

[9] Al paradigma más conservador, representado aquí por las comarcas del centro y este de Soria, pertenecen también otras áreas nororientales de la Meseta, como la provincia de Logroño (Fernández Ordóñez 1999), y más al sur, la región manchega (Klein-Andreu 1999). Por el contrario, las provincias occidentales de Castilla participarían del mismo sistema innovador que Valladolid (para el habla de Burgos, véase el estudio variacionista de Martínez Martín 1983a). Y entre ambas, existirían dialectos intermedios, como los representados por el norte de la provincia de Toledo (Klein-Andreu 1999: 202).

[10] Sin embargo, las cosas no parecen estar tan claras en el caso del pronombre plural. La norma académica nunca lo ha considerado a la misma altura que el pronombre singular, y sin embargo, su uso entre los hablantes cultos se halla tan difundido como el de *le.*

[11] Por otro lado, algunos estudios cuantitativos sobre textos antiguos han permitido comprobar la extraordinaria antigüedad del *leísmo.* Así, M. Flores (1997: 36) señala que *le* se emplea ya como objeto directo humano, masculino y singular en un 42 por 100 de los casos posibles en *El Cantar de Mío Cid,* cifras que se elevan hasta el 90 por 100 en la *General Estoria* de Alfonso X y un 94 por 100 en *La Celestina.* A finales del siglo XIX, los textos castellanos escrutados por este autor muestran ya una presencia prácticamente categórica de dicho pronombre en el contexto señalado (99 por 100). Estas cifras son muy similares a las que se otorgan a las hablas castellanas en la actualidad (Fernández Ordóñez 1993: 92).

varse en la tabla 2 (página siguiente), la valoración que merecen las variantes *leístas, laístas* y *loístas* entre los hablantes castellanos es distinta de la que apreciamos en el resto de las hablas peninsulares. Así, el *leísmo* para aludir a seres vivos es ampliamente valorado en las áreas castellanas (79 por 100), pero bastante menos en el resto (41 por 100), y ello pese a tratarse, como vimos, de un rasgo aceptado por las instituciones académicas y considerado como prestigioso por otras instancias normativas *(v. gr.,* los libros de estilo de diversos medios de comunicación). Y estas diferencias evaluativas son todavía más elevadas en el caso del *laísmo,* cuya aceptación en las zonas centrales de la Península (59 por 100) es considerablemente alta, pese a su condena académica. Por el contrario, en el resto de las regiones, los niveles de aceptación descienden hasta cifras mucho más bajas (4 por 100), lo que apunta hacia una notable estigmatización del fenómeno en las comunidades de habla periféricas. Por último, las diferencias se observan también en relación con los fenómenos restantes, si bien ahora las distancias porcentuales son menos abruptas, ya que, incluso en las regiones castellanas, el grado de aceptabilidad es bastante menor (29 por 100 y 15 por 100 para el *leísmo de cosa* y el *loísmo,* respectivamente, frente a tan sólo un 7 por 100 y 0 por 100 en el resto)[12].

Pese a lo anterior, no han faltado estudios en los que la variación que afecta a estos pronombres no parece estar correlacionada con ningún factor social relevante. Así lo han comprobado, por ejemplo, Moreno Fernández *et al.* (1988), quienes han venido a concluir que, pese a la notable extensión social del *leísmo* y el *laísmo* en diversas poblaciones de la Comunidad de Madrid, no existen diferencias significativas que guarden relación ni con el sexo o la edad, ni tampoco con la extracción social de los hablantes[13].

---

[12] En otro estudio sobre las actitudes hacia estos fenómenos en la ciudad de Valladolid, Mendizábal (1994) ha proporcionado cifras muy elevadas de aceptación del fenómeno *leísta* en todos los niveles sociales. Por el contrario, el *laísmo* lo rechazan como incorrecto o vulgar los representantes de los niveles socioculturales más altos, aunque su empleo no parezca tan estigmatizado en los estilos más informales.

[13] Sobre la difusión del *leísmo* en otras regiones españolas, y junto con la bibliografía ya reseñada, veánse también los trabajos de A. Quilis *et al.* (1985) sobre el habla culta de la ciudad de Madrid, Lamíquiz (1976) para el español de Sevilla, o algunos estudios recientes sobre el País Vasco, en los que se ha destacado la notable extensión del *leísmo* femenino de persona *(le vi a Marta el otro día)* (véase Heredia 1994); un fenómeno sobre el que, en algunas regiones bilingües como el País Vasco, se ha especulado acerca de la posible influencia de la lengua autóctona (cfr. Urrutia 1988, 1995; Fernández Ulloa 1996; Landa 1995; Echenique 1998, entre otros; sobre esta cuestión véase más adelan-

Tabla 2
Aceptación de distintos usos referenciales en función del origen geográfico del informante, según Klein-Andreu (1979)

| | N de informantes | Aceptación leísmo seres vivos | | Aceptación leísmo seres inanimados | | Aceptación del laísmo | | Aceptación del loísmo |
|---|---|---|---|---|---|---|---|---|
| | | % | N | % | N | % | N | % |
| R. castellanas | 34 | 79 | 10 | 29 | 20 | 59 | 5 | 15 |
| Resto penins. | 68 | 41 | 5 | 7 | 3 | 4 | 0 | 0 |

Distinto es el panorama que ofrecen muchas regiones hispanoamericanas, donde el *leísmo* en la actualidad parece restringido a ciertos representantes de las clases elevadas (véase G. Cantero 1979, para el español mexicano) así como a unos pocos verbos y usos estereotipados[14]. Con la excepción de estos y de algunos otros derivados de situaciones de contacto entre el español y ciertas lenguas amerindias (véase más adelante el tema XVI), el uso de *le* como objeto directo masculino ha declinado considerablemente en algunas regiones desde el periodo colonial hasta la actualidad, época en la que numerosos autores han destacado la ausencia del fenómeno leísta en América. Como recordaba Fontanella de Weinberg (1993: 154-155):

> [...] en el habla coloquial de la mayor parte del territorio hispanoamericano [...] se emplean *le* y *les,* como objetos indirectos, y *lo/los/la/las* como objetos directos, a diferencia de la norma peninsular, según la cual para objetos directos humanos se emplea *le/les* en un uso al que habitualmente se conoce como *leísmo.*

te el tema XVI, § 5.2, en el que se aborda también el alcance social del leísmo en otros dialectos del español en contacto con lenguas amerindias).

[14] Así ocurre, por ejemplo, con el llamado *leísmo de cortesía,* ante interlocutores a los que se trata de usted. O más específicamente en algunas regiones, como México, con el uso de un *le* no argumental y con valor intensificador *(Tráeme unos cigarros, ¡córrele!).* Para un análisis variacionista de este pronombres a partir de los materiales proporcionados por diversos corpus mexicanos, véase Torres Cacoullos (1999c).

Este hecho es particularmente visible en países como México, donde Torres Cacoullos (2002: 301) ha realizado algunos recuentos en diversos cortes diacrónicos y sincrónicos para concluir:

> The average frequency of *leísmo* shows a decline between the seventeenth and eighteenth centuries, from 66% to 24%, and then another decline between early nineteenth-century texts and the MexPop corpus, from 18% to 2%. For example, highly transitive *matar* 'kill' appears 50%-62% of the time with *le* in the sixteenth to seventeenth centuries, but there are no occurrences in the present-day corpus. With *ver* 'see', the percentage of *le* reaches 40%-59% in the sixteenth to seventeenth centuries, but drops to 1% in MexPop [véase en el mismo sentido Zamora Muné y Guitart 1982: 167][15].

## 4. Fenómenos de duplicación de clíticos en comunidades hispanas

El fenómeno de la duplicación del objeto mediante pronombres clíticos es un rasgo característico del español y de otras lenguas romances que ha recibido también la atención destacada de la sociolingüística variacionista en los últimos tiempos.

Como es sabido, la duplicación es obligatoria en ciertos casos, como ocurre en los siguientes contextos: a) en presencia de complementos indirectos antepuestos al verbo *(a mi madre le dieron un beso/a mi madre Ø dieron un beso),* b) con complementos cuyo término es un pronombre personal tónico *(el otro día le vi a él en el parque/el otro día Ø vi a él en el parque),* c) con verbos pseudoimpersonales o de experimentación de estado *(a mi padre le interesa mucho el cine/a mi padre Ø interesa mucho el cine),* y d) con complementos pospuestos de carácter remático *(está la cosa del... el trabajo está malísimo, digamos el paro. Está la cosa de los*

[15] Algunas excepciones, aunque muy poco representativas en términos absolutos, las encontramos en G. Cantero (1979) y Moreno de Alba (1995). Pero incluso entre estos casos se encuentran algunos de lo que se ha dado en llamar *leísmo aparente* (Fernández Ordóñez 1999: 1323). En algunos contextos, y con independencia de las razones etimológicas originales —a las que son ajenas, como es lógico, la mayoría de los hablantes—, el clítico pronominal se entiende como un objeto indirecto del verbo (ello explica, por ejemplo, la diferencia entre «entenderle a Pedro» (entender lo que dice Pedro) y «entenderlo a Pedro» (comprender su comportamiento, etc.). Y en relación con el leísmo en las oraciones impersonales («se les educa»), el empleo del pronombre *les* se atribuye a razones eufónicas fundamentalmente.

*tironeros, el otro día le pegaron uno a mi sobrina)*[16]. Asimismo, es casi categórica con objetos directos situados en posición preverbal *(a tu madre la vi el otro día en el mercado/¿a tu madre Ø vi el otro día en el mercado)* y muy frecuente también con los objetos indirectos situados tras el verbo *(le dieron una paliza a mi hermano/¿dieron una paliza a mi hermano)* *(vid.* Elizaincín 1979).

Ahora bien, en algunos dialectos del español, esta duplicación es variable en aquellos enunciados en los que el objeto directo aparece pospuesto, como en (11) y (12):

(11) Vi *a tu madre* el otro día en el mercado *vs. La* vi *a tu madre* el otro día en el mercado.
(12) He visto *el atraco* con mis propios ojos *vs. Lo* he visto *el atraco* con mis propios ojos.

Entre los estudios variacionistas que se han realizado sobre este tema, destacamos aquí algunos que han tenido como centro de interés el español hablado en Chile, como los llevados a cabo por Silva-Corvalán (1980-1981, 1981) y Urrutia (1995) (véase también Urrutia y Fernández Ulloa 1997).

Silva-Corvalán ha estudiado dicho fenómeno de variación gramatical a partir de materiales extraídos del español hablado en la capital de Chile, Santiago. En su opinión, y contrariamente a la tradición académica que en ejemplos como los de (13) y (14), ve un empleo redundante, los clíticos serían marcas de *topicalidad*, cuya función estriba en resaltar la importancia informativa de aquellas entidades temáticas que no son el sujeto de la oración. Por ello, la aparición del pronombre se ve favorecida en aquellos contextos en los que el objeto directo está marcado con los rasgos (+ humano) y (+ definido), como sucede en (13), mientras que es mucho más escasa en los enunciados donde aparecen los correspondientes rasgos negativos, como en (14)[17]:

(13) *Lo* adoraba *a su hermano.*
(14) Uno *los* ve *los problemas,* digamos, reducidos en su dimensión.

Estos resultados coinciden parcialmente con los que algunos años más tarde ha aportado Urrutia. Sin embargo, este autor ha destacado

[16] Ejemplo citado en Urrutia y Fernández Ulloa (1997: 865).

[17] Al mismo tiempo, se observan diferencias significativas en la aplicación de la regla de duplicación a partir de factores sociales como el sexo, la edad o la clase social, que serán abordadas en capítulos posteriores (véanse temas V al VII).

que la duplicación se produce también significativamente más con los complementos indirectos, en línea con lo observado en otros dialectos del español, y menos de lo inicialmente previsto con los complementos directos de persona. En la práctica, los casos de duplicación no obligatoria con el OI doblan a los que tienen lugar con el OD, proporciones que se hallan en consonancia con lo observado anteriormente en el habla de Madrid por A. Quilis *et al.* (1985).

Con todo, es frecuente leer que la extensión social de este fenómeno difiere entre España y América, siendo todavía más frecuente en las hablas americanas que en las peninsulares (Company 1997: 436)[18]. Así, García Miguel (1991) ofrece unas cifras del 74,5 por 100 para el español peninsular, mientras que Company (2001) eleva estos porcentajes hasta el 90-96 por 100 en los dialectos mexicanos, en los que es frecuente que la duplicación afecte incluso a los casos en que el correferente es plural *(le ocurrió a muchos)*[19].

Asimismo, otros recuentos han permitido comprobar que el fenómeno de la copia pronominal ha conocido un incremento muy significativo con el paso de los siglos. Company (2001), por ejemplo, ha destacado que la duplicación del dativo aumenta desde un escaso 10 por 100 en textos del siglo XVI hasta un 83 por 100 en el siglo XX.

Por último, señalemos algunos casos de ausencia del clítico en contextos obligatorios en situaciones de contacto de lenguas. Así lo han visto, por ejemplo, Urrutia (1995) y Landa (1995) en sendos estudios sobre el español hablado en el País Vasco, e igualmente se ha observado en algunas comunidades andinas (Lipski 1996). Sobre ellos volveremos más adelante (véase tema XVI, § 5.2).

---

[18] Anteriormente, diversos trabajos dialectológicos y descriptivos habían destacado también la notable difusión geográfica del fenómeno duplicatorio por toda América (Kany 1969). Su uso se ha corroborado con posterioridad en algunas regiones andinas (cfr. Rivarola 1990, Caravedo 1992, Mendoza 1992), así como en Chile (Oroz 1966), Argentina (Suñer 1989), Uruguay (Groppi 1997-1998), Caracas (Bentivoglio y Sedano 1992), entre otras comunidades. Véanse más referencias bibliográficas y ejemplos sobre el tema en los manuales de Lipski (1996) y Alvar (1996b) sobre el español de América.

[19] Company (1997: 456) indica que esta ventaja de las variedades americanas respecto a las peninsulares obedece a la pérdida de la forma *vosotros* en las primeras, lo que provocó un incremento de la carga funcional del pronombre *le(s)*. Como consecuencia de ello, la necesidad de hacer explícito el referente se incrementó en estos dialectos.

## 5. Fenómenos de variación que afectan al modo verbal en español

### 5.1. *La variabilidad verbal en el seno de las oraciones condicionales*

Mención especial requieren en este capítulo los estudios variacionistas acerca de la elección del *modo verbal* en las oraciones condicionales, especialmente en su prótasis *(si tuviera/si tendría... haría)*. Como es sabido, la sustitución de las formas del imperfecto de subjuntivo *(cantara/cantase)* por las del condicional *(cantaría)* aparece plenamente consolidada en una amplia zona dialectal peninsular, que comprende las regiones de Navarra, La Rioja, País Vasco, Cantabria y una buena parte de Castilla y León *(vid.* Llorente Maldonado 1980). Asimismo se extiende por diversas zonas del español americano (cfr. Lavandera 1979; Ridruejo 1989; Martínez Martín 1983b, entre otros)[20].

Generalmente se ha considerado como una causa fundamental de esta variabilidad la cercana posición que ocupan estas formas en el paradigma verbal. En opinión de Ridruejo (1975, 1989), el número reducido de contextos en los que el imperfecto de subjuntivo puede conmutarse con los tiempos del indicativo contribuye a desdibujar su significado. Desde esta perspectiva, en algunas hablas se buscaría una variante alternativa que poseyera el significado más próximo al de la forma originaria. Ridruejo (1975: 134) cifra en tres las razones principales que convierten a *cantaría* en la variante sustitutoria más adecuada: a) prácticamente no se opone a *cantara (-se)*, pues ambas formas se encuentra en una distribución casi complementaria; b) la oposición de actitud mental *(realidad/no realidad)* que la opone al indicativo se halla muy cercana cognitivamente a la de actualización, que caracteriza al par subjuntivo/indicativo; y c) en la evolución del español se ha llegado a una virtual identidad temporal entre *cantaría* y *cantara (-se).*

Los estudios de inspiración variacionista sobre el tema encuentran uno de sus primeros hitos en la investigación pionera realizada por Lavandera (1975, 1979) en la comunidad de habla de Buenos Aires. En este trabajo la sociolingüista argentina señaló que los hablantes que

[20] Véanse más detalles sobre esta variable desde una perspectiva estructural, dialectológica y sociolingüística en Blas Arroyo y Porcar (1997).

emplean la forma condicional en detrimento del subjuntivo, prescrito por la norma, lo hacen impulsados por una básica necesidad comunicativa: su deseo de distinguir entre situaciones más o menos probables de actualización en el futuro. Complementariamente, en la elección de modo no sólo estaría implicada la prótasis, sino también la combinación entre las formas verbales de ésta y las de la apódosis. Finalmente, la correlación de este fenómeno con diversos factores sociales indica que la elección entre el condicional y el imperfecto de subjuntivo guarda una relación significativa con el nivel sociocultural de los hablantes, de acuerdo con un esquema distribucional frecuente: mayor empleo de la forma no estándar *(-ría)* entre los hablantes con menor formación educativa. Sin embargo, y contrariamente a lo previsto, las mujeres superan a los hombres en el uso del condicional y lo mismo ocurre con los hablantes más jóvenes, lo que sugiere la posibilidad de que en dicha comunidad nos encontremos ante las primeras etapas de un cambio en marcha (sobre el valor de estas diferencias sociolectales para dilucidar la posible existencia de cambios lingüísticos, véase más adelante tema VIII, § 8).

A los trabajos de Lavandera han seguido otros, como los emprendidos por Silva-Corvalán (1984a) sobre el español de una población castellana (Covarrubias, Burgos), donde la variante *-ría* tiene un notable rendimiento funcional, como podemos comprobar en el siguiente cuadro (tabla 3).

TABLA 3
Distribución global de las variantes en Covarrubias, según Silva-Corvalán (1984a)

| | N | *-ra/-se* | | *-ría* | | *-ba* | |
|---|---|---|---|---|---|---|---|
| | | N | % | N | % | N | % |
| Prótasis | 72 | 25 | 38 | 46 | 64 | 1 | 1 |
| Apódosis | 33 | — | — | 19 | 55 | 14 | 45 |
| Otros contextos | 169 | 36 | 21 | 133 | 79 | — | — |

Ahora bien, a diferencia de Lavandera, la investigadora chilena propone el «principio de distancia» para explicar el abandono de las formas subjuntivas en determinados contextos, particularmente el de la prótasis condicional irreal *(si tuviera/tendría mucho dinero me iba a Hawai)*. De acuerdo con este principio, si una lengua presenta en su sistema verbal formas estrechamente relacionadas, es decir, similares en significado y distribución sintáctica, aquella que se encuentra más alejada de la esfera del hablante —en cuanto refiere acontecimientos de escasa posibilidad de cumplimiento— es la que tiende a caer en desuso. Motivado, pues, por las necesidades comunicativas del hablante, tendría lugar un proceso de debilitamiento semántico de las formas verbales utilizadas para la expresión de la modalidad. Dicho en otros términos: dado que el sistema posee formas cognitivamente más accesibles para el hablante —éste sería el caso de la forma en *-ría*— las más confusas *(-ra/-se)* acaban desechándose[21].

El estudio de Silva-Corvalán descubre también la covariación del fenómeno lingüístico con algunas variables sociales, particularmente el sexo de los hablantes. La principal conclusión es que la diferente distribución sociolingüística de la variante *-ría* en el habla de hombres y mujeres (mayor uso entre estas últimas) se debe a la existencia de distintas necesidades comunicativas, lo que se traduce en la configuración de diferentes estilos comunicativos generolectales. Por otro lado, un estudio actitudinal permite advertir también que en esta región castellana la variante condicional no se halla estigmatizada entre los miembros de la comunidad, especialmente entre los hablantes más jóvenes, que son quienes muestran unos juicios más positivos hacia el fenómeno.

Urrutia (1995) ha notado también la considerable difusión social del fenómeno en el español hablado en el País Vasco, donde alcanza porcentajes de uso muy elevados, aunque con diferencias sociolectales importantes entre los grupos sociales extremos, como puede apreciarse en el gráfico 3. Y lo mismo han advertido Ridruejo (1975) y Pérez Salazar (1997) en relación con La Rioja y Navarra respectivamente[22]. Por su parte, Blas Arroyo y Porcar (1997) han

---

[21] Klein-Andreu (1986) ha desarrollado el tema de la variación en el periodo condicional a partir de una línea explicativa similar. Para esta autora, la diferencia modal indicativo/subjuntivo se establece como *aserción/no aserción*. El principio de distancia postulado por Silva-Corvalán se explica, según Klein-Andreu, por la progresiva preferencia del hablante hacia el uso de formas [+ asertivas] [+ actuales] para presentar los hechos. Esta preferencia motiva la sustitución de las formas normativas [– asertivas] en un proceso de cambio lingüístico en marcha.

[22] El uso del condicional para la expresión de la eventualidad o la irrealidad se halla tan extendido en regiones como Navarra que, en opinión de Buesa (1980), no existe prácticamente el imperfecto de subjuntivo. Con todo, este autor señala algunos islotes en los que todavía se emplearía el imperfecto de subjuntivo (el caso de Tudela y otras poblaciones de la ribera del Ebro). Sobre la posible influencia en esta comunidad de un primiti-

abordado la cuestión en una región peninsular bilingüe —las comarcas castellonenses— en la que también se detectan algunos casos de neutralización entre las formas *-ra/-ría*, que, sin embargo, han sido mucho menos atendidos por los especialistas. Aunque la extensión social advertida en este trabajo sea baja en líneas generales, entre los resultados del estudio sobresale una significativa incidencia del bilingüismo individual en la preferencia por el condicional, más frecuente entre los hablantes con mayor competencia en catalán.

GRÁFICO 3
Frecuencias de uso de diversas formas verbales en la prótasis de las condicionales un función del nivel social de los hablantes, según Urrutia (1995: 255)

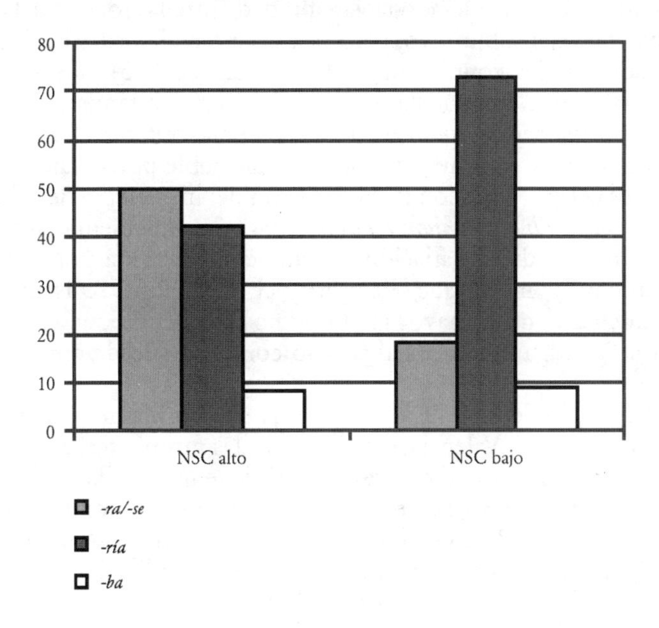


vo dialectalismo, véase Pérez Salazar (1997). Similares opiniones sostiene Llorente Maldonado (1980) para referirse a La Rioja. Por otro lado, el fenómeno se ha detectado también en la zona occidental de Aragón limítrofe con Navarra *(vid.* Frago 1978). Hay que recordar, sin embargo, que la mayoría de estos trabajos no aborda la cuestión desde una perspectiva variacionista.

Pese a lo anterior, el proceso de cambio lingüístico que lleva al arrinconamiento del imperfecto de subjuntivo parece estar encontrando resistencia en algunas comunidades de habla. De hecho, estudios recientes sugieren la posibilidad de que en la actualidad estemos asistiendo a procesos de *cambios desde arriba* (véase tema VIII, § 5), en una dirección inversa a la reseñada. Es el caso, por ejemplo, del trabajo de Gutiérrez (1996) acerca de la comunidad chicana de Houston, en la que los hablantes muestran una preferencia mayoritaria por el uso del imperfecto de subjuntivo en detrimento del condicional. En la misma línea, Serrano (1995a) ha advertido en Canarias un cambio en marcha que discurre desde la norma dialectal —uso preferente del indicativo tanto en la prótasis como en la apódosis de las condicionales irreales— a la del español estándar, que prescribe el empleo del subjuntivo en la prótasis y el condicional en la apódosis.

Para terminar esta sección nos hacemos eco de algunos estudios en los que se ha considerado la variabilidad entre las formas del condicional y las del subjuntivo, pero esta vez no en la prótasis, sino en la apódosis de las condicionales. Chumaceiro (1995) ha señalado, por ejemplo, que en el habla de Caracas la forma estándar *(si tuviera dinero, viajaría todos los años)* es socialmente mayoritaria (79 por 100), si bien es posible encontrar un nada despreciable porcentaje de realizaciones (21 por 100) con la terminación del imperfecto de subjuntivo *(si tuviera dinero, viajara todos los años)*. Complementariamente, se advierte que dicha variación se halla condicionada por factores pragmáticos, de modo que el empleo del condicional se asocia preferentemente con un mayor grado de posibilidad de que la acción futura tenga lugar en la práctica; y lo contrario sucede con el subjuntivo.

Un ejemplo de este mismo tipo se ha detectado también en otra ciudad venezolana, Valencia, estudiada por las mismas fechas por Navarro (1990). En su estudio, este autor obtiene unos índices mayores de variabilidad incluso que en Caracas, con un 61,8 por 100 de variantes en *-ría* y un 38,1 por 100 de formas en *-ra* en la apódosis de las condicionales. Asimismo, en este proceso de variabilidad, y junto con los mismos factores pragmáticos reseñados más arriba, se hallan implicados también otros de naturaleza *lingüística* —en particular, el carácter simple o compuesto de la prótasis— y *social* —el sexo, con los hombres por encima de las mujeres en la realización de la variante vernácula.

### 5.2. *El avance del indicativo en detrimento del subjuntivo en algunos contornos sintácticos*

La progresiva pérdida de usos del *modo subjuntivo* que subyace en muchas de las investigaciones reseñadas en los párrafos anteriores se ha advertido también en estudios que tienen como centro de interés la extensión del indicativo en detrimento del subjuntivo en algunos contextos sintácticos, particularmente en las variedades del español de EE.UU. en contacto con el inglés. Aunque abordaremos este tema con detenimiento en un capítulo posterior (véase tema XVI), permítasenos introducir al menos su alcance en estas líneas a través del comentario de algunos trabajos empíricos en los que se ha contrastado la difusión social de este fenómeno de neutralización sintáctica en comunidades con diferente grado de contacto con la lengua inglesa.

Studerus (1995) es autor de uno de estos trabajos, en el que ha comparado dos muestras de población de origen mexicano: una situada en el mismo México y otra en el sur del estado norteamericano de Texas. Los resultados de estos análisis apuntan hacia la confirmación del contacto como un factor explicativo importante en el uso de uno u otro modo verbal. Así, el empleo normativo del subjuntivo en contextos como los que señalaremos más adelante es significativamente mayor entre la población monolingüe mexicana que en la comunidad chicana en contacto directo con el inglés.

Aunque de forma menos sistemática que en las situaciones de contacto, el interés por este fenómeno variacionista ha alcanzado también al estudio de ciertas comunidades monolingües, contribuyendo así al mejor conocimiento de un aspecto de la gramática particularmente complejo. En los últimos años, sobre todo, algunas investigaciones han analizado la influencia de diversos factores de naturaleza sintáctica, semántica y pragmática, sobre todo en el seno de las subordinadas completivas. Como es sabido, en aproximaciones no variacionistas al estudio del español, el empleo de uno u otro modo verbal se ha justificado acudiendo a rasgos como la naturaleza semántica del verbo subordinante (Gili Gaya 1963: 210)[23] o el carácter asertivo o presupuesto del enunciado global (Terrell y Hooper 1974)[24].

---

[23] Según este autor, el subjuntivo no aporta ninguna significación por sí solo. Por el contrario, sería el reflejo sintáctico-semántico de las condiciones impuestas por el verbo principal al verbo de la subordinada.

[24] A diferencia de otros autores, Terrell y Hooper (1974) parten de la significación global de todo el enunciado y no sólo del verbo principal.

Tabla 4
Distribución de los dos modos verbales
en español en función del carácter pragmático
de los enunciados,
según Terrell y Hooper (1974)

| Noción semántica | Clase | Modo |
|---|---|---|
| Aserción | (1) Aserción<br>(2) Informe | Indicativo<br>Indicativo |
| Presuposición | (3) Acto mental<br>(4) Comentario | Indicativo<br>Subjuntivo |
| Ninguna de las dos anteriores | (5) Duda<br>(6) Mandato | Subjuntivo<br>Subjuntivo |

Precisamente esta última aproximación teórica, junto con un criterio sintáctico como el que tiene en consideración la función desempeñada por la subordinada (sujeto, complemento, etc.), ha sido objeto recientemente de un análisis cualitativo y cuantitativo por parte de J. Murillo (1999) a partir de una muestra del habla culta costarricense, cuyos principales resultados mostramos en la tabla 5[25].

Como puede observarse, la variación modal, al menos en esta variedad —y en este sociolecto—, difiere entre unos contextos y otros. Así, es nula entre las oraciones optativas dependientes de verbo implícito, en las que el uso del subjuntivo es categórico, como en (15). Por el contrario, en otros contornos sintácticos, existe cierta alternancia en-

[25] Este autor ha estudiado también la variación modal en las subordinadas adverbiales a partir de los datos proporcionados por la misma muestra del sociolecto alto costarricense. En este trabajo, J. Murillo (1998) concluye que no existe criterio pragmático, semántico o sintáctico alguno que dé cuenta por sí solo del empleo del indicativo y el subjuntivo en los contornos analizados (temporales, finales, concesivas, condicionales, modales, causales, consecutivas, locativas y comparativas). Pese a ello, algunos factores se revelan significativos más a menudo que otros, como por ejemplo, el tipo de conjunción, la *consecutio temporum* entre la cláusula principal y la subordinada o la intención comunicativa del hablante.

TABLA 5
Distribución global de los modos indicativo y subjuntivo en diversos tipos de subordinadas completivas en el habla culta costarricense, según J. Murillo (1999)

| TIPO (SUJETO) | SUBJUNTIVO | | INDICATIVO | |
|---|---|---|---|---|
| | N | (%) | N | (%) |
| Sujeto | 58 | (91) | 6 | (9) |
| Complemento directo | 48 | (85) | 8 | (15) |
| Optativas dependientes | 35 | (100) | 0 | (0) |
| Interrogativas indirectas | 5 | (29) | 12 | (71) |
| Complemento de sust. y adj. | 15 | (83) | 3 | (17) |

tre el subjuntivo y el indicativo, siendo ésta particularmente acentuada en las interrogativas indirectas[26]:

(15) Que... que Sonia te *cuente* todo lo que hizo.
(16) ... yo no sé si todavía *tiene* la bola.

De todos los ejemplos con indicativo en estas últimas, la mitad corresponden, precisamente, al contexto «no sé si...», ejemplificado en (16), y que ha sido objeto también de otro estudio variacionista por parte de De Mello (1995a). A partir de las encuestas ya publicadas dentro del *Proyecto para el estudio coordinado de la norma lingüística culta de las principales ciudades de Iberoamérica y la Península Ibérica*, en este trabajo se comparan las elecciones modales realizadas por los sociolectos altos de algunas de las principales ciudades hispanoamericanas. Tras el pertinente estudio cuantitativo, De Mello (1995a) concluye que la varia-

[26] Con todo, la variación no es enteramente libre en algunos de estos contextos, ya que ciertos factores semánticos condicionan el uso categórico del subjuntivo. Así ocurre, por ejemplo, en los enunciados que cuentan con negación en la proposición subordinante («Yo no puedo pretender que la línea de Desamparados me *lleve* hasta la Coca Cola/*Yo no puedo pretender que la línea de Desamparados me *lleva* hasta la Coca Cola») o en las oraciones regidas por verbos de deseo («No digas nada porque yo no quiero que me *hagan* nada/*No digas nada porque yo no quiero que me *hacen* nada»). Sin embargo, algunos de estos contextos, en los que el sociolecto culto costarricense parece seleccionar obligatoriamente el subjuntivo, son objeto de variación en otros dominios hispánicos. Así, en el español hablado en el País Vasco es posible oír en la conversación espontánea cualquiera de los dos modos verbales en enunciados como: «Yo no creo que *está* en el armario/Yo no creo que *esté* en el armario.»

ción modal en este contorno sintáctico es fundamentalmente de carácter dialectal, ya que el uso del subjuntivo *(yo no sé si tenga)* se produce sólo en cuatro de los once países representados en la muestra (México, Colombia, Venezuela y Chile)[27].

Similares patrones de variabilidad modal se observan en las cláusulas encabezadas por la fórmula *lo + adjetivo/verbo + es que...*, estudiadas también por De Mello (1999), y que ejemplificamos a continuación:

(17) *Lo angustiante es que* no *pueda* estudiar/Lo angustiante es que no *puedo* estudiar.
(18) *Lo que me parece mal es que haya/hay* que pagar noventa pesetas.

Aunque el español permite inicialmente la alternancia en contextos como éstos, en esta investigación se comprueba que ciertos factores sintácticos y pragmáticos condicionan fuertemente la aparición de un modo u otro. Pese a que tanto el indicativo como el subjuntivo aparecen en todos los contornos estudiados, lo cual es ya de por sí un dato relevante, la presencia mayoritaria de cada modo verbal depende de restricciones diferentes. En primer lugar hay que destacar el hecho de que, contrariamente a lo afirmado anteriormente por algunos gramáticos, en un porcentaje muy amplio de estos esquemas el verbo de la subordinada aparece en indicativo (61 por 100 del total)[28]. De Mello (2001: 497) indica que la explicación a este hecho hay que encontrarla en un hecho de naturaleza gramatical:

> La razón para tal situación se explica, me parece, en el hecho de que el subjuntivo, tal como indica su significado literal de «abajo-juntado», se relacione fuertemente con la idea de subordinación, de manera que en la oración «Es importante que estés aquí», la noción encerrada en «estés aquí» va subordinada a la de «es importante». En cambio, en «lo importante es que estés/estás aquí», la noción de subordinación se diluye, puesto que «lo importante» es una perífrasis sustantiva y por eso puede prevalecer la situación en que una cosa sea igual a otra: «lo importante» («lo que es importante») = «estás aquí», o sea que el hablante está diciendo que «tú estás aquí» y «eso es lo importante».

[27] En el español hablado en México, Hall (2000) ha detectado incluso cómo en los casos en que la norma prescribe el uso del indicativo, algunos sociolectos (particularmente las mujeres y los grupos sociales intermedios) difunden en el habla la variante con subjuntivo. Ello ocurre, sobre todo, en los enunciados que encierran información compartida previamente por los interlocutores.

[28] Por ejemplo, Fernández Ramírez (1986) había señalado que, aunque el uso del indicativo en estos contextos es posible, resulta excepcional en español.

Por el contrario, la presencia del subjuntivo se relaciona casi siempre con el rasgo semántico [– existencia], como advertimos en el ejemplo (19). Nada menos que un 86 por 100 de los casos en que se emplea este modo en el corpus (72 enunciados en total) el evento presentado en la subordinada se caracteriza por su naturaleza hipotética. Por el contrario, en los contextos en que dicho evento presenta el rasgo inverso, [+ existencia], el indicativo aparece en un 90 por 100 de las ocasiones. Ello explicaría por qué el indicativo es el modo utilizado casi categóricamente en el mundo hispánico, para introducir información novedosa, como en (20):

(19) Lo ideal sería que el marido *estuviera* en la sala de partos.
(20) Pero lo cierto es que yo me *desesperaba* mucho...

Otro contexto subordinado en el que se han detectado algunos niveles de variación es el que afecta a los enunciados encabezados por la expresión *el hecho de que ...*[29]. Éste ha recibido escasa atención en los manuales de gramática, pero en los últimos años ha sido objeto de algunos análisis particulares desde diferentes perspectivas *(vid.* Bosque 1990). Desde una orientación variacionista, Krakusin y Cedeño (1992) han investigado los factores lingüísticos que están detrás de dicha variabilidad, que podemos detectar en el contraste entre (21) y (22):

(21) El hecho de que *venga* esta semana ya no me seduce nada.
(22) El hecho de que *viene* ya esta semana no me seduce nada.

Para estos autores, el empleo del subjuntivo aparece preferentemente cuando el hablante introduce proposiciones con valor temático o escasamente informativo. Por el contrario, el indicativo se ve favorecido en los contextos remáticos.

Pese a lo expuesto en los párrafos anteriores, algunas investigaciones han llamado la atención también sobre ciertos casos de variabilidad que benefician al subjuntivo, en una línea evolutiva contraria a la

[29] No ocurre lo mismo con otras oraciones complementarias, en las que se expresan matices de causa, necesidad, finalidad, posibilidad o incertidumbre, y en las que la elección del subjuntivo parece categórica («La posibilidad de que eso *suceda* es remota/La posibilidad de que eso *sucede* es remota») (cfr. Bosque 1990: 21; J. Murillo 1999: 223-224).

que acabamos de reseñar. Lunn (1989, 1995), por ejemplo, se ha ocupado de ciertos usos retóricos y estilísticos del subjuntivo, en los que la norma también permite el empleo del indicativo, y que vendrían a representar una cierta contrapartida a la pérdida de contextos sintácticos tradicionales para el primero:

(23) Sólo he conocido a dos personas que *tuvieran* (tienen) tanto o más miedo que yo a los automóviles.

La característica común a estos usos es la introducción mediante el subjuntivo de una evaluación epistémica a través de la cual disminuye el valor de verdad o de información de una proposición, de ahí que sea frecuente hallarlos en lenguajes especializados, como el periodístico, o en contextos corteses.

## 6. La expresión variable del futuro verbal en español

La alternancia entre la forma en *-ré* y otras variantes verbales —como la perífrasis *ir a* + infinitivo o el presente de indicativo— para la expresión de la futuridad en español ha sido objeto también de atención creciente por parte de la lingüística hispánica. Lo cierto es que en las últimas décadas, y desde diferentes perspectivas teóricas y metodológicas, se han emprendido numerosos estudios empíricos que dan cuenta de la distribución de dichas formas en diversas comunidades de habla del mundo hispánico. Con todo, el mayor interés se ha centrado en la alternancia entre dos de ellas, el futuro flexivo o morfológico y el futuro perifrástico, y sólo más excepcionalmente ha surgido un interés por incluir la tercera (el presente de indicativo) entre las variantes que son objeto de estudio.

Resumiendo el estado de la cuestión, el panorama actual sobre este tema señala los siguientes puntos de interés:

a) la forma perifrástica es en la actualidad la variante más utilizada para la expresión del futuro verbal. Complementariamente, la pérdida de usos temporales para el futuro flexivo se ve compensada en cierto modo mediante su especialización en la representación de contenidos modales. El presente estadio de lengua representa una etapa avanzada de un cambio lingüístico cuyo inicio puede rastrearse ya en el siglo XVI (Berschin 1987: 101), y que algunos proponen como fruto de un «ciclo» en el que alternarían las soluciones sintéticas y analíticas en el devenir de las lenguas (cfr. Givon 1971, Lyons 1978, etc.)[30]. En este sentido, la evolución del paradigma del futuro verbal en español no difiere en lo esencial de la atestiguada en otras lenguas romances.

b) Desde el punto de vista dialectal, el proceso que hemos descrito en el párrafo anterior estaría más avanzado en tierras americanas que en el español hablado en España. En este país, los empleos prospectivos del futuro flexivo dispondrían aún de una cierta productividad, a diferencia de los dialectos del español americano, donde la preferencia por la variante perifrástica —o en otros casos, el presente de indicativo— parece mucho más consolidada. Así se desprende de estudios como el de Silva-Corvalán y Terrell (1989), quienes ofrecen datos empíricos correspondientes a cuatro variedades dialectales americanas: puertorriqueña, venezolana, dominicana y chilena, respectivamente[31]. Como atestigua la tabla 6 (página siguiente), en la expresión del futuro con un valor definido, el empleo de la variante perifrástica supera en todos los casos el 80 por 100, seguida a considerable distancia ni siquiera por la forma en *-ré* (salvo en la muestra venezolana), sino por el presente de indicativo. Obsérvese, por último, cómo en algunos casos (República Dominicana y Chile) la presencia de futuros flexivos para la expresión de la futuridad verbal es prácticamente inexistente[32].

Gutiérrez (1994) ha descrito también un avance de la forma perifrástica en detrimento de la forma flexiva en el español hablado en Morelia (México), caracterizando dicho proceso como un cambio en marcha iniciado por los estratos bajos del espectro social que, pese a una cierta resistencia por parte de las clases elevadas, está difundiéndose rápidamente por el resto de la sociedad. Por otro lado, este mismo autor (Gutiérrez 1995) ha puesto también en relación dicho avance de las formas perifrásticas con la situación de contacto de lenguas en que vive el español en EE.UU., avalando la tesis de que los procesos de

[30] Hay que recordar que el futuro morfológico del español y de otras lenguas romances tiene su origen en una perífrasis latina *(amare habeo)* que surgió como consecuencia de las deficiencias distintivas que afectaban a dos tiempos verbales diferentes. Posteriormente los elementos de la perífrasis se fundirían formalmente para dar lugar a la forma sintética, que a su vez vería reducidos sus usos por la competencia de una nueva perífrasis, *ir a* + infinitivo.

[31] Véanse resultados similares en Iuliano y Stefano (1979); Sedano (1994a) para el español hablado en diversas ciudades de Venezuela.

[32] A partir de estos datos, algunos autores han llegado a afirmar, incluso, la desaparición del futuro flexivo en ciertas comunidades de habla americanas. Así lo ha hecho, por ejemplo, Analía Zentella (1990b) a propósito de tres comunidades hispanohablantes (dominicana, colombiana y portorriqueña) en la ciudad de Nueva York.

TABLA 6
Distribución de las formas verbales con valor de futuro definido en cuatro comunidades de habla americanas, según Silva-Corvalán y Terrell (1989)

| | PUERTO RICO | | VENEZUELA | | REP. DOMINICANA | | CHILE | |
|---|---|---|---|---|---|---|---|---|
| | N | % | N | % | N | % | N | % |
| Fut. morfológico | 10 | 10 | 2 | 12 | 0 | 0 | 1 | 1 |
| Fut. perifrástico | 79 | 80 | 14 | 82 | 16 | 80 | 64 | 88 |
| Presente | 10 | 10 | 1 | 6 | 4 | 20 | 8 | 11 |

cambio lingüístico se ven acelerados en las comunidades bilingües (véase tema XVI, § 5.3.2). A través de la comparación entre variedades monolingües (mexicanas) y bilingües (estadounidenses) del español, Gutiérrez (1995) ha comprobado empíricamente que, si bien en ambos dialectos el uso de la variante perifrástica es más frecuente que la correspondiente forma morfológica, éste alcanza una mayor intensidad en aquellas comunidades donde el español convive con el inglés. Por otro lado, en estas últimas se aprecia también una progresiva especialización modal —no temporal— de la forma flexiva, hecho que no se observa con la misma intensidad en las variedades monolingües.

En España, sin embargo, el valor funcional de la forma en *-ré* parece ser mayor que el reseñado hasta ahora, como se deduce de algunos resultados obtenidos recientemente en diversas comunidades de habla españolas. Así ocurre, por ejemplo con el estudio de Ramírez-Parra y Blas-Arroyo (2000), quienes han detectado unos niveles particularmente elevados de la variante flexiva en una muestra del español castellonense (62 por 100). Con todo, en este caso no cabe descartar una influencia determinante del contacto con el catalán, como se desprende del hecho de que el empleo de las formas en *-ré* se incremente muy significativamente entre los hablantes que tienen el catalán como lengua materna y habitual. En el cuadro adjunto puede observarse cómo, mientras que los hablantes que poseen el castellano como lengua dominante muestran unos patrones de elección casi simétricos entre las dos variantes (52,8 por 100/47,2 por 100), entre los valencianohablantes las diferencias a favor de la variante flexiva son abrumadoras (79,9/20,1). De este modo, la posible convergencia con esta lengua, que tan sólo posee la forma flexiva para la expresión de la futuridad verbal[33], se revela como una interesante hipótesis de trabajo en la línea de otros hábitos expresivos detectados en dichas comunidades *(vid.* Blas Arroyo 1993a y más tarde en tema XVI, § 4.1)[34].

GRÁFICO 4
Distribución global de las variantes flexiva y perifrástica del futuro verbal en las comarcas castellonenses en función de la lengua dominante (castellanohablantes, valencianohablantes), según Ramírez-Parra y Blas Arroyo (2000)

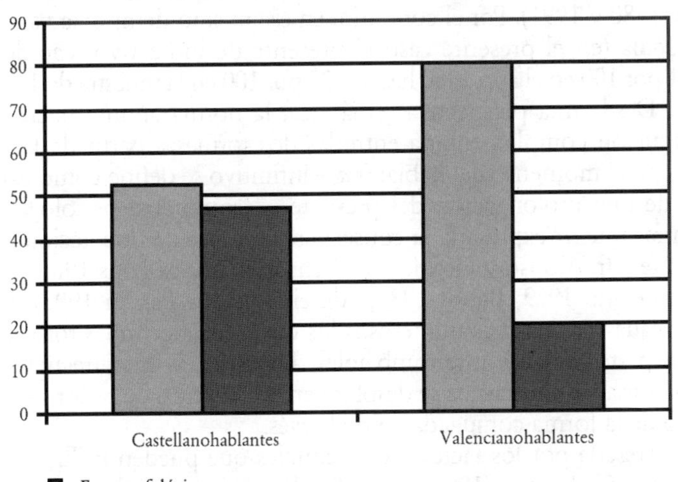


Incluso fuera de la esfera de influencia del contacto de lenguas, la variante morfológica parece resistirse en otras regiones españolas a los cambios que favorecen su progresivo desplazamiento por otras

[33] La perífrasis, por el contrario, se especializa en catalán en los valores del pasado: «L'altre dia vaig a comprar una taula per a la meua habitació» ('El otro día compré una mesa para mi cuarto').

[34] Vedrina (1993), por su parte, ha destacado también algunos resultados similares en su estudio sobre la expresión del futuro en el español hablado en Cataluña. Por otro lado, la productividad de las formas flexivas es también elevada en algunas regiones sudamericanas en contacto con lenguas amerindias, como es el caso del quechua (Escobar 1997). De nuevo remitimos al lector al capítulo monográfico sobre el español el contacto con otras lenguas (tema XVI, § 4.1).

formas alternativas. No en vano, en algunas comunidades parece estar teniendo lugar una especie de *cambio desde arriba* (véase tema VIII), que favorece la revitalización social del futuro morfológico como consecuencia del prestigio sociolingüístico que se asocia a ciertos sociolectos elevados, entre los que resulta más habitual su empleo. Como hemos visto ya en otro lugar, esto es lo que parece estar sucediendo en la actualidad en el habla de Las Palmas de Gran Canaria, ciudad en la que un estudio variacionista en tiempo real llevado a cabo por Díaz-Peralta y Almeida (2000) ha permitido destacar un incremento significativo (de 18 por 100 a 45 por 100) en los empleos de la forma en *-ré* en un lapso temporal de tan sólo once años (1980 y 1991). Por el contrario, en ese mismo tiempo, la variante vernácula (en el presente caso el presente de indicativo) cae desde un 71 por 100 en el año 1980 hasta el 37 por 100 en la muestra de 1991[35].

c) Desde una perspectiva semántica, la norma apunta hacia una distribución complementaria entre las dos formas a partir de la relación con el momento del habla: *ir a* + infinitivo se define como expresión de una prolongación del presente —temporal o psicológico— mientras que *-ré* expresaría la consecuencia futura de otra acción contingente (cfr. Alonso y Henríquez Ureña 1967; Roca Pons 1985; Iuliano y Stefano 1979; Bauhr 1989; Almeida y Díaz-Peralta 1998). Con todo, cada vez son más numerosos los casos en que ambas formas resultan perfectamente intercambiables. En éstos, lo más frecuente es que la variante perifrástica se desplace en la dirección del valor característico de la forma conjugada y no al revés.

Interesada por los factores estructurales que pueden influir en dicha variación, Sedano (1994a) ha realizado una investigación sobre la alternancia que afecta a esta variable gramatical en el español de dos comunidades venezolanas (Caracas y Maracaibo). En su análisis considera la distribución de las dos variantes atendiendo a tres posibilidades:

1) contextos en los que ambas formas no son intercambiables: futuros modales: «*Serán* las diez»; preguntas retóricas: «¿Qué ladrón *va a intentar* meterse aquí teniendo tanta casa donde meterse?», etc.;

2) casos ambiguos: «... *vamos a cambiar* de tema. *Vamos a enfocarlo*... en el aspecto comercial...», y

---

[35] Con todo, hay que observar que este trabajo está basado en datos aportados por un cuestionario de aceptabilidad y no proceden, pues, directamente del habla espontánea de los informantes. Sobre los usos alternantes entre el futuro morfológico y la tercera variante posible, la perífrasis *ir* + *a* + infinitivo, en el sociolecto culto de esa misma comunidad de habla, véase Troya (2000).

3) casos en los que la alternancia es total, y en los que al mismo tiempo, se vislumbra la posible incidencia de ciertos factores semánticos y pragmáticos, a saber: a) la proximidad al acto de habla, y b) la modalidad epistémica/intención: «El mes que viene me *voy a ir* de vacaciones *vs.* el mes que viene me *iré* de vacaciones.»

De los resultados del presente estudio se desprende que en el español venezolano la variante flexiva tan sólo muestra ya una cierta relevancia funcional en la expresión de valores prospectivos asociados a expresiones verbales que revelan inseguridad, así como en oraciones interrogativas negativas *(no sé si...)*. Incluso en la expresión de acciones muy alejadas del momento del habla, la variante perifrástica supera también ampliamente a la flexiva (véanse tablas 7 y 8).

TABLA 7
Distribución de las formas del futuro flexivo y del futuro perifrástico a partir de la distancia entre la acción futura y el acto de habla en Venezuela, según Sedano (1994a)

| | FUTURO FLEXIVO | | FUTURO PERIFRÁSTICO | |
|---|---|---|---|---|
| | N | % | N | % |
| Posterioridad inmediata | — | 0 | 19 | 100 |
| Posterioridad relativamente próxima | 6 | 14 | 38 | 86 |
| Posterioridad alejada o muy amplia | 20 | 36 | 35 | 64 |
| Total | 26 | | 92 | |

TABLA 8
Distribución de las formas del futuro flexivo y del futuro perifrástico según diversas marcas de seguridad/inseguridad en Venezuela, según Sedano (1994a)

| | FUTURO FLEXIVO | | FUTURO PERIFRÁSTICO | |
|---|---|---|---|---|
| | N | % | N | % |
| Con verbos de seguridad: *saber...* | — | 0 | 12 | 100 |
| Con verbos de inseguridad: *no saber...* | 8 | 80 | 2 | 20 |
| Interrogativas de inseguridad | 15 | 56 | 12 | 44 |
| Total | 23 | | 26 | |

d) Por último, cabe destacar que las normas de distribución anteriores presentan algunas excepciones que obedecen a diversos factores psicolingüísticos y sociolingüísticos. Así, algunos investigadores han destacado que el empleo de las variantes perifrásticas es mayor en el habla infantil (cfr. Gili Gaya 1961, Kernan y Blount 1966, Naerssen 1983), así como en los registros más coloquiales y «descuidados» de la lengua, y en general, entre los hablantes con menor nivel educativo (Gili Gaya 1961). Por el contrario, el futuro flexivo sería todavía productivo en la lengua escrita (Berschin 1987)[36].

## 7. La expresión del pasado: pretérito simple vs. pretérito compuesto

Al igual que en otros casos de variación analizados en el presente tema, la alternancia entre las formas del *pretérito perfecto compuesto* y las del *pretérito simple* había sido objeto de atención con anterioridad a la aparición de la sociolingüística variacionista. Gramáticos y dialectólogos habían discutido largamente acerca del estatus de esta alternancia, señalando las diferencias dialectales entre unas regiones y otras, así como el hecho de que las oposiciones temporales y aspectuales entre ambas formas de la conjugación se neutralicen en no pocas ocasiones.

Desde el punto de vista del sistema gramatical, se afirma que la forma *he cantado* expresa acciones o estados pertenecientes al pasado, pero que de alguna forma se hallan relacionados con el presente del habla. Relación esta que, por el contrario, estaría ausente en la forma *canté*. El problema es, como señala acertadamente Moreno de Alba (1997: 619), que no siempre resulta sencillo explicar «en qué consiste esa relación con el presente».

Aunque dicha oposición sigue manteniéndose en algunos casos[37], en otros parece darse una amplia especialización dialectal entre ambas formas. Así, ante contextos como los de (24) y (25), algunas regiones hispanohablantes prefieren el pretérito perfecto y otras el pretérito simple:

[36] Asimismo, se atestiguado un incremento de estas formas en la lengua oral conforme aumenta el grado de formalidad del habla (C. Hernández 1971: 32; Silva-Corvalán y Terrell 1989: 206; Díaz-Peralta 1997: 196).

[37] Moreno de Alba (1997: 620) recuerda, por ejemplo, que en contextos como «Pedro *(ser)* médico de la familia desde 1980 hasta hoy y lo seguirá siendo» o «María no *(casarse)* todavía» el verbo aparece en perfecto compuesto en la mayoría de los dialectos del español contemporáneo.

(24) Esta mañana yo *(desayunar)* un café y un bollo.
(25) El municipio *(construir)* un gran puente y ya fluye bien el tráfico (ejemplos de Moreno de Alba 1997).

Entras las primeras figurarían las regiones del centro y norte de España, mientras que el empleo más habitual del pasado simple estaría ampliamente extendido por la mayor parte de Hispanoamérica así como por algunas áreas españolas como Canarias o Galicia (Gutiérrez-Araus 1995: 21 y ss). Esta preferencia por una de las dos formas, que actúa en este sentido como una especie de «marcador regional», ha llevado a algunos lingüistas a concluir que la oposición *pretérito compuesto vs. pretérito simple* aparece sencillamente neutralizada en algunas variedades del español. A este respecto, Donni de Mirande (1992) señala:

> En el uso de los perfectos (simples y compuestos) de indicativo hay tendencias a preferir uno u otro de ellos según las regiones, pero en general parecen olvidadas o poco claras las diferencias temporales y aspectuales entre ambas[38].

En los últimos años, diversos estudios dialectológicos y variacionistas han venido a arrojar algo más de luz sobre esta cuestión, mostrando la distribución no sólo regional sino también diafásica y sociolectal de estas formas, así como también la existencia de cambios en marcha en algunas regiones hispánicas[39]. Investigadores como Spitzova y Bayerova (1987), Lope Blanch (1972) y Moreno de Alba (1997) han trabajado sobre el español de México, y lo mismo ha hecho H. Miranda (1980-1981) en el sociolecto culto de Chile. Asimismo, disponemos de algunos datos de diversa entidad, referidos al habla de San Juan de Puerto Rico (Cardona 1982; citado en Kock 1991), Uruguay (Ricci y Ricci 1982) y Venezuela (Bentivoglio y Sedano 1992). En España, el tema ha sido considerado por Kim (1987) en el habla de Madrid y Schwenter (1994) para el español hablado en Alicante. Con todo, y al igual que ocurre en otros muchos casos, es en las hablas canarias en las que el

[38] En cualquier caso, no en los contextos señalados en la nota anterior.

[39] Por otro lado, la investigación diacrónica ha permitido comprobar cómo la preferencia por el pretérito simple ha experimentado un significativo cambio ascendente en la evolución del español. Así, Moreno de Alba (1997) ha realizado algunos recuentos sobre textos antiguos desde los siglos XVI al XIX, descubriendo la siguiente progresión: XVI (61 por 100), XVII (74 por 100), XVIII (80 por 100), XIX (85 por 100) (véase también Lapesa 1980: 589-590).

tema se ha considerado con mayor profusión, al menos desde una perspectiva sociolingüística (cfr. Almeida 1987-1988; Herrera y Medina 1991; M. J. Serrano 1995-1996; Piñero 2000).

Una mirada al siguiente cuadro permite comprobar en primer término la preeminencia en términos generales del pretérito simple en el mundo hispánico, si bien ésta es considerablemente más elevada en los dialectos americanos que en el habla española[40].

TABLA 9

Distribución global de las variantes pretérito simple y pretérito compuesto en diversas ciudades del mundo hispánico

| | P. SIMPLE % | P. COMPUESTO % |
|---|---|---|
| Madrid | 58 | 42 |
| México D. F. | 80 | 20 |
| Santiago (Chile) | 74 | 26 |
| San Juan (P. R.) | 72 | 28 |
| Caracas (Jonge) | 76 | 24 |
| Caracas (Bolívar) | 89 | 11 |

*Fuente:* Moreno de Alba (1997: 623) y elaboración propia.

Pese a ello, en algunas regiones parece estar teniendo lugar un cambio en marcha, por el que la norma vernácula, que potencia el uso del pretérito indefinido, se vería desplazada a favor de los usos del pretérito perfecto, al menos en los contextos cercanos al momento de habla. Así se desprende, por ejemplo, de estudios como el de M. J. Serrano (1995-1996) en el español hablado en Santa Cruz de Tenerife. Como se deduce de los datos empíricos aportados por esta investigadora, dicho cambio es impulsado preferentemente por ciertos grupos (grupos socia-

[40] Con todo, hay algunas excepciones notables, como la presentada por Mendoza (1992), a propósito del español boliviano, donde la preferencia por el pretérito compuesto es muy alta, tanto en el habla popular (93 por 100) como en el nivel de habla culto (84 por 100). En este dialecto, la oposición que estamos reseñando parece no existir de la misma forma en que se da en la mayoría de las regiones hispánicas. Y lo mismo parece ocurrir en otro país del área andina, Perú (Caravedo 1992: 726). Adicionalmente algunos recuentos sobre la lengua escrita permiten comprobar que las diferencias favorables al indefinido se atenúan también, incluso en las regiones hispanoamericanas donde dicha variante es ampliamente preferida en el discurso oral.

les y generacionales intermedios) especialmente atraídos por el prestigio de la norma del español peninsular, favorecedora de la forma compuesta. A ello estaría contribuyendo decisivamente un periodo histórico como el presente, en el que un incremento significativo de las comunicaciones y de los intercambios culturales y lingüísticos entre Canarias y la Península está rompiendo el tradicional aislamiento de las islas.

Entre las hablas peninsulares, la neutralización entre estos paradigmas de la conjugación afecta también a algunos dialectos; característicamente al español hablado en Galicia, una variedad en la que el pasado simple es, con diferencia, la más variante más extendida socialmente como consecuencia de un proceso de convergencia secular con la lengua gallega. Pese a ello, Pollán (2001) ha demostrado recientemente que ciertos factores pragmáticos favorecen en dicha comunidad otras dos variantes alternativas al pasado simple, con los mismos valores modales, temporales y aspectuales que éste: las formas del imperfecto de subjuntivo *(cantara)* y las del pretérito pluscuamperfecto de indicativo *(había cantado)*. Todas ellas pueden observarse en los siguientes enunciados (citados en Pollán 2001: 62):

(26) Yo sí, eh, *estuve* en la cárcel cuando le aplicaron garrote vil a otro, a uno que...

(27) ... era..., que le habían... Él era de Lugo, era de Lugo, y había tomado..., era de un partido comunista que se estaba extendiendo por aquí, incluso se *reunificara* por Astano, de Ferrol. Eh, *llegaran* a emplear, pues, explosivos, y entonces, eh, a consecuencia de eso, pues le *aplicaron* la pena de muerte. Y yo *estuviera* en la cárcel cuando sucedió eso.

(28) Se lo compré en una exposición, que se *celebró* en las, en la, en la Asociación de Artistas, en la calle Riego de Agua; se lo *había comprado* por la asombrosa cifra de tres mil pesetas.

Como revela esta autora, la presencia de estas formas, como *reunificara, llegaran* y *estuviera* en (27), o *había comprado* en (28), alterna con el *pretérito simple* —variante mayoritaria, (26)— en aquellos contextos discursivos en los que el tiempo verbal contiene escaso valor informativo por tratarse de información compartida previamente por los interlocutores.

## 8. La sustitución de «ser» por «estar» en algunos contornos sintáctico-semánticos

Otra variable que ha merecido considerable atención por parte de los sociolingüistas es la progresiva extensión del verbo *estar* para cubrir valores semánticos tradicionalmente reservados a *ser*. Uno de los contextos en que esta sustitución se ha detectado, por ejemplo, es el que corresponde a las expresiones de edad, como las que observamos en el siguiente par de oraciones[41]:

(29) Cuando yo *estaba* niño...
(30) Cuando yo *era* niño...

Entre los autores que más atentamente se han ocupado de esta cuestión figura Jonge (1993), a quien debemos un análisis comparativo acerca del empleo de ambos verbos en dicho contexto en el habla de dos ciudades hispanoamericanas, México y Caracas. Como puede apreciarse en la tabla 10, de los resultados de este estudio se desprende una progresiva extensión de *estar* en detrimento de *ser* en ambas comunidades, si bien la mexicana aparece en este sentido como más conservadora, ya que el fenómeno no parece haber avanzado significativamente en las dos últimas décadas, especialmente en el nivel culto (36 por 100 frente a un 53 por 100 para el mismo nivel en Caracas). Complementariamente, tanto este como otros estudios variacionistas[42] han puesto de relieve una especial difusión del trueque entre los sociolectos bajos y, en general, en los estilos más informales. Por último, ciertos factores asociados al cotexto lingüístico, como la aparición de adverbios —del tipo *ya* o *cuando*—, favorecen también la extensión del proceso sustitutorio.

TABLA 10
Frecuencias absolutas y relativas de *ser vs. estar* en expresiones de edad en los niveles culto y popular de dos comunidades de habla hispanoamericanas, según De Jonge (1993)

| | TOTAL | SER | | ESTAR | |
|---|---|---|---|---|---|
| | N | N | % | N | % |
| México culto | 159 | 102 | 64 | 57 | 36 |
| Caracas culto | 192 | 90 | 47 | 102 | 53 |
| México popular | 157 | 55 | 35 | 102 | 65 |
| Caracas analfab. | 48 | 13 | 27 | 35 | 73 |

[41] Véanse otros usos novedosos de *estar* + adjetivo (por ej., *estar distintos)* en comunidades de habla americanas en Delbecque (2000). Y sobre la evolución de la alternancia *ser/estar* en el español bonaerense, véase Fontanella de Weinberg (1997).

[42] Véanse, por ejemplo, las contribuciones de Gutiérrez (1994, 2002) sobre el habla de Morelia (México).

Con todo, la asociación entre este fenómeno y las situaciones de contacto de lenguas —preferentemente aquellas en las que el español convive con el inglés— ha hecho que una buena parte de la bibliografía variacionista sobre dicha variable gramatical se centre en el análisis del español en EE.UU., por lo que remitimos al lector a una sección posterior de esta obra (véase tema XVI, § 5.3).

## 9. Sobre la variabilidad del sujeto en español

Uno de los fenómenos sintácticos más profusamente analizados por la sociolingüística hispánica es la variabilidad demostrada por el *sujeto* en dos aspectos relevantes de su sintaxis: a) la *expresión vs. ausencia* de los sintagmas que desempeñan dicha función, especialmente cuando es un pronombre, y b) la *posición (antepuesta* o *pospuesta)* respecto al verbo en determinados contextos. Con todo, de estos dos, ha sido, sin duda, el primero el que ha recibido una mayor atención, relegándose el segundo más a menudo, y salvo excepciones destacadas *(vid.* Silva-Corvalán 1982), a estudios de carácter más cualitativo o pragmático.

Frente a lo que indican las gramáticas y estudios de corte tradicional, en los que este tema suele reducirse a una mera cuestión de énfasis o de ambigüedad morfológica (cfr. RAE 1973: 421; Seco 1988: 136-137)[43], las investigaciones variacionistas han señalado que la aparición del sujeto expreso en una lengua de sujeto nulo como el español, y en la que la variante no marcada es mayoritariamente la elisión, se halla condicionada por factores de muy diferente naturaleza, entre los que sobresalen: a) el cambio de referencia respecto al sujeto precedente (cfr. Cameron 1992; Bentivoglio 1987; Silva-Corvalán 1982, 1994b), b) los contextos en que se hace necesario distinguir entre el sujeto y otras funciones (Enríquez 1984), c) el significado de ciertos verbos (cfr. Enríquez 1984; Miyajima 2000)[44]; d) el tiempo verbal (Silva-Corvalán 1994b)[45]; e) la necesidad de deshacer posibles ambigüedades en la

[43] También Alarcos (1984: 208) simplificaba en extremo la cuestión al escribir que «los pronombres» (de primera y segunda persona) no añaden más que la expresión del «énfasis o relieve».

[44] Estos estudios sugieren que la aparición de los pronombres surge con más frecuencia ante verbos estimativos o de percepción *(creer, ver, pensar...)* (cfr. Enríquez 1984; Bentivoglio 1987; Blanco 1999).

[45] De acuerdo con las cifras aportadas por esta autora, la menor aparición del sujeto pronominal se produce con las formas del pasado simple, ya que éstas apuntan el foco

morfología verbal (cfr. Bentivoglio 1987; Silva-Corvalán 1982), f) la expresión de información focal —*v. gr.*, información nueva o contrastiva (Silva-Corvalán 1982, 1994b), g) la persona y el número gramaticales (cfr. Barrenechea y Alonso 1977; Cifuentes 1980-1981; Enríquez 1984; Bentivoglio 1987; Blanco 1999), h) la compensación funcional por la pérdida de */-s/* final en las variedades del español donde se produce este fenómeno (Hochberg 1986), i) el cambio de turno conversacional (cfr. Bentivoglio 1988; Blanco 1999)[46], j) el énfasis expresivo (Bentivoglio 1987, 1988), k) la tendencia a fijar el orden de palabras no marcado en español: sujeto-verbo-objeto (Morales 1986), l) la existencia de diferencias paramétricas relevantes entre diversos dialectos del español (Almeida Toribio 2000a), m) la influencia de una lengua de sujeto obligatorio como el inglés, al menos en las comunidades de habla norteamericanas (Demuyakor 1994; Baumel 1996), etc.[47].

Aunque en la práctica varios de estos factores se hallen implicados al mismo tiempo en este fenómeno variacionista, probablemente haya sido el *cambio de referencia* el que se ha revelado estadísticamente más significativo en los estudios empíricos realizados hasta la fecha en comunidades de habla diferentes como Caracas (Bentivoglio 1987), Madrid (Enríquez 1984), Los Ángeles (Silva-Corvalán 1982, 1994); Boston (Hochberg 1986), Santiago de Chile (cfr. Cifuentes 1980-1981), Puerto Rico (cfr. Hochberg 1986; López Morales 1983a; Morales 1986; Cameron 1992; Ávila Jiménez 1995), México (Bayley y Pérez-Álvarez 1997), Honduras (Heap 1990), República Dominicana (Almeida Toribio 1994, 2000a), Sevilla (Miró y Pineda 1990), Puente Genil-Córdoba (Ranson 1991), Filadelfia (Poplack 1979), Alcalá de Henares (Blanco 1999), etc. Para ejemplificar cómo actúan estos factores lingüísticos nos haremos eco a continuación de algunas de estas investigaciones.

---

informativo hacia la acción verbal y no hacia el sujeto. Por el contrario, el pronombre es más frecuente con los imperfectos, condicionales y subjuntivos, que presentan información de trasfondo e hipotética (Silva-Corvalán 1994b, 1996-1997).

[46] Blanco (1999: 36) observa que en el habla de Alcalá de Henares el pronombre *yo* se utiliza en ocasiones como recurso de captación de turno en la conversación, lo que da lugar a alteraciones en el orden sintáctico. Ejemplo: «Yo las clientas que tengo... → Las clientas que yo tengo...; Yo la gente mayor que conozco... → La gente mayor que yo conozco...»

[47] Sobre los condicionantes sintácticos y pragmáticos que determinan el aprendizaje de la regla de alternancia *presencia/ausencia* del pronombre sujeto en el lenguaje infantil, véanse también los estudios de Meyer-Herman (1990) y Austin *et al.* (1997).

La primera corresponde al estudio realizado por Silva-Corvalán (1982) en el habla de la comunidad hispana de Los Ángeles. Como advierte la autora chilena, la frecuencia en la expresión del sujeto es mínima cuando su referente se puede identificar sin posibilidad de ambigüedad alguna, así como cuando no hay un cambio de tópico oracional o discursivo. Por el contrario, la presencia del sujeto es obligatoria cuando se trata de un foco de contraste. Por su parte, Bentivoglio (1987, 1988) ha comprobado también que en Caracas el sujeto pronominal aparece significativamente con mayor frecuencia en los casos en que el referente del sujeto oracional no coincide con el de una cláusula anterior (P .66). Y lo mismo sucede con otros factores estructurales como: a) los pronombres singulares (P .68 para pronombres como *yo, tú, usted* frente a una probabilidad mucho más baja (P .32) para *nosotros, vosotros),* b) con verbos de percepción (P .59) y c) en contextos de posible ambigüedad funcional (P .59). A estos hay que añadir, aunque con una significación más pequeña, el cambio de turno de palabra.

El siguiente estudio que reseñamos en esta sección corresponde a Blanco (1999), a quien debemos una de las escasas contribuciones sociolingüísticas que sobre este fenómeno de variación sintáctica disponemos en el español peninsular. La tabla siguiente concentra la información empírica más relevante de esta investigación, limitada, con todo, a la presencia/ausencia del sujeto pronominal de primera persona en el habla de la ciudad madrileña de Alcalá de Henares.

Como puede observarse en la tabla 11 (página siguiente), los pesos probabilísticos aportados por cada factor están en la mayoría de los casos en consonancia con lo advertido en otras investigaciones, si bien las cifras de elisión del pronombre son más altas que en las muestras de habla americanas (65 por 100). Al respecto destaca el valor de algunos factores ya reseñados anteriormente, como a) el número gramatical —la expresión del sujeto se produce mucho más frecuentemente con el pronombre singular *yo* (P .861), que con el plural *nosotros* (P .413)[48]—; b) el valor semántico de los verbos, siendo de nuevo los verbos de percepción los que más favorecen la regla de expresión del pronombre (P .603); c) el cambio de identidad referencial de los sujetos en la cadena hablada (P .667), y d) la ambigüedad (P .639).

---

[48] La mayor presencia del sujeto *yo* con relación a *nosotros* es un resultado casi unánime en los estudios variacionistas a ambos lados del Atlántico. Así lo han destacado, entre otros, Hochberg (1986) en la comunidad hispana de Boston (43 por 100 *vs.* 17 por 100), Bentivoglio (1987) en Caracas (46 por 100 *vs.* 16 por 100), Cifuentes (1980-1981) en Santiago de Chile (34 por 100 *vs.* 17 por 100) y Enríquez (1984) en Madrid (32 por 100 *vs.* 10 por 100).

TABLA 11
Significación de diversos factores lingüísticos y estilísticos en el grado de expresión *vs.* elisión del pronombre sujeto de primera persona en el español hablado en Alcalá de Henares, según Blanco (1999)

| | AUSENCIA (P) | PRESENCIA (P) |
|---|---|---|
| *Input* | .690 | .310 |
| NÚMERO | | |
| Singular<br>Plural | .139<br>.587 | .861<br>.413 |
| CLASE DE VERBO | | |
| Pensamiento<br>Lengua<br>Percepción<br>Deseo/voluntad<br>Otros | .447<br>.657<br>.397<br>.529<br>.508 | .553<br>.343<br>.603<br>.471<br>.492 |
| REFERENTE | | |
| Igual<br>Distinto | .330<br>.630 | .667<br>.370 |
| AMBIGÜEDAD | | |
| Ambiguo<br>No ambiguo | .361<br>.512 | .639<br>.488 |
| REGISTRO | | |
| Formal<br>Informal | .439<br>.559 | .561<br>.441 |

Pese a lo anterior, ciertas investigaciones han puesto en duda la validez general de algunas de estas restricciones. Así, el factor de la *ambigüedad* funcional como favorecedor de la expresión del sujeto fue tempranamente rechazado en el estudio de diversas variedades a uno y otro lado del Atlántico. Barrenechea y Alonso (1977) comprobaron, por ejemplo, que los porcentajes de aparición y ausencia de los pronombres de sujeto en el español bonaerense eran prácticamente idénticos tanto en las formas que se prestaban a ambigüedad (por ej., *canta(s)*, como en el resto (véase tabla 12).

TABLA 12
Correlaciones entre el grado de expresión o ausencia del sujeto y el grado de ambigüedad funcional en el español de Buenos Aires, según Barrenechea y Alonso (1977)

| FORMAS AMBIGUAS | | FORMAS NO AMBIGUAS | |
|---|---|---|---|
| Presencia 304 (20,7%) | Ausencia 1.166 (79,3%) | Presencia 240 (21,3%) | Ausencia 884 (78,7%) |

Más recientemente, Ranson (1991), Cameron (1996) y Almeida Toribio (2000a) han rechazado también la «hipótesis de la compensación funcional» en las variedades en que se pierde la */-s/*, en sus respectivos estudios sobre el habla de Puente Genil (Córdoba), Puerto Rico y la República Dominicana, respectivamente[49]. De los datos de estas investigaciones se deduce que la frecuencia en la elisión de */-s/* como marca de persona gramatical en estas comunidades no se correlaciona significativamente con la mayor o menor frecuencia de expresión del sujeto. Ranson (1991) incluso observa que los sujetos pronominales se emplean significativamente menos con formas verbales ambiguas que con formas verbales no ambiguas. Y Almeida Toribio (2000a) destaca por su parte que, en el dialecto dominicano, la expresión del sujeto es masiva en todo el sistema pronominal, incluidas las formas que no presentan ambigüedad funcional posible (por ej., *nosotros, ellos)*.

Por otro lado, se ha señalado una tendencia más favorable a la expresión del sujeto en algunas variedades del español de América, especialmente las del ámbito caribeño[50], un rasgo que los dialectólogos ya habían venido advirtiendo desde antiguo, y que estudios variacionistas más recientes han confirmado en lo esencial (cfr. Ranson 1991; Morales 1997; Cameron 1993; Ávila Jiménez 1995; Almeida Toribio 2000a).

[49] Con todo, Cameron (1996) observa un cierto grado de compensación funcional en la expresión de un interlocutor específico *(tú)* en el español portorriqueño.

[50] Aun en el interior de éstas algunos lingüistas consideran que las hablas dominicanas ocupan la posición más avanzada en el proceso de expresión del sujeto (Morales 1997).

El siguiente cuadro permite ver las diferencias en el grado de expresión de diversos sujetos pronominales en tres variedades diferentes del español, una caribeña (Puerto Rico), otra sudamericana (Buenos Aires) y una tercera española (Madrid):

TABLA 13
Grado de realización de diversos pronombres personales en tres ciudades hispánicas. Fuente: Morales (1999)

| | SAN JUAN | % | MADRID | % | BUENOS A. | % |
|---|---|---|---|---|---|---|
| *Yo, tú* | 421/777 | 54 | 195/708 | 28 | 218/721 | 30 |
| *Él, ella* | 180/517 | 35 | 33/419 | 8 | 70/397 | 18 |
| *Indefinido (uno, tú)* | 132/191 | 69 | 19/85 | 22 | 58/121 | 48 |

Los datos de esta tabla confirman, efectivamente la mayor frecuencia de los sujetos pronominales expresos en el español caribeño, con diferencias que son especialmente sobresalientes con respecto al español peninsular. Como variedad intermedia se sitúa el dialecto bonaerense. Por otro lado, estas distancias frecuenciales se mantienen en todos los pronombres, si bien dentro de cada dialecto las diferencias entre éstos son también notables. Así, la expresión de los sujetos de naturaleza indefinida *(uno, tú)* es mayor que en los demás casos, con porcentajes muy elevados en la variedad portorriqueña (69 por 100) y bastante significativos también en la argentina (48 por 100). Por el contrario, los pronombres de tercera persona son los menos proclives a aparecer, tendencia que es especialmente destacada en el español peninsular (8 por 100), seguido por el dialecto bonaerense (18 por 100)[51].

Pese a lo anterior, algunos trabajos comparativos han permitido comprobar que las restricciones impuestas por los factores funcionales reseñados anteriormente son muy similares a ambos lados del Atlántico, con independencia de las diferencias frecuenciales reseñadas (cfr. Cameron 1993; Silva-Corvalán 1996-1997).

[51] En relación con la mayor presencia o ausencia de otros pronombres, los resultados obtenidos hasta la fecha no son siempre coincidentes. Pese a ello, la mayoría señala los pronombres *usted* y *ustedes* como las formas más frecuentemente expresadas (cfr. Enríquez 1984; Cifuentes 1980-1981; Barrenechea y Alonso 1977), seguidas por lo general de *yo* y *tú*, lo que estaría en consonancia con el carácter egocéntrico del lenguaje.

Por otro lado, la mayoría de las investigaciones que han tomado en consideración la posible incidencia de factores sociales sobre esta variable han constatado la ausencia de correlaciones significativas con variables como el sexo, la edad, la clase social, etc. (cfr. Silva-Corvalán 1982; Enríquez 1984; Bentivoglio 1988; Blanco 1999)[52].

Una notable excepción a esto último la representan algunas construcciones mucho más marcadas dialectal y sociolectalmente y en las que la expresión del sujeto aparece incluso con formas verbales no conjugadas, un rasgo detectado ya en el español caribeño por Henríquez Ureña (1921) y Navarro Tomás (1966) así como por Keniston (1937: 550) en textos antiguos. Se trata del esquema sintáctico formado por la combinación de *preposición + Sujeto + infinitivo,* como en (31) y (32), que ha sido objeto de un estudio comparativo por parte de De Mello (1995d) en diversas ciudades del mundo hispánico (Bogotá, Buenos Aires, Caracas, La Habana, La Paz, Madrid, Sevilla, México, etc.)[53].

(31) Deje ver la cicatriz para *yo* saber cómo es eso [ejemplo tomado de Navarro Tomás 1966: 132].
(32) ... para *yo* comérmelo.

El investigador norteamericano ha visto que dicha variante subestándar tiene lugar preferentemente en algunas comunidades de habla caribeñas, como Caracas y San Juan (ciudades que conjuntamente reúnen el 75 por 100 de todo el material registrado en la investigación) y que en éstas se asocia además con los sociolectos más bajos[54]. Anterior-

[52] Véase, sin embargo, el estudio de Miró y Pineda (1990) sobre el habla de Sevilla, donde, paradójicamente, tan sólo resultan significativos los factores sociales.

[53] En su intento por demostrar que la marcación explícita del sujeto es una consecuencia de la tendencia mostrada por algunos dialectos del español a marcar el orden Sujeto + Verbo + Objeto, Morales (1999) ha destacado la relación entre la frecuencia relativa de este tipo de construcciones y la tendencia a hacer explícito el sujeto pronominal. Este hecho lo habían señalado ya algunos dialectólogos, pero la mayoría de los estudios variacionistas le han prestado escasa atención, interesados como han estado en la evaluación exclusiva de factores pragmáticos y discursivos.

[54] Por otro lado, este autor ha analizado, a partir del mismo corpus, la alternancia entre sintagmas del tipo *para sí/para él,* cuya difusión social en el mundo hispánico es inversa a lo postulado tradicionalmente en la lingüística hispánica. Frente a la pretensión de algunos gramáticos, De Mello (1996) muestra cómo la frecuencia de *para sí* es aproximadamente el doble que la de *para él* en casi todas las comunidades de habla estudiadas. Predominio que es particularmente intenso en frases hechas del tipo «por sí solo, de por sí».

mente el fenómeno había sido estudiado también desde una perspectiva variacionista por Bentivoglio (1987) en el español hablado en Caracas, si bien la frecuencia del mismo se demostró muy baja (tan sólo un 5 por 100 de las ocurrencias globales de *para* + infinitivo). Y en la mayoría de estos pocos casos, la inserción del sujeto en la subordinada final venía condicionada por la necesidad de evitar su ambigüedad referencial respecto del sujeto de la principal («En Lima se construye para *la gente disfrutar* adentro... de la casa» (véase también López Morales 1983a para el español de San Juan de Puerto Rico).

## 10. Los fenómenos de dequeísmo y queísmo

Otras variables sintácticas que han atraído la atención de no pocos estudiosos son los fenómenos conocidos como *dequeísmo* y *queísmo,* generalmente analizados de forma aislada, salvo en algunos tratamientos recientes, en los que la presencia o ausencia de la preposición *de* se concibe como la manifestación de sendas variantes de una misma variable sintáctica *(vid.* Schwenter 1999).

El uso de la preposición *de* en combinación con el conector *que* en contextos en los que aparecen verbos de comunicación, pensamiento y juicio[55], así como en algunas construcciones copulativas y absolutivas —véanse los ejemplos (33) al (35)— es un fenómeno sintáctico —el dequeísmo— observado y analizado desde diversas perspectivas teóricas y metodológicas en numerosas regiones y ciudades hispanoamericanas como Ecuador, Colombia, Lima, Rosario, Santiago de Chile, Caracas, etc. (cfr. Bentivoglio 1980-1981; Rabanales 1974; Boretti de Macchia 1989; Prieto 1995-1996; De Mello 1995c, etc.):

(33) *Piensan de que* la mujer tiene que hacer una carrera que se pueda acoplar al matrimonio (ejemplo extraído de De Mello 1995c: 118).
(34) Es lamentable *de que* tengas que marcharte.
(35) Debería haber igualdad entre hombre y mujer, no eso *de que* el hombre esté por encima de la mujer (ejemplo tomado de M. J. Serrano 1998: 395).

Sobre la vitalidad de estos fenómenos en España, disponemos de menor información, aunque en los últimos años han aparecido tam-

[55] Especialmente con verbos como *pensar, creer, esperar, resultar, opinar, procurar, decir, intentar, decidir, gustar,* etc.

bién algunos trabajos relevantes de naturaleza empírica, como los de M.ª J. Quilis (1986) para la ciudad de Madrid, el estudio de Millán (1991-1992) sobre una muestra de jóvenes universitarios sevillanos, la investigación de Gómez Molina y Gómez Devís (1995) sobre el español hablado en la ciudad de Valencia o la más recientes contribuciones de M. J. Serrano (1998) y Schwenter (1999) en torno a la difusión del dequeísmo en el español de Santa Cruz de Tenerife y Alicante, respectivamente.

Como veíamos en el tema anterior, algunos autores dicen descubrir un uso deíctico en la preposición que permite al hablante introducir un cierto grado de distanciamiento respecto a los hechos (opiniones, creencias, etc.) que expresa a continuación (cfr. E. García 1989, Boretti de Macchia 1989). Otros, como De Mello (1995c: 118), observan que el dequeísmo constituye un caso de independencia semántica del complemento con respecto al significado del verbo. Y en otra línea argumental afín, M. J. Serrano (1998) ha propuesto que la preposición *de* funcionaría en estos casos como un marcador de opinión, lo que contribuiría a explicar algunos hechos destacados, como la presencia del dequeísmo en ausencia de verbos de este tipo, como en (36), o la práctica del fenómeno incluso en los casos en que existe material lingüístico interpuesto entre el verbo y su complemento, como en (37) (ejemplos tomados de M. J. Serrano 1998: 398):

(36) Se tienen que poner otras medidas, *de que* se beba menos alcohol...
(37) El comerciante opina... y no hay derecho porque está muy mal... *de que* le van a subir los precios.

Por otro lado, entre los resultados de tales investigaciones se han resaltado algunos datos sociolingüísticos relevantes, como la considerable inseguridad lingüística que atenaza a muchos hablantes acerca de cuáles son los contextos adecuados para el uso normativo de la preposición, lo que induce en no pocas ocasiones a fenómenos de ultracorrección (cfr. Bentivoglio 1980-1981; Arjona 1979; Boretti de Macchia 1989). Ello quizá explique también otros datos reveladores, como por ejemplo, el hecho de que entre los estudiantes universitarios sevillanos de carreras humanísticas, la práctica inversa del *queísmo* se halle más extendida que entre los demás estudiantes, como ha comprobado Millán (1991-1992).

Complementariamente, en la difusión social de este fenómeno aparecen de forma recurrente las clases medias, y ocasionalmente también los grupos de edad jóvenes e intermedios (cfr. Bentivoglio y

D'Introno 1977; Bentivoglio 1980-1981; De Mello 1995c; Prieto 1995-1996; M. J. Serrano 1998)[56]. Sin embargo, conforme aumenta el nivel educativo de los hablantes los casos de dequeísmo disminuyen[57]. Por ejemplo, en su estudio sobre el fenómeno dequeísta en el sociolecto culto en el mundo hispánico, De Mello (1995c: 120) ha encontrado muy pocos ejemplos del mismo, incluso en regiones de Hispanoamérica donde se han encontrado frecuencias relativamente elevadas en otros sociolectos (véase tabla 14).

TABLA 14
Frecuencias de realización de variantes normativas y dequeístas en el sociolecto culto de once ciudades de habla hispana, según De Mello (1995c)

| CIUDADES | CASOS NORMATIVOS | | CASOS DE DEQUEÍSMO | |
|---|---|---|---|---|
| | N | % | N | % |
| Bogotá | 813 | 98,0 | 17 | 2,0 |
| Buenos Aires | 1.060 | 97,4 | 28 | 2,6 |
| Caracas | 1.304 | 95,5 | 61 | 4,5 |
| La Habana | 286 | 97,3 | 8 | 2,7 |
| La Paz | 1.043 | 97,8 | 23 | 2,2 |
| Lima | 462 | 95,5 | 22 | 4,5 |
| Madrid | 816 | 99,8 | 2 | 0,2 |
| México | 650 | 98,5 | 10 | 1,5 |
| San Juan | 579 | 99,5 | 3 | 0,5 |
| Santiago | 2.942 | 96,2 | 117 | 3,8 |
| Sevilla | 396 | 98,3 | 7 | 1,7 |
| Total | 10.351 | 97,2 | 298 | 2,8 |

[56] Por el contrario, Bentivoglio (1980-1981) y McLauchlan (1982), en sus investigaciones sobre Caracas y Lima, respectivamente, indicaban a comienzos de los ochenta que la generación menos dequeísta era la de los mayores de 55 años. Y lo mismo ha señalado más recientemente De Mello (1995c) en el sociolecto culto de once ciudades hispanohablantes.

[57] Las cosas no parecen tan claras desde el punto de vista generolectal. Así Prieto (1995-1996) ha observado que en Chile el fenómeno se extiende principalmente entre las mujeres de los niveles sociales intermedios. Por el contrario, M. J. Serrano (1998) encuentra una proporción significativamente más elevada del fenómeno entre los hombres (P .68) que entre las mujeres (P .32). En el sociolecto culto de las principales ciudades del mundo hispánico, De Mello (1995c) advierte también un mayor desarrollo del dequeísmo —dentro de su escasa entidad en términos absolutos— entre los hablantes masculinos.

En ocasiones se ha destacado también la influencia de los medios de comunicación, especialmente entre los hablantes más jóvenes, si bien en los últimos años las prescripciones y advertencias en contra del dequeísmo por parte de destacadas instancias normativas han servido para poner un cierto freno a su desarrollo.

Desde un punto de vista normativo, el *queísmo* supone la ausencia de la preposición en contextos en que ésta viene regida sintácticamente por diversos constituyentes, como en (38) y (39):

(38) Estaba segura Ø (de) *que* vendrías.
(39) No me enteré Ø (de) *que* habías venido.

Aunque el fenómeno ha sido menos estudiado que el anterior desde una perspectiva variacionista, autores como Gómez Molina y Gómez Devís (1995) y Galué (1996, 1998) han evaluado diversos factores lingüísticos y extralingüísticos que están detrás de la difusión del mismo en comunidades situadas a uno y otro lado del Atlántico (Valencia y Venezuela, respectivamente). Esta última autora ha señalado, por ejemplo, que en Venezuela, el factor que más promueve la elisión prepositiva es la presencia de verbos pronominales *(acordarse (de) que, enterarse (de) que...)*, mientras que el contexto en que la proposición subordinada complementa a un sustantivo *(la idea [de] que..., la casualidad [de] que...)* es el más desfavorecedor.

Una hipótesis de trabajo interesante sería investigar hasta qué punto su extensión reciente se halla relacionada con un fenómeno de ultracorrección, como consecuencia del desprestigio en que ha caído el dequeísmo en los últimos tiempos debido a las presiones normativas (cfr. Lázaro Carreter 1981; Butt y Benjamin 1988; Gómez Torrego 1991, 1999; Batchelor y Pountain 1992)[58]. El hecho de que los hablantes puedan interpretar la presencia de la preposición en cualquier contexto como un rasgo subestándar podría explicar un incremento notable en los últimos tiempos, que correría en paralelo a la disminución del dequeísmo. Como señalaba ya a este respecto uno de los pioneros en el estudio del dequeísmo (Rabanales 1974: 442-443), en Chile:

[58] Es revelador observar cómo Batchelor y Pountain (1992: 191), autores de una conocida gramática del español publicada en el mundo anglosajón, cometen el error de denunciar como vicio dequeísta una frase como ésta aparecida en un semanario español: «Radio Bagdad *informó de que* la carretera que une la capital iraquí con Basora estaba expedita en todo su recorrido.»

> Se ve, pues, que en los casos en que no hay alternancia, predomina claramente el queísmo sobre el dequeísmo, lo que se explica por el hecho de que, para el sentimiento lingüístico de las personas cultas, el dequeísmo tiene una marcada connotación de vulgaridad...[59].

Como decíamos al principio de este epígrafe, los fenómenos dequeístas y queístas se han analizado ocasionalmente como variantes de un misma variable sintáctica, la que Schwenter (1999: 66) denomina significativamente *(de)queísmo.* Para ello este autor se vale de diversos argumentos, como: a) la posibilidad que algunos verbos muestran en español para construirse con o sin preposición *(sabe matemáticas/sabe de matemáticas),* y b) la disparidad entre los criterios académicos y la realidad dialectal en torno a la construcción de los complementos de ciertos verbos y adjetivos[60]. Además, su análisis empírico muestra cómo los factores que condicionan la alternancia entre *de* y Ø son complementarios, de manera que los que alientan la presencia de la preposición desfavorecen su ausencia y viceversa (véase tabla 15).

[59] Con todo, y al igual que hemos visto otras veces, el patrón de distribución sociolectal de un fenómeno como éste podría variar de unas comunidades de habla a otras. A nuestro juicio, por ejemplo, el proceso de ultracorrección puede estar ejerciendo un papel destacado en la difusión actual del queísmo en el español peninsular. Sin embargo, para Boretti de Macchia (1989), el mismo fenómeno se perfila básicamente como un cambio «desde abajo», impulsado sobre todo por los hombres y los jóvenes en diversas comunidades de habla hispanoamericanas.

[60] A este respecto, Schwenter (1999: 66) señala que el verbo pronominal «acordarse» se emplea «a menudo» sin *de* ante sintagmas nominales como «me acuerdo la fiesta el otro día». No creemos que ello sea así, al menos en el español peninsular, dialecto sobre el que se asienta, justamente, el corpus oral analizado en este trabajo. Con todo, hay que reconocer que ejemplos de este tipo se han recogido en otras variedades regionales, como ha hecho Ocampo (1998) en el español rioplatense: «¿Ustedes se acuerdan los brasileños cuando vinieron acá a la Argentina?» A juicio de este autor, en la elisión preposicional que se produce en este y en otros contextos en el habla informal pueden intervenir factores de diverso tipo: a) pragmáticos *(v. gr.,* la preposición desaparece más frecuentemente entre entidades que representan el tópico de un enunciado), b) conversacionales (los interlocutores tienen suficiente información para suplir la falta de relaciones gramaticales aportadas originalmente por la preposición), y c) procesos de gramaticalización, que en los casos de régimen preposicional, como el que se observa en el verbo «acordarse», facilitan la omisión del elemento relacional.

TABLA 15
Significación de diversos factores lingüísticos y estilísticos en la realización de la variable (de)queísmo en Alicante, según Schwenter (1999)

| | DE | Ø |
|---|---|---|
| | P (N) | P (N) |
| *Sujeto (de la cláusula principal)* | ... | ... |
| 1.ª persona | .24 (335) | .69 (402) |
| 2.ª persona | .53 (77) | .48 (114) |
| 3.ª persona | .72 (235) | .27 (329) |
| *Tiempo (del verbo de la cláusula principal)* | ... | ... |
| Pasado | .68 (371) | .61 (477) |
| Presente | .49 (223) | .55 (281) |
| Futuro | .47 (53) | .44 (87) |
| *Registro* | ... | ... |
| Hablado | .46 (108) | .38 (95) |
| Escrito | .65 (539) | .73 (750) |
| *Distancia del verbo* | ... | ... |
| 0 palabras | .44 (514) | .52 (662) |
| Una o más palabras | .60 (133) | .47 (183) |

## 11. BIBLIOGRAFÍA COMPLEMENTARIA SOBRE VARIACIÓN GRAMATICAL EN ESPAÑOL

Al igual que en el tema dedicado a la variación fónica, ofrecemos seguidamente una relación adicional sobre investigaciones llevadas a cabo en distintas comunidades del mundo hispánico acerca de otros fenómenos de variación gramatical y no resumidas en los epígrafes anteriores (con todo, algunas serán reseñadas más adelante en el desarrollo de otros temas sobre sociolingüística variacionista del español):

*Pronombres de relativo:* Powers (1981) en México D. F.; Olguin (1980-1981) en el sociolecto culto de Santiago de Chile.

*Morfemas derivativos:* Romero Gualda (1981-1982) sobre los sufijos *-ero* e *-ista;* F. Paredes (1996) sufijos aumentativos y diminutivos en la comarca de La Jara (Cáceres).

*El orden de palabras:* Silva-Corvalán (1984b) en comunidades chilenas y norteamericanas; Ocampo (1995a) en el español argentino; Lantolf (1980) y Lizardi (1993) sobre el orden de constituyentes en enunciados interrogativos en comunidades portorriqueñas; Klein-Andreu (1983) sobre la posición del adjetivo en español en un corpus de obras literarias españolas; Mendieta y Molina Martos (1997) análisis comparativo sobre la anteposición del objeto en el habla culta de México y Madrid.

*Cuestiones generales de sintaxis coloquial:* Lope Blanch (1987) en México D. F.; Cortés (1986) en comunidades castellanas; Mendizábal (1994) usos de verbos de estructura intransitiva en construcciones transitivas en Valladolid; Lamíquiz y Rodríguez Izquierdo (1985) organización del discurso coloquial sevillano; Lamíquiz (1983) uso del sistema verbal en el habla culta sevillana; Silva-Corvalán (1999) y Bentivoglio (2003) construcciones «de retoma» en subordinadas de relativo en Chile y Venezuela, respectivamente.

*Unidades discursivas:* Moreno Fernández (1989a y 1989b) actos de habla coloquiales en una comunidad rural toledana; M. J. Serrano (1995b, 1999) sobre marcadores discursivos en Canarias; Cestero (2000) intercambio de turnos en Alcalá de Henares.

Tema IV

# El concepto de variable sociolingüística. Modelos de distribución sociolingüística en el mundo hispánico

## 1. Introducción

Como es sabido, la lengua representa una forma de conducta social de la que se desprenden con frecuencia diferencias muy significativas entre los hablantes. Las correlaciones entre lengua y sociedad se han reconocido desde antiguo, pero los estudios cuantitativos del habla realizados en las últimas décadas han demostrado de forma científica que los factores sociales y situacionales —junto con los lingüísticos, mayoritariamente considerados hasta el momento— actúan de manera probabilística sobre la variación lingüística. De este modo, variables como el contexto en que ocurre la comunicación, las relaciones entre los participantes o las principales características sociales *adscritas* (grupo generacional, étnico, raza, sexo, edad, casta, etc.) o *adquiridas* (nivel educacional, socioeconómico, etc.) de éstos se reflejan sistemáticamente en la actuación de los hablantes. Así las cosas, en la sociolingüística conocemos como *variable sociolingüística* la covariación entre fenómenos lingüísticos y factores sociales.

Para algunos investigadores, cuando la variación obedece tan sólo a factores lingüísticos, pero no sociales, no cabría utilizar este concepto (Cedergren 1983). Ciertamente, numerosas investigaciones variacionistas han comprobado que algunas variables lingüísticas no presentan covariación alguna con factores sociales ni estilísticos. Recordemos, por ejemplo, el estudio de Bentivoglio (1987) sobre la *expresión vs. elisión* de los sujetos pronominales en el habla de Caracas al que anteriormente hacíamos referencia (véase tema III, § 9). Tras el correspondiente análisis empírico, la autora venezolana descubría una correlación significativa con diversos rasgos sintácticos y pragmáticos, como el cambio referencial, el número gramatical, la clase semántica de los verbos, y en menor medida el cambio de turno conversacional. Sin embargo, esta variable no presentaba una relación estadísticamente significativa ni con el nivel socioeconómico ni con el sexo o la edad de los hablantes. Por su parte, Silva-Corvalán (1980-1981) ha visto que los principales esquemas de la duplicación de clíticos en el español hablado en Santiago de Chile no responden tampoco a los atributos sociales de sus hablantes.

Ahora bien, como ha recordado López Morales (1989: 109), aun en los casos en que el estudio distribucional deja sin relieve estos factores no estructurales, el analista puede extraer conclusiones sociolingüísticas relevantes. Aplicado este principio a los estudios mencionados en el párrafo anterior, ello significaría, por ejemplo, que ni la presencia masiva del sujeto pronominal en Caracas, ni la duplicación de clíticos en Santiago son fenómenos estigmatizados en sus respectivas comunidades, lo que ciertamente tiene interés desde el punto de vista del uso de la lengua en la sociedad. Por otro lado, no es de extrañar la preeminencia de los factores lingüísticos sobre los extralingüísticos, ya que, como recuerda este mismo autor: «todos los factores sociales, por importantes que sean, están supeditados a los imperativos del sistema lingüístico [...] actúan donde el sistema lo permite».

## 2. Clases de variables sociolingüísticas en el mundo hispánico

Pese a lo anterior, son muy numerosas las investigaciones variacionistas que han demostrado la existencia de covariación entre unidades del análisis lingüístico y ciertos factores sociales. Los patrones característicos de esta covariación permiten distinguir, por lo general, tres clases de variables sociolingüísticas, bautizadas inicialmente por Labov (1972b) como *indicadores, marcadores* y *estereotipos*. El rasgo principal que permite identificarlas es el grado de conciencia que los individuos demuestran acerca de su significación social en la comunidad. Ello da lugar a diferencias tanto en el *continuum* sociolectal y estilístico como en el eje actitudinal, que resumimos de forma esquemática en el cuadro siguiente.

TABLA 1

Clases de variables sociolingüísticas en función de los tipos de variación afectados y las actitudes lingüísticas que despiertan[1]

| VARIABLE SOCIOLINGÜÍSTICA | VARIACIÓN SOCIOLECTAL | VARIACIÓN ESTILÍSTICA | ACTITUDES |
|---|---|---|---|
| Indicadores | (+) | (–) | (–) |
| Marcadores | (+) | (+) | (–) |
| Estereotipos | (+) | (–) | (+) |

A continuación revisaremos algunos de estos caracteres con referencia a diversas variables sociolingüísticas analizadas entre nosotros dante las últimas décadas.

## 3. LOS INDICADORES SOCIOLINGÜÍSTICOS EN ESPAÑOL

Los *indicadores* muestran un perfil de distribución regular entre los diversos grupos sociales que integran la comunidad; esto es, covarían con rasgos como la procedencia étnica, generacional, sociocultural, etc., de los hablantes. Sin embargo —y éste es su segundo y fundamental rasgo definitorio— no presentan variación situacional o estilística[2].

En la sociolingüística hispánica disponemos de numerosos trabajos sobre variables sociolingüísticas que responden a este esquema en diversos niveles del análisis lingüístico. Así ocurre, por ejemplo, con la variable *(ĉ)* en la ciudad de Granada, cuya variante fricativa *[šimenéa]*

[1] Ocasionalmente, se distingue un cuarto tipo de variable sociolingüística, a la que se denomina, significativamente, *estigma,* que representaría un estadio avanzado del *estereotipo.*

[2] El reverso de esta situación lo encontramos en aquellas variables que sólo se ven afectadas por el *continuum* estilístico, pero no por factores sociales. L. Williams (1987), por ejemplo, ha descrito un caso de este tipo en la variación que afecta a la *(-d-)* intervocálica en las palabras terminadas en *-ado* en el español hablado en la ciudad de Valladolid.

*vs. [ĉimenéa]* se ve afectada por factores sociales y lingüísticos de diverso tipo, pero no por el contexto estilístico *(vid.* Moya y García Wiedemann 1995). Por su parte, L. Williams (1987) ha trazado un esquema similar en su análisis de la variable *(-k)* en posición implosiva *[aktór/agtór/aϑtór]* en la ciudad de Valladolid, con datos que señalan de nuevo la escasa incidencia de este eje. Y a similares conclusiones llega M. J. Serrano (1994), aunque esta vez en el nivel sintáctico, acerca del empleo del indicativo tanto en la prótasis como en la apódosis del periodo condicional *(Si me toca la lotería, me voy de vacaciones mañana mismo),* variante vernácula en el español hablado en La Laguna (Tenerife). Como se aprecia en la tabla 2, dicha variante tiene una incidencia especialmente elevada entre los estratos más bajos de la sociedad, así como en los grupos generacionales más avanzados, lo que lleva a esta investigadora a concluir, justamente, que: «la alta incidencia en el nivel bajo de esta variante puede llevarnos a concluir que se trata de un *indicador*» (pág. 137).

TABLA 2
Distribución de la variable indicativo-indicativo en la prótasis y apódosis de las oraciones condicionales en el cruce entre los factores de la edad y la clase social, según M. J. Serrano (1994).
1.° n (clase más baja)... 4.° n (clase más alta)

| | 1.ª GENERACIÓN | | 2.ª GENERACIÓN | | 3.ª GENERACIÓN | |
|---|---|---|---|---|---|---|
| | N | % | N | % | N | % |
| 1.° n | 14/57 | 25 | 1/26 | 4 | 26/43 | 60 |
| 2.° n | 5/21 | 24 | 0/6 | 0 | 1/4 | 25 |
| 3.° n | 1/19 | 5 | 0/4 | 0 | 0/53 | 0 |
| 4.° n | 0/8 | 0 | 1/25 | 4 | 0/19 | 0 |

## 4. LOS MARCADORES SOCIOLINGÜÍSTICOS

Los *marcadores* son variables sociolingüísticas más desarrolladas, ya que resultan sensibles tanto a los factores sociales como a los estilísticos, lo que explica que sean portadores de una mayor significación social que los anteriores. Por ello, y como recuerda Moreno Fernández (1998: 77), un marcador es una variable lingüística que caracteriza a toda una comunidad de habla, de ahí que no sea extraño encontrarlo en mayor o menor grado en el habla de la mayoría de sus miembros.

Como vimos anteriormente (véase tema primero, § 6.3), uno de los resultados más frecuentes de la variación estilística es la disminución frecuencial de las variantes no estándares, o de menor prestigio social, a medida que aumenta el grado de formalidad en el habla. A este respecto, por ejemplo, la variable *(-s)* en posición implosiva se ha revelado como un potente marcador sociolingüístico en numerosas regiones del mundo hispánico. Así lo demuestran comunidades como Cartagena de Indias (Colombia), en la que Lafford (1982) ha advertido que, junto a la estratificación social poderosa, existe al mismo tiempo una covariación muy significativa con el contexto, de tal manera que la sibilante, variante prestigiosa *[s]*, aumenta notablemente su frecuencia en los estilos de lectura y disminuye en los más informales.

Por su parte, Tassara (1988) ha llamado asimismo la atención acerca de la existencia de notables diferencias entre los índices de retención, aspiración y elisión de *(-s)* en diferentes estilos elocutivos en el habla de Valparaíso (Chile). Como muestra el gráfico 1 (página siguiente), la variante estándar es mucho menos frecuente en el contexto de entrevista que en los de lectura de textos, mientras que lo contrario sucede con la aspiración y el cero fonético. Obsérvese cómo los índices de elisión y los de la sibilante son muy parecidos en la situación de entrevista, pero difieren considerablemente en el tránsito a estilos más cuidados, en los que el cero fonético casi desaparece. Por su parte, la variante aspirada es la que mantiene un perfil de variación más regular, aunque ajustado también a la regla anterior.

Y patrones similares se han observado en otras comunidades, como Santiago de los Caballeros en la República Dominicana (Alba 1988), San Juan de Puerto Rico (López Morales 1983a y Cameron 1992), entre otras ya reseñadas anteriormente[3].

Por otro lado, es un lugar común en la bibliografía sociolingüística que el *continuum* estilístico presupone otro en el eje sociolectal (Bell 1984: 152). De este modo, las variantes más informales o vernáculas suelen aparecer con más frecuencia en el habla de los individuos pertenecientes a los niveles sociales más bajos, mientras que lo contrario sucede con las variantes más formales y estándares, asociadas en mayor

---

[3] Recordemos, sin embargo, que la difusión de las variantes correspondientes no es idéntica en todas ellas. Así, hemos visto ya cómo en las hablas caribeñas la retención de la sibilante es mucho menos frecuente que en otros dominios hispánicos.

GRÁFICO 1
Distribución de las variantes de */-s/* según la situación de elocución en Valparaíso, según Tassara (1988)

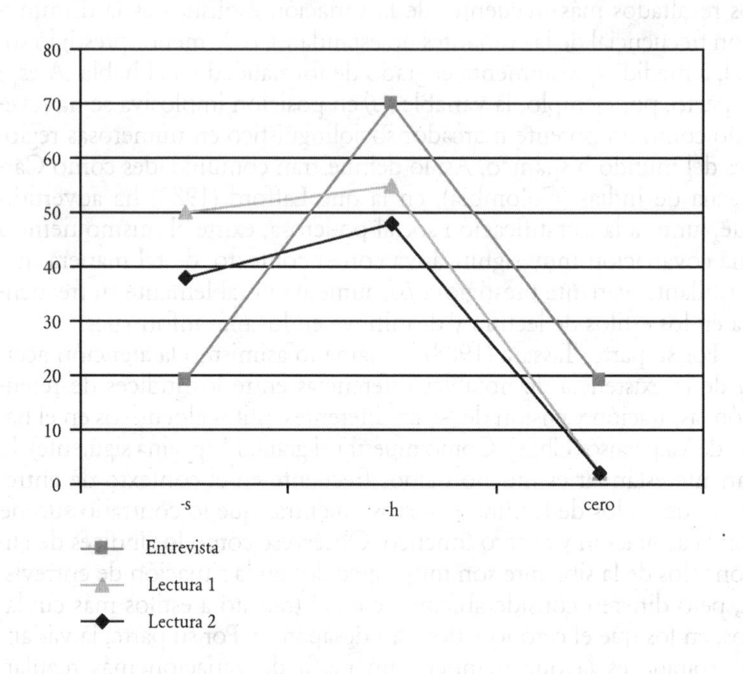


medida al habla de los sociolectos elevados. Al igual que en otros dominios geográficos, las manifestaciones de este modelo variacionista entre nosotros son muy numerosas. Aunque más adelante volveremos sobre esta cuestión con detenimiento (véase tema VII), valga de momento con el ejemplo que proporciona un estudio mencionado también previamente, el que Donni de Mirande (1989) realizó acerca de la variación de *(-s)* en la ciudad de Rosario (Argentina). Como puede verse en la tabla 3, la elisión [Ø], variante subestándar en dicha comunidad de habla, muestra un patrón distribucional característico, y advertido en otras muchas comunidades de habla: las probabilidades de aparición de dicha variante aumentan: a) conforme disminuye el nivel sociocultural de los hablantes P .40, .41 y .53, para los niveles educativos alto, medio y bajo, respectivamente), y b) la escala de formalidad estilística (P .46, .44, .50 y .78).

Pese a ello, no han faltado algunos ejemplos que desmienten la validez universal de este principio. Así, en su estudio sobre el español ha-

TABLA 3
Significación estadística de los factores *nivel educativo* y *estilo de habla* en las realizaciones elididas de *(-s)* en Rosario (Argentina), según Donni de Mirande (1989)
(A = estilo más informal... D = estilo más formal)

| | PROBABILIDADES (P) |
|---|---|
| NIVEL EDUCATIVO | [Ø] |
| Alto | .40 |
| Medio | .41 |
| Bajo | .53 |
| ESTILO | |
| A | .78 |
| B | .50 |
| C | .44 |
| D | .46 |

blado en Ciudad de Panamá, Cedergren (1973: 66 y ss.) advertía ya una excepción notable al mismo al constatar que la variante relajada *[š]* del fonema *(ĉ)*, forma innovadora y diferente del sonido estándar de naturaleza africada *[ĉ]*, aparecía más frecuentemente en los registros formales, frente a lo esperado. Y sin embargo no la promocionaban las clases elevadas, quienes en este sentido se veían claramente superadas por los grupos sociales intermedios.

Por las mismas fechas, Fontanella de Weinberg (1979) daba cuenta de un desfase similar entre estratificación estilística y social en su estudio sobre las variantes sordas y ensordecidas de la palatal fricativa */ž/* en el habla de Bahía Blanca (Argentina), aunque esta vez con los términos de la ecuación invertidos. En esta comunidad, la forma novedosa aparecería más a menudo en el habla casual, pero su distribución sociolectal no concordaba ahora con los patrones más habituales. Sobre todo, desde una perspectiva generolectal, ya que tales variantes, generalizadas en la actualidad en la sociedad argentina, se difundieron en su origen desde el habla femenina de las clases acomodadas al resto de la comunidad (sobre las diferencias entre hombres y mujeres en el origen y difusión del cambio lingüístico, véase más adelante tema VIII).

En estadios más avanzados, los marcadores pasan a asociarse conscientemente al habla de ciertos grupos sociales. En estos casos, no es extraño que tal o cual rasgo lingüístico se considere como un «marcador» de clase, sexo, etnicidad, región, etc., una acepción con la que se recubre también este término con cierta frecuencia[4]. Ahora bien, cuando tales marcadores se vinculan a los grupos de menor prestigio en la sociedad, y su valor sociolectal comienza a estigmatizarse, es frecuente que nos encontremos ya ante una nueva variable sociolingüística: el *estereotipo*.

Pese a la aparente claridad de las distinciones reseñadas hasta el momento, la diferenciación entre *indicadores* y *marcadores* ha recibido algunas críticas, en especial por parte de aquellos autores que proponen una metodología de investigación sociolingüística más *cualitativa* e *individualizada* que la implícita en el paradigma laboveano. En ocasiones, se ha advertido que la simple clasificación de las variables sociolingüísticas en estos dos grupos independientes, como si de dos compartimentos estancos se tratara, puede ser demasiado simplista. A juicio de Cheshire (1982: 159), por ejemplo, existen factores complejos, con repercusiones importantes en el eje estilístico, que tan sólo resultan visibles si se comparan los lectos individuales en lugar de los que, supuestamente, caracterizan al grupo social.

Por otro lado, se ha destacado también que una misma variable lingüística podría ser un *indicador* para determinados hablantes y un *marcador* para otros, incluso dentro de una misma comunidad de habla. En su estudio sobre la expresión variable de las citas en estilo directo entre hablantes portorriqueños, Cameron (2000: 253) ha señalado que éste parece ser el caso entre diferentes grupos de edad, con las formas más vernáculas de la comunidad (la introducción de la cita con un SN pero *sin verbo introductorio,* véanse ejemplos anteriormente en tema II, § 5) como elementos identificadores («marcadores») del habla de niños de todo el espectro, con independencia de su origen social. Por el contrario, dicha variable muestra una estratificación sociolectal regular entre los adultos, por lo que podrían identificarse como «indicadores» en dicho segmento de edad. En palabras del propio sociolingüista norteamericano:

> Adults show a stepwise, four level class ranking for two variants of the direct quotation variable. Hence no curvilinear pattern is found. However, children reverse the adult pattern and thereby produce an inversion of class rankings. Possible connected to the

[4] López Morales (1992) ha destacado que los miembros de una comunidad pueden tomar conciencia de la existencia de marcadores incluso antes de que éstos adquieran significación social.

different class rankings for adults and children are the different evaluations of the direct quotation variable. *Evident suggest that, for adults, the direct quotation variable may be an indicator. For children, the variable data is clearly a marker* (la cursiva es nuestra).

## 5. Los estereotipos sociolingüísticos

Como señalábamos más arriba, los *estereotipos* son, pues, marcadores sociolingüísticos que la comunidad reconoce como tales[5]. Por otro lado, se consideran como rasgos definitorios del habla de ciertos grupos sociales con escaso prestigio social (clases bajas, grupos étnicos marginados, etc.), que además, se perciben —erróneamente— no como elementos variables, sino categóricos. Finalmente, otra característica esencial de los estereotipos —en la práctica derivada de la anterior— es su alto grado de estigmatización social en el seno de la comunidad de habla, lo que eventualmente puede conducir a su desaparición.

En ocasiones, sin embargo, este tipo de asociaciones tienen un marcado carácter subjetivo y no se corresponden con la realidad. Y es que la investigación en psicología social ha comprobado que tanto las actitudes lingüísticas en general como las dispensadas hacia los estereotipos en particular son bastante más regulares y uniformes que el uso real (cfr. Labov 1972a; Bouchard Ryan y Giles 1982). Una prueba de hasta qué punto los estereotipos no se corresponden necesariamente con la realidad del habla, al menos en la proporción que sugiere su naturaleza, nos lo ofrece Poplack (1979) en su estudio sobre la lateralización de *(-r)* final en el habla de la comunidad portorriqueña de Filadelfia, cuya variante estereotipada, *[-l]*, apenas alcanzaba un 10 por 100 entre la población[6].

López Morales (1983a) ha descrito algunos estereotipos en su estudio sobre la variación fonológica en San Juan de Puerto Rico, como el fenómeno de la velarización de */rr/* al que nos referíamos también en un tema anterior (véase tema primero). Por su parte, Silva-Corvalán (1987)

---

[5] Pese a ello, existen también numerosos estereotipos, bien arraigados en la sociedad, pero que en la práctica resultan inconscientes y tan sólo pueden ser detectados a través de métodos indirectos (sobre esta cuestión actitudinal, véase más adelante tema X).

[6] En las comunidades andaluzas, algunos autores han puesto en duda la tesis generalmente asumida según la cual el fenómeno del ceceo en las hablas sevillanas responde tan sólo a un fenómeno estereotipado propio de personas de origen rural o baja extracción social *(vid.* Sawoff 1980).

ha estudiado algunos rasgos fónicos del español chileno que, a su juicio, constituyen ejemplos de marcadores sociolingüísticos en su origen, que se han convertido con el tiempo en estereotipos en estadios de lengua más recientes. Así ocurre, por ejemplo, con la neutralización de */-r/* y */-l/* en posición implosiva, la velarización de */f/* o la elisión de */b/* intervocálica en los contextos mencionados en el cuadro siguiente:

TABLA 4
Algunos estereotipos fonológicos en el español chileno, según Silva-Corvalán (1987)

| VARIABLE | VARIANTE ESTEREOTIPOADA | CONTEXTO | EJEMPLO |
|---|---|---|---|
| (f) | [x] | / _ w | Fue [xwé], afuera [axwéra] |
| (b) | Ø | / + voc. | Sabía [saía] |
| (b) | [g] | / _ w | Abuelo [agwélo], Buen [xwén] |
| (r) | [l] | / _ $ | Corte [kólte], sonar [sonal] |
| (l) | [r] | / _ $ | Suelto [swérto] |

Para concluir este apartado señalemos, finalmente, que los patrones de variación sociolingüística no son iguales para todas las variables, hecho que ha podido comprobarse no sólo al comparar el habla de distintas comunidades, sino también la de individuos y sociolectos diferentes en el seno de una misma comunidad. El efecto que los factores sociales y estilísticos pueden tener sobre una determinada unidad de la lengua no puede predecirse, pues, de forma automática sobre la base de los resultados obtenidos en otras variables lingüísticas (cfr. Poplack 1979; López Morales 1989). O dicho con las acertadas palabras de Romaine (1996: 92): «la mayoría de las variables sociolingüísticas posee una historia compleja que no deja reducirse fácilmente a abstracciones excesivamente simplificadoras».

## 6. MODELOS DE ESTRATIFICACIÓN SOCIOLINGÜÍSTICA EN LAS COMUNIDADES DE HABLA HISPÁNICAS

Con el nombre de *modelos* o *patrones distribucionales* se conoce en sociolingüística a las correlaciones más regulares observadas en una comunidad de habla entre el uso lingüístico y ciertos factores estilísticos y sociales. En las páginas que siguen, daremos cuenta de los esquemas más recurrentes en la praxis sociolingüística hispánica, con el comentario de algunos ejemplos extraídos de la bibliografía especializada. Queda para más adelante, un análisis detallado de las relaciones específicas entre las variables lingüísticas y estos factores no estructurales (sexo, edad, clase social), que serán abordados monográficamente en los siguientes temas.

En sociolingüística decimos que las variables se hallan socialmente estratificadas cuando ciertos factores extralingüísticos permiten ordenarlas en determinadas jerarquías. De este modo, sabemos, por ejemplo, que una lengua o variedad dialectal se encuentra *débilmente estratificada* cuando no se observan alteraciones de inventario entre los sociolectos, sino tan sólo diferencias frecuenciales leves, de modo que unos sociolectos utilizan más determinadas variantes que otros, pero su empleo está garantizado en todo el espectro social (López Morales 1989: 52 y ss.).

Ahora bien, dentro de este tipo de estratificación podemos distinguir a su vez diversos patrones distribucionales, en función del modo en que las variables lingüísticas se correlacionan con los factores sociales. Uno de estos modelos es la llamada *estratificación lineal* o *continua*. En los casos de variación sociolingüística en los que obtenemos este patrón, se observa gráficamente una distribución regular —ascendente o descendente— entre los grupos que resultan tras la consideración de un parámetro social determinado *(sexo:* hombres/mujeres; *edad:* jóvenes, adultos...; *clase social:* clase baja, media, alta...).

Las muestras de esta clase de variación en el mundo hispánico son muy frecuentes, en particular en el nivel fonológico, cuyas variables tienden a mostrar estratificación continua en mayor medida que en otros niveles del análisis[7]. Algunos de los fenómenos a los que más atención se ha dispensado en las últimas décadas responden a menudo a este tipo de distribución sociolingüística. Es el caso, por ejemplo, de algunas consonantes en ciertos contextos fonológicos (intervocálicos y finales, fundamentalmente), y entre las que se producen fenómenos de neutralización —*v. gr., /l/* y */r/*—, debilitamiento —*v. gr.,* la *(-s)* implosiva—, alteraciones fonéticas *(v. gr.,* los casos de velarización de */rr/, /n/...),* etc. Veamos algún ejemplo más detenidamente.

[7] Por otro lado, y a diferencia de otras lenguas como el inglés, en las que el mayor índice de variabilidad se observa entre las vocales, el español se caracteriza por la mayor significación social de las consonantes.

Antón (1994) ha visto recientemente cómo tanto a) las variantes retenidas de las consonantes obstruyentes postnucleares —formas prestigiosas en todo el mundo hispánico e incluidas aquí tanto las formas oclusivas como las fricativas correspondientes: *([k]-[g], [p]-[b]...) [aktór, agtór, aptitúd...]*—, como b) la elisión (∅) —forma vernácula y más frecuente en la comunidad asturiana estudiada en este trabajo *[atór, actitúd...]*— muestran diferencias frecuenciales significativas entre los tres grupos sociales que configuran la muestra. Como puede apreciarse en el gráfico 2, el grupo que mayor uso hace de las formas normativas es la clase alta, seguida por la clase intermedia, mientras que la clase baja se coloca en el extremo opuesto. Y lo contrario sucede con la variante elidida: en este caso, son los miembros de las clases bajas quienes emplean más a menudo dicha forma, seguidos por las clases medias y finalmente por las clases altas.

GRÁFICO 2
Frecuencias de uso de las variantes
de las obstruyentes postnucleares en tres niveles socioculturales
del español hablado en Langreo (Asturias), según Antón (1994)

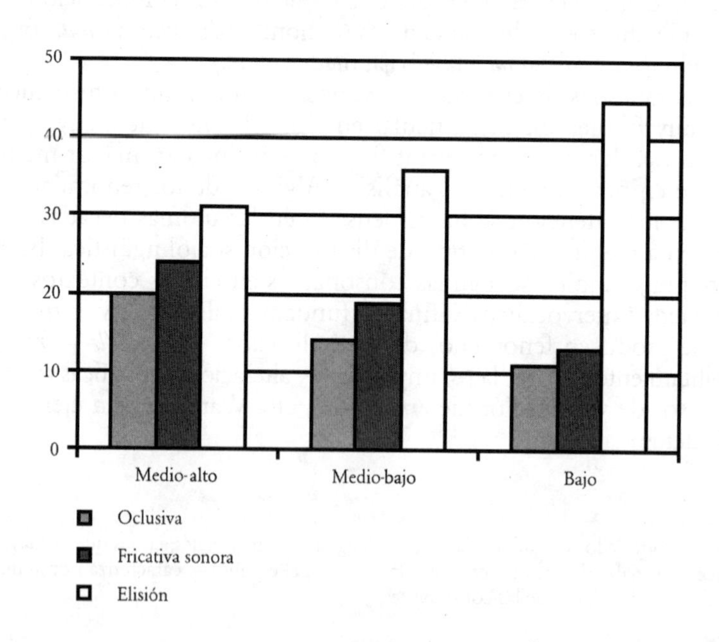

Un patrón de estratificación sociolingüística diferente es el llamado *modelo curvilíneo,* el cual se caracteriza por mostrar diferencias significativas que permiten distinguir claramente la actuación de los grupos intermedios y extremos del espectro social, respectivamente. Así ocurre de forma característica en aquellos casos en los que la variable lingüística covaría con la clase o nivel sociocultural. Por ejemplo, en su análisis de la realización asimilada a la consonante siguiente del fonema */-s/* en la comunidad de Las Palmas de Gran Canaria, Samper (1990) ha llamado la atención sobre uno de estos esquemas a partir de la información frecuencial facilitada por los diferentes niveles socioculturales considerados en el estudio. De este modo, y como puede apreciarse en el gráfico 3, los grupos más altos y más bajos del espectro se colocan por debajo de los grupos medios y medio-bajos en la realización de las variantes asimiladas.

GRÁFICO 3
Porcentajes de asimilación de */-s/* por niveles socioculturales en Las Palmas de Gran Canaria, según Samper (1990)

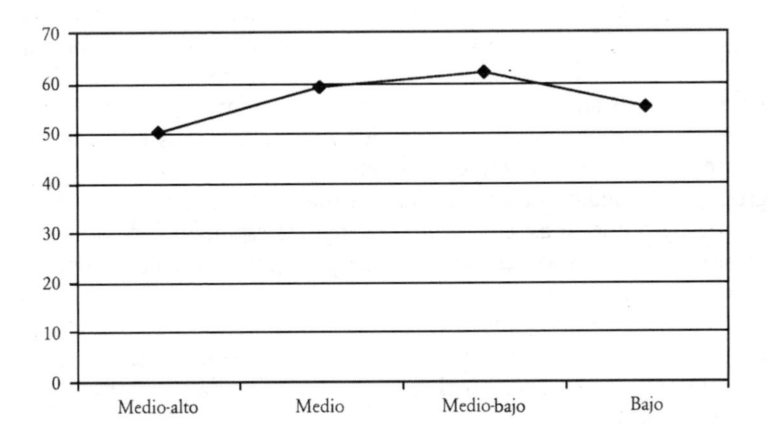


Y lo mismo puede decirse en otro nivel del análisis lingüístico del perfil que ofrece las formas *dequeístas* estudiadas por Bentivoglio y D'Introno (1977) en el habla de Caracas y M. J. Serrano (1998) en La Laguna (Tenerife), respectivamente. En esta última ciudad, y como puede apreciarse en el siguiente gráfico (gráfico 4), los porcentajes más elevados de tales realizaciones *(creo de que, pienso de que...)* se producen entre los representantes de las clases medias, seguidos a distancia, por las clases bajas y alta respectivamente.

GRÁFICO 4

Porcentajes de realizaciones dequeístas por niveles socioculturales en La Laguna (Tenerife), según M. J. Serrano (1998)

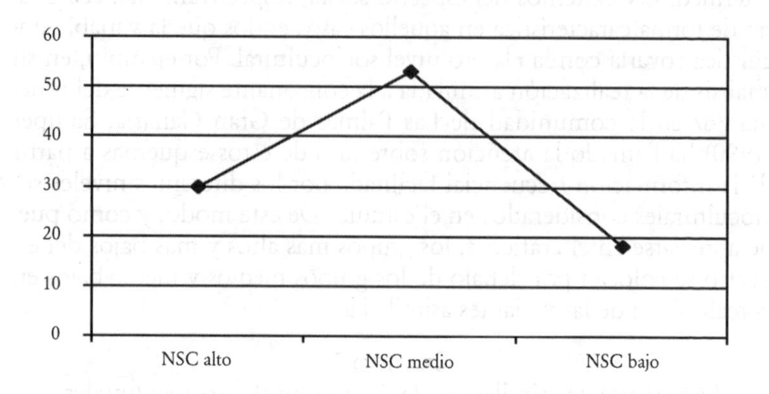


Otro ámbito en el que aparecen característicamente esquemas de estratificación curvilínea surge tras el análisis del factor generacional. En estos casos, los grupos de edad intermedios muestran un comportamiento lingüístico que difiere tanto de los más jóvenes como de los hablantes más adultos, ya sea a favor de las variantes más estándares ya sea al de las vernáculas. Con todo, y como veremos más adelante (véase tema VI), el primero es el desenlace más frecuente, ya que estos grupos intermedios suelen mostrar un mayor apego hacia las normas de prestigio que se asocian con las variantes estándares, debido a las presiones a que les somete su particular protagonismo en la carrera por el progreso social y material[8].

Señalemos por último que los esquemas de distribución curvilínea se interpretan a menudo como un indicio de la existencia de un posible *cambio en marcha* en el seno de la comunidad de habla (véase tema VIII, § 8).

---

[8] Pese a lo anterior, no faltan tampoco ejemplos del segundo desenlace posible, como el que recientemente ha resaltado Hall (2000) en su estudio sobre la elección del modo verbal en las subordinadas sustantivas que siguen a la expresión «No saber si...» en el español hablado en México (para más detalles sobre este fenómeno variable, véase anteriormente tema III, § 5.2). En esta variedad dialectal, los grupos de edad intermedios (26-35 y 36-55 años, respectivamente) utilizan significativamente más la variante no normativa, el modo subjuntivo *(no sé si sepas que...)* que los grupos extremos (menores de 25 años y mayores de 55 años, respectivamente).

Frente a los anteriores, los modelos de estratificación *cruzados,* más comúnmente llamados de *hipercorrección,* tienen lugar cuando un grupo que no ocupa un extremo del espectro en cualquiera de los atributos sociales considerados (clase social, edad, etc.) va más allá que los grupos contiguos en la realización de determinadas variantes, sean éstas estándares, y por lo tanto, apropiadas para los estilos formales de habla (en cuyo caso hablamos de *hipercorrección por arriba),* o, por el contrario, vernáculas y, generalmente, estigmatizadas *(hipercorrección por abajo).*

Los fenómenos de *hipercorrección por arriba* se han observado preferentemente en la actuación lingüística de ciertos grupos sociales, como las clases medias-bajas o las mujeres de los grupos socioeconómicos intermedios en general. Debido a las presiones sociales que consideraremos en otro lugar (véanse temas V y VII), los miembros más representativos de tales agregados sociales no sólo reconocen la existencia de las normas de prestigio sociolingüístico en la comunidad, sino que, además, orientan su comportamiento en función de éstas, sobre todo en el tránsito a los estilos de habla más cuidados. Lo que, de paso, genera un elevado índice de inseguridad lingüística.

El gráfico 5 (página siguiente), extraído de la investigación de Fontanella de Weinberg (1973) sobre la variable *(-s)* en una comunidad de habla argentina, muestra un ejemplo canónico de esta clase de hipercorrección entre individuos pertenecientes a diferentes niveles socioculturales. En él puede verse cómo en el paso a los estilos más formales (A... D) todos los grupos sociales aumentan los niveles de realización de la variante estándar, *[-s],* en la comunidad de habla. Ahora bien, al llegar al extremo más alto de formalidad, las líneas correspondientes a los diferentes sociolectos se aproximan mucho entre sí, y en algún caso llegan a cruzarse, como vemos que sucede con los hablantes de estudios secundarios, quienes en el estilo D (lectura de pares de palabras) realizan la sibilante de forma categórica, superando incluso al grupo de estudios universitarios.

Un segundo ejemplo de este modelo distribucional nos lo proporciona López Morales (1983b) en su estudio sobre la variación del segmento */-r/* en una comunidad portorriqueña. Como puede apreciarse en el gráfico 6 (pág. 151), las variantes lateralizadas de esta variable fonológica presentan en general un patrón de distribución descendente, de manera que todos los sociolectos disminuyen sus realizaciones vernáculas con el paso a los estilos más formales. Sin embargo, en los puntos más avanzados de este eje, el comportamiento de algunos grupos rompe el esquema general en un sentido muy característi-

Gráfico 5
Porcentajes de realización de la sibilante
en cuatro niveles educacionales y estilos en el español
de Buenos Aires, según Fontanella de Weinberg (1973)

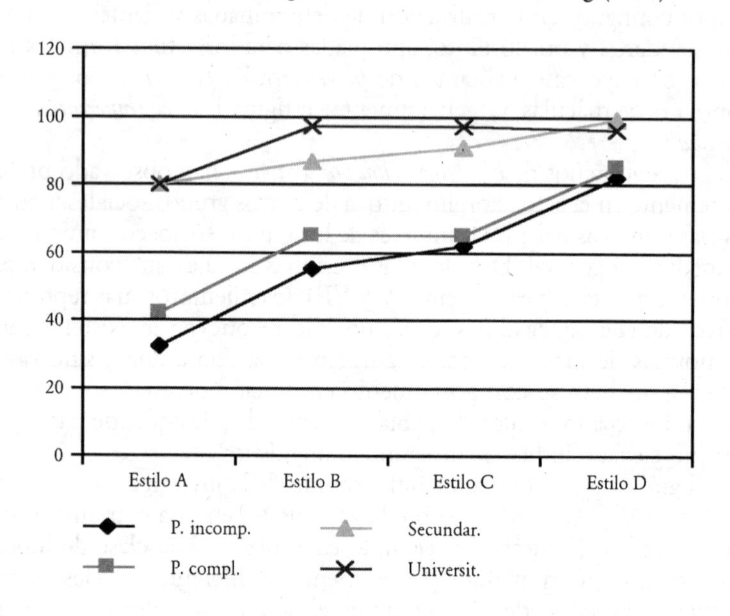


co: cuando la conciencia lingüística se activa, esta clase de realizaciones fonéticas disminuye hasta niveles que se sitúan incluso por debajo de otros grupos sociales más altos. Obsérvese cómo el grupo social más bajo (NSC 4) supera en este sentido al grupo medio-alto (NSC 2) en los estilos C (cuidadoso = lectura de textos) y D (muy cuidadoso = lectura de pares de palabras). Con todo, el comportamiento más marcado e inclinado a la hipercorrección es el del NSC 3 (medio-bajo), cuyos representantes lateralizan menos que la clase social situada más arriba (NSC 2) en casi todos los estilos[9].

Frente a los modelos de estratificación anteriores, López Morales (1989) ha utilizado entre nosotros el concepto de *estratificación intermedia* para aludir a aquellos casos en los que las diferencias lectales no se

[9] Se trataría de un modelo de hipercorrección no canónico, puesto que la distribución cruzada se produce ya desde el estilo más casual (A, además de B, C) y tan sólo se neutraliza en el más formal (D).

GRÁFICO 6
Distribución de la variable *(-r),* por niveles socioculturales y estilos de habla en una comunidad de habla portorriqueña, según López Morales (1983b)

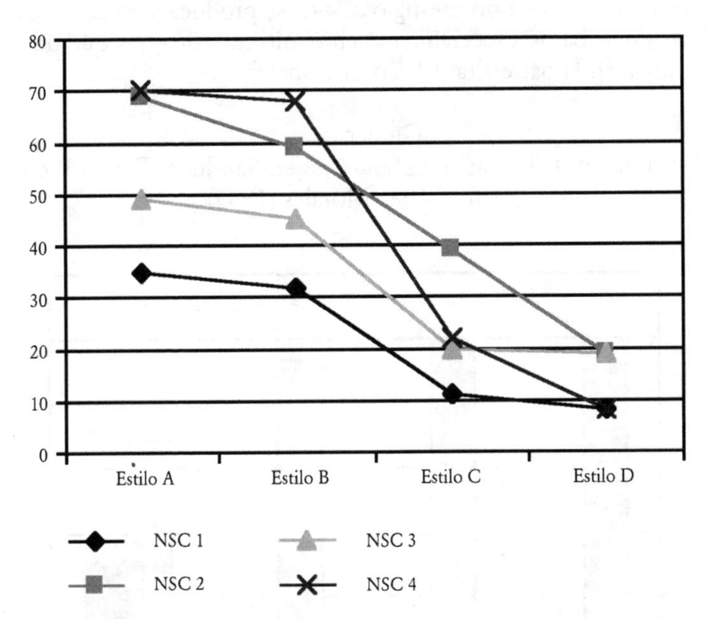


limitan a la frecuencia de elementos compartidos por todos los sociolectos, sino también —y principalmente— a la estructura y tamaño de los inventarios. En las variables sociolingüísticas que muestran este perfil distribucional, las variantes actúan bajo patrones distribucionales muy marcados socialmente, lo que en ocasiones permite hablar de diferencias no sólo cuantitativas sino también cualitativas. Y de ahí que nosotros prefiramos hablar en estos casos de *estratificación abrupta*[10].

El mismo López-Morales (1989) nos proporciona algún ejemplo de esta clase de estratificación en su análisis sobre la alternancia *-mos/*

[10] La razón que explica que López Morales denomine estos casos como *estratificación intermedia,* cuando las diferencias entre los sociolectos son tan destacadas, estriba en la necesidad de preservar el concepto de *estratificación abrupta* para los fenómenos de *diglosia,* una interpretación característica de este autor. Nosotros, por nuestra parte, preferimos reservar el término para el análisis de la diferenciación funcional de las lenguas en las situaciones de contacto, por lo que reservamos su tratamiento para un tema posterior (véase tema XII).

*-nos* para la terminación de ciertas formas verbales esdrújulas correspondientes a la primera persona del plural *(íbamos/íbanos)* en el español de San Juan (Puerto Rico). Los datos del gráfico 7 muestran, efectivamente, cómo la alternancia tiene una distribución diastrática muy clara, ya que la forma no prestigiosa, *-nos,* se produce sólo entre los sociolectos más bajos, especialmente en el último, mientras que no aparece nunca en la parte alta del espectro social.

GRÁFICO 7
Distribución de las variantes *-mos/-nos* en San Juan (Puerto Rico), según López Morales (1989)

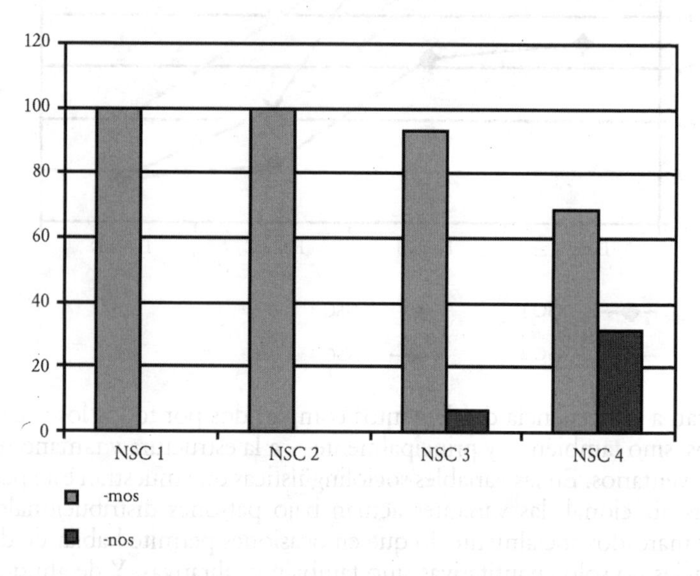


Borrego ha aludido también a esta clase de distribución para dar cuenta de algunos fenómenos del español peninsular en los que las variantes estigmatizadas se hallan sistemáticamente ausentes de los sociolectos más elevados, mientras que su empleo aumenta conforme descendemos en la pirámide social[11]. Así ocurre, por ejemplo, con el orden de los pronombres personales átonos *(me se cae)* o ciertas formas verbales irregulares *(semos, haiga,* etc.). Asimismo, en el ámbito de la

[11] Lo hace en los comentarios a la versión española del libro de S. Romaine (1996), *El lenguaje en la sociedad,* Barcelona, Ariel.

*disponibilidad léxica*, algunos autores han destacado que la teoría de los códigos sociolingüísticos de Bernstein y sus seguidores encuentra algunos visos de confirmación en ciertas comunidades de habla hispánicas (véanse más detalles sobre el alcance de esta teoría en el tema VII). Así, en uno de sus estudios sobre esta cuestión en el español de San Juan de Puerto Rico, López Morales (1979b) comprobó que las clases medias acomodadas obtenían sistemáticamente unos índices de disponibilidad claramente superiores a los de los grupos bajo y obrero. Y lo que era más revelador aún: mientras que el léxico de estos últimos aparecía también entre las clases medias, a menudo no ocurría lo contrario en la dirección inversa. De confirmarse estos resultados en otros estudios (véase también Ávila 1988; y posteriormente el tema VII), ello apuntaría hacia la existencia de ciertas parcelas del vocabulario a las que, en la práctica, no acceden los miembros de los estratos más bajos de la sociedad.

GRÁFICO 8
Porcentajes de realización de la variante fricativa de *(ĉ)* por niveles socioculturales Granada, según Moya y García Wiedemann (1995)

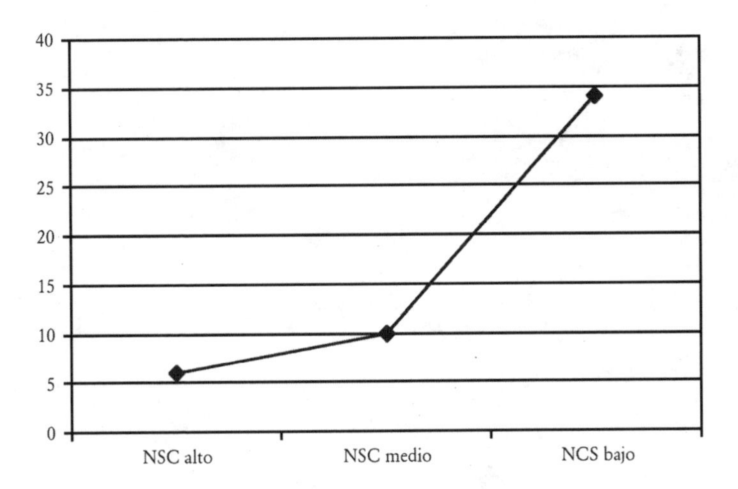


Sin llegar al extremo de las diferencias de inventario, que podríamos caracterizar, pues, como *cualitativas,* resultan, sin embargo, numerosos los ejemplos de variación que muestran diferencias cuantitativas notables —abruptas— entre diferentes grupos sociales. En estos casos, aunque todas las variantes se adviertan también en todos los sociolectos, las distancias frecuenciales entre los grupos extremos son particularmente altas. Por ejemplo, en el estudio sobre la distribución sociolingüística de *(ĉ)* en la ciudad de Granada (España), al que nos referíamos ya anteriormente, Moya y García Wiedemann (1995) han advertido un esquema de estratificación de este tipo en las realizaciones de la variante fricativa, no prestigiosa, la cual es masivamente empleada por los hablantes de menor nivel sociocultural, pero mucho menos por el resto de la pirámide social (véase gráfico 8, página anterior).

# UNIDAD TEMÁTICA II

## *Los factores sociales*

TEMA V

# El factor *sexo* y su incidencia en la variación en las comunidades de habla hispánicas

Como se ha recordado en alguna ocasión, no es posible reconocer de antemano qué tipo de variables sociales van a actuar sobre la variación lingüística (Moreno Fernández 1998: 32-33). La razón de ello es doble: por una parte, por el hecho de que la variabilidad no tiene por qué manifestarse de la misma forma en comunidades de habla diferentes, dado que los factores sociales no actúan sobre la lengua de manera uniforme. Pero también, porque estos mismos factores no se configuran de la misma forma en sociedades distintas. Así ocurre, sin duda, con las variables *sexo, edad* y *clase social,* tres de los factores no estructurales cuyas correlaciones con la variación se han demostrado más significativas tanto en la sociolingüística en general, como en la hispánica en particular.

A la incidencia sobre la variación lingüística en español del primero de esos factores sociológicos, el *sexo,* dedicamos el presente tema, y lo mismo haremos monográficamente con los otros dos en los que siguen. El objetivo principal de esta sección temática es introducir al lector en el análisis científico de una realidad que, probablemente, ya conoce de forma intuitiva: la idea de que la lengua varía considerablemente en boca de individuos y grupos sociales diversos, sean estos hombres o mujeres, jóvenes o adultos, o miembros de clases sociales diferentes. Como en los demás casos, el análisis de tales diferencias se realizará a partir de los datos aportados durante las últimas décadas por la investigación sociolingüística en comunidades hispánicas.

## 1. Introducción

Pese al importante salto cualitativo aportado por la sociolingüística en el tratamiento de las diferencias lingüísticas entre hombres y mujeres, la dialectología ya se había ocupado de ellas desde hacía décadas. Junto a la conveniencia metodológica —o no— de utilizar mujeres como informantes en los estudios de geografía lingüística, el tema principal desarrollado en estos trabajos era el presunto carácter conservador del habla femenina, aspecto del que, como veremos, se ha ocupado posteriormente con detalle la propia sociolingüística. Durante décadas, la impresión dominante entre los dialectólogos fue que el habla de las mujeres resultaba más conservadora que la de los hombres, si bien no faltaron nunca observaciones que venían a poner en duda este aserto general. Entre nosotros, por ejemplo, Gregorio Salvador (1952) advirtió tendencias tanto conservadoras como progresistas en el habla de las mujeres de diferentes grupos de edad en las aldeas granadinas de Vertientes y Tarifa. Aun reconociendo que sus afirmaciones estaban basadas en la «pura observación», el dialectólogo español realizó al respecto de estas diferencias algunas consideraciones interesantes en las que se imbricaban los factores sexual y generacional. A través de ellas sabemos, por ejemplo, que mientras los hombres de estos pueblos habían adoptado una serie de rasgos fonéticos propios del dialecto andaluz (articulación coronal plana de */s/* explosiva, aspiración de */-s/* implosiva, yeísmo y confusión de */l/* y */r/*), las mujeres, en cambio «permanecen fieles a la pronunciación tradicional, castellana», salvo las más jóvenes, cuyo comportamiento lingüístico resultaba también innovador.

En un análisis de conjunto sobre la incidencia del sexo en la variación lingüística, Wodak y Benke (1997: 127) se han lamentado del cúmulo de lugares comunes y de tópicos que han rodeado el debate sobre este tema, basados las más de las veces en materiales empíricos escasamente representativos, cuando no en observaciones impresionistas, de escasa validez científica. Imágenes del habla de la mujer como conservadora, insegura, sensible, solidaria y expresiva, y enfrentada a la autoritaria, competitiva, innovadora y jerárquica del hombre han poblado la bibliografía especializada en las últimas décadas. Incluso autores como Fasold (1990: 223 y s.) han venido a defender que, al menos por lo que se refiere a las sociedades modernas urbanizadas, el factor *sexo* no es una variable explicativa de primer orden en la variación lingüística, ya que se ve subordinada a otras como el estilo, la edad o el nivel social. No en vano, en la actualidad, no pocos investigadores defienden la necesidad de combinar el sexo con otros factores extralingüísticos para alcanzar una imagen más realista de las diferencias generolectales[1].

Claro que en esta línea argumental, hay hasta quien minimiza los principales resultados obtenidos tras varios decenios de investigación sociolingüística. Así, en una revisión sobre las principales motivos de diferenciación entre el habla de hombres y mujeres detectados en la bibliografía, P. Smith (1985) llagaba hace unos años a la conclusión de que las diferencias advertidas en las sociedades desarrolladas son escasas y sutiles, y además no todas aparecen donde cabía esperar. Y en cualquier caso, se trata de tendencias o de preferencias hacia determinados rasgos, pero nunca —o casi nunca— de reglas diferenciadoras exclusivas. Ello inducía a este autor a afirmar que las divergencias en el uso de la lengua por parte de hombres y mujeres no son, por lo general, marcadoras primarias de sexo. Además, aun si admitimos que ciertas variantes pueden ser empleadas por un porcentaje amplio de representantes de un mismo sexo, ello no significa que lo hagan todos sus miembros, lo que impediría aceptar que son consustanciales al habla de los hombres o de las mujeres.

Entre nosotros, autores como López Morales (1989: 127-128) han criticado, sin embargo, este tipo de planteamientos radicalmente escépticos. En su opinión, con la excusa de acabar con los estereotipos sociales que se presume ver en las lenguas, se intentan minimizar, y aun negar, las diferencias reales y existentes entre los lectos femeninos y masculinos. En la práctica, la sociolingüística nunca ha pretendido que las diferencias advertidas en el habla de hombres y mujeres sean indicadores exclusivos de sexo, pero tampoco es cierto que sean tan escasas y sutiles como sugieren algunos. El hecho de que no aparezcan en algunos estudios quiere decir tan sólo que no funcionan siempre de forma absoluta y automática, como por otro lado, tampoco lo hacen otros factores sociales. De ahí que no hayan faltado tampoco quienes reclaman la preeminencia de la diferenciación sexual sobre otras varia-

---

[1] En la tradición dialectológica Badia i Margarit había destacado ya esta idea en la explicación de las diferencias en el habla entre hombres y mujeres.

bles extralingüísticas como uno de las principales factores explicativos de la variación.

## 2. La variación generolectal: criterios diferenciadores

### 2.1. *Diferencias cualitativas*

Pese a las reticencias mostradas por algunos, una idea que recorre la bibliografía sociolingüística es que, en igualdad de condiciones sociales y situacionales, el habla de las mujeres es a menudo diferente del habla de los hombres. En la mayoría de los casos estas diferencias son sutiles, más bien cuantitativas que cualitativas; por ejemplo, la frecuencia en el uso de formas diminutivas en español parece ser más alta entre las mujeres[2], pero es indudable que éstas aparecen también en el habla masculina. En otras ocasiones, sin embargo, las divergencias son más obvias e incluso pueden llegar a sistematizarse. Un ejemplo extremo, y uno de los casos más citados por la bibliografía, es el representado por la isla Caribe, en las Antillas *(vid.* López Morales 1989: 118). En ella, hombres y mujeres han hablado desde hace siglos lenguas diferentes, como resultado de un proceso colonizador que condujo al exterminio de los hombres de la etnia arawak, habitantes primitivos de la isla, a manos de la tribu caribe, y a la posterior unión de éstos con las mujeres nativas. Pese a ello, las diferencias observadas en la actualidad no son ya la que corresponden a dos lenguas independientes, sino más bien a una única lengua con divergencias marcadas entre los lectos masculinos y femeninos (cfr. D. Taylor 1951; Baron 1986).

Entre nosotros, Buesa (1987: 814) ha recordado también las valiosas descripciones de un polifacético viajero y científico aragonés del siglo XVIII acerca de las lenguas y comunidades indígenas del Paraguay.

[2] Este hecho parece haber sido una constante en la historia del español. Como ha recordado García Gallarín (2000), en la Edad Media el empleo de los diminutivos para aportar ciertos detalles y valores expresivos a la narración de historias personales se consideraba adecuado en el habla de las mujeres, pero era más difícil encontrarlo entre los hombres. Asimismo, el uso de diminutivos como estrategia de persuasión para atraer la atención o incrementar la confianza del interlocutor tiene también una clara raigambre femenina. Incluso, otros diminutivos surgieron en la misma época para aludir a objetos menudos o a pequeñas cantidades de productos manufacturados para la mujer.

En sus *Viajes por la América meridional*, don Félix de Azara y Perera describía algunos casos singulares, como el de la ciudad de Curuguaty, donde las mujeres sólo se expresaban en guaraní, idioma que también empleaban los hombres en las conversaciones con éstas, mientras que en la comunicación endolingüe lo hacían exclusivamente en español. Azara consideraba extraordinario este hecho, ya que en el resto del país el uso tanto del guaraní como del español era la norma, y aun entre los hablantes más cultivados, sólo el español. Interesante es la explicación que el propio Azara ofrecía sobre este hecho singular de variación generolectal y que entronca con algunas interpretaciones recientes acerca del papel de las mujeres en los procesos de mantenimiento de lenguas minoritarias (véase más adelante tema XIV):

> Los españoles, fundadores de la ciudad que acabo de hablar [Curuguaty], tomaron mujeres indias. Sus hijos aprendieron el lenguaje de las madres, como es natural, y probablemente conservaron el español; más como cuestión de honor, para demostrar que su raza era más noble. Pero los españoles del resto de la provincia no pensaron así, sino que olvidaron su lengua, sustituyéndola por la de los guaraníes. Exactamente lo mismo ocurrió en la inmensa provincia de San Pablo, donde los portugueses, habiendo olvidado por completo su lengua, no hablan más que el guaraní. *Deduzco de todos estos hechos que son las madres y no los padres quienes enseñan y perpetúan las lenguas, y que mientras los Gobiernos no establezcan la uniformidad de lenguaje entre las mujeres es en vano que se cansen en reglamentar la instrucción a este efecto* (la cursiva es nuestra; citado en Buesa 1987: 814).

Incluso en tiempos mucho más recientes, parte de las mujeres de la etnia Toba, residente en Cerrito (región del Chaco), emplea únicamente la variedad conocida como *lengua* (de la familia Mascoi), mientras que los hombres alternan entre el uso de ésta como instrumento de comunicación en el dominio familiar, y el *toba*, perteneciente a otra familia lingüística (Guaicurú), como principal vehículo de comunicación social (Susnik, *Etnografía paraguaya*, 1974, citado en Granda 1980).

Por otro lado, son conocidos también los ejemplos de lenguas en las que determinadas unidades léxicas sólo pueden ser usadas por los miembros de un sexo, pero no por los del otro. Las lenguas indígenas de América presentan, además, diferencias morfológicas y fonológicas asociadas al sexo de los hablantes. Silva-Corvalán (1989: 69), por ejemplo, recuerda que en *chiquito*, una lengua indígena boliviana, las relaciones de parentesco se expresan a través de afijos diferentes en los lectos masculinos y femeninos. Diferencias que tienen su fundamento en la forma de conceptualizar las relaciones de parentesco entre hombres y mujeres en dicha comunidad de habla (véase tabla 1).

TABLA 1
Diferencias cualitativas en la expresión de relaciones de parentesco en *chiquito* (Bolivia)
(fuente: Silva-Corvalán 1989: 69)

| | HABLANTE MUJER | HABLANTE HOMBRE |
|---|---|---|
| «Mi hermano» | Ičibausi | Tsaruki |
| «Mi padre» | Išupu | Ijai |
| «Mi madre» | Ipapa | Ipaki |

2.2. *Diferencias cuantitativas*

La investigación sociolingüística basada en el modelo de la diferenciación sexual se remonta a comienzos de la década de los 70. A partir de ese momento son dos los principales dominios en los que se ha centrado el interés de los especialistas:

a) el análisis de variables sociolingüísticas, en las que el sexo aparece como uno de los factores extralingüísticos preeminentes; y

b) el comportamiento de hombres y mujeres en la conversación, tratado a menudo como un reflejo de la existencia de «estilos conversacionales» diferentes[3].

Los estudios sociolingüísticos basados en numerosas lenguas occidentales han confirmado que ciertas variables lingüísticas covarían significativamente con el sexo de los hablantes. Por utilizar un punto de partida conocido intuitivamente por muchos hablantes, es un lugar común, por ejemplo, que las mujeres realizan determinadas elecciones

[3] Una tercera línea de investigación que, sin embargo, no abordaremos aquí, es el supuesto *sexismo* en la lengua, así como en algunas obras de referencia, como los diccionarios *(vid.* Calvo Ramos 1998). Sobre las principales implicaciones de este polémico tema en español, véase Calero (1999).

léxicas con mucha mayor frecuencia que los hombres. Entre nosotros, por ejemplo, López García y Morant (1991) han analizado ejemplos del español contemporáneo, en los que se da cuenta precisamente de algunas de estas preferencias: el uso femenino más frecuente de ciertas formas léxicas (nombres y adjetivos relacionados con el color, la valoración de los objetos, los sentimientos, la afectividad, etc.), prefijos *(super)*, eufemismos con diminutivo *(braguita)*, truncamientos léxicos *(gordi, chuli, pelu, ilu, cari...)*, etc. (véanse también Lozano Domingo 1995 y García Mouton 1999).

El análisis de estas diferencias ha conducido posteriormente a una fase de la reflexión sociolingüística en la que se intenta dar respuesta a diversos interrogantes: ¿cuáles son las razones que impulsan tal diferenciación?, ¿qué tipos de variables lingüísticas se ven más afectadas por la misma? o ¿qué efectos relevantes tiene tanto en el origen como en la difusión de los cambios lingüísticos? A los intentos de respuesta que se han dado sobre estas cuestiones dedicaremos nuestra atención en los capítulos siguientes del presente tema. Antes, sin embargo, es el momento de realizar una precisión terminológica.

A pesar de que en los últimos tiempos han proliferado los trabajos que sustituyen el sustantivo *sexo* por el de *género,* tanto en la sociolingüística como en otras disciplinas, esgrimiendo para ello que tan sólo este último puede dar cuenta cabalmente de la naturaleza sociocultural de muchas de las diferencias entre hombres y mujeres (cfr. Wodak y Benke 1997; Giddens 1998), en nuestro caso preferimos seguir empleando el primero de los términos. Y ello por dos razones básicas. En primer lugar, porque los inconvenientes de utilizar *sexo* para la descripción de esta variable social son menores, en todo caso, que aquellos que representa el uso de la noción de *género,* cuyo significado en el plano metalingüístico está suficientemente acotado en español. Y en segundo lugar, porque, sin negar la existencia de diferencias sociales y culturales entre ambos sexos, y aun aceptando que éstas puedan estar en el origen de muchos hechos relacionados con la diferenciación sociolingüística, no está del todo claro (véase § 5) que las diferencias biológicas de partida no puedan representar también un factor adicional explicativo. Con todo, tanto por razones estilísticas como para evitar connotaciones indeseadas en el uso del adjetivo correspondiente *(sexuales)*, en lo que sigue alternaremos las referencias a las diferencias sociolingüísticas «según el sexo» con otras en las que aparecerá también el adjetivo «generolectal».

## 3. El comportamiento de hombres y mujeres en la interacción verbal

Dentro de este epígrafe nos referimos a las investigaciones realizadas en el seno de disciplinas como la etnografía de la comunicación o el análisis conversacional, en las que se han abordado matices y diferencias relevantes en el comportamiento comunicativo de ambos sexos.

A este respecto, se ha dicho, por ejemplo, que en las conversaciones entre hombres y mujeres son generalmente los primeros quienes hablan durante más tiempo, deshaciendo con ello un estereotipo que ha convertido tradicionalmente a las mujeres en especialmente habladoras y parlanchinas (Wardhaugh 1986). Por otro lado, los hombres no sólo hacen uso de la palabra durante más tiempo, sino que, por lo general, suelen llevar también la iniciativa en el desarrollo temático de las interacciones[4].

En las conversaciones entre miembros de ambos sexos, se ha observado también que los hombres destacan por la mayor frecuencia en la ejecución de actos de habla explicativos e informativos cuando se dirigen a las mujeres[5] Por el contrario, las mujeres superarían a los hombres en la realización de actos de habla y de estrategias discursivas destinadas a la proteger la *imagen* del interlocutor (actos de disculpa, cortesía, etc.). A propósito, por ejemplo, del empleo y de las actitudes hacia las *reprimendas* que muestran los miembros de ambos sexos, Carmen García (1996a) ha concluido que en la comunidad de habla peruana estudiada por ella, los hombres aparecen claramente como más autoritarios que las mujeres. Aunque estas últimas realicen también en la práctica esta clase de actos de habla, manifiestan, por lo general, una mayor preocupación por las reacciones del interlocutor. Y más concretamente, por la posible ofensa a la imagen de éste que el acto censor

---

[4] Pese a ello, se ha observado también un cierto grado de acomodación entre los interlocutores, de forma que tanto hombres como mujeres moderan sus preferencias conversacionales en estos casos. Este esfuerzo de acomodación puede variar de unas comunidades de habla otras. Así, Landis (1972) ha observado que mientras que en EE.UU. son generalmente las mujeres quienes realizan un mayor esfuerzo de convergencia, en Gran Bretaña ocurre al revés.

[5] Entre nosotros, Pilleux (1996b) y Hobbs (1991) han advertido algunas diferencias de este tipo en sendas comunidades de habla chilenas y mexicanas, respectivamente.

puede ocasionar, lo que genera actos de habla reparadores. Complementariamente, ambos sexos muestran también diferencias significativas en la reacción a las reprimendas: mientras que los hombres manifiestan actitudes de confrontación hacia quienes les han reprendido, las mujeres reaccionan a menudo de forma aparentemente más sumisa.

Asimismo, en otro estudio sobre las respuestas a las *invitaciones* —y en particular durante las secuencias de «insistencia de A/respuesta de B» tras el rechazo inicial de este último[6]— esta misma autora *(vid.* C. García 1992, 1996b) ha comprobado que los hombres de esta comunidad insisten, por lo general, en la negativa a aceptar invitaciones, al contrario que las mujeres, quienes prefieren una respuesta más vaga y a la postre más convergente con los deseos del interlocutor.

Por otro lado, es un lugar común en la bibliografía etnográfica que los hombres interrumpen más a menudo a las mujeres que al contrario (Zimmerman y West 1975). En la práctica, la *interrupción* se considera una estrategia conversacional asociada a las diferencias de poder y al desequilibrio interaccional que éste provoca (K. O'Donnell 1990: 211). Asimismo, no han faltado trabajos que completan este cuadro generolectal con diferencias en la forma en que ambos sexos evalúan diferentes clases de interrupciones. En este sentido, se ha dicho, por ejemplo, que las mujeres muestran unas actitudes más negativas hacia las interrupciones que tienen un carácter básicamente intrusivo, ya que para ellas los solapamientos en el habla suelen tener, justamente, la finalidad contraria, esto es mostrar señales de apoyo e interés hacia el interlocutor. Por el contrario, es frecuente que los hombres usen las interrupciones de una forma más indiscriminada, bien como estrategias de colaboración interaccional, bien, por el contrario, como mecanismos perturbadores. Ello provoca que en la interacción entre participantes de ambos sexos sean, por lo general, las mujeres quienes planteen más a menudo la existencia de conflictos comunicativos. Problemas que se agravan cuando la mujer ocupa, además, una posición más baja que el hombre en el eje del poder.

En la bibliografía especializada parece haber también suficientes pruebas empíricas que demuestran un comportamiento más colaborador en el desarrollo conversacional por parte de las mujeres. Ello se refleja, por ejemplo, en la realización de más preguntas al interlocutor, en la invitación a hablar a otros presentes, en el uso más frecuente de

---

[6] A. —Vamos, quédese un poco más, se lo ruego.
B. —No, lo siento, no puedo, bueeno..., pero sólo un poquito...

reguladores discursivos, que muestran la atención dispensada a los demás participantes, etc. Por el contrario, los hombres no sólo interrumpen más, sino que también disputan, cuestionan y desafían con más frecuencia al interlocutor, al tiempo que muestran mayor predilección hacia las aseveraciones categóricas.

Desde un punto de vista temático, se ha dicho que en las interacciones entre miembros del mismo sexo, se observan también preferencias claras. Así, cuando los hombres hablan entre sí, el contenido de la conversación se inclina en no pocas ocasiones hacia temas relacionados con la competitividad (trabajo, etc.), la burla, la agresividad, los deportes, etc. Por el contrario, cuando las mujeres conversan con otras mujeres las categorías correspondientes son muy distintas, oscilando entre la comunicación de sentimientos, el hogar, la familia, etc.[7]. De la misma forma, se ha comprobado que algunos actos de habla aparecen más frecuentemente en ciertos tipos de interacción que en otros. Entre nosotros, por ejemplo, y a partir de datos extraídos de diferentes comunidades de habla, diversos autores han comprobado que el sexo de los interlocutores es un factor decisivo en la expresión de los *cumplidos*. A este respecto, y como anteriormente hiciera Wolfson (1989) en comunidades norteamericanas, se ha visto que los cumplidos entre los mujeres son mucho más frecuentes que entre los hombres y en general, que las primeras son el objeto de estos actos de habla en mucha mayor medida que los segundos (cfr. Cordella *et al.* 1995, Hernández Herrero 1999)[8].

Estas diferencias generolectales se han estudiado también, aunque más ocasionalmente, en otros géneros interaccionales diferentes a la

[7] Mención especial merecen también los tabúes lingüísticos, que generalmente son evitados en mayor medida en el habla femenina que en la masculina. Para un análisis de las diferencias narrativas así como de las actitudes mostradas por hombres y mujeres hacia el relato de chistes de naturaleza sexual y escatológica en comunidades de habla mexicanas y chicanas, véase Castro (1982).

[8] Los datos de estas dos investigaciones corresponden a sendas comunidades hispanas, notablemente alejadas tanto desde el punto de vista social como geográfico, lo que aumenta la validez general de sus resultados, en general convergentes. La primera corresponde a una muestra de población inmigrante en Australia (Cordella *et al.* 1995) y la segunda a una comunidad costarricense (Hernández Herrero 1999). Sobre las diferencias generolectales en torno una modalidad del *cumplido* característica de las comunidades hispánicas, como es el *piropo,* véase también Z. Moore (1996). Esta autora señala que la mayoría de los hablantes —incluidas las mujeres— no considera sexista dicho acto de habla, sino más bien una manifestación típica de la lengua popular española. Asimismo, Z. Moore llama la atención sobre el hecho de que las mujeres no son sólo las destinatarias principales de los cumplidos, sino también con frecuencia sus principales agentes.

conversación. Entre nosotros, por ejemplo, Pilleux (1996b) las ha analizado en el contexto de *entrevista* a través de la comparación entre los actos de habla preferentemente empleados por los representantes de ambos sexos. Entre las principales conclusiones de esta investigación sobre la base de comunidades de habla chilenas, destacan algunas que ya hemos apuntado anteriormente, como: a) las mujeres se muestran más abiertas, menos inhibidas que los hombres; b) son más colaboradoras con el interlocutor; c) se expresan más en función de vínculos afectivos; d) aunque pueden llegar a ser más concluyentes en sus aseveraciones, tienden a atenuarlas en mayor medida que los hombres. En el habla de éstos, sin embargo, los actos de habla mitigadores son mucho menos frecuentes; e) son capaces de reconocer el punto de vista del interlocutor en mayor medida que los hombres, y f) desde el punto de vista temático, los hombres se mueven en un terreno informativo, mientras que las mujeres lo hacen en un abanico ilocutivo más amplio.

Los diferentes comportamientos interaccionales de hombres y mujeres se advierten también en el empleo de unos mismos recursos lingüísticos, en los que, sin embargo, se adivinan diferencias frecuenciales y comunicativas relevantes, interpretadas en la bibliografía como la prueba de que existen dos estilos conversacionales claramente diferenciados. Por ejemplo, en la conversación española se ha dado cuenta de la frecuencia con que las mujeres —especialmente las de edades más avanzadas— utilizan usos topicalizados del pronombre de primera persona *(yo)* al comienzo de un turno de palabra. Un rasgo expresivo que sirve para destacar la participación activa del emisor en el evento que se relata y que podemos considerar como un marcador generolectal (véase Blanco 1999: 36):

(1) *Yo* el primer coche que me compro *(vs. esp. gen.:* El primer coche que *yo* me compré).
(2) *Yo* es que de Alcalá no recuerdo... *(vs. esp. gen:* No recuerdo nada de Alcalá...)[9].

Otro ámbito pragmático en el que se han advertido estas diferencias es el del empleo de ciertos marcadores discursivos, unidades periféricas del análisis gramatical, pero decisivas desde el punto de vista comunicativo, y a las que M. J. Serrano (1995b, 1999) ha dedicado entre nosotros una notable atención en sus estudios variacionistas acerca del

[9] En torno a este fenómeno en otras variedades del español, véanse también Borrego (1998), y Ocampo (2001).

español canario[10]. En uno de sus trabajos (Serrano 1995b) ha analizado la distribución social y funcional de dos marcadores muy frecuentes en la conversación en español, como son *pues* y *la verdad*, cuyas funciones pragmáticas principales varían considerablemente dependiendo de algunos atributos sociales relevantes en la sociedad de La Laguna (Tenerife)[11]. Entre los factores considerados en su investigación, el *sexo* y la *clase social* presentan algunas correlaciones interesantes. Así, y como puede advertirse en los cuadros adjuntos, mientras que son las mujeres, especialmente las que pertenecen a los sociolectos bajos (bajo y medio-bajos), quienes destacan por el empleo de *la verdad* como elemento introductor-mitigador de respuestas (tabla 2), las proporciones se invierten cuando dicho marcador funciona como apoyo a la infor-

TABLA 2
Frecuencias absolutas y relativas de empleo del marcador *la verdad* como elemento introductor de respuestas, según M. J. Serrano (1995b)

| | HOMBRES | | MUJERES | |
|---|---|---|---|---|
| | N | % | N | % |
| NSC bajo | 4/13 | 31 | 29/29 | 100 |
| NSC medio-bajo | 8/26 | 31 | 20/20 | 100 |
| NSC medio-alto | 9/40 | 23 | 39/53 | 74 |
| NSC alto | 8/16 | 50 | 17/27 | 63 |

---

[10] Sobre diferencias generolectales significativas en torno al uso de los marcadores discursivos, véase también el estudio variacionista de Poblete (1996) sobre el español de Valdivia (Chile).

[11] En el caso de *la verdad* las funciones principales son dos:

a) introducción mitigada de respuestas (A: «¿Crees que este gobierno ya no tiene credibilidad?»; B: «Pues, en mi opinión, *la verdad*, el gobierno ha perdido bastante credibilidad debido a los últimos escándalos»; y

b) apoyo a la información (A: «Este país va directamente al caos, aunque, *la verdad*, me gustaría tener esperanza»).

En el caso de *pues* los valores principales son éstos:

a) introductor de respuestas (A: «¿Qué te gustaría concluir de lo que hemos hablado» (paro); B: «*Pues*... que hay demasiadas personas en mi situación, en puestos de inferior calidad en relación con los estudios que han realizado»); y

b) toma de posición durante el enunciado (A: «En aquella época la gente podía salir a la calle tranquilamente, *pues*... es que antes había más seguridad») (ejemplos tomados de la propia autora; véase Serrano 1995b: 7 y 11).

mación (tabla 3). En estos casos, los hombres de todos los grupos sociales superan a las mujeres correspondientes, si bien las diferencias se diluyen considerablemente (y lo mismo sucede en la función anterior) en el sociolecto más alto.

TABLA 3
Frecuencias absolutas y relativas de empleo del marcador *la verdad* como elemento de apoyo a la información, según M. J. Serrano (1995b)

| | HOMBRES | | MUJERES | |
|---|---|---|---|---|
| | N | % | N | % |
| NSC bajo | 9/13 | 69 | 0/29 | 0 |
| NSC medio-bajo | 18/26 | 69 | 0/20 | 0 |
| NSC medio-alto | 31/40 | 78 | 14/53 | 26 |
| NSC alto | 8/16 | 50 | 10/27 | 37 |

Complementariamente, el hecho de que sean también las mujeres de todos los estratos sociales quienes destaquen por el empleo de *pues* se pone inmediatamente en relación con algunos rasgos característicos del estilo discursivo «femenino», entre los que sobresale un mayor grado de *inseguridad* lingüística (véanse más detalles sobre esta cuestión en tema X § 6).

TABLA 4
Frecuencias absolutas y relativas de empleo del marcador *pues* como marcador discursivo según M. J. Serrano (1995b)

| | HOMBRES | | MUJERES | |
|---|---|---|---|---|
| | N | % | N | % |
| NSC bajo | 12/20 | 60 | 79/98 | 81 |
| NSC medio-bajo | 0/25 | 0 | 18/43 | 42 |
| NSC medio-alto | 11/43 | 26 | 47/57 | 82 |
| NSC alto | 14/44 | 32 | 32/32 | 100 |

Estas diferencias se aprecian también entre los recursos paralingüísticos que están a disposición de los miembros de una comunidad de habla. De este modo, unos mismos recursos pueden entrañar usos y significaciones diferentes entre los representantes de ambos sexos, en función de los intereses prioritarios que mueven a unos y otros en la conversación. Entre nosotros, por ejemplo, Cestero (1996) ha visto algo de esto en su análisis acerca de una estrategia frecuente en la conversación coloquial, como es la *risa,* en una comunidad de habla peninsular. El gráfico 1 muestra a este respecto cómo las mujeres hacen un uso preferente de este recurso como elemento de corroboración informativa o para la expresión de anécdotas, al contrario que los hombres, quienes ríen más cuando tratan de mostrar el desacuerdo con el interlocutor o para la comunicación de mensajes comprometidos.

GRÁFICO 1
Distribución por sexos del uso de la risa para la expresión de diversos actos comunicativos, según Cestero (1996)

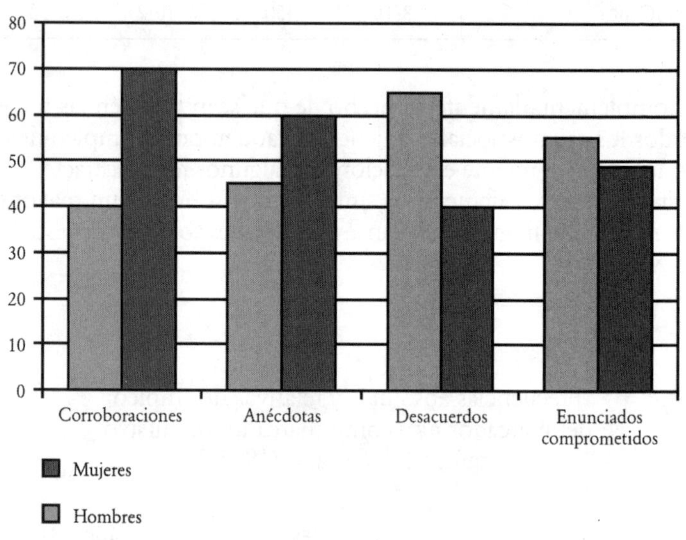


En suma, con no poca frecuencia hombres y mujeres muestran en la conversación patrones de comportamiento interaccional diferentes; comportamientos que, según numerosos investigadores, no hacen más que reflejar el desequilibrio de poder observado en otras muchas esferas de la sociedad, donde la mujer ha ocupado tradicionalmente una posición subordinada respecto al hombre. Sobre todo ello volveremos con más detalle más adelante (véase § 5).

## 4. El modelo de diferenciación generolectal en las comunidades de habla hispánicas

Una de las conclusiones más frecuentes en los estudios sobre variación lingüística en los que se considera la importancia del factor sexo es que, en igualdad de condiciones sociales y comunicativas, el hombre emplea más a menudo que la mujer las formas vernáculas, estigmatizadas o no estándares. Complementariamente, se dice que el habla femenina, además de más «correcta», es también más «conservadora» que la masculina. El motivo de esta ecuación es sencillo: generalmente las formas lingüísticas más tradicionales se consideran al mismo tiempo como más prestigiosas (Silva-Corvalán 1989: 70).

La mayor sensibilidad de las mujeres hacia las normas prestigiosas se ha detectado incluso en estudios variacionistas sobre épocas pasadas, como revelan algunos descubrimientos recientes de la sociolingüística histórica (véase más adelante tema VIII). Entre nosotros, por ejemplo, Glenn Martínez (2001: 120) ha visto cómo durante el periodo en que los territorios meridionales del actual estado de Texas (EE.UU.) pertenecieron a la Corona española, las mujeres utilizaban mucho más frecuentemente que los hombres la variante por entonces prestigiosa entre las terminaciones del imperfecto de subjuntivo, *-se* (véase anteriormente tema III, § 2). En el gráfico 2 (página siguiente) puede observarse cómo las diferencias favorables a esta forma son muy abultadas a comienzos del siglo XIX.

Con todo, es en el estudio de los hechos de variación contemporáneos donde, como es lógico, se han localizado los casos más frecuentes que avalan estas diferencias. Los ejemplos de ello en la sociolingüística hispánica son numerosos, hasta el punto de que hace unos años el mismo Labov (1991: 211-212) advertía que «perhaps the largest body of evidende on sexual differentiation is to be found in studies of Spanish in Latin America and Spain».

En lo que sigue, nos hacemos eco de algunas investigaciones en las que se han confirmado los principios de las diferenciación generolectal a partir del estudio de variables lingüísticas de diverso tipo.

En uno de los primeros estudios sociolingüísticos sobre el nivel fonológico llevados a cabo entre nosotros, Fontanella de Weinberg (1973) tuvo ya la ocasión de constatar cómo en el español hablado en la ciudad de Bahía Blanca las mujeres alcanzaban porcentajes muy su-

GRÁFICO 2
Porcentajes de *-ra/-se* como terminaciones del imperfecto y pluscuamperfecto de subjuntivo en documentación correspondiente al estado de Texas a comienzos del XIX (por sexos), según G. Martínez (2001)

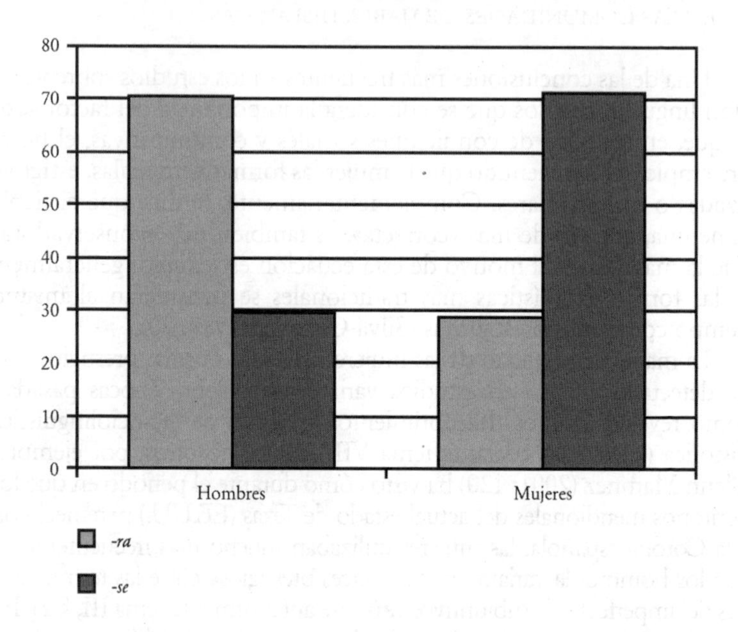


periores a los hombres en la realización de la variante sibilante de *(-s)* en todos los estilos comunicativos considerados (emotivo, casual, lectura de palabras, lectura de textos), un hecho que la investigadora argentina explicaba, justamente, por la especial sensibilidad de la mujer hacia las normas de prestigio sociolingüístico. Y con posterioridad, otros estudios acerca de esta misma variable lingüística en diferentes regiones del mundo hispánico han advertido modelos de variación similares. Así en Valdivia (Chile), Cepeda (1995a) ha descubierto que la variante prestigiosa, *[s]*, es elegida preferentemente por las mujeres, además de por otros grupos especialmente sensibles a la significación social del lenguaje, como las clases medias-altas o los grupos generacionales adultos de la comunidad[12]. Asimismo, Calero (1993) ha compro-

[12] De igual modo, la variable *(s)* en posición inicial ha permitido en la misma comunidad de habla establecer un patrón sociolingüístico similar, con los hombres más incli-

bado que la variante prestigiosa y mayoritaria en la ciudad de Toledo (España) la emplean con más frecuencia las mujeres, mientras que tanto la aspiración como la elisión del segmento se encuentran más a menudo en el habla de los hombres[13].

Y la misma distribución generolectal se ha documentado también con otras variables fonológicas que han recibido la atención de los sociolingüistas. Como vimos anteriormente, éste es el caso de los fonemas */-r/* y */-l/*, cuyas realizaciones estándares y vernáculas (trueques, geminadas, vocalizaciones, elisiones...) han sido estudiadas en diversos trabajos a lo largo de las últimas tres décadas. En uno de los últimos, Broce y Torres Cacoullos (2002) han analizado la distribución sociolingüística de dichas variables en el español hablado en una comunidad rural panameña (Coclé). Entre otros datos interesantes, en este trabajo se confirman los principios de la diferenciación sexual que nos ocupan. Así, y como puede verse en la tabla 5 (página siguiente), el empleo de las correspondientes variantes estándares es significativamente mayor entre las mujeres que entre los hombres. Estos últimos, por el contrario, potencian las formas vernáculas en mayor medida que aquéllas. En términos probabilísticos, observamos cómo las mujeres favorecen las variantes *[r]* (P .57) y *[l]* (P .55) de cada fonema, mientras que los hombres hacen lo propio con algunas de las formas vernáculas más características, como por ejemplo, las variantes laterales (P .60) y geminadas (P .62) de la vibrante, o las realizaciones cero (P .60) y el rotacismo (P .56) del fonema lateral[14].

Conclusiones del mismo tenor se han obtenido tras el análisis de la *variación gramatical*, y ello pese a la pretensión de que en este nivel la variabilidad no estaría inicialmente controlada por factores sociales. Diversos estudios variacionistas han demostrado lo contrario en diversas

---

nados hacia la variante sonora *[z]* y las mujeres hacia la variante sorda, *[s]*, más prestigiosa en el español chileno *(vid.* Cepeda 1990a y b). Por otro lado, esta misma autora, ha advertido en otro trabajo un modelo de estratificación sociolingüística parecido en la retención/elisión de */b/* y */d/* en Valdivia, con la mujeres y las clases altas como principales agentes de la retención, sobre todo en los estilos más formales *(vid.* Cepeda y Poblete 1993).

[13] Y lo mismo cabe decir de otra variable fonológica estudiada en este trabajo, el segmento */x/*, cuya variante relajada se incrementa notablemente en el generolecto masculino, mientras que, por el contrario, es eludida por las mujeres, especialmente cuando ascendemos en la pirámide social.

[14] Rojas (1980) ha obtenido una distribución generolectal similar a propósito de las variantes vocalizadas de estas variables (por ej., *cantar* → *cantai)*, tanto en el español de la República Dominicana como en otros dialectos caribeños. En éstos, tales vocalizaciones aparecen casi exclusivamente en el habla casual de los hombres.

TABLA 5
Significación estadística de las correlaciones generolectales correspondientes a las variantes de *(-r)* y *(-l)* en Coclé (Panamá), según Broce y Torres Cacoullos (2002)

| | *(-r)* | | | | *(-l)* | | | |
|---|---|---|---|---|---|---|---|---|
| | *[-r]* | Ø | *[-l]* | Gemin. | *[-l]* | *[-r]* | Gemin. | Ø |
| Hombres | .42 | .54 | .60 | .62 | .45 | .56 | n.s. | .60 |
| Mujeres | .57 | .46 | .40 | .39 | .55 | .45 | n.s. | .41 |

n.s.: factor no seleccionado como significativo por el análisis estadístico.

regiones del mundo hispánico. Navarro (1991), por ejemplo, ha señalado que en el habla de Valencia (Venezuela) ciertas variantes vernáculas, como la sustitución de *haber* por *ser* en la formación de los tiempos verbales compuestos, como en (3), o el empleo del morfo *-nos* en lugar del normativo *-mos* como afijo de la primera persona plural de algunos verbos, (4), resultan mucho más frecuentes en el habla de los hombres, especialmente de aquellos que pertenecen al nivel sociocultural bajo.

(3) Cuando uno sale de baja, ¡noo!, parece que uno *fuera estado* ahí diez años.
(4) Peleaba con mi hermana; *peleábanos* y nos *jalábanos* los cabellos.

Del mismo modo, en la difusión de un fenómeno como el *dequeísmo* en el español hablado en Canarias, M. J. Serrano (1998) ha descubierto una notable significación del factor generolectal. Como puede observarse en la tabla 6, los hombres de todos las edades superan a las mujeres del correspondiente grupo generacional con diferencias que son especialmente llamativas entre los hablantes de edad más avanzada (70 por 100 *vs.* 0 por 100).

La inclinación preferente del habla femenina hacia las variantes de prestigio se refleja también en el hecho de que se autocorrigen más que los hombres en el paso a los contextos formales, incluso aunque en el habla casual puedan aparecer ocasionalmente como impulsoras de las variantes más novedosas[15]. El gráfico 3 muestra este hecho a propósito de un fenómeno estigmatizado en el español de San Juan de Puerto Rico

[15] Este hecho se ha advertido sobre todo entre las mujeres de clases medias-bajas.

TABLA 6
Frecuencias de realizaciones dequeístas (por sexos) en el español hablado en Canarias, según M. J. Serrano (1998)

| | HOMBRES | | MUJERES | |
|---|---|---|---|---|
| | N | % | N | % |
| 1.ª generación | 265/309 | 86 | 52/96 | 54 |
| 2.ª generación | 460/512 | 90 | 285/367 | 78 |
| 3.ª generación | 78/111 | 70 | 0/0 | 0 |

como la lateralización de */-r/*, cuyo estudio debemos a López Morales (1983b). En él se observa, efectivamente, cómo en el paso a los estilos más formales, las mujeres puntúan siempre por debajo de los hombres.

GRÁFICO 3
Perfil de la variación estilística de las variantes lateralizadas de *(-r)* por sexos en San Juan, según López Morales (1983b)

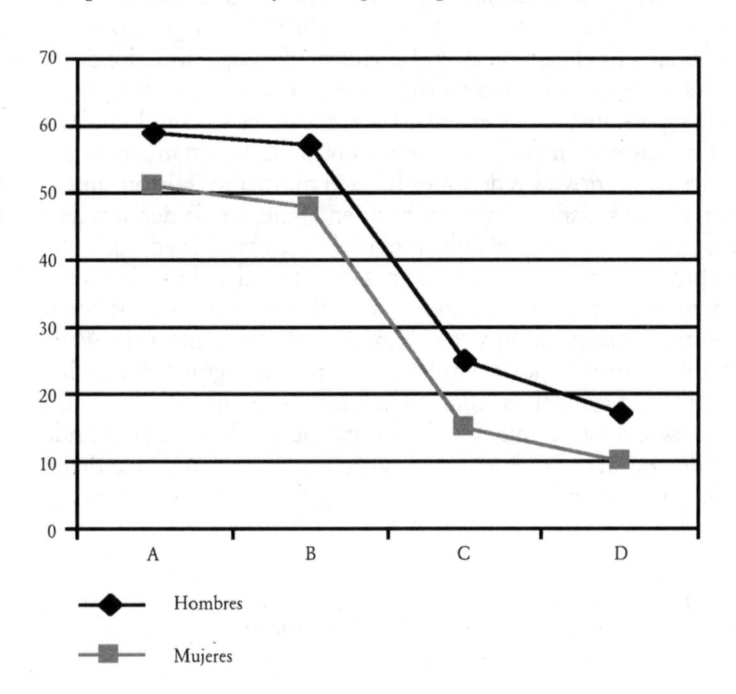

Ocasionalmente, se ha comprobado también que las mujeres tienden a sobrevalorar su habla cuando se compara su actuación lingüística con las actitudes hacia la variación, al contrario que los hombres, quienes muestran una cierta tendencia a juzgar sus respectivos idiolectos de forma más negativa. Estas diferencias, que ya advirtieran Labov (1972b) y Trudgill (1974a) en las comunidades de Nueva York y Norwich, respectivamente, aparecen también en algunas regiones hispánicas. Así lo ha constatado, entre otros, González Salas (1993) en su estudio acerca de las percepciones subjetivas de hombres y mujeres de la capital mexicana hacia diversos marcadores sociolingüísticos vernáculos.

Pese a lo anterior, no han faltado tampoco datos empíricos que ponen en cuestión la validez universal de las conclusiones reseñadas, lo que quizá podría ser un reflejo de los cambios actuales respecto a la distribución tradicional de los papeles sociales desempeñados por hombres y mujeres. A este respecto, algunas veces se ha llamado la atención acerca de la ausencia de diferencias realmente significativas entre ambos generolectos en la realización de las variantes estándares y vernáculas. Incluso a propósito de marcadores sociolingüísticos tan destacados en la bibliografía como la variable *(-s)*, y en relación con los cuales algunas investigaciones han dado cuenta de una distribución generolectal muy equilibrada. Es el caso de la ciudad chilena de Valparaíso, donde las realizaciones de las diferentes variantes son prácticamente idénticas, como revela significativamente el gráfico 4 *(vid.* Valdivieso *et al.* 1988)[16].

En ocasiones incluso, se han subrayado comportamientos generolectales contrarios a los descritos hasta el momento. Históricamente, la razón de tales disfunciones estribaría en la incidencia decisiva de otros factores sociales, como el diferente nivel de acceso a la educación de los hombres y las mujeres en épocas pasadas. Tras el análisis de diversa documentación epistolar correspondiente a los sociolectos altos bonaerenses entre los siglos XVIII y XIX, la malograda Fontanella de Weinberg (1998) comprobó, por ejemplo, que el mayor seguimiento de las normas ortográficas del español estándar correspondía claramente a los hombres y no a las mujeres. En un momento de intensa estandarización del idioma por parte de la Real Academia, los primeros demostraban seguir con más fidelidad que las segundas las indicaciones acadé-

[16] De todos modos, hay que notar que la muestra de este trabajo se limita al habla culta de esa comunidad, sociolecto en el que habitualmente las diferencias entre unos grupos y otros se atenúan.

GRÁFICO 4
Distribución de las variantes de /-s/ según el sexo de los hablantes en Valparaíso, según Tassara (1991)

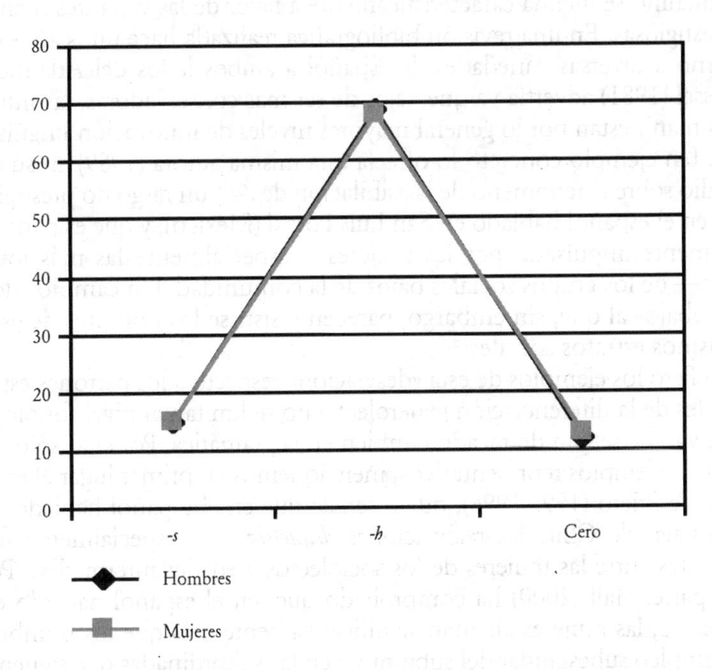


micas en su correspondencia. Además, la sociolingüista argentina descubrió que las mujeres incurrían con mayor frecuencia en errores ortográficos y trueques vocálicos que revelaban usos no estándares de la lengua *(Ugenia* por *Eugenia, cambearon* por *cambiaron, Yglesia* por *Iglesia, halla sido* por *haya sido, perdelo* por *perderlo,* etc.). Como explica esta autora, un factor explicativo importante de esta disparidad generolectal radica en las diferencias educativas abismales entre las mujeres y los hombres porteños de la época: mientras que los hombres de clase alta podían llegar a recibir una educación esmerada, las mujeres, incluso las pertenecientes a las capas más altas de la sociedad, no gozaban ni mucho menos de esas mismas oportunidades[17].

[17] Esta diferencia salta a la vista si pensamos que buena parte de los hombres pertenecientes a la clase alta porteña tenían estudios universitarios, en tanto que las mujeres contaban sólo con nociones elementales de lectura y escritura (pág. 91). El diferente acceso a la educación como factor explicativo de ciertas diferencias generolectales se ha

Más significativos son, sin embargo, los hallazgos detectados en épocas mucho más recientes, en las que el acceso a la educación se ha generalizado y en las que, sin embargo, el comportamiento lingüístico femenino se inclina característicamente a favor de las variantes menos prestigiosas. En una revisión bibliográfica realizada hace unos años en torno a diversas variedades de español a ambos lados del Atlántico, Rissel (1981) advertía ya que, lejos de ser más conservadoras, las mujeres manifiestan por lo general mayores niveles de innovación lingüística. Un ejemplo concreto lo ofrecía esta misma autora (1989) en su estudio sobre el fenómeno de la asibilación de */-r/*, un rasgo no prestigioso en el español hablado en San Luis Potosí (México), y que es particularmente impulsado por las mujeres —especialmente las más jóvenes— de los grupos sociales bajos de la comunidad. Un cambio «desde abajo» al que, sin embargo, parecen resistirse los hombres de esos mismos estratos sociales[18].

Pero los ejemplos de esta «desviación» respecto a los patrones esperables de la diferenciación generolectal no se limitan al nivel fonológico, ya que se han destacado también en la gramática. Por citar sólo un par de ejemplos representativos, mencionemos en primer lugar el estudio de Prieto (1995-1996), quien señala que en el español hablado en Santiago de Chile las realizaciones *dequeístas* son especialmente frecuentes entre las mujeres de los sociolectos y edades intermedias. Por su parte, Hall (2000) ha comprobado que, en el español hablado en México, las mujeres alientan significativamente más que los hombres el empleo subestándar del subjuntivo en las subordinadas que siguen a la expresión «No saber si...»:

(5) No sé si *sepas* que Mario no ha venido.

---

esgrimido también desde una perspectiva sincrónica. En un estudio reciente acerca de la distribución sociolingüística de las consonantes oclusivas posnucleares en el español de una comunidad asturiana, Antón (1998: 953) ha argumentado que el hecho de que las mayores diferencias en la pronunciación de las variantes no estándares *(v. gr.,* la elisión: *doctor → doctor,* o la interdentalización: *doctor → doϑtor)* tengan lugar entre los hombres de los niveles socioeconómicos más elevados en un extremo, y las mujeres de clases medio-bajas y bajas en otro, podría ser un reflejo de las mayores posibilidades de las que han gozado los hombres para el acceso a la educación hasta fechas bien recientes.

[18] Con todo, esta interpretación contrasta con la ofrecida a propósito del mismo rasgo por Perissinoto (1972) en Ciudad de México. En esta ciudad la variante es favorecida también por las mujeres, pero en ello coinciden ahora con los estratos medios y altos de la sociedad. Perissinoto (1972) considera además que, pese a la novedad del fenómeno, cuenta con prestigio dentro de la comunidad de habla.

A la vista de los datos divergentes reseñados en los párrafos anteriores, autores como López Morales (1992) han sugerido que las diferencias generolectales relacionadas con el prestigio de las variables lingüísticas deben ser objeto de algunas matizaciones importantes. Para este investigador, podemos considerar como cierto el hecho de que, en líneas generales y en presencia de una variación sociolingüística estable, las mujeres emplean formas estándares con mayor frecuencia que los hombres. Ahora bien, en su opinión, ello ocurre sobre todo: «siempre que la variación se produzca en un nivel de consciencia dentro de la comunidad de habla» (pág. 52). Circunstancia que, obviamente, no puede aplicarse a cualquier variable sociolingüística. A este respecto, Moreno-Fernández (1998: 37) recuerda, por ejemplo, el caso del *yeísmo,* fenómeno del que los hablantes no suelen ser conscientes, y del que, por lo tanto, es difícil hallar diferencias significativas entre los grupos sociales.

Por otro lado, el seguimiento o no de los modelos de variación más conservadores y prestigiosos a menudo no depende sólo de la incidencia de un único factor social, sino de la interacción entre varios de ellos. Para lo que ahora nos interesa, ello avalaría la tesis defendida por Eckert (1997), entre otros, según la cual el factor *sexo* puede no tener un efecto uniforme en todo el espectro social, de manera que su influencia tan sólo resultaría visible en ciertos subgrupos sociales o generacionales. En relación con estos últimos, por ejemplo, recordemos que en el estudio sobre la difusión social del *dequeísmo* en una comunidad canaria, M. J. Serrano (1998) ha señalado diferencias muy significativas en el comportamiento lingüistico de hombres y mujeres en función de la edad. Recordemos cómo la tabla 6 nos mostraba que las diferencias porcentuales son abrumadoras en la tercera generación, en la que ninguna mujer de la muestra realiza ni una sola variante dequeísta, frente a un 70 por 100 de los hombres. También las diferencias son notables, aunque no tan abultadas, entre los hablantes más jóvenes (86 por 100 para los hombres y 54 por 100 para las mujeres), pero se atenúan considerablemente en el grupo de edad intermedio (90 por 100 *vs.* 78 por 100 respectivamente), que a este respecto se presenta como uno de los principales agentes en la difusión del dequeísmo en esta comunidad. En suma, las diferencias lectales entre hombres y mujeres existen y responden a los patrones de la diferenciación generolectal mayoritariamente advertidos. Sin embargo, éstas no se producen en toda la sociedad, al menos en el mismo grado.

Otro factor con el que el sexo de los hablantes interacciona a menudo es el nivel sociocultural. Sirva como ejemplo de lo que decimos la investigación de López Morales (1983b) sobre el fenómeno de lateralización de *(-r)*, en la comunidad de habla de San Juan de Puerto Rico. Como muestra la tabla 7, la tabulación de los resultados correspondientes al cruce entre el sexo de los hablantes, el nivel sociocultural y el estilo de habla permite matizar considerablemente las conclusiones generales. Resumiendo estos datos a través de las palabras del propio sociolingüista cubano, observamos:

> [...] en los sociolectos medio-alto y medio las mujeres lateralizan más que los hombres en los estilos menos cuidadosos, el A y el B, pero la distancia disminuye en el estilo C del sociolecto más alto y las cifras se invierten en el resto de los estilos. No deja de ser significativo que a medida que estos sociolectos ponen en circulación los estilos que exigen más conciencia lingüística, las mujeres hagan descender rápidamente la frecuencia del fenómeno estigmatizado (pág. 395)[19].

TABLA 7
Distribución de las variantes lateralizadas de *(-r)* en San Juan de Puerto Rico según el nivel sociocultural, el estilo de habla y el sexo, según López Morales (1983b)

| SOCIOLECTOS | | A (%) | B (%) | C (%) | D (%) |
|---|---|---|---|---|---|
| Medio-alto | M | 38,1 | 28,2 | 7,3 | 9,5 |
| | F | 50,7 | 43,2 | 10,3 | 6,4 |
| Medio | M | 60,1 | 53,0 | 39,4 | 23,8 |
| | F | 71,1 | 55,2 | 30,1 | 4,9 |
| Medio-bajo | M | 35,6 | 40,0 | 18,6 | 20,0 |
| | F | 31,9 | 36,4 | 14,6 | 14,8 |
| Bajo | M | 74,7 | 81,3 | 29,6 | 11,5 |
| | F | 61,4 | 58,9 | 15,5 | 10,1 |

A la vista de estos y otros datos similares en la bibliografía, no debe extrañar, pues, que algunos sociolingüistas nieguen la premisa mayor,

[19] Por su parte, Guillén (1992) ha visto que en la realización del segmento *(-s)* en una comunidad de habla sevillana, la realización de las sibilantes no depende exclusivamente del sexo del hablante, ya que se manifiesta principalmente en dos grupos opuestos en la escala social: los hombres de las clases acomodadas y las mujeres de las clases populares.

esto es, que las mujeres son más conservadoras en el habla que los hombres. A juicio de Suzanne Romaine (1996: 123 y ss.), por ejemplo, cabría aceptar el calificativo de conservador para aludir al apego de las mujeres de clase media al estándar, pero no podríamos hacer lo mismo con las mujeres de los estratos más bajos. Entre estas últimas, el empleo de las variantes estándares, en proporciones significativamente más elevadas que los hombres del mismo estrato social, tan sólo podría merecer la caracterización contraria, esto es, la de innovadora (para más detalles sobre esta cuestión, véase más adelante tema VIII).

Junto a los rasgos anteriores, se ha observado también que la diferenciación generolectal en el habla refleja una tendencia general en la sociedad a la institucionalización de un «doble estándar» en relación con el comportamiento lingüístico de ambos sexos. Como recuerda Silva-Corvalán (1989: 70):

> [se] considera aceptable o apropiado que los hombres rompan las reglas y que se comporten de manera ruda, agresiva e incluso más «vulgar» [...] [el comportamiento de las mujeres] se espera que sea más cortés, más indeciso e insumiso, más correcto y ajustado a las reglas impuestas por la sociedad.

Este hecho se aprecia, incluso, entre las generaciones más jóvenes, en las que actualmente son esperables modelos de variación diferentes a los tradicionales. A partir de un corpus oral de jóvenes universitarios de Alicante (COVJA), Azorín *et al.* (1999) han comprobado, por ejemplo, que el empleo de un apelativo tan frecuente en el habla juvenil española como *tío/tía* varía notablemente en función del sexo de los hablantes. De este modo, resulta significativo que los chicos superen a las chicas en el empleo de este término coloquial, ya sea cuando designa genéricamente al hombre o la mujer (tipo 2) (79/61), como en (6), ya sea —y aquí las diferencias son especialmente abultadas (49/11)— en los usos del término como elemento vocativo-interjectivo (tipo 3), como en (7)[20]. Sin embargo, estas diferencias desaparecen —o se in-

[20] Una prueba adicional del uso «extraño» en el generolecto femenino de este término vocativo lo proporcionan algunos usos estereotipados del mismo entre las jóvenes españolas en algunos programas de televisión de gran audiencia. Expresiones como «jo, *tía,* los chicos que estaban con nosotras eran supermajos» (tomado de uno de estos programas en la TV española) en boca de una joven han sido imitadas sarcástiamente en otros medios, y en el momento de escribir estas páginas forma parte de los estereotipos adjudicados al lenguaje juvenil femenino. Un hecho que probablemente no se hubiera producido si los autores hubieran sido chicos.

vierten, como en este caso (2/7)— cuando el sustantivo encierra el significado familiar común en español (tipo 1), como en (8)[21]:

(6) No me gusta nada el *tío* ese.
(7) Joder, *tío,* no te enrolles.
(8) No he podido ver a mi *tío.*

TABLA 8
Uso de *tío/tía* en el COVJA por sexos, según Azorín *et al.* (1999)
(EI = estilo entrevista; EE = estilo espontáneo)

| TIPOS | N | HOMBRES | | MUJERES | |
|---|---|---|---|---|---|
| | | EI | EE | EI | EE |
| Tipo 1 | 10 | 2 | — | 7 | 1 |
| Tipo 2 | 142 | — | 79 | 2 | 61 |
| Tipo 3 | 60 | — | 49 | — | 11 |

Del mismo modo, algunas investigaciones recientes sobre disponibilidad léxica entre jóvenes de ambos sexos han advertido una considerable superioridad cuantitativa de los chicos sobre las chicas en el empleo de términos socialmente estigmatizados como tabúes, disfemismos, etc. *(vid.* González Martínez 1997).

Por último, y debido en buena parte a las razones esgrimidas en los apartados anteriores, se considera que las mujeres no son impulsoras del cambio lingüístico, al menos cuando éste apunta en la dirección de las variantes no estándares. Ahora bien, cuando las innovaciones se difunden en sentido contrario, esto es, a favor de nuevas normas de prestigio no vernáculas, la mujer se coloca a la vanguardia de los llamados cambios *desde arriba*[22]. De todo ello, nos ocuparemos con detalle en el tema dedicado posteriormente al estudio del cambio lingüístico desde la perspectiva sociolingüística (véase tema VIII, § 8).

[21] En otro orden de cosas, obsérvese la incidencia decisiva del eje estilístico en la variabilidad mostrada por esta forma en ambos generolectos, de modo que las variantes más coloquiales apenas aparecen en el estilo más formal (entrevista individual, EI), pero son abrumadoras en las conversaciones más distendidas (estilo espontáneo, EE).

[22] En la tradición dialectológica esta idea fue apuntada ya por Gauchat en su estudio sobre el dialecto de Charmey (Suiza).

Avancemos, con todo, que en la bibliografía reciente no han faltado tampoco datos que ponen en duda el aserto anterior, es decir, que la mujer sólo figura a la vanguardia de los cambios cuando éstos van en la dirección de la variante prestigiosa. Entre nosotros, una pionera de los estudios sociolingüísticos hispánicos como Beatriz Lavandera (1979) estuvo entre los primeros investigadores en advertir la participación de los lectos femeninos en esta clase de cambios en su estudio acerca de la variación modal en el seno de la prótasis de las oraciones condicionales. La probabilidad de que en este contexto lingüístico apareciera el condicional *(si tendría... daría)* en lugar del subjuntivo que establece la norma *(si tuviera... daría)* era rotundamente propiciada por las mujeres en la comunidad de habla de Buenos Aires, además de por los grupos generacionales más jóvenes y con menor nivel educativo, lo que configuraba un característico *cambio desde abajo.*

## 5. Interpretaciones sobre el modelo de diferenciación generolectal

Siguiendo a Wodak y Benke (1997: 139), podemos resumir en tres grandes esquemas teóricos los intentos de explicación de las diferencias reseñadas en el epígrafe anterior. Éstos corresponderían a:

a) las tesis que explican las principales diferencias a partir de la pertenencia de hombres y mujeres a culturas diferentes en el seno de la comunidad;
b) el modelo que pone el énfasis en la desigual distribución del poder entre los representantes de ambos sexos en la mayoría de las sociedades; y
c) las interpretaciones que, sin negar las ideas anteriores, ven en las diferencias biológicas un punto de partida relevante para la diferenciación entre los lectos masculinos y femeninos.

El primero de los modelos explicativos mencionados justifica el distinto comportamiento lingüístico e interaccional de hombres y mujeres tras colocar a sus representantes en dos subculturas diferentes —y a veces, irreconciliables— dentro de la sociedad. Para Maltz y Borker (1982), por ejemplo, hombres y mujeres han aprendido a hacer cosas diferentes con el lenguaje, particularmente en la conversación, de manera que cuando se comunican entre sí los resultados dejan a menudo mucho que desear.

Por otro lado, las diferencias culturales se han esgrimido también para explicar los usos lingüísticos y las evaluaciones diferentes a cargo de los componentes de ambos sexos. De este modo, uno de los principios variacionistas más conocidos, según el cual el lenguaje se usa frecuentemente como un símbolo identitario (Le Page y Tabouret-Keller 1985), se ha postulado también para justificar el hecho de que el grupo de los hombres suele ejercer una mayor presión sobre sus miembros en el mantenimiento de las normas vernáculas *(vid.* L. Milroy 1980). O dicho de forma más radical, el empleo mayoritario de las variantes no estándares por parte de los hombres obedecería básicamente al deseo de éstos de delimitar esferas de actuación suficientemente diferenciadas de las femeninas, entre otras en el plano verbal.

Entre nosotros, por ejemplo, Biondi (1992) ha presentado un cuadro nítido de estratificación generolectal en el español hablado por inmigrantes árabes en Argentina, en relación con la variante *[b]* —de claro origen interferencial— para la expresión del fonema oclusivo sordo */p/*. Los datos de este trabajo muestran cómo el alófono sonoro es una variante claramente estigmatizada en la sociedad, pero los hombres de estos grupos la utilizan a menudo —preferentemente los hablantes de mayor edad y residentes en comunidades rurales— en la conversación ordinaria. Para lo que ahora nos interesa, lo relevante es destacar que la inclinación de estos hablantes hacia el empleo de dicho sonido se relaciona, justamente, con su deseo de fortalecer los lazos de identidad masculina, un hecho que en la sociolingüística variacionista solemos reconocer bajo el concepto de *prestigio encubierto* de las variantes vernáculas. Por el contrario, las mujeres, sometidas a fuertes restricciones culturales y religiosas, se ven a sí mismas como portadoras de una identidad más bicultural. De ahí que el uso entre ellas de un español más estándar se contemple como un cierto instrumento compensatorio ante unas condiciones sociales claramente desfavorables.

Frente al modelo que define a hombres y mujeres como representantes de dos subculturas distintas, otros autores han puesto el énfasis en la diferente distribución del poder en unas sociedades patriarcales que han favorecido secularmente la posición del hombre. De hecho, la corriente de investigación feminista ha puesto de relieve la escasa atención que los sociolingüistas han dispensado a las diferencias de poder a la hora de evaluar la significación social de las variables sociolingüistas.

Pese a tratarse, con toda probabilidad, de la tesis explicativa más difundida en la sociolingüística contemporánea, los investigadores no siempre han coincidido en el diagnóstico sobre las causas que provocan la diferenciación generolectal. En este contexto, debemos a Trudgill (1974b) una de las interpretaciones más conocidas, la cual gira en torno a las diferencias entre hombres y mujeres acerca de la *conciencia de estatus social*. El investigador británico considera que, en las sociedades occidentales al menos, las mujeres son, por lo general, más conscientes de su estatus en la sociedad que los hombres y, por lo tanto, son también más sensibles al significado social del lenguaje. A juicio de Trudgill, existen dos razones principales para que ello sea así:

a) tradicionalmente la posición de la mujer en el seno de la sociedad ha sido menos segura que la del hombre y, por lo general, subordinada a éste. Lo que explicaría que a la mujer le resulte más necesario que al hombre marcar su posición y su estatus social a través de todos aquellos símbolos que estén a su alcance (apariencia externa, formas de vestir, costumbres, etc.), y entre los que, sin duda, el lenguaje ocupa un lugar privilegiado. Ello justificaría, en suma, la especial relevancia que las mujeres conceden al uso de la lengua;

b) una idea relacionada con la anterior sugiere que en las sociedades modernas el hombre viene a ser evaluado generalmente por atributos relacionados con el poder, como el tipo de trabajo que desempeña, su grado de competitividad, su nivel de ingresos, etc. En cualquier caso, «por lo que hace». Sin embargo, no es lo habitual cuando se juzga a las mujeres, o por lo menos no lo ha sido tradicionalmente. Por el contrario, a éstas se las enjuicia más frecuentemente por su apariencia y, en general, por otras señales externas de estatus, como puede ser la forma de hablar.

Lo anterior contribuiría a explicar ciertos hechos sociolingüísticos recurrentes, detectados en numerosas comunidades de habla, como la mayor aptitud lingüística de las mujeres, su mayor control sobre los registros y estilos comunicativos o su inclinación hacia el cultivo de las normas de prestigio suprarregionales en mayor medida que los hombres[23]. O en otro orden, el papel decisivo de la mujer en la educación (socio-)lingüística de los niños, proceso que, generalmente, va en la dirección de las normas de prestigio. La mujer, consciente de la importancia social del lenguaje, dedica un esfuerzo suplementario a enseñar la variedad estándar a sus hijos. Una situación que, como veremos más

[23] Una consecuencia adicional de esta inclinación de las mujeres hacia las normas asociadas al prestigio sociolingüístico es, como vimos, la mayor presencia en su habla de fenómenos de *hipercorrección (vid.* Coates 1986).

adelante, se acentúa en las situaciones de bilingüismo diglósico, en las que una de las lenguas ocupa una posición de privilegio sobre otra (véase más adelante tema XII).

Con todo, el anterior no es el único desarrollo posible de esta tesis. Otra posibilidad, apuntada por Lesley Milroy (1980), entre otros, consiste en otorgar a la mujer, y no al hombre —como es corriente hacer— la posición central en el modelo. A partir de la distinción ya mencionada entre *prestigio manifiesto* y *prestigio encubierto*, L. Milroy sugiere que el mayor uso de las variables prestigiosas por parte de las mujeres respondería, en suma, a la aplicación de los modelos sociolingüísticos tradicionales (prestigio manifiesto de las variables lingüísticas), mientras que el «desvío» del hombre implicaría otros valores («encubiertos», pero no menos relevantes, como la solidaridad grupal, etc.) que, pese a todo, no parecen cuestionar el orden social.

Una interpretación diferente, aunque no necesariamente opuesta, al modelo anterior es la propuesta de Deuchar (1988) basada en el principio interaccional de *imagen* (Brown y Levinson 1987). Al igual que otros sociolingüistas, Deuchar parte también de la idea de que las mujeres ocupan una posición de menor *poder* relativo en la sociedad, lo que explicaría por qué en la conversación con miembros de otro sexo dedican una atención especial tanto a la preservación de la imagen del interlocutor como a la suya propia. Lo cual se consigue mediante el empleo preferente, entre otras estrategias, de las normas de prestigio en la comunidad:

> [...] the use of standard speech, with its connotations of prestige, appears suitable for protecting the face of a relatively powerless speaker without attacking that of the addressee (Deuchar 1988: 31).

En definitiva, la inclinación de la mujer hacia el uso más frecuente del estándar que el hombre, especialmente en las situaciones más formales, contribuye a preservar su propia imagen, pero de una manera tan sutil que los hombres con los que conversa no vean amenazada la suya, pese a la «superioridad» femenina.

Pese al atractivo de estas ideas, la propuesta de Deuchar es poco más que un esbozo interpretativo, al menos en la presente formulación (Chambers 1995). Sus implicaciones deben ser comprobadas empíricamente, entre ellas la asunción de que las mujeres utilizan más formas estándares cuando conversan con hombres que cuando lo hacen con otras mujeres, lo que no está nada claro que ocurra siempre. Asimismo, de esta tesis se colige que cuando la mujer ocupa posiciones inequívocamente poderosas en la sociedad, lo que ocurre cada vez con más frecuencia, disminuirá correlativamente su preferencia por las variantes de prestigio, hecho que tampoco se ha demostrado fehacientemente.

Por último, y frente a las interpretaciones anteriores, que parten de una situación básicamente deficitaria de la mujer —en poder, seguridad, autoestima, etc.—, quien de este modo utilizaría el lenguaje como estrategia compensatoria, autores como Chambers (1995) han propuesto otras teorías, en las que se combinan dos modelos interpretativos diferentes, aunque complementarios, y basados, a su vez, en las nociones de *género* y *sexo,* respectivamente. En relación con el primero, el sociolingüista canadiense reconoce las diferencias notables que existen en los procesos de socialización de hombres y mujeres, al tiempo que añade un factor adicional de considerable importancia, aunque en cierto modo derivado de los anteriores: las diferencias de movilidad[24]. Y es que, al menos entre las clases trabajadoras, las mujeres muestran mayores dosis de movilidad geográfica y social que los hombres: salen a trabajar fuera de sus respectivos barrios, visitan otras zonas de la ciudad a la hora de comprar, etc., lo que les permite entrar en contacto con otros grupos sociales diferentes y, por consiguiente, ampliar su repertorio verbal. Al contrario que los hombres, quienes suelen centrar el eje de sus relaciones sociales en torno a redes sociales mucho más densas y múltiples (lugares de trabajo, vecindario, filiaciones deportivas...)[25]. En consecuencia, esta *variabilidad según el género* explicaría por qué la mujer posee en líneas generales no sólo un repertorio lingüístico más amplio que el hombre, sino también un uso más frecuente de las normas de prestigio.

Ahora bien, junto a esta variabilidad, existe otra íntimamente relacionada con el *sexo* de los hablantes, es decir, con las diferencias biológicas y neurológicas entre hombres y mujeres. Éstas contribuirían a ex-

---

[24] Bastantes años antes, Alvar (1969b) partía de un supuesto similar para explicar las diferencias entre hombres y mujeres observadas en algunas hablas andaluzas. Para Alvar, la tendencia al arcaísmo o a la innovación lingüísticas no depende tanto del sexo de los hablantes cuanto del tipo de vida que llevan en cada lugar. Así, en una población como La Puebla de Don Fadrique, los hombres se mostraban más innovadores porque su mayor movilidad social y geográfica les permitía relacionarse con el exterior y por lo tanto, con las normas del español general. Situación bien distinta de la que presentaban las mujeres, lo que explicaría su mayor conservadurismo, o lo que en este caso viene a ser lo mismo, su apego a las normas vernáculas.

[25] Similares conclusiones obtuvo L. Milroy (1980) tras su estudio de la ciudad de Belfast. Esta autora ha relacionado la densidad de las redes sociales con la diferenciación sociolectal. Las variantes vernáculas desempeñan un papel más activo en las redes densas y amplias y en el caso de la capital norirlandesa éstas se hallaban compuestas mayoritariamente por hombres.

plicar otra serie de datos ampliamente comprobados empíricamente, como, por ejemplo, la ventaja en el desarrollo verbal que las mujeres suelen mostrar respecto a los hombres, especialmente durante los primeros años de vida. Incluso esta superioridad femenina, que tiene una razón básicamente neurofisiológica, podría coadyuvar a la interpretación de otros hechos ya reseñados anteriormente mediante el auxilio de argumentos de naturaleza sociológica, como la mayor amplitud de los repertorios comunicativos de las mujeres o el manejo más adecuado de la variación estilística que los hombres. Eso sí, con una excepción importante, cuyas consecuencias hemos podido comprobar más arriba en varios casos: los niveles socioculturales más elevados, en los que otros factores sociales, como la educación, consiguen anular las diferencias de partida favorables a las mujeres.

Al igual que en otros dominios regionales, diversas investigaciones realizadas en el mundo hispánico han analizado empíricamente algunos aspectos parciales de esta «superioridad» femenina en el desarrollo verbal, especialmente en las etapas iniciales de la vida de los hablantes. Bacon y Finnemann (1992), por ejemplo, han estudiado el papel de la diferenciación sexual en el proceso de aprendizaje del español como segunda lengua entre alumnos norteamericanos del primer grado de educación primaria, concluyendo que las chicas muestran unos niveles significativamente mayores de motivación en el aprendizaje, un uso más adecuado de estrategias globales en el empleo del lenguaje, así como también un mayor «éxito» en el desarrollo de las interacciones comunicativas en español (véase también Bascur 1995). Y en la misma línea, diversas investigaciones recientes sobre riqueza y disponibilidad léxica en diferentes regiones hispánicas han podido documentar que las mujeres jóvenes se sitúan por encima de los hombres de su misma edad en disponibilidad y variedad léxicas. Así ocurre, por ejemplo, en los estudios llevados a cabo por Morín (1987) y García Domínguez *et al.* (1994) en sendas comunidades canarias, González Martínez (1997) en Cádiz o Blas Arroyo y Casanova Ávalos (2001-2002) en Castellón, entre otros[26].

[26] Pese a ello, no han faltado tampoco algunos contraejemplos a esta regla general, en los que o bien no se aprecian diferencias significativas entre ambos sexos, o bien, incluso, nos enfrentamos a resultados contrarios a los esperados. Así, M. Medina y K. Escamilla (1994) no han detectado ningún efecto significativo de la diferenciación sexual en los resultados obtenidos por los programas de educación bilingüe en EE.UU. Asimismo, R. Betancourt (1976) ha comprobado en una comunidad chicana del sur de EE.UU. que los niños puntúan significativamente más alto que las niñas en las mismas pruebas de aptitudes lingüísticas que han servido a menudo como justificación de la superioridad femenina.

Pese a lo anterior, ni la interpretación sociocultural ni la biológica se encuentran exentas de problemas serios. La primera por la imposibilidad de alcanzar reglas universales en la interpretación de las diferencias generolectales, ya que las normas sociolingüistas pueden cambiar sobremanera de unas comunidades a otras. Y la segunda, porque plantea un grave problema de partida como ha recordado Moreno Fernández (1998: 39): conseguir una demostración objetiva, contundente y universal de la superioridad verbal femenina, pretensión que, en la práctica, resulta casi utópica.

Tema VI

# La variación genolectal en español

## 1. Introducción

Las diferencias generacionales y su impacto en la variación lingüística han sido puestas de relieve desde antiguo en comunidades de habla muy diferentes. Por lo que se refiere a la sociolingüística, una de las ideas más recurrentes en la bibliografía es que la edad representa un factor que puede condicionar la variación en un grado incluso mayor a como lo hacen otras parámetros sociales tan relevantes como el sexo o la clase social. Su incidencia en el análisis del cambio lingüístico en tiempo aparente (véase tema VIII) es, sin duda, la más destacada, pero no la única. Ciertamente, la estratificación sociolingüística genolectal puede revelar la existencia de procesos evolutivos, pero otras muchas veces dichos procesos se estabilizan en la comunidad de habla, cuando no obedecen simplemente a la maduración de los individuos, los cuales atraviesan a lo largo de su existencia por diferentes etapas «sociolingüísticas». Con todo, resolver la ambigüedad entre estos desenlaces posibles supone dar respuesta a una serie de interrogantes de primer orden: ¿hasta qué punto, y de qué manera, puede cambiar la lengua de una persona a lo largo de su vida?, ¿de qué forma interacciona la edad con otras variables sociales como el sexo, la clase social, etc.?

Para Penelope Eckert (1997: 151), la respuesta a estos interrogantes no puede emprenderse sin atender a la historia vital del individuo y a las diferentes fases por las que atraviesa, cada una con sus caracteres específicos. Por desgracia, sin embargo, aunque la edad representa uno de los factores sociales más atendidos en los trabajos de campo sociolingüísticos, no existen estudios sistemáticos que partan de esa concepción global[1].

Por lo general, las investigaciones sociolingüísticas han girado en torno a la edad adulta en detrimento de las demás (Coupland *et al.* 1991). De hecho, la atención que se ha venido prestando a otros estratos generacionales no ha gozado hasta la fecha de verdadera autonomía, ya que las más de las veces los estudios han girado en torno a las diferencias que se advierten entre el comportamiento lingüístico de las «otras» edades y el habla de las generaciones intermedias (adultas). Así, los estudios basados en el habla de los niños se han centrado a menudo en los procesos de socialización, de la misma manera que el análisis sociolingüístico de los adolescentes ha incidido, preferentemente, en la adquisición de los *roles* adultos, o las investigaciones sobre el habla de los ancianos en la pérdida de las habilidades propias de la edad adulta[2].

En los últimos años, sin embargo, esta perspectiva del análisis alterna con otra que considera que la competencia sociolingüística está íntimamente vinculada a los diferentes cortes generacionales en la vida de los hablantes. Dicho de otra manera, los recursos lingüísticos utilizados en cualquier edad tienen su propia significación social o, como señala Eckert (1997: 158) en relación con el habla de los niños:

> [...] small children are not simply striving to be older children; this striving is fully integrated into their competence at being small children, and strategically exercised.

En suma, una perspectiva que toma la vida completa del individuo como el principal centro de interés debería comenzar analizando los

---

[1] La mayoría de estudios sociolingüísticos se ha decantado por una concepción «ética» de la edad como un factor que permite agrupar a los individuos a partir de su fecha de nacimiento. Frente a esta interpretación, autores como la propia Eckert (1997: 151) han defendido más recientemente otra, de carácter «émico», y en la que, en palabras de esta autora: «age and aging are experienced both individually and as part of a cohort who share a life stage and/or an experience of history». Esta concepción del factor generacional ha sido particularmente fructífera en los estudios sobre contacto de lenguas en EE.UU., en los que se ha advertido la existencia de diferencias sistemáticas en el comportamiento lingüístico de diversas generaciones (cfr. Ocampo 1990, Silva-Corvalán 1989, 1994b, Gutiérrez 2002, Mrak 1998) (véanse más detalles en tema XVI, §§ 5 y 6).

[2] Entre nosotros, por ejemplo, Juncos (1996) ha concluido que la capacidad para entender y relatar historias declina con la edad, independientemente de la lengua utilizada por los individuos de su muestra (español, catalán, gallego).

recursos lingüísticos, las identidades sociales y las estrategias de los niños, antes de pasar al estudio del habla de los adultos y de especular acerca del periodo vital en que aquéllos adquieren un control sobre los modelos de variación propios de edades maduras.

## 2. Algunas diferencias cualitativas en la estratificación generacional

En algunas comunidades tribales se han advertido diferencias lectales importantes entre el habla de niños y adolescentes, por un lado, y el habla del resto, por otro. Como recuerda López Morales (1989: 112), en este tipo de sociedades no es infrecuente la existencia de un lenguaje militar, que es desconocido por los primeros, y al que no tienen acceso hasta su paso, justamente, a la edad adulta.

Asimismo, en la bibliografía especializada no han faltado referencias acerca de variantes específicas para ciertos grupos de edad en diversos niveles del análisis lingüístico, así como de estrategias interaccionales asociadas al momento de la vida del hablante (cfr. Trudgill 1983, López Morales 1989, Silva-Corvalán 1989)[3]. Aunque las alusiones a este tema en el mundo hispánico son más escasas que en otros dominios regionales, merece la pena recordar alguna. Tomás Buesa (1987), por ejemplo, ha rescatado los relatos autobiográficos del científico y viajero español, Félix de Azara y Perera, quien a finales del siglo XVIII viajó por algunas regiones sudamericanas en las que tuvo ocasión de conocer y entablar contacto con diversas tribus y lenguas amerindias. Entre las anécdotas relatadas en estos escritos, y a las que anteriormente hacíamos ya referencia (véase tema V, § 2.1), destacan ahora para nuestro objeto de estudio sus apuntes acerca de la comunidad *mbayá* en el Chaco paraguayo, donde «los jóvenes de ambos sexos antes de su casamiento dan a las palabras otra terminación que los hombres hechos, y a veces emplean términos diferentes, de manera que al oírlos se diría que son dos idiomas».

---

[3] Trudgill (1974b: 79), por ejemplo, recuerda el caso de la lengua *yukaghir,* hablada en una región del nordeste asiático, donde los niños emplean las variantes característicamente femeninas de determinados fonemas, mientras que los adultos usan las más propiamente masculinas. Curiosamente, los ancianos pueden emplear ambas. Por su parte, Gardner (citado en López Morales 1989: 113) menciona la tribu de los paliyanos del sur de la India, en la que los individuos guardan silencio casi todo el tiempo, una vez alcanzada la edad de 40 años.

## 3. Los fenómenos de identidad generacional

Como ha recordado López Morales (1989: 117), los perfiles de distribución sociolingüística relacionados con la edad se han interpretado como reflejo de tres posibilidades diferentes:

1) fenómenos de identidad entre ciertos grupos generacionales;
2) fenómenos de autocorrección, especialmente entre los grupos de edad intermedios, y
3) fenómenos que revelan la existencia de un cambio lingüístico en marcha.

En las páginas que siguen abordaremos principalmente las dos primeras, aun conscientes de la dificultad que supone separar éstas del análisis del cambio lingüístico. Pese a ello, y por razones expositivas, dejaremos para más adelante el tratamiento de la estratificación generacional como un reflejo de este último desenlace (véase tema VIII).

### 3.1. *Los fenómenos de identificación generacional en el habla de los jóvenes*

Los fenómenos de identificación generacional entre ciertos grupos de edad, preferentemente adolescentes y jóvenes en general, suelen relacionarse con los procesos de *age-grading*, concepto que hasta hace relativamente poco, era utilizado por los lingüistas para dar cuenta de ciertas formas y expresiones propias del habla de los niños, que se repiten de generación en generación, sin que, por el contrario, pasen nunca al lenguaje de los adultos (cfr. Hockett 1950: 423; R. Hudson 1981: 16)[4]. Pese a ello, en la actualidad la noción alude preferentemente a las diferencias en el lenguaje que son específicas de las diversas edades en la vida de los individuos y que contribuyen a singularizarlas desde un punto de vista sociolingüístico (Romaine 1984b: 761).

Estas características pueden ser de dos tipos: a) bien exclusivas de ciertos estratos generacionales, o b) si no exclusivas, al menos sí prefe-

[4] Fenómenos como las metátesis: «¿Qué me has *pomcra(d)o?»;* regularización de paradigmas irregulares en el sistema: «*Han hacido* chocolate»; «No *cabo* aquí...»; alteraciones en el orden de ciertos componentes sintácticos («¡Es que *me se* cae todo el tiempo!»), etc.

rentemente difundidas entre éstos, en el sentido de que ocurren con más frecuencia en determinados periodos de la vida de los hablantes que en otros. Por otro lado, estas diferencias cuantitativas se encuentran íntimamente relacionadas con sentimientos profundos de identidad y solidaridad grupal, un hecho que afecta principalmente al habla de los hablantes más jóvenes. Dicha relación se manifiesta a menudo en el uso más frecuente por parte de estos hablantes de las formas vernáculas de la comunidad, en oposición a otros grupos de edad más adultos, generalmente más inclinados hacia las normas estándares por razones de prestigio y movilidad social[5].

Como veremos a continuación, las muestras de esta clase de variación genolectal afectan a todos los niveles del análisis lingüístico, si bien la faceta más llamativa de la autoidentificación consiste, por lo general, en el empleo de un vocabulario y de una fraseología característicos. Para dar cuenta de estas variedades jergales se han acuñado entre nosotros diversos nombres en otras tantas regiones del mundo hispánico. Así ocurre con *el habla cheli de Madrid, el habla de las adolescentes del valle de San Fernando en California* o en la España de los primeros años 80 del pasado siglo con *el lenguaje del rollo, rockero, pasota*, etc., denominaciones diversas para dar cuenta de las innovaciones lingüísticas patrocinadas por lo que se dio en llamar la *cultura del rollo* o la *movida* de los movimientos contraculturales[6]. Uno de los principales rasgos de estas hablas —también conocidas, lo mismo que sus usuarios, como *pasotas*— fue que, a diferencia de otras, no quedaron relegadas a los sectores más marginales y barriobajeros de la sociedad, sino que, por el contrario, llegaron a formar parte de los hábitos expresivos de buena parte de la juventud española en los años 80, y aun, ocasional-

[5] En uno de los estudios pioneros de la sociolingüística variacionista, el que Labov (1972a) realizara sobre el habla de hablantes de raza negra en el barrio neoyorquino de Harlem, este autor descubrió un uso significativamente más alto de los principales rasgos gramaticales del inglés negro americano —como la ausencia de cópula verbal— entre los adolescentes, así como una mayor resistencia por parte de éstos a las normas convencionales de la comunidad, impuestas a través de instituciones como la escuela. Como contrapartida, el sociolingüista norteamericano comprobó que, conforme se ascendía en la pirámide generacional, la presión de dichas normas correctoras iba en aumento.

[6] En relación con el origen del *lenguaje del rollo* se ha propuesto la ascendencia del habla *cheli* madrileña, en referencia a los ambientes marginales de esa ciudad, para muchos el principal foco de difusión. Ahora bien, como recuerda Rodríguez González (1986), tampoco debe subestimarse el papel que desempeñaron otros «rollos» peninsulares, como el sevillano o el barcelonés, cuyos primeros manifiestos datan ya de finales de los años 60.

mente, de otros grupos de edad más adultos. Con todo, su influencia se diluiría considerablemente en la década posterior.

### 3.2. *Algunos ejemplos en la sociolingüística hispánica*

La mayor identificación de los jóvenes tanto con las variantes vernáculas, no estándares, como, en general, con las formas más innovadoras se ha observado recurrentemente en la sociolingüística hispánica. Con frecuencia, ello da lugar a patrones de estratificación *lineal* (véase tema IV, § 6), que revelan un escalonamiento progresivo entre los diferentes segmentos de edad. Los ejemplos de ello aparecen en todos los niveles del análisis.

En el nivel *fonológico* estas diferencias se han observado recurrentemente en investigaciones sobre la distribución sociolingüística de fenómenos como el *yeísmo*. En España, por ejemplo, algunos estudios variacionistas han advertido que aquéllas apuntan, precisamente, en la dirección reseñada. Así, en uno de los primeros estudios de este tipo llevados a cabo sobre esta variable, Martínez Martín (1983a: 254) comprobaba que en la ciudad de Burgos las realizaciones laterales de */ll/* se mantienen todavía entre los hablantes de mayor edad, mientras que los jóvenes, dominados completamente por las formas yeístas, apenas las conservan (véase también Chapman *et al.* 1983 sobre otra localidad burgalesa). Por su parte, Dorta (1986) advertía poco más tarde que en el norte de la isla de Tenerife, los segmentos más jóvenes de la sociedad—niños y adolescentes— son totalmente yeístas, mientras que otros grupos —principalmente los intermedios—, que también utilizan *[y]* en situaciones informales, tienden a usar *[ll]* en contextos formales, conscientes del mayor prestigio social de esta variante. Por el contrario, los hablantes de más edad ven significativamente en este cambio fonético un signo de aculturación al que se resisten, persistiendo en sus pronunciaciones lateralizadas. Y resultados del mismo tenor ha obtenido Calero (1993) en otra comunidad de habla española, la ciudad de Toledo, donde el yeísmo es la realización preferida por las generaciones jóvenes[7].

---

[7] Aunque desde una perspectiva metodológica diferente, Frago (1978) advertía la irrupción del fenómeno yeísta en el dominio navarro-aragonés entre las generaciones jóvenes. El lingüista aragonés apuntaba directamente a la influencia de los medios de comunicación del centro peninsular como uno de los motivos principales de la extensión social de este fenómeno, mucho menos frecuente hasta hace poco en estas latitudes.

Tampoco faltan datos en el mismo sentido, relacionados con la variable fonológica más estudiada en el mundo hispánico, la realización de *(-s)* implosiva. En Lima, por ejemplo, ciudad donde la sibilante continúa siendo la realización más frecuente, Rocío Caravedo (1983) ha observado que la variante aspirada es, sin embargo, utilizada casi el doble de veces por los jóvenes que por el resto de la pirámide generacional. Asimismo, en Valdivia (Chile), la forma más estigmatizada, la elisión, la impulsan preferentemente los jóvenes (Cepeda 1990b). Y lo mismo sucede en comunidades de habla peninsulares. En su estudio sobre el habla de Toledo, Calero (1993) ha visto cómo las realizaciones de la sibilante aparecen relegadas a las generaciones de edad más avanzada, mientras que los grupos anteriores, pero, sobre todo, los más jóvenes, muestran una clara preferencia por variantes no estándares, como la aspiración. Y en el mismo sentido, Guillén (1992) ha comprobado que en Sevilla la retención de la sibilante se produce en mayor proporción entre las generaciones adultas, especialmente de las clases altas, mientras que los jóvenes de todos los estratos sociales se inclinan más a menudo por la aspiración[8].

Como ha recordado López Morales (1989: 116), en el plano *gramatical* los ejemplos de este tipo no son tan numerosos como en el nivel fonológico, pero probablemente no porque no los haya, sino porque se encuentran a la espera de ser investigados con mayor profusión. Con todo, reaparecen los mismos patrones que en el nivel anterior. De ello son testigo, por ejemplo, estudios como el de Silva-Corvalán (1984a) en torno a la distribución de los modos verbales en oraciones condicionales en la localidad castellana de Covarrubias (Burgos). En esta comunidad los hablantes de menos edad destacan no sólo por realizar más frecuentemente la variante característicamente dialectal (condicional en prótasis y apódosis: *si no llovería, iríamos al cine),* sino también por mostrar unas evaluaciones más positivas hacia ésta en las pruebas de aceptabilidad (véase tabla 1). La autora chilena especulaba acerca de los cambios sociopolíticos —restauración de la democracia, turismo, etc.— acaecidos en la España de finales de los años 70, como las causas principales de este particular sentimiento comunitario entre los jóvenes, que les impele, incluso, a juzgar negativamente a aquellos que no participan de las mismas normas sociolingüísticas.

---

[8] Con todo, la validez de estos datos no es universal, ya que tampoco han faltado ejemplos en los que la variable *edad* no se ha demostrado significativa en la variación de *(-s).* A este respecto, podemos mencionar el trabajo de Valdivieso y Magana (1988) en Concepción (Chile), comunidad en la que la distribución de las variantes de *(-s)* no ofrece ningún patrón generacional claro.

TABLA 1
Frecuencias de *-ra/-se* versus *-ría* en Covarrubias,
según Silva-Corvalán (1984a)

| GRUPOS | TOTAL | *-ra/-se* | | *-ría* | |
|---|---|---|---|---|---|
| | N | N | % | N | % |
| 30 + | 209 | 58 | 28 | 151 | 72 |
| 14-30 | 31 | 3 | 10 | 28 | 90 |

Revelador es también, a este respecto, el trabajo más reciente de F. Paredes (1996) en torno a la distribución sociolingüística de los sufijos apreciativos en la comarca cacereña de La Jara, donde se aprecia una covariación muy significativa con la edad de los hablantes. Así, en el paradigma de los aumentativos, el empleo de las formas más conservadoras *(-azo, -ón)* aumenta conforme avanzamos en la pirámide generacional, al contrario que las variantes más innovadoras *(-orro, -aco, -acho)*, que son especialmente difundidas entre los jóvenes. Y lo mismo ocurre entre los diminutivos, cuyos afijos más tradicionales (por ej., *-illo)* resultan de nuevo más habituales en el habla de los informantes adultos, pero considerablemente menos entre los jóvenes, quienes se decantan hacia las variantes más modernas en la comunidad (por ej., *-ico)*.

Al otro lado del océano encontramos también numerosos casos de este mismo esquema de distribución genolectal. Por citar ahora sólo un ejemplo, referido a las comunidades de habla portorriqueñas, señalemos cómo uno de los rasgos gramaticales más característicos del español caribeño, como el que lleva a la *expresión del sujeto pronominal* en proporciones mucho más altas que en otros dialectos (véase anteriormente tema III, § 9), muestra una frecuencia significativamente mayor entre las generaciones más jóvenes (cfr. Morales 1986, Ávila Jiménez 1995). Este hecho puede apreciarse bien en la tabla 2 (página siguiente), donde se refleja la distribución genolectal de las dos variantes (expresión/omisión) tras el estudio llevado a cabo por Amparo Morales (1986) en Puerto Rico. Como puede observarse, el nivel de expresión del pronombre sujeto es más elevado entre los hablantes de menor edad, y sus cifras (42 por 100) se aproximan a las de la otra variante (58 por 100). Por el contrario, entre los hablantes mayores de 50 años tales diferencias son todavía considerables a favor de la no expresión (72 por 100 *vs.* 28 por 100).

TABLA 2
Distribución de los sujetos pronominales explícitos por edades, según Morales (1986)

| GRUPOS DE EDAD | OMISIÓN | | EXPRESIÓN | |
|---|---|---|---|---|
| | N | % | N | % |
| 16-50 | 3.829 | 58 | 2.796 | 42 |
| 50 + | 1.595 | 72 | 606 | 28 |

Ahora bien, ocasionalmente puede ocurrir que los jóvenes se muestren a la vanguardia de las formas innovadoras de la comunidad de habla, pero no de las que son propias de la variedad vernácula, sino de las que apuntan hacia las normas extranjeras características del español general. Este comportamiento se ha interpretado como consecuencia del mayor contacto con la norma por parte de estos hablantes, tras su paso por instituciones normalizadoras como el sistema educativo. De ello se ha dado cuenta también en estudios sobre la variación en español en diversos niveles del análisis. En el nivel fonológico, por ejemplo, Antón (1994) ha visto recientemente cómo las realizaciones elididas de ciertas consonantes obstruyentes (por ej., *objeto: oØjeto; Madrid: MadríØ, técnico: téØnico,* etc.) se hallan estratificadas sociolectalmente entre los grupos de edad adultos de la comunidad asturiana (Langreo) sobre la que se asienta el estudio, pero no así entre los hablantes más jóvenes. Como se advierte en la tabla 3, estas diferencias se neutralizan entre los adolescentes (14-17) y prácticamente también entre los jóvenes del siguiente grupo de edad (18-25), con la excepción de los informantes de clase baja. Sin embargo, en el resto de la pirámide generacional se aprecia un patrón lineal de distribución ascendente, particularmente visible, sobre todo, entre los hablantes mayores de 51 años. Las relaciones con el efecto nivelador de la educación no pasan inadvertidas para este autor, quien observa lo siguiente:

> La nivelación de los grupos socioeconómicos en cuanto a la frecuencia de esta realización se debe con toda probabilidad al aumento del nivel de educación en los hablantes más jóvenes, especialmente en los niveles bajo y medio bajo (pág. 953).

Otro ejemplo revelador de este mismo patrón sociolingüístico nos lo ofrece M. J. Serrano (1994) en su estudio sobre la elección de los

TABLA 3
Frecuencias de uso de las variantes (oclusiva y elidida) de las obstruyentes postnucleares del español hablado en Langreo (Asturias). Cruce entre los factores *nivel sociocultural* y *edad*, según Antón (1994)

| | 14-17 | | | 18-25 | | | 26-35 | | | 36-50 | | | 51 + | | |
|---|---|---|---|---|---|---|---|---|---|---|---|---|---|---|---|
| | MA | MB | B | MA | MB | B | MA | MB | B | MA | MB | B | MA | MB | B |
| Oclus. | 23 | 23 | 11 | 31 | 23 | 17 | 15 | 8 | 13 | 19 | 14 | 11 | 13 | 7 | 4 |
| Ø | 26 | 30 | 28 | 34 | 34 | 42 | 33 | 38 | 46 | 30 | 34 | 42 | 26 | 41 | 62 |

MA = Clase media-alta; MB = Clase media-baja; B = Clase baja

modos verbales en condicionales de significación irreal en La Laguna (Tenerife, España). El progresivo desplazamiento de la comunidad de habla desde la variante dialectal, que propicia el uso del indicativo en ambas cláusulas, hacia la variante más prestigiosa del español estándar —subjuntivo en la prótasis y condicional en la apódosis— es propiciado por los hablantes más jóvenes, además de por otros grupos tradicionalmente atentos al prestigio de las norma estándar, como las mujeres y las clases sociales altas en general, como revela la tabla 4.

TABLA 4
Porcentajes y probabilidades de aparición de la variante subjuntivo-condicional según diversos factores sociológicos en La Laguna, según M. J. Serrano (1994)

| | N/N TOTAL | % | P |
|---|---|---|---|
| 1.ª generación | 64/108 | 59 | .65 |
| 2.ª generación | 26/61 | 43 | .51 |
| 3.ª generación | 7/49 | 14 | .33 |

Y a parecidas conclusiones llega Navarro (1990) tras su análisis de la variabilidad en la expresión del modo verbal de estas oraciones en el español hablado en Valencia (Venezuela), aunque esta vez en la apódosis. Este autor ha visto cómo la variante vernácula, no prestigiosa —las formas del imperfecto de subjuntivo—, aparece vinculada a los hablantes de mayor edad, especialmente entre los grupos socioeconómicos y culturales bajos. Todo lo contrario que la variante prestigiosa panhispánica —el condicional—, asociada al habla de los grupos jóvenes e intermedios en todos los estratos sociales.

(1) Si yo volviera a nacer, no *estudiara* Medicina/*estudiaría* Medicina.
(2) Si yo tuviera esas notas, te las *enseñara*/te las *enseñaría*.

Las diferencias genolectales en el nivel *léxico* y *fraseológico* son particularmente visibles, aunque, por desgracia, también más difíciles de analizar con los instrumentos de la sociolingüística variacionista. Pese a ello, López Morales (1989: 117) ha destacado algunos patrones de variación que podemos encontrar recurrentemente:

a) una estratificación generacional clara en ciertos dobletes léxicos. En estos casos, las generaciones mayores prefieren el término más antiguo, mientras que los jóvenes muestran una inclinación acusada hacia sinónimos más recientes *(sala de fiestas vs. discoteca; aeroplano vs. avión; ambigú vs. bar; velador vs. terraza);*

b) un mayor conservadurismo en el uso de palabras y expresiones tabuizadas y eufemísticas conforme avanza la edad de los hablantes. A este respecto, el sociolingüista de origen cubano destaca que en Puerto Rico la generación joven va a la cabeza en el empleo de tabúes lingüísticos, seguida por la segunda y más de lejos por la tercera *(vid.* López Morales 1990). Complementariamente, los jóvenes encabezan también los porcentajes de eufemismos (especialmente de tecnicismos) y las otras dos siguen en idéntica distribución, de manera que la tercera generación es muy poco eufemística;

c) una baja entropía entre los sociolectos jóvenes, es decir, uso abusivo de términos indefinidos y pobres en información *(chévere, vaina, guay, molar, tío,* etc.);

d) la creación y uso frecuente entre estos hablantes de metáforas de contenido lúdico y festivo *(v. gr.,* las denominaciones *abuelo, bisabuelo, conejo...* con las que se designaban diferentes grados de antigüedad en el servicio militar obligatorio español);

e) la creación de neologismos a través de procedimientos diversos, como la apócope *(tele:* «televisión»; *cole:* «colegio», etc.), la adición de sufijos aspectivos *(litrona, bocata, cubata,* etc.)[9], y

---

[9] Sobre el grado de funcionalidad de este sufijo en el español juvenil contemporáneo, véase Camus 1997.

f) la adopción de terminología marginada y jergal (*currar:* «trabajar»; *papear:* «comer»; *sobar:* «dormir», etc.).

## 4. Los fenómenos de autocorrección genolectal en las comunidades hispanas

Salvo en los procesos que implican un cambio en marcha y en los que los patrones de distribución lineal persisten en el tiempo, en las situaciones de variación estable lo más frecuente es que la elevada frecuencia de las variantes novedosas o vernáculas entre los hablantes más jóvenes disminuya con el paso a edades más adultas, en un típico proceso de maduración genolectal que obedece a las presiones sociales que ocasiona la inserción de estos últimos en el mercado laboral y lingüístico[10]. Por ello, junto a las estrategias de autoidentificación analizadas en las páginas anteriores, las diferencias genolectales pueden obedecer también a la existencia de actitudes divergentes respecto a las normas de prestigio en la comunidad (López Morales 1989: 117).

En la práctica, cabe incluso la posibilidad de que ambos modelos de comportamiento sociolingüístico se complementen, en especial, de nuevo, entre los más jóvenes. De este modo, al tiempo que estos hablantes construyen sus propias identidades lingüísticas, pueden realizar esfuerzos conscientes por enfrentarlas a las de sus mayores. Dicho en otros términos: los adolescentes pueden «inhabilitar» momentáneamente las identidades sociolingüísticas heredadas para adoptar comportamientos diferenciados (*vid.* Rampton 1995). Este hecho tiene particular importancia en el análisis de la variación diastrática, ya que las diferencias sociolingüísticas entre los miembros de clases sociales diferentes, particularmente destacadas en las edades adultas, se diluyen a veces entre los jóvenes. Incluso pueden llegar a invertirse, como se ha comprobado a veces, de manera que los hijos de las clases altas sobresalen por el empleo de las variantes vernáculas y estigmatizadas, mientras que los vástagos de las clases medias-bajas superan ampliamente a sus pa-

[10] Por ello, y como veremos con más detalle en el análisis del cambio lingüístico (véase tema VIII), en ocasiones puede resulta complicado decidir si las diferencias genolectales en un corte sincrónico determinado (esto es, en «tiempo aparente») son el síntoma —o no— de un cambio en marcha.

dres en el uso de variantes estándares (cfr. Wolfram 1969; Habick 1991) (sobre esta cuestión, véanse más detalles en el tema VII).

A menudo ocurre, pues, que las diferencias entre los grupos de edad no son tanto la consecuencia directa del factor generacional, cuanto de otros atributos psicosociales, entre los que destaca la percepción que el hablante tiene de las ventajas que puede obtener mediante el uso de las variantes prestigiosas. En este sentido, los grupos de edades intermedias, inmersos en el mundo de la competencia profesional, económica y social, suelen presentar los perfiles más claros de autocorrección[11]. En tales casos, un desenlace frecuente son los patrones de distribución *curvilíneos,* en los que las formas vernáculas son usadas más frecuentemente por los grupos generacionales extremos, mientras que los grupos intermedios se inclinan en mayor medida por las variantes prestigiosas.

Como no podía ser de otro modo, este tipo de distribuciones se ha documentado también en investigaciones acerca de comunidades de habla hispánicas. Silva-Corvalán (1979), por ejemplo, estuvo entre los primeros en advertir un esquema semejante tras su estudio de la variable fonológica *(f-)* en el español hablado en Santiago de Chile. Como puede observarse en el gráfico gráfico 1, en esta comunidad de habla la variante estigmatizada, de realización velar, muestra claras diferencias genolectales que apuntan hacia un patrón curvilíneo. Así, los hablantes inmersos en el mundo educativo y laboral muestran un mayor grado de autocorrección y supresión del rasgo velarizado, frente al comportamiento de los grupos extremos de la pirámide generacional —niños y ancianos—, cuyo actuación se halla mucho más próxima entre sí. La investigadora chilena observa que el factor educativo es, sin duda, un factor relevante, de manera que en todos los grupos de edad del sociolecto alto las realizaciones vernáculas son considerablemente más bajas que en el sociolecto bajo. Ahora bien, salvadas estas diferencias porcentuales, obsérvese cómo el perfil distribucional es idéntico en ambos.

Otra sociolingüista chilena, María Teresa Poblete (1992), ha llamado también la atención acerca de un patrón curvilíneo similar tras su análisis del proceso de sonorización que tiene lugar entre las oclusivas sordas */p, t, k/* en otra ciudad chilena. En Valdivia, tanto jóvenes como

[11] El mayor conservadurismo de los grupos intermedios de edad no se ha detectado sólo en relación con la norma estándar, sino también con respecto a las normas vernáculas, cuyo prestigio encubierto desempeña también un papel sociolingüístico relevante en ciertas comunidades de habla y redes sociales (L. Milroy 1980; Edwards 1992).

GRÁFICO 1
Correlación entre la frecuencia de *[x]* y la edad
en dos grupos educacionales de Santiago de Chile,
según Silva-Corvalán (1979)

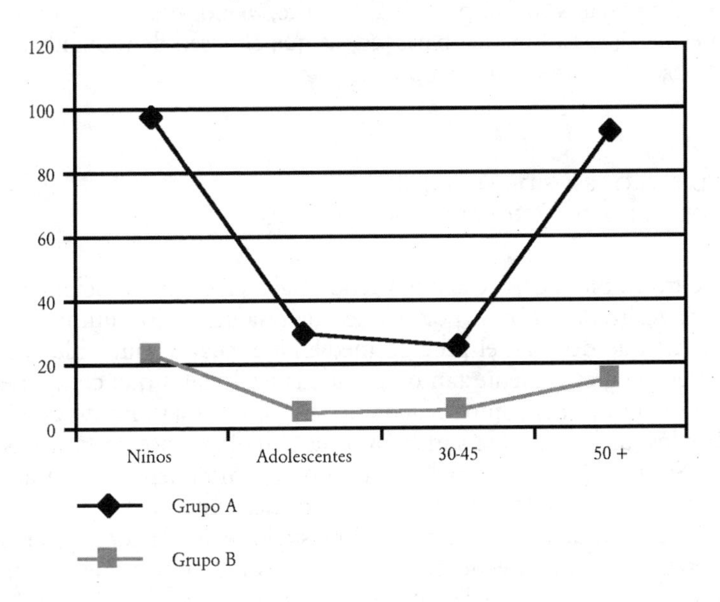


ancianos superan con creces a la generación intermedia en la realización de las variantes no estándares (sonoras)[12].

Este modelo de distribución sociolingüística puede apreciarse también en los contextos de cambio estilístico, si bien ahora las diferencias pueden llegar a ser todavía más bruscas (Chambers y Trudgill 1980: 91). Por ello, y al igual que en los intentos por explicar la diferenciación según el *sexo* de los hablantes (véase tema V), la justificación de estas diferencias se ha planteado principalmente en lo relativo al estatus social. Wolfram y Fasold (1974: 92), por ejemplo, sostienen que el grado en que se manifiesta la variación estilística entre los hablantes disminuye en las edades más avanzadas, ya que el estatus social de éstas se encuen-

[12] Por otro lado, en esta misma comunidad de habla Pilleux (1996a) ha comprobado que las generaciones extremas (adolescentes y ancianos de más de 70 años, respectivamente) muestran mayores índices de espontaneidad y seguridad lingüísticas que los hablantes adultos (sobre el concepto de seguridad/inseguridad lingüísticas, véase más adelante tema X, § 6).

tra suficientemente estabilizado[13]. Con todo, la neutralización de las diferencias es especialmente activa en los extremos de la pirámide sociocultural, esto es, tanto en las clases medias-altas como en las trabajadoras, ya que sus miembros tienen más asimilada la conciencia clara de clase y de estatus social, pero, lógicamente, menos entre los representantes de las clases medias-bajas, en las que el deseo de movilidad social pervive durante más tiempo.

## 5. Los procesos de adquisición de la competencia sociolingüística

Otro ámbito de las relaciones genolectales en el que la sociolingüística ha realizado algunas aportaciones interesantes en los últimos años es aquel que describe el proceso mediante el cual los individuos adquieren progresivamente tanto las variedades lectales que componen su repertorio verbal como las actitudes en torno a éstas. En un estudio sobre los juicios hacia la variación fónica en el español costarricense, Berk-Seligson (1984) observó, por ejemplo, cómo mientras los grupos generacionales adultos respondían al modelo actitudinal esperado en la comunidad de habla —esto es, el prestigio se asocia con las variantes estándares y, consecuentemente, con los individuos que las utilizan, al tiempo que se estigmatizan las formas vernáculas—, los informantes más jóvenes mostraban dificultades a la hora de reconocer la significación social de dicha variación. Este resultado demostraría, en suma, que la denominada *competencia sociolingüística* se adquiere gradualmente a lo largo de la vida del individuo.

Una de las primeras, y más influyentes, aportaciones teóricas en torno al proceso de adquisición de esta competencia fue lanzada, como tantas otras veces, por William Labov en fecha tan temprana como 1964. Por entonces, el sociolingüista norteamericano dividía este proceso en seis fases principales:

1) adquisición de la gramática básica durante la primera infancia, como consecuencia del contacto con la familia primaria;

---

[13] Por otro lado, algunos estudios sobre actitudes lingüísticas han puesto de relieve que los hablantes ancianos (70 +) son más tolerantes que el resto de la pirámide generacional con respecto a la variación dialectal (Paltridge y Giles 1984: 79).

2) adquisición del dialecto vernáculo entre los 5 y los 12 años aproximadamente, con una influencia decisiva esta vez de los amigos y compañeros de estudios;

3) primeros atisbos de la significación social del lenguaje en el inicio de la adolescencia (14-15 años);

4) desarrollo a partir de ese momento de los patrones «adultos» de la variación estilística;

5) extensión de las normas estándares durante los primeros años de la etapa adulta, y

6) adquisición de todos los recursos del repertorio verbal comunitario, etapa esta última que, sin embargo, tan sólo llegaría a completarse entre las personas adultas más cultivadas.

Ahora bien, los intentos por extender las conclusiones de Labov a otros ámbitos regionales y sociolingüísticos fueron criticados desde diversas instancias. Chambers (1995), por ejemplo, ha llamado la atención sobre la imposibilidad material de distinguir entre lo que Labov denomina *gramática básica* y *vernáculo,* dos variedades que, siguiendo a Labov, representan otras tantas etapas en el proceso de adquisición del lenguaje. Asimismo, otros investigadores han presentado críticas adicionales, entre las que aquí destacamos una: el hecho de que en la práctica no sea difícil encontrar diferencias sociolectales en edades tan tempranas como los 3 o 4 años, lo cual sugiere que en el proceso de adquisición de la competencia sociolingüística no sólo intervienen factores biológicos, como se desprende del modelo laboveano, sino también otros parámetros sociales relevantes (Romaine 1984b)[14].

A raíz de algunas de estas críticas, el propio Labov (1966) elaboraría poco más tarde una revisión de su teoría inicial. En ésta, menos detallada y ambiciosa que la anterior, el sociolingüista norteamericano describía el proceso de adquisición de lo que, de manera deliberadamente imprecisa, denominaba «una serie de normas de habla» comunitarias, en lugar de la adquisición de variedades lingüísticas concretas. Tras la etapa inicial, entre los 2 y los 3 años, dominada por la influen-

[14] Por otro lado, algunos investigadores han comprobado que a edades tan tempranas como los 5-6 años, los niños son conscientes ya de las funciones que desempeñan algunos de los principales marcadores discursivos en español *(y, pero, luego...),* tanto como herramientas para la estructuración del discurso narrativo (M. Brizuela 1992), como para la obtención de información social y estilística relevante (edad del interlocutor, grado de familiaridad entre ambos, etc.) (cfr. E. Andersen *et al.* 1995; M. Brizuela *et al.,* 1999.

cia de los padres, el niño ve su modelo de habla afectado por la influencia de los amigos y compañeros preadolescentes entre los 4 y los 13 años. Es entonces cuando se supone que se fijan los patrones automáticos de producción lingüística. Durante la adolescencia, chicos y chicas comienzan ya a adquirir un conjunto de normas evaluadoras, hasta que a la edad de 17 a 18 años llegan a ser conscientes de la significación social de las variantes prestigiosas, así como de su propia forma de hablar y de la de los demás. Con todo, la adquisición de las formas de prestigio se sigue concibiendo como tardía, y mucho más entre los hablantes con escasa instrucción.

En otra propuesta relevante, Romaine (1984b) sostiene que, ya entre los 13 y 15 años, se observa un progreso evidente en la toma de conciencia de la importancia social del lenguaje y en la asunción de juicios relacionados con la propia valoración lingüística, lo que se refleja en el componente actitudinal de la competencia sociolingüística. Por su parte, Chambers (1995) parte de dos premisas en la interpretación de este proceso. En primer lugar, sostiene de forma más radical que los autores anteriores que la variación estilística discurre en paralelo a la adquisición de la fonología y la sintaxis. Dicho esto, propone tres etapas en el desarrollo sociolectal:

a) la infancia, determinada por la familia y los amigos;
b) la adolescencia, con gran influencia de los individuos que integran la misma red social, y
c) la edad adulta, en la que tiende a hacerse un uso más frecuente de las formas estándares, al menos en contextos formales, al tiempo que se fija una variedad lingüística más o menos idiosincrásica de acuerdo con ciertas aspiraciones y preferencias sociales.

Otro aspecto interesante, relacionado también con la adquisición de la competencia sociolingüística, es el relativo a la adquisición de los principales patrones de diferenciación generolectal en el habla (véase tema V). En opinión de Mulac y Lundell (1980), autores de una investigación sobre actitudes lingüísticas hacia la variación dialectal en una comunidad hispana californiana, lo esencial de tales rasgos —*v. gr.*, mayor dinamismo masculino *vs.* mayor cualidad estética femenina— se advierte ya en edad tan temprana como los 11 años.

Por último, y aunque queden fuera de nuestro ámbito de estudio los procesos de adquisición del lenguas, nos haremos eco, siquiera tangencialmente, de algunas investigaciones que han indagado acerca de la edad en que los niños bilingües equilibrados comienzan a distinguir las lenguas con las que se dirigen a sus respectivos destinatarios. A este respecto, hay que referirse necesariamente a Fantini (1978), autor de un pionero estudio longitudinal sobre un niño bilingüe inglés-español, en el que se observaba cómo, entre los 2 y los 3 años, éste no sólo era capaz de diferenciar ya las dos lenguas de su repertorio, sino también de cambiar de idioma para atender la comunicación con interlocutores diferentes.

TEMA VII

# La influencia de la *clase social* y otros conceptos estratificacionales en las comunidades de habla hispánicas

## 1. INTRODUCCIÓN

Como hemos tenido ocasión de comprobar en los temas anteriores, los estudios sociolingüísticos están íntimamente relacionados con el análisis de factores socioculturales y económicos, cuya incidencia en la variación está ya fuera de toda duda. La referencia a estas variables no estructurales se extiende por todas las esferas de la investigación sociolingüística, algunas de las cuales ya han sido objeto de comentario en estas páginas. Por ello, y sin perder de vista los contenidos ya desarrollados, en el presente capítulo nos ocuparemos monográficamente de la pertinencia de otros parámetros sociales relevantes, como las diferencias socioeconómicas entre los individuos, su diferente grado formativo y cultural, el tipo de redes sociales en que participan, su nivel de participación en el mercado lingüístico, etc.

En línea con lo expuesto hasta el momento, el objeto del presente tema es mostrar la poderosa influencia de estos factores estratificacionales en la variación lingüística que afecta al español en diferentes regiones del mundo. En este contexto se dedicará una atención prioritaria al análisis de la noción de *clase social*, utilizada de manera recurrente en la bibliografía sociolingüística, aunque no de forma unánime ni exenta de dificultades, como veremos. Asimismo, en la última sección del tema nos ocuparemos de una de las principales teorías sociolingüísticas desarrolladas hasta la fecha, la *teoría de los códigos* de Basil Bernstein, con especial referencia también a sus implicaciones en el mundo hispánico. Las tesis de Bernstein, que tienen su base en la constatación de algunas estratificaciones abruptas entre los grupos sociales, no han dejado de despertar el interés de numerosos investigadores en diversas disciplinas (sociologia, sociolingüística, ciencias de la educación, etc.) a lo largo de las últimas décadas, y ello pese a las fuertes críticas recibidas por algunas deficiencias teóricas y metodológicas.

Hoy parece un hecho evidente que la estratificación social caracteriza a las sociedades urbanas contemporáneas y que ello tiene un reflejo directo en el habla. En este sentido, se ha dicho que las antiguas variables lingüísticas rurales, que antaño singularizaban las hablas dialectales, se han transformado en las ciudades en un proceso distinto, que es reflejo tanto de la mencionada estratificación social cuanto de las actitudes que la sostienen. En parte de forma consciente, y en parte debido al azar, lo cierto es que las clases sociales se hallan a menudo aisladas entre sí. En el habla, al igual que en otros hechos sociales, las diferencias entre unas clases y otras pueden pasar desapercibidas al principio, pero una vez consolidadas, actúan a menudo como *marcadores* sociolingüísticos que singularizan el habla de los individuos[1].

A partir de la obra de Toennies, es habitual distinguir entre dos tipos de sociedades. La primera de éstas *(Gemeinschaft)* tiene su fundamento en la comunidad como forma social de organización y en ella priman las relaciones interpersonales estables, a través de los lazos familiares, vecinales, etc. Por el contrario, la segunda *(Geselschaft)* asienta sus principios organizativos en la impersonalidad de las relaciones y en su canalización a través de instituciones sociales diversas (Chambers 1995). Por ello, cuando describimos el fenómeno de la variación en función de estratificaciones sociales, hablamos implícitamente del segundo modelo de sociedad, que no es otro que el de las comunidades urbanas de corte occidental, descritas mayoritariamente por la sociolingüística contemporánea.

---

[1] En la lingüística hispánica algunos autores se han hecho eco de estas diferencias, que separan los sociolectos más extremos del espectro social de una forma mucho más marcada. Así, Lope Blanch (1999: 8) llamaba la atención sobre «el hecho de que haya más diferencias estructurales entre el habla culta y la popular de una misma ciudad, que entre las hablas cultas de todas las ciudades hispánicas».

Ahora bien, como se ha reconocido numerosas veces, el propio concepto de *clase social*, utilizado generalmente para establecer la organización de la comunidad, es bastante problemático. Ordinariamente hablamos de *clase social* para referirnos a las distintas percepciones, más o menos subjetivas, con que identificamos el acceso de los individuos al progreso material, así como a los diferentes factores culturales y creencias que justifican dicha estratificación. Y es que, al igual que ocurre con otra noción problemática, la de *comunidad de habla*, el concepto *clase social* incluye también, como componente fundamental, las actitudes (cfr. Labov 1972b; Gimeno 1987; Blas Arroyo 1994a). El problema surge, por lo tanto, cuando disciplinas como la sociología o la sociolingüística se ven obligadas a establecer la adscripción social de los individuos a partir de determinados parámetros objetivos. Por ello, y a pesar de su empleo continuo en ambas tradiciones, el concepto que nos ocupa no ha dejado de revisarse una y otra vez.

## 2. El concepto de «clase social» y sus implicaciones para la sociolingüística

### 2.1. *Los límites teóricos del concepto*

Las primeras propuestas teóricas importantes sobre el concepto de clase social proceden, como es sabido, de Marx y Max Weber. La principal diferencia entre ambas estriba en el hecho de que, mientras que para el fundador de la doctrina marxista las dos únicas clases realmente existentes en las sociedades capitalistas son la proletaria y la capitalista[2], para Weber la estratificación social se configura a partir no sólo de las diferencias de capital, sino también de la habilidad y la educación de los individuos, lo que daría lugar a cuatro clases diferentes: clase propietaria, clase administrativa, clase de los pequeños comerciantes y clase trabajadora.

Ahora bien, en la sociología occidental contemporánea se ha criticado contundentemente la concepción marxista sobre la clase social y se ha matizado de forma importante la de Weber. Resumiendo en extremo el estado de la cuestión, en la actualidad, el concepto sirve para

[2] Es decir, la clase de los que detentan la propiedad del capital y los medios de producción (capitalistas), frente a la de aquellos que no poseen nada de lo anterior. En el marxismo original, algunos grupos que no se atienen a esta división (agricultores, pequeños comerciantes y propietarios) se consideraban residuos de una economía precapitalista, que estarían destinados a desaparecer.

identificar tres tipos diferentes de hechos sociales, aunque a menudo relacionados:

a) la clase como un grupo concreto dentro de una determinada jerarquía social;
b) la clase como un indicador de prestigio social, y
c) la clase como una abstracción para describir la existencia de desigualdades materiales en el seno de la comunidad (Crompton 1993: 10).

De este modo, decimos que las clases altas ocupan la cúspide de la pirámide social, gozan del mayor prestigio en la comunidad y disponen, además, de mayores recursos materiales que los demás. Y lo contrario suele ser cierto para el extremo opuesto del espectro social, las clases bajas.

Pese a los intentos de precisión, la noción de *clase* o *estrato social* —término alternativo que encontramos a menudo en la bibliografía sociolingüística, para evitar el anterior, más comprometido— presenta el inconveniente serio de configurarse de un modo subjetivo a partir de una realidad multidimensional, en la que destacan parámetros no necesariamente concurrentes —aunque en no pocas ocasiones lo sean—, como el estatus social, la capacidad de poder y mando sobre los demás, el tipo de profesión, el nivel de rentas, el tipo de residencia, etc. Ello ha conducido a sociolingüistas como R. Hudson (1981: 186) a plantearse si puede abordarse como un concepto unitario, o si por el contrario, no sería preferible considerar de forma aislada algunos de los principales factores que se incluyen en su definición:

> ¿[...] existe una única jerarquía para cada sociedad que posee una estructura jerárquica, a la que diversos factores como la riqueza, la educación y la profesión contribuyen como características definitorias, o se trata de un término impreciso, aplicable a un rango de distintas estructuras jerárquicas, más o menos independientes entre sí: uno para la riqueza, otro para la educación y así sucesivamente?

En la práctica, la mayoría de las investigaciones empíricas realizadas hasta la fecha han optado por la primera posibilidad. En opinión de R. Hudson (1981: 186-187), sin embargo, ciertos parámetros definitorios, como la profesión o la educación, deberían abordarse por separado, incluso aun aceptando la posibilidad de su interdependencia en algunos casos. Con todo, ésta no sería distinta a la que observamos cuando interaccionan otros factores sociales, como el sexo y la edad. Para este autor, en definitiva, la noción de estatus o clase social tiene poco fundamento en la realidad, ya que, probablemente, los criterios elegidos entran en conflicto, definiendo cada uno de ellos un conjunto distinto de agregados sociales[3].

Por otro lado, hay que tener en cuenta también que, aun en el caso de que las combinaciones de parámetros sociales considerados fueran pertinentes, pocos individuos responden en la realidad a los prototipos que se obtienen de aquéllas. Lo que supone que las clases se definen mejor a partir de sus miembros más *prototípicos* —pese a que éstos representan una minoría— que a partir de los representantes *periféricos*, los cuales son, paradójicamente, mucho más numerosos.

Con todo, y como ha destacado Moreno Fernández (1998: 47), las razones de que la sociolingüística venga trabajando ininterrumpidamente desde los años 60 con un modelo multidimensional de estratificación social son fáciles de comprender. En primer lugar, habría que destacar, sin duda, la decisiva influencia laboveana, que ha pesado considerablemente en el quehacer sociolingüístico desde los mismos orígenes de la disciplina. Pero en segundo lugar también, y de forma quizá más decisiva aún, la conciencia latente de que existe algo que permite clasificar y distinguir a los individuos a partir de sus atributos sociales, económicos y culturales más destacados.

En suma, nadie parece saber con certeza qué son las clases sociales, pero en la práctica, todo el mundo es consciente de que existen. Por ello, numerosos investigadores, impulsados antes por intereses pragmáticos que por excesivos escrúpulos teóricos, respetan el concepto tradicional, no sin advertir previamente que éste sólo puede entenderse como un *continuum* social relativo. A este respecto, se ha notado la diferencia entre *lo que debemos entender* por clase y lo que *realmente* son otros agregados sociales, como las *castas*. Mientras que en la India, por ejemplo, las distancias sociales son tajantes y categóricas, pues se here-

[3] R. Hudson recuerda que la noción de grupos discontinuos en la sociedad es menos ilustrativa que aquella otra que contempla cómo la comunidad se organiza en torno a un número diverso de centros focales, cada uno de los cuales cuenta con diferentes pautas de comportamiento. Significativa es también, a este respecto, la opinión de Romaine (1980: 185), sobre la escasa utilidad que tiene considerar como entidades sociales autónomas las nociones que se repiten en los trabajos sociolingüísticos —comunidad de habla, clase social, grupo social, etc. Para esta autora, la posible colisión entre los límites difusos de todas ellas se evitaría únicamente si las considerásemos como simples grados de abstracción para el análisis sociolingüístico (véanse otras cuestiones polémicas en el empleo de este concepto en Guy 1988 y Villena 1992).

dan y determinan para siempre algunos atributos sociológicos, como el prestigio, la ocupación o el lugar de residencia, las clases no están formalmente organizadas, de manera que —sobre todo en las sociedades urbanas contemporáneas— la movilidad y el progreso social son a menudo posibles (Silva-Corvalán 1989: 78). De ahí, pues, que la intersección entre los criterios objetivos utilizados comúnmente (profesión, nivel de ingresos, educación, tipo de vivienda, etc.) se conciba como cortes discretos en ese *continuum* social al que antes hacíamos referencia.

Pese a ello, algunas investigaciones llevadas a cabo en el mundo hispánico han preferido obviar la utilización de este parámetro social por razones diversas. En ocasiones, puede tratarse de dificultades para la obtención de muestras representativas en diferentes estratos, lo que lleva al investigador a concentrarse en una población más o menos homogénea. Así ocurrió, por ejemplo, en el trabajo de Poplack (1979) sobre el español de la comunidad portorriqueña en la ciudad de Filadelfia. Silva-Corvalán (1989: 22) advierte, por su parte, que en investigaciones sobre los fenómenos derivados del contacto de lenguas, como consecuencia de la inmigración a gran escala de trabajadores de países en desarrollo hacia países tecnológicamente más desarrollados, la inclusión de la variable socioeconómica en los estudios sobre las lenguas minoritarias puede ser muy problemática, sobre todo cuando la muestra incluye individuos de segunda o tercera generación. Así, por ejemplo, en las comunidades hispanas de EE.UU., ciertos informantes de las clases medias cultas poseen un elevado índice educativo, pero es muy posible que ello se refleje antes en el inglés que en español que hablan, ya que en no pocas ocasiones estos individuos han aprendido esta última lengua de manera informal y, frecuentemente, tan sólo en el registro oral.

### 2.2. *Factores en la delimitación de las clases sociales en sociolingüística*

Los factores que configuran la clase social en la praxis sociolingüística varían considerablemente en número y jerarquía, en función de los objetivos concretos de cada investigación. Por otro lado, no siempre pueden especificarse de antemano cuáles son los rasgos sociales pertinentes, ya que su valor puede variar de unas sociedades a otras. De ahí que una dificultad importante para el sociolingüista radique en adecuar convenientemente los factores sociales a las características de la comunidad estudiada.

Otro problema destacado consiste en la naturaleza no discreta de los grupos socioculturales a la que antes nos referíamos. La decisión de incluir a un informante en uno u otro nivel adolece siempre de una cierta arbitrariedad, la que se deriva de concretar dónde acaba una clase y empieza la siguiente. Por otro lado, en ocasiones ni siquiera el hallazgo de los factores sociales más significativos en una determinada comunidad garantiza que éstos sean relevantes desde el punto de vista sociolingüístico. Recuérdese a este respecto cómo en la ciudad norirlandesa de Belfast, pese a la trascendencia social del factor religioso en la división de la sociedad, las diferencias lingüísticas entre católicos y protestantes resultaban mucho menos significativas que las proporcionadas por otros parámetros sociales, como el tipo de redes sociales de los individuos *(vid.* L. Milroy 1980) (sobre la incidencia de este factor en los hechos de variación y cambio lingüístico, véase más adelante tema VIII, § 8).

En una de las investigaciones pioneras y más influyentes en el mundo hispánico, la que López Morales (1983a) realizó a comienzos de los años 80 en la comunidad de San Juan de Puerto Rico, este autor utilizó los parámetros de la *educación,* la *profesión* y el *nivel de ingresos* para la determinación del nivel sociocultural de sus informantes. En este sentido, López Morales seguía una línea de actuación similar a la iniciada por Labov (1966) en su estudio sobre Nueva York y que ha tenido considerables seguidores más adelante[4].

Pese a ello, y aunque más ocasionalmente, no han faltado tampoco clasificaciones más complejas, basadas en criterios adicionales, como los empleados por Trudgill (1974a) en el estudio de la ciudad de Norwich (Inglaterra). Este autor utilizó los siguientes cinco factores para la determinación de las clases sociales en su investigación: *profesión del informante* y en algunos casos *del padre, ingresos de la familia, educación* y *tipo de vivienda.* Entre nosotros, Bentivoglio y D'Introno (1977) emplearon también estos mismos parámetros sociológicos entre sus informantes caraqueños, aunque no a todos se les concediera el mismo valor, como veremos más adelante. Y cinco son también los atributos sociales que utiliza Antón (1994: 950) más recientemente en su configuración del nivel socioeconómico de sus informantes en una comunidad industrial asturiana (Langreo), aunque esta vez con la inclusión adicional del *lugar de residencia.*

Para proceder a la inclusión de los miembros de la muestra en cada uno de las clases o niveles sociales considerados, los factores se dividen

[4] En su trabajo sobre los jóvenes de algunos barrios neoyorquinos Labov (1966) fijó los grupos sociales de la muestra a partir de la combinación de tres indicadores: *ocupación* del cabeza de familia; *ingresos* de éste y *educación* del hablante.

en escalas numéricas que informan acerca del grado que alcanzan los informantes en cada una de ellas. Por ejemplo, en su estudio sobre algunos fenómenos de variación fonológica en el español panameño, Broce y Torres Cacoullos (2002: 345) agrupan a sus informante en tres clases sociales a partir de la combinación de cuatro parámetros *(ocupación, ingresos, tipo de vivienda* y *nivel educativo),* cuyos pesos específicos se muestran en la tabla 1.

TABLA 1
Factores y escalas numéricas para la estratificación social de la muestra utilizada por Broce y Torres Cacoullos (2002) en un estudio de variación fonológica en Coclé (Panamá)

| PESO | COMPONENTE | HABLANTES |
|---|---|---|
| | *Ocupación (relación con el mercado lingüístico)* | |
| 1 | Trabajador de campo, conductor de autobús colectivo, chacero/vendedor de boletos, empleado de cocina, y de casa | 14 |
| 2 | Artesano, dueño de tiendas, atendedor de refresquería, guardia, dueño de cafetales y ganadero, capataz, estudiante | 13 |
| 3 | Dentista, doctor, guía turístico, economista de banco, director de escuela y maestro | 7 |
| | *Ingresos* | |
| 1 | Agricultor, artesano, modista, empleada de casa, representante de distrito, cocinero, maestra de pre-kinder | 28 |
| 2 | Economista de banco, director de escuela, doctor en un hospital, dueño de tienda | 4 |
| 3 | Dueño de clínica privada y dueño de tierras y ganado | 2 |
| | *Tipo de vivienda* | |
| 1 | Casa de penca o de quincha | 20 |
| 2 | Casa de cemento | 14 |
| | *Nivel educativo* | |
| 1 | Ninguna escuela | 3 |
| 2 | Primaria | 17 |
| 3 | Primer ciclo o Secundaria | 9 |
| 4 | Universidad | 5 |

De la combinación de estos componentes, y el cálculo del *índice socioeconómico* correspondiente para cada informante, resultan tres grupos sociales. En el «Bajo» (18 informantes, 53 por 100) se incluyen aquellos individuos que han obtenido entre 4 y 5 puntos; en el «Medio» (11; 32 por 100) figuran quienes alcanzan 6-8 puntos; y por último, el grupo «Alto» (5; 15 por 100) contiene a los hablantes con 9 o más puntos.

La suma, pues, de todas estas puntuaciones permite la obtención de diversos grupos sociales, cuyo número, sin embargo, difiere notablemente entre unos autores y otros en función de las características de la comunidad de habla, de los objetivos concretos de la investigación, o simplemente, de la magnitud de las muestras de población disponibles. En la práctica ello conduce frecuentemente al establecimiento de subdivisiones en el seno de algunas clases sociales. Así, en el estudio de Labov (1966) sobre Nueva York, el investigador norteamericano distinguía tres clases diferentes, si bien establecía una división ulterior en el seno de las clases medias. El resultado final eran cuatro niveles socioeconómicos: *clase media-alta, clase media-baja, clase obrera* y *clase baja.* Un número similar al empleado pocos años más tarde por Cedergren (1973) en su análisis de la comunidad de habla de Ciudad de Panamá, una de las primeras aplicaciones de la metodología variacionista al mundo hispánico[5].

Pese a ello, en la sociolingüística hispánica resultan más habituales las clasificaciones tripartitas, que bajo las denominaciones de *clase, estrato* o *nivel socioeconómico* (o *sociocultural) alto, medio* o *bajo,* dan cuenta de todo el espectro social. En ocasiones, incluso, las dificultades para afinar en la estratificación de los informantes, ya sea por razones objetivas de la comunidad de habla (por ejemplo, en los casos en que las diferencias entre las clases son muy elevadas), ya sea por el propio desinterés del investigador en excesivas sutilezas metodológicas, han reducido a tan sólo dos el número de estratos: *alto* y *bajo.* Así ocurre, por ejemplo, en los trabajos sobre el español de San Juan de Puerto Rico de Cameron (1996, 1998, 2000). Este autor agrupa dentro de la clase alta a todos los adultos «from the occupational categories of professionals, technical and sales, and clerical workers» (1998: 59). También se

[5] Sin embargo, en la ciudad industrial de Norwich, Trudgill (1974a) afinó todavía más en la jerarquización de la clase obrera, la más representativa de esta ciudad inglesa, de la que obtuvo nada menos que tres estratos diferentes, elevando así hasta cinco los niveles sociales analizados: *clase media-alta, clase media-baja, clase obrera-alta, clase obrera-media* y *clase obrera-baja.*

incluyen aquí a los niños y jóvenes matriculados en colegios privados o semiprivados de San Juan. Por el contrario, la clase baja la integran «adults from the occupational categories of skilled and unskilled workers. Also included in this group are children and teenagers enrolled in public schools in San Juan» *(ibíd.)*.

Relevante es también el peso específico que se concede a cada uno de los parámetros utilizados en la delimitación de las clases sociales, ya que los mismos indicadores pueden no revestir la misma importancia en todas las sociedades, e incluso, dentro de una misma comunidad, los factores sociológicos pueden afectar de manera diferente a diversas variables lingüísticas[6]. Con todo, este problema se puede resolver de forma relativamente sencilla aplicando una ponderación diferente a los factores considerados. Así, en el estudio de Bentivoglio y D'Introno (1977) sobre la comunidad de habla caraqueña al que antes hacíamos referencia, estos autores concedieron mayor importancia a los *ingresos* que a la *profesión* de los informantes. Por su parte, López Morales (1983a) distribuyó también jerárquicamente los indicadores que le permitieron dibujar la estratificación social de San Juan de Puerto Rico. El orden de prelación en la sociedad portorriqueña fue el siguiente: *nivel de ingresos, profesión* y *nivel de instrucción*.

A continuación, y como hemos venido haciendo en el desarrollo de otros capítulos de esta sección temática, dedicamos un apartado al comentario de diversas investigaciones sociolingüísticas que han centrado su interés en comunidades de habla hispánicas y en las que el factor *clase social*, u otros que contribuyen a configurarlo (nivel educativo, profesión, etc.), se han revelado profundamente significativos en la explicación de la variabilidad lingüística.

### 3. Las diferencias sociales y su incidencia en la variación del español

La mayoría de las variables lingüísticas que han mostrado hallarse condicionadas por factores sociales, como el nivel socioeconómico o el grado de instrucción, estratifican la comunidad de habla desde un punto de vista cuantitativo, esto es, en relación con la mayor o menor

[6] Labov (1966) observó, por ejemplo, que para el análisis de ciertas variables lingüísticas la mejor base sociológica la proporcionaba la combinación de la profesión y los ingresos; y, sin embargo, en otros casos, este papel lo desempeñaban mejor los índices combinados de la profesión y el nivel educativo.

frecuencia en el uso de ciertas variantes en detrimento de otras. Ahora bien, junto a éstas también se han encontrado algunas correlaciones categóricas o cuasi categóricas, es decir, formas lingüísticas que se advierten tan sólo en determinados estratos sociales, pero no en otros. Dicha estratificación abrupta se advierte entre grupos muy distanciados entre sí, y preferentemente en sociedades en las que las diferencias son muy elevadas. Generalizando, podríamos decir con López Morales (1989: 131) que las diferencias lingüísticas que se observan entre sociolectos de la misma comunidad se hallan en proporción directa al grado de distanciamiento social que existe entre sus habitantes: si la estratificación es laxa y fluida, los sociolectos se diferenciarán poco entre sí; si la distancia es grande, por el contrario, mayores serán también las distancias frecuenciales.

Entre nosotros, por ejemplo, autores como Silva-Corvalán (1979) y Sanicky (1988) han comprobado la brusca estratificación sociolingüística alcanzada por la variable *(f-)* en Santiago de Chile y Misiones (Argentina), respectivamente. En estas regiones sudamericanas, las variantes vernáculas y estigmatizadas (bilabiales y velares) no aparecen apenas en el habla de los sociolectos cultos, pero son muy frecuentes entre los individuos menos instruidos. Por su parte, López Morales (1983a) y Navarro (1991) han mostrado cómo en las ciudades de San Juan (Puerto Rico) y Valencia (Venezuela), respectivamente, el uso de la terminación *-nos* para la expresión de la primera persona del plural de los verbos (a la una *estábanos* listos y nos *íbanos)*[7] no se produce apenas entre los hablantes de estratos medios y altos, pero sí en los niveles sociales más bajos (véanse las tablas 2 y 3 para la distribución social de la variable en San Juan de Puerto Rico y Valencia [Venezuela], respectivamente). Y lo mismo cabe decir de otras variables lingüísticas analizadas en diversos dominios del mundo hispánico, como la neutralización de ciertas consonantes en el español de Chile (Cepeda, Miranda y Brain 1988; Silva-Corvalán 1989; Cepeda 1995b), la semivocalización en las comunidades del Caribe (López Morales 1983a), la regularización del morfema radical de algunos verbos irregulares *(yo ha, nosotros hamos)* (López Morales 1983a; Navarro 1991), etc.

Al igual que en otros dominios regionales, la asociación entre clases medias-altas y el mayor uso de las variantes estándares, frente al comportamiento lingüístico de las clases bajas, más inclinadas al empleo de variantes vernáculas, son resultados que aparecen de forma re-

---

[7] Ejemplo tomado de Navarro (1991: 307).

TABLA 2
Distribución de las variantes *-mos/-nos* en San Juan (Puerto Rico), según López-Morales (1983a)

| TERMINACIONES | NSC 1 % | NSC 2 % | NSC 3 % | NSC 4 % |
|---|---|---|---|---|
| *-mos* | 100 | 100 | 93,2 | 68,6 |
| *-nos* | 0 | 0 | 6,8 | 31,4 |

TABLA 3
Distribución de las variantes *-mos/-nos* en Valencia (Venezuela), según Navarro (1991)

| | *-mos* % | *-nos* % |
|---|---|---|
| NIVEL DE ESCOLARIDAD | | |
| I | 100 | — |
| II | 97,4 | 2,5 |
| III | 81,9 | 18 |
| NIVEL DE INGRESOS | | |
| I | 100 | — |
| II | 95 | 4,9 |
| III | 83,3 | 16,6 |

currente en las investigaciones variacionistas sobre el español en diversos niveles del análisis lingüístico y en comunidades de habla muy diferentes. Ello origina a patrones de distribución lineal, como se ha advertido, por ejemplo, en los estudios sociolingüísticos sobre variables *fonológicas,* de las que a continuación ofrecemos una pequeña muestra representativa.

En su estudio sobre la elisión de */-d-/* intervocálica en una comunidad chilena (Valdivia), Cepeda y Poblete (1993) han advertido este tipo de estratificación entre los niveles sociales que componen la comunidad de habla. Como se observa en la tabla 4 (página siguiente), las probabilidades de elisión de la dental disminuyen progresivamente conforme aumenta el nivel social de los hablantes en los dos contextos lingüísticos considerados (sufijos y raíces). Y lo contrario ocurre, justamente, con la regla de retención: la presencia de la variante dental disminuye en ambos contextos a medida que descendemos en la pirámide social.

TABLA 4
Probabilidades de los factores sociales y lingüísticos en las reglas de retención y elisión de *(-d-)* en Valdivia, según Cepeda y Poblete (1993)

| | *[-d-]* | | [Ø] | |
|---|---|---|---|---|
| | N | P | N | P |
| SUFIJO | | | | |
| Alto<br>Medio<br>Bajo | 232<br>142<br>108 | .47<br>.32<br>.24 | 261<br>303<br>336 | .53<br>.68<br>.76 |
| RAÍZ | | | | |
| Alto<br>Medio<br>Bajo | 276<br>254<br>231 | .49<br>.42<br>.41 | 291<br>347<br>362 | .51<br>.58<br>.59 |

La variabilidad de otro importante marcador sociolingüístico, la *(-s)* implosiva, ofrece también abundantes muestras de una estratificación sociolectal regular de sus variantes en numerosas comunidades de habla hispánicas. Así, en el estudio de Fontanella de Weinberg (1973) sobre esta variable en una comunidad de habla argentina, la sociolingüista argentina estuvo entre los primeros en mostrar que la retención de la sibilante era el patrón preferido entre las clases elevadas en general (véase también Barrios 1996). Y similares resultados se han obtenido en otras regiones. Por ejemplo, Cepeda (1995a) ha destacado que la sibilante aparece con notable mayor frecuencia en el habla de las clases altas de Valdivia (Chile), y lo mismo cabe decir de algunas comunidades de habla mexicanas, como Mazatlan *(vid.* Hidalgo 1990), y españolas, como Toledo (Calero 1993), por citar sólo algunas muestras representativas.

Aunque quizá no tan profusamente como en el nivel fonológico, algunos estudios han mostrado también cómo diversas variables *gramaticales* presentan una estratificación sociolectal similar a la reseñada en los párrafos anteriores. M. J. Serrano (1994, 1995a), por ejemplo, ha advertido que en la comunidad canaria de La Laguna (Tenerife) el empleo preferente de la variante dialectal en la expresión de las condicionales irreales (indicativo en la prótasis y apódosis: *si tenía doce hijos, los atendía a todos)* se produce preferentemente entre las clases bajas, mientras que la extensión de la variante prestigiosa panhispánica (subjuntivo en la prótasis y condicional en la apódosis: *si me tocara la lotería, me iría a Hawai)* tiene entre las clases acomodadas uno de sus principales agentes difusores. Y al otro lado del Atlántico, la pluralización de *hacer* en oraciones impersonales *(llevamos relaciones desde hacen seis años),* aunque notablemente extendida en países como Venezuela, ofrece también un característico patrón lineal, de manera que las mayores frecuencias se observan entre los estratos bajos, seguidos por los intermedios y, en menor medida aún, por los altos *(vid.* Navarro 1991).

La influencia de las clases bajas en la promoción de variantes vernáculas y cambios gramaticales «desde abajo» se ha advertido cada vez con más insistencia en la bibliografía especializada, particularmente en las sociedades donde dichos estratos representan a una mayoría muy amplia de la población. Manuel Gutiérrez (1994) ha demostrado, por ejemplo, que ciertos fenómenos de variabilidad y cambio lingüísticos que tienen lugar actualmente en el español de Michoacán (México) son impulsados por dichas clases sociales bajas. La tabla 5 (página siguiente) muestra, efectivamente, cómo los segmentos medio-altos de esta región mexicana se ven superados siempre en la realización de las variantes innovadoras por aquéllas. Así ocurre en:

a) el uso de variantes perifrásticas para la expresión del futuro en lugar de las formas flexivas correspondientes *(el verano próximo voy a casarme vs. el verano próximo me casaré),* fenómeno muy extendido en esta variedad, al igual que en la mayoría de las comunidades hispanoamericanas, pero en el que todavía se observan diferencias cuantitativas que muestran su mayor extensión social en los niveles bajos del espectro social (89 por 100) que entre las clases elevadas (73 por 100);

b) la sustitución del condicional compuesto *(habría tenido)* por el pluscuamperfecto de subjuntivo *(hubiera tenido),* en contextos donde alternan ambas formas *(si no te quisiera, no habría/hubiera venido).* Obsérvese cómo entre las clases bajas la frecuencia del condicional es casi simbólica (5 por 100), ya que los usos del subjuntivo son prácticamente categóricos (95 por 100) (frente a un 17 por 100 y 83 por 100, respectivamente, para las clases altas);

c) con todo, las diferencias son particularmente visibles en el fenómeno sintáctico que encierra una mayor novedad: la extensión de usos de la cópula *estar* en detrimento de *ser* en contextos tradicionalmente reservados a este último verbo (véase § 4.2 y más adelante en tema VIII, § 5). Las frecuencias de la tabla muestran cómo las clases altas se mantienen todavía considerablemente fieles a las normas del español general (92 por 100), mientras que entre los niveles bajos los empleos innovadores alcanzan ya cifras respetables (29 por 100)[8].

TABLA 5
Frecuencias de usos innovadores *vs.* conservadores de tres variables lingüísticas en Michoacán (México) por niveles socioeconómicos, según M. Gutiérrez (1994)

| VARIABLES LINGÜÍSTICAS | CLASES SOCIALES | | | |
|---|---|---|---|---|
| | *Baja* | | *Media-alta* | |
| | N | % | N | % |
| *Futuro* | | | | |
| Perifrástico<br>Morfológico | 101<br>12 | 89<br>11 | 87<br>32 | 73<br>27 |
| *Modo* | | | | |
| Pluscuamperfecto subjuntivo<br>Condicional compuesto | 19<br>1 | 95<br>5 | 15<br>3 | 83<br>17 |
| *Estar/ser* | | | | |
| Usos innovadores<br>Usos prescriptivos | 97<br>239 | 29<br>71 | 42<br>468 | 8<br>92 |

[8] Ocasionalmente pueden llegar a ser también las clases intermedias las que muestren patrones sociolingüísticos más diferenciados, contrastando de este modo con los grupos extremos de la pirámide social, en unas distribuciones característicamente curvilíneas. Este hecho, por ejemplo, se ha advertido en algunas comunidades de habla canarias a proposito de la extensión social de ciertos fenómenos de variación gramatical, como el uso preferente de la terminación *-ra* en detrimento de *-se* para la expresión del imperfecto de subjuntivo en oraciones condicionales *(si tuviera/si tuviese)* (M. J. Serrano 1996), o el fenómeno del dequeísmo, que Serrano (1998) ha descubierto íntimamente relacionado con el habla de los estratos medios, especialmente los medios-bajos (P .77), mientras que es casi inexistente entre los niveles superiores (P .22). El uso preferente de las variantes dequeístas por parte de las clases medias-bajas se ha destacado también en comunidades chilenas (Prieto 1995-1996).

Ahora bien, el patrón sociolingüístico que acabamos de reseñar encuentra en la realidad algunas excepciones significativas. Una de ellas tiene que ver con la elevada frecuencia con que los hablantes de las clases altas realizan también ciertas variantes vernáculas de las que no son conscientes —especialmente en el nivel fonológico— en contextos de informalidad. Como ha recordado pertinentemente Medina Rivera (1999: 535) en un estudio sobre la variación de *(-r)* y *(rr)* en Puerto Rico:

> Mientras que la mayoría de los estudios sociolingüísticos muestran que las clases educadas o de un nivel socioeconómico más alto favorecen con más frecuencia el uso de formas estándar, rara vez se señala de una manera explícita la posibilidad de que estos mismos hablantes puedan producir formas no estándar en determinadas situaciones. En general podría decirse que todo hablante está expuesto al uso de formas no estándar en el lenguaje [...] Se podría sugerir entonces, a partir de las observaciones anteriores, que cuando hablamos con familiares y amigos íntimos se disminuye la presión social para expresarnos con suma «corrección»[9].

En esta investigación, por ejemplo, ni el nivel sociocultural de los hablantes ni el de sus padres resultó significativo en la realización de formas estándares o vernáculas (velarizadas). Más aún, muchos informantes procedentes de zonas urbanas y con un nivel educativo superior no eran conscientes de la frecuencia con que producían variantes no estándares en el habla cotidiana.

Por otro lado, es destacable también la posibilidad de que ciertos subgrupos de las clases altas pueden encabezar la difusión de algunos rasgos vernáculos, en una clara estrategia divergente respecto a los patrones sociolingüísticos que caracterizan comúnmente a este sociolecto. Como hemos destacado ya en otro lugar (véase tema VI), este comportamiento tiene a menudo en los hablantes más jóvenes uno de sus principales protagonistas, que de este modo muestran su rebeldía frente a las prestigiosas e influyentes normas sociolingüísticas de sus mayores. En su estudio sobre ciertos patrones de entonación dialectales, característicos del español de Maracaibo (Venezuela), Chela-Flores (1994) ha visto cómo los hombres jóvenes en general superan al resto de la sociedad en la realización de las variantes dialectales. Ahora bien,

---

[9] Lipski (1996) recuerda también que en la República Dominicana la reducción y elisión de *(-s)* es casi categórica, incluso entre los hablantes más cultivados.

lo significativo es que sean, precisamente, los jóvenes de las clases altas los que figuren a la cabeza de dichas variantes vernáculas, a considerable distancia de otros subgrupos del mismo genolecto. Por otro lado, las mujeres jóvenes de clases medias y altas parecen estar también entre los principales responsables de otros fenómenos innovadores, como la asibilación de *(-r)* en el español de San Luis Potosí (México) *(vid.* Rissel 1989) (véanse más detalles sobre esta cuestión en los temas V y VIII, dedicados a la variación generolectal y a las dimensiones sociales del cambio de código en español, respectivamente).

## 4. Otras variables sociológicas independientes: la profesión y el nivel educativo

### 4.1. *El factor ocupacional y los índices de participación en el mercado lingüístico*

Dos de los parámetros que más atención han despertado en el análisis de la estratificación sociolectal han sido la *profesión* y el *nivel educativo,* hasta el punto de que, en ocasiones, se han considerado aisladamente, comparando sus resultados con los que ofrecen aquellos factores que ayudan a configurar la noción ya reseñada de *clase social.*

Como ya advirtiera Alvar (1969a), la pertenencia a un *gremio* ha sido históricamente uno de los factores que más han condicionado el repertorio verbal de los hablantes. De hecho, es frecuente que las personas que desempeñan profesiones prestigiosas hagan a su vez un mayor empleo de las variantes estándares, lo que contrasta con la actuación más dialectal de los individuos con profesiones socialmente menos influyentes. De ahí que no sea extraño que la sociolingüística hispánica tenga un interés especial por analizar la incidencia específica de la variable ocupacional sobre los fenómenos de variación lingüística[10].

[10] Pese a ello, la variable profesional presenta también algunos problemas metodológicos dignos de consideración, que han lastrado su estudio y que podemos resumir brevemente en dos aspectos: a) la taxonomía de las profesiones existentes en grupos suficientemente compactos, abarcadores y funcionalmente válidos, lo que no siempre resulta fácil, y b) la comparación posible entre dichas clasificaciones entre comunidades de habla diferentes. Las dificultades para clasificar las profesiones en grupos suficientemente compactos y coherentes se aprecian especialmente en aquellas investigaciones en las que el espectro profesional se reduce a oposiciones dicotómicas. Así lo ha hecho, por ejemplo, Mendoza (1991) en su estudio sobre diversos fenómenos de variación gramatical en el español hablado en la capital boliviana, en el que la muestra se concentró en tan

Entre los trabajos que han utilizado la *profesión* de los informantes como variable independiente destacamos inicialmente el estudio de Fontanella de Weinberg (1979) sobre la distribución social de una variable fonológica en el español de Bahía Blanca (Argentina). Se trata de la obstruyente palatal *(ž)*, cuya variante sorda *[š]*, prestigiosa en la actualidad, presenta un característico perfil de distribución continua en la ciudad argentina. Como muestra el gráfico 1, esta variante covaría significativamente con el factor profesional, así como con el estilo de habla. Obsérvese cómo todos los grupos ocupacionales aumentan los índices de *[š]* cuando pasamos de un grado de formalidad (A) a otro (B) mayor, y que los mayores porcentajes los alcancen siempre los representantes de las profesiones más prestigiosas.

GRÁFICO 1
Porcentaje de usos de la variante ensordecida *[š]*
en seis niveles ocupacionales y dos estilos de habla diferentes,
según Fontanella de Weinberg (1979)

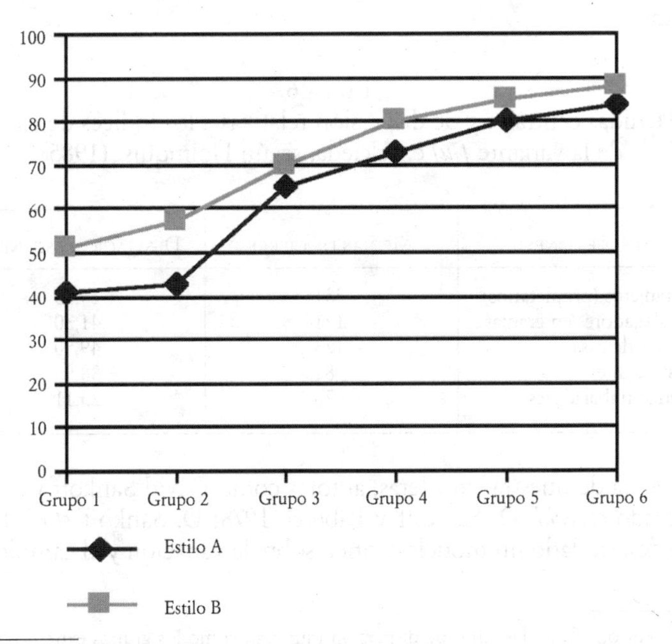


sólo dos grupos ocupacionales: a) profesiones liberales, por un lado; y b) comerciantes, artesanos, trabajadores, por otro. En todo caso, también aquí, y como cabía esperar, fue en el seno del segundo grupo donde se produjeron más frecuentemente los rasgos vernáculos característicos del español paceño.

Otro trabajo que acude a este factor como variable explicativa es el estudio de Holmquist (1985) sobre otro fenómeno de variación fonológica, esta vez en una comunidad del norte de España (Ucieda, Cantabria). En esta investigación se comprueba de nuevo un claro perfil de distribución lineal en el cierre de la vocal */-o/* final en */-u/*, fenómeno característico del español hablado en estas regiones cántabras y que guarda una estrecha correlación con la variable profesional. Como muestra la tabla 6, Holmquist (1985) advierte la existencia de tres grupos claramente diferenciados en función del grado de realización del rasgo vernáculo: en primer lugar se sitúan los granjeros, con los índices más elevados de cierre de la vocal final (N = 231), seguidos por las amas de casas (N = 173) y los trabajadores de las granjas (N = 171), y por último, por estudiantes (N = 81) y el resto de los trabajadores (N = 78). En suma, la mayor relación con el entorno rural (granjeros, trabajadores, amas de casa sin trabajo remunerado fuera del hogar) favorece claramente la realización del rasgo vernáculo, mientras que el contacto con el mundo exterior supone un importante freno para la misma[11].

TABLA 6
Medidas centrales y de dispersión relativas a los índices de cierre de la variante *[-u]* en Ucieda, según Holmquist (1985)

| PROFESIONES | MEDIAS DE CIERRE | DESVIACIÓN ESTÁNDAR |
|---|---|---|
| Granjeros (propietarios) | 231 | 24,33 |
| Trabajadores en granjas | 171 | 41,30 |
| Amas de casa | 173 | 49,50 |
| Estudiantes | 81 | 38,93 |
| Otros trabajadores | 78 | 25,11 |

Fuera de nuestras fronteras, autores como David Sankoff y sus colaboradores *(vid.* D. Sankoff y Laberge 1978; D. Sankoff *et al.* 1989) han desarrollado un modelo teórico sobre la variación y el cambio lin-

[11] Por otro lado, las cifras de dispersión muestran cómo los grupos extremos (granjeros y trabajadores ajenos a las granjas) son los que ofrecen mayores índices de congruencia en sus patrones respectivos de variabilidad. Por el contrario, la mayor desviación estándar entre las profesiones situadas entre ambos extremos revela probablemente una mayor inseguridad lingüística entre sus miembros.

güístico que guarda una estrecha relación con las diferencias profesionales. En este sentido, el denominado *mercado lingüístico (Linguistic Market)* da cuenta de las necesidades variables que encuentran los individuos en la comunidad para el uso de las formas socialmente prestigiosas por razones económicas. El cálculo de estas necesidades en cada sociedad genera un *índice de participación en el mercado lingüístico,* a través del cual se intenta evaluar el modo en que el contexto socioeconómico comunitario obliga al hablante al empleo de las normas estándares.

Esta concepción materialista de la variación ha sido aplicada especialmente al estudio de comunidades estadounidenses y canadienses, pero ha tenido menor repercusión en otros ámbitos regionales[12]. Pese a ello, en los últimos tiempos algunos estudios variacionistas han venido a considerar, también entre nosotros, la importancia social de la lengua, y más concretamente de las variantes prestigiosas, para el desarrollo de ciertas profesiones, en consonancia con los postulados de esta construcción teórica. En el estudio de Broce y Torres Cacoullos (2002: 345) sobre la estratificación sociolingüística de *(-r)* y *(-l)* en una comunidad rural panameña, al que hemos hecho ya referencia en diversas ocasiones anteriores, estas autoras han concedido diferente puntuación a las profesiones de sus informantes en función de la relevancia que la lengua estándar tiene para el desempeño de las mismas (véase *supra* tabla 1). De este modo, por ejemplo, los *agricultores,* profesión que concentra a más de la mitad de la población estudiada, reciben la puntuación más baja (1), ya que durante su trabajo suelen hablar poco y, como mucho, con otros compañeros de trabajo. Sin embargo, los *artesanos,* que venden sus productos al público, reciben ya una puntuación superior (2), puesto que mantienen más contactos comunicativos con personas ajenas a su profesión que los agricultores. Por último, los informantes que recibieron la máxima puntuación (3) trabajaban en instituciones como la escuela, los bancos o los hospitales, medios en los que el empleo de la lengua estándar es todavía más necesaria —y probable— que entre las profesiones anteriores.

### 4.2. *El nivel educativo*

Pese a la importancia del factor profesional y de otros analizados con profusión en las últimas décadas *(v. gr.* nivel de renta, lugar de residencia, etc.), a juicio de numerosos sociolingüistas es, probablemen-

---

[12] Con todo, véanse algunas críticas a sus principales limitaciones en Guy (1988: 45) y López Morales (1989: 140).

te el *nivel educativo* de los informantes el que contribuye a estratificar sociolectalmente de forma más clara las comunidades de habla. De hecho, la sociolingüística ha comprobado que este factor determina aisladamente numerosos hechos de variación, sin depender ni interaccionar con otras variables sociales[13]. En este sentido, lo más frecuente es que las personas más instruidas hagan un mayor uso de las variantes estándares, mientras que las variantes vernáculas se asocian preferentemente a los individuos con niveles bajos de instrucción. Lo cual tiene también importantes consecuencias, como veremos, en la configuración de los cambios lingüísticos (para más detalles sobre esta cuestión véase tema VIII).

Por otro lado, el nivel cultural es generalmente el máximo responsable de la conciencia lingüística, y por consiguiente de la difusión en la comunidad de habla de nociones como el prestigio sociolingüístico (Lavandera 1975). Por ello no es de extrañar que, ocasionalmente, sus resultados puedan diferir significativamente de los aportados por otros parámetros sociológicos.

La relevancia del factor educacional en la configuración del nivel social de los individuos es particularmente destacable en algunas comunidades latinoamericanas, donde este parámetro se perfila como el único que garantiza la adquisición de un estatus social más elevado e influyente. Éste parece ser el caso de países como Ecuador, en los que el nivel económico ofrece a los individuos cierta libertad de acción, pero no les asegura el progreso en la pirámide social. De ahí que el perfil formativo alcanzado sea el único resorte para progresar socialmente en una comunidad en la que la ascendencia social —la idea de nobleza de sangre, de «gente decente»— prevalece todavía como un pesado lastre, pese al elevado grado de mestizaje de la sociedad (Argüello 1987: 658).

Con todo, la variable que estamos considerando presenta también algunos problemas metodológicos significativos, como por ejemplo, la posibilidad de delimitar con nitidez los diferentes niveles educa-

[13] Lo cual no es óbice para desconocer la relación frecuente entre ciertos grados de instrucción y otros atributos sociales objetivos como la profesión, el estatus económico o los atributos del poder. De este modo, es muy común que las personas más influyentes de la sociedad, en razón de los cargos profesionales y políticos que desempeñan, posean estudios superiores. En el extremo contrario, sin embargo, los individuos con profesiones menos prestigiosas y peor pagadas no han pasado, en el mejor de los casos, de una educación primaria básica.

tivos[14], así como la homologación de sus resultados en sociedades diferentes[15].

Al igual que en otras ocasiones, dedicamos algunos párrafos al comentario de diversas investigaciones centradas en el mundo hispánico en las que el factor educativo se ha revelado altamente significativo para la explicación de la variabilidad lingüística.

Comenzando por el nivel *fonológico,* hacemos referencia inicialmente al estudio de Guillén (1992) sobre el grado de conservación de la *(-s)* implosiva en una comunidad de habla sevillana. Los datos empíricos de esta investigación demuestran que la sibilante se mantiene preferentemente entre los hablantes con elevados niveles de instrucción. También Hidalgo (1990) ha utilizado el factor educativo aisladamente, en su análisis de la misma variable en Mazatlan (México). Los resultados de su estudio confirman de nuevo que son los hablantes con un mayor grado de escolaridad los que se inclinan preferentemente por la variante normativa, difundida desde la capital mexicana. Y lo mismo sucede en comunidades caribeñas, como la República Dominicana, aunque esta vez con índices de retención más bajos que en las anteriores. Sin embargo, y como se observa en la tabla 7 (página siguiente), las variantes retenidas —*[s]* y *[h]*— muestran un perfil de distribución continua ascendente íntimamente relacionado con el factor educativo *(vid.* T. Terrell 1979). Justo al revés que la elisión: el cero fonético resulta casi categórico entre los informantes con menores índices de escolaridad (analfabetos y estudios primarios), pero sus realizaciones descienden significativamente conforme aumenta el grado de instrucción, en especial entre los universitarios ya graduados[16].

---

[14] Así ocurre, por ejemplo, cuando se consideran los diferentes grados académicos que podemos encontrar entre los individuos que poseen estudios superiores. Como es sabido, éstos pueden variar sobremanera y oscilar entre los extremos representados por los estudios de diplomatura y los estudios de doctorado, respectivamente. ¿Debe atender el investigador estas diferencias, estableciendo dos o hasta tres subdivisiones posibles dentro del grupo de estudios universitarios, o por el contrario, vale con establecer un solo corte, en oposición a los individuos con estudios primarios y secundarios? La cuestión es delicada y está lejos de haberse resuelto satisfactoriamente en la investigación empírica.

[15] Al evaluar esta variable, y su incidencia en la variación lingüística, no han faltado algunas propuestas novedosas, como la que llevó a Borrego (1981) a agrupar el nivel de instrucción junto a otros factores relevantes (viajes, lectura de prensa, etc.) en un concepto teórico unitario denominado *contacto con la norma* en su análisis de una comunidad de habla rural española.

[16] Otras investigaciones sobre variación fonológica en el Caribe hispánico han analizado también la incidencia del factor educativo en la difusión social de ciertos rasgos

TABLA 7
Porcentajes de retención y elisión de *(-s)*
en conversación espontánea en el español
de la República Dominicana por niveles educativos,
según T. Terrell (1980-1981)

| | VARIANTES PLENAS % | VARIANTE Ø % | N |
|---|---|---|---|
| I | 4 | 96 | 3.470 |
| II | 7 | 93 | 2.269 |
| III | 17 | 83 | 2.389 |
| IV | 16 | 84 | 3.007 |
| V | 33 | 67 | 1.700 |

I = analfabetos; II = primarios incompletos; II = primarios completos; III = secundarios; IV = estudiantes universitarios; V = licenciados

Un análisis de variación *gramatical* en el que se utiliza el factor educativo como variable independiente —y diferenciada del nivel socioeconómico— es el emprendido por Navarro (1990) a propósito de la alternancia de las formas en *-ría/-ra* en la apódosis de las condicionales *(si no lloviera... fueramos/iríamos)* en el habla de Valencia (Venezuela), al que ya hemos hecho referencia en otras ocasiones. Los resultados de este estudio muestran que las formas vernáculas en *-ra,* todavía visibles en países como Venezuela, muestran cierta vitalidad entre los hablantes con menor nivel de instrucción (nivel I: 54 por 100) —sobre todo, entre los de más edad—, pero mucho menos en el resto, alcanzándose las cifras más bajas entre los universitarios (nivel III: 19, 1 por 100). Por otro lado, los datos de la tabla 8 muestran también cómo los resultados que se derivan de este factor social pueden diferir de los aportados por otras variables sociales, como sucede en el presente caso con el nivel de ingresos. Aunque el estrato socioeconómico más bajo figura también en el primer lugar en las realizaciones del rasgo vernáculo (45,2 por 100), el extremo opuesto no lo ocupan esta vez los hablantes

del consonantismo vernáculo, como la neutralización de */-l/* y */-r/,* la semivocalización y elisión de */r/,* la velarización de *(-n)* y *(-r)* (cfr. López Morales 1979a, 1981, 1983a, 1983b; Rojas 1980; Terrell 1978a, 1978b, 1979; Hammond y Resnick [eds.] 1988, entre otros). Y como era de esperar, la mayoría de dichos trabajos recogen patrones de estratificación similares a los reseñados.

económicamente más privilegiados (35,2 por 100), sino el grupo intermedio (25,9 por 100).

TABLA 8
Usos de-*ría/-ra* en la apódosis de las oraciones condicionales en Valencia (Venezuela), según Navarro (1990)

| | *-ría* % | *-ra* % |
|---|---|---|
| NIVEL DE ESCOLARIDAD | | |
| I | 46,0 | 54,0 |
| II | 76,9 | 23,1 |
| III | 80,9 | 19,1 |
| NIVEL DE INGRESOS | | |
| I | 54,8 | 45,2 |
| II | 74,1 | 25,9 |
| III | 64,8 | 35,2 |

Otra muestra de hasta qué punto el factor educativo no tiene por qué guardar una relación unívoca con las diferencias socioeconómicas la encontramos en el estudio de M. Gutiérrez (1994) sobre la distribución social de ciertas variables sintácticas en el español hablado en Michoacán (México), al que anteriormente hacíamos también referencia. Si allí dábamos cuenta de que las realizaciones más innovadoras muestran un característico perfil lineal —con las mayores proporciones entre las clases bajas y las menores entre las clases altas— la covariación ahora con el nivel educativo muestra un esquema curvilíneo, en el que los picos frecuenciales más destacados corren a cargo de los hablantes de estudios secundarios y no, como cabría esperar, de los individuos con menor formación académica. Ello ocurre, además, en las tres variables consideradas, que recordamos a efectos expositivos:

a) el uso de variantes perifrásticas para la expresión del futuro en lugar de las formas flexivas *(el verano próximo voy a casarme vs. el verano próximo me casaré);*

b) la elección del condicional compuesto *(habría tenido)* en lugar del pluscuamperfecto de subjuntivo *(hubiera tenido)* en contextos en que alternan ambas formas *(si no te quisiera, no habría/hubiera venido),* o

c) la extensión de usos de la cópula *estar* en detrimento de *ser* en contextos tradicionalmente reservados a este último verbo *(vivimos... en las casas de Infonavit, están chiquitas, pero están bonitas).*

TABLA 9
Frecuencias de usos innovadores *vs.* conservadores de tres variables lingüísticas en Michoacán (México) por niveles de instrucción, según M. Gutiérrez (1994)

| VARIABLES LINGÜÍSTICAS | NIVEL DE ESCOLARIDAD | | | | | |
|---|---|---|---|---|---|---|
| | *Primaria* | | *Secundaria* | | *Superior* | |
| | N | % | N | % | N | % |
| *Futuro* | | | | | | |
| Perifrástico | 45 | 87 | 68 | 93 | 75 | 70 |
| Morfológico | 7 | 13 | 5 | 7 | 32 | 30 |
| *Modo* | | | | | | |
| Pluscuamperfecto subjuntivo | 6 | 86 | 17 | 100 | 11 | 79 |
| Condicional compuesto | 1 | 14 | 0 | 0 | 3 | 21 |
| *Estar/ser* | | | | | | |
| Usos innovadores | 12 | 21 | 45 | 25 | 24 | 6 |
| Usos prescriptivos | 45 | 79 | 302 | 75 | 400 | 94 |

## 5. LAS RELACIONES ENTRE LA VARIACIÓN SOCIOLECTAL Y DIALECTAL

Las relaciones entre la variación diastrática y otros tipos de variación, como la geográfica, han ocupado también la atención de los sociolingüistas. A este respecto, es conocida la tesis de Trudgill (1974a), quien ha ordenado ambas clases de variabilidad en sendos ejes, cuya combinación genera una típica estructura piramidal. De este modo, en la base social es más fácil hallar restos de variación dialectal. Por el contrario, ésta desaparece progresivamente conforme ascendemos en la pirámide, de forma que en los estratos más elevados quedan muchos menos restos que revelen el origen regional de los hablantes.

Con todo, se ha dicho que estos datos, que en lo esencial son válidos para el mundo anglosajón, no sirven para interpretar categóricamente cualquier otro modelo de sociedad. En las comunidades hispánicas, sin ir más lejos, es frecuente la persistencia de rasgos dialectales entre los miembros de las clases altas —especialmente en la pronunciación— por lo que resulta relativamente fácil adivinar la procedencia de los hablantes.

En otro sentido se ha visto también que determinadas situaciones de movilidad extrema pueden desencadenar una profunda homogeneización lingüística donde antes se advertían importantes diferencias sociolectales (cfr. Chambers 1995, Granda 1994d, Penny 2000). Lo anterior ha ocurrido en diversas regiones del mundo, a partir de fenómenos de inmigración masiva, como ocurrió durante los primeros siglos de la colonización de América. Ello explicaría el hecho de que la variación geográfica sea comparativamente menor en el extenso territorio americano que en la primitiva metrópoli. Como es sabido, a la nivelación lingüística que tuvo lugar en grandes áreas de Hispanoamérica contribuyeron algunos factores históricos bien conocidos y estudiados, como el peso que los hablantes andaluces tuvieron en la colonización de América, en un momento, además, en el que algunos rasgos de su habla (*v. gr.*, en el ámbito de las sibilantes o en el paradigma de los pronombres de tratamiento) estaban siendo sometidos a procesos de simplificación (Borrego 1996: 174). Sin embargo, junto a estos factores hay que considerar también las necesidades de acomodación y de convergencia lingüística extremas derivadas del contacto súbito entre individuos de orígenes geográficos y sociales muy diferentes. Un hecho que, sin duda, propició el desarrollo de procesos masivos de nivelación y simplificación adicionales (para más detalles en torno a esta cuestión, véase más adelante tema VIII).

Incluso en nuestros días, no faltan ejemplos de estos mismos procesos de nivelación —aunque evidentemente a otra escala— en poblaciones recientes, creadas a lo largo del último siglo a partir de importantes contingentes migratorios. Nosotros mismos hemos advertido este hecho a propósito de la población navarra de Castejón, cuya fundación como municipio independiente se remonta a finales de los años 20 del pasado siglo. La población de esta localidad fronteriza entre Navarra y La Rioja se ha compuesto durante décadas de inmigrantes, llegados desde prácticamente todas las regiones españolas a lo que otrora fue un importante enclave ferroviario para las comunicaciones en el norte de España. Tras varias décadas de contacto intenso entre gentes de tan variada procedencia, en los tiempos actuales se advierte la convivencia de dos generaciones claramente diferenciadas desde el punto de vista sociolingüístico: por un lado, la primera generación de inmigrantes, que trajeron consigo hace cuatro o cinco décadas sus respectivas normas dialectales y sociolectales —e incluso sus propias lenguas en muchos casos— y que todavía es posible oír en boca de los hablantes de más edad. Sin embargo, entre los descendientes de esos inmigrantes han desaparecido ya la mayor parte de esos vestigios dialectales, configurando con ello una variedad mucho más uniforme. El hecho resulta todavía más excepcional si se compara con las poblaciones cercanas de la Ribera de Navarra, donde las diferencias genolectales resultan, por lo general, mucho menos abruptas[17].

Por último, destaquemos también que la correlación entre los fenómenos lingüísticos y los factores socioeconómicos y culturales puede variar también en el eje dialectal. Así, una determinada variante lingüística puede ser considerada como prestigiosa, neutra o estigmatizada en una comunidad de habla concreta, pero adquirir una significación sociolingüística completamente diferente en otra comunidad distinta, incluso dentro de los límites de un mismo país. Por ejemplo, algunos estudios empíricos acerca de la distribución sociolingüística de *(r)* posnuclear han permitido comprobar este hecho en Panamá. En la capital de la nación, Cedergren (1973) demostró hace ya tres décadas que la variante subestándar más frecuente era con diferencia la elisión *(cantar → cantaØ)*, mientras que apenas detectó 6 casos, entre casi 10.000 ocurrencias, de la variante lateralizada *(cantar → cantal*, habitual, sin embargo, en las hablas caribeñas. Por el contrario, en las zonas rurales del interior de este mismo país, Broce y Torres Cacoullos (2002) han visto mucho más recientemente cómo son, justamente, estas formas laterales las que ocupan la primera posición entre todas las variantes advertidas[18]. Eso sí, en ambas comunidades la variante normativa es idéntica: *[r]*.

[17] Pese a ello, no faltan ejemplos en la bibliografía que desmienten al menos la validez universal de estos procesos de nivelación y posterior koinización entre dialectos diferentes en contextos de fuerte inmigración. Tras su estudio reciente sobre las principales variedades del español hablado en la ciudad de Nueva York, N. Flores y J. Toro (2000) han concluido que éstas no convergen en la dirección de un «español neoyorquino» más o menos uniforme, sino que más bien al contrario, el español hablado en esta gran urbe norteamericana sólo puede caracterizarse, justamente, como un agregado de diferentes dialectos hispanoamericanos.

[18] Ya Cedergren (1973) había comentado que en la capital panameña la variante lateral se limitaba al habla de personas mayores, procedentes de las provincias del interior.

Por último, puede darse el caso de que, en determinadas circunstancias, ciertos agentes sociales realicen más variantes vernáculas de lo que sería esperable por su extracción social, debido a necesidades estratégicas de acomodación y convergencia con los miembros de su audiencia (véase más detalles sobre esta teoría en tema XIII, § 4). Este hecho se ha observado, por ejemplo, entre algunos idiolectos de la clase política (véase Medina Rivera 1999: 533 para el caso de Puerto Rico), así como en determinados medios de comunicación. En España, por ejemplo, algunos locutores de radio de origen meridional consiguen ocultar sus rasgos fonéticos meridionales en muchas ocasiones, pero éstos surgen de forma deliberada en ciertas fases de sus programas. Así ocurre cuando conversan telefónicamente con algunos paisanos o, en general, en las fases más relajadas de sus emisiones radiofónicas[19].

## 6. Sobre estratificaciones sociolingüísticas abruptas: la teoría de los códigos sociolingüísticos

### 6.1. *Fundamentos de la teoría y aplicaciones al dominio hispánico*

Entre las interpretaciones más abarcadoras acerca de las relaciones entre la lengua y la estratificación social en las últimas décadas, la *teoría de los códigos sociolingüísticos* ocupa, sin lugar a dudas, un lugar privilegiado. Su creador, el sociólogo británico Basil Bernstein (1961, 1972), es un investigador interesado inicialmente por los procesos de socialización, y en particular, por el modo en que los niños adquieren sus identidades sociales. Y de ahí el interés de la sociolingüística por sus ideas, ya que en ellas se concede al lenguaje un lugar privilegiado en los procesos de maduración y socialización.

Las tesis de Bernstein han sido ampliamente discutidas y criticadas posteriormente, si bien hoy se acepta que algunas de estas críticas obedecen a una interpretación incorrecta de sus ideas, cuando no al simple aprovechamiento espurio —y hasta con tintes racistas— por parte de algunos de sus seguidores más libérrimos (véase más adelante § 6.2). Pese a ello, hoy resulta innegable que la influencia de Bernstein ha sido considerable en diversos ámbitos de la lingüística aplicada.

[19] Así lo hemos advertido, por ejemplo, en los programas radiofónicos de Carlos Herrera, veterano periodista español nacido en Almería.

La interpretación de Bernstein acerca de las relaciones entre lengua y cultura tiene una deuda considerable con la conocida hipótesis de Whorf-Sapir. Bernstein considera que tales relaciones son recíprocas, de forma que no son sólo las instituciones sociales y culturales de una comunidad las que influyen en la lengua, sino que al mismo tiempo ésta contribuye decisivamente a la configuración de aquéllas. De este modo, un niño que se desarrolle en un entorno sociocultural determinado aprenderá tanto las variedades lingüísticas propias del mismo como sus rasgos psico-sociales más característicos. Y lo más grave es que así seguirá ocurriendo con casi toda probabilidad en las generaciones siguientes, como consecuencia de la perpetuación de los mismos patrones lingüísticos y culturales.

Bernstein considera, en definitiva, que existe una relación muy estrecha entre la estructura social en que se desenvuelven los niños y la forma en que éstos —y todos aquellos que forman parte de su mismo entorno— emplean el lenguaje, y que esta influencia se transmite de generación en generación. Ello da lugar a la creación de un círculo —vicioso, en el caso de los estratos más desfavorecidos—, en la medida en que ciertos patrones sociales desembocan en modelos determinados de uso lingüístico, los cuales refuerzan a su vez dichos patrones, y así sucesivamente.

En diversos trabajos publicados entre los años 60 y 70 de la pasada centuria, el sociólogo británico postuló que el sociolecto obrero inglés se distinguía de otros, situados por encima en la pirámide social, no sólo por la frecuencia en el uso de determinadas formas, sino también por una dicotomía más acusada: la presencia o ausencia de determinados elementos entre los paradigmas utilizados en el habla. Estas diferencias cuantitativas y cualitativas al mismo tiempo configuran un código *restringido* (o *público,* como sería denominado en los primeros escritos), que se distingue considerablemente de otro código, mucho más *elaborado* y *formal* y al que sólo tienen acceso las clases acomodadas.

Entre los principales caracteres del código *restringido* figuran los siguientes:

a) el uso de oraciones breves, preferentemente simples desde el punto de vista sintáctico y a menudo incompletas;

b) una sintaxis pobre y descuidada;

c) el empleo escaso de los mecanismos de la subordinación, como estrategia lingüística asociada a la precisión temática;

d) el uso reiterado de unos pocos conectores y marcadores discursivos;

e) la selección rígida y limitada de adjetivos y adverbios;
f) las referencias y significaciones implícitas[20];
g) el manejo abundante de giros, clichés y aforismos;
h) el caudal léxico manejado por los estratos obreros es también menor y, sobre todo, más impreciso.

Por su parte, el código elaborado se *configura* de forma negativa, esto es, por oposición a los rasgos que acabamos de reseñar.

Diversos estudios realizados en los últimos años en comunidades hispánicas han puesto a prueba la validez de algunos de estos rasgos, llegando a conclusiones que avalan este tipo de estratificaciones abruptas entre los extremos de la pirámide social. Uno de los investigadores que más énfasis han puesto en el estudio de estas diferencias es el sociolingüista mexicano Raúl Ávila, quien en diferentes trabajos ha destacado que existen suficientes argumentos empíricos para afirmar que en las comunidades de habla mexicanas se confirman estas diferencias entre algunos sociolectos. En uno de esos estudios, dedicado al análisis de los índices de complejidad oracional y a la riqueza léxica de los extremos del espectro social, Ávila (1994) ha comprobado que el habla de las clases altas cuenta significativamente con enunciados más largos y densos, además de un vocabulario más abundante y preciso, que el habla de las clases bajas. Como puede apreciarse en la tabla 10 (página siguiente), el autor no sólo recoge un número significativamente menor de palabras en el nivel popular que en el nivel culto («incluso aunque el tiempo de grabación [para el primero] fue mayor»), sino también menos tipos y vocablos diferentes. Como señala Ávila (1994: 420):

> [...] comparativamente el habla culta produjo, para el total de palabras, 10,3 por 100 de tipos y 6,7 por 100 de vocablos. El habla popular, por su parte, produjo 9,5 por 100 de tipos y 5,2 por 100 de vo-

[20] Borzone de Manrique y Granato de Grasso (1995) han confirmado estas diferencias en su análisis del discurso narrativo entre niños de diversa procedencia social en una comunidad de habla argentina. En este trabajo se comprueba que los niños de las clases medias urbanas necesitan mucho menos del contexto situacional para el relato de sus historias personales que los niños de las clases bajas, cuya dependencia de aquél es considerablemente mayor. Además, las narraciones de los primeros resultan más comprensibles que las de los segundos, gracias a mayores dosis de precisión léxica, así como a un empleo más frecuente y variado de estructuras y conectores de subordinación. Para Borzone de Manrique y Granato de Grasso, en definitiva, entre los niños argentinos de las clases acomodadas predomina un estilo de lenguaje más descontextualizado, justo lo contrario de lo que ocurre entre los niños de las clases bajas (véanse conclusiones del mismo signo en Merino [1990] en una comunidad de habla chilena).

> cablos. En términos numéricos, en el habla culta se recogieron 816 tipos y 944 vocablos más que en el habla popular [...] el habla culta presentó más riqueza morfológica —reflejada en los tipos— y léxica —de acuerdo con el número de vocablos— que el habla popular (pág. 420)[21].

Y por lo que se refiere a los demás parámetros analizados, el sociolingüista mexicano destaca, asimismo, la mayor longitud y densidad de los enunciados en el habla culta, con diferencias que resultan significativas estadísticamente y que a su juicio, «permiten confirmar que esas medidas se correlacionan en alto grado con la riqueza léxica» (pág. 420)[22] (véase tabla 10).

TABLA 10
Habla culta y popular: longitud, promedio de enunciados, densidad, palabras, tipos y vocablos, según Ávila (1994)

| CARACTERÍSTICAS | LONGITUD ENUNCIADOS | DENSIDAD LÉXICA | N PALABRAS | TIPOS | VOCABLOS |
|---|---|---|---|---|---|
| Habla culta | 10,9 | 63,7 | 49.873 | 5.124 | 3.319 |
| Habla popular | 5,1 | 61,3 | 45.280 | 4.308 | 2.375 |

En otros trabajos, este autor ha puesto también a prueba la hipótesis según la cual las diferencias sociales y lingüísticas entre los estratos socialmente más diferenciados deben reflejarse también en el tipo de categorías léxicas y semánticas más frecuentemente empleadas en el habla *(vid.* Ávila 1991). Y en efecto, de sus datos se desprende que tales diferencias existen de una forma realmente significativa, al menos en el contexto

[21] Asimismo, en otros estudios *(vid.* Ávila 1988) este autor ha confirmado que los textos de mayor riqueza léxica corresponden siempre a los producidos por las clases altas, mientras que los más pobres se asocian inexorablemente a las clases bajas. Ya en un estudio clásico como el de Guiraud (1954), este lingüista había advertido acerca de las notables diferencias de inventario entre el léxico de los sociolectos altos y bajos: los sujetos pertenecientes a los primeros («el hombre *culto»)* manejan entre 4.000 y 5.000 lexemas diferentes, decía este autor, en contraste con «el hombre *común*», cuyo vocabulario apenas rondaría las 2.000 palabras.

[22] Con todo, Ávila (1994: 431) se apresura a negar a continuación que tales diferencias sean de orden cualitativo, como pretende la versión más ortodoxa de la teoría de los códigos.

mexicano estudiado por él. Dado que las condiciones de vida precarias en las que se desenvuelven los hablantes de las clases bajas obligan a éstos a hablar de sus necesidades primarias, sus discursos se hallan mayoritariamente compuestos por sustantivos y verbos de significación concreta y perceptible. Por el contrario, los integrantes de las clases altas, cuyas necesidades básicas están más que cubiertas, no se ven en la necesidad de referirse a éstas de forma tan recurrente, lo que explicaría por qué en sus enunciados aparecen mucho más a menudo elementos léxicos de significación abstracta. Obsérvese en la tabla 11 cómo estas diferencias frecuenciales en el empleo de unos mismos elementos son muy abultadas en ambas categorías léxicas.

TABLA 11
Frecuencias absolutas y relativas en la realización de sustantivos y verbos con referentes perceptibles y no perceptibles en dos niveles de lengua (culta y popular), según Ávila (1994)

| REFERENTES | HABLA CULTA | | | | | HABLA POPULAR | | | | |
|---|---|---|---|---|---|---|---|---|---|---|
| | *No perceptible* | | *Perceptible* | | *Total* | *No perceptible* | | *Perceptible* | | *Total* |
| | N | % | N | % | N | N | % | N | % | N |
| Sustantivos | 37 | 69 | 17 | 31 | 54 | 7 | 23 | 23 | 77 | 30 |
| Verbos | 22 | 81 | 5 | 19 | 27 | 8 | 33 | 16 | 67 | 24 |
| Total | 59 | 73 | 22 | 27 | 81 | 15 | 28 | 39 | 72 | 54 |

La disponibilidad léxica de los hablantes de diferente extracción social es otro ámbito de estudio que ha permitido establecer algunas diferencias sociolectales claras entre los niveles sociales extremos. Siguiendo la tradición francesa del análisis de la disponibilidad, Echeverría *et al.* (1987) han demostrado empíricamente tales diferencias en su estudio sobre diez campos semánticos entre alumnos chilenos de enseñanza secundaria. Los resultados de este estudio demuestran que el estatus social es significativo en todos los ámbitos y señalan, sin lugar a dudas, un mayor índice de disponibilidad léxica entre los jóvenes de las clases altas (véase también Butrón 1989).

También López Morales (1979b, 1995-1996), que ha trabajado ampliamente en esta clase de estudios en diversas comunidades de habla, y que dirige en la actualidad un ambicioso proyecto de investigación panhispánico, ha comprobado que la teoría de Bernstein y sus seguidores tiene en la disponibilidad léxica un buen campo de pruebas. Así, en uno de sus trabajos sobre la ciudad de San Juan de Puerto Rico, el sociolingüista cubano advirtió que las clases acomodadas obtenían sistemáticamente unos índices de disponibilidad claramente superiores a los de los grupos bajo y obrero. Y lo que es más importante aún: mientras que el vocabulario de estos últimos aparecía también en el habla de las clases medias, lo contrario no siempre era el caso. Resultados, en suma, que mostrarían la existencia de ítem léxicos privativos de las clases privilegiadas, a los que, sin embargo, no acceden los miembros de los grupos situados en la base de la pirámide social *(vid.* López Morales 1979b).

Algunos estudios basados en muestras de población escolar han tomado como variable independiente el tipo de red educativa (público/privado), un factor que en muchos países de habla hispana se halla íntimamente relacionado con algunos tipos de diferenciación social abrupta[23]. En Puerto Rico, por ejemplo, el mismo López Morales (1979b) ha destacado la existencia de diferencias muy abultadas (que en algunos casos llegan al 50 por 100) entre los alumnos pertenecientes a ambos estratos sociales en la realización de ciertos tipos de subordinadas sustantivas y adverbiales. En España existen también algunos trabajos que han acudido al poder explicativo de esta variable para justificar la diferenciación sociolectal entre los grupos extremos del espectro social. Así ocurre con las investigaciones de Benítez (1992b) y López Morales (1994a) sobre sendas comunidades escolares, madrileña y canaria, respectivamente, y en las que ambos autores advierten diferencias favorables a los alumnos de centros privados en las estructuras oracionales estudiadas, si bien éstas no son ahora tan acusadas como en el contexto portorriqueño. Como señala el propio López Morales (1994a) en las conclusiones a su estudio:

> [...] no hay prioridades sistemáticas entre un tipo de centro y otro, aunque los datos favorecen a los privados, sobre todo, en los niveles intermedios de la escolarización. Es interesante subrayar aquí que en seis de los tipos de oraciones estudiados, la escuela privada sobrepasa a la pública en tres de los cuatro niveles escolares [...] situación que no se da nunca a la inversa.

[23] Como es sabido, y aunque las diferencias no sean siempre categóricas, la población escolar de los colegios privados suele estar compuesta mayoritariamente por estudiantes procedentes de familias acomodadas, al contrario que los colegios públicos.

Junto a las diferencias sintácticas y léxicas comentadas, Bernstein y sus seguidores destacarían en escritos posteriores otras en el ámbito de las interacciones comunicativas, como el frecuente uso dentro del código restringido de actos de habla impositivos (mandatos, amenazas, etc.), que se consideran el reflejo de posiciones personales autoritarias (*vid.* Pilleux 1996a para la comunidad chilena de Valdivia). Asimismo, se han advertido divergencias en el tipo de estrategias más frecuentemente utilizadas para la expresión de esta clase de actos de habla. Comparini y Bhatia (2000), por ejemplo, han destacado la inclinación de las madres trabajadoras de origen mexicano en EE.UU. hacia el uso de actos de habla directivos en los que se alude expresamente al interlocutor (los hijos), al cual se sitúa en una posición claramente subordinada. Por el contrario, las madres de clases medias y altas, aunque realizan también ocasionalmente este tipo de estrategias, muestran preferencia por aquellas en las que el acto impositivo se realiza de forma indirecta y sin referencia explícita al interlocutor, de forma que la acción impositiva se atenúa.

Vistas así las cosas, una consecuencia inmediata de estas diferencias sociales y lingüísticas parece deducirse sin dificultad en la versión más canónica de la teoría de los códigos sociolingüísticos: dado que la gramática y el vocabulario propios del código restringido son más limitados, la competencia lingüística y comunicativa de la clase obrera será también, lógicamente, más limitada[24]. Además, los hablantes que tan sólo tienen acceso al código restringido se hallan condenados a otra serie importante de restricciones: un desarrollo cognitivo más precario, una visión más estrecha y limitada del mundo o el seguimiento de patrones de conducta basados en la obediencia a la autoridad antes que en la autonomía personal. Y como resultado de todo ello, cuando el niño perteneciente a las clases bajas acude al colegio fracasa en mayor medida que otros niños, ya que el código que se utiliza en el medio escolar es el código elaborado, y a él no han podido acceder los individuos socialmente más desfavorecidos. En palabras del propio Bernstein (1972):

> [...] the different focusing of experience through a restricted code creates a major problem of educability only where the school produces discontinuity between its symbolic orders and those of the child. Our schools are not made for these children; why should the children respond? To ask the child to switch to an elaborated code which pre-

---

[24] Ahora bien, como recuerda López Morales (1989: 56 y ss.), ello no significa que tales restricciones afecten también, al menos de manera categórica, a la competencia pasiva, lo que sí ocurriría en una versión extrema de la teoría del déficit.

> supposes different role relationships and systems of meaning without a sensitive understanding of the required contexts must create for the child a bewildering and potentially damaging experience[25].

Y es que el uso del código elaborado entre estos niños supone, en el fondo, el intento de modificar estructuras culturales y cognitivas profundamente arraigadas, una tarea que además de las dificultades intrínsecas que implica, puede entrañar también consecuencias psicológicas graves para su desarrollo.

### 6.2. *Algunas críticas a la teoría de los códigos sociolingüísticos*

A juicio de no pocos investigadores, los estudios de Bernstein adolecen de graves deficiencias, comenzando por la imprecisión de sus conceptos y terminando por lo superficial de sus análisis lingüísticos. Como ha recordado López Morales (1989: 55):

> [...]la vaguedad teórica, las indefiniciones, la irrelevancia para la lingüística de una buena parte de sus observaciones, la debilidad sus análisis y algunas causas extracientíficas, hicieron que la teoría del déficit, tras los primeros momentos de entusiasmo, fuera severamente criticada y descartada con prontitud.

Desde una perspectiva lingüística, se ha reprochado, por ejemplo, que sus tesis no pueden conectarse con las de ninguna teoría al uso, crítica quizá no del todo justa si consideramos la indisimulada influencia que en la obra de Bernstein han ejercido algunos antropólogos del lenguaje destacados, como Whorf. Probablemente sea más acertado otro juicio crítico que merecen los análisis lingüísticos de este autor, especialmente su caracterización estructural de los dos códigos, calificada a menudo como puro empirismo (Rosen 1972). Empirismo que resulta, incluso, parcialmente fallido, ya que en la realidad no siempre se han podido comprobar algunos postulados de la teoría (Miras 1982: 56).

Por su parte, Labov (1970) ha destacado que en la mayoría de los casos no es posible afirmar la existencia de diferencias cualitativas reales entre los sociolectos extremos a partir de los rasgos divergentes detectados por Bernstein. Y mucho menos aún, como hace el sociólogo

---

[25] Véase un resumen de las principales consecuencias educativas que se derivan de las tesis de Bernstein en Usategui (1993).

británico, de diferencias abruptas en el desarrollo cognitivo e intelectual. Y es que, como afirma el sociolingüista norteamericano, el desarrollo cognitivo de los hablantes no guarda relación con el número de adjetivos o conjunciones que emplea, como cree Bernstein. En palabras de Labov, que resumen este punto de vista: «A quantitative difference does not establish a qualitative one, particularly if the functions are ignored or down-played» (1970: 75).

Asimismo, numerosos lingüistas coinciden con Labov en la idea de que no es tanto el abanico de rasgos lingüísticos cuanto el uso que de ellos se hace lo más importante para caracterizar una determinada variedad lingüística. Aplicando al español un símil utilizado por el sociolingüista norteamericano, podríamos decir que, pese a que en el castellano medieval no existían rasgos y oposiciones estructurales presentes en el español actual, a nadie se le ocurriría concluir a partir de este dato que el desarrollo intelectual de los hablantes medievales estaba más limitado que el de los hablantes contemporáneos.

Por ello, y aunque en aparente contradicción con las investigaciones reseñadas anteriormente, en la sociolingüística hispánica no han faltado tampoco estudios empíricos cuyos resultados parecen contradecir las tesis bernsteineanas. En Chile, por ejemplo, donde, como veíamos anteriormente, algunos trabajos han detectado diferencias significativas entre los sociolectos más extremos del espectro social, A. Pandolfi y M. Herrera (1992) dicen no haber advertido éstas en el análisis de la competencia lingüística de niños chilenos de diversa extracción social. Las pocas halladas entre los niños de clases medio-altas y bajas, respectivamente, son de escasa entidad y, en todo caso, no sirven para distinguir estructuralmente el código lingüístico de ambos estratos. Asimismo, Véliz *et al.* (1991) han encontrado elevados índices de madurez sintáctica entre estudiantes chilenos de círculos sociales marginados, contrariamente a lo supuesto por la teoría del déficit.

En otro ámbito geográfico, Martínez de Jiménez (1985) ha analizado el uso de sustantivos y su sustitución por pronombres en una muestra de niños colombianos de educación primaria, advirtiendo que las distancias frecuenciales apreciadas entre niños ingleses en el marco de la teoría bersteineana —mayor uso de pronombres entre los niños de clases bajas, frente a un empleo más frecuente de sustantivos explícitos por parte de las clases medio-altas— no se aprecian en su estudio. Y Barriga (1985-1986), quien ha estudiado la producción de oraciones relativas en niños mexicanos de 6 años de diferente extracción social —clase baja, clase trabajadora y clase media—, señala también que los datos de su trabajo contradicen abiertamente los postulados de la teoría de los códigos sociolingüísticos, ya que la producción de esta clase de oraciones subordinadas y de sus nexos correspondientes por parte de los niños de las clases trabajadoras eclipsa, incluso, a la de los demás grupos.

Desde otra perspectiva, se ha criticado también el error metodológico que supone el que un investigador de las clases privilegiadas analice el lenguaje de las clases obreras —más aún si se trata de niños— empleando técnicas como la entrevista. Como es sabido, la formalidad de éstas conduce a la obtención de estilos de habla cuidadosos, pero también a una fuerte inhibición de los informantes, que acentúa la ya de por sí incómoda «paradoja del observador». De hecho, el propio Bernstein pudo comprobar en alguna ocasión cómo en la medida en que el contexto situacional se volvía más informal, el habla de los niños se hacía también más compleja.

Por otro lado, se ha dicho también que la teoría de Bernstein lleva las consecuencias sociales de la diferenciación lingüística a un estatus desmedido y no considera la posibilidad de que existan diferentes clases de prestigio sociolingüístico en el seno de la comunidad, en la línea de lo advertido anteriormente en estas páginas *(prestigio encubierto vs. prestigio manifiesto)*. En opinión de Guy (1988: 55), las tesis bersteineanas se hallan fuertemente arraigadas en una ideología característica de las clases medias, según la cual la adquisición del código elaborado es la puerta para salir de la condición obrera. Ésta se basa en dos suposiciones que, para este autor, son igualmente erróneas: a) que todo el mundo «sensato» desea abandonar la clase obrera y b) que ello puede realizarse exclusivamente mediante el concurso de acciones individuales.

Incluso el mismo Bernstein (1972) era consciente de que los niños de clases altas no siempre obtienen ventajas a partir de las diferencias lingüísticas observadas. De hecho, reconocía que éstos muestran, por lo general, un mayor índice de inhibición que los niños de clases bajas en algunas actividades básicas del desarrollo infantil, como el juego o las dramatizaciones improvisadas.

Por último, conviene recordar también que las ideas de Bernstein se hicieron especialmente odiosas en los años 60 y 70, ya que algunos no las interpretaron en el sentido correcto. A este respecto, se sugirió, más o menos explícitamente, que los niños de las clases trabajadoras eran portadores de un «déficit» no sólo lingüístico sino también intelectual. No en vano, por aquellos años autores como Bereiter y Engelman (1966) o Jensen (1969) llegaban a la conclusión de la existencia de un lenguaje «deficitario» propio de las clases obreras a partir de un análisis *sui generis* de sus variedades más características. Las siguientes citas son sólo una pequeña muestra de esta clase de ideas:

> El niño de medios pobres tiene problemas de lenguaje [...] Con demasiada frecuencia un niño de 4 años de este tipo no comprende el significado de palabras tan simples como *largo, lleno, animal, rojo, debajo, primero, antes, donde, si, todo, no.* Con demasiada frecuencia no llega a repetir cosas tan simples como «el pan está en el horno», aun después de cuatro ensayos (Bereiter y Engelman 1966).

> La mayor parte del lenguaje de la clase inferior consiste en una especie de acompañamiento emocional innecesario de la acción inmediata (Jensen 1969).

En EE.UU. se dio otra circunstancia especialmente adversa para la recepción de las tesis bernsteineanas, impulsadas por algunos seguidores libérrimos de Bernstein. Por los mismos años en que se difundía la teoría del sociólogo británico, Jensen (1969) afirmaba que los niños negros eran inferiores a los blancos en su capacidad lingüística e intelectual. Estas ideas racistas se basaban en la existencia de ciertos rasgos estructurales característicos del *inglés negro (Black Vernacular English),* calificados sistemáticamente como aberrantes y que, al mismo tiempo se consideraban como un reflejo de que sus usuarios son hablantes con una capacidad cognoscitiva limitada.

Por fortuna, estas tesis totalmente acientíficas provocaron una justa indignación general, y en ese contexto intelectual, sociolingüistas de prestigio, como Kroch o el propio Labov, redactaron un manifiesto —difundido posteriormente por la Linguistic Society of America— en el que se desmontaban uno tras otro todos los argumentos de esta versión «racista» de la teoría de los códigos. Con todo, y en descargo de Bernstein, hay que recordar que tales ideas nunca procedieron de su pluma, y que el propio autor ha negado repetida y públicamente cualquier tipo de paternidad respecto a ellas.

Pese a lo anterior, y como se ha puesto de relieve en alguna ocasión, el desprestigio de algunas de estas ideas ha oscurecido quizá algunas realidades observadas ya desde hace tiempo. Como, por ejemplo, que las diferencias de inventario en estructuras gramaticales entre los sociolectos medio-altos y bajos no son siempre una ficción, como han comprobado entre nosotros autores como Lastra (1972a) entre niños mexicanos de Oaxaca, Lope Blanch (1978) en los adultos de la ciudad de México, o los ya reseñados en apartados anteriores de este mismo tema. En estos casos, y como ha recordado acertadamente López Morales (1989: 55), las diferencias extremas no pueden explicarse en virtud de los patrones de variación habituales.

# UNIDAD TEMÁTICA III

## *El cambio lingüístico*

## Tema VIII

# La dimensión social del cambio lingüístico en español

### 1. Introducción

Por lo general, los miembros de una comunidad de habla no son conscientes de que las lenguas que utilizan están sujetas a cambios continuamente. Y sin embargo, todo el mundo puede apercibirse de este hecho tras la simple lectura de un texto antiguo. El lingüista, además de describir las consecuencias de tales modificaciones, tiene un interés especial en desentrañar otros aspectos de la evolución del lenguaje, principalmente los que afectan a:

a) las causas de los procesos de cambio;
b) las formas en que tales mutaciones tienen lugar;
c) los factores que promueven o, por el contrario, inhiben los cambios, y
d) la determinación de las evoluciones posibles —e imposibles— en una lengua determinada.

Diversas escuelas y corrientes de pensamiento lingüístico han tratado de forma muy diferente estas cuestiones a lo largo del último siglo y medio: neogramáticos, estructuralistas, generativistas y, más recientemente, también, los sociolingüistas, cuyas principales ideas acerca del cambio lingüístico abordaremos en el presente tema, dedicando una especial atención, como otras veces, los estudios que se han detenido en la evolución del español.

Antes de desarrollar esta última aproximación teórica, quisiéramos advertir que, en lo que sigue, nos ocuparemos sólo de lo que algunos autores denominan cambios en el nivel *microlingüístico*, esto es, alteraciones que afectan a las unidades lingüísticas en los diferentes niveles de análisis. Y no, por el contrario, de los cambios *macrolingüísticos*, en los que aparecen involucrados sistemas enteros, como consecuencia de decisiones de planificación lingüística, a menudo conscientes e impulsadas por el poder político (casos de estandarización, desplazamiento y muerte de lenguas, etc.) (*vid.* Bright 1997: 82-83). Estos últimos serán tratados en un tema posterior (véase tema XV)[1].

En el desarrollo del presente tema nos proponemos diversos objetivos. En primer lugar, mostrar al lector las diferencias teóricas y metodológicas entre la investigación sociolingüística acerca del cambio lingüístico y otras aproximaciones teoréticas. A este respecto, es especialmente significativo el tratamiento que dispensa la llamada *sociolingüística histórica* a la documentación antigua, instrumento tradicional de la lingüística histórica. O más aún, el mismo concepto de cambio lingüístico «en marcha», una de las principales aportaciones de nuestra disciplina. Éste parte de la hipótesis de que los miembros de una comunidad de habla pueden observar las modificaciones que están teniendo lugar en la lengua en un momento determinado, a través de la información que proporcionan ciertos patrones sincrónicos de la variación sociolectal.

En segundo lugar, pretendemos analizar también el origen y las principales etapas y mecanismos que afectan a los cambios lingüísticos y, en general, todos aquellos aspectos de la evolución lingüística relacionados con la matriz social del lenguaje.

## 2. Fundamentos de la sociolingüística variacionista para el estudio del cambio lingüístico en marcha

Ya en fecha tan temprana como 1966 un pionero de la sociolingüística como William Bright advertía sobre la comunidad de intereses entre nuestra disciplina y la lingüística histórica. Variación y cambio lingüístico son procesos íntimamente relacionados, en el sentido de

[1] Con todo, puede haber procesos de este tipo, como los de pidginización y criollización, que traen como consecuencia el nacimiento de nuevas lenguas, pero que no son el fruto de decisiones institucionales, sino de la actuación de fuerzas sociales profundas en situaciones extremas de contacto lingüístico.

que el segundo emerge necesariamente tras una etapa previa de «conflicto» entre diversas formas alternantes. En definitiva, el cambio implica necesariamente la existencia previa de la variación, si bien no está claro que toda variación desemboque en un cambio lingüístico (cfr. Weinreich *et al.* 1968; Kroch 1989)[2]. La escuela variacionista ha intentado explicar cómo se produce y cuáles son los procesos que determinan su difusión a la sociedad.

No es que la lingüística histórica, de orientación tradicional o estructuralista, hubiera negado nunca la existencia de tal variación, pero necesidades prácticas llevaron a estas disciplinas a asumir, por lo general, que las comunidades de habla eran básicamente homogéneas[3]. En oposición al concepto estructuralista de lengua como sistema monolítico, uniforme y homogéneo, la sociolingüística propone la existencia de un sistema inherente y ordenadamente heterogéneo y variable. Con todo, lo que distingue principalmente a la sociolingüística de otras aproximaciones teóricas al cambio lingüístico es la hipótesis fundamental de que no es posible comprender el desarrollo de este último fuera de la estructura social en que tiene lugar. Como pusiera de relieve Labov (1982: 76) hace ya un par de décadas:

> None of these internal constraints can provide an answer to the fundamental question of causality: what are the forces that lead to the continued renewal of linguistic change? All indications point to factors outside of the tightly knit structure of internal relations, in the embedding of language in the larger matrix of social relations.

Por otro lado, la sociolingüística defiende también la tesis de que es posible observar el *cambio en marcha* en un corte sincrónico, lo que puede arrojar mucha luz acerca del origen y la difusión de los ya verificados en épocas pretéritas, ya que las presiones que controlan to-

---

[2] De hecho, una de las tareas más difíciles a las que se enfrenta la sociolingüística es predecir qué variables ofrecen un patrón distribucional estable y cuáles muestran, por el contrario, caracteres evolutivos. Con todo, y en contra de esta opinión mayoritaria, todavía es posible escuchar voces como la de Cedergren (1987: 48), para quien toda variabilidad implica un cambio lingüístico potencial, con independencia de su éxito posterior.

[3] Con todo, sería injusto, no reconocer el papel de algunos gramáticos históricos en la difusión de la idea sobre el carácter básicamente social de la lengua, así como el énfasis en la importancia de los factores no estructurales en los cambios lingüísticos. En este sentido, hay que hacer especial mención del lingüista alemán Schuchardt o el francés Meillet, sin olvidar, claro está, la figura de Menéndez Pidal y de algunos miembros posteriores de su escuela en la investigación del español.

dos estos cambios son muy similares. Para ello, Labov (1972b) supone válido el *principio de uniformidad*, según el cual los factores que motivan y controlan la evolución lingüística en la actualidad son los mismos que actuaron en el pasado[4]. Como ha destacado Klein-Andreu (1979, 1981, 1996) en su estudios sobre la evolución de los pronombres clíticos en español, los cambios originados en épocas remotas tienen el mismo fundamento que los observados en la actualidad, ya que en el fondo todos parten de la explotación pragmática y sociolingüística de un sistema lingüístico previo por parte de los hablantes de una época determinada.

Para nuestra disciplina, y al igual que ocurre en el estudio de la variación sincrónica, tanto las consideraciones estructurales como las de carácter social son relevantes para la comprensión del cambio lingüístico. O dicho de otra manera, en la difusión de un cambio importan dos matrices diferentes, una de carácter lingüístico y otra de naturaleza social. En relación con la primera, sabemos, por ejemplo, que la extensión de determinadas variantes lingüísticas tiene lugar, por lo general, antes en unos contextos que en otros. Por otro lado, numerosos estudios acerca de lenguas pertenecientes a familias lingüísticas muy diferentes han demostrado que ciertos cambios tienen un carácter «universal» (debilitamientos fonéticos en ciertos contextos, sustitución de formas sintéticas por variantes analíticas, etc.), mientras que otros no ocurren nunca, o lo hacen sólo de manera muy ocasional.

Ahora bien, si la naturaleza de las presiones estructurales puede determinarse de forma inductiva a partir de la regularidad que muestran ciertas direcciones universales del cambio lingüístico (Labov 1982: 60), las restricciones de carácter social, a las que dedicaremos una atención prioritaria en este capítulo, sólo pueden inferirse mediante la comparación entre el comportamiento lingüístico de diferentes grupos de hablantes[5].

---

[4] Labov reconoce, sin embargo, que ciertos factores presentes hoy en las comunidades de habla no existían en el pasado, como los medios de comunicación de masas, la alfabetización masiva, el desarrollo de terminologías científicas, el contacto con lenguas de ámbito internacional, etc. Pese a ello, el sociolingüista norteamericano supone que, en última instancia, la influencia de estos factores sobre la estructura de las lenguas resulta mínima, idea poco convincente a nuestro modo de ver.

[5] Cuestión debatida es el carácter teleológico de los cambios lingüísticos. Como señala Martín Butragueño (1999: 222), una hipótesis funcional benévola sugeriría que las necesidades comunicativas afectan especialmente a la difusión social de los cambios, o dicho de otra manera, que éstos responden a necesidades funcionales básicas. Frente a ésta, se sitúa la tesis que apunta hacia un considerable mecanicismo en el origen de los

La mayor parte de las evoluciones lingüísticas no son completamente regulares, es decir, no todas gozan del mismo grado de difusión ni en el espacio —geográfico y social— ni el tiempo. Ello explica que muchas de las variables estudiadas como fenómenos de cambio lingüístico en la actualidad tengan en la práctica una considerable antigüedad y representen evoluciones de desarrollo muy lento, que aún no se han completado, e incluso pudiera ocurrir que no se completaran nunca[6].

En la práctica, el hecho de que la historia de la lengua se haya escrito normalmente desde la variedad estándar permite explicar el silencio al que se han visto sometidos durante mucho tiempo algunos cambios lingüísticos. Así sucede, por ejemplo, con el *yeísmo,* un fenómeno al que hasta hace poco se otorgaba una antigüedad limitada, si bien algunas investigaciones recientes han demostrado que ya se producía en el siglo XVI en algunas comunidades de habla hispánicas. Y pese a ello, el *yeísmo* continúa siendo un fenómeno de cambio en marcha, ni impuesto totalmente en el habla oral, ni admitido todavía, en la norma escrita. Asimismo, hoy sabemos que la neutralización de */l/* y */r/* en ciertos contextos fónicos, que afecta a diversos dialectos meridionales y americanos del español, constituye un cambio en marcha atestiguado ya entre los siglos XV y XVII, y en cuya configuración puede haber resultado decisiva la influencia de individuos procedentes de regiones norteñas (León, Galicia), donde la innovación tenía lugar ya desde la Edad Media (Torreblanca 1989). Y lo mismo podemos decir de otros hechos de variación bien estudiados, como la relajación y pérdida de *(-s)* final, o en el plano sintáctico, de fenómenos como el *leísmo* y el *dequeísmo,* documentados desde antiguo en el español y que continúan dando muestras de variabilidad en nuestros días.

Por otro lado, la difusión social de los cambios difiere a menudo considerablemente entre unas comunidades de habla y otras. Entre nosotros, por ejemplo, se ha visto que el proceso de cambio que lle-

---

cambios lingüísticos, los cuales no obedecerían en lo esencial a razones comunicativas elementales. A juicio de este autor, sin embargo, de los datos disponibles en la actualidad tan sólo podría derivarse la siguiente conclusión salomónica: «la difusión social de los cambios y de la variación lingüística es mucho menos funcional de lo que las hipótesis funcionalistas parecen prever, pero sí un poco más funcional de lo que las hipótesis mecanicistas plantean».

[6] Recuérdense, a este respecto, las observaciones pioneras de Menéndez Pidal sobre los fenómeno de latencia. Frente a éstos, sin embargo, otros cambios pueden ser mucho más rápidos y consumarse en el plazo de unas pocas generaciones (cfr. Romaine 1996: 166; Cameron 2000: 263), en cuyo caso podríamos, incluso, dar cuenta de ellos a través de investigaciones longitudinales en tiempo real (véase más adelante § 6.2).

va a la ampliación de usos de la cópula *estar* en detrimento de *ser*, en contextos sintácticos en los que el español estándar sólo admite el empleo del segundo verbo, lleva un ritmo muy diferente en diversas regiones hispánicas. Y ello, pese a tratarse también de un fenómeno cuyos orígenes se remontan al menos hasta el siglo XII en el español peninsular *(vid.* Gutiérrez 1992). En un estudio sobre algunas manifestaciones de este proceso en dos poblaciones hispanoamericanas, como las ciudades de Caracas y México D. F., Jonge (1993) ha advertido que el avance de *estar* es significativamente más elevado en la capital venezolana que en la mexicana, tanto en la matriz social como en la lingüística. Jonge distingue diversos contextos estructurales, cuya incidencia sobre el trueque verbal es diferente. Por un lado, los que denomina contextos *categóricos*, ya que en ellos se puede relacionar con relativa facilidad el mensaje con el significado que posee en el sistema cada uno de los miembros de la oposición. A su vez, éstos se dividen en *tipológicos*, ya que favorecen el uso de *ser* en el español estándar, como vemos en (1), y *cronológicos*, en los que, por el contrario, la norma impone *estar*, como en (2):

(1) ... ahora hemos pensado que pueden *ser* más chicas.
(2) ... tal vez cuando *estén* un poquito *más grandes*...

Frente a éstos, sin embargo, los contextos *neutrales* resultan idóneos para el avance de *estar*, ya que en ellos no existen indicaciones tan claras para el uso de uno u otro elemento, de manera que ambos verbos pueden fluctuar con mayor facilidad. Es el caso de las expresiones de edad, como la que vemos en el siguiente ejemplo:

(3) ... una decepción muy grande, porque nosotros, cuando *estaba niño* lo llevamos al Conservatorio Nacional.

Ahora bien, como muestra la tabla 1, este proceso de cambio lingüístico en marcha afecta a las dos comunidades estudiadas y a los dos niveles de habla estudiados de manera muy diferente. Obsérvese cómo las diferencias entre los dos niveles de lengua, culto y popular, son considerables en ambas comunidades, pero en especial en México. En los tres contextos lingüísticos analizados, el nivel culto de Caracas muestra un comportamiento más innovador que el correspondiente mexicano, si bien las diferencias son particularmente abultadas en los contextos neutrales (68 por 100 *vs.* 9 por 100, respectivamente), que, como vimos, son aquellos en los que se difunde más rápidamente este cambio. Las diferencias se aprecian también en el nivel de habla popular (95 por 100 para Caracas *vs.* 61 por 100 para México), aunque en este caso las distancias porcentuales no sean tan elevadas[7].

TABLA 1
Frecuencias de uso (en %) de *estar* en tres tipos de expresiones de edad en dos comunidades de habla diferentes (Caracas y México) y dos niveles de lengua (culto y popular), según Jonge (1993)

| (N TOTAL) | CRONOLÓGICOS | | NEUTRALES | | TIPOLÓGICOS | | TOTAL | |
|---|---|---|---|---|---|---|---|---|
| | % | (N) | % | (N) | % | (N) | % | (N) |
| Méx. culto | 75 | (67) | 9 | (43) | 7 | (58) | 36 | (159) |
| Car. culto | 90 | (60) | 68 | (59) | 10 | (73) | 53 | (192) |
| Mex. popular | 99 | (72) | 61 | (23) | 27 | (62) | 65 | (157) |
| Car. popular | 100 | (10) | 95 | (19) | 37 | (19) | 73 | (48) |

Como veremos en las páginas siguientes, la contribución de la sociolingüística al estudio del cambio lingüístico ha sido decisiva, ya que ha revolucionado la descripción y las bases teóricas y metodológicas del mismo. Por ello, la lingüística histórica no debería seguir obviando en el futuro las aportaciones de nuestra disciplina.

## 3. EL COMPONENTE SOCIAL DE LOS CAMBIOS LINGÜÍSTICOS: EL MODELO LABOVEANO

En el origen de la teoría variacionista sobre el cambio lingüístico se encuentra la siguiente pregunta fundamental: ¿por qué los cambios lingüísticos tienen lugar en una determinada lengua y en un tiempo concreto, y, sin embargo, no afectan a otras lenguas con el mismo ras-

[7] En el mismo sentido, se ha postulado la existencia de diferentes estadios en el proceso de cambio en marcha que conduce a la expresión del sujeto pronominal en comunidades de habla caribeñas (San Juan de Puerto Rico) y peninsulares (Madrid), más avanzado en las primeras que en estas últimas *(vid.* Cameron 1996).

go estructural o incluso a la misma lengua en otros periodos históricos? (Weinreich, *et al.* 1968: 102). Para Labov (1980: 252) la respuesta a esta cuestión sólo puede emprenderse analizando el componente social de los agentes innovadores, es decir, indagando acerca de qué hablantes son los principales responsables de las evoluciones que experimenta la lengua, y de qué manera se extiende esta influencia hasta afectar al resto de la comunidad de habla.

De la misma forma que no todas las comunidades de habla reaccionan con la misma intensidad ante un mismo hecho evolutivo (véase lo comentado en el epígrafe anterior), es un hecho probado que las innovaciones no se aceptan tampoco de manera uniforme y simultánea en el interior de cada sociedad. Al contrario, en casi todos los procesos de cambio existen algunos grupos que son particularmente innovadores, o cuando menos se aprestan más rápidamente a adoptar las novedades, mientras que otros se quedan atrás. ¿Quiénes son esos hablantes? ¿Cuáles son sus caracteres sociológicos más relevantes?

Generalmente, la respuesta a los interrogantes anteriores se ha centrado en la noción de *clase social*, cuyos caracteres y limitaciones en la investigación sociolingüística abordamos ya anteriormente (véase tema VIII). Un postulado que goza de cierta aceptación es que las innovaciones se generan en los estratos más influyentes de la sociedad y que están motivadas por el deseo elitista de estos grupos de permanecer al margen del resto de la comunidad. Su extensión posterior por todo el espectro social obedecería al prestigio de estas clases privilegiadas, a las que el resto de la comunidad asocia con los atributos de la autoridad y el poder en todos los órdenes sociales. Una hipótesis como ésta permite dar cuenta, efectivamente, de algunos cambios históricos, como la difusión de ciertas innovaciones lingüísticas originadas en los centros políticos y culturales dominantes de la Europa medieval. Así ocurrió, por ejemplo, con la expansión de los rasgos más característicos del francés de la región parisina al resto de Francia.

Sin embargo, de la investigación sociolingüística contemporánea se deduce que apenas se han reconocido casos de innovación *no intencionada* que hayan surgido de los estratos sociales más altos (Guy 1988). Por el contrario, la escuela laboveana considera que este último tipo de cambios, desarrollados internamente y no alentados desde normas prestigiosas foráneas, surgen inicialmente entre las clases trabajadoras.

En una serie extensa de investigaciones llevadas a cabo a lo largo de las últimas cuatro décadas, Labov (1966, 1980, 1981, 1994) ha desarrollado uno de los principales aparatos teóricos en torno a esta cuestión.

El sociolingüista norteamericano bautiza estos cambios como «cambios desde abajo» y ello por dos motivos principales, ambos encerrados metafóricamente en la denominación «desde abajo». En primer lugar, porque se trata de cambios generados en la parte baja del espectro social, en la que se integran las clases trabajadoras. Pero adicionalmente también, porque son cambios inconscientes, y por lo tanto, surgen «por debajo del nivel de la conciencia», al menos en sus estadios iniciales[8].

Para el sociolingüista estadounidense, las razones que llevan a las clases trabajadoras a la innovación lingüística pueden resumirse bajo la noción de *solidaridad grupal*. Vistas así las cosas, los hechos de variación y cambio lingüístico se configuran en la comunidad como recursos simbólicos por parte de estos grupos sociales, en su intento por mantener ciertas cotas de autonomía identitaria. Con el tiempo, si éstas son bien aceptadas por los demás grupos sociales, pero en especial por las clases altas, esas formas innovadoras pueden extenderse al resto de la comunidad. Por otro lado, el hecho de que no sean ni los grupos sociales más privilegiados, ni tampoco los estratos más bajos de la sociedad (los desempleados crónicos, los «sin techo», etc.) los que innoven, se explica, en esencia, porque en el interior de éstos suelen establecerse muy pocos vínculos solidarios. Y es que, pese a su ausencia explícita en la teoría laboveana, la interpretación social de los cambios lingüísticos tiene una clara raigambre marxista, basada en el concepto de clase: la ideología solidaria, corporativa, de la clase trabajadora, en contraste con la ideología competitiva, individualista, de las demás.

Frente a Labov, otro sociolingüista norteamericano, Anthony Kroch (1978), elaboraría por las mismas fechas una teoría acerca del componente social del cambio lingüístico, basada esta vez en la oposición a las innovaciones por parte de ciertos grupos sociales. Para este autor, el hecho de que las clases altas muestren especial resistencia a los cambios lingüísticos se explica por las mismas razones que justifican otras clases de conservadurismo: la amenaza que las innovaciones suponen para el mantenimiento del *statu quo* social y de los intereses de estas clases privilegiadas. Por otro lado, desde el momento en que sus normas conservadoras resulten públicamente aceptadas, sus atributos de poder y estatus social se verán consiguientemente reforzados[9].

---

[8] Algunos años más tarde, Guy (1990: 51) reformularía la significación de estos cambios desde abajo como cambios «espontáneos», los cuales contrastan con aquellos que tienen su origen en el préstamo o la imposición jerárquica.

[9] A este respecto hay que recordar el efecto conservador, contrario al cambio lingüístico, que ejerce la lengua escrita en todo el espectro social.

Con todo, la principal diferencia entre las tesis de Labov y Kroch en torno al componente social del cambio lingüístico se halla en las predicciones que cada una de ellas permite formular acerca del comportamiento sociolingüístico en los estratos más bajos de la sociedad. Desde el punto de vista laboveano, como hemos visto, las clases sociales más bajas no participan activamente en los cambios fonéticos. Sin embargo, para Kroch, son precisamente estos hablantes quienes menos intereses tienen en mantener el *statu quo* social, lo que les permite innovar con plena libertad, incluso por encima de las clases trabajadoras. Pese a ello, ambas teorías no se contradicen ni son incompatibles entre sí. De hecho pueden ser complementarias. Como indica Guy (1988), una síntesis de ambas llevaría a la consideración de la clase trabajadora (laxamente delimitada y definida, y en la que se incluirían los miembros de la clase media peor pagados y de estatus social inferior, como secretarias, oficinistas, contables, etc.) como la fuente básica de los cambios inmotivados. Para muchos de sus miembros, las nuevas formas lingüísticas adquieren un valor simbólico positivo, como marcadores de la solidaridad grupal. Mientras tanto, los grupos de estatus superior, que no pertenecen a la clase trabajadora, y que desean defender su posición social, se resistirán a las innovaciones.

Sea como fuere, el éxito y la difusión de cualquier cambio dependerán, en última instancia, del equilibrio de fuerzas sociales y de la coincidencia o no de intereses entre los diferentes grupos que componen la comunidad.

## 4. Algunos desarrollos alternativos al modelo laboveano sobre el cambio lingüístico

A pesar de que el modelo laboveano para la interpretación sociolingüística del cambio cuenta con una larga tradición en el campo variacionista, no han faltado tampoco, al igual que otras veces, algunas críticas y propuestas alternativas. Y es que como se ha denunciado en diversas ocasiones, Labov no explicó adecuadamente —al menos en sus primeros escritos— las diferencias entre los cambios que tienen su origen en los estratos altos de la sociedad —*cambios desde arriba*— y los que se difunden a partir de los estamentos bajos —*cambios desde abajo*—, y ello sobre todo, porque no tomaba en consideración la existencia de normas de prestigio diferentes a las difundidas por las clases privilegiadas. Sin embargo, investigadores británicos como Trudgill (1974a y b), L. Milroy y S. Margrain (1980) o Romaine (1982b) han desarrollado la noción de *prestigio encubierto (covert prestige)* para dar cuenta, justamente, de las presiones que favorecen las normas *vernáculas* en el interior de ciertos grupos, y que revelan la importancia de fuerzas sociales tanto o más relevantes que el prestigio de las elites (solidaridad, lealtad al grupo, etc.)[10].

En el apartado de explicaciones alternativas a los mecanismos de variación y cambio lingüístico ocupan un lugar privilegiado las ideas de Lesley Milroy (1980; 1982) en torno al concepto de *red social (social network),* a cuyos fundamentos teóricos nos hemos referido ya tangencialmente al considerar algunos tipos de variación sociolectal (véanse tema V, § 5; y tema VII, § 2.2). En su crítica a los presupuestos variacionistas más habituales en la interpretación de los cambios lingüísticos, la sociolingüista británica se pregunta por las razones que inducen a ciertos hablantes a seguir empleando normas lingüísticas de bajo estatus social, en lugar de aspirar siempre al uso de las variantes estándares, de mayor prestigio. Pues bien, de su estudio pionero acerca de la ciudad de Belfast se desprende que este hecho depende sobremanera del tipo de *redes sociales* que mantienen los individuos.

Una *red social* es una manera de representar los modelos de interacción de las personas que conviven en una comunidad. Tomando como punto de partida el *yo,* donde la red social tiene su base, se trazan una serie de líneas que representan las relaciones reales y potenciales con otros miembros de la sociedad, como muestran los diagramas del gráfico 1:

GRÁFICO 1
Diagramas que representan dos grados de densidad diferentes de sendas redes sociales: escaso (izquierda), elevado (derecha), según Chambers (1995: 72)

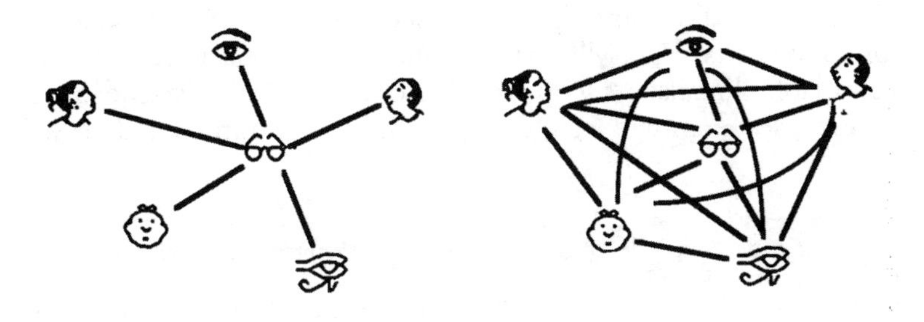

---

[10] Por otro lado, las normas de las clases altas y bajas pueden llegar a coincidir ocasionalmente, lo cual no podría interpretarse como la existencia de ningún cambio desde arriba, es decir, como la imitación consciente de una norma de prestigio, tal como se desprende de las ideas laboveanas.

De este modo, todas las personas que interaccionan diariamente con un YO inicial constituyen una *zona de primer orden,* pero al mismo tiempo cada una de éstas se relaciona con otros individuos, dando lugar así a una segunda zona[11], y así sucesivamente. Por otro lado, hay rasgos que permiten la comparación entre diferentes clases de redes. Por ejemplo, éstas pueden ser más o menos *densas,* dependiendo del mayor o menor grado de interacción directa entre sus miembros. Otro atributo importante es la *multiplicidad,* parámetro que se desprende de la diversidad de tipos de relación que pueden establecerse entre los componentes de la red (véase el gráfico 2)[12].

GRÁFICO 2
Representación de una red social en la que dos miembros mantienen relaciones múltiples entre sí *(v. gr.,* hermanos y vecinos), según Chambers (1995: 73)

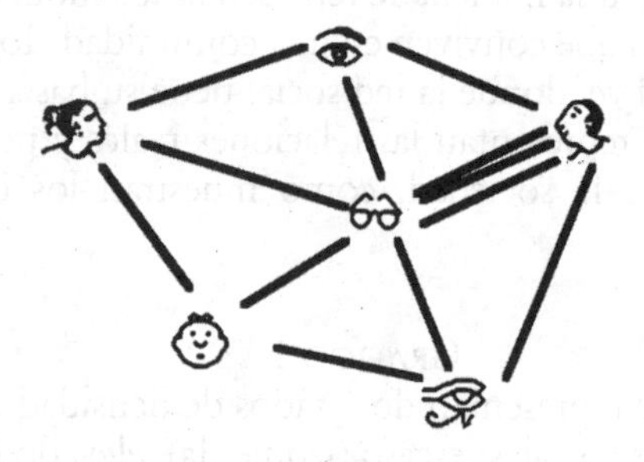

En sus trabajos sobre algunas de estas redes sociales en tres barrios obreros de Belfast[13], L. Milroy (1987) analizó la correlación entre diversas variables lingüísticas y una serie de factores sociales (vecindad, parentesco, sexo, amistad, etc.) que configuraban la estructura de la red

[11] Se trata de «amigos de amigos» que en la vida comunitaria desempeñan un importante papel para el *yo.*

[12] Un ejemplo de red social múltiple es aquella en la que los mismos individuos se relacionan por diversas clases de lazos (amistad, trabajo, parentesco, etc.)

[13] Los barrios elegidos por L. Milroy son característicos de las áreas obreras de muchas ciudades británicas. En ellos, la interacción se produce en un territorio muy delimitado, donde además suele conocerse a los demás miembros. Su estructura social genera, pues, redes sociales típicamente densas y múltiples.

de cada miembro, a partir de los principios de densidad y multiplicidad ya explicados. Las conclusiones obtenidas fueron muy interesantes para la explicación de los mecanismos de variación y cambio lingüístico.

En líneas generales quedó demostrado que la densidad y la fuerza de las redes sociales tienden a uniformar el comportamiento lingüístico de sus miembros. A partir de las propuestas teóricas de Le Page (1968) en torno a las nociones de *enfoque* y *difusión*[14], L. Milroy postuló que en los grupos donde se produce una interacción densa y múltiple entre sus miembros, las presiones normativas son fuertes. Ahora bien, cuando dicha cohesión se debilita, como resultado, por ejemplo, de la movilidad laboral, las normas se hacen notablemente más *difusas*. Es entonces cuando actúan las normas exteriores, que potencian las variedades prestigiosas, tal como las había descrito Labov. En suma, los individuos se hallan sometidos a presiones normativas diversas y el grado en que ello ocurre depende del tipo de redes sociales en que se desenvuelven.

Junto a las clases trabajadoras, especialmente entre los miembros masculinos, la densidad y variedad de las relaciones sociales suelen representar también la norma entre las clases altas. Por ello, es lógico que en estos grupos extremos actúen de forma intensa manifestaciones opuestas del prestigio lingüístico *(encubierto* y *manifiesto*, respectivamente), que, pese a ello, tienen algo en común: la uniformidad lingüística que consiguen en sus esferas de actuación respectivas. Sin embargo, esta homogeneidad sociolectal puede llegar a quebrarse en el interior de algunos grupos, cuyos miembros se caracterizan por crear en torno a sí redes sociales considerablemente más difusas y laxas, como ocurre, por ejemplo, con las mujeres de clase trabajadora o en líneas generales, con los miembros de las clases medias bajas. Estos hechos favorecen la movilidad social de los individuos y, consiguientemente, la adopción de normas lingüísticas y cambios procedentes del exterior[15].

---

[14] Para este autor, los dos factores que influyen de forma más decisiva en la variación son el individualismo y el conformismo. En este contexto, el *enfoque* describe aquellas situaciones en las que existe un alto grado de contacto entre los hablantes y, por consiguiente, una cierta convergencia en torno a las normas socio-lingüísticas que imperan en la comunidad. Por el contrario, la *difusión* tiene lugar cuando aquellos rasgos comunitarios se diluyen o desaparecen (Le Page 1968).

[15] A pesar del interés indiscutible de las propuestas de L. Milroy, el modelo de las redes sociales ha planteado también algunos reparos. Principalmente se ha observado que la limitación a determinados ámbitos de la clase trabajadora no permite ofrecer un

En línea con estos planteamientos, el concepto de *espacio geográfico* resulta también útil para comprender los mecanismos de difusión de los cambios (Romaine 1996: 191). Junto a la incidencia que sobre las innovaciones muestran los diferentes tipos de red social que rodean al individuo, hay que tener presente también que las áreas centrales son por lo general más innovadoras que las periféricas. Ello tiene una explicación lógica, si consideramos que las primeras presentan muchas más posibilidades de comunicación con miembros de diferente procedencia que las segundas. Entre nosotros, por ejemplo, F. Paredes (1996) ha observado que en la comarca cacereña de La Jara, los sufijos aumentativos más innovadores *(-orro, -aco, -acho)* se difunden significativamente más en los municipios centrales, mientras que las variantes más conservadoras *(-azo, -ón)* tienen una presencia más activa en las villas periféricas.

Aunque este tipo de elaboraciones teóricas no menoscabe en lo esencial la arquitectura de los modelos laboveanos acerca del cambio, permiten, sin duda, descubrir perspectivas adicionales sobre el devenir de las lenguas y las comunidades de habla. A este respecto, resultan interesantes los trabajos del hispanista británico Ralph Penny (1992, 2000), quien a partir de algunas ideas previas de Trudgill (1986), ha concluido que el diferente grado de variación entre unos dialectos y otros en el castellano de épocas pasadas responde, en última instancia, a las distintas necesidades de *acomodación* de los individuos dentro de cada comunidad[16]. Así, por ejemplo, el hecho de que los dialectos meridionales del español o el español de América en general muestren en su conjunto un grado de nivelación mayor, y por consiguiente, menor variabilidad que los dialectos septentrionales, tendría su origen en el contexto comunicativo que envolvió a los primitivos colonos, caracterizado por la convivencia obligada de individuos procedentes de muy diversos orígenes geográficos y sociales[17].

---

panorama general de la comunidad, sino tan sólo algunas precisiones en torno a ciertos grupos que la integran (preferentemente obreros) *(vid.* Moreno Fernández 1990: 118). Por otro lado, ha sido escasamente aplicado fuera del contexto anglosajón, con tan sólo algunas excepciones entre nosotros *(vid.* Blanco 1995).

[16] Sobre los fundamentos de la teoría de la acomodación, véase posteriormente el tema XIII.

[17] Los fenómenos de acomodación en estas situaciones de contacto lingüístico intenso tienen lugar a través de un largo proceso, en el que se distinguen diversas fases: desde la inicial, en la que se mezclan tantas variantes como dialectos confluyen en la nueva comunidad, hasta la formación de nuevas variedades, caracterizadas por rasgos como la nivelación de las principales diferencias lingüísticas, la simplificación, la hipercorrec-

## 5. Las fases del cambio y su distribución social: «cambios desde abajo» vs. «cambios desde arriba» en las comunidades hispánicas

Labov (1972b: 178-180) ha propuesto un esquema detallado de las principales fases por las que atraviesa un cambio lingüístico. Este esquema se divide en diversas etapas, de las cuales las primeras corresponden al tipo de cambio conocido como *cambio desde abajo* al que nos referíamos anteriormente. Por el contrario, las fases restantes suponen una clase de evolución cualitativamente distinta, conocida como *cambio desde arriba,* o lo que es lo mismo, evoluciones impulsadas generalmente por las clases privilegiadas, como reacción, las más de las veces, a antiguos cambios desde abajo que amenazaron con generalizarse en la comunidad. Por ello, estos últimos son cambios que se producen por encima del nivel de la conciencia, lo cual significa que al menos los hablantes con mayor conciencia lingüística suelen ser conscientes de su existencia y difusión.

A continuación resumimos los principales caracteres sociolingüísticos de estas etapas, no sin antes recordar que el modelo explicativo laboveano se propuso inicialmente para explicación de cambios en el nivel fónico, por lo que cabe la posibilidad de que su virtualidad explicativa no sea exactamente igual para otros tipos de evolución linguística *(vid.* Wardhaugh 1986).

- Los cambios suelen originarse entre miembros destacados de las clases trabajadoras, en momentos en los que la identidad grupal de éstos aparece debilitada. En esta etapa inicial, la variante que comienza a difundirse es a menudo un *marcador regional,* que cuenta con una distribución irregular en el seno de la comunidad de habla.
- La variante novedosa comienza a generalizarse como forma característica del grupo social en el que se originó. Es ahora cuando se inicia verdaderamente el *cambio desde abajo,* ya que la variante se difunde desde los idiolectos innovadores al habla de

ción, etc. Asimismo, en etapas intermedias, asistimos a procesos interdialectales, que se singularizan por la presencia de formas novedosas, que no pertenecen a ninguno de los dialectos implicados en el contacto inicial (Penny 2000: 41).

todo un grupo social. Por otro lado, no ofrece todavía patrones de variación estilística, de manera que el cambio tiene lugar con independencia de los contextos en que aparece. Por ello, puede definirse como un *indicador* sociolingüístico, que singulariza al sociolecto pionero.

- Sucesivas generaciones de hablantes pertenecientes al grupo social en el que se originó la variante innovadora llevan ésta hasta sus últimas consecuencias. Este hecho puede desembocar en patrones de *hipercorrección (desde abajo),* en los que la frecuencia de realización de las variantes novedosas supera ampliamente la media del grupo.
- En la medida en que los valores del grupo original sean adoptados por otros en la comunidad de habla, las formas novedosas se irán extendiendo progresivamente por el resto del espectro social.
- En las fases finales del cambio desde abajo, las variantes innovadoras pasan a representar ya uno de los rasgos vernáculos de la comunidad, de manera que la mayoría de los miembros de ésta reaccionarán de la misma forma ante ellas. La variable se convierte así en un *marcador sociolingüístico* (véase tema IV, § 4), pues en este estadio ya es objeto de variación estilística.
- Los cambios anteriores pueden generar a su vez otros cambios adicionales en el sistema, especialmente en niveles bien estructurados como la fonología.
- Una vez alcanzada esta fase, otros grupos de la comunidad pueden adoptar como marcador sociolingüístico la nueva variante, comenzando así un nuevo ciclo, que asegura la permanente reestructuración del lenguaje.

Las posibilidades de que un cambio desde abajo se generalice y se difunda por el resto de los grupos sociales se incrementan, lógicamente, en aquellas sociedades en las que las clases bajas representan un porcentaje alto de la población, como ocurre en numerosas regiones hispanoamericanas. Gutiérrez (1994), por ejemplo, ha dado cuenta de diversos cambios en marcha en el español hablado en la región mexicana de Michoacán (México), que responden a las características sociolectales reseñadas. Entre los más destacados figuran algunos usos innovadores de la cópula *estar* en ciertos contornos sintáctico-semánticos, como los que se aprecian en (4):

(4) Vivimos... en las casas de Infonavit, *están* chiquitas, pero *están* bonitas *vs.* Vivimos... en las casas de Infonavit, *son* chiquitas, pero *son* bonitas.

Como muestra el siguiente cuadro, los estratos sociales bajos de esta comunidad aventajan considerablemente a los más altos en la expresión de las variantes innovadoras (29 por 100 de empleos de la cópula *estar* donde el español general prescribe *ser,* frente a tan sólo un 8 por 100 en el nivel medio-alto). Y la extensión al resto de la sociedad (aunque no sin algunas resistencias) es bastante probable, a juicio de este autor, dado el considerable peso demográfico que tienen las clases bajas en el conjunto de la sociedad mexicana.

TABLA 2
Frecuencias absolutas y relativas de variantes normativas e innovadoras de la alternancia *ser/estar* en Michoacán (México), según Gutiérrez (1994)

| SOCIOLECTOS | USOS INNOVADORES | | USOS PRESCRIPTIVOS | | TOTAL |
|---|---|---|---|---|---|
| | % | (N) | % | (N) | N |
| Bajo | 29 | (97) | 71 | (239) | 336 |
| Medio-alto | 8 | (42) | 92 | (468) | 310 |

Lope Blanch (1990) ofrece también una explicación similar para otro fenómeno sintáctico innovador, iniciado y difundido primeramente entre los estratos sociales bajos de la sociedad mexicana. Se trata del empleo de la preposición *hasta* como introductora de complementos temporales o locativos con verbos cuyo modo de acción es perfectivo o puntual, como en (5), y para los que la norma impone, sin embargo, el uso de la modalidad negativa, como en (6):

(5) Esp. Méx.: Lo entierran *hasta* mañana.
(6) Esp. est.: *No* lo entierran *hasta* mañana.

Dicho fenómeno se halla en pleno proceso de formación, aunque en una de sus fases más críticas, según lo prueban los frecuentes casos de vacilación e inseguridad observados en muchos hablantes mexicanos. Sin embargo, Lope Blanch prevé que, dadas las características sociales de este país, esta variante novedosa acabará generalizándose en la sociedad mexicana, por lo que, a su juicio, una regresión, o lo que es lo mismo, un cambio «desde arriba» a favor de las formas del español general, no parece previsible.

Con todo, las posibilidades de «éxito» todavía son más altas cuando las innovaciones «desde abajo» son bien acogidas por algunos subgrupos de los niveles sociales acomodados. Ello suele ocurrir, como vimos en otro momento (véase tema VI), entre los hablantes más jóvenes, quienes con no poca frecuencia ofrecen un patrón de distribución sociolingüística considerablemente alejado del de sus mayores. En opinión de Sedano (1988), por ejemplo, la difusión en la sociedad caraqueña de una construcción vernácula como la que lleva al empleo del verbo *ser* con valor focalizador —(7)— se extiende desde los estratos bajos al resto de la pirámide social:

(7) Esp. Ven.: Yo vivo *es en* Caracas.
(8) Esp. gen.: Yo vivo *en* Caracas.

En este proceso, los jóvenes de las demás clases sociales tienen un papel protagonista, como puede apreciarse en el gráfico 3. Obsérvese cómo frente a lo que ocurre en las generaciones más adultas (Hombre 2, Mujer 2), en las que se aprecian incluso algunos patrones característicos de hipercorrección entre las mujeres (especialmente visible en las clases medias), los hablantes jóvenes —pero sobre todo las chicas (Mujer 1)— acogen extraordinariamente bien dicho cambio[18].

Ahora bien, llegados a este punto cabe siempre la posibilidad de que las clases privilegiadas reaccionen negativamente ante estos cambios desde abajo, poniendo en marcha un esfuerzo consciente de estigmatización social de los mismos. Fontanella de Weinberg (1987), por ejemplo, ha destacado un reacción de este tipo en la evolución de las consonantes líquidas en el español bonaerense. Así, y contrariamente a lo que se sostenía hasta hace poco tiempo, la neutralización de */l/* y */r/* se produjo en esta comunidad de habla desde las primeros momentos de la colonización española, adquiriendo una frecuencia elevada en el siglo XVIII. Sin embargo, su difusión declinó a lo largo de la centuria siguiente, como consecuencia de la reacción adversa de los sociolectos altos, hasta convertirse en un rasgo ajeno a la variedad lingüística contemporánea.

Dicha estigmatización supone en la práctica el comienzo de un *cambio desde arriba*, es decir, una corrección, esporádica e irregular al

[18] Pese a ello, Sedano (1988) plantea la posibilidad de que la estructura se vea estimulada también significativamente por la presencia en la capital venezolana de un gran número de inmigrantes de Ecuador y Colombia, países donde ya se había documentado anteriormente (Kany 1969).

GRÁFICO 3
Perfil distribucional de la variable lingüística según sexo, edad y nivel socioeconómico en Caracas, según Sedano (1988)

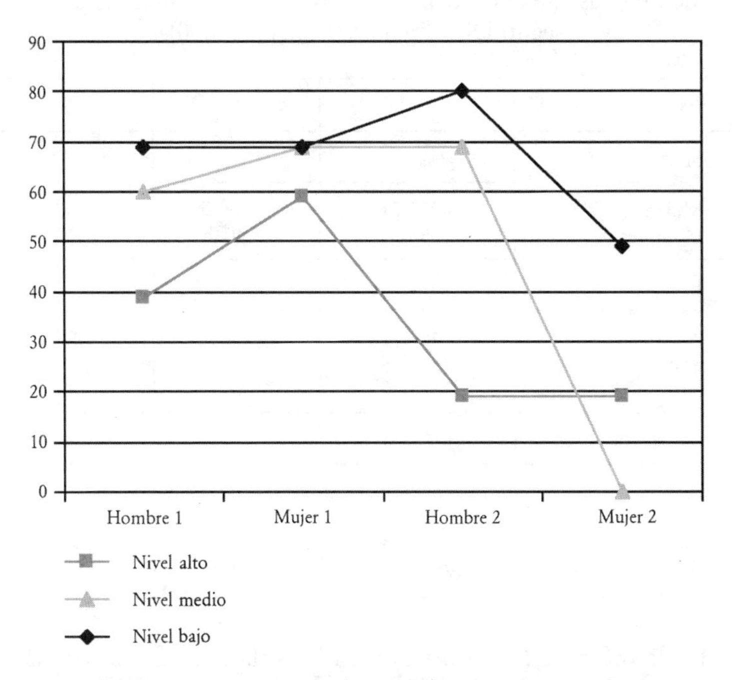


principio, hacia nuevas normas de prestigio. En fases posteriores, este nuevo cambio, impulsado por las clases privilegiadas, y que en muchos casos supone la reinstauración de normas pretéritas, puede ser objeto de procesos de *hipercorrección desde arriba*, por la conciencia que los hablantes tienen acerca de la vinculación de dichas variantes con el prestigio sociolingüístico.

Un desenlace de este tipo parece estar produciéndose, por ejemplo, en la comunidad de Las Palmas de Gran Canaria, con la difusión social del futuro morfológico *(cantaré)* a la que nos hemos referido ya anteriormente (véase tema III, § 6). Según Díaz-Peralta y Almeida (2000), en dicho proceso desempeña un papel decisivo la imitación por parte del resto de la sociedad de algunos grupos con los que se asocia el prestigio (principalmente las clases medias altas y las mujeres), en unos tiempos, como los actuales, en los que se ha generalizado el acceso a la educación y la cultura en unos territorios insulares no tan «alejados» ya de la Península como antaño.

TABLA 3
Porcentajes y probabilidades de aparición
de las formas del futuro sintético en función
de diversas variables sociales en Las Palmas de Gran Canaria,
según Díaz-Peralta y Almeida (2000)

| | N | % | P |
|---|---|---|---|
| SEXO | | | |
| Mujeres | 405/821 | 49 | **.60** |
| Hombres | 255/636 | 40 | .40 |
| EDADES | | | |
| 25-34 | 247/471 | 52 | **.58** |
| 35-54 | 258/576 | 45 | .50 |
| 55 + | 155/410 | 38 | .42 |
| CLASE SOCIAL | | | |
| Alta | 67/125 | 54 | **.54** |
| Media-alta | 113/213 | 53 | **.62** |
| Media baja | 186/373 | 50 | .45 |
| Baja | 294/746 | 39 | .38 |

De la información contenida en la tabla 3, se desprende fácilmente que el impulso a una nueva forma de prestigio (el futuro sintético) en lugar de la variante vernácula más representativa (el presente de indicativo) presenta un perfil característico de cambio desde arriba, con las mayores frecuencias y pesos probabilísticos entre los grupos sociales elevados y las mujeres. Por otro lado, el hecho de que la variación genolectal presente un típico esquema lineal, con los jóvenes a la vanguardia de los usos más «novedosos», aporta un nuevo argumento favorable a la tesis de un cambio en marcha.

Ahora bien, no siempre los *cambios desde arriba* llevan aparejada la revitalización de antiguas formas de prestigio. García Marcos (1987), por ejemplo, ha destacado la difusión entre las clases altas de la Andalucía oriental —y en particular, también, entre sus generaciones más jóvenes— de una nueva variante aspirada de *(-s)*. En este caso, pues, y a diferencia del reseñado en los párrafos anteriores, el resultado de dicho cambio fonético no es la reposición de la sibilante, forma tradicional de prestigio, sino la creación de una nueva variante de prestigio que responda de forma más adecuada que las viejas formas vernáculas (aspiración y elisión) a la complejidad de los tiempos modernos, así como a contextos socioeconómicos y culturales más elevados en la sociedad andaluza[19].

Ni que decir tiene que, si estos cambios acaban convirtiéndose en nuevas formas de prestigio, actuarán como modelo sociolingüístico para el resto de la sociedad. De esta manera, las variantes nuevas —o antiguas— serán adoptadas por los demás grupos sociales, al tiempo que se estigmatizan los antiguos cambios desde abajo, hasta llegar en algunos casos extremos a la condición de *estereotipos* sociolingüísticos (véase tema IV, § 5) y su posible desaparición al cabo de algunas generaciones.

## 6. Aspectos teóricos y metodológicos en el estudio del cambio en marcha en español. Investigaciones en «tiempo aparente» vs. investigaciones en «tiempo real»

### 6.1. *Los estudios sobre el cambio basado en la hipótesis del tiempo aparente*

Los estudios sobre la variación sincrónica como posible reflejo del cambio lingüístico en curso han permitido desarrollar la teoría del *tiempo aparente*[20]. Ésta se basa en el análisis comparativo del comportamiento lingüístico de distintos grupos de edad, así como en la información adicional aportada por otros factores sociales. Estas diferencias sociolectales se interpretan como el reflejo de posibles cambios en marcha, ya que, según la hipótesis del mismo nombre *(hipótesis del tiempo aparente)*, las características más idiosincrásicas de los idiolectos se

[19] Otro ejemplo de estos cambios desde arriba, que suponen una evolución hacia formas lingüísticas novedosas y no conservadoras, lo ofrecen algunos estudios que se han ocupado de la evolución de las formas de tratamiento en comunidades hispánicas. Así, y mediante el análisis comparativo de textos y grabaciones antiguas en el periodo comprendido entre principios del XIX y mediados el XX, la sociolingüista argentina Elizabeth Rigatuso (1992a y b) pudo comprobar cómo la evolución de las fórmulas de tratamiento en el vínculo paterno-filial desde un modelo formal y asimétrico a otro más coloquial e informal, basado en el eje de la solidaridad, responde históricamente a un cambio (desde arriba) impulsado por las clase altas de la sociedad porteña.

[20] Se ha considerado a Gauchat (1905) como un pionero en el empleo del tiempo aparente para el análisis del cambio lingüístico, al interpretar las diferencias generacionales observadas en su investigación sobre el municipio suizo de Charmey.

mantienen más o menos estables a lo largo de la vida del individuo (Labov 1981). O dicho de otra manera, una vez concluido el periodo de adquisición lingüística —en torno a la adolescencia— el idiolecto se estabiliza y ya no cambia en lo esencial[21]. Ello significa, por ejemplo, que el habla de una persona de 70 años representaría en la actualidad a la de los hablantes de 20 años medio siglo atrás. Por lo tanto, los patrones de variación lingüística de los primeros podrían compararse con los de otros cortes generacionales, con el objeto de verificar la existencia de posibles cambios «en marcha» en el seno de la comunidad de habla

Esta hipótesis se ha revelado como un instrumento muy productivo en los estudios sociolingüísticos sobre el cambio lingüístico, si bien la tarea de demostrar empíricamente sus fundamentos no se ha abordado hasta hace relativamente poco (cfr. Cedergren 1988; Thibault y Daveluy 1989; Yaeger-Dror 1989). El ámbito hispánico no ha sido una excepción, como muestran numerosos trabajos llevados a cabo en las últimas tres décadas, tanto en comunidades monolingües como bilingües[22], y en todos los niveles del análisis. A continuación reseñamos algunas muestras representativas del modo en que la «hipótesis del tiempo aparente» se ha aplicado al estudio del español.

Comenzando de nuevo por el nivel *fonológico,* nos hacemos eco en primer lugar de uno de los estudios pioneros en los que se apuntó la existencia de un cambio en marcha a partir de la información sociolectal proporcionada por la investigación de campo. Se trata del trabajo de de Cedergren (1973) sobre la variable *(ĉ)* en el español de Ciudad de Panamá. Tras la correspondiente investigación empírica, Cedergren concluyó que la distribución sociolingüística de las variantes en conflicto indicaba, efectivamente, la existencia de un cambio en curso en sus etapas iniciales, encabezado por los jóvenes de los grupos socioeconómicos intermedios. La dirección del cambio parecía también

---

[21] Con todo, se ha advertido que este axioma debería ser atemperado en el caso de aquellos hablantes que deben modificar radicalmente su habla en el proceso de acomodación a lenguas o variedades diferentes en contextos de inmigración (cfr. Giles 1984; Martín Butragueño 1997). Por su parte, otros críticos, como Chambers (1995: 200), han señalado que la hipótesis funciona perfectamente cuando las condiciones lingüísticas y sociales de la comunidad de habla permanecen estables en el tiempo, situación que no es la más característica en las sociedades modernas.

[22] Como es sabido, la influencia del contacto de lenguas en los procesos de variación y cambio lingüístico suele ser decisiva. Sin embargo, y por razones de coherencia expositiva, dejamos este aspecto de la evolución lingüística y de sus principales implicaciones en el mundo hispánico, para un tema posterior (véase tema XVI).

clara, tanto en la matriz lingüística como en la social. En la primera, las variantes novedosas (fricativas) se difundían gradualmente a partir del contexto más favorable, el intervocálico *(la chimenea vs. con chimenea)*. En la segunda, la extensión social del fenómeno discurría desde los centros urbanos hacia las poblaciones rurales, y desde los grupos socioeconómicos intermedios hacia los extremos del especto social, en un característico modelo de estratificación curvilínea[23].

Por su parte, Fontanella de Weinberg (1979) y Wolf y Jiménez (1979) (véase también Wolf 1984) son autores de sendas investigaciones que dan cuenta de los procesos de cambio relacionados con el *yeísmo* rehilado en otras tantas comunidades de habla argentinas (Bahía Blanca y Buenos Aires, respectivamente). En ambas se obtienen conclusiones similares en relación con el papel que desempeñan los parámetros sociales en la difusión de las variantes fricativas sordas, formas relativamente recientes y que, sin embargo, se han extendido con extraordinaria rapidez por todo el espectro social en las últimas décadas, hasta el punto de que hoy constituyen la norma. Se trata de formas impulsadas por los grupos generacionalmente más activos de la sociedad, así como por las mujeres y los estudiantes universitarios, datos que apuntan, pues, en la dirección de un nuevo estándar de prestigio.

Otros cambios en el nivel *fonológico,* en los que se observan patrones de distribución sociolingüística similares, afectan al debilitamiento de vocales inacentuadas y consonantes finales *(-s, -d,* etc.), la simplificación de grupos consonánticos, la neutralización de consonantes líquidas, etc.

Aunque menos profusamente que en el nivel fonológico, por las razones teóricas y metodológicas que destacábamos en otro lugar (véase tema II), los estudios variacionistas en torno a cambios en el nivel *gramatical* basados en la hipótesis del tiempo aparente han menudeado también en los últimos tiempos. A este grupo pertenece, por ejemplo, una investigación a la que nos hemos referido ya en diversas ocasiones, el estudio de Silva-Corvalán (1984a) sobre la variación modal en la prótasis de las oraciones condicionales en el español de una comunidad castellana: Covarrubias (Burgos). La extensión del condicional o del imperfecto de indicativo en lugar del preceptivo imperfecto de subjuntivo en estas oraciones es nuevamente potenciada por las generacio-

[23] Silva-Corvalán (1989: 164) destaca resultados similares para la misma variable en Chile y Puerto Rico.

nes más jóvenes (sobre todo por los hombres), a considerable distancia de los demás grupos, lo que sugeriría que asistimos también a un cambio en marcha. Por otro lado, el hecho de que en otros estudios se haya asociado también esta variante novedosa con los sociolectos medio-bajos y bajos apunta ahora en la dirección de un «cambio desde abajo» (sobre los límites de este concepto, véase *supra* § 5)[24].

Pese a ello, un mismo fenómeno como éste puede presentar patrones de cambio completamente diferentes en otras comunidades. Así se deduce de investigaciones como las llevadas a cabo recientemente por Gutiérrez (1996) y M. J. Serrano (1994, 1995a) en regiones hispanas tan distantes como el estado de Texas (EE.UU.) y las islas Canarias (La Laguna), respectivamente. En ambas, el empleo de los modos verbales en oraciones condicionales sugiere la existencia de un cambio en marcha, pero esta vez en la dirección de las antiguas normas de prestigio del español general —subjuntivo en la prótasis y condicional en la apódosis—, y en detrimento de las correspondientes vernáculas. Incluso en una población castellana como Valladolid, Mendizábal (1994) ha observado que el empleo de *-ría* por *-ra (-se)* en el verbo de la prótasis se halla en declive, especialmente entre los miembros de la primera generación de todos los sociolectos, lo que permite presagiar también la difusión de un cambio desde arriba que potencia la variante de prestigio panhispánica.

Otros cambios en este nivel se deducen también de algunas investigaciones sobre hechos de variación ya reseñados en otro lugar, y que aquí nos limitamos a recordar: el incremento frecuencial de *-ra* en detrimento de *-se* para las terminaciones del imperfecto y pluscuamperfecto de subjuntivo *(-ra/-se)* (véase tema III, § 2); el progresivo declive de las formas del *futuro morfológico* y su sustitución por variantes alternativas, como la perífrasis *ir + a + infinitivo* o el *presente de indicativo* (véase tema III, § 6); los fenómenos del *leísmo* y el *laísmo* en diversas regiones peninsulares (véase tema III, § 3), el incremento de usos de *estar* en contextos tradicionalmente reservados a *ser* (véase tema III, § 8), la neutralización modal en algunos contextos sintácticos, a favor generalmente del *indicativo* (tema III, § 5.2), la *expresión del sujeto pronominal* en español (tema III, § 9), los fenómenos de *dequeísmo* y *queísmo* (tema III, § 10), los *pronombres de tratamiento* (véase tema IX), etc.

Ahora bien, los estudios realizados bajo la hipótesis del tiempo aparente pueden conducir a interpretaciones erróneas, especialmente

---

[24] Así lo aseguran Rojas (1980) para el habla de San Miguel de Tucumán y Donni de Mirande (1987a, 1987b) y Ferrer de Gregoret y Sánchez (1986) para el español hablado en otra ciudad argentina, Rosario.

si no se consideran otras informaciones sociolectales complementarias además de la edad (véase más adelante § 8). Como veíamos en otro lugar, las diferencias genolectales pueden ser también el resultado de patrones de variación estable en el tiempo, esto es, modelos de conducta lingüística que evolucionan con la edad de los hablantes, de manera que las elecciones prioritarias en las etapas de la niñez o la adolescencia dejan de serlo con el paso a etapas vitales más avanzadas, en la línea de lo comentado anteriormente al tratar los fenómenos de *age-grading* (más detalles sobre esta cuestión en el desarrollo del tema VI, § 3.1).

### 6.2. *Las investigaciones en tiempo real*

Frente al tiempo aparente, las investigaciones en *tiempo real* comparan el habla de los mismos individuos a través de los años o, más frecuentemente —por las dificultades metodológicas que supone el cumplimiento de lo anterior—, el de muestras de población de similares características sociológicas cada cierto tiempo. Un ejemplo pionero de esta clase de estudios entre nosotros corresponde de nuevo a Henrietta Cedergren (1988), en otra de sus contribuciones al análisis de la variabilidad de *(ĉ)* en el español de Ciudad de Panamá. A partir de dos muestras de habla, recogidas en dos momentos distintos en un espacio de trece años (1969 y 1982), esta autora pudo confirmar algunos datos de sus investigaciones anteriores en tiempo aparente, como, por ejemplo, el hecho de que la fricativización de */ĉ/* es un fenómeno que se generalizó en la capital panameña a mediados del siglo XX, y que ha ido progresando especialmente entre generaciones más jóvenes, así como entre los niveles sociales intermedios. Pese a ello, y como puede apreciarse en el gráfico 4 (página siguiente), las últimas generaciones parecen haber echado el freno a esta evolución, por lo que no es descartable la estabilización del fenómeno a medio y largo plazo.

En España, Díaz-Peralta y Almeida (2000) han llevado a cabo también un estudio de este tipo a través de la comparación entre los datos que ofrece la variable *expresión del futuro verbal* en dos muestras de población recogidas sucesivamente en los años 1980 y 1991 en la ciudad de Las Palmas de Gran Canaria[25]. Dicho estudio ha permitido compro-

[25] La primera está compuesta por un corpus de conversaciones libres correspondientes a quince hablantes, y los grupos sociales considerados son: los dos sexos, tres grupos de edad y tres niveles educativos. La segunda muestra, por su parte, la integran 45 hablantes, distribuidos en grupos de sexo, edad y nivel socioeconómico.

GRÁFICO 4
Comparación de las dos encuestas realizadas
por H. Cedergren (años 1969 y 1982) para el estudio en tiempo real
de la evolución de *(ĉ)* en Ciudad de Panamá

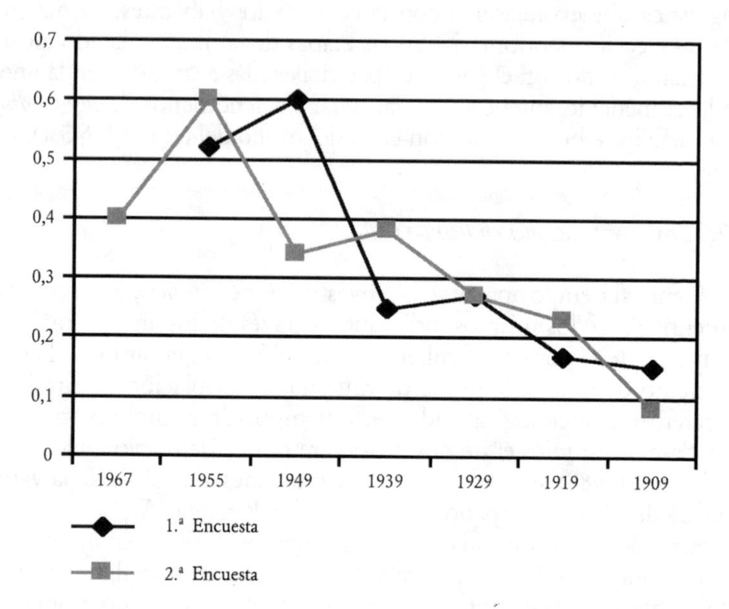


bar la existencia de algunos cambios significativos en la difusión social de las variantes implicadas en este hecho de variación. Así, mientras que el porcentaje global de uso de la forma del futuro morfológico *(cantaré)* se reducía a comienzos de los años 80 a tan sólo un 18 por 100, once años más tarde éste aumentaba hasta un 45 por 100, una de las cifras más elevadas de esta variante que podemos encontrar en la bibliografía variacionista hispánica. Por el contrario, la variante vernácula tradicional, el presente de indicativo, disminuía en el mismo periodo de tiempo en proporciones similares, cayendo desde el 71 por 100 en 1980 hasta el 37 por 100 en fechas más recientes (gráfico 5).

## 7. DESARROLLOS DE LA SOCIOLINGÜÍSTICA HISTÓRICA EN ESPAÑOL

Junto a la teoría y la praxis sobre el cambio «en marcha», la principal aportación de la sociolingüística al estudio del cambio lingüístico es la llamada *sociolingüística histórica,* nombre con el que designamos las

GRÁFICO 5
Comparación de dos muestras de población correspondientes a la comunidad de habla de Las Palmas de Gran Canaria (años 1980, 1991) para el estudio de la futuridad verbal, según Díaz-Peralta y Almeida (2000)

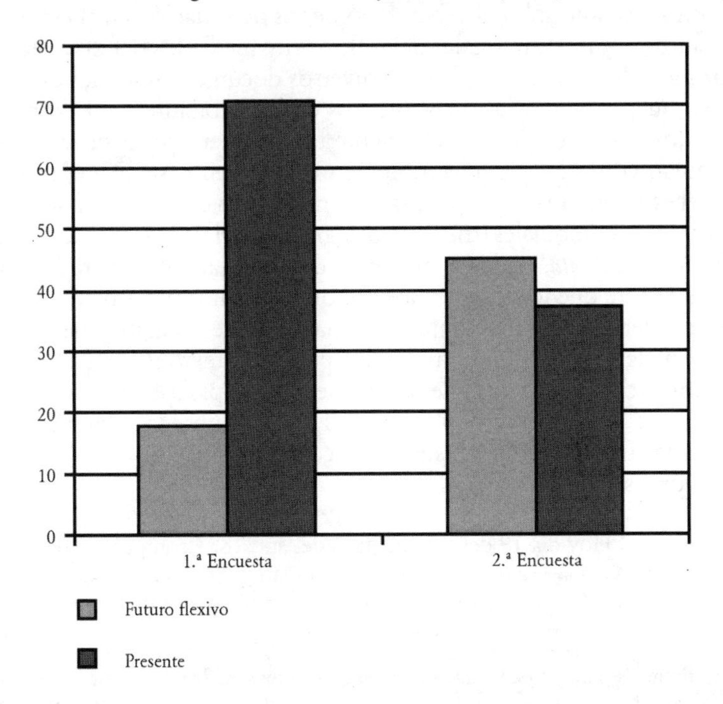


investigaciones variacionistas relacionadas con textos de épocas pasadas, a partir de la variabilidad detectada tras el cotejo entre diferentes textos, autores y estilos. Y es que, como señalara la británica Suzanne Romaine (1982a), una de las pioneras en esta clase de estudios:

> [...] pese a las dificultades metodológicas que concurren en el análisis de periodos antiguos, es posible reconstruir los estadios de lengua pasados en su contexto social a través, principalmente, de la diferenciación estilística[26].

[26] Esta autora analizó la variabilidad detectada en oraciones y enlaces subordinantes relativos en textos escoceses del siglo XVI, a partir de los principios y métodos característicos del análisis variacionista sincrónico.

A pesar de las dificultades[27], esta diversidad funcional puede alcanzarse mediante el empleo de ciertas clases de textos antiguos, en los que, con anterioridad a los procesos de alfabetización y estandarización de la escritura, es posible advertir rasgos típicos del habla coloquial. Veamos algunos ejemplos.

En su estudio sobre diversos fenómenos de variación en el español del sur de Texas, entre finales del siglo XVII y mediados del XIX, Glenn Martínez (2001: 116) ha utilizado diversos documentos legales que recogen quejas, denuncias y testimonios de los habitantes de la zona[28]. En estos textos es posible distinguir una primera parte de carácter formular, como la que advertimos en el fragmento siguiente, tras la cual el estilo discursivo cambia radicalmente para dar entrada a formas típicamente coloquiales (trueques ortográficos del tipo: *traiba* por *traía, dijunta* por *difunta,* etc.). La presencia de estas variantes en todos los textos sugiere que los testimonios fueron transcritos probablemente al pie de la letra. Más interesante es aún la diferente caligrafía que se observa en algunos de ellos entre las dos partes del texto reseñadas, encabezamiento y cuerpo de la denuncia, hecho que probablemente apunta hacia la diferente autoría de ambas, y más aún: «la diferencia en caligrafía sugiere que los mismos testigos escribían y no dictaban sus testimonios».

> Hoy día 19 del mes de julio del año 1853 compareció —Brígido García— ante mí en el [...] autoridad, Juez de Paz del dicho condado [Cameron] y estado [Texas] y legalmente calificado y compe-

[27] Entre las principales, figura, lógicamente, la imposibilidad de contar con textos orales, pero también la falta de testimonios de época suficientemente precisos sobre cuestiones lingüísticas, o la reducción drástica del número de individuos que puedan considerarse como «informantes». Véase un resumen sobre los problemas con los que se enfrenta la sociolingüística histórica en la investigación de documentos medievales hispánicos en Lloyd (1992).

[28] Otros textos particularmente adecuados para los estudios de sociolingüística histórica los representan las cartas, sobre todo las de contenido y tono familiar, ya que en ellas también se advierten rasgos del habla más próximos a la oralidad. A partir de estos materiales se han llevado a cabo ya algunos estudios interesantes tanto en España (Martín Zorraquino 1998a), como en diversos territorios americanos (cfr. Fontanella de Weinberg 1998; Ramírez Luengo 2001). Por su parte, Elizaincín *et al.* (1998: 77) advierten de que la mejor fuente documental para la lingüística histórica procede de los «hablantes semicultos», que, por las razones que sea, se ven obligados a utilizar la lengua escrita: «un hablante de este tipo es una persona lo suficientemente culta como para haber adquirido cierta destreza en el uso de la lengua escrita, pero que no la domina al punto de poder sobreponerse a las contradicciones internas que le plantea el desfase entre su pronunciación y la escritura normalizada».

tente quien haviendo sido jurado sobre los Santos Evangelios, juró y declaró... (Archivo de Matamoros, 1853; extraído de G. Martínez 2001: 116).

Estas diferencias permiten al autor evaluar la posible incidencia de diversos factores lingüísticos y extralingüísticos en ciertos hechos de variación. Entre estos últimos destaca, por ejemplo, el *continuum estilístico,* en particular a través de la variabilidad detectada en dos clases de textos: a) documentos con ortografía irregular (más informales) y b) documentos con ortografía regularizada (más formales). Asimismo, en el estudio se evalúa la incidencia del factor *temporal,* distinguiendo a este respecto entre tres periodos diferentes, que se corresponden con otras tantas etapas de la historia de esta antigua colonia española en el siglo XIX. Por último, la *autoría* de los textos permite también el análisis de dos rasgos sociales complementarios de indudable interés: el *sexo* (hombres y mujeres) y la historia de los *asentamientos* en la región (fundadores y advenedizos).

La tabla 4 muestra, por ejemplo, el peso de estos dos últimos factores sobre la variabilidad observada en torno a las terminaciones *-ra/-se* para la expresión del imperfecto de subjuntivo.

TABLA 4
Porcentajes de *-ra/-se* como terminaciones del imperfecto y pluscuamperfecto de subjuntivo en documentación correspondiente al actual estado de Texas a comienzos del XIX (por sexos e historia de los asentamientos, respectivamente), según G. Martínez (2001)

| | *-ra* | *-se* |
|---|---|---|
| SEXO | | |
| Hombres | **70,6%** | 29,4% |
| Mujeres | 28,6% | **71,4%** |
| HISTORIA DEL ASENTAMIENTO | | |
| Fundadores | **71,4%** | 28,6% |
| Advenedizos | 17,8% | **82,2%** |

Los datos relativos al sexo señalan un claro predominio de la forma *-se* en el habla de las mujeres, lo que G. Martínez (2001: 120) pone en relación con el mayor prestigio que dicha variante debió poseer durante la época colonial en estos territorios, al igual que en otras regiones hispánicas (véase tema III, § 2). Por su parte, la segunda mitad del cuadro muestra también una incidencia muy significativa de la historia de los asentamientos. El hecho de que los advenedizos emplearan la forma de prestigio notablemente más que los miembros fundadores se justificaría como un fenómeno de *hipercorrección* por parte de aquellos elementos de la sociedad con mayores niveles de inseguridad social y lingüística. En este sentido, los advenedizos mostrarían un patrón distribucional semejante al que Labov ha detectado en tiempos más modernos entre los miembros de las clases medias-bajas. En palabras de G. Martínez (2001: 120):

> La posición inicial de estos individuos [los advenedizos] como grupo en ascenso social sugiere una inseguridad lingüística semejante a la que se encuentra en los miembros de las clases medias-bajas en sociedades contemporáneas [Labov 1972]. La misma inseguridad tiene repercusiones en el habla en forma de la ultracorrección. El alto índice de la norma en *-se* por parte de los advenedizos parece haber sido motivado por la inseguridad lingüística y por su deseo de incorporarse a las clases altas siguiendo las fórmulas de la época colonial.

Aunque a considerable distancia de otros desarrollos variacionistas, la sociolingüística histórica ha encontrado también algunos seguidores entusiastas en el mundo hispánico. En España este papel corresponde sobre todo al profesor Francisco Gimeno, tanto en sus trabajos sobre textos levantinos antiguos como en otros estudios acerca de diversa documentación medieval y renacentista en los antiguos reinos peninsulares: León, Castilla, Navarra y Aragón (Gimeno, 1984, 1995, 1998). Por medio de los análisis estadísticos e informáticos pertinentes, y aun consciente de las dificultades que implica la utilización de esta metodología con textos antiguos, este autor ha analizado diversas variables lingüísticas a través de las fluctuaciones gráficas que se detectan en dichos textos. La aplicación de la metodología variacionista le ha permitido comprobar la influencia significativa de diversos factores lingüísticos y extralingüísticos.

La delimitación en sus estudios de los factores sociales y estilísticos se deriva de diversas fuentes. Por ejemplo, en su estudio sobre los cartularios alicantinos medievales, Gimeno (1995: 56-57) dibuja el *continuum* estilístico a partir del grado de formalidad erudita de los textos, distinguiendo a este respecto entre textos *cancillerescos* y *municipales*. Por otro lado, la información social relevante se desprende del nivel de originalidad de los documentos jurídicos, lo que le permite establecer una diferencia entre textos *originales* y *traslados*. La incidencia de estos factores, así como de otros de naturaleza estructural, se resume en el siguiente cuadro, donde se advierten las probabilidades de aplicación de la regla de asimilación de sonoridad para la variable fonológica final *(ẑ)* en diversos documentos jurídicos medievales (en grafías como *yueç, Pereç, enemiçtat...).*

TABLA 5
Significación estadística de diversos factores lingüísticos y extralingüísticos en la regla de asimilación de sonoridad de *(ẑ)*, según Gimeno (1995)

| | | | |
|---|---|---|---|
| Po .10<br>Fin.palabra .38<br>sonora.sorda .50<br>Castilla 1.00 | Alicante .52 | Final sílaba .61<br>Sonora.sorda. .49<br>Orihuela .41 | Aragón .55 |

Como puede observarse, el factor más favorecedor de la mencionada regla es el contexto geográfico y social de los textos originales de la Cancillería de Castilla, con una probabilidad que la convierte en categórica (1,00). Frente a éstos, los traslados levantinos muestran un peso muy distinto: cercano a la neutralidad en el caso de los textos del Archivo Municipal de Alicante (0,52) y claramente desfavorecedora de la asimilación de sonoridad en los textos cancillerescos de Orihuela (0,41). El siguiente factor en orden de importancia es uno de carácter lingüístico: como se deduce de la probabilidad alcanzada (0,61), el entorno final de sílaba es un factor claramente favorable a la asimilación, al contrario de lo que ocurre cuando la consonante ocupa el final de palabra (0.38). Por último, el contexto siguiente a la variable queda sin efecto en las dos posibilidades analizadas (ante fonema sordo: 0,50; y ante fonema sonoro: 0,49).

Por su parte, el gráfico 6 (página siguiente) muestra la aplicación de estos mismos principios al análisis de la incidencia del *continuum* temporal en dos variables gramaticales, a partir de la información proporcionada por textos medievales latinos en dos periodos históricos consecutivos (siglos X-XI y XII). Como puede apreciarse, tanto en la variable «presencia/ausencia de *ad* con objetos directos personales» como en la «reducción del morfema de acusativo para la expresión de los objetos personales», el tránsito entre la última parte del periodo tardomedieval y el siglo XII es sumamente significativo. En ambos casos, las variantes novedosas (presencia de *ad* y reducción del morfema de caso) se incrementan considerablemente durante la segunda etapa.

GRÁFICO 6
Evolución de las probabilidades de A = aparición de *ad* ante objeto directo personal y B = reducción del morfema de caso en el acusativo/objeto personal en dos periodos históricos (siglos X-XI y siglo XII), según Gimeno (1995)

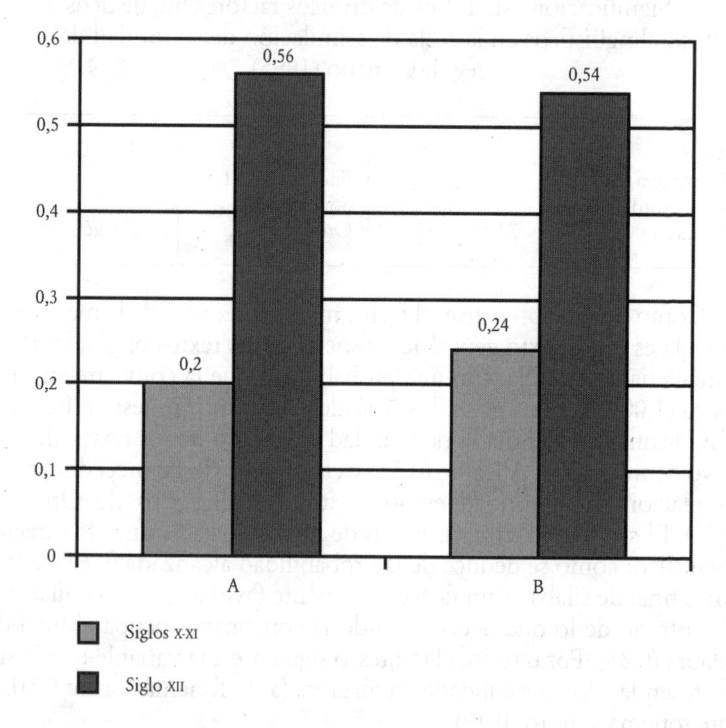


Algunos de los fenómenos más característicos del castellano medieval, investigados históricamente por las escuelas neogramática y estructuralista, han sido también objeto de estudio más recientemente desde una perspectiva sociolingüística. Así ocurre, por ejemplo, con la evolución de */f-/* en textos castellanos medievales, a la que, entre otros, ha dedicado alguna atención recientemente el hispanista norteamericano Robert Blake. Entre otros desenlaces, este autor ha estudiado la fluctuación entre las grafías *f-* y *ff-* que muestran algunos documentos castellanos del siglo XIII, precisamente durante la época de expansión de las normas lingüísticas que desembocaron en *[h]* y [Ø]. A juicio de Blake (1988), la duplicación *ff-* vendría a suponer un ejercicio de ultracorrección propiciado por los estratos sociales más conservadores de la sociedad castellana, que de esta manera vendrían a contrarrestar un cambio «desde abajo» como el que se había impuesto en Castilla desde hacía al menos tres siglos[29]. Asimismo, ha propuesto que ciertos ejemplos de retención de la consonante original en los contextos en que la evolución normal es */h/* o /Ø/ podrían interpretarse también como concesiones a los dialectos conservadores (leonés, aragonés), una vez que el castellano se convirtió en la *koiné* lingüística peninsular.

Al otro lado del Atlántico, probablemente haya sido la malograda María Fontanella de Weinberg la investigadora que más contribuciones ha hecho a la sociolingüística histórica del español. Fontanella es autora de diversas monografías[30] y de numerosos artículos sobre la evolución lingüística de las variedades argentinas. Por mencionar ahora sólo algunos de esos estudios, digamos, por ejemplo, que tras el examen de abundante documentación antigua, esta autora pudo comprobar cómo un fenómeno tan característico del español hablado en Argentina como el yeísmo no aparece en la documentación escrita hasta comienzos del siglo XVIII, momento en el que comienzan a menudear las confusiones gráficas (Fontanella de Weinberg 1985)[31]. Otras líneas de investigación relevantes abordan los procesos de estandarización del español argentino a lo largo de los últimos cuatro siglos, así como, los cambios sociales y culturales que han terminado afectando considerablemente a las formas de tratamiento en este país sudamericano (Fontanella de Weinberg 1996).

En relación con la primera, la sociolingüista argentina ha destacado, entre otros aspectos, el declive de una serie de rasgos lingüísticos que se consideraron «vulgares» y «rústicos» en la sociedad argentina en

---

[29] A juicio de este autor, en el castellano debió de existir, al menos desde el siglo VIII, una *regla variable* en la que alternaban tres realizaciones (*f-*, *h*, Ø), las cuales vendrían a ser favorecidas por diferentes restricciones lingüísticas y extralingüísticas.

[30] Algunas de éstas, publicadas en los años 1982, 1984 y 1987, abordan sucesivos periodos del español rioplatense, a saber: los siglos XVI-XVII, XVIII y XVI-XX, respectivamente.

[31] En otro país de la zona, Uruguay, las confusiones gráficas que apuntan a la difusión del yeísmo no aparecen hasta la primera mitad del siglo XIX (Rizos 1998: 110).

diversos periodos de su historia, en un proceso histórico que discurrió en paralelo a la estandarización del idioma. Y por lo que respecta a las formas de tratamiento, Fontanella ha descrito minuciosamente el proceso de reestructuración social que, iniciado en el primer tercio del siglo XIX y vivo todavía en la pasada centuria, acabaría por transformar profundamente tanto el sistema interpelativo pronominal como otras formas de tratamiento[32]. La principal consecuencia de este proceso fue la progresiva difusión social del *voseo,* un fenómeno sociolingüístico que no sólo acabaría afectando a todo el espectro social argentino, sino que también iba a exportarse a las regiones vecinas de Uruguay a partir de la primera mitad del siglo XIX (sobre este último hecho, véase el estudio de Rizos 1998 a partir del análisis de diversa documentación epistolar)[33].

Los estudios de sociolingüística histórica conocen también recientemente un desarrollo alentador en las comunidades hispanas de EE.UU. En ellas, el estudio del español de épocas pasadas está arrojando una intensa luz acerca de ciertos procesos lingüísticos detectados masivamente en la investigación sincrónica como consecuencia del contacto con el inglés. Es el caso de los fenómenos de simplificación y reducción característicos de las variedades del español hablado en numerosas comunidades del sudoeste norteamericano. En un estudio reciente, y como señalábamos más arriba, Glenn Martínez (2000: 254) ha comprobado que algunos de estos fenómenos de reducción sintáctica se adivinan ya en el español del sur de Texas en el siglo XIX. Así ocurre, por ejemplo, con una estrategia característica de las fases de orientación en los textos narrativos, como son las construcciones gerundivas de ablativo absoluto, una de cuyas muestras aparece en el siguiente fragmento:

---

[32] Entre los estudios acerca de las formas de tratamiento en la evolución de la sociedad argentina, merece destacarse también la obra de Rigatuso (1992a y b), quien, junto al tema de los pronombres empleados en las relaciones de parentesco *(tú, vos, usted),* ha llamado también la atención sobre otros aspectos interesantes tras el análisis de abundante correspondencia familiar (uso de diminutivos, epítetos cariñosos, etc.).

[33] Otra investigadora argentina que ha cultivado los temas de sociolingüística histórica es Donni de Mirande (1992), quien, entre otros temas, ha exhumado diversas fuentes documentales para analizar la peculiar evolución fonológica del español hablado en Santa Fe, desde el momento de la fundación de la ciudad en 1573 hasta el siglo XVIII. De este estudio se desprende la existencia durante todo ese primer periodo fundacional de un considerable conflicto entre las normas vernáculas y las del español peninsular, en un proceso que, sin embargo, sería resuelto más tarde a favor de las primeras.

> [...] le pidio conosimiento de su persona y de consiguiente seguridad de ser suyo, a lo que combino [...] Melchor, presentandole [...] a D. Domingo p.r seguro compra y venta a Vela *y haviendo resultado ser agena la mula y ser robada en junta de otras acreditado por el lixitimo Dueño* fue obligado Vela a satisfacer otra mula a D. Domingo (The Matamoros Archive, Río Grande Valley, 1924).

Si al comienzo de esa centuria tales esquemas sintácticos aparecían con notable frecuencia en los textos escritos del sur de Texas, hacia finales de siglo prácticamente habían desaparecido del discurso narrativo. Lo relevante es que dicha pérdida no sólo obedece a cambios de naturaleza estilística, sino más importante aún, a las transformaciones sociales decisivas que para estas comunidades sureñas supuso su incorporación a Estados Unidos y el abandono definitivo de sus vínculos con la Corona española.

Complementariamente, esta incorporación política, así como la historia de la colonización y posterior independencia texana, ayudan a comprender también la evolución experimentada por otros hechos de variación singulares en esta región, que a su vez cuentan con correlatos en las vecinas variedades mexicanas. Es el caso de la alternancia *-ra/-se* para la expresión del imperfecto de subjuntivo en diferentes momentos de la historia de Texas, fenómeno al que nos referíamos antes de este capítulo. Junto a los datos destacados allí (véase § 6), mencionemos ahora (véase tabla 6) el hecho de que la retención de la variante más tradicional —y prestigiosa— del español clásico —la terminación en *-se*— se prolongó en estas tierras durante mucho más tiempo que en la vecina México, país en el que ya a comienzos del siglo XIX, las formas en *-ra* aparecían como claramente mayoritarias[34]. Interesantes son también las explicaciones sociolingüísticas e históricas que Glenn Martínez (2001) aporta para justificar tales diferencias:

a) en primer lugar, el hecho de que Texas fuera un territorio que permaneció leal a la corona española, incluso después de que México obtuviera su independencia. De hecho, la rápida desaparición de la variante *-se* en tiempos más recientes (véase tabla 6) obedecería al abandono posterior de esta identidad colonial, una vez producida la anexión a Estados Unidos;

b) y en segundo lugar, la constatación de que la lengua desempeñaba por entonces un importante papel como marcador de estatus social.

[34] Los recuentos realizados sobre textos mexicanos de esta época hablan ya de un 60 por 100 para las terminaciones en *-ra (vid.* Acevedo 2000).

TABLA 6
Porcentajes de *-ra/-se* como terminaciones
del imperfecto y pluscuamperfecto de subjuntivo
en documentación correspondiente al actual estado de Texas
en tres periodos sucesivos (1791-1853), según G. Martínez (2001)

| PERIODO HISTÓRICO | *-ra* (%) | *-se* (%) |
|---|---|---|
| Periodo 1 (1791-1819) | 36,4 | 63,4 |
| Periodo 2 (1820-1836) | 35,8 | 64,2 |
| Periodo 3 (1837-1853) | 70,6 | 29,4 |
| Total | 44 | 62 |

## 8. PERFILES DE DISTRIBUCIÓN SOCIOLINGÜÍSTICA ASOCIADOS AL CAMBIO LINGÜÍSTICO EN ESPAÑOL

A pesar de la importancia de las diferencias generacionales, la correlación con la edad no es la única información sincrónica relevante que permite dar cuenta de la existencia de cambios lingüísticos en marcha. Como hemos visto en algunos ejemplos anteriores, las variables sujetas a procesos evolutivos muestran también ciertos perfiles de distribución sociolingüística relacionados con factores adicionales (el sexo, la clase social, el grupo étnico, el estilo de habla, etc.) cuya incidencia, además, puede variar en función de las fases por las que atraviesan los cambios lingüísticos. Entre nosotros, por ejemplo, Fontanella de Weinberg (1983) ha mostrado el contraste nítido que ofrecen dos variables del español bonaerense, a partir de sus respectivos patrones de distribución sociolingüística: así, mientras que el ensordecimiento del yeísmo rehilado es un fenómeno relativamente reciente y presenta un claro perfil de cambio lingüístico en marcha, la variabilidad de /-s/ final adquiere caracteres de gran estabilidad en el tiempo[35].

Dentro de la teoría variacionista sobre el cambio lingüístico, suelen distinguirse tres perfiles básicos de distribución sociolectal, relacionados a su vez con otras tantas etapas en la difusión de aquél; a saber: a) *variables estables,* b) *etapas iniciales de un cambio,* y c) *etapas finales de un cambio* (cfr. Labov 1972b; Silva-Corvalán 1989).

Una *variable sociolingüística estable,* esto es, no sujeta a alteraciones significativas en un determinado corte sincrónico, no covaría inicial-

[35] En un trabajo posterior, Fontanella (1989a) advirtió que los perfiles de esta última variable se han mantenido casi inalterados a lo largo de los siglos en el español bonaerense.

mente con la edad de los hablantes. En su estudio sobre la variable *(-s)* implosiva en la ciudad de Melilla, Ruiz-Domínguez (citado en Moreno Fernández 1998: 116) ha podido constatar, por ejemplo, esta ausencia de correlación entre la variabilidad lingüística y la pirámide generacional. Como se puede ver en el gráfico 7, las diversas variantes analizadas ofrecen cifras muy similares en todos los grupos de edad, desde el cero fonético, que se revela como la variante claramente mayoritaria, hasta las soluciones asimiladas, sibilantes y aspiradas, representadas mucho más modestamente en la muestra.

GRÁFICO 7
Frecuencias de uso de cuatro variantes de *(-s)* en relación con la edad en Melilla, según Ruiz-Domínguez (*apud* Moreno Fernández 1998: 117)

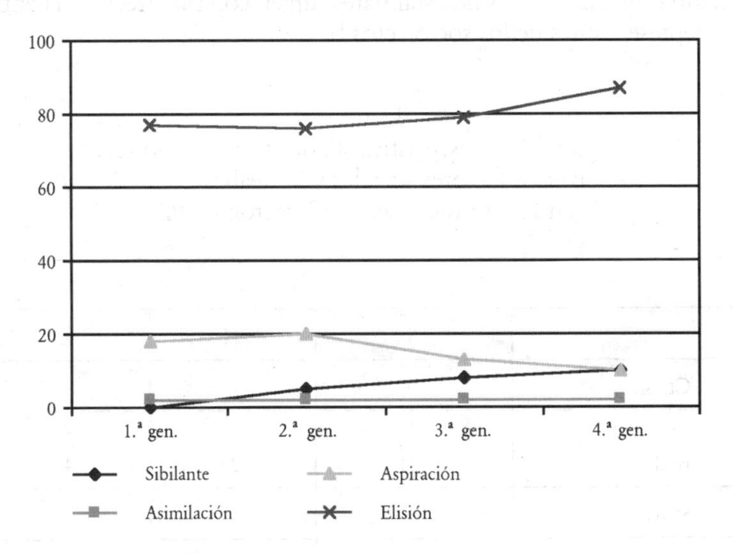


Sin embargo, las variantes estables muestran ciertas correlaciones lineales con la clase social y el estilo. Generalmente, en los estilos más formales todos los hablantes usan un mayor número de variantes prestigiosas, que a su vez, se asocian con el habla de las clases elevadas. Asimismo, las diferencias de clase y de estilo van acompañadas generalmente de otras relacionadas con el sexo de los hablantes: como hemos visto en otro lugar (véase tema V), las mujeres emplean con mayor frecuencia las variantes estándares que los hombres, sobre todo en los estilos formales.

La *(-s)* vuelve a mostrarnos un ejemplo de este perfil sociolingüístico, esta vez entre hablantes portorriqueños. Como ha visto Cameron (1992), en la comunidad de San Juan de Puerto Rico la distribución sociolectal y estilística de dicha variable muestra una serie de caracteres sociolectales que revelan su naturaleza básicamente estable (véase tabla 7): a) leve estratificación generacional relacionada, probablemente, con un fenómeno de *age-grading*, que, sin embargo, se neutraliza en el paso a las edades adultas; b) en las mismas condiciones comunicativas, las mujeres utilizan la forma estándar —la sibilante— en mayor medida que los hombres; c) existe un marcado *continuum* estilístico, de forma que las formas no estándares surgen con más frecuencia en los contextos casuales que en los estilos formales, y d) por último, dicho eje se relaciona con otro de carácter diastrático, de manera que la variante estándar se produce más a menudo en boca de los sociolectos elevados, mientras que las formas no estándares surgen con más frecuencia entre los representantes de los sociolectos bajos.

TABLA 7
Significación estadística (P) de las correlaciones entre diversos factores sociales y las realizaciones de *(-s)* en Puerto Rico, según Cameron (1992)

| | *(-s)* | | |
|---|---|---|---|
| | S | H | Ø |
| CLASE | | | |
| Alta | .40 | .36 | .22 |
| Baja | .25 | .28 | .45 |
| SEXO | | | |
| Mujeres | .38 | .36 | .25 |
| Hombres | .28 | .29 | .42 |
| EDAD | | | |
| Niños | .18 | .32 | .49 |
| Adolescentes | .35 | .31 | .32 |
| 20-30 | .38 | .33 | .27 |
| 40-50 | .35 | .33 | .31 |
| 60-85 | .41 | .26 | .26 |

Finalmente, una característica adicional de las variables estabilizadas es que las reacciones subjetivas de los miembros de la comunidad de habla hacia ellas son también, por lo general, estables. Los miembros de los diferentes grupos sociales estigmatizan las formas de menor prestigio y se autocorrigen en el habla espontánea en la dirección de la variante más prestigiosa.

Una variable puede estabilizarse como consecuencia de un proceso de cambio lingüístico que se ha truncado a partir de un momento determinado. Un desenlace de este tipo es el que ha alcanzado la fricativización de */ĉ/* en el español de San Juan de Puerto Rico, difundida en la sociedad portorriqueña desde mediados del siglo XX, y que con posterioridad ha comenzado a replegarse. En la investigación que López Morales (1989) ha realizado sobre este fenómeno, se comprueba, por ejemplo, que los hablantes de más edad no realizan variantes fricativas —lo que refleja la escasa antigüedad del fenómeno—, pero sí lo hacen las generaciones intermedias y los jóvenes. Ahora bien, estos últimos en menor medida (P .41) que hablantes adultos (P .58), lo que puede ser un indicio del repliegue de la variante innovadora. Como señala el propio autor:

> Pudiera ser, aunque los datos disponibles no son muchos (sólo 126 casos) que alrededor de los años 1940-1950 comenzara a difundirse la fricativización, pero muy débilmente, y que con posterioridad el fenómeno comenzara a replegarse; el hecho de que los jóvenes no lo patrocinen parece corroborar la hipótesis (pág. 250).

Frente a las variables estables, otras se encuentran sometidas a procesos de cambio en diferentes etapas. En las *etapas iniciales e intermedias,* la variable lingüística covaría con diversos factores sociales, pero no con el estilo, lo que prueba que los hablantes no parecen tener aún conciencia clara del cambio que está teniendo lugar en la comunidad. Por ello, al principio se trata generalmente de un *indicador* sociolingüístico, que abarca las cuatro o cinco primeras fases del modelo laboveano descrito más arriba (véase § 5).

Probablemente sea la *edad* el factor que antes da cuenta de la existencia de un cambio en marcha, sobre todo cuando las frecuencias de distribución presentan un modelo de distribución lineal. En estos casos, se observa cómo la realización de determinadas variantes aumenta o disminuye de forma regular a través de la pirámide generacional. Éste es el caso del fenómeno estudiado por Díaz-Peralta y Almeida (2000) sobre la difusión actual del futuro morfológico en el español hablado en Las Palmas de Gran Canaria, un fenómeno de cambio desde arriba al que nos hemos referido ya en otras ocasiones. Aunque la extensión de esta variante, en detrimento de la forma vernácula (presente de indicativo), es ya notable en el conjunto de la comunidad, no afecta de la misma forma a todos los grupos de edad. Como puede observarse en el gráfico 8, las realizaciones del futuro sintético son significativamente más elevadas entre los hablantes más jóvenes (25 a 34 años), seguidos por la generación intermedia (35 a 54 años) y en menor medida, por los hablantes más adultos (mayores de 55 años). En términos probabilísticos, que miden de forma más cabal la significación aportada por cada grupo, podemos concluir que el primer grupo favorece la variante prestigiosa (.58), pero no así el tercero (.42). Por su parte, el grupo intermedio ocupa en este sentido una posición intermedia y neutral (.50).

Con todo, la información generacional es una condición necesaria, pero no suficiente, para certificar la existencia de posibles cambios en marcha[36]. Por ello, los sociolingüistas encuentran argumentos adicionales cuando a los patrones de distribución lineal según la edad se añaden diferencias generolectales y diastráticas significativas. En el caso anterior, por ejemplo, la tesis de un hipotético cambio desde arriba, favorable a las formas del futuro morfológico, se ve reforzada cuando comprobamos que las mujeres abanderan el empleo de esta nueva variante de prestigio (.60), por encima de los hombres (.40) (gráfico 9). Y lo mismo sucede con la estratificación social del fenómeno, con las clases altas (.54) y, sobre todo, medias-altas (.62), como principales impulsoras de las formas en *-re,* frente a las clases medias-bajas (.45) y bajas (.38) en el extremo contrario[37] (gráfico 10, pág. 290).

Por el contrario, en los cambios desde abajo la estratificación diastrática es característicamente curvilínea, de modo que los grupos sociales intermedios realizan las variantes novedosas en una proporción significativamente más elevada que los extremos de la pirámide social. Por otro lado, el papel de las mujeres en estos cambios es cuestión particularmente discutida, ya que los resultados obtenidos hasta

[36] Algunos investigadores han puesto en duda, incluso, que las diferencias genolectales sean reflejo necesariamente de cambios en marcha *(vid.* Thibault y Daveluy 1989).

[37] M. J. Serrano (1994, 1995a) ha advertido un esquema sociolectal parecido en su análisis acerca de la elección del modo verbal en las condicionales irreales en otra comunidad de habla canaria. El cambio desde arriba, en la dirección de la norma estándar del español, que parece estar teniendo lugar en La Laguna (Tenerife) lo patrocinan de nuevo los individuos de mayor nivel sociocultural y los jóvenes. Asimismo, la innovación es especialmente activa entre las mujeres.

GRÁFICO 8

Distribución de los pesos estadísticos por grupos de edad en la realización de la variante futuro sintético (Las Palmas de Gran Canaria), según Díaz-Peralta y Almeida (2000)

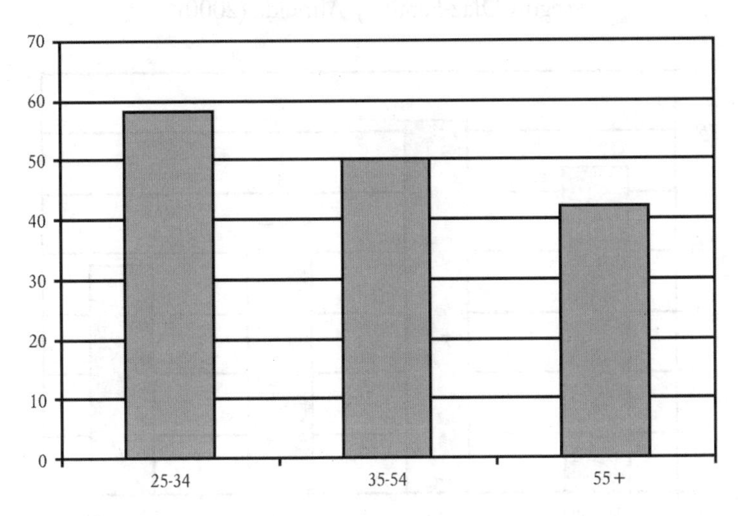


GRÁFICO 9

Distribución de los pesos estadísticos por sexos en la realización de la variante futuro sintético (Las Palmas de Gran Canaria), según Díaz-Peralta y Almeida (2000)

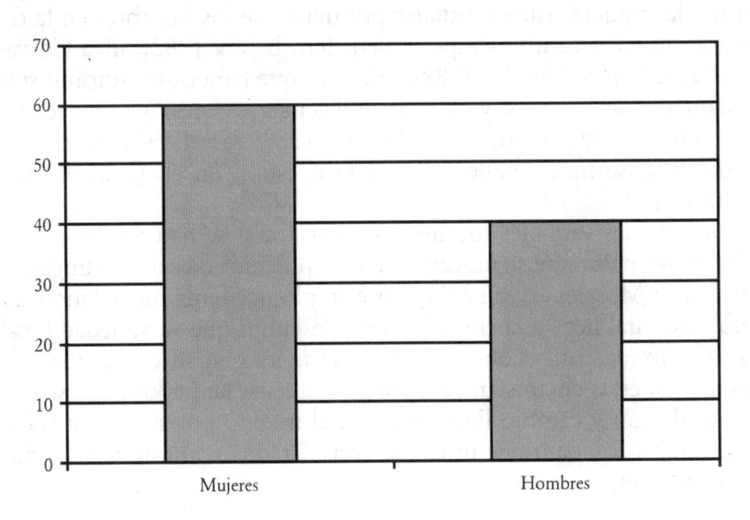

GRÁFICO 10
Distribución de los pesos estadísticos por clases sociales en la realización de la variante futuro sintético (Las Palmas de Gran Canaria), según Díaz-Peralta y Almeida (2000)

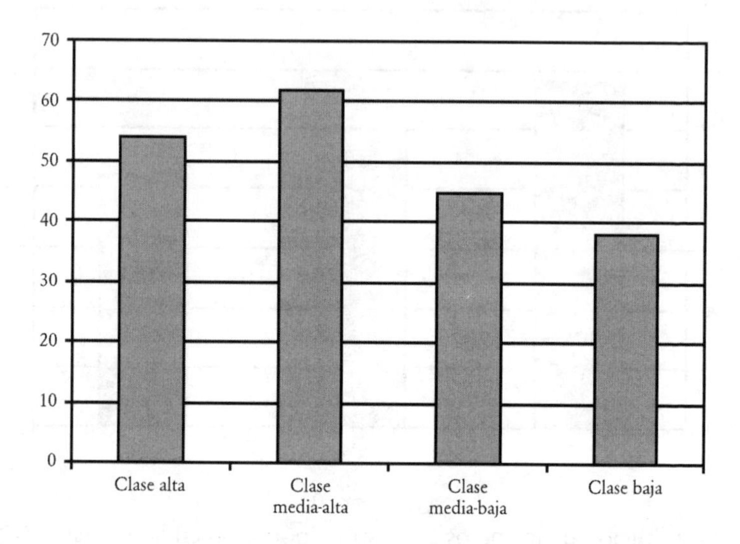


la fecha no apuntan en una dirección nítida. Para algunos investigadores, las mujeres suelen situarse por detrás de los hombres en la difusión de estos cambios espontáneos (cfr. Labov 1982; Silva-Corvalán 1989, López Morales 1989), mientras que para otros autores, son justamente las mujeres, y en especial las más jóvenes, quienes los favorecen en mayor medida (cfr. Sedano 1988; Rissel 1989; Cameron 2000) (véanse más detalles sobre esta cuestión en el desarrollo del tema V, § 4).

Junto a las variables sociales reseñadas, otras se han revelado también ocasionalmente significativas en los procesos de cambio lingüístico. López Morales (1989: 257), por ejemplo, recuerda que cuando un hablante rural llega a la ciudad, puede descubrir que su variedad local es ridiculizada, aun cuando ésta sea prestigiosa en su comunidad de origen. En estas circunstancias suelen producirse acusados procesos de acomodación y cambio lingüístico, en el intento por acercar la variedad rural a los patrones urbanos, considerados comúnmente como más prestigiosos.

Las diferencias étnicas desempeñan, asimismo, un papel notable en el desenlace de algunos procesos evolutivos. Se ha dicho, por ejemplo, que los grupos minoritarios sólo participan de los cambios en curso cuando empiezan a conseguir ciertos derechos sociales, puestos de trabajo y viviendas dignas y estables, etc. Por el contrario, si permanecen aislados en el interior de guetos marginales y degradados, los hablantes de estas minorías participan de otros procesos evolutivos, ajenos a los que caracterizan al resto de la comunidad (Labov *et al.* 1968).

Ahora bien, en la determinación de posibles cambios «en marcha» resulta particularmente significativa la información proporcionada por diversos factores sociales tomados al mismo tiempo. Así ocurre, por ejemplo, con la intersección entre en el *sexo* y la *edad*, como han revelado diferentes estudios. En su investigación sobre las estrategias para la expresión del estilo directo en el español portorriqueño, Cameron (1998: 74) ha advertido algunas diferencias muy reveladoras en la actuación lingüística de los adolescentes. Éstas afectan a la variante considerada como vernácula y que, a diferencia de la forma estándar (9), supone la introducción de un discurso diferido tras un sintagma nominal y sin verbo, como en (10):

(9) Entonces yo *digo:* «¡Ahora prepárate, que te voy a quitar un montón de cosas!»

(10) Y ella *Ø*, «¡Ah no, mi'jo!»

Como puede comprobarse en la tabla 8 (página siguiente), las diferencias entre hombres y mujeres son especialmente elevadas entre los adolescentes (y algo menos entre los preadolescentes), mientras que se atenúan o desaparecen entre los grupos de edad más adultos. El uso mucho más frecuente de la estrategia vernácula entre *las* hablantes más jóvenes se halla en consonancia con el papel destacado de los adolescentes en los procesos de cambio desde abajo (Guy 1990: 52). La causa habría que encontrarla en motivos de carácter simbólico, en el sentido de que rasgos sintácticos como el presente permiten desplegar en el habla la identidad generolectal de estos hablantes (en el presente caso, de las chicas) en un momento particularmente crucial de sus vidas.

Ahora bien, las diferencias anteriores podrían ser también el resultado de un proceso de *age-grading* y no de un cambio en marcha, si estudios posteriores demostraran que los grupos impulsores de esta variante en la actualidad disminuyen significativamente su frecuencia en su paso a la edad adulta.

TABLA 8
Significación estadística de las correlaciones
entre diversos factores sociales y las estrategias para la expresión vernácula
del estilo directo (SN sin verso) en Puerto Rico, según Cameron (1998)

| | N | P |
|---|---|---|
| PREADOLESCENTES | | |
| Mujeres<br>Hombres | 21<br>7 | **.45**<br>.27 |
| ADOLESCENTES | | |
| Mujeres<br>Hombres | 48<br>12 | **.62**<br>.23 |
| 20-39 AÑOS | | |
| Mujeres<br>Hombres | 22<br>22 | **.25**<br>**.25** |
| MAYORES DE 40 AÑOS | | |
| Mujeres<br>Hombres | 15<br>18 | .23<br>**.33** |

Junto a la interacción entre el sexo y la edad, otras intersecciones se han destacado también como posibles indicios de cambios en marcha. Así ocurre, por ejemplo, cuando los ejes estilístico y diastrático no coinciden con los patrones de variación observados habitualmente entre las variables estables. Como hemos visto ya en otras ocasiones, en estas últimas lo normal es que las formas estándares aparezcan con más frecuencia conforme aumentan tanto el grado de formalidad como el nivel sociocultural de los hablantes. Y lo contrario sucede con las variantes no estándares. Sin embargo, algunas investigaciones variacionistas en el mundo hispánico han obtenido resultados contrarios a éstos, lo que ha permitido sospechar a sus autores la existencia de cambios en curso.

Es el caso del estudio sobre la variable (ĉ) en Ciudad de Panamá emprendido hace ya tres décadas por Cedergren (1973). Junto a otros indicios ya reseñados anteriormente, esta autora comprobó que las realizaciones relajadas del fonema ocurrían con más frecuencia —y contrariamente a lo esperado— en los contextos más formales de habla.

Complementariamente, su difusión entre los sociolectos altos era mayor que entre otros segmentos de la población. Como hemos visto anteriormente, años más tarde esta misma autora (Cedergren 1987) confirmaría a través de un nuevo estudio en tiempo real cómo esta variable fonológica estaba siendo efectivamente sometida a un proceso de cambio en marcha en la sociedad panameña. Del mismo modo, la falta de las correlaciones habituales entre el eje estilístico y la variación generoletal y diastrática permitió a Fontanella de Weinberg (1979) concretar la matriz social de un cambio en marcha que afecta al yeísmo rehilado argentino, cuyas variantes ensordecidas y sordas fueron inicialmente favorecidas por las mujeres y las clases altas, pese a que en la actualidad se han extendido por todo el espectro social.

Por último, en las *etapas finales* de un cambio en marcha los hablantes poseen ya un conocimiento consciente de las variantes novedosas. Además, la difusión adopta un modelo de distribución lineal, tanto desde el punto de vista social como estilístico: generalmente las variantes preferidas por las clases más elevadas son más frecuentes en los estilos formales de todos los sociolectos, al revés que las variantes asociadas con las clases inferiores, más habituales también en los registros informales.

Otro rasgo característico de las etapas finales de un cambio lo representa el fenómeno de la *hipercorrección*, en especial a cargo de los grupos sociales intermedios. Generalmente, se asume la hipótesis de que la hipercorrección refleja la *inseguridad lingüística* que caracteriza a estos grupos (véase tema IV, § 6) y que podríamos justificar de la siguiente forma: es lógico que estos individuos no tengan la seguridad que caracteriza a los miembros de las clases privilegiadas, pero al mismo tiempo, no están lo suficientemente lejos de las clases más bajas como para confiar en que no serán identificados con ellas.

A diferencia de las fases anteriores, en las etapas finales de un cambio, las reacciones subjetivas hacia el rasgo innovador tienden a ser muy positivas; es decir, la variante que está en vías de imponerse se considera ya como un claro rasgo de prestigio. La actitud opuesta podría conducir, por el contrario, a un —nuevo— cambio (desde arriba) y, por ende, a un proceso regresivo de supresión de la variante estigmatizada.

Un ejemplo característico de cambio en sus etapas finales es el proporcionado por Chapman *et al.* (1983) en su estudio sobre el *yeísmo* en Covarrubias (Burgos), comunidad de habla en la que la variante lateral se encuentra en vías de desaparición, al igual que en otras muchas regiones hispánicas.

# UNIDAD TEMÁTICA IV
## *Temas de sociolingüística interaccional*

TEMA IX

# Pragmática y sociolingüística de los pronombres de tratamiento en español

## 1. INTRODUCCIÓN

El objetivo principal del presente tema es mostrar las implicaciones para el estudio de la lengua española de algunas líneas de investigación de raigambre sociolingüística que, pese a las diferencias de enfoque y método con el variacionismo, parten también de un interés básico por el uso del lenguaje en su contexto comunicativo y social. En su desarrollo veremos, por ejemplo, cómo frente a la sociolingüística variacionista más convencional, aquella que aborda el análisis prioritario de variables lingüísticas situadas en los niveles más estructurados del análisis (fonológico y gramatical), cada vez son más numerosos los investigadores que destacan la necesidad de abordar otros hechos de variación vinculados al análisis de las interacciones verbales.

En la práctica, una misma unidad del análisis interaccional puede ser estudiada desde diferentes perspectivas sociolingüísticas. Así ocurre, por ejemplo, con los pronombres de tratamiento en español, elementos que permiten codificar las relaciones interpersonales y sociales entre los hablantes, y que servirán como hilo conductor en el presente tema, dedicado a la llamada *sociolingüística interaccional*. En lo que sigue, veremos cómo el interés socio-pragmático por estos pronombres de tratamiento puede encauzarse a través de tres posibilidades hermenéuticas diferentes, aunque en absoluto incompatibles:

a) desde un enfoque variacionista interesa analizar la incidencia sobre la elección de *tú (vos)* o *usted* de ciertos factores sociales y contextuales que singularizan tanto a los participantes en la interacción verbal como a su relación en diferentes *ejes comunicativos* (poder *vs.* solidaridad, distancia *vs.* familiaridad, etc.) dentro de cada comunidad de habla;

b) ahora bien, junto a la interpretación anterior, cabe también la posibilidad de considerar estas formas de tratamiento como manifestaciones diferentes de un principio básico del análisis conversacional, la *cortesía lingüística;*

c) por último, podría destacarse también la utilidad de estas formas como *indicios de contextualización,* esto es, como marcas verbales que permiten a los participantes modificar sus estrategias discursivas, una vez alcanzados ciertos objetivos o fases en la interacción.

## 2. La incidencia de los factores sociales y comunicativos en la elección de los pronombres de tratamiento en español

Los pronombres de tratamiento representan una de las manifestaciones más claras de la llamada *deixis social.* No en vano, tales formas aparecen codificadas en muchas lenguas dentro del propio sistema gramatical, a partir de las relaciones sociales e interpersonales que los hablantes mantienen entre sí.

En la investigación sobre los pronombres de tratamiento confluyen intereses de muy diversa índole. Junto a los estudios diacrónicos (cfr. Lapesa, 1980; M. Martínez 1988; Rigatuso 1992a; Fontanella de Weinberg, 1995-1996, 1999), en los que se ha revisado la evolución tanto de las formas como de sus valores a lo largo de los siglos, encontramos numerosos trabajos que dan cuenta de la variación dialectal en el mundo hispánico, así como de algunos aspectos formales relevantes que aquí no abordaremos *(tuteo vs. voseo,* formas pronominales y verbales relacionadas con el *voseo,* etc.; véase un buen estado de la cuestión en Fontanella de Weinberg, 1999). A éstos se han añadido en las últimas décadas diversas investigaciones sociolingüísticas tanto en el español peninsular (Fox 1970; Alba de Diego y Sánchez Lobato 1980; Borrego *et al.* 1978; Moreno Fernández 1986; Medina López 1993; Molina Martos 1993; Blas Arroyo 1994-1995, etc.) como en el americano (Eguiluz 1962; Miquel i Vergés 1963; Y. Solé 1970; Marín 1972; Lastra 1972b; Camargo 1972-1973; Keller 1974; Weinerman 1978; Rezzi 1987; Rigatuso 1987, 1992b; Torrejón 1986, 1991; Fontanella de Weinberg, 1995-1996; M. Murillo 1995; Jaramillo 1996, etc.). A través de ellas se ha podido constatar que la variación se halla fuertemente condicionada por diversos factores sociales como la edad, el sexo, la clase social, el nivel educativo, el hábitat rural/urbano, etc., así como por otros de carácter discursivo, como el tipo de formalidad de la interacción, las estrategias de cortesía o las relaciones de poder/solidaridad entre los hablantes.

Los estudios recientes sobre las formas de tratamiento tienen una deuda ineludible con los trabajos emprendidos por el psicolingüista americano P. Brown y un grupo de colaboradores a partir de la década de los 60. Para estos autores, ciertos factores psicosociales, que han actuado durante siglos en muchas sociedades occidentales, han sido determinantes para la evolución de los pronombres de tratamiento en diferentes lenguas, entre las que ocupa un lugar destacado el español. Tales factores, que representan los ejes vertical y horizontal de las relaciones comunicativas, se conocen habitualmente desde entonces bajo los nombres de *poder* y *solidaridad*[1].

Para Brown y Gilman (1960: 255), por ejemplo, el *poder* —entendido inicialmente desde un punto de vista psicosocial y no bajo el prisma objetivista propio de las disciplinas sociológicas (*vid.* Brown y Levinson 1987: 74-75)— supone el control que unas personas ejercen o pueden ejercer sobre otras en una determinada situación comunicativa. De ello se deduce que la presencia de este factor en la comunicación verbal desemboca necesariamente en la asimetría del tratamiento. La consecuencia del poder en su aplicación al sistema pronominal de los tratamientos es, por tanto, la elección de formas diferentes según la jerarquía relativa de los interlocutores: el superior dirige *T (tú, vos)* al inferior, mientras que recibe *V (usted)* de este último[2]. Otras combinacio-

[1] Con todo, no todas las lenguas han alcanzado el mismo estadio en dicha evolución. Así, mientras que sociedades como la sueca se sitúan a la cabeza en la extensión del tuteo, en países como Francia y Alemania el tratamiento con las formas *V* continúa siendo predominante. Entre ambos extremos, las comunidades italianas y españolas están conociendo también una rápida expansión del tuteo, especialmente en las últimas décadas, y como consecuencia de los importantes cambios que han experimentado sus respectivas sociedades. Sobre las dificultades que tales diferencias pueden plantear en la comunicación intercultural, véase Kerbrat-Orecchioni (1992: 67 y ss.).

[2] Adoptamos la simbología habitual en esta clase de trabajos, en los que, con frecuencia, se identifica mediante la inicial *V* —del francés *vous*— la forma que representa las relaciones de poder o la ausencia máxima de solidaridad entre los interlocutores, mientras que el pronombre de solidaridad, intimidad, familiaridad, etc., se representa con la letra *T*.

nes posibles pueden verse en el siguiente cuadro, que condensa algunos tratamientos *no marcados* en las sociedades occidentales.

GRÁFICO 1
Representación de los ejes que determinan la elección de los pronombres de tratamiento, según Brown y Gilman (1960)

| ← Recibe | | Dirige → | ← Dirige | | Recibe → |
|---|---|---|---|---|---|
| V | Superior y solidario | T | V | Superior y no solidario | V |
| T | Igual y solidario | T | V | Igual y no solidario | V |
| T | Inferior y solidario | T | V | Inferior y no solidario | T |

Como variables sociológicas que impulsan la aparición del poder en las relaciones comunicativas se citan, por ejemplo, las diferencias de estatus social y económico, la edad, el sexo o los distintos papeles representados en instituciones jerarquizantes como el Estado, el Ejército, la Iglesia[3] o la familia. En palabras de Fasold (1990: 4), quien parafrasea la teoría inicial de Brown y Gilman:

> The bases of power are several. Older people are assumed to have power over younger people, parents over children, employers over employees, nobles over peasants, military officers over enlisted men. The power semantic appears to Brown and Gilman to have been the original one.

En el extremo opuesto a las relaciones impuestas por el poder, se encuentra la simetría de trato que comporta la aparición entre los interlocutores del segundo parámetro mencionado, el eje horizontal de la *solidaridad:*

[3] Algunas investigaciones sobre el empleo de los pronombres de tratamiento en las relaciones eclesiásticas y parroquiales ejemplifican estas correlaciones entre nosotros. Correa (1995), por ejemplo, atribuye directamente a las diferencias de *poder* entre los sacerdotes y los feligreses de una parroquia, derivadas de la posición de autoridad de los primeros, el uso abrumador de *usted* entre los miembros de una comunidad de origen mexicano en Phoenix (Arizona, EE.UU.). Una excepción, al menos en las comunidades hispanas, es el tratamiento dispensado por los creyentes a Dios, al que tradicionalmente se ha aplicado un empleo mayestático de *tú*. Sin embargo, en algunas versiones recientes del Nuevo Testamento parecen estimarse más apropiadas las formas *V* que las formas *T* (Ross 1993).

> [...] solidarity comes into the European pronouns as a means of differentiating address among power equals. It introduces a second dimension into the semantic system on the level of power equivalents (Brown y Gilman 1960: 258).

Como veíamos en el gráfico 1, la reciprocidad en el trato entre personas situadas en un mismo nivel jerárquico y que, además, aparecen unidas por diversos vínculos de afinidad personal y social trae como consecuencia más inmediata el otorgamiento mutuo de *T.*

El panorama que ofrecen las investigaciones sociolingüísticas que se han realizado entre nosotros es heterogéneo, como lo son también los factores sociales y comunicativos considerados en cada caso, así como las metodologías utilizadas. Pese a ello, existen algunos resultados que aparecen de forma recurrente en la mayoría de las comunidades hispánicas. El siguiente cuadro, extraído de un reciente estado de la cuestión a cargo de Fontanella de Weinberg (1999), permite la comparación entre los tratamientos dispensados en la esfera familiar (comunicación padres/hijos y abuelos/nietos) en cuatro comunidades de habla diferentes, dos situadas en Argentina (Bahía Blanca y Catamarca) y otras dos en España (Madrid y Buenavista del Norte, Tenerife)[4]. En la tabla puede observarse cómo los tratamientos se ven afectados por dos rasgos importantes: a) el tipo de relación familar, y b) el carácter urbano o rural de las comunidades. En relación con el primero destaca, por ejemplo, la disminución del *tuteo* o *voseo* —y el correspondiente incremento del *ustedeo*— conforme aumenta la distancia de los interlocutores en el eje familiar[5]. Por lo que se refiere al segundo, y haciendo uso de las palabras de la propia Fontanella (1999: 1417):

> [...] estos datos muestran claramente el carácter innovador de las comunidades urbanas de características modernas, Madrid y Bahía

[4] Los estudios corresponden a Fontanella de Weinberg *et al.* (1968), Weinerman (1978), Alba de Diego y Sánchez Lobato (1980) y Medina López (1993), respectivamente.

[5] Weinerman (1976) advertía ya que, en Argentina, la familia es una institución social que cumple una función retardante en el proceso de innovación que afecta a las formas de tratamiento, y en particular, en el tránsito desde los sistemas asimétricos a los simétricos. Por su parte, Torrejón (1991) ha visto también cómo en las relaciones familiares chilenas donde prima la distancia entre sus miembros, el uso recíproco de *usted* continúa siendo la norma en la compleja norma de tratamientos que impera en ese país.

Blanca, frente al mucho más conservador de la comunidad rural de Buenavista del Norte. Catamarca constituye también un baluarte conservador, pese a su carácter urbano, por tratarse de una ciudad ubicada en una región típicamente tradicional de la Argentina.

TABLA 1
Porcentajes de empleo de las formas de tratamiento en cuatro comunidades de habla hispánicas, según Fontanella de Weinberg (1999: 1417)

| | PADRES | ABUELOS |
|---|---|---|
| B. Blanca, 1968 (jóvenes) | *vos* 100% | 70% *vos*, 30% *usted* |
| Catamarca, 1978 (total) | *vos* 61%, 39% *usted* | 45% *vos*, 55% *usted* |
| Madrid, 1980 (jóvenes) | *tú* 100% | 65% *tú*, 35% *usted* |
| Buenavista del Norte, 1993 (edad mediana) | *tú* 75%, 25% *usted* | 100% *usted* |

Junto al carácter urbano asociado al tratamiento mediante *tú* (o *vos),* la mayoría de los estudios han destacado también la difusión preferente de estas formas entre los segmentos más jóvenes de la sociedad, así como entre participantes relacionados por vínculos de afecto o afinidad, desgraciadamente no siempre fáciles de determinar (véase más adelante § 4).

La progresión de *tú/vos* en detrimento de *usted* difiere todavía considerablemente entre unas comunidades de habla y otras, y aun en el interior de éstas, entre generaciones diferentes. En el contexto peninsular, por ejemplo, el avance de *tú* en regiones como el País Vasco se ha disparado en las últimas dos décadas en una proporción muy superior a la que todavía puede observarse en otras regiones de España (Blas Arroyo 1994-1995). De ahí que en ciudades como San Sebastián o Bilbao, sea cada vez más frecuente el tratamiento de *tú* dirigido por un/una joven a las personas mayores, incluso a las que no se conoce previamente, para pasmo y enfado muchas veces de estas últimas, que han visto cómo las reglas interaccionales que regulaban el trato social en su comunidad han cambiado vertiginosamente en poco tiempo.

Por el contrario, en la Comunidad Valenciana, la progresión del tuteo no alcanza ni mucho menos estas cotas. Como hemos advertido recientemente (Blas Arroyo, 1994-1995), en esta región, y pese al avance sostenido de *tú* en las últimas décadas, la forma *usted* sigue gozando de «buena salud», hasta el punto de que todavía hoy podemos considerarla en muchos casos como la forma no marcada en el trato entre desconocidos en interacciones de carácter instrumental. Las tablas siguientes muestran los principales datos extraídos en una investigación empírica llevada a cabo en la ciudad de Valencia, donde estudiamos la interacción entre diversos factores sociales, como el sexo y la edad, tanto del hablante como del destinatario, y siete contextos comunicativos diferentes que enmarcan las conversaciones entre hablantes entre los que no existe un conocimiento previo.

TABLA 2
Distribución (%) de los usos de *tú/usted* entre desconocidos en siete contextos comunicativos diferentes en una comunidad de habla valenciana (Valencia), según Blas Arroyo (1994-1995)

| | DESTINATARIO MUJER (USTED) | DESTINATARIO MUJER (TÚ) | DESTINATARIO HOMBRE (USTED) | DESTINATARIO HOMBRE (TÚ) |
|---|---|---|---|---|
| Menores de 25 | 48,7 | 51,3 | 60,6 | 39,4 |
| Entre 26 y 40 | 39,1 | 60,9 | 44,7 | 55,3 |
| Entre 41 y 60 | 52,1 | 47,9 | 87,1 | 12,9 |
| Mayores de 61 | 100,0 | 0,0 | 86,6 | 13,4 |
| Bar | 50,0 | 50,0 | 68,7 | 31,3 |
| Alumno-profesor | 25,0 | 75,0 | 11,1 | 88,9 |
| Jefe/empleado | 55,5 | 44,5 | 66,6 | 33,3 |
| Calle | 26,1 | 73,9 | 64,7 | 35,3 |
| Comercio 1 | 56,8 | 43,2 | 77,1 | 22,9 |
| Comercio 2 | 54,5 | 45,5 | 75,0 | 25,0 |
| Profesionales | 81,8 | 18,2 | 55,5 | 44,5 |
| Total | 50,9 | 49,1 | 66,1 | 33,9 |

Comercio 1: vendedor (empleado)/comprador; Comercio 2: vendedor (propietario)/ comprador; Profesionales: relaciones entre profesionales liberales y clientes

Sintetizando estos datos, podemos decir que en la ciudad de Valencia se aprecian algunos factores sociales y comunicativos que aparecen asociados significativamente a la elección de una u otra forma pronominal. Por un lado, y de acuerdo con los resultados obtenidos en otras muchas comunidades, la *edad* de los interlocutores se revela determi-

TABLA 3
Distribución global (%) de los usos de *tú/usted*
entre desconocidos por sexos del hablante y el interlocutor
en una comunidad de habla valenciana (ciudad de Valencia),
según Blas Arroyo (1994-1995)

| HABLANTE (SEXO) | DESTINATARIO (SEXO) | | | |
|---|---|---|---|---|
| | TÚ | | USTED | |
| | HOMBRE | MUJER | HOMBRE | MUJER |
| Mujer | 51,3 | 50,0 | 48,7 | 50,0 |
| Hombre | 39,6 | 15,4 | 60,4 | 84,6 |

nante: el empleo de *usted* aumenta conforme nos alejamos del grupo de edad del receptor, especialmente por la parte alta de la pirámide generacional, frente al mayor empleo de *tú* a cargo de los más jóvenes, pero especialmente de los miembros pertenecientes a la misma generación que el destinatario.

Otro factor significativo es el tipo de actividad social desarrollada por los participantes en la conversación. Así, en los contextos donde prima un interés básicamente instrumental entre las partes (comercio), o donde se aprecia una cierta jerarquía social entre éstas (jefe/empleado, profesiones liberales/clientes...), el empleo de *usted* se contempla todavía como una elección mayoritaria en esta comunidad. Por el contrario, otros ámbitos menos formales, como la calle, el bar, las relaciones alumno-profesor...[6], revelan un comportamiento sociolingüístico menos conservador, con mayor profusión de *tú*.

[6] Las relaciones actuales entre alumno y profesor parecen diferir notablemente entre unas comunidades de habla y otras, como se desprende de los resultados obtenidos en diversas investigaciones. Así, el incremento del *tú* recíproco en la relación alumno-profesor en los diferentes niveles educativos observado por nosotros en Valencia y País Vasco (Blas Arroyo 1994-1995) no se corresponde con los usos advertidos en este mismo contexto por Medina López (1993) en Canarias y Torrejón (1991) en Chile. Según los datos proporcionados por estos dos autores, la forma *usted* predomina todavía claramente entre los alumnos cuando se dirigen al profesor en ambas comunidades de habla. Más aún, Torrejón advierte que en Chile se observa en la actualidad un cambio inverso al reseñado en los párrafos anteriores, y que apunta en la dirección de un intercambio recíproco de *usted* a partir de los cursos de enseñanza secundaria. Incluso en España este patrón de tratamientos es mantenido, aunque más marginalmente, por algunos profesionales de la enseñanza, tanto en las enseñanzas medias como en la universidad.

Por último, cabe destacar también el hecho de que las mujeres parecen situarse a la vanguardia de estos cambios, con una mayor inclinación que los hombres hacia el tuteo, hecho que entra en contradicción con el supuesto conservadurismo lingüístico femenino (véase tema V, § 4). Estas diferencias generolectales se advierten (véase tabla 3), sobre todo, en el tratamiento dirigido a los miembros del sexo contrario. Así, mientras que las mujeres no difieren apenas en la distribución de las formas empleadas cuando conversan con interlocutores masculinos o femeninos, los hombres utilizan todavía mucho más el tratamiento de *usted* cuando se dirigen a las mujeres (84,6) que cuando lo hacen con los miembros del mismo sexo (60,4).

Aunque no tan abultadas como en nuestro caso, diferencias de este mismo tipo habían sido detectadas algunos años atrás por Moreno Fernández (1986) en otro estudio sociolingüístico sobre la variación en los tratamientos, esta vez en una comunidad rural (Quintanar de la Orden, Toledo). En ella se observan también algunas diferencias generolectales destacadas en el tratamiento dispensado a los desconocidos: mientras que los hombres utilizaban la forma de respeto prácticamente siempre, el porcentaje de uso por parte de las mujeres se reducía notablemente (aunque en términos absolutos seguía siendo mayoritario). En general, este autor ha descubierto al igual que nosotros un uso considerable de la forma *usted*, aunque en el *continuum* sociolectal se observe de nuevo una clara jerarquización en su empleo, a partir de ciertos atributos sociales tanto del hablante como del interlocutor.

## 3. Dificultades para la caracterización de los ejes pragmáticos y sus implicaciones en el sistema de los tratamientos en las comunidades hispánicas

Desde las primeras aplicaciones del modelo de Brown y sus colaboradores a lenguas que codifican las diferencias de tratamiento, se advirtió ya que, pese al carácter globalmente válido del sistema, el investigador debía afinar considerablemente si deseaba obtener conclusiones que respondieran a la realidad. Y es que, como hemos tenido ocasión de ver en las páginas anteriores, la aplicación de los ejes del poder y la solidaridad puede variar notablemente no sólo entre unas lenguas y otras, sino también entre comunidades de habla distintas de una misma comunidad idiomática, cuando no, incluso, entre los mismos grupos sociales e individuos que forman parte de ésta. Como ha recordado Fasold (1990: 16), la realidad empírica en torno a las formas de tratamiento demuestra muchas veces la existencia de un grado de variación considerable en el seno de diferentes agregados sociales:

> [...] the truth is that there is considerable variation in address form usage, across languages, across national boundaries, across social groups within the same country, from one individual to the next, and even in the behaviour of the same person from one instance to another. *It would be foolhardy to try to predict exactly what address form will be used at any given time, even if you know exactly what the relationship is between the speaker and the person he or she is talking to...*[7].

Por otro lado, la identificación adecuada de estos ejes no resulta siempre una tarea sencilla, ya que para su correcta aprehensión es imprescindible considerar numerosos factores, con frecuencia harto complejos. No en vano, y pese a los sucesivos intentos por acotar el significado universal del *poder* como variable psicosocial *(vid.* Brown y Levinson 1987: 15-17), se ha comprobado, por ejemplo, que su relevancia sociolingüística es muy distinta en las sociedades igualitarias que en las sociedades jerarquizadas. Y lo mismo cabría afirmar respecto a la solidaridad. En un estudio realizado por Y. Solé (1970) a partir de la información obtenida en tres países hispanoamericanos —Argentina, Perú y Puerto Rico—, esta investigadora ha mostrado la correlación significativa que se produce entre los marcos sociales e históricos respectivos y los esquemas interpelativos que la alternancia pronominal adopta en cada uno de ellos. Y no sólo eso, sino que, además, un mismo fenómeno puede obedecer a causas diferentes, que dependen, en última instancia, de la idiosincrasia de cada sociedad. Así, por ejemplo, mientras que el polo positivo de la solidaridad y el tuteo recíproco encuentran su principal asiento en la familia primaria en la capital peruana (Lima) —como es esperable, señala la autora, en una sociedad oligárquica y latifundista, en la que perviven profundas

[7] La cursiva es nuestra.

diferencias sociales[8]—, en la comunidad puertorriqueña los usos recíprocos de *tú* se extienden a otros ámbitos sociales, aunque no tantos como los que todavía es posible advertir en la sociedad bonaerense, prototipo de comunidad de habla más moderna y urbana[9].

Por otro lado, las manifestaciones del poder, el distanciamiento social o la solidaridad no son siempre atributos vinculados directamente a los individuos en particular, sino que, con frecuencia, obedecen a interpretaciones contextuales acerca de las relaciones comunicativas, las cuales pueden cambiar de acuerdo con diversos factores situacionales (cfr. Ruiz Morales 1987).

Complementariamente, no parecen del todo claras las adscripciones que se realizan en torno a los factores asociados a uno u otro eje. Así, mientras que las diferencias de estatus social, económico o institucional entre los interlocutores se vislumbran unánimemente relacionadas con el poder, otros parámetros aducidos en la bibliografía ofrecen mucha menos claridad en las comunidades de habla contemporáneas. ¿Qué cabría decir, por ejemplo, sobre el factor generacional que la investigación empírica ha destacado casi siempre como determinante de la elección pronominal? ¿Se adscribe sin más al eje del poder, como proponen Brown y Gilman —y desde entonces la mayoría de los investigadores que se han interesado por su estudio—, o cabría interpretarlo más bien como uno de los parámetros que mejor institucionaliza la llamada *distancia social,* esto es, la «no solidaridad» en ausencia de relaciones jerarquizadas? Como comentábamos más arriba, no cabe duda de que en épocas pasadas, instituciones claramente jerarquizadas como la familia imponían el trato asimétrico entre miembros pertenecientes a generaciones distintas. Sin embargo, en la actualidad no parece tan claro que el carácter respetuoso que, sin duda, todavía posee muchas veces el tratamiento de *usted* hacia las personas mayores sea una consecuencia directa del supuesto control que éstas ejercen sobre los miembros más jóvenes de la sociedad.

Y qué decir de un factor como el *sexo,* también identificado en el origen de esta teoría con las diferencias de poder. A pesar del supuesto conservadurismo de la mujer en el uso lingüístico, confirmado ocasionalmente en algunas comunidades de habla (cfr. Lambert y Tucker 1976;

---

[8] Jaramillo (1996) ha obtenido resultados similares en una comunidad chicana de Tucson (Arizona, EE.UU.), mostrando la regresión en el empleo de *tú* conforme la distancia social en el seno de la familia se incrementa, en un *continuum* que oscila entre la familia nuclear, la familia extendida y el compadrazgo.

[9] En este caso se trata, obviamente, del *voseo* recíproco.

M. Murillo 1995), no parece que las hipotéticas diferencias entre el comportamiento de ambos sexos en este caso tengan mucho que ver en el español moderno con este concepto. Por otro lado, y como veíamos más arriba, los resultados a este respecto están lejos de ser unánimes, como demuestran los datos obtenidos en algunas comunidades peninsulares donde las mujeres abanderan la extensión del tuteo en ámbitos donde el ustedeo representa todavía la norma (cfr. Moreno Fernández 1986; Blas Arroyo 1994-1995)[10].

Pero la situación no es mejor por lo que refiere a los factores que supuestamente impulsan la solidaridad. A falta de estudios etnográficos y sociolingüísticos que analicen detenidamente los rasgos que favorecen el estrechamiento de las relaciones interpersonales en el seno de cada sociedad, la bibliografía suele contentarse muchas veces con la formulación de nóminas excesivamente intuitivas e impresionistas. No basta con afirmar que la solidaridad está basada en la afinidad de intereses y filiaciones, porque incluso en los casos en que esta interpretación apriorística resulte fiable, los resultados finales de la interacción pueden verse neutralizados por otros factores.

## 4. Los pronombres de tratamiento y la cortesía verbal

Los trabajos empíricos en los que la distribución social de las formas *tú (vos)/usted* se pone en relación con determinados factores sociológicos, como el sexo, la edad, la clase social, etc., suelen partir de una caracterización apriorística que, desde los estudios más tradicionales a los más recientes, vincula su empleo con el fenómeno de la *cortesía*. Desde esta perspectiva, el carácter cortés se reserva a la forma *usted*, mientras que el pronombre *tú (vos)* se asocia a otros parámetros, como la solidaridad, la familiaridad, la confianza o el trato igualitario, atributos cuya relación con la cortesía se niega u omite implícitamente. Así para Dumitrescu (1975-1976: 82) «en el español actual [...] hay un pronombre de confianza, de segunda persona y un pronombre de cortesía, *usted* que se le opone...». Fontanella de Weinberg (1970: 12) habla

[10] Por su parte, Jaramillo (1996) ha descubierto algunas diferencias generolectales todavía más complejas en Tucson (Arizona, EE.UU.), donde si bien las mujeres emplean más la forma *tú* que los hombres en los dominios de la familia nuclear y extendida, abanderan también, en sentido contrario, el empleo de *usted* en la esfera del compadrazgo.

también de formas familiares y de cortesía para referirse al sistema pronominal que el español contemporáneo ofrece a los hispanohablantes: «trato familiar (tú-tú), trato simétrico de cortesía (usted-usted) o tratamiento asimétrico (tú-usted)». Y César Hernández (1984: 463-464) distribuye de la siguiente manera los principales valores de estos pronombres en la actualidad:

> [...] el *tuteo* es el tratamiento normal en la familia, entre amistades, iguales y compañeros; [...] el *usted* actualmente tiene tres principales valores y usos: el respetuoso y cortés, el distanciador y el estereotipado. Este último es el menos frecuente, pero se da en las relaciones profesionales....

Pese a ello, este autor reconoce, con realismo, que es éste un campo en el que no pueden admitirse las generalizaciones más que como un simple punto de partida descriptivo.

En esta misma línea argumental resulta todavía más significativo el criterio académico. En el *Esbozo* (RAE 1973: 338) puede leerse, por ejemplo, que «una ley constante en el uso de *tú* es que todos los tratamientos de cortesía y de respeto impuestos por condiciones o exigencias sociales desaparecen en ellos», señal inequívoca de que este pronombre no se concibe como manifestación de ningún atributo que tenga que ver con la cortesía. Por lo demás, las descripciones de los usos de ambos pronombres adolecen de algunas dosis de impresionismo un tanto anacrónico, visto desde una perspectiva actual. Así, de la forma *tú* se afirma:

> [...] en el trato personal [...] es la forma en que se expresa la intimidad, el amor y la ternura a todos los niños, y a veces a los adolescentes *[sic]*, los mayores los tratan de *tú:* [...] es el lenguaje no solamente de la amistad y la familia, sino también de la camaradería y se extiende a muchas situaciones en que se arrostran y conllevan idénticos riesgos, trabajos y afanes (universidades, cuarteles, centros fabriles, etc.). [...] como contrapartida tiende a suprimirse el hábito arraigado de tratar de *tú* (sin reciprocidad) a los sirvientes domésticos y a cualquier persona que preste un servicio manual (camareros, peluqueros, etc.). El *tú* es sólo recíproco cuando las ayas o sirvientes han conocido a sus señores desde que eran pequeños.

De *usted*, se ofrecen menos indicaciones, aunque se apunta la importancia que dicha forma tiene en las relaciones sociales, disminuida algo en los últimos tiempos por la extensión progresiva del *tuteo*.

Al margen del carácter, entre descriptivo y normativo, de la mayoría de estas definiciones, destaca la escasa atención que se concede a la propia caracterización de los conceptos empleados. En la cita anterior de Hernández (1984), por ejemplo, hemos visto cómo este autor parece incluir el valor cortés del pronombre *usted* en el mismo grupo en que aparece la manifestación de respeto, para distinguir ambos, al mismo tiempo, de otros significados particulares. Ahora bien, en esas palabras no queda del todo claro si *respeto* y *cortesía* mantienen una relación de sinonimia, hiponimia, o algún otro tipo de relación semántica; por ejemplo, si la afirmación de que un uso de este pronombre es «cortés» equivale a decir que es «respetuoso» —o viceversa—, o si la expresión de cortesía es sólo una parte de la expresión de respeto hacia el interlocutor, por mencionar tan sólo dos de las cuestiones que podrían plantearse sobre este tema.

En su análisis comparativo acerca de la manifestación de cortesía en rumano y en español, Dumitrescu (1975-1976) aporta algunos datos adicionales interesantes. Después de afirmar que ambos idiomas conocen al lado del tratamiento de confianza «la categoría del tratamiento de respeto y cortesía», la investigadora rumana muestra su preocupación por la superficialidad que ofrecen los manuales destinados al aprendizaje del español entre los rumanos, ya que

> sólo mencionan, ya desde las primeras lecciones, sin volver con más detalles sobre el particular, que el pronombre de cortesía español es *usted* (plural *ustedes)* el cual exige, a distinción de su homólogo rumano, la concordancia en tercera persona. Sin embargo, con tales afirmaciones estamos lejos de haber agotado todas las diferencias de funcionamiento que separan el tratamiento en las dos lenguas que nos interesan y que se pueden poner claramente de relieve al estudiar las oposiciones sistemáticas que realizan en cada lengua los pronombres en cuestión.

Al igual que en español, en rumano existe un pronombre de confianza, pero frente a aquél su uso está más restringido, ya que en esta lengua «la cortesía tiene dos grados, expresándose, por lo tanto, por dos pronombres distintos y opuestos entre sí, ya que uno expresa la cortesía «simple» *(dumneata)* y el otro la cortesía «intensa» *(dumneavoastra)*[11]. Para esta autora, la diferencia entre el tratamiento de confianza

[11] La autora rumana observa, precisamente, que dada la ausencia de esa simetría entre los sistemas del español y del rumano, muchas veces los españoles que aprenden rumano cometen el error de tutear con demasiada facilidad.

*(tú)* y el tratamiento de cortesía *(usted)* radica en la diferente distribución de los semas [reverencia] y [familiaridad], de manera que la manifestación de cortesía por parte de un individuo traduciría tanto la muestra de reverencia como la falta de familiaridad hacia el interlocutor. Por otro lado, se propone una diferencia entre el grado neutro expresado por *usted* y el grado enfático, característico en español —como también en rumano— de algunos sintagmas nominales más o menos fosilizados.

Pese al reconocimiento que merecen estas propuestas de sistematización, por su intento de superar las insuficiencias del atomismo empírico, hay que subrayar que el planteamiento de Dumitrescu adolece también de algunos problemas de difícil solución. El primero de ellos se deriva de la propia definición de los semas con los que trabaja la lingüista rumana, poco explicativos, en nuestra opinión, para el análisis del español actual, especialmente por lo que se refiere al rasgo por ella denominado «reverencia». Incluso tomando como elemento discriminador la acepción menos extrema de este concepto —«respeto o veneración que tiene una persona a otra» (RAE 1984: 1186)—, lo cierto es que no resulta nada difícil imaginar situaciones en las que el uso de *usted* parece esperable y natural en el español contemporáneo, sin que ninguno de esos atributos tenga gran importancia como factor contextuales de la interacción.

Algunas de las manifestaciones lingüísticas relacionadas con la cortesía verbal tienen mucho que ver con los procesos de rutinización y automatización del habla, es decir, con mecanismos propios de la competencia comunicativa de los hablantes que facilitan la cooperación conversacional a partir de unas normas de interacción culturalmente específicas. Desde este punto de vista, por ejemplo, una buena parte de los intercambios verbales que se establecen por primera vez entre desconocidos en comunidades de habla españolas apelan generalmente al uso automático de *usted.* Asimismo, algunos estudios han comprobado que el empleo de una u otra forma no se altera a partir de la presencia de modificaciones en la situación comunicativa (relación entre los interlocutores, formalidad de la interacción, etc.), sino que parece institucionalizarse de forma que el pronombre elegido constituye una opción casi categórica en ciertos dominios. Así, por ejemplo, M. Murillo (1995) ha observado que en el medio escolar costarricense el uso de *usted* frente a *vos* es casi universal entre los niños, incluso en interacciones donde las diferencias de poder no existen.

En estos casos, la cortesía parece responder más bien a un *comportamiento verbal políticamente correcto* (Watts 1992), es decir, al conjunto de estrategias y recursos verbales destinados a preservar la armonía social. Desde este punto de vista, los tratamientos con *tú* y *usted* vendrían regulados en las distintas situaciones comunicativas por un conjunto de reglas contextuales automáticas dentro de cada comunidad de habla. Por el contrario, los usos *corteses* (o *descorteses)* de ambas formas constituirían opciones *marcadas,* destinadas a obtener el máximo beneficio para el hablante (y ocasionalmente, el perjuicio para el interlocutor: «Usted a mí no me tutea...»).

Como hemos destacado en otro lugar (Blas Arroyo 1995), la interpretación tradicional sobre los pronombres de tratamiento adolece de algunos problemas serios, entre los que no es el menor el hecho de que los valores de la cortesía, la confianza o la familiaridad se deriven de la semántica de estas formas en el código lingüístico, en lugar de concebir, de manera más realista, que los diferentes significados obedecen a factores contextuales diversos, que es preciso analizar en cada caso. Ya Y. Solé (1978) advertía, en relación con la variación lingüística experimentada por los pronombres de tratamiento en comunidades hispanas de EE.UU., que el uso de *tú* y *usted* no puede ser descrito en términos puramente semánticos, ya que su funcionalidad depende del contexto sociolingüístico. Por su parte, Ruiz Morales (1987: 766) ha realizado una crítica similar en relación con la supuesta oposición «formalidad/familiaridad» que, según se desprende de las gramáticas y obras de referencia al uso, parece presidir la regla de alternancia pronominal en Colombia:

> Es común simplificar en demasía esta oposición, asociando la forma USTED con la formalidad, la deferencia y el distanciamiento social y psicológico, mientras que TÚ expresa la familiaridad, la camaradería y una forma no bien definida de informalidad. El absolutismo de tal diferenciación semántica no corresponde al uso real de estos pronombres en el mundo hispánico, principalmente porque la «formalidad» y la «familiaridad» no son valores inherentes a los pronombres USTED y TÚ, respectivamente, sino que tales valores son resultados del contexto sociolingüístico en que se usan.

Por otro lado, la relación entre el empleo de estos pronombres y el fenómeno de la cortesía verbal puede ser muy variable, en función de la perspectiva teórica que adoptemos. Así, si interpretamos este principio como un fenómeno normativo, vinculado socialmente a sociedades conservadoras y jerarquizadas, y cuyo incumplimiento puede acarrear sanciones sociales, la cortesía vendría inexorablemente vinculada al empleo de las tradicionales formas de respeto *(usted),* mientras que el tuteo supondría la contrapartida de tales valores. Ahora bien, en los últimos tiempos se ha advertido que la cortesía lingüística puede obedecer a factores mucho más complejos que los anteriores en las sociedades modernas.

En una de las teorías sobre la cortesía verbal más influyentes, Brown y Levinson (1987) consideran los sistemas de tratamientos como una de las manifestaciones más gramaticalizadas en la lengua de aquellas estrategias lingüísticas destinadas a minimizar los riesgos que para el interés o la *imagen (face)* de nuestros interlocutores pueden representar numerosos actos comunicativos. En aplicación de esta tesis al español peninsular, hemos defendido (Blas Arroyo 1994-1995, 1995) que la oposición *tú/usted* podría analizarse en no pocos casos como un reflejo de dos tipos de cortesía diferentes: el tratamiento con *tú* vendría a representar el predominio interaccional de la llamada *cortesía positiva*[12], mientras que el uso de *usted* aparecería asociado al dominio de la *cortesía negativa*[13].

De este modo, el uso de *tú* en el español contemporáneo no sólo abarca el contexto de las relaciones familiares y amistosas (parentesco, amistad...), sino que, en virtud de su carácter de marcador de proximidad grupal, traspasa su ámbito de uso a otras esferas, en las que determinados atributos de los interlocutores pueden inducir a uno de ellos (tratamiento asimétrico) o a ambos (tratamiento simétrico) a su empleo «cortés». En el ejemplo (1) apreciamos un caso extremo de este proceso: el hablante situado en la posición jerárquica más elevada (el de mayor edad) muestra su deseo de cambiar las normas interaccionales

---

[12] Las estrategias de cortesía positiva van dirigidas a realzar la imagen positiva del interlocutor, por lo que suelen traducirse en expresiones de solidaridad, informalidad y familiaridad. Uno de los mecanismos más frecuentes para la búsqueda de este objetivo consiste en hacer partícipe al interlocutor de una esfera común de intereses, deseos o actividades con el hablante. Ello da lugar a estrategias parciales como las muestras de un interés exagerado por los deseos del interlocutor, la exaltación de sus habilidades y realizaciones, la búsqueda de motivos de acuerdo en lugar de desacuerdo, o el uso de marcas de identidad que subrayan la pertenencia a una esfera común entre los participantes. En este contexto, el tránsito de las formas pronominales *V* a las formas *T* en aquellas lenguas que, como el español, tienen gramaticalizada la alternancia representa un recurso idóneo: «In such languages, the use of T (singular non-honorific pronouns) to a non-familiar alter can claim solidarity» (Brown y Levinson 1987: 107).

[13] A diferencia de las anteriores, las estrategias de cortesía negativa contrarrestan las amenazas a la «integridad territorial» que caracteriza la imagen (negativa) de los individuos. De ahí que se consideren como tales las manifestaciones de deferencia hacia el oyente, las disculpas, las expresiones indirectas de algunos actos directivos (peticiones, ruegos...), etc.

no marcadas en tales circunstancias y que sancionan el tratamiento de *usted,* al menos por parte del participante situado en la posición más baja (el de menor edad). La apelación explícita al intercambio de *tú* es la estrategia elegida por el hablante de más edad para modificar dichas normas en la conversación.

(1) Alberto (60 años): ¿Cuánto tiempo *lleva* [usted] aquí?
Juan (38): Pues, llegamos anoche... Pero, por favor, no me *hables* [tú] de usted, que me *haces* [tú] más viejo de lo que soy.
Alberto: Vale, vale...como *quieras* [tú].

De acuerdo con esta interpretación, el progreso que el empleo de *tú* ha experimentado en la mayoría de las comunidades de habla hispánicas podría ser analizado como un reflejo de la tendencia creciente en las sociedades modernas a limar prejuicios y jerarquizaciones sociales. Ello ha contribuido a una valoración crecientemente positiva del tuteo como forma de tratamiento adecuada —incluso *cortés*— en situaciones cada vez más numerosas.

En el extremo opuesto, la elección de *usted* vendría a representar el mantenimiento de estrategias más conservadoras y tradicionalmente más prestigiosas, relacionadas con la *cortesía negativa,* que en la concepción de Brown y Levinson (1987: 129-130), representa la imagen más común de la cortesía verbal en las sociedades occidentales. En concreto, el empleo de la forma *usted* en el español supone la adopción de la estrategia de la *deferencia (strategy 5: give deference):* el hablante se inclina ante la superioridad —real o ficticia— de su interlocutor, al que, además, ensalza. Sin embargo, el significado connotado es el mismo: al interlocutor se le trata como a un superior, y ello tanto en los casos en que las diferencias de poder entre los participantes son obvias y asumidas por el hablante situado en el nivel más bajo de la escala de jerarquía (tratamientos asimétricos), como en aquellos otros en los que se impone una deferencia recíproca (tratamientos simétricos). En estos últimos, como señalan Brown y Levinson (1987: 178-179):

> [...] what is conveyed is a mutual respect based on a high D value, but this seems to be an exploitation of the asymmetrical use of deference to convey an asymmetrical social ranking. In any case rights to immunity are emphasized here too».

Interpretar la regla de alternancia pronominal *tú/usted* como una manifestación de dos tipos de cortesía diferentes permitiría explicar otros empleos, no por más infrecuentes menos reales, como aquellos en los que los participantes utilizan subsistemas de tratamiento asimétricos cuando los factores contextuales no parecen justificarlos *a priori*. En el siguiente fragmento, (2), correspondiente a una primera conversación entre dos vecinos de una comunidad de propietarios, éstos hablan sobre un tema que interesa a ambos, como es la posible instalación de un depósito de gas propano para la calefacción. La comunidad de intereses instrumentales, junto con otros factores contextuales, como la pertenencia a la misma generación de los participantes[14], el tono informal de la interacción o la semejanza de estatus social entre los interlocutores, contribuye a reducir el grado de distancia relativamente elevado que corresponde a un primer encuentro conversacional. En este contexto, los tratamientos simétricos, ya sea mediante el *tuteo* o mediante el intercambio recíproco de *usted* —según el peso que los interlocutores concedan a los factores anteriores—, parecen normas interaccionales *no marcadas* en el español peninsular contemporáneo. Obsérvese, sin embargo, cómo la conversación siguiente no responde a dichas normas:

(2) Jose Luis: ¿*Podría* [usted] convocar a los vecinos de su fase para este fin de semana? Es que de esa manera podríamos ir a Repsol con...
Fernando: Sí, sí, no te *preocupes* [tú], que yo.., vamos a ver... mañana no, que no puedo, perooo.. el sábado reúno a todos. Bueno... si están... [risas].
José Luis: Pues con la respuesta que *tenga* [usted] me *avisa* [usted], Nosotros nos reunimos mañana y...
Fernando: ¿*Irías tú* a Repsol, o *quieres* [tú] que *te* acompañe?
José Luis: Pues si *puedes* [tú], me gustaría que me acompañara alguien.

La explicación del tratamiento asimétrico inicial no puede realizarse a partir de los patrones psicosociales que han venido explicando este tipo de intercambios no recíprocos en las últimas décadas. En el presente caso no hay diferencias de poder o de estatus que justifiquen tal asimetría y así acaba reconociéndolo implícitamente uno de los participantes (José Luis) cuando pasa al *tuteo* en su última intervención; si bien en este caso, y a diferencia de lo observa-

[14] Ambos tienen alrededor de 40 años.

do en (1), no hay ninguna petición explícita por parte de ninguno de los participantes.

En ese contexto, la teoría de Brown y Levinson puede ofrecer una explicación plausible de estas diferencias en la aplicación de una misma regla de alternancia. Así, el distinto trato que inicialmente dirige al otro cada uno de los interlocutores obedece a la interiorización respectiva de dos conceptos de cortesía diferentes. Mientras que Fernando resalta los atributos comunes de ambos participantes, encauzando sus estrategias hacia la vertiente *positiva* de la cortesía —lo que justificaría el empleo de *tú*—, José Luis parece guiarse al comienzo de la conversación por una visión más conservadora de las normas interaccionales, basadas en el trato deferente que garantiza el *usted,* dirigido a un interlocutor con el que no existe una historia conversacional previa (cortesía *negativa).*

## 5. El funcionamiento estratégico de los pronombres de tratamiento en la interacción verbal

Con independencia de la perspectiva teórica que adoptemos, lo importante es reconocer que las formas pronominales de tratamiento pueden adoptar diferentes valores en el discurso, y que éstos se hallan íntimamente determinados por las situaciones comunicativas en cada comunidad de habla. Por ello, y junto al análisis de su codificación como cortesía, es posible abordar también el uso estratégico que pueden hacer los hablantes de estas formas, hasta el punto de convertirlas en *indicios de contextualización* (Gumperz 1982), esto es, de marcas semióticas que permiten renegociar los papeles sociales desempeñados por los participantes en el curso de la interacción, así como sus estrategias discursivas.

Una interpretación interaccional del habla muestra que el lenguaje y el contexto no mantienen siempre una relación unívoca, es decir, que no sólo el contexto contribuye a ubicar los significados —referencial, expresivo, social— de los mensajes lingüísticos, sino que, como contrapartida, la misma actividad discursiva desempeña con frecuencia una acción contextualizadora. Veamos una muestra representativa relacionada con las formas de tratamiento en español.

En el ejemplo siguiente (3) reproducimos diversas secuencias de un evento de habla que tiene lugar en un concesionario de coches, y en el que vendedor y cliente mantienen una interacción instrumental cuya finalidad es la compraventa de un vehículo[15]. Lo que nos interesa destacar aquí es el tránsito progresivo que a lo largo de la conversación se produce entre diversos sistemas de tratamiento, a saber:

a) el empleo simétrico de *usted* al comienzo de la conversación;

b) tratamiento que evoluciona hacia otro de carácter asimétrico en la secuencia central, con el comprador tuteando al vendedor, al tiempo que éste sigue tratando de *usted* al primero;

c) por último, al final de la conversación se alcanza un nuevo marco participativo, a partir de un tratamiento simétrico, pero esta vez mediante el intercambio de *tú*.

(3) *Secuencia inicial*

Vendedor: Buenos días, señores, ¿qué *deseaban* [ustedes]?
Cliente: Sí, quería ver algunos coches, por ejemplo, el Toyota Carina, ese que *tiene* [usted] ahí, ése es el *Full equipe*, ¿verdad? ¿Qué precio tiene?
Vendedor: Sí, sí, claro, pasen, *pasen* [ustedes] por aquí, por favor, si son tan amables y ahora lo vemos todo.
[...]

*Secuencia intermedia*

Cliente: Entonces, ¿cuánto *dices* [tú] que me daríais por el Golf mío? Tiene sólo 40.000 km y...
Vendedor: Por éste seguramente *le* [a usted] podríamos dar hasta setecientas cincuenta mil pesetas, no sé, primero tendría que verlo el técnico y todo eso... Pero por ahí andaría la cosa.
Cliente: ¡¿Setecientas cincuenta mil pesetas sólo?!... Hombre, me parece muy poco: *ten* [tú] en cuenta que está nuevecito y yo he leído en una revista que por coches como éste, mínimo un millón. Ah, oye, y otra cosa... ¿me *has dicho* [tú] que el aire acondicionado viene de serie o me lo he inventado yo?
Vendedor: Sí, sí, va incluido. Aunque éste no lo lleva porque es el que usamos para las pruebas, no *se preocupe* [usted] porque va incluido. Ah, y no le *había dicho* [a usted] que también está el ABS.
[...]

15 Ejemplo extraído de Blas Arroyo (1995).

Cliente: Bueno, pues entonces quedamos así: *tú* me *llamas* cuando lo *hayas recibido* y *te* hago la transferencia.
Vendedor: Vale, no te *preocupes* [tú], que yo les meteré prisa y a ver si el martes próximo, eee...
Cliente: ¿El de la semana que viene?
Vendedor: No, eee, seguramente el de la otra. Seguro que para entonces ya lo *tienes* [tú] aquí.

Como apuntábamos más arriba, el paso de unas normas de tratamiento a otras actúa como un *indicio de contextualización* que permite inferir que se han producido sucesivas reestructuraciones en el cuadro participativo de la interacción. En el primero de esos cambios, el cliente abandona el trato de *usted* y lo sustituye por el tuteo cuando se dirige al vendedor. A partir de aquí y hasta el final de la conversación, el cliente tutea sin reparos a su interlocutor.

Sería difícil —y hasta cierto punto infructuoso— precisar las causas subjetivas, las intenciones que llevan a esa modificación del esquema interlocutivo por parte de los hablantes. Como ha señalado Schiffrin (1994: 132), la lingüística interaccional no puede, e incluso no debería abordar el tratamiento de estos aspectos de la conducta humana, entre otras razones porque escapan con frecuencia a la competencia del lingüista. Ahora bien, lo que sí puede hacer es interpretar cuáles son las técnicas, las estrategias discursivas, que los hablantes adoptan para reorientar sus identidades en el curso de las interacciones verbales.

En el presente caso, diversos rasgos contextuales parecen haber contribuido a ese cambio de estrategia. La posición superior que desde el comienzo de la conversación ocupa la persona que encarna la figura del cliente, una mayor distensión entre los interlocutores en las fases intermedias del diálogo —que contrasta con los usos más corteses y rutinizados característicos de las fases iniciales del mismo—, el intercambio recíproco de información sobre temas técnicos en los que ambos hablantes se muestran competentes, etc., parecen ser factores que han contribuido a esa «renegociación» de las identidades que impulsan una nueva estrategia discursiva basada en el tuteo por parte de uno de los participantes.

Ahora bien, véase cómo el vendedor no modifica su comportamiento y continúa dispensando el mismo trato deferente que al comienzo de la conversación. Ya Brown y Ford (1964: 385) habían advertido que los cambios desde las formas que sirven para marcar el estatus o la distancia social hacia las formas de la familiaridad entre desiguales encuentran casi siempre su origen en el participante que ocupa el nivel jerárquico superior.

Por otro lado, el cambio en el trato desde el *usted* inicial al tuteo por parte de uno de los interlocutores no es sólo una mera consecuencia de la modificación de los factores contextuales que enmarcan el diálogo. Es interesante comprobar cómo esta regla de alternancia sociolingüística tiene a su vez un efecto contextualizador, que permite continuar con la renegociación de los papeles participativos en fases sucesivas del intercambio verbal. De este modo, la conciencia de que se ha producido un cambio respecto al cuadro inicial desencadena nuevas normas de tratamiento. Y así vemos cómo en la fase final del diálogo el tuteo se generaliza entre los dos interlocutores.

Esta nueva estrategia, que conduce finalmente al tratamiento recíproco de *tú* entre cliente y vendedor, no podría explicarse sólo por una nueva alteración de los factores contextuales. Es indudable que se ha alcanzado un objetivo instrumental por ambas partes —la compraventa de un coche—, lo que ha contribuido probablemente a estrechar los intereses comunes de ambos participantes. Ahora bien, es posible también que la estrategia adoptada por el cliente en la fase intermedia de la interacción verbal, cambiando el tratamiento deferente o ritualizante del *usted* por la mayor proximidad del *tú*, actuara como una señal que ha permitido inferir al vendedor que un cambio en las normas de tratamiento por su parte no resultaba ya inadecuada en la fase final de la conversación. Y es en este sentido en el que el recurso al tuteo por parte del cliente puede considerarse, efectivamente, como un *indicio de contextualización*[16].

---

[16] Según Gumperz (1982), los *indicios de contextualización* son aquellas marcas lingüísticas —y no lingüísticas— que relacionan el mensaje con el conocimiento contextual que los hablantes poseen. Tales indicios contribuyen a la elaboración de las presuposiciones necesarias para que los participantes interpreten adecuadamente todos los aspectos relacionados con la actividad discursiva (fuerza ilocutiva de los actos de habla, intenciones últimas de los interlocutores, tipos particulares de actividad lingüística, etc.).

Tema X

# El estudio de las actitudes lingüísticas en las comunidades de habla hispánicas (I): Cuestiones teóricas y metodológicas. Las actitudes hacia la variación intradialectal

## 1. Introducción

En el desarrollo de nuestra disciplina son muy frecuentes las referencias al capítulo de las actitudes lingüísticas y a otros conceptos relacionados, pues no en vano poseen gran relevancia para la comprensión de numerosos aspectos sociolingüísticos en el seno de las comunidades de habla. Entre nosotros, lo anterior no ha sido una excepción, y así, desde la pionera intuición de Rona (1974), según la cual el análisis de las actitudes lingüísticas es una de las esferas de estudio más adecuadas y pertinentes para la investigación sociolingüística, otros muchos estudiosos han llamado la atención acerca de la importancia de las percepciones subjetivas de los hablantes en los hechos de variación y cambio lingüístico. A este respecto, se ha destacado, por ejemplo, que las actitudes pueden ayudarnos a comprender mejor las normas de uso lingüístico, así como los patrones que adquieren los procesos evolutivos en la lengua (M. A. Carranza 1982: 63). Por otro lado, se ha subrayado que actitudes y creencias acaban afectando no sólo a los fenómenos micro-lingüísticos, sino también al ámbito de las lenguas en contacto, y sus consecuencias son, por lo tanto, muy variadas: desde su poderosa influencia en los procesos de elección y aprendizaje de segundas lenguas, hasta el fomento de la discriminación lingüística *(vid.* Jaspaert y Kroon 1988: 157 y ss.). Por no hablar de su importancia para la delimitación del propio —y problemático— concepto de «comunidad de habla» (Blas Arroyo 1994a).

En las últimas décadas la investigación sobre las actitudes lingüísticas en el mundo hispánico ha discurrido por diferentes derroteros. Como recuerda A. Ramírez (2000: 284) éstos incluyen líneas de investigación diversas, como las evaluaciones que los hablantes dispensan a:

a) determinadas lenguas o dialectos, consideradas como entidades discretas *(v. gr.,* el español argentino *vs.* el español colombiano),

b) ciertas variantes lingüísticas, en especial aquellas que representan rasgos vernáculos o estigmatizados en una comunidad de habla *(doh vs. dos, semos vs. somos),*

c) la lengua como un marcador de identidad etnolingüística *(v. gr.,* la importancia del mantenimiento del español entre los hablantes chicanos del sudoeste de EE.UU.).

d) el uso de la lengua en determinados dominios sociales *(v. gr.,* el empleo del español en el sistema educativo en las comunidades bilingües de EE.UU.),

e) la planificación lingüística en dominios como la educación, los medios de comunicación, la administración de justicia, etc.,

f) los fenómenos característicos del contacto *(v. gr.,* interferencias, préstamos, cambio de código, etc.).

El objeto de los dos temas siguientes será dar cuenta de las principales líneas de investigación desarrolladas en este ámbito en las últimas décadas. Para ello, dividimos su contenido en dos capítulos. Junto al comentario de algunos conceptos y métodos fundamentales en este dominio sociolingüístico, el presente está dedicado al estudio de las actitudes hacia la variación interna del español, mientras que el segundo (véase tema XI) atiende a las investigaciones realizadas en comunidades bilingües, en las que el interés prioritario radica en el análisis de las actitudes hacia las propias lenguas en contacto en situaciones de bilingüismo social.

## 2. ACTITUDES Y CREENCIAS EN LA SOCIOLINGÜÍSTICA HISPÁNICA

La propia noción de *actitud,* aunque muy utilizada en el terreno de la psicología social, dista de haber obtenido hasta la fecha una caracterización universalmente aceptada. Para empezar, nos haremos eco de una de las definiciones más generales, como es la ofrecida por Sarnoff (1960: 279), para quien la actitud es «la disposición a reaccionar favorable o desfavorablemente a una serie de objetos».

En el caso particular de *las actitudes lingüísticas* podríamos hablar de las posturas críticas y valorativas que los hablantes realizan sobre fenómenos específicos de una lengua o, incluso, sobre variedades y lenguas concebidas como un todo (cfr. Appel y Muysken 1987: 17; Malaver 2002: 182). A este respecto, el sociolingüista británico Ralph Fasold (1984: 176) resumía hace unos años los principales objetos de estudio de este dominio sociolingüístico en las siguientes tres categorías: a) qué piensan los hablantes sobre las lenguas o sobre algunas de sus variedades dialectales o sociolectales (son expresivas, ricas, pobres, feas, etc.); b) qué piensan esos mismos individuos sobre los hablantes de esas lenguas y variedades; y c) cuáles son las principales actitudes hacia el futuro de las lenguas. Por otro lado, y como recuerda este mismo autor, las actitudes pueden estar basadas en hechos reales, pero en la mayoría de los casos se originan a partir de *creencias* totalmente inmotivadas.

La bibliografía sobre el tema suele reconocer la existencia de dos aproximaciones diferentes al estudio de las actitudes. La primera, calificada como *conductista*, aboga por el análisis de éstas a partir de las opiniones que manifiestan los individuos acerca de las lenguas y sus hablantes respectivos en el desarrollo de las interacciones comunicativas. La aproximación *mentalista*, por el contrario, considera las actitudes como un estado mental interior, esto es, «como una variable que interviene entre un estímulo que afecta a la persona y su respuesta a él» (Agheyisi y Fishman 1970: 138).

Por su mayor capacidad de predicción, la mayoría de los investigadores se han adherido a este último punto de vista[1]. Entre éstos, López Morales (1989: 232-236), uno de los autores que mayor atención han dedicado al estudio de las actitudes lingüísticas en el mundo hispánico, es partidario de la distinción entre dos conceptos relacionados, pero suficientemente autónomos, como son los de *actitud* y *creencia*, nociones que otros autores caracterizan como componentes distintos de un mismo constructo teórico. Para el sociolingüista cubano, sin embargo, «la actitud está dominada por un solo rasgo: el *conativo* [...] Separo del de actitud el concepto de *creencia*, que es, junto al "saber" pro-

---

[1] No obstante, nadie oculta que esta línea de investigación presenta también serios problemas, pues los estados mentales no pueden observarse de forma directa, sino que han de ser inferidos a partir del comportamiento y de las confesiones realizadas por los propios hablantes, lo cual, en ocasiones, puede menoscabar su fiabilidad.

porcionado por la conciencia lingüística, el que las produce». Desde esta perspectiva, pues, mientras que las actitudes tan sólo pueden ser positivas o negativas, pero nunca neutras —dado su carácter conativo—, las creencias sí pueden estar integradas:

> [...] por una supuesta cognición[2] y por un integrante afectivo. Aunque no todas las creencias producen actitudes (piénsese, por ejemplo, en las etimologías populares) en su mayoría conllevan una toma de posición: si se cree que el fenómeno *x* es rural, es decir, lleva signos de rusticidad, inelegancia, etc., suele producirse una actitud negativa hacia él, se suele rechazar. Que tal rechazo afecta a la actuación lingüística del hablante es un hecho, sobre todo cuando produce estilos cuidadosos en los que participa muy activamente su conciencia lingüística» (pág. 233).

Una prueba de que los componentes *afectivo* y *conativo* no siempre actúan en la misma sintonía la encontramos en aquellas situaciones de bilingüismo social en las que los hablantes dispensan evaluaciones y comportamientos diferentes a las lenguas minoritarias en función del contexto social y funcional. Veamos un par de ejemplos, en cada uno de los cuales el español aparece en una posición de dominio diferente respecto a otra lengua.

La primera corresponde a la comunidad hispana de Indiana (EE.UU.) *(vid.* Mendieta 1998), en la que una clara mayoría de los informantes evalúa positivamente el habla local por motivos afectivos. Sin embargo, el signo de esta evaluación cambia radicalmente cuando se aborda la posible incorporación del español al sistema educativo. En este caso las respuestas favorables al español son mucho menos decididas que cuando se trata de valorar la lengua propia de forma general.

El segundo caso lo extraemos de una situación de contacto en la que el español aparece en una situación históricamente dominante respecto a una lengua peninsular, el vasco. En este caso, es ahora esta última lengua la que muestra un claro desfase entre el componente actitudinal afectivo y la conducta lingüística de los individuos. Como ha visto Urrutia (2002c) en su estudio sobre las actitudes y los usos lingüísticos en la comunidad escolar vasca, la distancia entre estos parámetros en el caso del vasco es muy elevada. En sus palabras:

---

[2] Se habla de supuesta cognición, ya que, si bien las creencias pueden estar ocasionalmente basadas en la realidad, en gran medida no aparecen motivadas empíricamente.

> Mientras que apenas un 7 por 100 de la muestra declara hablar siempre o casi siempre en euskera y un 14 por 100 en ambas lenguas, un 62 por 100 mantiene actitudes positivas o muy positivas hacia el euskera.

Una de las vertientes más productivas en el estudio de las creencias lingüísticas tiene que ver, justamente, con su capacidad para predecir las elecciones de lengua en las situaciones de contacto (véase tema XI). A este respecto, es interesante la distinción que Allard y Landry (1990, 1994) realizan entre creencias *exocéntricas* y creencias *endocéntricas,* en función del grado en que afectan al individuo, al tiempo que postulan la hipótesis de que son estas últimas las que condicionan en mayor grado las elecciones lingüísticas de los individuos. Dicha hipótesis se ha visto confirmada entre nosotros por Raquel Casesnoves (2003) en una reciente investigación sobre el bilingüismo social entre estudiantes valencianos. En este trabajo se advierte, por ejemplo, que los sentimientos declarados de identidad de éstos en los ejes ideológicos *valenciano-español* y *valenciano-catalan* poseen un mayor valor predictivo sobre la elección de lengua (en este estudio en concreto, el empleo del valenciano) que la percepción acerca del estatus social y el prestigio de las lenguas. En definitiva, los valores más sentidos por los individuos resultan más determinantes que otros que se sitúan en un plano más alejado.

## 3. El origen de las actitudes lingüísticas

La explicación general acerca de los resultados obtenidos más comúnmente en los estudios sobre actitudes lingüísticas supone asumir que las lenguas son objetivamente comparables entre sí desde un punto de vista gramatical o lógico, pero que las diferencias subjetivas que realizan los individuos obedecen principalmente a los desequilibrios de poder entre unos grupos y otros. En relación con este tema, son bien conocidos los trabajos realizados en comunidades canadienses y galesas durante la década de los años 70 por un equipo de investigadores psicosociales liderado por Howard Giles. En estas investigaciones se contrastaban dos hipótesis en torno al origen de las actitudes lingüísticas. Por un lado, la conocida como *hipótesis del valor inherente* consideraba como punto de partida que una variedad lingüística o una lengua es objetivamente mejor, más atractiva para los hablantes, que otra(s). Por el contrario, la *hipótesis del valor impuesto* partía de la base de que una lengua se considera mejor que otra porque es empleada por el grupo social con mayor prestigio o estatus. Giles y sus colaboradores encontraron confirmación para esta segunda hipótesis: la variedad dialectal del francés que se emplea en las comunidad de habla canadienses era juzgada negativamente por sus mismos hablantes, pero no así por los miembros de otra sociedad completamente distinta, la galesa, donde el francés aparece como segunda lengua en el sistema educativo y por lo tanto, es ajeno a las presiones genuinas que encierran la mayoría de las situaciones de bilingüismo social desequilibrado.

En la actualidad disponemos de una amplia base empírica para afirmar que no son diferencias lingüísticas ni estéticas las que se encuentran en el origen de las actitudes lingüísticas, sino estereotipos y prejuicios relacionados con las personas que hablan determinadas lenguas o variedades. Como indica Silva-Corvalán (1989: 12), el que una forma lingüística se evalúe como «correcta» o «incorrecta» se debe sólo a apreciaciones subjetivas: la corrección es social, no lingüística[3]. Por ello, las actitudes lingüísticas no se heredan, sino que se aprenden. Y en consecuencia, pueden modificarse también, especialmente a través del sistema educativo:

> [...] schools, can in themselves, affect attitudes to a language, be it a majority or a minority language. Through the formal or hidden curriculum and through extra curricula activities, a school may produce more o less favorable attitudes and may change attitudes (Baker 1992: 43).

Los psicólogos sociales han creado los conceptos de *prototipos* y *prejuicios lingüísticos* para dar cuenta del modo en que utilizamos el lenguaje como fuente de información acerca de las características psicosociales de nuestros interlocutores. Uno de los más afamados, el canadiense Wallace Lambert (1967), categorizó las diferentes dimensiones de la personalidad en tres grupos diferentes:

a) la *competencia*, que reúne los atributos relacionados con: la inteligencia, el espíritu e trabajo, la capacidad de liderazgo y de influencia sobre los demás, el estatus, el prestigio social, la competencia laboral, la ambición, etc.;

---

[3] No obstante, la impresión de superioridad de unas lenguas y variedades sobre otras pervive entre «los guardianes de la lengua, como periodistas, editores, profesores, académicos y otras fuerzas sociales defensoras de la preceptiva» (St. Clair 1982: 170). Por desgracia, el estudio sobre las causas que han generado las actitudes lingüísticas a lo largo de la historia no ha recibido demasiada atención bibliográfica.

b) la *integridad personal*, que incluye rasgos como la honestidad, la bondad, la sinceridad, la lealtad, la sencillez, la capacidad para mantener relaciones de amistad, etc., y

c) el *atractivo* social, entendiendo por tal otras características personales como el espíritu independiente, la educación, el refinamiento, el sentido del humor, la simpatía, la alegría, la virilidad/feminidad, etc.[4].

Este tipo de asociaciones reciben comúnmente el nombre de *estereotipos*. Éstos se construyen a través de prejuicios que, a su vez, se retroalimentan en el desarrollo de las interacciones comunicativas, las cuales generan nuevos prejuicios que ayudan a consolidar los ya existentes. No en vano, los estereotipos manipulan y alientan opiniones y actitudes que se extienden por toda la comunidad de habla.

Las investigaciones desarrolladas a lo largo de las últimas tres décadas han demostrado que los acentos regionales o las variedades características tanto de los grupos étnicos minoritarios como de las clases bajas en general evocan casi siempre reacciones desfavorables en lo relativo a estatus, competencia y prestigio, si bien mejoran algo en atractivo e integridad personal. De esta manera, los hablantes de estos dialectos reciben puntuaciones bajas en parámetros como «culto», «inteligente», «educado», «refinado», «emprendedor», etc., que asociamos habitualmente con la competencia y el estatus social y profesional. Sin embargo, esos mismos hablantes suelen obtener mejores notas en rasgos vinculados a valores integrativos como la simpatía, la generosidad o el buen humor. En el tema siguiente, dedicado al estudio de las actitudes en situaciones de bilingüismo social, tendremos ocasión de volver con detalle sobre esta cuestión.

## 4. Cuestiones metodológicas en la investigación de las actitudes lingüísticas

### 4.1. *Los cuestionarios y otras técnicas directas*

El uso de técnicas directas se ha dado particularmente en el análisis de las actitudes lingüísticas. Aquéllas pueden clasificarse en tres grupos: cuestionarios, entrevistas y observación directa. La última es la

[4] Con todo, lo más frecuente es que tales rasgos aparezcan resumidos en dos ejes opuestos: el *estatus* versus la *solidaridad*.

herramienta favorita de la antropología, pero los datos que de ésta se derivan pueden pecar ocasionalmente de excesivo subjetivismo. Las entrevistas eluden este problema, pero no escapan a otros de considerable peso, como el número de grabaciones necesarias para la obtención de unos datos suficientemente representativos. Ante estas dificultades, la mayoría de los investigadores han apostado por la utilización de cuestionarios sobre actitudes, que presentan una ventaja considerable, ya que son relativamente fáciles de distribuir y recoger posteriormente.

Los cuestionarios pueden ser de dos tipos: de final cerrado y de final abierto. Los primeros suelen emplear escalas de diferenciación semántica o bien ítem diversos con múltiples elecciones. Al primer tipo corresponde, por ejemplo, el siguiente test, utilizado recientemente por A. Ramírez (2000: 286) para la evaluación de las actitudes lingüísticas entre diversos grupos hispanos en EE.UU. En el caso que se representa en la tabla 1 (página siguiente), los informantes deben responder a una lista de diez pares de adjetivos bipolares (del tipo *bueno-malo, incorrecto-correcto, útil-nada útil,* etc.) para describir las actitudes hacia sus respectivas variedades vernáculas. Cada rasgo se divide en una escala de 6 puntos, que oscila entre la evaluación más negativa (1) en un extremo y la más positiva (6) en el contrario. Por destacar algunos resultados de la tabla, obsérvese, por ejemplo, el escaso valor instrumental que los hablantes conceden a su dialecto hispano, al que otorgan una puntuación mínima en la escala de la *utilidad* (1,83), o complementariamente, su baja calificación a la hora de juzgar su *riqueza* (2,71), *corrección* y *claridad* (4,40 y 4,71, como medias de respuestas que lo califican como «incorrecto» y «confuso», respectivamente). En el extremo opuesto, sin embargo, algunas valoraciones en el nivel integrativo son mucho más positivas *(bueno:* 4,73), pero otras denotan también la estigmatización y la inseguridad que los hablantes muestran respecto al vernáculo (tan sólo una media de 2,25 para el atributo «familiar», junto a un abultado 4,56 que lo considera «aburrido»).

Sin embargo, otros estudios sobre actitudes se han realizado mediante el auxilio de cuestionarios con respuestas abiertas que permiten una mayor sutileza en el análisis de las respuestas, dado que el encuestado posee mayor libertad para exponer sus puntos de vista. Un ejemplo de cuestionarios de este tipo lo proporciona Eva Mendieta (1998: 77) en un estudio sobre las reacciones subjetivas que los hablantes hispanos del estado de Indiana (EE.UU.) dispensan al español hablado en su comunidad. Para ello se solicitan valoraciones acerca del habla vernácula desde el punto de vista lingüístico y social o sobre las diferen-

TABLA 1
Evaluación del español vernáculo entre hispanohablantes de EE.UU., de acuerdo con una escala de diferencial semántico, según A. Ramírez (2000)

| | MEDIA | DESVIACIÓN TÍPICA |
|---|---|---|
| Bueno-malo | 4,73 | 1,36 |
| Confuso-claro | 4,71 | 1,35 |
| Incorrecto-correcto | 4,40 | 1,36 |
| Familiar-extraño | 2,25 | 1,51 |
| Complicado-simple | 4,53 | 1,37 |
| Aburrido-interesante | 4,56 | 1,32 |
| Rico-pobre | 2,71 | 1,38 |
| Útil-inútil | 1,83 | 1,21 |
| Rápido-lento | 2,85 | 1,57 |
| Moderno-antiguo | 3,21 | 1,64 |

cias entre ésta y otras variedades del español, bajo la forma de preguntas como las siguientes:

> ¿Cree usted que el español que hablan los mexicanos (/puertorriqueños) en su comunidad es distinto del que se habla en México (/Puerto Rico)?
> ¿Cómo describiría el español que se habla en su comunidad?
> ¿Dónde cree que se habla «buen español»?
> ¿Es distinto del que hablan los puertorriqueños (/mexicanos)?
> ¿Si alguien le dijera que habla como un mexicano (/puertorriqueño) lo tomaría como un cumplido?
> ¿Debemos enseñar esta clase de español en las escuelas?

Con no poca frecuencia, sin embargo, esta misma libertad en las respuestas puede convertirse en un inconveniente metodológico, dadas las dificultades para tabular esta clase de comentarios adicionales.

Otras pruebas habituales en los estudios sobre actitudes lingüísticas son los test de *aceptabilidad/gramaticalidad*. Éstos consisten en una batería de preguntas directas que el investigador formula al informante para que éste juzgue acerca de la gramaticalidad o aceptabilidad de ciertos rasgos lingüísticos vernáculos o estándares (Mackey 1976)[5].

[5] Una variante de estas pruebas consiste en preguntar al interlocutor sobre la validez de dos frases enfrentadas, una con el rasgo estigmatizado y la otra con el rasgo correcto.

Este tipo de pruebas, concebidas inicialmente para el análisis de la competencia lingüística del hablante nativo, se han revelado, sin embargo, más útiles para la medición de las actitudes subjetivas hacia tales rasgos, así como para evaluar la seguridad/inseguridad lingüística de los hablantes. Mediante una de estas pruebas, nosotros mismos hemos analizado el grado de aceptación de una muestra de hablantes valencianos hacia determinados fenómenos característicos del español en estas comunidades de habla como consecuencia del contacto con el catalán (Blas Arroyo 1993a). A la pregunta de «¿considera correctas las siguientes frases que hemos recogido en el español hablado en Valencia?», los informantes debían responder afirmativa o negativamente, y en este último caso ofrecer una alternativa que, en su opinión, fuera correcta:

> La temperatura *al* exterior de nuestros estudios es de 17 grados.
> El gimnasio está ahí *bajo*.
> En aquel cuartel *habían* muchos soldados.
> Este hombre *está ya veintisiete años* trabajando en la Caja de Ahorros.
> Qué collar más bonito llevas, *¿que* te lo han regalado?
> Yegua se escribe *en* «y» y no en «ll»[6].

Aunque las variantes que eran objeto de estudio podrían haber aparecido marcadas mediante algún procedimiento tipográfico, como figuran más arriba, optamos finalmente por no hacerlo para no alentar excesivamente la conciencia lingüística del informante.

Con todo, no pueden ocultarse también algunas dificultades importantes que se derivan del uso de estos test, como el hecho de que los hablantes no respondan acerca de la gramaticalidad o la aceptabilidad de las construcciones sobre datos puramente lingüísticos, o juzguen a partir de otros de naturaleza diferente, hecho este último que se produjo en algún caso en nuestra investigación. Por ello, es necesario poner gran cuidado en la elaboración de los ejemplos para evitar que el informante desvíe su atención hacia otros fenómenos irrelevantes[7].

---

[6] Sobre estas variantes interferenciales y sus principales resultados empíricos en la investigación reseñada, véase más adelante tema XVI, § 7.

[7] Silva-Corvalán (1989: 39) recuerda a propósito de su trabajo en Covarrubias (Burgos) otra dificultad añadida: las diez oraciones de que constaba la prueba debieron ser presentadas en forma oral y escrita a la vez, ya que numerosos informantes demostraban numerosos problemas para leerlas.

### 4.2. *Los métodos indirectos: la técnica del* matched-guise

La investigación sobre las actitudes lingüísticas en las últimas décadas ha ido de la mano de un considerable desarrollo metodológico. Con toda probabilidad, el más famoso de los instrumentos ideados hasta la fecha ha sido el *matched-guise* o *técnica de pares ocultos,* desarrollada inicialmente en Canadá por Lambert y sus colaboradores (1960) a comienzos de la década de los 60. Ideado originalmente para el estudio de los estereotipos que unos grupos etnolingüísticos dispensan a otros, el procedimiento consiste en estimular las reacciones subjetivas de una muestra de oyentes (considerados como «jueces») a partir de diversas grabaciones realizadas por hablantes bilingües que leen el mismo pasaje en dos lenguas diferentes. Los jueces escuchan las grabaciones creyendo que cada pasaje ha sido leído por un hablante distinto, cuando en la realidad no es así. Una vez oídas las cintas éstos deben evaluar diversos rasgos psicosociales asociados a los locutores, en la mayoría de los casos a través de escalas de diferenciación semántica como las reseñadas anteriormente. Se trata, pues, de una técnica indirecta, porque los informantes ignoran que las voces proceden de un mismo hablante, quien emplea diferentes lenguas o variedades lingüísticas.

Una de las primeras manifestaciones de esta técnica en España corresponde a un estudio de María Ros (1982), quien a través del *matched-guise* analizó las actitudes de una muestra de hablantes valencianos hacia el repertorio verbal comunitario en dos ejes fundamentales: las lenguas (español-catalán/valenciano)[8] y sus registros (estándar-no estándar). De los resultados de este trabajo se deducían actitudes claramente diglósicas en la sociedad valenciana, con las valoraciones más altas del castellano en el eje socioeconómico y profesional, así como en los contextos de uso más formales, frente a la asociación del valenciano con las escalas más bajas de aquéllos y su vinculación preferente con el eje integrativo (al que sin embargo, tampoco era ajeno el español en su variedad no estándar). Y lo mismo sucedía tras la comparación entre los dos registros de cada len-

---

[8] En la investigación se incluía también otra variedad no estándar del catalán, hablada en la vecina Cataluña. Sin embargo, ésta se ha eliminado de las tablas para facilitar la comparación entre los dos dialectos del español y del valenciano.

gua. Algunos de estos resultados pueden apreciarse en la tabla 2, que agrupa, las respuestas correspondientes a los rasgos de tres escalas distintas: el estatus socioeconómico, el prestigio ocupacional y el atractivo personal y social.

TABLA 2
Valores instrumentales e integrativos asociados a dos variedades de español y valenciano en Valencia, según Ros (1982)

| | CASTELLANO ESTÁNDAR | VALENCIANO ESTÁNDAR | CASTELLANO NO ESTÁNDAR | VALENCIANO NO ESTÁNDAR |
|---|---|---|---|---|
| ESTATUS SOCIO. | | | | |
| Culto | 5,43 | 4,78 | 2,98 | 3,31 |
| Rico | 4,67 | 4,21 | 3,33 | 3,44 |
| De ciudad | 5,68 | 4,55 | 3,51 | 3,22 |
| PRESTIGIO OCUP. | | | | |
| Clase alta | 5,4 % | 5,8 % | — | 3,00 % |
| Clase media-alta | 29,1 % | 6,1 % | 4,2 % | 2,58 % |
| Clase media-media | 44,0 % | 7,7 % | 13,2 % | 11,60 % |
| Clase media-baja | 12,2 % | 14,3 % | 29,4 % | 21,60 % |
| Clase baja | 6,7 % | 24,6 % | 34,7 % | 24,70 % |
| Agricultores | 8,0 % | 19,5 % | 9,0 % | 34,20 % |
| ATRACTIVO PERS. | | | | |
| Alegre | 3,56 | 4,25 | 4,91 | 4,35 |
| Gracioso | 3,60 | 4,36 | 5,20 | 4,58 |
| Simpático | 4,42 | 4,84 | 5,27 | 4,80 |
| Leal | 5,17 | 5,13 | 4,43 | 4,55 |
| Honesto | 5,18 | 5,01 | 4,59 | 4,77 |

*N. B.* Las escalas del estatus y el atractivo se miden por intervalos de 7 puntos, el prestigio, sin embargo, aparece medido en porcentajes

En la tabla puede observarse cómo en el eje interlingüístico, el español superaba al valenciano en los juicios instrumentales. Ello se explica por la valoración sistemáticamente más alta que, al menos por entonces, se concedía a la primera lengua sobre la segunda en el estatus y el prestigio ocupacional de sus hablantes prototípicos. De este modo, el castellanohablante era considerado como más «culto, rico y urbano» que el valencianohablante. Asimismo, el primero se contemplaba como un representante más genuino de las clases acomodadas que el segundo.

Por el contrario, este último obtenía puntuaciones más altas —o cuando menos similares— que el primero en los rasgos del atractivo personal. Así, el valencianohablante aventajaba claramente al castellanohablante en las escalas: «alegre», «gracioso» y «simpático», y se mostraba casi a la par en otras virtudes humanas («leal» y «honesto»). Con todo, en este eje psicosocial son a menudo las variedades no estándares las que obtienen las puntuaciones más altas. Así ocurre en este caso con los atributos «alegre», «gracioso» y «simpático», en los que tanto el valenciano como el castellano no estándar —pero, paradójicamente, este último, sobre todo— superan a las correspondientes variedades estándares de ambas lenguas.

A pesar de las ventajas que presenta, en especial por el control de ciertos factores paralingüísticos como el tono de voz o la fluidez en la lectura, que se han revelado importantes para los juicios de personalidad, la técnica original del *matched-guise* ha sido objeto de algunas críticas con las correspondientes propuestas de mejora. Shuy y sus colaboradores (1969), por ejemplo, advierten que en la metodología de Lambert los individuos juzgan la cualidad de los hablantes como lectores, y no tanto las variedades de lengua. Más serias son las críticas acerca de la falta de naturalidad del experimento. Para Giles, Bourhis y Taylor (1977) resulta poco realista preguntar a la gente fuera de contexto, por lo que ellos mismos desarrollaron un sistema original de *matched-guise*, en el que los sujetos no se percataban de estar participando en un experimento sobre actitudes lingüísticas.

Otros han advertido también la posible falta de congruencia entre la variedad de lengua empleada y el tema de lectura. Dada la falta de naturalidad de un experimento hecho a base de lecturas de diversos pasajes, algunos autores se inclinan por que las cintas-estímulo empleadas recojan grabaciones menos artificiales. Nosotros mismos hemos recogido estas sugerencias en otro estudio sobre actitudes lingüísticas entre jóvenes valencianos (Blas Arroyo 1997). En lugar de la lectura del mismo texto en varias lenguas o dialectos, optamos por presentar a nuestros «jueces» cuatro fragmentos discursivos reales correspondientes al resumen que de un mismo partido de fútbol (Las Palmas-Barcelona) realizaban sendos comentaristas de TVE (Madrid y Centro Regional de Canarias), la catalana TV3 y la valenciana Canal 9. Nuestro objetivo era que los informantes fueran capaces de evaluar dos lenguas diferentes (español-catalán), así como dos dialectos regionales de cada una de ellas (español septentrional y español canario, por un lado; y catalán oriental y valenciano, por otro) (véanse algunos resultados de este trabajo en § 5.1)

## 5. Las actitudes hacia la variación intralingüística en el mundo hispánico

### 5.1. *Actitudes hacia las variedades del español*

Desde una perspectiva general, que analiza las actitudes hacia diversas variedades geográficas del español tomadas con un todo, en la actualidad disponemos de numerosos estudios que demuestran que los hispanohablantes de muchas regiones juzgan mejor otras variedades del español que las propias. Entre los dialectos que mejor parados salen en tales comparaciones figuran las variedades norteñas del español peninsular, en las que están ausentes algunos de los rasgos fonológicos más característicos de los dialectos meridionales y atlánticos, como el seseo, la aspiración y elisión de */-s/*, etc. Los ejemplos de ello han menudeado a uno y otro lado del Atlántico. En España, por ejemplo, ha sido objeto de estudio en algunas comunidades canarias (cfr. Ortega 1981; M. Almeida 1987) y andaluzas (cfr. Ropero 1982; Villena 2000), trabajos en los que destaca la mejor valoración del español septentrional que el propio por parte de la mayoría de los hablantes. Y lo mismo ocurre en Hispanoamérica, como atestiguan los estudios sobre Argentina (Y. Solé 1991), Nicaragua (Ille 1995), El Salvador (Lipski 1996) o México (Moreno de Alba 1998), entre otros.

Pese a ello, entre las clases cultivadas no han faltado quienes han negado repetidamente esta «superioridad» del español hablado en España sobre el de las variedades hispanoamericanas. Como recordaba irónicamente el poeta argentino Jorge Luis Borges (1976) en su célebre respuesta a Américo Castro:

> He viajado por Cataluña, por Alicante, por Andalucía, por Castilla; he vivido un par de años en Valldemosa y uno en Madrid; tengo gratísimos recuerdos de esos lugares; no he observado jamás que los españoles hablaran mejor que nosotros (hablan en voz más alta, eso sí, con el aplomo de quienes ignoran la duda).

Y algunos años más tarde Alejo Carpentier se planteaba también esta misma cuestión con vehemencia:

> Y volviendo al problema del español de América, quiero hacer una pregunta: ¿dónde se habla hoy un castellano modelo?...¿En Andalucía? No. ¿En Cataluña? No. ¿En Galicia? No. ¿En Extremadura? No. [...] ¿En Madrid? En Madrid se habla un pésimo castellano si vamos a hablar de castellano.

Es curioso observar —y significativo por su arraigo en la psicología social de los hispanohablantes— cómo dicho sentimiento es también compartido por los integrantes de otras comunidades en las que no se dan los rasgos meridionales y atlánticos, como hemos tenido ocasión de comprobar en nuestro estudio sobre actitudes lingüística entre jóvenes valencianos (Blas Arroyo 1997). Junto a otras variables que serán objeto de atención en su momento, en este trabajo comparamos las actitudes lingüísticas de estos hablantes hacia sendas variedades geográficas del español: el castellano septentrional, sin acento, frente a una variedad canaria. Los resultados de dicho estudio, en los que se aprecia un característico patrón actitudinal diglósico, se presentan en el gráfico 1.

GRÁFICO 1
Actitudes hacia dos variedades del español
(castellano septentrional y canario) en los parámetros
de A = estatus socioeconómico; B = cualidades humanas;
C = atractivo social, según Blas Arroyo (1997)

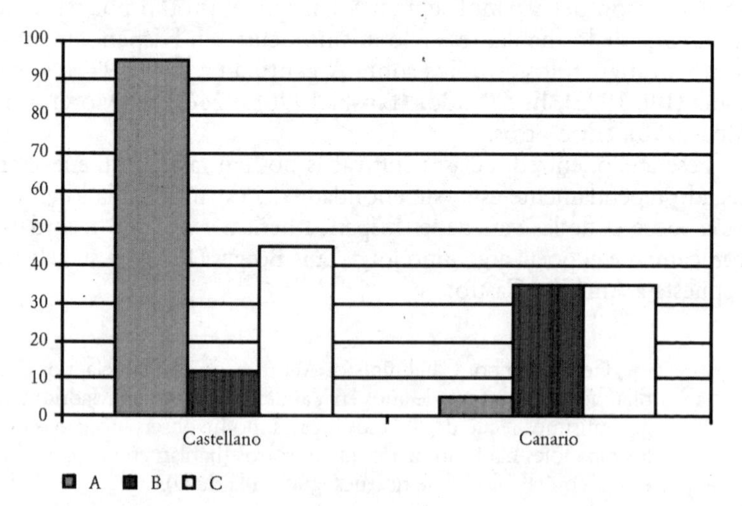

Obsérvese cómo el hablante norteño supera claramente al canario en la valoración positiva de que es objeto en los rasgos relacionados con la competencia personal y el estatus socioeconómico («clase social más alta, más inteligente, mayores cualidades de liderazgo, más culto, mayor poder económico...»). Asimismo, posee un mayor atractivo social que el hablante meridional, especialmente en aquellos parámetros asociados igualmente con el éxito personal en una sociedad competitiva. Y así es valorado como «más educado, refinado, claro y varonil», que el representante canario. Ahora bien, los jóvenes valencianos evalúan más positivamente a este último en los atributos vinculados con las cualidades humanas («alegre, cariñoso, simpático, amigo») y con la integridad humana («humilde, sencillo»)[9].

Los ejemplos de este esquema evaluativo, en el que sobresale un cierto menosprecio por las variedades vernáculas y la sobrevaloración de otras hablas hispanas, se han documentado frecuentemente en el continente americano. Ya algunos dialectólogos habían realizado observaciones de este tipo en sus alusiones a diversas variedades hispanoamericanas. Así, al preguntar a sus informantes portorriqueños acerca de su preferencia por la modalidad de habla vernácula o por el español hablado en España, Alvar (1986) pudo constatar una considerable variación entre los hablantes de la isla, quienes se repartían casi a partes iguales en sus inclinaciones. Por su parte, Cohen (1974) y N. Flores y R. Hopper (1975) estuvieron entre los primeros en advertir que en las comunidades de habla hispanas del sudoeste de EE.UU., muchos hablantes enjuiciaban más positivamente el español hablado en otras regiones que su propio dialecto, el cual era frecuentemente objeto de desprecio.

La influencia de estas actitudes negativas hacia las modalidades de habla estadounidenses se ha dejado sentir también tradicionalmente en el ámbito escolar, especialmente, y lo que es peor, entre los cuerpos docentes, como atestiguaron hace ya tres décadas McIntosh y Ornstein (1974) y Christian (1976). Los primeros comprobaron, por ejemplo, cómo en la región de El Paso (Texas) tanto entre los maestros de origen anglosajón como entre los de origen mexicano, la variedad hispana hablada en la zona no pasaba de la consideración de una mera

[9] Al otro lado del Atlántico, y en una muestra de población mexicana, Moreno de Alba (1998: 67) ha advertido estereotipos de la misma clase a la hora de evaluar diversas variedades del español. Así, y junto a la evaluación como más «correcto», «elegante» y «puro», entre otros atributos, del castellano hablado en Madrid, más de la mitad de los encuestados encuentra «más simpática» el habla de los cubanos.

jerga fronteriza. Por su parte, Christian (1976) advertía que en las regiones fronterizas de Texas los profesores encargados de los programas de educación bilingüe consideraban que lo hablado por sus alumnos no era «realmente» español. Como es lógico, este tipo de actitudes no sólo ha tenido consecuencias graves en el proceso de sustitución lingüística de las generaciones hispanas más recientes, sino también en el mismo desarrollo académico de estas minorías, cuya lengua materna se ha despreciado a menudo como vehículo de instrucción (sobre el mismo tema, véase más adelante en el desarrollo del tema XI).

Las cosas no parecen haber cambiado excesivamente en los últimos treinta años, como han puesto de relieve estudios más recientes en los que se combinan instrumentos cualitativos y cuantitativos para evaluar más certeramente el contenido de las actitudes. Uno de éstos es el que Almeida Toribio (2000c) ha dedicado al análisis de las evaluaciones dispensadas hacia diversas variedades del español por parte de los hablantes dominicanos residentes en la ciudad de Nueva York, la mayor concentración de individuos de esta nacionalidad fuera de la República Dominicana. Los siguientes testimonios, extraídos de ese trabajo, muestran bien a las claras el tenor de estos juicios. El primero corresponde a un hombre de clase media-alta, y en el destaca la escasa valoración del dialecto hablado por sus paisanos, lo que le lleva, incluso, a afirmar que los dominicanos cometen faltas de ortografía ¡hasta cuando hablan! El segundo, perteneciente ahora a una mujer de clase media, recoge la frecuente preferencia de estos hablantes por la variedad peninsular del español:

> Los dominicanos tenemos el problema que hablamos con faltas ortográficas [...] Aquí se habla con falta ortográfica, no sólo se escribe, sino que se habla también.

> Me gusta como hablan los españoles [...] Para cómo hablan los españoles y cómo hablamos nosotros aquí, hay mucha diferencia. Me gusta la forma de ellos hablar, su acento y todo, eso me gusta: ellos tienen más modalidad que uno hablando[10].

Por su parte, Mendieta (1997: 270-271) destaca que para la mitad de sus informantes de origen mexicano y portorriqueño en la comunidad hispana de Indiana el español que hablan no es bueno, o es peor que

[10] Otra cosa es el *prestigio encubierto* que para otros segmentos de la población dominicana posee el dialecto vernáculo, al que se adjudica un importante papel como símbolo nacional (Almeida Toribio 2000b y 2000c).

el utilizado por sus paisanos en México o Puerto Rico, respectivamente. Para algunos la situación es particularmente triste, como revelan las palabras de estos dos informantes:

> Me parece mal porque se está perdiendo el idioma o cómo se tiene que hablar.

> Es triste pero es la realidad de los hispanos en los Estados Unidos.

Ahora bien, junto a la preferencia por algunas de estas variedades, como el español peninsular, y el desprestigio de las modalidades vernáculas correspondientes, la investigación empírica sobre las actitudes lingüísticas en Norteamérica ha detectado también algunas muestras de *lealtad* hacia los dialectos hablados en las respectivas comunidades de origen. La tabla 3 (página siguiente) resume los juicios hacia diversos dialectos del español, aportados por seis muestras de población estudiantil en otras tantas comunidades del sur de EE.UU.

A la pregunta de «¿cuál es el sitio al que debería dirigirse una persona para oír hablar "buen español"?», A. Ramírez (2000: 292) ha comprobado cómo, junto a la designación del español peninsular como principal variedad de prestigio por parte de la mayoría (45 por 100), cada grupo etnolingüístico muestra claramente su preferencia hacia los dialectos hablados en sus respectivos países. Así, los estudiantes cubano-americanos mencionan Cuba, por detrás de España, como el lugar más adecuado para oír un español correcto, y lo mismo hacen los portorriqueños del Bronx con la isla de Puerto Rico, o los de origen mexicano en ciudades como Los Ángeles, Albuquerque, San Antonio[11], con México[12].

La valoración más positiva de las variedades vernáculas del español norteamericano, incluso de aquellas que han desarrollado tradicionalmente un alto índice de estigmatización general («español mezclado», «caló», etc.), alcanza, por lo general, sus cotas más elevadas en algunas comunidades del sudoeste norteamericano, donde ciertos grupos sociales muestran una especial lealtad hacia el español y la cultura hispanas. A este respecto, ya C. Solé (1977) y Bouchard Ryan y

[11] En las dos ciudades, las cifras otorgadas a México superan, incluso, a las de España, hecho que es particularmente visible en el caso de Albuquerque.

[12] Otros autores han obtenido resultados similares a éstos, como atestiguan, por ejemplo, las investigaciones de O. García *et al.* (1988) entre representantes de diversas nacionalidades hispanas en la ciudad de Nueva York, o más recientemente, Mendieta (1998) entre hablantes de origen hispano en el estado de Indiana.

Carranza (1977) revelaban hace casi tres décadas que la lealtad lingüística hacia el español entre la población de origen mexicano en EE.UU. se hallaba especialmente afianzada en los grupos generacionales jóvenes, así como, en general, entre los sectores más activos de la sociedad. En estas regiones, tales actitudes positivas se relacionan históricamente con el proceso ideológico de autoafirmación a partir de la eclosión del movimiento chicano en los años 70. De este modo, el prestigio de la variedad mexicana se extendió incluso a comunidades norteamericanas alejadas de la frontera con México *(vid.* Mendieta 1998: 80).

TABLA 3
Respuestas de informantes hispanos de seis ciudades norteamericanas a la pregunta «¿cuál es el sitio al que debería dirigirse una persona para oír hablar "buen español"?», según A. Ramírez (2000: 292)

| LUGAR | M | B | A | SA | ABQ | LA | TOTAL | % |
|---|---|---|---|---|---|---|---|---|
| Caribe | | | | | | | | |
| Cuba | 3 | — | — | — | — | — | 3 | 2,5 |
| Puerto Rico | — | 8 | 9 | — | — | — | 17 | 14,2 |
| Centroamérica | — | — | 1 | — | — | — | 1 | 0,8 |
| Costa Rica | 1 | — | — | — | — | — | 1 | 0,8 |
| Norteamérica | | | | | | | | |
| México | — | 1 | — | 10 | 13 | 9 | 33 | 27,5 |
| EE.UU. | | | | | | | | |
| Miami | 1 | — | — | — | — | — | 1 | 0,8 |
| Nuevo México | — | — | — | 1 | 1 | — | 2 | 1,6 |
| Nueva York | — | — | 1 | — | — | — | 1 | 0,8 |
| Otros | — | — | — | 1 | — | 1 | 2 | 1,6 |
| Sud: Colombia | 1 | — | — | — | — | — | 1 | 0,8 |
| España | 14 | 10 | 8 | 8 | 4 | 10 | 54 | 45,0 |
| NS/NC | — | 1 | 1 | — | 2 | — | 4 | 3,3 |

M = Miami, B = Bronx, A = Amsterdam, SA = San Antonio, ABQ = Albuquerque, LA = Los Ángeles

La lealtad hacia las respectivas variedades habladas en cada territorio se ha observado también en diversas regiones sudamericanas, en las que la mejor valoración de otros dialectos en lo relativo a prestigio no impide la inclinación preferente de los hablantes hacia los suyos propios. Así, en la ciudad de Caracas, Malaver (2002) ha visto cómo los hablantes consideran el español peninsular, seguido por el colombiano, como más prestigiosos que el propio (véanse las tablas 4 y 5).

TABLA 4
Respuestas de una muestra de hablantes caraqueños
a la pregunta «¿dónde se habla mejor el español?»,
según Malaver (2002)

| | N | % |
|---|---|---|
| En España | 86 | 61 |
| En Venezuela | 45 | 32 |
| En ambos sitios | 8 | 6 |
| No sabe | 2 | 1 |

TABLA 5
Respuestas de una muestra de hablantes caraqueños a la pregunta
«¿en qué parte de Latinoamérica se habla mejor el español?»,
según Malaver (2002)

| | N | % |
|---|---|---|
| Centro | 1 | 1,4 |
| Chile | 12 | 8,5 |
| Argentina | 7 | 5,0 |
| Colombia | 47 | 33,5 |
| Bogotá | 15 | 10,7 |
| Venezuela | 37 | 26,0 |
| México | 6 | 4,2 |
| Perú | 3 | 2,0 |
| Costa Rica | 2 | 1,4 |
| Uruguay | 3 | 2,0 |
| Región andina | 2 | 1,4 |
| No sabe | 2 | 1,4 |
| No contesta | 2 | 1,4 |

Sin embargo, los sentimientos de afectividad hacia la variedad venezolana convierten a ésta en la preferida por los caraqueños. Así, a la pregunta «si tuviera que elegir a un hablante latinoamericano y enviarlo a Marte en una misión, ¿de qué país lo escogería?», una aplastante mayoría prefiere ahora la modalidad propia en detrimento de la colombiana, y no digamos de las demás nacionalidades hispanoamericanas (tabla 6).

TABLA 6
Respuestas de una muestra de hablantes caraqueños a la pregunta «si tuviera que elegir a un hablante latinoamericano y enviarlo a Marte en una misión, ¿de qué país lo escogería?», según Malaver (2002)

| | N | % |
|---|---|---|
| Argentina | 7 | 5,0 |
| Colombia | 34 | 24,0 |
| Costa Rica | 1 | 0,7 |
| Cuba | 4 | 2,8 |
| Chile | 6 | 4,2 |
| México | 17 | 12,0 |
| Perú | 1 | 0,7 |
| Venezuela | 69 | 49,0 |

Por último, otra variante atractiva de los estudios sobre actitudes hacia la variación intradialectal consiste en el análisis comparativo de grupos hispanos de diferente procedencia y a los que la inmigración ha obligado a convivir en los límites de una misma comunidad, como ocurre en algunas grandes ciudades norteamericanas (Nueva York, Chicago, etc.), en las que, desde hace décadas, residen decenas de miles de portorriqueños, dominicanos, cubanos, mexicanos, etc. Uno de los resultados más destacables obtenidos en este tipo de investigaciones comparativas es la notable estigmatización de que son objeto algunas de estas variedades del español norteamericano. Así ocurre, por ejemplo, con el habla de los portorriqueños, a la que frecuentemente se menosprecia con estereotipos como la rapidez elocutiva, la interferencia masiva del inglés, etc. Ello hace que los mismos hablantes interpreten a veces como un insulto que los identifiquen con uno de estos dialectos, como ocurre con estas dos mujeres de origen mexicano en una comunidad hispana del estado de Indiana:

> Muchas veces la gente dice eso [que alguien habla como un portorriqueño] como un insulto porque piensan que el español que habla cierta cultura es el correcto. Por ejemplo, muchos mexicanos creen que el español que hablan los puertorriqueños no es español correcto (Mendieta 1998: 83).

> Los puertorriqueños tienen una tendencia a comerse la erre, nunca terminan la palabra, siempre la cortan. A veces dicen otras palabras: «habichuelas», «guagas». No usan el español correcto, han inventado palabras para expresarse [...]. Ya no saben el origen del español. Los que vienen de Puerto Rico hablan el español superrápido. No les entiendo (Mendieta 1997: 274).

Incluso entre los propios hablantes portorriqueños, tales estereotipos llevan con no poca frecuencia a elegir el inglés, en lugar del español, como idioma de comunicación ordinaria (O. García *et al.* 1988).

### 5.2. *Correlaciones sociolingüísticas en los juicios sobre la variación intradialectal*

Frente a los trabajos anteriores, que se ocupan de las actitudes de los hablantes ante las variedades lingüísticas tomadas como un todo, otros estudios se han detenido en el análisis de aspectos parciales de la variación dialectal y sociolectal que caracterizan a las comunidades de habla hispánicas. Aunque esta vertiente de la investigación sociolingüística no ha contado con el mismo desarrollo que el estudio de los hechos de variación y cambio lingüístico considerados en los temas anteriores, no han faltado muestras de lo contrario en las que el análisis variacionista se completa con la investigación detallada de los juicios subjetivos que los hablantes dispensan hacia los rasgos vernáculos o estándares de sus respectivas —u otras— comunidades.

Uno de los resultados más comúnmente hallados en tales estudios es la estigmatización social de las variantes no estándares, hecho que se acentúa entre los grupos sociales particularmente atentos al prestigio de las variables lingüísticas[13]. Veamos un par de ejemplos representativos en español.

En su estudio sobre las actitudes hacia la variación del fonema *(č)* en el español hablado de una comunidad de habla chilena (con tres variantes destacadas: africada, fricativa y una tercera intermedia entre las dos anteriores) Tassara (1992) ha mostrado la existencia de una notable sensibilidad de los hablantes como lo demuestra el hecho de que los individuos asocian inmediatamente con los estratos socioculturales bajos a todos aquellos hablantes que no emplean la variante estándar africada, con independencia de cuál de las otras dos utilicen.

Por su parte, Navarro (1991) ha obtenido unos resultados similares en su análisis acerca de tres hechos de variación gramatical en el español hablado en la ciudad de Valencia (Venezuela). En concreto, este trabajo persigue evaluar el nivel de aceptación entre los grupos sociales que integran la comunidad respecto a las tres variantes vernáculas siguientes: a) la concordancia entre el objeto y el verbo en oraciones normativamente impersonales con *haber* y *hacer (habían flores en el jardín; están haciendo unos días muy buenos);* b) la sustitución de *haber* por *ser* en la formación de los tiempos compuestos *(hemos venido/somos venidos),* y c) la alternancia *-nos/-mos* como desinencia de la primera persona del plural de los verbos *(íbanos/íbamos).* Los resultados del estudio empírico correspondiente confirman que las variantes no estándares muestran una jerarquía sociolectal clara, de manera que la evaluación negativa es mayor conforme ascendemos en la pirámide sociocultural. Con todo, de los tres fenómenos el primero se ve libre de connotaciones negativas, lo que se corresponde con la amplia difusión social de la concordancia en este tipo de oraciones impersonales, al igual que en otras regiones hispanoamericanas. Por el contrario, tanto la sustitución de *haber* por *ser* en la formación de los tiempos compuestos, como el uso de *-nos* como afijo de primera persona del plural en la conjugación de algunos verbos,

[13] No en vano, la aversión hacia las variantes no normativas se ve impulsada con no poca frecuencia desde instancias académicas y profesionales. En una manifestación reciente de esta actitud censora, el malogrado lingüista español afincado durante décadas en México Juan Manuel Lope Blanch (1999b) reprendía a sus compatriotas, y en especial a los hablantes más cultivados, por el escaso cuidado que, a su juicio, muestran cuando utilizan la lengua española. Aunque más reprobable sea aún el hecho de que dicha «negligencia» sea aceptada por la norma actual. Asimismo recalcaba el contraste que esta situación presenta respecto a otros países del mundo hispánico, en los que las clases elevadas manifiestan, por lo general, una actitud mucho más positiva y respetuosa hacia el español estándar.

son formas vernáculas que aparecen juzgadas muy negativamente por la mayoría de los hablantes.

Al igual que en otros dominios geográficos, las diferencias actitudinales en el mundo hispánico muestran correlaciones significativas con algunos factores sociales, entre los que ocupa un lugar destacado la *edad*[14]. A este respecto, se advertido que son los hablantes más jóvenes quienes, por lo general, evalúan más positivamente tanto las variantes vernáculas como, en general, las más novedosas. Mientras que los niños son inducidos progresivamente a la aceptación de las normas estándares a través del contacto con los padres, una vez alcanzada la adolescencia, los jóvenes se identifican, al menos durante algún tiempo, con las normas sociolingüísticas vernáculas como reacción a sus mayores. Por el contrario, las generaciones intermedias —generalmente inmersas en el mundo de la competencia profesional, económica y social— se inclinan preferentemente hacia las normas de prestigio.

En su trabajo sobre la distribución de los modos verbales en oraciones condicionales en una población castellana (Covarrubias), Silva-Corvalán (1984a) pudo comprobar cómo el segmento generacional más joven destacaba por encima del resto de la pirámide de edad no sólo por realizar con más frecuencia la variante dialectal *(si tendría dinero, me iría de vacaciones),* sino también por mostrar unas actitudes más positivas hacia la misma. Por su parte, Dorta (1986) ha destacado que en el habla tinerfeña, las actitudes más positivas hacia la variante *yeísta* en la neutralización entre */ll/* e */y/,* proceden, asimismo, de los hablantes más jóvenes, mientras que, en el extremo contrario, las personas mayores llegan a interpretar dicho rasgo como un signo pretencioso de aculturación[15].

---

[14] Una cuestión relacionada con este tema, pero que aquí tan sólo abordaremos tangencialmente, es el momento en que las actitudes comienzan a consolidarse en los hablantes como consecuencia de un proceso de aprendizaje en el que la familia y las redes sociales más inmediatas desempeñan un papel muy destacado. Aunque el límite de este umbral es objeto de discusión entre los especialistas, algunos estudios han destacado que hacia edades tan tempranas como los 10 años las actitudes empiezan a surgir en la mente de los individuos, iniciándose con ello un proceso que se consolidará en el paso a la adolescencia (cfr. Siguan y Mackey 1986; Appel y Muysken 1987; Huguet y Llurda 2001).

[15] Con todo, estas conclusiones no son definitivas y de hecho no han faltado ocasionalmente resultados que se desvían, en mayor o menor medida, del patrón anterior. Así, en algunas comunidades de habla, y probablemente como consecuencia del mayor contacto con la norma lingüística que impone el sistema educativo, son justamente los jóvenes quienes lideran las preferencias hacia las variantes panhispánicas o hacia aquellas formas con las que se asocia el prestigio sociolingüístico.

En relación con el *sexo* de los hablantes, y como recordábamos ya en un tema anterior (véase tema V), se ha apuntado que las mujeres tienden a supervalorar su habla, un hecho que se aprecia, por ejemplo, al comparar su actuación lingüística con las actitudes que manifiestan posteriormente hacia la variación. Por otro lado, se dice que las mujeres muestran, por lo general, una mayor predilección hacia las variantes estándares que los hombres, actitud que se complementa a menudo con el desprecio hacia las correspondientes formas vernáculas. Por el contrario, entre los hombres se ha detectado con más frecuencia una mayor inclinación hacia el *prestigio encubierto* de ciertas variantes vernáculas, especialmente entre los sociolectos bajos (cfr. Labov 1972b, 1974b; Trudgill 1974; L. Milroy 1980).

Tales asertos han encontrado también eco en la sociolingüística hispánica, en la que no han faltado estudios que los confirman en mayor o menor medida. Así, en uno de los trabajos pioneros de la disciplina entre nosotros, Henrietta Cedergren (1973) comprobó, efectivamente, que en la capital Panamá las mujeres mostraban una actitud más positiva hacia las variantes aspiradas de *(-s)* que hacia el cero fonético, forma esta última estigmatizada en la comunidad. Y además lo hacían en unas proporciones mucho más elevadas que los hombres. Por su parte, Cepeda (1990b) ha visto también cómo en la ciudad de Valdivia (Chile), la sibilante, variante prestigiosa de *(-s)*, recibe las mejores valoraciones entre las mujeres y los grupos sociales altos (véase también Calero 1993 para la comunidad de Toledo).

Y conclusiones similares se han obtenido tras el análisis de algunas variables gramaticales. En un estudio ya reseñado en estas mismas páginas, Navarro (1991) ha comprobado, por ejemplo, cómo en el habla de Valencia (Venezuela) ciertas variantes estigmatizadas, como la sustitución de *haber* por *ser* en la formación de los tiempos verbales compuestos o el morfo *-nos* en lugar del normativo *-mos* para la primera persona plural de los verbos, no sólo resultan más frecuentes en el habla masculina, sino que al mismo tiempo, son también menos severamente juzgadas por los hombres, en particular por aquellos que pertenecen a un espectro sociocultural y económico bajo.

En la investigación sociolingüística en torno a las diferencias generolectales se ha comprobado también la tendencia a la creación de *estereotipos* en las evaluaciones que hombres y mujeres realizan respecto al habla del sexo contrario. Así, los hombres tienden a creer que las mujeres hablan «mejor» que ellos, al tiempo que éstas se inclinan a pensar que el habla masculina es «ruda» e «incorrecta». Por otro lado, el hecho de que hombres o mujeres utilicen los rasgos lingüísticos asociados al habla del sexo contrario genera frecuentemente evaluaciones negativas (Kramarae 1982: 85). De ahí que entre nosotros, algunas investigadoras hayan insistido también en la idea de que las diferencias que la bibliografía sociolingüística dice haber encontrado entre las variedades generolectales responden en muchos casos a actitudes hacia la masculinidad y la feminidad, o dicho de otra manera, hacia aquello que se considera adecuado o inadecuado para el habla de cada sexo *(vid.* Rissel 1981).

Pese a lo anterior, no han faltado tampoco ejemplos en los que o bien se neutralizan o incluso se invierten las tendencias mayoritarias observadas hasta el momento. Berk-Seligson (1984), por ejemplo, ha negado la presunta sobrevaloración del habla propia a cargo de las mujeres en su investigación sobre los juicios subjetivos dispensados a diversas variables fonológicas en una comunidad de habla costarricense. Y en otro sentido, Kubarth (1986) ha visto cómo en Buenos Aires la conciencia acerca del prestigio que se asocia a ciertas variantes —*v. gr.*, la realización sibilante de *(-s)* implosiva—, así como la estigmatización de otras —*v. gr.*, la elisión de *(-s)*—, se aprecian de forma más nítida entre los hablantes masculinos que entre las mujeres.

## 6. SOBRE (IN)SEGURIDAD Y CONCIENCIA LINGÜÍSTICAS EN LAS COMUNIDADES DE HABLA HISPÁNICAS

Otra conclusión interesante que se deriva de estas investigaciones es que las actitudes hacia las variables sociolingüísticas son, por lo general, bastante más regulares y uniformes que el uso que de ellas se hace en el seno de la comunidad de habla (cfr. Downes 1984; López Morales 1979a: 124). De este modo, se ha llamado la atención sobre el hecho de que, pese a evaluar muy positivamente los rasgos estándares, los modelos de uso ocasional de los hablantes distan mucho de ajustarse a éstos[16].

[16] Este hecho se refleja también, como veremos, en las situaciones de contacto de lenguas. Alvarado (1982), por ejemplo, recuerda que, pese a la existencia de actitudes muy negativas hacia el inglés entre la población panameña, tanto el uso de esta lengua como la presencia masiva de la misma en el español —a través de numerosos fenómenos de interferencia y préstamos léxico— son constantes.

Entre nosotros, probablemente sea López Morales (1979a; 1989) el autor que más se ha ocupado del concepto de *inseguridad lingüística*, noción sociolingüística que arranca de los estudios pioneros de Labov (1972a) sobre comunidades de habla norteamericanas[17]. Tanto la *seguridad* como la *inseguridad* lingüísticas pueden estudiarse de formas distintas, pero una de las más habituales consiste en tabular las diferencias entre las formas que el hablante cree correctas y aquellas que usa normalmente. Como señala el propio López-Morales (1989: 223):

> [...] a medida que crecen esas diferencias aumenta el índice de inseguridad y viceversa, sean cuales sean las formas coincidentes: tanta seguridad tienen los que creen que la forma correcta es *había sellos* y es la que usan, como los que piensan que la estándar es *habían sellos* y es la que manejan.

El sociolingüista cubano es autor de diversos estudios empíricos sobre esta cuestión en la comunidad de habla de San Juan de Puerto Rico. En algunos de éstos *(vid.* López Morales 1979a; 1983a), ha abordado concretamente el fenómeno de la *hipercorrección,* que, como hemos visto anteriormente (véase tema IV), describe el hecho de que los hablantes de ciertos grupos, como las clases sociales medio-bajas en general, o las mujeres de los grupos sociales intermedios, sobrepasan a los sociolectos situados por encima en el empleo de formas que la comunidad considera más correctas, especialmente en los estilos formales y cuidadosos. No en vano, son generalmente estos niveles sociales los más afectados por la *inseguridad lingüística,* mientras que, por el contrario, los extremos del espectro social dan muestra de una mayor congruencia entre «lo que hablan» y aquello que «dicen hablar»[18].

Las diferencias observadas en torno a la seguridad/inseguridad lingüística dan cuenta también del diferente grado de *conciencia lingüística* que poseen los individuos. Este concepto alude al «saber» que acerca de la lengua tienen los miembros de una comunidad de habla. Entre otras cosas, dicho conocimiento, real o no, proporciona los criterios de corrección que sirven para identificar las formas prestigiosas, que

---

[17] En la bibliografía sociolingüística ha sido muy comentada la calificación otorgada a la comunidad de habla de Nueva York por William Labov (1972a: 136), quien consideraba esta ciudad como un «sumidero de prestigio negativo», es decir, una comunidad de habla donde predomina abrumadoramente la impresión de que se deberían empelar formas lingüísticas distintas —más correctas— de las que de hecho se emplean.

[18] Así se revela, por ejemplo, en su estudio sobre la realización lateral de la */-r/* en la mencionada comunidad portorriqueña.

como hemos visto, suelen asociarse con los sociolectos más elevados. De ahí que la mayoría de las actitudes se sustenten en última instancia en cierto grado de conciencia lingüística: los miembros de la sociedad poseen actitudes que se han ido forjando gracias a la conciencia o al conocimiento que poseen acerca de los hechos sociolingüísticos que les conciernen. Como ha destacado Malaver (2002: 182), quien recientemente ha estudiado las implicaciones de este concepto en la comunidad de habla caraqueña:

> Los hablantes tienen conciencia de las diferencias dialectales, de los usos preferidos en su comunidad, conocen los usos que detentan más prestigio y pueden, al menos teóricamente, elegir unos usos y no otros, por lo general de acuerdo con las valoraciones sociales que éstos posean. En el seno de la comunidad caraqueña es sumamente común oír juicios valorativos con los que los hablantes expresan este conocimiento: «no se dice hubieron», «hay que pronunciar correctamente», «no se dice haiga sino haya»...

La relevancia de la conciencia lingüística en el repertorio verbal comunitario se demuestra en el hecho probado de que el paralelismo entre conciencia y actuación conduce a la estabilidad de la variación, mientras que la divergencia es uno de los principales motores del cambio lingüístico (López Morales 1989: 188).

Otro aspecto interesante es el relativo a los parámetros que sirven como base de las evaluaciones subjetivas y de la conciencia lingüística en general. En sus estudios sobre el español de Puerto Rico, López Morales ha concluido que los índices que intervienen para la identificación de la procedencia social de los hablantes a partir de sus muestras de habla son de dos tipos:

a) *extralingüísticos:* en la mayor parte de los casos detalles relativos al contenido, la forma de expresarlo, la voz[19], la historia, la cultura, etc., y
b) *lingüísticos:* pronunciación, léxico, sintaxis, etc.

---

[19] Diversos estudios han subrayado la importancia de la voz para las evaluaciones subjetivas en algunos ámbitos institucionales como el sistema educativo. Con todo, los juicios sobre este parámetro no son siempre enteramente gratuitos, ya que, si bien algunas condiciones de la voz son de origen anatómico, otras surgen como consecuencia de ciertos ajustes adquiridos por imitación social y mantenidos posteriormente como hábitos inconscientes. Estos últimos, en consecuencia, serían un reflejo de la diferenciación social, algo que ha sido muy poco estudiado en español, pero que juzgamos cierto al menos por los datos que proporcionan los hablantes de algunas clases sociales (considérese, por ejemplo, el llamado acento «pijo» entre los jóvenes de clase alta de ciertas ciudades españolas como Madrid o Barcelona).

Un ejemplo representativo de los primeros lo proporciona Malaver (2002: 195) en su estudio sobre las actitudes y la conciencia lingüística en la comunidad de habla caraqueña. Así, las razones principales que conducen a una mayoría a creer que en España se habla un español más correcto que en Venezuela (véase *supra* § 5.1) se resumen en las tres siguientes:

a) En España nació el idioma.
b) En España hay más cultura.
c) En España se habla el español.

Sin embargo, a la pregunta de «¿cuál es el dialecto hispanoamericano más correcto?», los caraqueños contestan mayoritariamente que el colombiano, si bien ahora junto a las razones extralingüísticas (c) los informantes aducen otras de carácter lingüístico (a y b):

a) [Los colombianos] pronuncian correctamente,
b) no gritan,
c) los colombianos, en especial los bogotanos, son muy educados.

Entre los parámetros estrictamente lingüísticos, la conciencia lingüística se activa principalmente en los niveles de la pronunciación y el vocabulario. La sintaxis, por el contrario, desempeña un papel mucho menos destacado, y en todo caso, parece reservado a los hablantes más cultivados (cfr. López Morales 1989; Triandis *et al.* 1996). En la práctica, la capacidad de identificar la procedencia diastrática de los hablantes a partir del material exclusivamente sintáctico parece vedada a los individuos pertenecientes a los estratos más bajos, como se advierte en la investigación López Morales en San Juan de Puerto Rico, cuyos datos cuantitativos más sobresalientes destacamos en la tabla 7 (López Morales 1989: 214).

Estas jerarquías han sido puestas a prueba posteriormente en diversas investigaciones que han seguido a los trabajos pioneros de López Morales (1979a) y que, en líneas generales, han obtenido unos resultados coincidentes. Así, entre los hispanos del estado de Indiana (EE.UU.), y a la pregunta de «¿cuáles son los motivos que permiten al informante identificar una determinada variedad del español como diferente a la propia?» el porcentaje más amplio de respuestas corresponde a un criterio paralingüístico, la rapidez en el habla (34,9 por 100), seguido de cerca por otros de carácter lingüístico, como el léxico (33 por 100) y la fonética (24,2 por 100, repartido entre rasgos fonéticos

TABLA 7
Tipo de reconocimiento por niveles socioculturales, según López Morales (1989)

| | NSC ALTO % | NSC MEDIO % | NSC BAJO % |
|---|---|---|---|
| General | 23,7 | 50,5 | 25,8 |
| Fonología | 8,2 | 63,0 | 28,8 |
| Léxico | 23,1 | 42,1 | 34,7 |
| Sintaxis | 57,1 | 42,8 | 0,0 |

—12,6 por 100— y acento/entonación —11,6 por 100) *(vid.* Mendieta 1997). Sin embargo, obsérvese en la tabla 8 cómo ninguna respuesta está basada en el nivel gramatical.

TABLA 8
Factores asociados al reconocimiento de los sociolectos en la comunidad hispanohablante de Indiana, según Mendieta (1997)

| | % | N |
|---|---|---|
| Rapidez en el habla | 34,9 | 36 |
| Distintas palabras, modismos | 33,0 | 34 |
| Rasgos fonéticos | 12,6 | 13 |
| Acento/entonación | 11,6 | 12 |
| Dialecto diferente | 7,7 | 8 |

TEMA XI

# El estudio de las actitudes lingüísticas en las comunidades de habla hispánicas (II): Las actitudes lingüísticas en las situaciones de bilingüismo social

## 1. INTRODUCCIÓN

La atención dispensada al estudio de las actitudes hacia el contacto de lenguas ha sido menor que la que se ha dedicado a otros aspectos (sociales, políticos, educativos, psicológicos, etc.) del fenómeno bilingüe. Sin embargo, y como se ha destacado en repetidas ocasiones, se trata de una faceta sumamente importante para la propia suerte de las lenguas que conviven dentro de una comunidad de habla.

La sociolingüista británica Suzanne Romaine (1989: 256) sugiere una descripción de este tema bajo una triple óptica, que hacemos nuestra en estas páginas:

a) actitudes hacia el estatus social de las lenguas en contacto,

b) actitudes de los hablantes monolingües hacia los hablantes bilingües y hacia otros aspectos relacionados con el bilingüismo (presencia de las lenguas en el sistema educativo, el gobierno, las instituciones oficiales, los medios de comunicación, etc.), y

c) actitudes hacia las consecuencias lingüísticas del bilingüismo (*v. gr.*, interferencias, cambios de código, variedades híbridas, lenguas pidgin y criollos, etc.)[1].

El objeto del presente tema, que completa lo visto en el anterior, es analizar las principales líneas de investigación desarrolladas en el ámbito de la sociolingüística hispánica en torno a las actitudes hacia el bilingüismo social y hacia alguno de los fenómenos lingüísticos más singulares del contacto de lenguas. Sin embargo, y para preservar la coherencia expositiva de este bloque temático, completaremos la información contenida aquí con el tratamiento posterior de ciertos aspectos integrativos e instrumentales de las actitudes en los procesos de mantenimiento *vs.* sustitución de lenguas (véase tema XIV).

## 2. Aspectos psico-sociolingüísticos del componente actitudinal en las situaciones de bilingüismo social desequilibrado

Como es sabido, la elección de lengua en determinadas situaciones puede revelar la existencia de conflictos sociolingüísticos importantes. Ello explica por qué en no pocas situaciones de bilingüismo diglósico ciertos individuos monolingües con competencia únicamente en la lengua A (alta) pueden exigir que los hablantes de otras lenguas se dirijan a ellos utilizándola[2]. No en vano, y como veremos con detalle más adelante (véase tema XII), las ideologías diglósicas son manifestaciones de un fenómeno más general, el que concierne a las relaciones entre la lengua y las ideologías, y que suele manifestarse a través de los juicios de valor sobre las lenguas. En este sentido, uno de los prejuicios más

[1] Otro aspecto importante en el estudio de las relaciones entre actitudes y bilingüismo es el relativo a la incidencia que las primeras tienen en el aprendizaje de segundas lenguas, un aspecto que, sin embargo, obviamos en el desarrollo de este libro dedicado a la sociolingüística hispánica. Con todo, recordemos que los resultados de numerosas investigaciones emprendidas en este sentido sostienen que aquellos que inician dicho aprendizaje a partir de motivaciones integrativas, y no sólo instrumentales, obtienen, por lo general, unos niveles de motivación más elevados y unas actitudes más positivas hacia la lengua. Pese a ello, se ha notado también que la aptitud no suele guardar excesiva relación con la actitud y la motivación.

[2] Se ha hablado también del *estigma del bilingüismo* para aludir a situaciones en las que los bilingües viven en comunidades característicamente monolingües, y donde el empleo de otras lenguas diferentes a la mayoritaria no se ve con buenos ojos (Haugen 1972).

frecuentes es la tendencia entre los hablantes a considerar su lengua como mejor que las demás, característica que se agrava especialmente entre los usuarios de lenguas mayoritarias.

Desde una perspectiva psicolingüística, Siguan (1976) ha resumido en cuatro las principales actitudes que los individuos bilingües suelen adoptar ante las situaciones de contacto de lenguas socialmente desequilibradas:

a) la aceptación del *statu quo* sociolingüístico;

b) el intento de identificación del individuo con la lengua dominante, aunque ésta no sea la propia. En ocasiones se ha hablado de *bilingüismo encubierto* para aludir a las actitudes características de aquellos individuos que tienden a abandonar sus lenguas a favor de los idiomas mayoritarios, en los que ven un instrumento indispensable para el progreso social y material;

c) la dialéctica entre el deseo de identificación con la lengua y la cultura dominantes por un lado, y la lealtad hacia la lengua minoritaria, por otro. El psicolingüista catalán recuerda que, en estos casos, es frecuente que los individuos bilingües atribuyan sus fracasos personales y profesionales a su condición bilingüe y bicultural, y

d) la defensa a ultranza de la lengua propia, actitud que puede conducir también a la frustración personal, bien sea porque las fuerzas sociales mayoritarias no le han permitido al hablante desarrollarse en su lengua, bien sea porque la escasa fuerza de ésta le ha impedido progresar en la sociedad.

Por otro lado, la perspectiva sociolingüística sobre el tema ha girado a menudo en torno a una serie de categorías analíticas, inauguradas por Weinreich (1953), y cuyos rasgos principales resumimos a continuación:

a) la *lealtad* lingüística, entendida como el estado mental que lleva al individuo a considerar su lengua en una posición elevada dentro de su escala de valores, y la necesidad de defenderla en los procesos de sustitución;

b) la *fidelidad,* o resistencia de los hablantes a la pérdida de usos o cambios de estructura de una lengua particular;

c) el *orgullo,* es decir, el sentimiento de satisfacción personal por poseer una lengua propia;

d) el *prestigio,* definido como el valor de las lenguas para el progreso social y material;

e) la *utilidad* o grado de necesidad de las lenguas para la comunicación ordinaria;

f) el *rechazo,* es decir, el sentimiento negativo frente a una lengua (véase el desarrollo de estos conceptos y su influencia en los procesos de mantenimiento/sustitución de lenguas en el mundo hispánico en el tema XIV, § 11).

En las páginas que siguen ofrecemos una revisión detallada de las principales líneas de investigación que sobre el tema de las actitudes lingüísticas en situaciones de bilingüismo social se han venido desarrollando en diversas regiones del mundo hispánico durante las últimas décadas.

## 3. Las actitudes hacia el bilingüismo social en comunidades hispanoamericanas

Las investigaciones realizadas hasta el momento en el contexto hispanoamericano han girado en torno las ideas de Lambert (1967), según las cuales, en las situaciones de bilingüismo diglósico las lenguas consideradas como *elevadas* se asocian inconscientemente a los parámetros de la *competencia* y el *prestigio social,* mientras que las lenguas *bajas,* de menor estatus, se vinculan en mayor medida con la *integridad* y el *atractivo personal* (sobre el contenido de estos conceptos, véase tema XII)[3].

Numerosos trabajos sobre situaciones de bilingüismo social desequilibrado en regiones de Hispanoamérica, en las que el español convive con algunas lenguas amerindias, han venido a confirman, por lo general, estas conclusiones. En Perú, por ejemplo, algunos estudios pioneros (cfr. Escobar 1976; Wölck 1977) mostraron cómo, mientras que el español era juzgado sistemáticamente de forma más favorable en las dimensiones relacionadas con el estatus y el prestigio social, el quechua superaba al español en valoraciones afectivas. Más recientemente, Loveland (1992) ha confirmado en otro estudio lo esencial de estas conclusiones, si bien ha advertido un leve cambio en las actitudes hacia el quechua, que ya no aparece relegado tan sólo al plano emocional[4].

[3] A partir de su propia experiencia en el contexto canadiense, el propio Lambert (1967: 95) concluía en sus investigaciones pioneras de los años 60: «estos resultados son un reflejo de un estereotipo social ampliamente difundido que ve en el francés una lengua de segunda fila, una visión completamente aceptada por ciertos grupos de habla francesa».

[4] Las actitudes positivas de los misioneros hacia el quechua como vehículo de comunicación y el reconocimiento de los indios como seres humanos tuvieron consecuencias positivas para el mantenimiento de esta lengua precolombina (Harrison 1995). Como es sabido,

En Paraguay, país en el que la vitalidad de la lengua autóctona, el guaraní, no tiene parangón en toda América, diversas investigaciones han extraído conclusiones algo más matizadas. No en vano, el reconocimiento de la oficialidad del guaraní ha reforzado un fuerte movimiento etnolingüístico cuyas actitudes positivas han intentado desterrar la idea de que se trata de una lengua de segundo orden frente al español.

Los trabajos pioneros de Rubin (1968) y Rhodes (1980) corroboraron ya esta impresión[5]. Sus resultados —especialmente los del estudio de Joan Rubin— indicaban la existencia de una fuerte lealtad de la población hacia el guaraní y, si bien el prestigio social se asociaba en buena medida con el español, dicha actitud se encontraba más acentuada entre los monolingües castellanohablantes. Por el contrario, entre los que tenían el guaraní como lengua materna, la mayoría consideraba también este idioma apto para dominios formales como la educación, al menos en los grados más elementales. La sociolingüística norteamericana advirtió, asimismo, que las actitudes de lealtad lingüística entre los paraguayos se restringían básicamente a los hablantes de guaraní, lengua a la que iban aparejados los sentimientos de orgullo étnico[6]. Sin embargo, esta opinión, no ha sido compartida más adelante por Germán de Granda (1981), quien ha subrayado que las actitudes de lealtad y de orgullo lingüístico se extienden también a los hablantes exclusivos de español, como lo demuestra el hecho de que éstos mantengan una variedad paraguaya suficientemente diferenciada de otras modalidades vecinas como la argentina.

Más recientemente Gynan (1998a) ha terciado en esta polémica, confirmando algunas de las apreciaciones pioneras de Rubin (1968), pese a reconocer la validez de otras intuiciones de Granda. De su estudio, llevado a cabo mediante la técnica del cuestionario sobre una muestra de 650 informantes, se desprenden, entre otros, los siguientes resultados:

---

en el periodo de la colonización española se sucedieron dos actitudes diferentes hacia las lenguas indígenas: por lo general durante la monarquía de los Austrias hubo una cierta flexibilidad hacia las lenguas autóctonas, mientras que con la llegada de los Borbones se impuso rotundamente, a veces por la fuerza, la lengua de los conquistadores (*vid.* Rosenblat 1964).

[5] Otros estudios tempranos fueron los de Rona (1966) y Garvin y Mathiot (1968).

[6] Se calcula que aproximadamente un 92 por 100 de la población habla esta lengua y que sólo un 50 por 100 de los hablantes es bilingüe.

a) el orgullo etnolingüístico es más evidente en el caso del guaraní, mientras que el interés por el castellano es más instrumental y asociado al progreso material y social;

b) las actitudes de fidelidad, entendida como el sentimiento de purismo lingüístico y reacción ante los procesos de interferencia y préstamo masivo, se reparten entre las dos lenguas, si bien en líneas generales es muy bajo en ambos casos, lo que contrasta con el purismo de las autoridades responsables de la planificación lingüística;

c) las actitudes de ambivalencia son palpables en algunos sectores de la población bilingüe, como lo demuestran numerosos individuos que, pese a manifestar su acuerdo con la introducción del guaraní como lengua instrumental en el sistema educativo, otorgan puntuaciones bajas a esta lengua en prestigio y orgullo, al tiempo que favorecen el empleo del español en todos los dominios sociales;

d) la mayoría de la población se muestra en contra del monolingüismo en cualquiera de las dos lenguas.

Una visión pesimista sobre la suerte del guaraní la ha ofrecido también recientemente Yolanda Solé (1996), quien ha puesto en duda la posición relevante del guaraní como la principal seña de identidad cultural paraguaya. Además, y pese a la confirmación de unas actitudes globalmente positivas hacia la lengua autóctona, esta autora prevé un desplazamiento hacia el español en el plazo de unas pocas generaciones y el mantenimiento futuro de la lengua autóctona como una reliquia folklórica[7].

Otros trabajos que han prestado atención al capítulo de las actitudes en países sudamericanos son los de Elizaincín (1976) y Poersch (1995) en las regiones fronterizas de Brasil y Uruguay, donde el contacto secular entre el español y el portugués ha dado lugar a la creación de variedades híbridas a ambos lados de la frontera. En el lado portugués, por ejemplo, Poersch (1995) ha destacado que las actitudes negativas hacia el llamado *portuñol* por parte de los escolares de habla portuguesa constituyen la principal causa explicativa de sus

[7] Por otro lado, esta autora critica algunos de los lugares comunes en torno a la situación diglósica paraguaya, como la pretendida diferenciación sexual que llevaría a las mujeres a juzgar de forma más positiva el español, mientras que los hombres se identificarían en mayor medida con el guaraní. Sin embargo, Gynan (1998a) ha descubierto más recientemente una significativa representación femenina en las escalas más bajas del prestigio y el orgullo lingüísticos relacionados con dicha lengua, mientras que, por el contrario, los hombres aparecen desproporcionadamente por arriba en dicha escala actitudinal.

pobres resultados en tareas como la lectura y la escritura, datos que contrastan con las cifras más elevadas de sus compañeros de habla española. Por su parte, tanto Croese (1983) como I. Fernández de la Reguera y A. Hernández (1984) han advertido un esquema actitudinal diglósico en la comunidad mapuche de Chile, en la que el español se asocia con el prestigio y las posibilidades de progreso social[8], pero donde, al mismo tiempo, los hablantes muestran una gran lealtad hacia su lengua nativa, que prefieren claramente para la comunicación cotidiana. De hecho, es frecuente que estos hablantes hablen de la lengua autóctona como «nuestra lengua».

La situación mexicana ha sido analizada, entre otros, por Hill y Hill (1980a), quienes han analizado los ámbitos de uso y las actitudes lingüísticas en poblaciones nahuatlhablantes de los estados de Tlaxcala y Puebla, en las que el proceso de hispanización de las lenguas indígenas parece imparable. Tras la consideración de las principales causas sociales e históricas que condicionan la presencia de ambas lenguas en la comunidad, estos autores concluyen que diversos factores socioeconómicos han provocado un cambio no sólo en los dominios de uso social de las lenguas, sino también en las actitudes que los hablantes de estas regiones presentan hacia el repertorio verbal comunitario. Como consecuencia de ello, el nahuatl se presenta ahora entre sus propios hablantes como una lengua vinculada a la solidaridad comunitaria, y en este sentido sirve para la expresión de la identidad étnica y de clase, pero es completamente ajeno a las esferas del poder.

Los cambios sociales acaecidos en las últimas décadas en la sociedad mexicana se dejan sentir particularmente en estas comunidades, donde las poblaciones indígenas muestran en la actualidad actitudes ambivalentes en relación con el derecho al empleo de sus lenguas en ciertos ámbitos de uso elevados. Un ejemplo de estas actitudes nos lo proporcionan las comunidades zapotecas y triquis del estado de Oaxaca en relación con el derecho a la educación bilingüe, que el Estado mexicano ha terminado reconociendo por ley en 1998. A partir de los testimonios de profesores y padres implicados en dicho proceso, y recogidos por Mena (1999), este autor ha dado cuenta de la existencia de temores diversos en dichas poblaciones, como el miedo a quedar aislados de un progreso social y material que en el inconsciente colectivo

[8] Asimismo representa el vehículo de comunicación con las comunidades no mapuches.

se asocia indisolublemente con el aprendizaje del español. O como contrapartida, los sentimientos de pérdida de un elemento indispensable de su identidad colectiva, ante la temida, al tiempo que necesaria, codificación de las lenguas mesoamericanas[9].

## 4. Las actitudes lingüísticas hacia las lenguas en contacto en Estados Unidos

Ornstein (1982) ha recordado que la escasa atención que se había dispensado tradicionalmente al estudio de las actitudes hacia el español hablado en Estados Unidos era un reflejo del estatus marginal de esta línea de investigación en la lingüística norteamericana, probablemente como consecuencia de la naturaleza no estándar de aquél, así como del estatus social bajo con el que, por lo general, se asocia a la mayoría de los hablantes hispanos. Sin embargo, esta situación comenzó a cambiar ostensiblemente en las décadas de los 60 y 70 del pasado siglo, como consecuencia directa del movimiento en defensa de los derechos civiles y de los subsiguientes programas para la educación bilingüe de las minorías etnolingüísticas. Y por qué no decirlo también, como fruto del desarrollo inusitado a partir de ese momento de los estudios sociolingüísticos.

Desde un punto de vista empírico, debemos a Adorno (1973) una de las primeras investigaciones que dieron cuenta del perfil actitudinal diglósico entre buena parte de los hablantes hispanos de EE.UU. En numerosas comunidades de habla, mientras que el inglés era considerado importante para fines prácticos y para el desarrollo social, el español obtenía las mejores puntuaciones en relación con ciertos atributos personales. Por las mismas fechas, Carranza y Bouchard Ryan (1975) dedicaban su estudio al análisis comparativo de las actitudes de hablantes bilingües de origen hispano y anglosajón respectivamente en la ciudad de Chicago. Y en él confirmaban también cómo el inglés era evaluado más positivamente en los rasgos relacionados con la compe-

[9] Otros estudios sobre actitudes lingüísticas en países centroamericanos han arrojado resultados similares. Para la situación de Guatemala disponemos, entre otros, de un trabajo de Menchu y Telón de Xulu (1993), en el que se analizan las actitudes de los padres de alumnos escolarizados en programas bilingües maya-español. Por otro lado, la situación sociolingüística panameña es estudiada por Turpana (1987), quien ha subrayado el sentimiento de inferioridad de los hablantes de lenguas indígenas. Un sentimiento que a menudo lleva a éstos a creer que sus lenguas son estructuralmente inferiores al español.

tencia y el estatus social, mientras que el español se consideraba la lengua de comunicación más adecuada en algunos dominios domésticos, como el hogar. Además, dichas impresiones subjetivas eran compartidas de forma muy similar por los dos grupos etnolingüísticos.

Más recientemente, otros autores han podido atestiguar este mismo cuadro diglósico en su estudio acerca de las actitudes hacia el inglés y el español en el medio escolar. Así, entre los estudiantes de secundaria de origen cubanoamericano en Florida, los jóvenes no sólo perciben en sí mismos una mayor competencia escrita en inglés, sino que al mismo tiempo consideran esta lengua como la más importante para su futuro profesional, así como, en general, para las situaciones formales. Por el contrario, las preferencias hacia el español se vinculan a los dominios familiares, e incluso en éstos, con algunas excepciones notables *(vid.* R. García y C. Díaz 1992)[10]. Por su parte, Galindo (1995, 1996) ha comprobado también que el inglés es la lengua preferida para la educación por parte de la mayoría de los padres de alumnos en la ciudad texana de Laredo, preferencia que se acentúa, incluso, entre los monolingües hispanos[11].

Pese a estos resultados, cada vez se insiste con más énfasis en la idea de que, desde una perspectiva tradicional de la diglosia, no es posible obtener un cuadro completo de la situación sociolingüística que ofrecen las lenguas en contacto en EE.UU., al menos por lo que se refiere al español. No en vano, ya durante los años 70, autores tan representativos de la sociolingüística norteamericana como Gumperz y Hernández Chávez (1972) y Elías-Olivares (1976) advertían que en diversas regiones del sudoeste norteamericano los sentimientos de inferioridad característicamente diglósicos afectaban principalmente a los hablantes más adultos, mientras que entre los individuos más jóvenes se apreciaba un creciente orgullo étnico, manifestado, entre otros medios, a través del empleo habitual del cambio de código como rasgo identificador de su carácter bilingüe[12]. Por su parte, Mejías y Anderson (1984)

[10] Por ejemplo, la mayoría de los consultados en este estudio dice preferir el uso del inglés en las interacciones verbales con sus hermanos.

[11] Bills (1997) ha visto también cómo los hispanohablantes de las comunidades de Nuevo México establecen con frecuencia una jerarquía actitudinal triglósica en la que el inglés ocupa el primer puesto, seguido por una variedad del español hablada preferentemente en las zonas urbanas, y en último lugar, por el dialecto tradicional, relegado en los últimos tiempos a las hablas rurales.

[12] Con todo, algunos consideraban, que tales datos se habían sobrevalorado y que en lo esencial las actitudes diglósicas afectaban negativamente a toda la sociedad chicana y ponían en peligro la subsistencia del español *(vid.* Valdés 1975).

han visto cómo la escasa fidelidad de la población hispana hacia su lengua nativa en la región de Río Grande (Texas) y la preferencia abrumadora por el inglés como instrumento de desarrollo social no implican, sin embargo, un deseo de aculturación en la sociedad norteamericana mayoritaria. De hecho, las actitudes negativas hacia dicha asimilación son muy fuertes.

Estas actitudes de rechazo hacia la asimilación cultural y lingüística, así como, en general, hacia el estatus deprimido de las comunidades hispanas de EE.UU., pueden rastrearse también en diversas manifestaciones artísticas, como la literatura chicana contemporánea. A través de diferentes géneros, como el teatro *(vid.* Valdés 1982a), o la novela (cfr. P. Taylor 1999, Villarreal 2001), esta literatura ha servido para denunciar los principales problemas sociales que aquejan a la sociedad chicana, así como la inseguridad y la ambivalencia de sus representantes, provocadas en gran parte por el mestizaje y la hibridación lingüístico-cultural. Entre las principales características de esta literatura chicana destacan:

a) las frecuentes alusiones a la historia y la mitología mexicanas;
b) la crítica a la hostilidad tradicional de los anglosajones hacia la cultura chicana;
c) el «realismo mágico» como principal técnica literaria, y
d) el uso del español con mezcla habitual de léxico procedente de otras lenguas, entre las que ocupan un lugar destacado las de otras minorías tradicionalmente marginadas, como las lenguas amerindias (P. Taylor 1999).

Por otro lado, las estrategias lingüísticas utilizadas más habitualmente por los escritores chicanos oscilan desde el simple empleo de fraseología hispana en un entorno lingüístico por lo demás enteramente inglés, hasta la utilización exclusiva del español con el auxilio de algunas traducciones auxiliares, pasando por la práctica del cambio de código, similar a la empleada en el discurso bilingüe oral.

Por otro lado, la bibliografía sobre las actitudes lingüísticas en Estados Unidos ha destacado la existencia de diferencias notables entre algunos de los principales grupos etnolingüísticos de origen hispano en relación con estos patrones evaluativos. Así, en una incursión reciente sobre el tema, Arnulfo Ramírez (2000: 286) ha advertido que la valoración social que se dispensa al español difiere considerablemente entre las seis comunidades estudiadas por él mismo. Como puede verse en la tabla 1, las poblaciones hispanas de las ciudades de Los Angeles y Miami figuran a la cabeza en los juicios positivos que se otorgan al español para valores instrumentales, como «encontrar un trabajo», «labrarse un futuro profesional», etc. Por el contrario, los hablantes del Bronx neoyorquino y de la ciudad de Amsterdam se sitúan siempre en el extremo opuesto, ya que conceden mucho menos valor al español como instrumento de progreso social[13].

TABLA 1
Evaluación del español como instrumento para encontrar trabajo entre hispanohablantes de seis ciudades norteamericanas, según A. Ramírez (2000)

| ENCONTRAR TRABAJO | MUY BUENA % | BUENA % | NI BUENA NI MALA % | MALA % | MUY MALA % |
|---|---|---|---|---|---|
| Miami | 60,0 | 32,7 | 3,6 | — | 3,6 |
| Bronx | 34,7 | 36,7 | 24,5 | 2,0 | 2,0 |
| Amsterdam | 35,0 | 28,3 | 26,7 | 1,7 | 8,3 |
| San Antonio | 58,0 | 30,0 | 8,0 | 4,0 | — |
| Albuquerque | 38,5 | 40,4 | 21,2 | — | — |
| Los Ángeles | 74,1 | 18,5 | 3,7 | 1,9 | 1,9 |

En este mismo sentido, se ha resaltado la singularidad actitudinal de algunas de estas comunidades, como ocurre, por ejemplo, con los portorriqueños residentes en grandes ciudades norteamericanas. En una monografía sobre un tema ya recurrente en la sociolingüística hispánica de EE.UU. (cfr. Poplack 1980; Zentella 1982; Attinasi 1983; Clachar 1997), Lourdes Torres (1997) ha recordado que las actitudes de estos hablantes hacia las dos lenguas de su repertorio, español e inglés, difieren considerablemente de las atestiguadas en otros lugares. No en vano es en el propio carácter bilingüe donde se adivinan los principales signos de identidad etnolingüística y no en la lealtad o preferencia hacia uno de los dos idiomas. De ahí que fenómenos del discurso bilingüe como el cambio de código desempeñen un papel decisivo. Por

[13] Entre estos últimos, incluso, el español pierde fuerza también entre los valores integrativos.

otro lado, Urcioli (1996) ha destacado que, por lo general, los portorriqueños se sienten inseguros cuando hablan inglés con sus interlocutores de raza blanca, debido a la conciencia de sus propios errores y de su acento hispano. Sin embargo, emplean esa misma lengua con mucha más libertad cuando conversan con interlocutores de raza negra, sin reparos, además, para introducir préstamos y alternancias lingüísticas de origen hispano en su discurso.

Por último, destaquemos también en este apartado algunas investigaciones en torno a las actitudes dispensadas hacia los hablantes en los que se aprecia un elevado nivel de interferencia en la pronunciación. A este respecto, disponemos de algunos trabajos que han analizado empíricamente este tema en las dos direcciones del contacto. Así, y por lo que se refiere inicialmente a los hablantes de español con acento inglés, Bouchard Ryan y Carranza (1977) demostraron hace ya algún tiempo que el nivel de este acento extranjero afecta al carácter de las evaluaciones. De este modo, los hablantes que muestran una pronunciación característicamente anglosajona reciben valoraciones más bajas que el resto. Por su parte, otros estudios acerca del inglés con acento hispano (Carranza y Bouchard Ryan 1975; J. Galván, Pierce y Underwood 1976) han permitido comprobar también que los hablantes más afectados por dicha pronunciación reciben mejores puntuaciones en los ámbitos de uso informales (hogar, relaciones amistosas, etc.) que en los formales (educación, etc.); por el contrario, dicha tendencia se invierte entre los hablantes con una pronunciación más cercana al inglés estándar.

## 5. El contexto español

El carácter diglósico tradicional de la mayoría de las comunidades españolas con lengua propia, en las que históricamente el español ha desempeñado las funciones sociales más elevadas y prestigiosas, frente al papel mucho más doméstico de los idiomas autóctonos, ha condicionado hasta hace poco la obtención de unos resultados similares a los reseñados para otras zonas del mundo donde la lengua española presenta una situación preeminente, como Hispanoamérica. Sin embargo, en las últimas décadas, los cambios sociopolíticos que han tenido lugar en España desde la restauración de la democracia han introducido algunas variaciones notables en este panorama.

Estos cambios tienen un lugar particularmente destacado en la *Cataluña* contemporánea, donde los estudios sistemáticos sobre las actitudes lingüísticas se remontan al menos hasta el trabajo pionero de Badia i Margarit (1969) sobre las evaluaciones de los barceloneses hacia el proceso de normalización del catalán, en una época todavía anterior a la muerte del dictador. Los resultados, globalmente positivos para el catalán, se verían confirmados pocos años más tarde por Reixach (1975), quien incluso apreciaba ya en la Cataluña no metropolitana actitudes más favorables a la catalanización lingüística que las obtenidas por Badia. Asimismo, otra investigación de envergadura a comienzos de la década de los 80, llevada a cabo por primera vez mediante el empleo de técnicas indirectas como el *matched-guise,* permitía a la norteamericana K. Woolard (1984, 1989) certificar que el estatus social del catalán había resistido con notable firmeza en la conciencia social de la sociedad de esa comunidad, pese a los efectos de la represión institucional llevada a cabo durante el franquismo y la situación general de diglosia. Y lo que resultaba aún más significativo: esa imagen la compartían tanto la población nativa como la mayoría de los inmigrantes. Para ambos grupos, el prestigio del catalán es superior al del castellano, lo que lleva a sospechar que, al menos en el caso que nos ocupa, el estatus de la lengua no depende tanto de su vinculación tradicional con el poder político e institucional —llevado hasta el límite con el castellano durante la época franquista— cuanto de su asociación con la pujanza económica, indisolublemente unida ahora a la burguesía de habla catalana.

Estos resultados serían confirmados algunos años más tarde en una segunda investigación de campo de similares características *(vid.* Woolard 1991). Ahora bien, en este breve lapso de tiempo la etnógrafa norteamericana advertiría, sin embargo, algunos cambios significativos en el eje de la solidaridad, que apuntaban hacia una mayor integración de los castellanohablantes de origen inmigrante en la lengua y la cultura catalanas. Así, en los siete años que median entre un estudio y otro, se advierte un debilitamiento del vínculo tradicional entre el catalán y la identidad etnolingüística catalana nativa. Como señala la propia autora en las conclusiones al segundo de sus estudios:

> Als joves catalans ja no els importa tant *qui* parla català, sino més aviat que es parli. Encara més important per fomentar un major ús de la llengua catalana és el fet que els castellanoparlants ja no penalitzen els qui parlen català com a segona lengua reduint-los els sentiments de solidaritats. Ara pot haver-hi recompenses d'augment del sentiment de solidaritat per part dels catalans envers el castellans que facin sevir el català com a segona llengua, i més poques sancions mo-

tivades per aquest ús per part dels castellanoparlants[14]. *Els joves catalans continuen sensibles a l'us del català, però són menys discriminatoris respecte a qui té el dret d'usar-lo; el joves castellans de Barcelona també semblen menys zelosos a l'hora de guardar la frontera lingüística* (págs. 239-240; la cursiva es nuestra).

Datos esperanzadores para la suerte del catalán —aunque con algunas zonas de sombra— eran advertidos también en los años 80 en diferentes trabajos, como los de Strubell y Romaní (1986) y Bastardas (1985)[15]. Más recientemente, y en una de las últimas incursiones en el tema que conocemos, M. J. Plaza (1999) ha confirmado, asimismo, el elevado prestigio del catalán entre los adolescentes de la región, con independencia de cuál sea su lengua materna o su red social de comunicaciones.

Pese a lo anterior no han faltado tampoco algunas señales de alarma, que han venido a dar cuenta de las resistencias de algunos sectores de la población reacios a la ampliación de ámbitos de uso social para el catalán. A juicio de los más críticos, por ejemplos, los datos aportados ya a finales de la década de los 70 por autores como Turell (1979) ponían el dedo en la llaga sobre problemas actitudinales que en lo esencial se mantienen en la actualidad. No en vano esta investigadora llamaba la atención por entonces sobre la existencia de actitudes negativas hacia el uso del catalán entre los representantes de las profesiones liberales y otros sectores profesionales influyentes (médicos, abogados, jueces, etc.).

En sentido contrario, y como consecuencia, precisamente, de los cambios políticos y culturales experimentados por la sociedad catalana en las últimas décadas, recientemente se ha instalado entre ciertos sectores de ésta la tesis de que es ahora el español, y no el catalán, la lengua que sufre un mayor grado de marginación desde el poder público e institucional, especialmente desde las administraciones autonómicas. Diversas iniciativas ciudadanas han dado cuenta de esta situación que revela una evolución considerable respecto a los patrones tradicionales de la diglosia y el conflicto lingüístico catalanes (sobre esta cuestión, véanse más adelante los temas XII, § 5 y XV, § 6). Pese a ello, para hispanistas extranjeros como Doyle (1996)

[14] Justamente al revés de lo que ocurría unos años atrás.

[15] Véanse algunos resúmenes sobre las principales investigaciones llevadas a cabo hasta mediados de los años 80 en J. Torres (1988).

los temores expresados por dichos sectores son excesivos, ya que los más jóvenes de la población, aquellos que han recibido un mayor grado de catalanización, siguen evaluando positivamente la lengua española, la cual no se encuentra en peligro por la rápida extensión y normalización social del catalán, si bien hay que reconocer que ya no es el único instrumento lingüístico para asegurar el éxito profesional en Cataluña como antaño.

Interesantes resultan también para nuestro objeto de estudio aquellas investigaciones en las que se destaca el contraste notable que ofrecen diversas áreas del ámbito lingüístico catalán en relación con el prestigio que los hablantes autóctonos conceden a las dos lenguas de su repertorio verbal. A este respecto, por ejemplo, sobresale la disparidad actitudinal que presentan Cataluña, donde el catalán ha adquirido, como hemos visto, un estatus de igualdad e incluso ha superado al español en algunos dominios sociales, y las comarcas limítrofes de Aragón, donde esta lengua todavía es empleada cotidianamente por un porcentaje muy amplio de la población (cfr. O'Donnell 1988; Huguet 1995), pero donde, al mismo tiempo, el prestigio continúa siendo bajo en comparación con el español.

En esta última región, conocida como la Franja, el español es todavía hoy la lengua casi exclusiva de las situaciones formales, situación a la que han contribuido los escasos esfuerzos institucionales realizados hasta la fecha para la normalización social de la lengua catalana por parte de las autoridades educativas aragonesas. Aunque ésta se ofrece hoy en las escuelas como una materia opcional, ello contrasta sobremanera con las comarcas limítrofes de Lérida, donde el catalán representa la lengua base del sistema educativo obligatorio. Recientemente, Huguet y Llurda (2001) han realizado un estudio comparativo sobre las actitudes dispensadas hacia las dos lenguas en sendas muestras de población escolar situadas a ambos lados de la actual demarcación política y administrativa que divide a las comunidades autónomas de Aragón y Cataluña (las comarcas del Baix Cinca y Baix Segre, respectivamente). Entre los resultados de este trabajo, sobresale el hecho de que, si bien no se aprecian actitudes negativas relevantes hacia ninguna de las dos lenguas, las de signo positivo o neutro muestran, sin embargo, diferencias significativas entre ambas comarcas. Lo cual apunta hacia la influencia decisiva de algunos factores de política lingüística, como la presencia del catalán en la educación. Como puede apreciarse en los cuadros siguientes (tablas 2 y 3), entre los escolares aragoneses se advierte una mayor inclinación a valorar positivamente el español (84,1 por 100) que entre los alumnos catalanes (46,8 por 100)[16] (tabla 2). Situación justamente contraria a la que ofrece el catalán (tabla 3), que es muy bien valorado en las poblaciones del Baix Segre (Lérida) (86,2 por 100), pero significativamente menos en las comarcas aragonesas (52,8 por 100). Con todo, obsérvese que este contraste es especialmente visible entre los alumnos aragoneses que no reciben clases en catalán, quienes dispensan las cifras de evaluación positiva más bajas de toda la muestra (22,2 por 100), ampliamente superadas por unas actitudes neutras (69,5 por 100) y con los porcentajes más altos de actitudes directamente negativas (8,3 por 100).

TABLA 2
Actitudes hacia el español en una muestra de escolares de comunidades de habla catalanas situadas en la frontera entre Aragón y Cataluña, según Huguet y Llurda (2001)

| | DESFAVORABLE (%) | NEUTRA (%) | FAVORABLE (%) |
|---|---|---|---|
| Total | 2,3 | 27,2 | 70,5 |
| Baix Segre | **5,3** | **47,9** | **46,8** |
| Baix Cinca (total) | **0,6** | **15,3** | **84,1** |
| Baix Cinca (sí) | 0,0 | 15,0 | 85,0 |
| Baix Cinca (no) | 2,8 | 16,7 | 80,5 |

TABLA 3
Actitudes hacia el catalán en una muestra de escolares de comunidades de habla catalanas situadas en la frontera entre Aragón y Cataluña, según Huguet y Llurda (2001)

| | DESFAVORABLE (%) | NEUTRA (%) | FAVORABLE (%) |
|---|---|---|---|
| Total | 3,1 | 31,9 | 65,0 |
| Baix Segre | **0,0** | 13,8 | **86,2** |
| Baix Cinca (total) | **4,9** | **42,3** | **52,8** |
| Baix Cinca (sí) | ***4,0*** | ***34,1*** | ***61,9*** |
| Baix Cinca (no) | ***8,3*** | ***69,5*** | ***22,2*** |

[16] Obsérvese, incluso, cómo, entre estos últimos, las cifras de actitudes neutras (47,9 por 100) hacia el español superan a las positivas (46,8 por 100).

Las actitudes negativas hacia una lengua son el resultado muchas veces del recelo hacia regiones vecinas —y rivales— en las que aquélla desempeña un papel simbólico determinante. Ello explicaría por qué en la Franja oriental aragonesa, los hablantes no se identifican con el *catalán,* nombre que la mayoría —incluso los que lo emplean cotidianamente— asocia con significados y connotaciones políticas poco atractivas. De este modo, aunque el uso de esta lengua se valora, en general, positivamente, los hablantes de esta región la conciben como una variedad propia, escasa o nulamente vinculada a la lengua hablada en la vecina Cataluña, comunidad sobre la que existen sentimientos ambivalentes, cuando no de clara rivalidad y animadversión *(vid.* Martín Zorraquino *et al.* 1995 y Martín Zorraquino 1998b)[17].

Aunque las diferencias con Cataluña no sean ahora tan acusadas, el caso *valenciano* ha representado tradicionalmente un ejemplo paradigmático de actitudes diglósicas[18]. Con todo, en los últimos tiempos se han detectado también aquí algunos atisbos de cambio en el componente actitudinal comunitario, como consecuencia de las transformaciones sociales e institucionales experimentadas por la sociedad valenciana.

En un trabajo pionero sobre esta región mediante la técnica del *matched-guise,* Ros (1982) estuvo entre los primeros en confirmar empíricamente el carácter actitudinal diglósico de la sociedad valenciana. Como hemos visto anteriormente (véase tema X, § 4.2), mientras que los integrantes de la muestra estudiada advertían claramente en el castellano valores instrumentales indispensables para el progreso social y material, la lengua autóctona se asociaba, por el contrario, con los rasgos de carácter integrativo y el atractivo personal, sobre todo en sus variedades no estándares.

---

[17] Trabajos sobre actitudes hacia las lenguas en contacto en las Islas Baleares son los de Mascaró (1981) en Mahón, Joan (1984) en Ibiza, así como la *Enquesta sociolingüística a la població de Mallorca* (Universitat de les Illes Balears 1986). Por su parte, Pieras (2000) ha advertido algunas asociaciones significativas en el componente actitudinal entre la población escolar balear. Así, mientras que la mayoría de los adolescentes encuestados prefieren el catalán como vehículo de comunicación en la conversación cotidiana, así como también en el medio escolar, el español sigue contemplándose cómo la principal lengua asociada a la movilidad social y al poder.

[18] Durante un largo proceso, que arranca en el siglo XVI, pero que alcanza durante la dictadura franquista uno de sus puntos culminantes, el uso del valenciano se convirtió en signo de estigmatización social, al tiempo que se veía en el castellano la única lengua de prestigio.

Algunos años más tarde una investigación de campo realizada por nosotros mismos a finales de los años 80 (Blas Arroyo 1994) en la ciudad de Valencia (Campanar) permitía advertir ya una cierta evolución respecto al esquema anterior[19]. De hecho, las actitudes hacia el proceso de normalización social del valenciano eran globalmente positivas, mientras que el rechazo global hacia dicha lengua era, en líneas generales, escaso. Así, a la pregunta «¿le molesta que le hablen en valenciano?» un 22,3 por 100 de los entrevistados contestaba afirmativamente, una proporción minoritaria, aunque ciertamente más elevada que las que se han detectado en Cataluña.

Pese a ello, las actitudes positivas alcanzaban sólo a una mayoría relativa de la sociedad, de manera que la dignificación social de la lengua autóctona se veía ensombrecida por una serie de indicadores, como los que resumimos a continuación:

- En alguno de los dominios sociales de uso institucionales más de la mitad de la población se mostraba o bien abiertamente en contra de la normalización, o en el mejor de los casos, indiferente.
- En el ámbito educativo, se observaba, por ejemplo, cómo el uso del valenciano se consideraba menos adecuado conforme avanzaba la relevancia académica de los estudios. Incluso, algunos grupos sociales que destacaban por su actitud positiva hacia la lengua autóctona en términos generales —el caso de los jóvenes— se mostraban reacios a su empleo como vehículo de instrucción en el nivel universitario.
- Algunos sectores influyentes de la sociedad, como los niveles socioeconómicos y culturales altos, mostraban un significativo menor entusiasmo hacia el proceso en marcha de normalización del valenciano. Y lo mismo cabía decir de los inmigrantes llegados de otras regiones españolas de habla castellana, que en algunos sectores urbanos de la sociedad valenciana representan un porcentaje muy alto de la población global.

A la vista de estos datos, por entonces concluíamos que el componente actitudinal de esta comunidad de habla debía continuar siendo considerado en su conjunto como diglósico, pese a los avances observados:

---

[19] Así lo veía también Gómez Molina (1986) en su estudio sociolingüístico de la ciudad de Sagunto (Valencia).

En la comunidad urbana de Campanar, parece que, en líneas generales, las funciones sociales instrumentales, esto es, las asociadas subjetivamente con progreso socioeconómico y cultural, siguen viéndose mayoritariamente del lado del castellano.

Algunos años más tarde el uso de técnicas indirectas nos permitió confirmar el grueso de nuestras conclusiones en otro estudio, aunque esta vez limitado al segmento generacional más joven de otra comarca valenciana (Blas Arroyo 1997). Como puede observarse en el gráfico 1, para los estudiantes de secundaria que componen la muestra, el español continúa superando al valenciano en diversos ejes psicosociales, pero sobre todo en el relativo a la competencia social y profesional (al hablante de español se le evalúa como más «culto, educado, urbano, rico, conservador, de clase social más elevada, con mayor capacidad para ejercer las tareas de jefe, más refinado y responsable...»). Lo cual sugiere que el castellano sigue viéndose como la lengua con un mayor valor instrumental, pese a que al valenciano comienzan a adjudicársele propiedades también relacionadas con el progreso social y material en la sociedad contemporánea[20].

Con todo, otras incursiones bibliográficas recientes han venido a subrayar la existencia de cambios más decididos en diversas comarcas valencianas. Así, Gómez Molina (1998) sugiere en un libro reciente que incluso en ciudades tradicionalmente diglósicas como Valencia[21], el valenciano cuenta ya con un prestigio social incluso superior al castellano. Por su parte, Casesnoves (2003) ha visto que el valor integrativo tiene actualmente entre los jóvenes valencianos un peso menor que la identidad etnolingüística de los individuos a la hora de juzgar y utilizar las lenguas de la comunidad. Como señala esta autora en la conclusión de este trabajo: «El valor integrativo es importante, pero más que cualquier actitud hacia la lengua, es la identidad declarada la que tiene un efecto más alto en la determinación de la elección de lengua.»

---

[20] A este respecto, puede resultar significativo el hecho de que, frente a lo reseñado arriba, se encuentran algunos parámetros del eje «atractivo social» en los que las diferencias entre español y valenciano se neutralizan *(influyente)* o, incluso, llegan a ser favorables a este último (así, se evalúa al valencianohablante como más «inteligente», «trabajador «y «ambicioso»).

[21] La impresión de este autor es que en la ciudad de Valencia el esquema tradicional diglósico está ya superado.

GRÁFICO 1
Actitudes hacia el español y el valenciano en los parámetros de A = estatus socioeconómico; B = cualidades humanas; C = atractivo social, según Blas-Arroyo (1997)

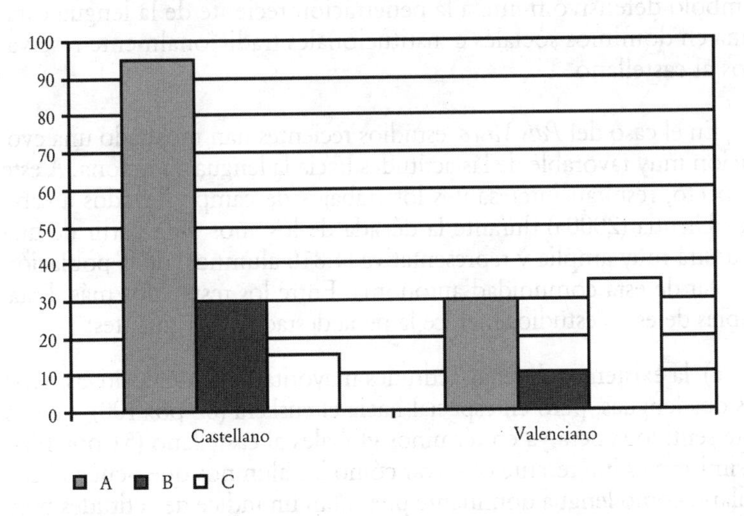


Este hecho, unido a la constatación de que ni el prestigio ni el estatus de las lenguas determinan las elecciones lingüísticas entre estos jóvenes, supondría en la práctica que, al menos entre ciertos sectores de la sociedad valenciana contemporánea, tanto los patrones actitudinales como las tendencias de uso han evolucionado considerablemente[22].

Pese a lo anterior, la evolución favorable de las actitudes hacia el valenciano sigue contando con algunos puntos débiles, en particu-

---

[22] Con todo, estos dos últimos autores coinciden en señalar la existencia de una gran heterogeneidad entre los jóvenes valencianos, lo que introduce algunas dudas respecto al proceso de normalización del valenciano. Por otro lado, los resultados obtenidos en otros segmentos generacionales más adultos apuntan a que el aprendizaje del valenciano está *sólo* motivado por razones instrumentales, como la posibilidad de obtener un mejor puesto de trabajo o la promoción interna dentro de algunas escalas administrativas (Costa y Cuenca 1994). Ello explicaría, por ejemplo, el enorme desfase existente en esta comunidad entre el número de matrículas para los exámenes de la Junta Qualificadora de Coneiximents en Valencià, que otorga los correspondientes títulos oficiales, y las asistencias a los cursos de reciclaje lingüístico, mucho más bajas que las anteriores *(vid.* Blas Arroyo 2002b).

lar en ciertas comarcas alicantinas —y sobre todo, en la capital de la provincia[23]— donde se han advertido actitudes negativas hacia la lengua autóctona entre algunos sectores significativos de la población. Además, el español ha pasado a convertirse para estos sectores en símbolo defensivo frente a la penetración reciente de la lengua catalana en dominios sociales e institucionales tradicionalmente reservados al castellano.

En el caso del *País Vasco,* estudios recientes han mostrado una evolución muy favorable de las actitudes hacia la lengua autóctona. A este respecto, resultan interesantes los trabajos de campo llevados a cabo por Urrutia (2000a) durante la década de los años 90 a partir de una muestra muy amplia y representativa (1.810 alumnos) de la población escolar de esta comunidad autónoma. Entre los resultados más destacables de estos estudios merece la pena destacar los siguientes:

a) la existencia de unas actitudes mayoritariamente positivas hacia las dos lenguas, pero en especial hacia el euskera (62 por 100), que en este sentido supera ya en términos globales al castellano (51 por 100). Asimismo es interesante observar cómo los alumnos que tienen el castellano como lengua dominante presentan un índice de actitudes positivas hacia su lengua inferior que el demostrado por los vascohablantes hacia la suya. Como señala Urrutia (2000a: 1833):

> [...] los castellanohablantes [...] muestran menor grado de identificación con su propia lengua y un acercamiento hacia la lengua minoritaria. Si esa lectura de los datos es la correcta, significa que estamos en presencia de un ambiente actitudinal positivo hacia la lengua minoritaria, lo que implica que hay cierto apoyo para el objetivo de recuperación y potenciación del uso del euskera...;

b) el descubrimiento de correlaciones significativas entre las actitudes y ciertos factores institucionales, como la lengua principal del modelo de instrucción (euskaldún, bilingüe y castellano)[24] y el tipo de red educativa. Así, las actitudes más positivas hacia el vasco se observan tanto en el modelo educativo euskaldún (modelo D), en el que la enseñanza se realiza íntegramente en esta lengua, como también, en

---

[23] A este respecto, autores como Montoya (1996) consideran que la interrupción de la transmisión intergeneracional del valenciano en las clases medias es un hecho ya irreversible en la ciudad de Alicante.

[24] Para más detalles sobre el modelo educativo vasco, véase más adelante tema XV, § 6.1.

general, entre los estudiantes de colegios públicos. Y lo contrario sucede con el español, más favorecido en las clases cuya lengua de instrucción es el castellano (modelo A) y en los colegios privados;

c) la existencia de ciertas actitudes de rechazo hacia el castellano y el euskera por parte de los jóvenes matriculados en los modelos educativos extremos (modelos A y D, respectivamente), siendo en todo caso más radicales las que estos últimos dispensan hacia el español que al contrario[25].

Por lo que se refiere a la Comunidad Autónoma de *Galicia*, algunos trabajos pioneros de Rojo (1981) advirtieron hace ya más de dos décadas patrones diglósicos similares a los reseñados en los párrafos anteriores en la Comunidad Valenciana. Al igual que en esta última, en Galicia ha sido moneda común hasta hace relativamente poco la disparidad entre la lengua hablada entre los padres entre sí (el gallego) y la lengua en la que éstos se dirigían a los hijos (el castellano). Así, en una de las primeras encuestas sobre conductas y actitudes lingüísticas llevadas a cabo en esta comunidad, el 76,5 por 100 de los encuestados manifestaba su opinión favorable a que la enseñanza tuviera lugar exclusivamente en castellano.

La consideración tradicional del gallego como una lengua baja, propia de gentes pobres e incultas —especialmente en los primeras seis décadas del siglo XX— está en el origen de estas actitudes. Ahora bien, como ya destacara Rojo (1981), la identificación del español con los valores instrumentales que la comunidad considera más positivos para el ascenso social, y el deseo de los padres de facilitar su aprendizaje a los hijos, no suponen una actitud negativa hacia el gallego, lengua a la que se asocia un fuerte valor afectivo que vela por su preservación (véase también M. Fernández 1984). Por otro lado, y frente a la castellanización tradicional, asociada en la sociedad gallega al ascenso social, en los últimos tiempos, y al calor de las transformaciones sociales y políticas experimentadas, ha habido también algunos movimientos significativos en sentido contrario: a) la galleguización, esto es, la conversión

[25] Sobre actitudes hacia el vasco y el español, véase también Fernández Ulloa (1999). Para una revisión sobre las actitudes lingüísticas en Navarra, comunidad en la que se reconocen en la actualidad tres zonas lingüísticas (vasco, no vasca y mixta), véase Urroz (2001). Según este autor, tales actitudes son mayoritariamente positivas entre los navarros, tanto hacia la lengua como hacia su promoción oficial en las comarcas vascohablantes. Pese a ello, en los últimos años las delicadas relaciones políticas entre el gobierno foral y el del País Vasco han supuesto un retroceso para el reconocimiento oficial del vasco en tierras navarras.

del gallego en lengua habitual por parte de gentes cuya lengua materna era el castellano; b) la regalleguización (o descastellanización) de las elites que en su momento habían abandonado la lengua gallega; y c) el mantenimiento de esta lengua por parte de quienes, en otros tiempos, habrían abandonado el uso normal del gallego. A juicio de Rojo (1981), todos estos factores provocaban ya por la época de redacción de su estudio:

> [...] un notable aumento en el número de personas que tienen el gallego como medio habitual de expresión y sobre todo, la presencia continua de esta lengua en ámbitos, ambientes y circunstancias que le estaban vedados no hace mucho tiempo. En parte como causa y en parte como efecto de estos últimos procesos, las actitudes hacia el gallego muestran en la actualidad un fuerte cambio con respecto a las que se registraban diez o quince años atrás.

Esta tendencia se ha acrecentado en las últimas dos décadas, coincidentes con el proceso de normalización social y lingüística del gallego. De hecho, algunas investigaciones más recientes de Rojo y sus colaboradores (1994) no sólo han descubierto un avance en el uso social de la lengua autóctona, sino también una mayor «movilidad lingüística» entre los castellanohablantes iniciales (63 por 100) que entre los gallegohablantes (38 por 100)[26]. Las actitudes favorables a la extensión del bilingüismo social, esto es, al verdadero empleo de las dos lenguas y no sólo de una de ellas (sea el castellano o el gallego), son también mayoritarias en las sociedad gallega, en unas proporciones probablemente superiores a las de otras comunidades autónomas con lengua propia. Así, y de acuerdo con los datos aportados por el *Mapa Sociolingüístico de Galicia*, un 58,1 por 100 considera que los gallegos deben hablar las dos lenguas, frente a un 40 por 100 favorable al uso exclusivo del gallego y un exiguo 1,8 por 100 para quien la única lengua debería ser el castellano. Asimismo, un 55,4 por 100 cree que en el futuro el gallego será la lengua más usada en Galicia, frente a un 11,9 por 100 que piensa que la lengua predominante será el castellano y un 28,9 por 100 que considera proba-

[26] Entendemos el concepto de movilidad lingüística como el proceso por el cual un hablante inicial de una lengua pasa a utilizar la segunda en su repertorio verbal.

ble que el bilingüismo no provocará que una lengua se habla más que otra (González González *et al.* 1996).

Por último, no han faltado tampoco algunos estudios sobre actitudes lingüísticas en otros ámbitos geográficos de la Península donde el español convive con ciertas variedades romances para las que, ocasionalmente, se ha reclamado también el reconocimiento como lenguas oficiales. Así sucede, por ejemplo, con el contacto español-bable en Asturias. En este contexto, las actitudes diglósicas de la población asturiana durante las primeras décadas del siglo XX no sólo afectaron a las clases medias, que abandonaron masivamente el asturiano, sino también a los movimientos obreros. Imbuidos por las ideas marxistas del internacionalismo y la lucha de clases, estos movimientos ponían en un segundo plano la reivindicación de la lengua autóctona, favoreciendo así el desplazamiento lingüístico hacia el español (Bódalo 1985)[27].

## 6. Identidades e ideologías etnolingüísticas en el mundo hispánico

Una línea de investigación especialmente interesante en la sociolingüística contemporánea es la empeñada en evaluar las complejas relaciones que se advierten por doquier entre las actitudes y los sentimientos de identidad etnolingüística. No en vano, la lengua desempeña un papel importante —a menudo el más importante— en la configuración de los sentimientos de pertenencia a un grupo étnico o nacional. Los ejemplos de ello en el mundo hispánico son numerosos y de ello son conscientes con frecuencia los propios hablantes. Así ocurre, por ejemplo, en el caso de esta mujer dominicana, residente en Nueva York, cuando se le pregunta acerca de la importancia que tiene su lengua para el mantenimiento de la identidad dominicana en un contexto extranjero:

> La cultura dominicana incluye mucho el idioma. Yo diría que ser dominicano y hablar [español] es importante, por no decir original. El dominicano que no hable [dominicano] puede sentirse igual de orgulloso, pero le falta algo.

---

[27] Sobre las actitudes lingüísticas en el enclave británico de Gibraltar, véase Lipski (1986).

Como señala Almeida Toribio (2000c: 261), autora del trabajo del que se ha extraído el fragmento anterior:

> The continued use of Dominican vernacular is a strong indicator that the immigrant community considers its language to be an important feature of its identity, a positive assertion of *dominicanidad.*

Un resultado esperable en estos casos es que los sentimientos más firmes de pertenencia a un agregado etnolingüístico muestren una influencia directa tanto en las actitudes positivas hacia la lengua del grupo, como en el comportamiento lingüístico de los individuos, a través de un mayor empleo de esa lengua, con independencia de su condición socialmente minoritaria. Ciertamente esta hipótesis se ha comprobado de forma empírica en numerosas comunidades bilingües.

Como hemos visto ya anteriormente, entre ciertos sectores juveniles valencianos existe actualmente una relación muy estrecha entre identidades y actitudes a través de un eje que oscila entre dos extremos ideológicos, representados respectivamente por los polos «sumamente nacionalista» por un lado y «sumamente centralista» por otro *(vid.* Casesnoves 2002a, 2003). Tales extremos encierran las evaluaciones más extremas (positivas y negativas) hacia las lenguas del repertorio verbal. De este modo, para los seguidores de la ideología más nacionalista (especialmente para los jóvenes que se consideran de izquierdas), el catalán no sólo recibe puntuaciones mucho más altas que el español en términos integrativos, sino también en los referidos al prestigio y la competencia social. Por el contrario, los jóvenes que se sitúan en el polo ideológico opuesto (centralistas)[28] evalúan la lengua autóctona muy negativamente en todos los órdenes, sobre todo en su variedad catalana (sobre el conflicto valenciano-catalán en la Comunidad Valenciana, véase posteriormente tema XII).

Complementariamente, Casesnoves ha comprobado que la identidad declarada de los individuos posee también una incidencia sobre la elección de lengua mucho más decisiva que otros factores extralingüísticos. A este respecto, los estudiantes que se declaran más nacionalistas

[28] No por ello menos «nacionalistas», por cierto. Aunque, eso sí, de signo ideológico completamente contrario.

(sobre todo, los alumnos de las líneas educativas en valenciano)[29] muestran una clara preferencia por el uso de la lengua autóctona, a diferencia de los que se inclinan por una adscripción preferentemente «españolista» (en especial, inmigrantes o de ideología derechista), quienes ofrecen a menudo un comportamiento completamente opuesto y contrario al uso del valenciano.

Otro aspecto de esta cuestión lo revelan aquellas comunidades de habla en las que se comprueba una relación estrecha entre el grado de exposición a una lengua y determinados sentimientos identitarios e ideologías políticas. Ejemplos de ello los encontramos en otra comunidad del ámbito lingüístico catalán, como ha demostrado Robert Vann (1999a) en un trabajo reciente sobre actitudes e ideologías lingüísticas en Barcelona. Del estudio cuantitativo realizado por este autor a partir de una muestra estratificada de hablantes barceloneses, se desprende que el nivel de exposición al español en el ámbito educativo constituye el factor más explicativo en el desarrollo actual de ideologías pro-españolas (y anti-catalanas) en la capital catalana. Como puede observarse en la tabla 4 (página siguiente), la variable «ideología» está muy fuertemente correlacionada con el factor «nivel de exposición a las lenguas», con signos muy positivos para el catalán (.80)y completamente negativos para el español (.00). Y lo mismo sucede, aunque de forma no tan abrupta, con el «compromiso con la vida catalana» (.62/.00). Unos resultados que, a juicio de este autor, demuestran que la política lingüística difundida durante décadas por el franquismo, y que, entre otras cosas, supuso el empleo del español como único vehículo de instrucción en la educación, tuvo más éxito de lo que se ha venido reconociendo (Woolard 1989) en el intento por desbancar al catalán como la lengua propia de Cataluña.

Por otro lado, los datos de esta investigación confirman la impresión de otros investigadores acerca de las considerables barreras etnolingüísticas que separan en la actualidad a castellanohablantes y catalanohablantes en esta comunidad autónoma. Como ya había señalado otra hispanista norteamericana unos años antes:

> The ethnolinguistic groups in Catalonia still show a preference for their own languages, and this preference seems to have grown stronger among Catalan speakers (Woolard 1988: 12).

---

[29] Sobre estas «líneas en valenciano», véase más adelante el tema XV, § 6.1.

TABLA 4

Índice de correlaciones entre la ideología etnolingüística y cultural *catalana* vs. *española* y otros factores extralingüísticos *(T-test),* según Vann (1999a)

| | IDEOLOGÍA | NIVEL DE EXPOSICIÓN A LAS LENGUAS (CATALÁN/ ESPAÑOL) | NIVEL DE COMPROMISO CON LA VIDA CATALANA | REDES SOCIALES DEL INDIVIDUO |
|---|---|---|---|---|
| Ideología | 1.00 | | | |
| Nivel de exposición a la lengua | **.80**/.00 | 1.00 | | |
| Nivel de compromiso con la vida catalana | **.62**/.00 | –.47/.00 | 1.00 | |
| Redes sociales del individuo | **.72**/.00 | –.48/.00 | .57/.00 | 1.00 |

En la práctica, esta división se aprecia incluso en el seno de los matrimonios mixtos, es decir, aquellos en los que cada cónyuge se dirige a los otros miembros de la familia en una lengua distinta a la del otro (catalán o castellano). A juicio de O'Donnell (1991), quien ha llevado a cabo una investigación sobre las actitudes hacia la elección lingüística entre jóvenes de una localidad barcelonesa (Mataró), en la actualidad las familias mixtas son mucho menos habituales de lo que se ha venido diciendo, ya que las más de las veces entre los miembros de la familia se produce una preferencia clara por una de las lenguas. Una elección que en la mayoría de los casos (80 por 100) se decanta hacia el catalán, lo que sin duda constituye un factor favorable para el mantenimiento futuro de esta lengua (sobre la comunicación en el seno de estas familias en la Cataluña actual, véase también Boix 1997 y M. J. Plaza 1999). Por el contrario, en la vecina comarca aragonesa de la Franja, también de habla catalana, los resultados son diferentes, ya que en este caso, el prestigio se asocia con el español (O'Donnell 1988)[30].

---

[30] O'Donnell señala también otro dato interesante a propósito de estas barreras etnolingüísticas, que afectan, incluso, a los hablantes de otras variedades del catalán

Los sentimientos de identidad etnolingüística pueden diferir notablemente entre unos grupos y otros, incluso cuando éstos pertenecen a una misma comunidad idiomática, como muestra el caso catalán en España. Y lo mismo se ha comprobado en comunidades hispanas de EE.UU. a través del análisis de las relaciones entre las actitudes lingüísticas y otras manifestaciones del comportamiento bilingüe (grado de competencia en español, nivel y esferas de uso, etc.) por un lado, y la identidad cultural y étnica de ciertas minorías por otro (cfr. O. García *et al.* 1988, Mendieta 1996).

En la comunidad hispana de Indiana[31] y a la pregunta «¿se considera parte de los Estados Unidos, de México (Puerto Rico, etc.)?», tan sólo un 12,3 por 100 de los hispanos declara una filiación cultural exclusivamente hispana, frente a un 37 por 100 que afirma ser sólo norteamericano (véase tabla 5). La mayoría, sin embargo, se considera integrante de las dos comunidades (50,6 por 100). Ahora bien, un análisis más detenido, en el que se evalúa la incidencia sobre las actitudes del lugar de origen, revela la existencia de considerables diferencias entre unos grupos y otros, como se observa en la tabla 5 (página siguiente). Así, mientras que entre las personas nacidas en México y Puerto Rico la proporción de individuos que se declaran biculturales es muy alta (76,1 por 100 y 63,6 por 100, respectivamente), un 69,4 por 100 de los nacidos ya en EE.UU. afirman sentirse sólo estadounidenses *(vid.* Mendieta 1996).

Por otro lado, en las comunidades hispanas del sudoeste norteamericano, se ha constatado que la proximidad geográfica a México es un factor que influye decisivamente en el sentido que adquieren dichas relaciones, de manera que la asociación entre las actitudes hacia la lengua y los sentimientos de etnicidad resulta más estrecha en las regiones fronterizas con este país *(vid.* Hidalgo 1993) que en las áreas más alejadas, en las que el vínculo se halla mucho más diluido *(vid.* Rivera Mills 2000).

---

(valenciano, el catalán de la Franja): «Others who attempted to use Catalan (even if they could speak Valencian or Aragonese Catalan) felt rejected by Catalan who inmediately switched to Castilian in the presence of an unusual accent or a "Castilian-looking" face.»

[31] Ésta se caracteriza por una notable heterogeneidad (en ella conviven individuos de origen mexicano, portorriqueño, cubano, etc.) así como por una escasa densidad de población, factores que se consideran adversos para el mantenimiento de las lenguas minoritarias.

TABLA 5
Respuestas de informantes hispanos de diversas procedencias y residentes en el estado de Indiana a la pregunta «¿se considera parte de los Estados Unidos, de México (Puerto Rico, etc.)?», según Mendieta (1996)

| LUGAR DE NACIMIENTO | ESTADOUNIDENSE % | HISPANA % | AMBAS % | N |
|---|---|---|---|---|
| EE.UU. | **69,4** | 5,5 | 25,0 | 47 |
| México | 14,4 | 9,5 | **76,1** | 21 |
| Puerto Rico | 18,1 | 18,1 | **63,6** | 11 |
| Otros | 0,0 | 50,0 | 50,0 | 2 |
| Total | 37,0 | 12,3 | 50,6 | 81 |

Pese a lo anterior, es sabido que no siempre existe una relación directa entre los conceptos considerados en este epígrafe, e incluso, que dicha relación puede variar sobremanera con el paso del tiempo, en función de factores sociales e históricos diversos. A este respecto, por ejemplo, se ha recordado que, frente a la época precolombina, en la que no parece advertirse una relación clara entre las lenguas mayas e identidades indígenas definidas, el periodo colonial español fue el que contribuyó a forjar un vínculo más estrecho entre ambas. Ahora bien, en países como Guatemala, fue especialmente a partir del periodo nacionalista, inaugurado a comienzos del siglo XIX, cuando éstas emergieron como un símbolo esencial asociado a la identidad americana, un sentimiento identitario que pervive hasta nuestros días. Lo que no deja de ser paradójico es que ello se produjera, justamente, cuando el español se reconoció como única lengua oficial y se intensificaron las políticas para la erradicación de las lenguas mesoamericanas (*vid.* French 1999)[32].

Ahora bien, del mismo modo que una identidad étnica, cultural o social diferenciada no siempre se asocia con una lengua concreta, existen comunidades en las que el empleo de varias lenguas no empece, sin embargo, la existencia de fuertes sentimientos identitarios[33]. En este sentido, por ejemplo, se ha llamado la atención frecuen-

[32] Sobre la evolución de la identidad etnolingüística entre los pueblos incas a partir del periodo de colonización española, véase Harrison (1995).

[33] Adicionalmente, y como demuestran algunas comunidades sefardíes, el progreso de abandono de una lengua como el judeo-español no tiene por qué conducir a la pérdida de la identidad cultural. Como ha recordado Weis (2000), tras la experiencia apo-

temente sobre el hecho que entre las comunidades portorriqueñas norteamericanas el sentimiento de etnicidad de los individuos es muy elevado, si bien muchos de ellos no consideran que la posesión del español sea la manifestación más importante de la misma[34], ni que el inglés represente una seria amenaza para su mantenimiento. En la práctica, la ausencia de una ideología rigurosa de apoyo al español, y contraria a la lengua y la cultura anglosajonas mayoritarias, se perfila como una clara aceptación del hecho social bilingüe. Para estas personas es posible «ser portorriqueño» en cualquiera de las dos lenguas, sin que ello obstaculice un fuerte sentimiento de preservación de la lengua española, cuyo uso se valora, en general, muy positivamente. Estas actitudes de equilibrio, que eluden tanto la aculturación y la asimilación lingüísticas como el purismo ideológico, son compatibles con un bilingüismo activo, que constituye el elemento base de cierta conciencia de «clase bilingüe» por parte de la comunidad portorriqueña en ciudades como Nueva York (cfr. Attinasi 1985; Urcioli 1996; L. Torres 1997; Zentella 1997; Clachar 1997).

Analía Zentella (1990, 1997) ha planteado esta misma cuestión en diversos trabajos, intentando dar respuesta a una pregunta esencial: ¿puede ser un verdadero portorriqueño aquel que no habla español? A raíz del regreso a la isla de miles de portorriqueños procedentes de EE.UU. durante la década de los 80, el debate acerca de las relaciones entre la lengua y la etnicidad se desató con toda intensidad. Especial interés ofrecían, a este respecto, las actitudes lingüísticas entre los adolescentes, quienes a menudo pasaban de un mundo —el norteamericano—, en el que habían desplegado su hispanidad, a otro —la isla de Puerto Rico—, en el que un sentimiento parecido de rebeldía frente a otro escenario hostil les inducía a resaltar, justamente, una identidad opuesta. No en vano, muchos jóvenes portorriqueños de habla inglesa nacidos en EE.UU. vieron considerablemente alterados sus sentimientos identitarios al regresar con sus familias a Puerto Rico, donde se hablaba una lengua que no era la suya. Pese a ello, tales sentimientos, contrarios a la identificación unívoca entre lengua y etnicidad, no eran tanto una estrategia de solidaridad intragrupal, cuanto un mecanismo

---

calíptica del Holocausto vivida por la minoría judía de Salónica, el uso del judeo-español ha experimentado un notable retroceso, si bien ello no ha impedido que siga desarrollándose una profunda lealtad hacia la tradición cultural sefardita.

[34] En contra de esta idea ampliamente difundida en la bibliografía, véase, sin embargo, Torres Guzmán (1998), quien ha destacado que una buena competencia en español desempeña un papel fundamental en la identidad portorriqueña.

simple de autodefensa por la falta de una competencia suficiente en la lengua española (véase también Clachar 1997)[35].

Ahora bien, la disociación entre los miembros de este par no se limita al caso portorriqueño. Por ejemplo, se ha observado también en otras comunidades hispanas de EE.UU.[36], caracterizadas ahora por una baja densidad de población, un hecho que suele tener implicaciones directas en el abandono lingüístico (véase tema XIV). En estos casos no es extraño observar la existencia de ciertas contradicciones en torno a las cuestiones que nos ocupan. Así, en la comunidad hispana del estado de Indiana a la que nos referíamos anteriormente, un 93,5 por 100 de la muestra analizada cree que debería mantenerse el español (Mendieta 1996: 109). Ahora bien, a la pregunta «¿es necesario hablar español para ser hispano?», nada menos que un 72,3 por 100 contesta negativamente. Para estos hablantes, en suma, el conocimiento de la cultura del grupo de origen es suficiente, y si bien la capacidad de hablar la lengua española es preferible, no se considera imprescindible, ni siquiera necesaria (véanse parecidos resultados en Attinasi 1985)[37].

En Fortuna, una población de similares características sociales y demográficas a las reseñadas en el párrafo anterior, situada esta vez en el norte del estado de California, Rivera Mills (2000) ha llamado también la atención acerca de este tipo de actitudes en una comunidad inmigrante de origen mexicano. Significativamente, los resultados obtenidos en esta población contrastan con los de otros estudios llevados a cabo en áreas más próximas a la frontera con México, en las que se ha

[35] En la práctica, las restricciones que ocasiona este déficit lingüístico en las relaciones interpersonales, así como las dificultades para la adquisición de registros informales en la lengua española, hacen que estos inmigrantes se vean relegados al estudio formal de la lengua.

[36] Y por supuesto, en otras minorías de este país. Ya Fishman (1966) advertía, por ejemplo, que entre las comunidades comunidades judías, polacas y alemanas, nada menos que un significativo 47 por 100 de sus líderes apoyaban el mantenimiento de la identidad étnica, pero al mismo tiempo consideraban que ésta podía asegurarse sin garantizar la pervivencia de la lengua.

[37] Por otro lado, es interesante observar que dicha respuesta resulta más frecuente entre los hombres que entre las mujeres, en consonancia con los resultados obtenidos por Zentella (1997) en la comunidad portorriqueña de Nueva York. Adicionalmente, las mujeres apoyan en mayor medida que los hombres la idea de que el español es indispensable para la identidad portorriqueña. Todos estos datos vendrían a desterrar la imagen que se ha difundido de las mujeres como uno de los principales agentes en el proceso de sustitución lingüística (véanse temas V y XVI).

detectado una notable lealtad lingüística entre sus hablantes. Como puede observarse en la tabla 6, existe una considerable diversidad a la hora de decidir si hablar español representa un elemento imprescindible para la identificación como hispano. La mitad de la población parece apostar, con mayor (30 por 100) o menor énfasis (20 por 100) por esta posibilidad, pero la otra mitad o bien se muestra indiferente (17 por 100) o en desacuerdo (33 por 100).

TABLA 6
Respuestas de informantes hispanos residentes en Fortuna (California) a la pregunta «¿para ser hispano hay que hablar español?», según Rivera Mills (2000)

| PARA SER HISPANO HAY QUE HABLAR ESPAÑOL | % |
|---|---|
| Completamente de acuerdo | 30 |
| Moderadamente de acuerdo | 20 |
| Ni de acuerdo ni en desacuerdo | 17 |
| Moderadamente en desacuerdo | 30 |
| Completamente en desacuerdo | 3 |

La propia investigadora recoge algunos testimonios interesantes, que dan cuenta de estas diferencias. Así, para esta mujer, la conexión entre lengua y etnicidad es evidente:

> Yo no creo que una persona puede decir que es hispana sin hablar español. La lengua es parte de nuestra identidad y si te da vergüenza hablarla o no te preocupas por mantenerla es porque no te importa ni tu cultura ni tu identidad.

Sin embargo, para otros hablantes estas relaciones son mucho menos evidentes. Es el caso de este otro informante, quien, quizá no por casualidad, contesta a la pregunta en inglés:

> I think you can be Hispanic without speaking the language. There are many Hispanics in the United States who don't speak Spanish and they still consider themselves Hispanic because they continue to have the cultural values and traditions of our culture.

Es interesante constatar que este hablante pertenece a una segunda generación de inmigrantes, la que ha nacido ya en EE.UU. De hecho, cuando los resultados generales se cruzan con variables como la generación o la clase social, los resultados se perfilan mucho más nítidamente. En la práctica, y como revela esta segunda tabla, las respuestas afirmativas a la pregunta «¿para ser hispano hay que saber hablar español?» disminuyen significativamente de generación en generación (69 por 100, 42 por 100, 0 por 100). Y lo mismo sucede cuando ascendemos en la pirámide social: las clases bajas muestran un nivel de acuerdo visiblemente mayor que las medias (36 por 100) y altas (24 por 100)[38].

TABLA 7
Respuestas de informantes hispanos residentes en Fortuna (California) a la pregunta «¿para ser hispano hay que hablar español?» (por generaciones y clase social), según Rivera Mills (2000)

| | DE ACUERDO % | NI ACUERDO/ NI DESACUERDO % | EN DESACUERDO % | N |
|---|---|---|---|---|
| GENERACIÓN | | | | |
| 1.ª generación | 69 | 13 | 18 | 16 |
| 2.ª generación | 42 | 24 | 34 | 24 |
| 3.ª generación | 0 | 0 | 100 | 10 |
| CLASE SOCIAL | | | | |
| Clase baja | 76 | 6 | 18 | 23 |
| Clase media | 36 | 18 | 46 | 15 |
| Clase alta | 24 | 33 | 43 | 12 |

En España disponemos asimismo de algunos datos que apuntan en la misma dirección. Así, Gómez Molina (1998) ha advertido que en la ciudad de Valencia existe un sentimiento mayoritario que pone en duda

[38] Diferencias sociales también, aunque de otro tipo, están en la base de las actitudes distintas que se han detectado entre los hablantes portorriqueños. A este respecto, ya Fishman (1970) advirtió un comportamiento muy diferente entre los intelectuales, artistas y líderes políticos por un lado y el resto de la población, por otro, en su respuesta a la siguiente pregunta: «¿Es necesario saber español para ser portorriqueño?» Mientras que un 90 por 100 de los primeros contestaba afirmativamente, tan sólo un 38 por 100 de los portorriqueños «de a pie» respondía de la misma forma.

la relación unívoca entre la idea de valencianidad y la capacidad de hablar en valenciano. Para una mayoría de hablantes, con independencia de su origen etnolingüístico, es perfectamente posible «ser valenciano sin hablar valenciano».

Incluso en comunidades en las que tradicionalmente se ha advertido más férreamente el sentimiento identitario asociado a una lengua diferente del español, como es el caso de Cataluña, algunos estudios empíricos han venido recientemente a poner en duda al menos las implicaciones más radicales de esta relación. A este respecto, por ejemplo, Woolard y Gahng (1990), autores de sendos estudios empíricos llevados a cabo en Cataluña en dos calas temporales a lo largo de la década de los 80 (años 1980 y 1987), comprobaron que las actitudes —en general muy positivas— hacia el catalán en este periodo no se correspondían, sin embargo, con un sentimiento mayoritario de identidad etnolingüística separada[39]. Por su parte, H. Miller y M. Miller (1996) han advertido más recientemente que los sentimientos de identidad en la Cataluña actual son múltiples y complejos, y que oscilan entre dos extremos opuestos: el de quienes se consideran exclusivamente «catalanes», por un lado, y el de aquellos que reniegan explícitamente de esta filiación, y se declaran sólo «españoles», por otro. Pese a ello, la mayoría de la población se sitúa en diferentes grados intermedios de ese *continuum* imaginario, sin que el uso predominante de una u otra lengua resulte decisivo a la hora de configurar tales adhesiones (véase también Siguan y CIS 1998)[40].

Con todo, en el ámbito lingüístico catalán es difícil encontrar otro caso más paradigmático de paradoja identitaria que el ofrecido por las comarcas catalanohablantes situadas en la Franja oriental de Aragón. En éstas, la lengua catalana la emplea un porcentaje muy amplio de la población (80 por 100 aprox.), y sin embargo, las referencias culturales y políticas de la inmensa mayoría son, como vimos, abiertamente con-

---

[39] En cierto modo, estos resultados vienen a coincidir con los aportados algunos años atrás por Strubell (1984) en un trabajo sobre normas de uso lingüístico entre inmigrantes de habla materna española. En éste se indicaba que la identidad con Cataluña (a través, por ejemplo, de filiaciones deportivas, como el F. C. Barcelona, del que tradicionalmente se ha dicho en Cataluña que «es más que un club») se desarrollaba más rápidamente que el uso del catalán entre dichos hablantes.

[40] Sin embargo, M. J. Plaza (1999) ha destacado recientemente las profundas relaciones entre la lengua y la etnicidad en la Cataluña actual, a través de la comparación de las interacciones sociales y familiares en el seno de matrimonios endolingües (ambos cónyuges catalanes o españoles) y mixtos (cada cónyuge con una lengua dominante diferente). De este estudio se desprende la existencia de un importante conflicto entre los dos principales grupos etnolingüísticos de esta comunidad.

trarias a una identificación «catalana» (Martín Zorraquino *et al.* 1995; Martín Zorraquino 1998b; Huguet y Llurda 2001).

Algunos casos en Latinoamérica presentan caracteres similares, al menos por lo que se desprende de ciertos estudios recientes, como el de Y. Solé (1996), quien ha puesto en tela de juicio la tradicional relación entre el guaraní y la identidad cultural de Paraguay, que se ha venido repitiendo sistemáticamente en las últimas décadas. Y en Guatemala, Langan (1992-1993) ha advertido también una importante disociación entre el mantenimiento de algunas lenguas indígenas y la preservación de una identidad guatemalteca suficientemente diferenciada entre las clases acomodadas del país[41]. Mientras que este último es un objetivo ampliamente compartido, el primero suscita muchas menos adhesiones.

Por último, señalemos que, entre los inmigrantes, las aspiraciones económicas y profesionales suelen desempeñar un papel muy destacado en la configuración de sus actitudes etnolingüísticas. Durante los años del desarrollismo tardofranquista español en Cataluña, que llevó a esta región a enormes cantidades de inmigrantes llegados de otras regiones españolas —Andalucía, Extremadura, Galicia, Aragón etc.—, muchos de éstos sustituyeron su identidad regional de origen (andaluza, extremeña, etc.) por otra más general, la española, que en aquellos momentos, y en palabras de Esteva (1978: 25): «aporta a su ego un sentimiento de poderío que asegura una identidad que se siente como profundamente gratificada por ser más poderosa que la catalana» . Por el contrario, en la actualidad y tras los profundos cambios experimentados por la sociedad catalana, hablar bien esta lengua se ha convertido en motivo de orgullo para muchos inmigrantes, quienes interpretan este hecho como un triunfo personal y como una prueba de su capacidad de integración en la sociedad de acogida.

## 7. Las actitudes hacia las consecuencias lingüísticas del contacto

Menor atención se ha dispensado en la sociolingüística hispánica al tercer bloque reseñado al comienzo de este tema y del que nos ocuparemos en lo que resta del presente capítulo: las actitudes hacia los fenómenos característicos del contacto de lenguas, como la interferencia o el cambio de código.

[41] Otros sectores de la población reconocen, sin embargo, la importancia de la supervivencia de la lengua y la cultura autóctonas.

Las actitudes negativas hacia los fenómenos interlingüísticos tienen una larga tradición entre nuestras instituciones normativas (academias, medios de comunicación, intelectuales, etc.) a uno y otro lado del Atlántico. Martinell (1984), por ejemplo, ha analizado las ideas difundidas por las autoridades académicas españolas entre los siglos XVIII y XIX a propósito de los galicismos que por entonces se difundían en español. Los sentimientos de chovinismo y de purismo lingüísticos fueron predominantes durante todo ese tiempo, ya que en el francés se advertía una influencia nefasta sobre el vocabulario español y una verdadera amenaza para la lengua nacional. Por la misma época, y como consecuencia del notable renacimiento económico y político alcanzado por los territorios de la Nueva Granada (actual Colombia) bajo el nuevo régimen borbónico, el interés por los temas lingüísticos se incrementaría notablemente en las décadas siguientes, bajo la forma de gramáticas, estudios filológicos, manuales para el buen uso de la lengua, etc. Como ha visto Niño Murcia (2001), tras el estudio de diversa documentación histórica, todo ello trajo como consecuencia un purismo lingüístico acendrado, que acabaría reflejándose en la naciente prensa colombiana, donde se realizaban frecuentes admoniciones para suprimir préstamos procedentes de las lenguas indígenas o los rasgos más chirriantes del español popular.

Los fenómenos de contacto, como el préstamo masivo o el cambio de código, se han interpretado a menudo como una etapa decisiva del proceso de desplazamiento lingüístico que experimentan las lenguas minoritarias, lo que justificaría una reacción negativa por parte de sus hablantes (véanse más detalles sobre esta cuestión en tema XIV, § 11). Hill y Hill (1977, 1980a, 1988) han señalado, por ejemplo, un grado notable de actitudes negativas hacia la creciente entrada de términos hispanos en la lengua nahuatl entre los sectores más conscientes de la situación sociolingüística de la comunidad. Entre éstos, la toma de conciencia sobre las restricciones funcionales impuestas secularmente a su lengua provoca sentimientos de rebeldía que refuerzan la estigmatización de los préstamos procedentes del español o el incremento de las *divergencias* estructurales entre el nahuatl y el español en ciertas esferas de la gramática. Y en un extremo más radical, el sentimiento de que la lengua se halla profundamente afectada por estas «impurezas» puede desembocar, incluso, en el abandono de la propia lengua[42].

---

[42] En estos casos la lengua dominada se considera «inútil», lo cual favorece también el que la invasión de préstamos e interferencias en todos los niveles se produzca sin proceso de adaptación alguna (Dressler 1985).

Con todo, en otros sectores sociales se ha detectado un conflicto entre estas actitudes negativas y el deseo larvado de adoptar elementos prestados de otras lenguas, como marcas de prestigio. En la práctica, no es extraño que ambas actitudes convivan en una misma comunidad de habla. Así, en las comarcas nahuatlecas de Tlaxcala y Puebla (México) tanto el cambio de código como la hispanización general del nahuatl evocan también sentimientos de prestigio entre algunos hablantes *(vid.* Hill y Hill 1980a, 1988).

Otra línea de investigación interesante es aquella que interpreta estos fenómenos del discurso bilingüe como *estrategias de neutralización* entre diferentes identidades sociolingüísticas. Éstos permitirían a los hablantes pisar un terreno más neutral entre identidades e ideologías contrapuestas y simbolizadas por las diferentes lenguas del repertorio comunitario (Appel y Muysken 1987: 130)[43]. Complementariamente, facilitarían la convergencia con las fuerzas sociales mayoritarias a los grupos con menor poder social en tiempos de cambios políticos y sociales importantes. Así ocurre, por ejemplo, en algunas comunidades históricas españolas en la actualidad, donde lenguas como el catalán o el vasco han pasado a desempeñar un papel social prominente, lo que impulsa a numerosos castellanohablantes al empleo de elementos del discurso bilingüe como rasgos emblemáticos de convergencia. Así lo hemos destacado, por ejemplo, en comunidades de habla valencianas (Blas Arroyo 1993b, 1996) en las que dicho papel emblemático se realiza a través de ciertas manifestaciones del cambio de código *tipo etiqueta* (para más detalles véase más adelante tema XVII) para las que no se requiere una especial competencia bilingüe, por lo que pueden aparecer, incluso, en boca de castellanohablantes habituales (véanse más abajo los ejemplos [1] y [2]). Por su parte, Vann (1998) ha llamado la atención recientemente sobre algunos rasgos pragmáticos interferenciales que afectan a ciertas unidades deícticas del español hablado en Cataluña, las cuales actúan también como un marcador de identidad catalana (véanse [3] y [4]).

(1) *Com estem,* Paco? ¿Te fuiste por fin este fin de semana a Benicassim? (esp. gen. *Cómo estamos...).*
(2) *Kaixo,* ¿como va esa vida? (esp. gen. *Hola...).*

---

[43] Brody (1995) sostiene, por ejemplo, que la importación desde el español de algunos elementos periféricos de la lengua, poco habituales entre los fenómenos de transferencia lingüística, como los marcadores del discurso, es un reflejo de la ambivalencia que sienten buena parte de los hablantes bilingües nahuas hacia las dos lenguas y culturas en contacto.

(3) ¡Ya *vengo!* (esp. gen. *¡Ya voy!).*
(4) *Sácate* la chaqueta (esp. gen. *Quítate la chaqueta).*

Ahora bien, el empleo de este tipo de estrategias lingüísticas de hibridación puede encerrar otras significaciones sociales más complejas e inquietantes. Así, ocurre, por ejemplo, con la variedad que Jane Hill (1998) denomina *Mock Spanish,* utilizada por parte de algunos miembros de la mayoría anglosajona de raza blanca en EE.UU. Como indica esta autora, el empleo de expresiones españolas emblemáticas entre las comunidades hispanas de Estados Unidos en boca de estos hablantes presenta algunos tintes, no por sutiles menos xenófobos:

> One such form, Mock Spanish, exhibits a complex semiotics. By direct indexicality, Mock Spanish presents speakers as possessing desirable personal qualities. By indirect indexicality, it reproduces highly negative racializing stereotypes of Chicanos and Latinos. In addition, it indirectly indexes «whiteness» as an unmarked normative order[44].

En relación con un fenómeno tan característico de las comunidades bilingües como el *cambio de código,* se ha destacado que las actitudes lingüísticas parecen guardar una estrecha relación con la naturaleza y la frecuencia del mismo, aunque éstas no siempre sean fáciles de interpretar. Por un lado, hay que resaltar, como ya hiciera Poplack (1983) hace un par de décadas, que actitudes positivas hacia el bilingüismo como fenómeno individual y social, como las dispensadas por los hablantes portorriqueños de Nueva York, resultan determinantes para entender la extraordinaria frecuencia que este fenómeno del discurso bilingüe alcanza en esta comunidades de habla. Incluso, se ha llegado a afirmar que los sentimientos de pertenencia a estos agregados etnolingüísticos constituyen un requisito previo para la práctica habitual del cambio de código.

Por su parte, Hidalgo (1986) ha advertido también que en la ciudad fronteriza de Juárez (México), el tipo de actitudes hacia el cambio de código aparece claramente vinculado a la lealtad lingüística de los hablantes. De este modo, la alternancia de lenguas —especialmente la de tipo intraoracional— la perciben de forma más negativa quienes mues-

[44] En este sentido, dicho dialecto funciona en un sentido similar al advertido por otros autores para el inglés afroamericano.

tran un mayor afecto hacia la lengua y la cultura hispánicas, y más flexiblemente, por el contrario, los individuos que se manifiestan más indiferentes hacia dicha identidad etnolingüística.

Sin embargo, en una investigación más reciente llevada a cabo por Montes Alcalá (2000: 226), entre hablantes de origen mexicano en el estado de California (EE.UU.), esta autora ha negado explícitamente la relación entre el tipo de actitudes hacia las manifestaciones más radicales del cambio de código y la realización efectiva de éstos:

> Surprisingly, attitudes towards codeswitching are not a determining factor in the types of codeswitching that bilingual individuals produce. The complex and elaborated intrasentential type was produced more often than the intersential type in both the written and the oral modes, even among those subjects who held negative attitudes towards codeswitching. Therefore, it is not the case that subjects with negative attitudes towards codeswitching will necessarily produce the less elaborated intersentential type when they are forced to alternate language.

Como puede observarse en la tabla 8, el grado de realización de cambios de código en esta comunidad no presenta una relación clara con las actitudes. De ahí que los hablantes que manifiestan explícitamente su rechazo a la alternancia de lengua en el discurso bilingüe español-inglés realizan ésta en unas proporciones muy similares, y hasta en ocasiones más elevadas, que los individuos con actitudes positivas hacia dicho fenómeno. A este respecto es revelador, por ejemplo, que los casos de cambios intraoracionales en la lengua oral sean significativamente mayores entre los primeros (N = 73) que entre los segundos (N = 52).

En la bibliografía sociolingüística disponemos de algunos intentos clasificatorios respecto a las evaluaciones más comunes dispensadas hacia el cambio de código (cfr. Gumperz 1982; Cheng y Butler 1989). El grupo mayoritario lo integran a menudo los hablantes que reaccionan muy negativamente ante estos hechos de alternancia y que consideran los casos más extremos como muestras de los «vicios» más diversos (falta de educación, pésima competencia sobre las lenguas, etc.). Entre nosotros, no han faltado incluso profesionales de la educación y hasta de la lingüística que han visto en el cambio de código una prueba de la desintegración que experimentan tanto la cultura como la lengua hispánicas como consecuencia de la presión masiva del inglés en los últimos tiempos. Como recuerda R. Fernández (1990):

TABLA 8
Correlación entre los tipos de cambios de código realizados en la lengua escrita y en la lengua oral por jóvenes de origen mexicano residentes en California y sus actitudes hacia el fenómeno de la alternancia, según Montes Alcalá (2000)

| | INTER-ORACIONAL LENGUA ORAL N | INTRA-ORACIONAL LENGUA ORAL N | INTER-ORACIONAL LENGUA ESCRITA N | INTRA-ORACIONAL LENGUA ESCRITA N |
|---|---|---|---|---|
| Act. positivas | 48 | 52 | 28 | 72 |
| Act. negativas | 27 | 73 | 32 | 68 |

A pesar de la frecuencia con que ocurre este fenómeno en los Estados Unidos, existen actitudes negativas hacia esta variante por asociarla principalmente con la forma de hablar de grupos minoritarios impopulares. El cambio de códigos o *code-switching*, sobre todo entre inglés y español, se interpreta como una deficiencia lingüística que revela la falta de proficiencia del hablante en ambas lenguas, la cual le obliga a recurrir a la segunda lengua cuando agota su repertorio en la primera...

Con todo, tampoco escasean en estas mismas comunidades hablantes menos severos, que sin llegar a valorar positivamente tales manifestaciones del discurso bilingüe, interpretan, de forma más realista, que se trata de una forma legítima de habla informal. Urcioli (1996), por ejemplo, ha recogido los testimonios de hablantes portorriqueños residentes en Nueva York, que, pese a reconocer su escaso prestigio, avalan el uso de las alternancias lingüísticas, siempre que éstas se produzcan en los contextos adecuados[45]. Y en la misma línea, Mendieta (1997) presenta el caso de este hablante bilingüe de la comunidad hispana de Indiana, para quien:

sería español incorrecto, pero son aceptables para nosotros, crecimos matando la lengua. Depende yo creo que de la situación, entre amigos está bien, pero en una situación formal yo creo que es incorrecto.

[45] Como indicaba uno de estos hablante: «[code-switching] is improper, but O.K. around here».

En algunas sociedades los propios hablantes han creado denominaciones específicas para aludir a ciertas variedades híbridas en las que el cambio de código o el préstamo léxico masivo ocupan un lugar privilegiado. Entre los chicanos de Texas, por ejemplo, se han difundido nombres generales como *tex-mex* o más específicos, como *pachuco,* término este último que designa el dialecto original de la ciudad fronteriza de El Paso (Texas) (Beardsley 1982). Y lo mismo sucede con el llamado *español barrio,* variedad empleada en los suburbios de algunas grandes ciudades californianas, como Los Ángeles, o con el *cubonics* de los hablantes de origen cubano en Florida *(vid.* Ribes 1998). Por otro lado, la invasión de anglicismos en el español general de EE.UU. ha permitido acuñar el rótulo de *Spanglish* para referir a lo que popularmente se considera como una variedad mixta entre las dos lenguas (otros son los de *Mix-im-up, Mock Spanish,* etc.). Por otro lado, en las comunidades de habla catalanas circulan también términos despectivos, como *catanyol* (cfr. Badia i Margarit 1981, Payrató 1985), para dar cuenta del proceso de hibridación en que se encuentra el catalán actual, por influencia del español, especialmente entre los sociolectos más bajos.

Con todo, las actitudes hacia estos fenómenos pueden evolucionar como consecuencia a su vez de cambios sociales e ideológicos en las comunidades afectadas (Gumperz 1982). Algo de esto parece desprenderse de los resultados obtenidos por Montes Alcalá (2000) en su estudio sobre las actitudes hacia el cambio de código entre jóvenes californianos de origen mexicano al que aludíamos anteriormente. Como ponen de relieve los datos de la tabla 9, las actitudes de estos hablantes hacia un rasgo tan estigmatizado tradicionalmente como el cambio

TABLA 9
Actitudes hacia diversas modalidades del cambio de código en la lengua escrita y oral entre hablantes de origen mexicano residentes en California, según Montes Alcalá (2000)

| ACTITUDES | CAMBIO DE CÓDIGO EN LA LENGUA ORAL % | CAMBIO DE CÓDIGO EN LA LENGUA ESCRITA % |
|---|---|---|
| Positivas | 60 | 40 |
| Negativas | 10 | 20 |
| Neutras | 30 | 40 |

de código son positivas en líneas generales, sobre todo en la lengua oral (60 por 100). Pero incluso en la lengua escrita las cifras no son nada despreciables (40 por 100). Por otro lado, tanto en un medio como en otro, las valoraciones explícitamente negativas son muy bajas (10 por 100 y 20 por 100, respectivamente). Por último, estos informantes consideran —al igual los hablantes portorriqueños— que el cambio de código constituye un importante marcador de identidad etnolingüística.

# UNIDAD TEMÁTICA V

## *Usos y funciones de las lenguas en las comunidades hispánicas*

TEMA XII

# La descripción del bilingüismo social (I): La diglosia y otros conceptos alternativos en la interpretación del bilingüismo social en las comunidades hispánicas

## 1. INTRODUCCIÓN

Desde los tiempos de la Reconquista y de la subsiguiente expansión castellana por el mundo, el español ha entrado en contacto con numerosas lenguas[1]. También hoy las migraciones de comunidades hispanohablantes provocan situaciones de bilingüismo individual y social que han despertado un creciente interés por parte de sociólogos y lingüistas. En el plano colectivo, este bilingüismo no escapa a las presiones sociales que se establecen entre grupos etnolingüísticos diferentes, de forma que mientras en algunos casos el español ocupa una posición de privilegio respecto al resto de las lenguas de la comunidad, en otras parte de una situación de clara desventaja.

El hispanista alemán Klauss Zimmermann (1992: 345) ha resumido las situaciones del primer tipo en los contextos siguientes: a) frente a catalán, vasco y gallego en España[2]; b) frente a las lenguas indígenas en Hispanoamérica; c) frente a diversas lenguas africanas en Guinea

[1] No hay que olvidar a este respecto la importancia que en la extensión del español ha tenido también el éxodo de los judeoespañoles expulsados de la Península desde finales del siglo XV.

[2] En España habría que añadir los casos en que el español convive con otras variedades romances como el bable en Asturias o el aragonés en los valles pirenaicos.

Ecuatorial y a las lenguas árabes en los enclaves españoles del África del Norte; d) frente a las lenguas autóctonas y las lenguas criollas de base española en Filipinas, y e) frente a otro criollo sudamericano, el Palenquero, en San Basilio de Palenque (Colombia).

Por el contrario, el español ocupa una posición subordinada en otras regiones del mundo: a) respecto al inglés, en el sudoeste de los Estados Unidos (chicanos), en Florida (cubanos exilados), en Puerto Rico y Nueva York (puertorriqueños inmigrados) y en las islas Filipinas, y b) frente a las lenguas nacionales de otros países donde todavía perviven algunas variedades del judeoespañol *(v. gr.*, en Grecia, Turquía, Bulgaria, Israel). Con todo, aún cabría distinguir un escenario intermedio, como el que tiene lugar en las regiones fronterizas con países de habla portuguesa (Portugal y Brasil), en las que la posición dominante de una u otra lengua fluctúa de unos lugares a otros.

La relación entre la lengua y su función social ha recibido una notable atención en las últimas décadas, y muy particularmente bajo la perspectiva teórica conocida bajo el nombre de *diglosia*, un concepto que inicialmente designa aquellas situaciones de bilingüismo social en las que los miembros de una comunidad de habla son conscientes de que las lenguas o variedades que están a su disposición se encuentran funcionalmente jerarquizadas.

El objetivo de este capítulo es mostrar las principales líneas de investigación emprendidas en el mundo hispánico en las últimas décadas, en las que la descripción del bilingüismo social se realiza directa o indirectamente bajo la noción de *diglosia* u otros conceptos relacionados, algunos de los cuales *(v. gr.*, el *conflicto lingüístico)* responden a intentos más recientes de superar las posibles deficiencias de aquélla. Todo ello como primer eslabón de un bloque temático destinado a sintitezar diversos enfoques en la descripción del bilingüismo social en las comunidades hispánicas. Éste se completará en el tema siguiente con el análisis de otros modelos teóricos que se ha utilizado para dar cuenta de los usos y funciones de las lenguas minoritarias, y en el siguiente (tema XIV) con el estudio de los factores que influyen en los procesos de mantenimiento o sustitución (y ulterior muerte) de lenguas.

## 2. Antecedentes y caracterización fergusoneana del concepto de «diglosia»

Durante los siglos XIX y XX, el término *diglosia* se utilizó, tanto en francés como en griego, para aludir a la particular situación lingüística griega, así como a la de algunos países árabes en los que convivían dos variedades notablemente diferentes de una misma lengua. Fue, precisamente, un helenista francés, Psichari, quien lo utilizó por primera vez en 1885 en la traducción de una gramática del griego, popularizándolo más tarde en un artículo que se publicaría en 1928 en la revista *Mercure de France* (M. Fernández 1995: 165). Por el contrario, la noción moderna del concepto arranca de un artículo, ya clásico en la sociolingüística contemporánea, a cargo del norteamericano Charles Ferguson (1959), a partir del cual se han multiplicado los estudios que la recogen, creando unos límites teóricos no siempre coincidentes.

Ferguson interpretaba la diglosia a partir de una serie de parámetros que permiten distinguir la presencia en una comunidad de habla de dos variedades lingüísticas claramente diferenciadas desde un punto de vista estructural, y funcionalmente jerarquizadas en la sociedad. Los rasgos que permiten distinguir las que a partir de ahora llamaremos variedades A y B, o variedad *alta* y *baja*, respectivamente, son los siguientes:

a) la función social: la variedad alta se caracteriza por desempeñar funciones sociales elevadas (es vehículo de comunicación exclusivo en los dominios sociales de la administración pública, la educación, la justicia, etc.);

b) el prestigio sociolingüístico: como consecuencia del desequilibrio funcional entre las variedades A y B, los hablantes otorgan a éstas un prestigio muy diferente: elevado para la variedad alta y escaso o nulo para la variedad baja;

c) la herencia literaria: la variedad alta suele contar con una larga tradición literaria, lo que no ocurre con la baja;

d) el proceso de adquisición: la variedad baja se adquiere a través de un proceso de aprendizaje natural, generalmente en la comunicación con los miembros de la familia y de las redes sociales más próximas al individuo; por el contrario, la variedad alta no se adquiere espontáneamente, sino a través de un aprendizaje formal en el sistema educativo;

e) el proceso de estandarización: éste sólo afecta a la variedad alta, pero no a la baja, que de este modo puede presentar una considerable variación idiolectal;

f) diferencias estructurales, tanto en la fonología como en la gramática y el léxico: por lo general, y como consecuencia de los factores descritos anteriormente, la variedad alta muestra un alto grado de nivelación lingüística, así como una mayor complejidad que la variedad baja.

GRÁFICO 1
Dominios de uso asociados al empleo de las variedades alta y baja en comunidades diglósicas, según Ferguson (1959)

| DOMINIOS DE USO | VARIEDAD ALTA | VARIEDAD BAJA |
|---|---|---|
| Sermón religioso | + | |
| Instrucciones a camareros, personal de servicio... | | + |
| Carta personal | + | |
| Discurso político (Parlamento, etc.) | + | |
| Discurso académico (conferencia, clases universitarias...) | + | |
| Conversación con familia, amigos | | + |
| Noticiarios | + | |
| Telenovelas, radionovelas... | | + |
| Discurso periodístico formal (editoriales, noticias...) | + | |
| Poesía | + | |
| Literatura popular | | + |

En suma, en la caracterización fergusoneana de la diglosia aparecen implícitos una serie de elementos básicos que podrían resumirse de la siguiente manera:

a) debe tratarse de variedades de una misma lengua;

b) las variedades tienen que ser muy diferentes entre sí, es decir, no puede tratarse solamente de distintos estilos o registros de una misma lengua;

c) la relación diglósica entre las variedades existe adicionalmente a la que puedan mantener los dialectos primarios de una lengua estándar, y

d) la variedad alta no es utilizada prácticamente por ningún grupo social en la conversación ordinaria (Zimmermann 1992: 341).

El resultado es que, si se toman en su conjunto tales criterios, la diglosia resulta ser un fenómeno sociolingüístico bastante excepcional, del que, obviamente, quedan fuera los mucho más habituales ejemplos de dominación y subordinación entre lenguas diferentes. Pese a ello, algunos autores han negado que la filiación lingüística sea un requisito excluyente en la interpretación fergusoneana de la diglosia. Entre nosotros, por ejemplo, Rotaetxe (1988: 62) sostiene que lo que realmente interesaba al sociolingüista americano eran las distancias interlingüísticas entre las variedades y no tanto su vinculación estructural:

> [...] basamos esta afirmación en que resulta imposible sostener [a partir de uno de los ejemplos propuestos en el artículo] que el criollo

haitiano y el francés sean variedades de una misma lengua, ni siquiera que tengan que estar emparentadas. No es además esto lo pertinente, sino el funcionamiento de cada código a partir de las funciones que asume.

GRÁFICO 2
Comunidades diglósicas y nombres de las variedades respectivas, según Ferguson (1959)

| COMUNIDADES DIGLÓSICAS | VARIEDAD ALTA | VARIEDAD BAJA |
|---|---|---|
| Suizo-alemana | Hochdeustch | Schweizerdeustch |
| Griega | Katharévousa | Demótico |
| Árabe | Árabe clásico | Árabe vernáculo |
| Haití | Francés | Criollo |

Sea como fuere, lo que resulta innegable es que, bajo esta interpretación de la diglosia, la especialización funcional de las variedades en contacto hace que las situaciones diglósicas se perciban como muy estables en el tiempo[3], prolongándose a veces durante muchos siglos y generando, de paso, interferencias mutuas en diferentes niveles del análisis lingüístico[4]. Por otro lado, dicha estabilidad, lejos de inducir fenómenos de desplazamiento o desaparición en situaciones de minorización (véase tema XIV), puede resultar un instrumento eficaz para su preservación a través del tiempo, como muestran, sin ir más lejos, algunos ejemplos del mundo hispánico, tanto aquellos en los que el español ocupa una posición subordinada como los inversos.

---

[3] No obstante, el propio Ferguson reconocía que puede haber presiones para que la situación diglósica evolucione y acabe desapareciendo. En este sentido destacaba, por ejemplo, la influencia de los medios de comunicación, los nacionalismos políticos e ideológicos, la extensión de la escritura, etc., como posibles factores desencadenantes de cambios en el estatus de las variedades bajas, que, de persistir en el tiempo, podrían dejar de serlo.

[4] Como recuerda Moreno-Fernández (1998: 230), la tensión originada por una situación diglósica a lo largo del tiempo se ve parcialmente paliada por la aparición de subvariedades mixtas, en las que el dialecto bajo incorpora elementos procedentes del alto, y viceversa. Estas subvariedades y, en particular, las filtraciones de A en B, así como el desdibujamiento progresivo de las funciones tradicionales reservadas a cada lengua en la sociedad, pueden representar un paso decisivo para la potencial desaparición de la diglosia en el futuro, siendo el ejemplo de la Grecia actual un caso prototípico de este proceso.

## 3. Las relaciones entre diglosia y bilingüismo. La teoría de Fishman y sus aplicaciones al mundo hispánico

### 3.1. *Introducción*

Pese al reconocimiento del interés implícito en la propuesta fergusoneana, con el tiempo acabarían surgiendo diversas matizaciones que han terminado enriqueciendo el esquema inicial de la diglosia[5]. En esta labor han destacado diversos sociolingüistas, pero ha sido, sobre todo, Fishman (1967) el autor de las correcciones más importantes, generando de paso una considerable polémica que ha llegado hasta nuestros días[6].

La más conocida de estas revisiones es la extensión conceptual de la diglosia a situaciones en las que se enfrentan variedades estructuralmente diferentes, es decir, lenguas claramente distintas, posibilidad que, como vimos, dejó abierta ya el propio Ferguson al postular casos como el haitiano en su formulación inicial (gráfico 2). Esta propuesta pone inmediatamente en relación la diglosia con el bilingüismo —o multilingüismo—, eje de la teoría fishmaneana. Ahora bien, Fishman (1967, 1980) considera que las relaciones entre el bilingüismo (individual) y la diglosia (social) no son ni necesarias ni causales, de manera que cada uno de los fenómenos puede ocurrir —o no— junto al otro, en una comunidad de habla (Fishman 1980: 3). En este sentido es ya conocida la esquematización de dichas relaciones a través de un cuadro famoso, en el que se distinguen las siguientes posibilidades:

a) diglosia y bilingüismo: los hablantes de una comunidad —o al menos parte de ellos— tienen dos lenguas en su repertorio verbal; len-

[5] Con todo, las opiniones respecto a esta cuestión no son unánimes. A juicio de algunos, revisiones como la de Fishman, lejos de enriquecer el panorama interpretativo sobre el bilingüismo social, no hicieron sino complicar más las cosas.

[6] Pese a ello, y al igual que ocurriera con la caracterización original del concepto a cargo de Ferguson, la revisión fishmaneana de la diglosia ha contado con numerosos detractores, que han criticado diversos aspectos de la misma. López Morales (1989) ha recordado a este respecto que entre muchos sociolingüistas actuales las ideas de Fishman o bien son sencillamente ignoradas o bien son rechazadas con argumentos de diversa índole. Situación, en todo caso, que contrasta sobremanera con la admiración y la aceptación acrítica que estas mismas ideas suscitan entre los sociólogos del lenguaje, «quienes las aceptan sin el menor cuestionamiento, como artículos de fe» (pág. 75).

guas que en la sociedad se hallan desequilibradas funcionalmente, de manera que ciertos dominios sociales propician el uso de unas en detrimento de otras;

b) diglosia sin bilingüismo: la disparidad funcional de las dos lenguas comunitarias viene acompañada por el hecho de que cada lengua es hablada por un grupo social diferente;

c) bilingüismo sin diglosia: se produce en aquellas comunidades en las que las dos lenguas son usadas indistintamente por los hablantes en los mismos dominios sociales, y por lo tanto, donde no tiene lugar la jerarquización funcional característica de la diglosia;

d) ni bilingüismo ni diglosia: situación más hipotética que real en los tiempos actuales, y en la que se parte de la base de que los hablantes tan sólo poseen una lengua.

### 3.2. *Bilingüismo y diglosia en América*

Al igual que en otros dominios geolingüísticos, en la sociolingüística hispánica no ha faltado tampoco la caracterización explícita como diglósicas de numerosas comunidades de habla bilingües en las últimas décadas. En el continente americano, por ejemplo, pueden distinguirse dos grandes áreas, con desenlaces completamente diferentes para el español. Así, mientras que en diversas regiones de EE.UU. la lengua española ocupa, por lo general, un estatus claramente inferior al inglés y representa, por lo tanto, la variedad baja de toda situación diglósica, en el resto del continente dicha posición la ocupan las lenguas precolombinas.

Antes de la llegada de los europeos a América, la distribución socio lingüística de algunas regiones podría interpretarse incluso a la luz de la teoría sobre la diglosia. Así ocurre, por ejemplo, con la diferenciación realizada en el seno del imperio incaico entre el *runa simi* (el quechua, lengua oficial) y el *wawa simi,* término bajo el que se recogían las lenguas de los pueblos sometidos. Por su parte, el imperio azteca establecía también una clara distinción funcional entre el nahuatl, como lengua de prestigio, y el resto de las lenguas mesoamericanas (Heath 1972).

Ya en nuestros días, la supervivencia de algunas de estas lenguas, esta vez con el español como variedad alta respecto a todas ellas, se ha visto favorecida por la estabilidad de las situaciones diglósicas a la que nos referíamos anteriormente. Así ocurre en países como México, donde diversos autores han señalado como explícitamente diglósicas las relaciones entre el español y lenguas como el nahuatl en el estado de Puebla *(vid.* Podesta 1990) o el otomí entre los indios del valle de Mezquital (cfr. Muñoz *et al.* 1980; Hamel 1988, 1992; Zimmermann 1984).

Tampoco han faltado los análisis de comunidades sudamericanas en las que se ha advertido también la distribución social diglósica de las correspondientes lenguas. Así ocurre en naciones como Perú, tanto en las regiones amazónicas como en las andinas. En éstas, el papel de lengua baja es ocupado alternativamente por el quechua *(vid.* Cerrón Palomino 1989) o el aimara *(vid.* L. López 1989), y tanto en un caso como en otro, la situación diglósica quizá ayude a explicar el hecho de que el uso de ambas lenguas no haya decrecido en las últimas décadas pese a su desventaja social respecto al castellano.

El bilingüismo social paraguayo ha recibido, asimismo, algunas caracterizaciones de este mismo tipo desde que autores como Fishman y Rubin afirmaran que la distribución social y funcional del español y el guaraní presentaba en Paraguay una característica distribución funcional, con la lengua autóctona como lengua baja y el español como idioma de uso prioritario o exclusivo en los dominios sociales más prestigiosos (véanse más detalles sobre esta cuestión en el tema XIII, § 3). Con todo, el cambio de estatus del guaraní, que desde hace algunos años ha pasado a ser lengua cooficial del país, así como la creciente lealtad y conciencia lingüística de los paraguayos, han favorecido el empleo de esta lengua fuera de los ámbitos de uso doméstico a los que había estado relegada secularmente. Un hecho que, en opinión de la socióloga Graciela Corvalán (1992), resulta especialmente notorio entre los bilingües urbanos de la capital, Asunción, lo que podría tener consecuencias para el futuro de la diglosia en Paraguay. Por otro lado, no todos coinciden en que la situación lingüística del país sudamericano responda plenamente a la concepción ortodoxa de la diglosia, ya que a la fuerte división funcional entre dos variedades o lenguas implícita en la teoría sobre este concepto se opone en Paraguay un *continuum* panlectal en el que, además del español y el guaraní, intervienen algunas variedades intermedias conocidas habitualmente bajo los nombres de *jopará* o *guarañol.* Éstas son el resultado de un intenso contacto secular entre las dos lenguas mayoritarias, y al decir de los más críticos, deberían considerarse también en cualquier análisis sobre la distribución funcional de las lenguas en Paraguay *(vid.* Meliá 1982).

Otro contexto sudamericano que ha recibido la atención de los estudiosos es la relación entre bilingüismo y diglosia que se produce en las regiones fronterizas de Uruguay con Brasil. Al igual que en el caso paraguayo, aunque por razones diferentes, en estas comunidades de habla se ha advertido también que la diglosia muestra notables diferencias respecto a las definiciones clásicas. Y es que en muchas de ellas, el español no funciona como una variedad superpuesta para todos los hablantes, sino tan sólo para los miembros de las clases medias-bajas y bajas. Sin embargo, entre las clases medias y altas constituye la variedad vernácula, esto es, aquella que los niños aprenden directamente de sus padres (cfr. Hensey 1972; Elizaincín 1973, 1976).

Un ejemplo de cómo dos situaciones de bilingüismo pueden presentar caracteres psicológicos y sociolingüísticos muy diferentes en el seno de una misma comunidad de habla lo ofrecen Corder y Gabbiani (1989) en otro estudio significativo sobre las regiones fronterizas de Uruguay con Brasil. Por un lado, el bilingüismo español-inglés, que permite el aprendizaje de esta última lengua en los colegios de elite a los niños de los grupos sociales más privilegiados bajo programas de inmersión total. Los resultados de este bilingüismo son óptimos, ya que los hablantes cuentan con dos lenguas de prestigio, tanto en la escuela como en el hogar, lo que libera a esos niños de inhibiciones. Por el contrario, en el resto de la sociedad se produce un bilingüismo diglósico, cuya variedad alta, el español, es aprendida como segunda lengua por parte de unos hablantes cuyo idioma vernáculo es un dialecto del portugués sentido como inferior en prestigio y estatus[7].

Un caso excepcional lo representan aquellos entornos diglósicos en los que el papel de variedad baja viene a estar representado por una lengua criolla, como ocurre en San Basilio de Palenque, población colombiana donde existe en la actualidad un *continuum* de variedades lingüísticas fuertemente jerarquizadas entre dos extremos, los representados por el español estándar y el palenquero *(vid.* Castillo 1984). Y lo mismo sucede en la isla panameña de Bastimentos, que representa un cuadro prototípico de diglosia (Snow 2000). En ella, la mayoría de la población habla un criollo de base inglesa en la comunicación ordinaria, mientras que el español aparece como el único instrumento lingüístico tanto en el sistema educativo como en otros medios sociales e institucionales relevantes. Adicionalmente, la estabilidad de las relaciones diglósicas entre el criollo bastimenteño y el español aparece reforzada por la escasa permeabilidad que han demostrado ambas lenguas tras varios siglos de coexistencia en la isla.

---

[7] El aprendizaje del español se realiza además a través de programas de submersión y no de inmersión, lo que genera también diferencias cualitativas respecto al bilingüismo anterior.

Por último, nos hacemos eco de otro caso singular en el contexto latinoamericano, el representado por Puerto Rico, donde algunos han querido ver un proceso de inversión de la diglosia, semejante en el mundo hispánico al emprendido en la región canadiense de Quebec desde los años 70 *(vid.* Strauch 1992).

Como avanzábamos más arriba, la situación sociolingüística en las comunidades hispanas de EE.UU. es justamente la inversa a la descrita en los párrafos anteriores. Los estudios en forma de artículos, monografías y tesis doctorales publicados en las últimas décadas sobre este tema se cuentas por decenas desde que la investigación pionera de Fishman, Cooper y Ma (1971) sobre los inmigrantes portorriqueños del área de Nueva York-Nueva Jersey —descritos ya explícitamente como diglósicos— abriera esta productiva línea de estudio.

Entre las comunidades hispanohablantes de Estados Unidos destacan por su volumen demográfico las de origen mexicano. En ellas, algunos autores han destacado la existencia de dos tipos de diglosia, que siguiendo la tipología de Kloss (1976), podemos caracterizar como diglosia *interna* y diglosia *externa,* respectivamente. La primera tiene lugar entre el español estándar y las respectivas variedades vernáculas de dicha lengua en cada territorio, mientras que la segunda opera en el plano interlingüístico, con el español como lengua B y el inglés como lengua de las funciones sociales preeminentes *(vid.* Peñalosa 1980) (sobre las situaciones descritas someramente en estos párrafos, véase más adelante tema XIV).

### 3.3. *El contexto español*

En España no han faltado tampoco los intentos de interpretación de las comunidades de habla bilingües como sociedades diglósicas, caracterización que más recientemente compite con otras que abordaremos en la última parte de este mismo tema.

En *Galicia* los estudios sobre la distribución social de las lenguas española y gallega y su caracterización como diglósica han proliferado en los últimos veinticinco años. No en vano, la comunidad gallega representa para algunos organismos internacionales como la UNESCO uno de los casos más diáfanos de diglosia en el mundo[8]. O en las pa-

[8] Véase Roseman (1995) para un bosquejo histórico acerca de las diferentes etapas por las que ha atravesado este proceso diglósico entre el gallego y el español.

labras, sin duda exageradas, del sociolingüista británico Ronald Wardhaugh (1987: 127): «[the Galician speaking community] is one of the more dormant linguistic minorities in Europe today».

Es sabido que en Galicia la lengua autóctona ha sido utilizada tradicionalmente por la población de origen rural, al tiempo que era objeto de una importante estigmatización entre los hablantes de las ciudades. Para la mayoría de la población el éxito social y material ha estado inexorablemente unido al uso del español, una lengua que, además, y hasta tiempos muy recientes, ha sido prácticamente la única apta para la escritura y el desarrollo de las artes y las letras, con la excepción de algunos cortos periodos de tiempo durante el renacimiento literario gallego en el siglo XIX. Asimismo, el castellano ha sido tradicionalmente el lenguaje de las administraciones públicas, el sistema educativo y los medios de comunicación.

Los más críticos con este estado de cosas señalan que, incluso en la actualidad, cuando se ha alcanzado la oficialidad del gallego en la esfera pública tras la restauración de la democracia en España, el esquema diglósico sigue manteniéndose en lo esencial, pues no en vano el castellano se aprende mayoritariamente a través del sistema educativo y el contacto ubicuo con los medios de comunicación, mientras que el gallego es generalmente la primera lengua aprendida y utilizada en muchos casos tan sólo como vehículo de comunicación oral. Por otro lado, los prejuicios diglósicos de la población gallega hacia el estatus de las lenguas han dejado tradicionalmente una huella indeleble en la propia categorización lingüística del idioma autóctono, lo que dificulta considerablemente un cambio de actitudes[9].

Como decíamos más arriba, en las últimas décadas los estudios de sociología del lenguaje sobre la situación del bilingüismo social gallego se han multiplicado. Y en buena parte de ellos la caracterización diglósica sigue manteniéndose, apoyada en diversos argumentos que, siguiendo a Pellitero (1992), resumimos en tres principales: a) la vinculación de las funciones sociales prestigiosas al castellano; b) la asociación de esta lengua con el poder económico, y c) el complejo de inferioridad de los hablantes de la lengua «baja», el gallego (véanse en el mismo sentido González Lorenzo 1985, Barca *et al.* 1990 y X. Rodríguez 1988, 1993, entre otros).

Pese a ello, las transformaciones políticas y culturales que han tenido lugar en Galicia en las últimas décadas, con el consiguiente proce-

[9] Cabe recordar a este respecto que durante el siglo XIX los propios hablantes de gallego consideraban que su lengua era una variedad —llamada significativamente *castrapo*— del español.

so de normalización lingüística de la lengua autóctona, parecen haber introducido algunos cambios en este esquema tradicional, aunque no todos se muestren conformes con su verdadero alcance. Estos cambios se han advertido particularmente en el ámbito de las actitudes lingüísticas, que a estas alturas muestran ya no sólo una considerable menor estigmatización del gallego que antaño, sino incluso también una conversión creciente de la lengua autóctona en un importante símbolo de identidad colectivo *(vid.* Monteagudo y Santamarina 1993). Entre los más optimistas en cuanto a la evolución de los usos lingüísticos se encuentra Álvarez Cáccamo (1991), quien ha aportado un ejemplo interesante de cómo la diglosia gallega está evolucionando en los últimos tiempos hacia otros desenlaces, entre los que no se descarta la inversión funcional. El autor describe algunos usos desarrollados en los últimos años en los que el empleo de la variedad estándar del gallego aparece como una marca de autoridad y de distancia en dominios formales asociados con el poder y la administración, mientras que el español funciona como un signo de informalidad y solidaridad (en contra, véase, sin embargo, Roseman 1995). En líneas generales, sin embargo, en el estadio actual no cabría afirmar la existencia ni de un esquema de diglosia tradicional ni de una diglosia invertida, algo, no obstante, que de ser cierto, representa ya un cambio significativo respecto a épocas pretéritas:

> [...] changing political ideology and sociocultural values are entering verbal interaction in such a way that the traditional, relatively stable norms of language choice are undergoing transformations of still difficult assessment (Álvarez Cáccamo 1991: 44)[10].

En el ámbito geográfico y lingüístico *catalán* los estudios sobre la distribución funcional se han multiplicado también en este tiempo, si bien, como veremos más adelante, un nutrido grupo de sociolingüistas e intelectuales han preferido otros conceptos más dinámicos que la diglosia (preferentemente el de *conflicto lingüístico)* para la descripción del bilingüismo social en comunidades como Cataluña, la Comunidad Valenciana o la Franja oriental de Aragón. Con todo, habría que reconocer que al menos esta última ofrece uno de los esquemas más paradigmáticos de diglosia en la España actual, ya que si bien el cata-

---

[10] Sobre la distribución funcional de las lenguas en Galicia, véanse también los trabajos de Rojo (1981, 1985), Rojo *et al.* (1995), M. Fernández (1983), Álvarez Cáccamo (1983), Herrmann 1990) y Sarmiento (2001).

lán sigue empleándose habitualmente en las interacciones familiares e informales, su uso se ve bruscamente sustituido por el español en el paso a los dominios formales, así como en la conversación con desconocidos. Por otro lado, y a pesar de algunos avances advertidos recientemente entre las generaciones más jóvenes *(vid.* Huguet Vila y Ilurda 2000), el prestigio del catalán entre sus propios hablantes continúa siendo bajo en líneas generales, hecho al que probablemente ha contribuido el que no se haya reconocido su cooficialidad, a diferencia de lo que sucede en la vecina Cataluña.

Por el contrario, en esta última comunidad autónoma, incluso aquellos que han utilizado las herramientas conceptuales de la diglosia vienen reconociendo desde hace algún tiempo los rasgos singulares de la misma en tierras catalanas, entre los que sobresale el elevado prestigio del que tradicionalmente ha gozado entre la misma población autóctona, el catalán[11]. A este respecto, ya Badia i Margarit (1977: 116-117) apuntaba, antes incluso de iniciado el moderno proceso de planificación lingüística, que el sendero de la normalización emprendido con seriedad por la sociedad catalana durante todo el siglo XX había provocado un incesante movimiento de superación de la diglosia. Incluso había quien por entonces afirmaba ya que el esquema sociolingüístico de una ciudad como Barcelona no cabía dentro de los parámetros tradicionales de este concepto *(vid.* Vallverdú 1968). No en vano, investigadores como Miquel Siguan (1976) advertían que el caso de muchos inmigrantes en Cataluña podía ser objeto de una caracterización diglósica con tanta o más justicia que el de algunos grupos autóctonos de la sociedad catalana, aunque esta vez con los términos de la ecuación invertidos: el catalán como lengua A y el español como lengua B.

Más recientemente estos datos se han visto confirmados mediante el auxilio de investigaciones empíricas que han puesto de relieve la singularidad del contacto de lenguas en Cataluña. Así, la norteamericana K. Woolard (1984) ha comprobado, por medio del estudio detallado de actitudes lingüísticas, que la lengua autóctona no sufrió una merma

[11] Entre los primeros en caracterizar como diglósica la situación de Cataluña durante el franquismo figura el sociólogo valenciano Rafael Ninyoles (1969), quien no obstante popularizaría por las misma fechas el concepto de conflicto lingüístico como más apropiado para describir los casos de contacto entre el español y el catalán en diversas comunidades del este peninsular. Un buen resumen sobre las principales investigaciones centradas en la diglosia y el conflicto lingüístico catalán lo ofrece un artículo de Vallverdú (1991), en el que además se aporta una introducción sobre las relaciones históricas entre catalán y español, con especial referencia al pasado franquista (véase en el mismo sentido Azevedo 1984).

significativa de prestigio pese el largo paréntesis franquista. Y ello tanto entre los hablantes nativos como —lo que resulta más significativo aún— entre los inmigrantes de origen castellanohablante, un hecho que contrasta con lo advertido en la mayoría de las demás regiones españolas con lengua propia[12].

Así las cosas, algunos sociolingüistas niegan la condición diglósica al bilingüismo catalán. Vallverdú (1983), por ejemplo, prefiere hablar de *comportamientos diglósicos* individuales, antes que calificar como tal a la sociedad catalana en su conjunto. De forma más radical, Bierbach y Reixach (1988) y Sanz (1991), entre otros, se han destacado por negar explícitamente la diglosia, tanto en el sentido fergusoneano como en las revisiones posteriores del concepto, como instrumento teórico válido para describir la realidad sociolingüística catalana en nuestros días. Y ello fundamentalmente debido a la recuperación funcional de la lengua autóctona a costa del español en las últimas décadas, un proceso que se ha acelerado en los últimos años.

En las últimas décadas, el bilingüismo social en la *Comunidad Valenciana* se ha caracterizado desde diversas perspectivas teóricas. Para algunos se trata de una comunidad bilingüe, en la que, sin embargo, se dan cita, por un lado, un grupo mayoritario de hablantes bilingües (en español y valenciano), y por otro, un segundo grupo, no por minoritario poco numeroso, cuyos miembros se expresan exclusivamente en castellano, aunque en la práctica muestren distintos grados de competencia pasiva en valenciano. Desde un punto de vista social, este bilingüismo se ha interpretado tradicionalmente como diglósico, dada la desigual distribución funcional entre las dos lenguas, con el valenciano como lengua B, relegada a los usos domésticos durante siglos, y el español como la lengua de los dominios sociolingüísticos más formales y prestigiosos. Esta caracterización ha llegado incluso a institucionalizarse, ya que se recoge explícitamente en la principal ley de la política lingüística valenciana, la «Llei d'Us i Ensenyament del Valencià» (Pitarch 1984).

---

[12] Con todo, otros autores han alertado sobre el peligro que para la supervivencia del catalán representa la inmigración a gran escala que ha experimentado Cataluña desde hace varias décadas, procedente de otras regiones españolas. Este hecho hace que en las zonas más pobladas de Cataluña, como la Gran Barcelona, la primera lengua habitual continúe siendo en nuestros días el español, una lengua a la que cambian muchos catalanohablantes (bilingües en la práctica, a diferencia de muchos castellanohablantes) en presencia de los miembros del otro grupo etnolingüístico (cfr. Vallverdú 1988; Strubell 1993).

Ninyoles (ed. 2000: 89 y ss.) ha dividido el proceso de sustitución lingüística en el País Valenciano en tres fases históricas con sus correspondientes caracteres sociolingüísticos. En una primera, que abarcaría los siglos XVI al XIX, la sociedad valenciana, de estructura estamental, asistió a un proceso diglósico «horizontal», ya que la extensión del castellano se produjo sólo entre la nobleza y el alto clero, pero no afectó, por lo general, al resto de la pirámide social. A partir de mediados del siglo XIX, sin embargo, con una sociedad en proceso de reestratificación, que benefició particularmente a la burguesía, la dirección del contacto de lenguas adquirió ya los rasgos de la sustitución lingüística, asociada a la movilidad social «vertical». En esta etapa, la castellanización se produjo ya de manera rápida e intensa, afectando incluso al empleo del valenciano en los dominios familiares, en los que tradicionalmente se había preservado. Por último, este proceso histórico alcanzaría su culminación durante el franquismo y el periodo de intensa industrialización y urbanización de la Comunidad Valenciana que tuvo lugar en los años 60 del siglo XX.

Durante el franquismo, la división funcional diglósica entre el español y el valenciano acabaría afectando no sólo a los usos lingüísticos sino también al componente actitudinal de la sociedad valenciana a través de la consolidación de algunos estereotipos fuertemente asentados en la psicología social de la comunidad. En este periodo, el valenciano pasaría a interpretarse como una marca de ruralidad, esto es, como una lengua típica de labradores y gentes sin cultura, mientras que el castellano sería un vehículo de urbanidad y de cultura (Ros y Giles 1979). Estos prejuicios han adornado la conducta lingüística de las últimas generaciones, en especial en los núcleos urbanos más grandes, como la ciudad de Valencia, donde la transmisión generacional del valenciano se ha visto en muchos casos severamente afectada. No en vano, durante la dictadura franquista muchos padres valencianohablantes se dirigían a sus hijos en castellano para evitar justamente dicha estigmatización social.

## 4. Tipos de diglosia en el mundo hispánico

Entre las correcciones a la concepción original de la diglosia se encuentran también aquellas que han advertido cómo las relaciones entre las lenguas o variedades altas y bajas son a menudo muy variadas y flexibles, y por lo tanto están lejos de las rigideces propias del modelo tradicional. El investigador británico Ralph Fasold (1984: 44 y ss.) ha resumido estas diferentes configuraciones de la diglosia, algunos de cuyos caracteres podemos encontrar también en la sociolingüística hispánica, incluso aunque no se utilice siempre la misma terminología. Entre estas configuraciones destacamos, para lo que aquí nos interesa, las siguientes:

*Doble superposición diglósica (double overlapping diglossia):* en un estudio sobre la distribución social de las lenguas en Tanzania, Abdulaziz (1978) utilizó por primera vez este nombre para dar cuenta de las particulares relaciones funcionales entre el inglés, el swahili y algunos dialectos locales. En este país, el swahili desempeña el papel de variante alta en relación con el dialecto local, pero baja en relación con el inglés. Entre nosotros, Hamel (1988) ha utilizado un concepto similar, que denomina *diglosia doble,* para dar cuenta de la comunidad de habla huave en México, cuya lengua autóctona se ha convertido en una variedad baja respecto a otra legua amerindia regional, el zapoteco, que, a su vez, ocupa la posición baja respecto al español.

*Diglosia de esquema doble (double nested diglossia):* Gumperz (1964) descubrió en Khalapur (India) la existencia de dos variantes claramente diferenciadas (alta y baja) dentro de cada una de las variedades funcionales. Y lo mismo ha hecho entre nosotros Germán de Granda (1981), al advertir un caso similar en el bilingüismo paraguayo, en el que se dan cita variedades altas y bajas tanto del español como del guaraní.

Distintos son los casos —menos habituales, pero documentados asimismo en el mundo hispánico— en los que la función como lengua alta o baja varía en función de los dominios sociales de uso lingüístico. En opinión de autores como Siguan (1984) y Woolard (1988) este esquema funcional sirve para dar cuenta de la realidad sociolingüística catalana actual, en la que el español continúa siendo el idioma dominante en algunas esferas sociales y comunicativas prestigiosas (medios de comunicación, etc.), pero no en otras (política, administración pública, educación, etc.), ya que en estas últimas el catalán ha pasado a ocupar en los últimos tiempos la posición alta.

Como distinto es también el fenómeno que algunos denominan diglosia *secundaria* y que utilizan para referirse al papel de esa misma lengua catalana en otras comunidades históricas como la valenciana o el Rosellón francés. El impulso social e institucional dispensado en estas regiones al catalán (especialmente en la primera, no tanto en la segunda) está suponiendo un proceso de normalización y estandarización de aquél, sin que por ello se alteren en lo esencial los dominios sociales básicos de la lengua alta, que, desde este punto de vista, continuarían siendo el español y el francés, respectivamente.

En el mundo hispánico se han descrito, asimismo, otros casos de diglosia en los que aparecen implicadas más de dos lenguas, lo que ha llevado a hablar ocasionalmente de *triglosia, poliglosia,* etc. Así ocurre, por ejemplo, en comunidades donde dos variedades estándares, vinculadas a otras tantas lenguas de prestigio, conviven con algunos dialectos criollos. Es el caso, por ejemplo, de las islas colombianas de San Andrés y Providencia, en las que, al *continuum* postcriollo formado en sus extremos por el inglés estándar y un criollo de base anglosajona, se añade la presencia del español como una segunda variedad alta (Forbes 1987). Por su parte, Lipski (1986) ha examinado los factores históricos y sociolingüísticos que afectan a un *trilingüismo* singular en el Gibraltar contemporáneo. Como consecuencia de la fuerte inmigración de origen andaluz en la colonia inglesa, en las últimas décadas el repertorio verbal de la misma oscila entre manifestaciones diversas de bilingüismo y aun de trilingüismo. En este último caso se dan cita el inglés estándar, como lengua oficial, el español, como vehículo de comunicación básicamente coloquial, y el dialecto *llanito,* un legado genovés derivado de los contingentes inmigratorios asentados en Gibraltar en el curso de las últimas centurias. En este contexto, mientras el inglés se enseña en las escuelas como primera lengua, el español sólo adquiere, en el mejor de los casos, la condición de segunda lengua, ya que el gobierno británico es reacio al desarrollo de la educación bilingüe, temiendo que un reconocimiento oficial de esta última pudiera ir ligado en el futuro a movimientos nacionalistas españoles (véase también Fierro 1997 y Fernández Martín, en prensa).

Otra situación triglósica compleja es la que se produce en el seno de algunos grupos inmigrantes en comunidades que, como Cataluña, tienen reconocidas dos lenguas oficiales y donde las tensiones sociales y políticas asociadas a cada una de ellas agravan la situación de unos individuos cuya situación es ya particularmente delicada. Así ocurre, por ejemplo, con las minorías de origen magrebí (cfr. Pujol 1994; Cestejón, 1997).

Asimismo, en el ámbito norteamericano se han advertido también divisiones funcionales que podrían encajar dentro del presente paradigma. Por ejemplo, Bills (1997) ha descrito recientemente la existencia de tres variedades principales en el repertorio verbal de las comunidades hispanas de Nuevo México (EE.UU.). Con el inglés, considerado masivamente como la variedad alta por parte de los hablantes, conviven dos dialectos del español, jerarquizados también entre sí. Junto con el dialecto vernáculo tradicional, relegado en la actualidad a los dominios más informales, y preferentemente en las áreas rurales, se ha extendido en los últimos tiempos otra variedad hispana, más próxima al estándar y menos desfavorablemente percibida que la anterior.

En relación con el tema que nos ocupa, nos interesan, finalmente, los estudios que han abordado el análisis de la diglosia desde una perspectiva diacrónica. Jamieson (1991), por ejemplo, ha estudiado diversa documentación que atestigua la intensa situación multilingüe y poliglósica de la Argentina colonial —y en particular de su capital, Buenos Aires—, entre los siglos XVI y XVII. Por entonces, el repertorio verbal de estas comunidades americanas se componía de un número elevado de variedades lingüísticas de muy diversa procedencia, y cuya coexistencia generaba algunos conflictos. Entre estas variedades destacaban las siguientes:

a) el español, como lengua oficial y variedad alta;
b) el portugués, como lengua de comunicación principal entre numerosas gentes de origen lusitano;
c) otras lenguas europeas a cargo de algunos grupos minoritarios;
d) el guaraní, lengua indígena hablada ordinariamente entre la población india;
e) otras lenguas autóctonas, diferentes del guaraní;
f) diversos dialectos bantúes, utilizados entre la población esclava de origen africano, y
g) el latín y el hebreo, en su función de lenguas religiosas, y por lo tanto, variedades de prestigio en este dominio social.

Más atrás en el tiempo, el análisis de textos altomedievales ha permitido confirmar la existencia de un dilatado periodo diglósico en los reinos cristianos peninsulares, con el latín como lengua superior de cultura, reservado a las elites, y los diversos romances como variedades populares empleadas por el pueblo. Con todo, conviene recordar que durante la Reconquista el latín no llegó a ocupar plenamente el papel de lengua alta, ya que para la traducción de textos árabes los monarcas Fernando III y Alfonso X dieron preferencia a la lengua popular, es decir, al castellano.

Por último, se ha escrito también acerca de la diferenciación funcional diglósica —o mejor, triglósica o poliglósica— existente en el Al-Andalus a partir del siglo IX. Como es sabido, en este territorio convivieron durante siglos a) el árabe clásico, en los dominios de la cultura y la administración; b) diversas variedades coloquiales de esta lengua, empleadas por los sectores populares de la población musulmana, y, finalmente, c) algunos dialectos mozárabes, destinados a la comunicación informal con los miembros de las minorías cristianas, lo que provocó su estigmatización social en la sociedad andalusí (Hanlon 1997).

## 5. Conceptos alternativos a la diglosia: el conflicto lingüístico en las comunidades de habla hispanas

Entre los pioneros de los estudios modernos sobre el contacto de lenguas, el concepto de *conflicto lingüístico* raramente aparece en sus trabajos. Probablemente debemos a Haugen (1953) su primera utilización en su estudio sobre el fenómeno bilingüe en Noruega, aunque desde una perspectiva muy distinta a la difundida más recientemente, y de la que aquí nos haremos eco. Incluso la mayoría de los lingüistas de países con situaciones extendidas de bilingüismo o multilingüismo social fueron reacios hasta la década de los 70 a tratar estos temas por su excesiva «ideologización» (Nelde 1997: 291).

Sin embargo, desde entonces hasta ahora las cosas han cambiado mucho y justamente: desde una perspectiva más «comprometida» sobre las consecuencias sociales y culturales del contacto de lenguas, numerosos autores han ejercido en los últimos tiempos una considerable crítica acerca de los presupuestos teóricos adjudicados a la diglosia e, incluso, acerca de la misma utilidad del concepto[13]. Y ello por varias razones que consideramos a continuación.

Por un lado, la reducción del problema al combate de los prejuicios diglósicos, con objeto de cambiar el prestigio de las lenguas en la mente de los individuos, ha terminado por «desvirtuar» completamente el papel positivo que el concepto pudo desempeñar en un principio. En opinión de Mollà y Palanca (1987) y Pitarch (1984; 1986), entre otros, uno de los casos más claros de mistificación de la diglosia es el que se ha producido en la principal ley de política lingüística valenciana desde su promulgación en 1983, la «Llei d'Us i Ensenyament del Valencià», un texto legal que, según estos críticos, ha contribuido a la institucionalización del concepto y, de paso, a su conversión en hueca fraseología.

Con relación al problema central del prestigio social de las lenguas, se ha insistido también en la excesiva importancia que se le concede en la descripción de las situaciones diglósicas. Como subrayan algunos de

[13] Por su parte, Pellitero (1992) ha recordado que en los años de la transición española el concepto de diglosia fue también denigrado por políticos de partidos conservadores centralistas, que pretendían negar u ocultar la discriminación social de las lenguas autóctonas durante la dictadura franquista.

los principales representantes de esta sociolingüística comprometida ideológicamente (Aracil 1982; Pueyo 1986), la causa del prestigio es, ni más ni menos, el uso efectivo de la lengua, como lo demuestran algunos casos recientes de normalización de lenguas que antaño estuvieron en una posición deprimida con respecto a otras, como el francés en Quebec o el flamenco en Bélgica, etc.

Estas y otras razones, sobre las que no nos extenderemos más en esta sección, han llevado en los últimos años a un cambio notable en el análisis de las situaciones de desigualdad social entre las lenguas, así como a la proposición de nuevas construcciones teóricas que incidan más en el aspecto dinámico del contacto de lenguas y no tanto en la estabilidad que destilan las interpretaciones diglósicas. Desde esta perspectiva crítica, las tensiones sociales que se derivan del bilingüismo social provocan (¿casi?) siempre una continua dialéctica: unas lenguas ganan terreno en detrimento de otras, y en este contexto, algunas corren, incluso, el riesgo de desaparecer. Dicho desenlace, que contrasta vivamente con la supuesta estabilidad de las situaciones diglósicas, ha sido interpretado desde diferentes ángulos teóricos, entre los que destaca la noción de *conflicto lingüístico*[14].

La primera obra en que aparecen casi todos los ingredientes para definir un conflicto lingüístico es *Lenguas en contacto,* de U. Weinreich (1953). En ella, sin embargo, y pese a que el lingüista norteamericano dedicaba un importante capítulo a la descripción de los procesos de sustitución de lenguas, no se dio el paso teórico decisivo que permitiera una primera conceptualización del término. Entre nosotros, esta labor la llevaría a cabo algunos años más adelante el sociolingüista valenciano Lluis Aracil (1965), pionero en la utilización sistemática del *conflicto lingüístico.*

Para este autor, el contacto de lenguas genera las más de las veces una situación conflictiva en la que dos —o más— sistemas lingüísticos compiten entre sí, provocando el desplazamiento total o parcial de

[14] Otros términos que abordan el aspecto conflictivo del bilingüismo son los de *sustitución,* y *minorización,* difundidos entre nosotros por representantes de la sociolingüística catalana como Aracil (1965; 1982). No obstante, se trata de conceptos más emparentados con la planificación lingüística que con la reflexión teórica acerca de las situaciones de desigualdad. Como señala el propio Aracil (1965: 6), la sustitución o extinción y la normalización lingüísticas son las consecuencias inmediatas del conflicto lingüístico. Calvet (1981), por su parte, ha desarrollado la noción de *glotofagia,* que describe muy gráficamente los procesos de avance de unas lenguas en detrimento de otras.

uno de ellos en diversos ámbitos de uso. Al mismo tiempo, en tales circunstancias aparecen confrontados también diferentes valores y actitudes que los individuos, consciente o inconscientemente, asocian a cada lengua, lo que influye poderosamente en la imagen intergrupal e intragrupal de los hablantes en la comunidad. En estos casos, cabría hablar, pues, no de *diglosia,* sino más bien de la existencia de un verdadero *conflicto lingüístico* en la sociedad.

Fue, sin embargo, otro autor valenciano, el sociólogo Rafael Ninyoles (1969), quien más impulso daría entre nosotros a la divulgación de este y otros conceptos relacionados[15]. En su opinión, el conflicto emerge de la estructura misma de la sociedad, y puede mantenerse bajo dos aspectos diferentes: a) en un nivel de inconsciencia, en cuyo caso es difícil localizarlo, o b) de forma explícita, y entonces los individuos y sectores sociales más implicados reaccionan e intentar proporcionar una solución coherente al mismo (Ninyoles 1969: 43-44). Estas diferencias permiten distinguir, además, entre dos clases de sociedades, conservadoras y avanzadas, las primeras de las cuales estarían representadas durante la España franquista por regiones como Galicia o el propio País Valenciano[16]. Y es que, en opinión de Ninyoles, en la sociedad valenciana se ha producido durante décadas una actitud generalizada que consiste en:

> la deslealtad, más o menos consciente, respecto al grupo social y cultural originario. En tal situación, existirá un conflicto que apenas

[15] Uno de los que más notoriedad han alcanzado es el de *auto-odio,* que, según Ninyoles, es una actitud de rechazo de algunas sociedades hacia su propia identidad nacional y lingüística. En el caso valenciano, y especialmente durante la etapa franquista, las principales responsables de la generalización de esta actitud fueron las clases acomodadas, quienes, satisfechas con su destino material y social, derivaron su atención hacia los aspectos puramente estéticos y folklóricos de la identidad valenciana, en lugar de propiciar un verdadero cambio social y cultural autóctono. Ello explicaría por qué se ha acudido tan a menudo a la agricultura como *leitmotiv* de los principales estereotipos valencianos: la huerta, la naranja, la barraca, la paella, etc.

[16] Bernardo y Rieu (1977) han descrito una situación semejante en el Rosellón francés. En esta región catalanohablante la lengua se considera como un fenómeno desligado de cualquier consideración ideológica o política, lo que genera unas actitudes altamente positivas hacia un bilingüismo ideal, al margen de cualquier conflicto lingüístico (véase también, sobre la misma comunidad de habla, *Média Pluriel* 1997). Sobre las relaciones entre conflicto lingüístico e ideología en Galicia, véase Rodríguez Sánchez (1991).

será reconocido, pues la identificación —a diferencia de la simple imitación— se mantiene en un nivel inconsciente (pág. 95)[17].

Con todo, y como ha destacado más recientemente un destacado especialista en el análisis de este tema *(vid.* Nelde 1997), en toda situación de conflicto conviene tener presentes algunas premisas importantes, que no son siempre consideradas como corresponde:

a) en primer lugar, destaca el hecho de que el conflicto existe siempre *entre hablantes* y en todo caso entre *comunidades de habla diferentes,* pero *no entre las propias lenguas,* ya que éstas no son seres orgánicos y por lo tanto, no poseen la capacidad de enfrentarse unas a otras;

b) por otro lado, el conflicto lingüístico es un signo inequívoco de una tensión más profunda de naturaleza socioeconómica, política, religiosa o histórica entre individuos, grupos o comunidades diferentes; y

c) por último, la naturaleza del conflicto no tiene por qué ser considerada siempre de forma negativa, ya que en algunos casos las lenguas minoritarias pueden sacar un notable beneficio del mismo, en especial cuando el conflicto es reconocido como tal por la sociedad y en momentos en los que tienen lugar importantes cambios políticos, sociales o culturales[18].

En otro orden de cosas, podemos distinguir dos tipos de conflicto lingüístico. Por un lado, el *conflicto natural,* históricamente más frecuente, y al que nos hemos referido básicamente en este capítulo, ya que afecta a aquellas sociedades en las que conviven una lengua mayoritaria y otra(s) minoritaria(s), las cuales se corresponden con otros tantos grupos etnolingüísticos. Sin embargo, en los últimos tiempos ha surgido una segunda clase de conflicto, que, siguiendo a Nelde, denominaremos *artificial,* y que ha tenido un desarrollo importante como consecuencia de las necesidades de comunicación a escala in-

[17] Ya un precursor de esta corriente de pensamiento nacionalista como Fuster (1962: 127-141) había empleado el concepto preteórico de «colusión de idiomas» para referirse a la coexistencia del valenciano y el castellano entre los siglos XVI y XX. Como se ha recordado en más de una ocasión, el malogrado intelectual valenciano constituyó un sólido precedente de la denominada escuela valenciana de sociolingüística.

[18] Strubell (1993) ha destacado la vertiente positiva del conflicto lingüístico catalán, en el que ve una muestra inequívoca de vitalidad etnolingüística.

ternacional que han impulsado el desarrollo de ciertas lenguas de cultura —el inglés es, sin duda, la más prototípica en la actualidad— en detrimento de otras[19].

Por último, el conflicto puede atenuarse considerablemente si se dan cita ciertas condiciones, como las que resumimos a continuación:

a) la introducción del principio de territorialidad limitada a pocas esferas como la administración y la educación;

b) la institucionalización del multilingüismo, con la incorporación creciente a la sociedad de lenguas internacionales que hagan olvidar prejuicios y sentimientos de discriminación entre los grupos etnolingüísticas autóctonos;

c) una política lingüística que no esté basada exclusivamente en criterios demográficos, sino que considere también otros aspectos históricos, sociales y culturales de los distintos grupos que integran la comunidad, y

d) la introducción de políticas de discriminación positiva a favor de las minorías etnolingüísticas.

Como hemos apuntado anteriormente, en la descripción de algunas situaciones de bilingüismo social en España se ha preferido claramente el dinamismo que subyace en la concepción moderna del conflicto lingüístico los perfiles más tradicionales de la diglosia. Como avanzábamos anteriormente, la distribución funcional del español y el catalán en Cataluña dista bastante de la estabilidad con que se describen las situaciones diglósicas clásicas, lo que desde hace ya un par de décadas ha llevado a autores como Vallverdú (1981: 26) a preferir el término *conflicto* en la interpretación del contacto de lenguas en esa comunidad. Asimismo, otra región del ámbito lingüístico catalán donde ha cobrado un especial impulso la interpretación del bilingüismo social como un caso de conflicto lingüístico es la Comunidad Valenciana. Como hemos visto, para autores como Ninyoles (2000), Pitarch (1984) y Mollà y Viana (1989), entre otros, el bilingüismo valenciano no presenta en la actualidad el carácter estático de las situaciones diglósicas, ya que desde hace décadas el español ha ganado ámbitos de uso que tradicionalmente estaban reservados a la lengua autóctona.

[19] En el seno de la actual Unión Europea ha habido algunos debates que ilustran sobre esta clase de conflicto. Con todo, países como Dinamarca propusieron su voluntad de renunciar al uso de su lengua en el seno de las instituciones comunitarias a favor de lenguas con mayor proyección como el inglés o el francés, siempre que otros países con lenguas minoritarias en la esfera internacional estuvieran dispuestos a hacer lo mismo.

Por otro lado, la misma noción de conflicto adquirió en el contexto valenciano una especial significación a partir de los años 60, cuando la llamada *Batalla lingüística de Valencia* se convirtió en una de las más virulentas de Europa. A este estado de cosas contribuyeron sobremanera los intentos de secesionismo lingüístico, instigados por sectores importantes de la derecha valenciana, que hicieron bandera de la negación de la unidad de la lengua catalana por motivos ideológicos y políticos. Para muchos, este conflicto «artificial», o lo que Ninyoles (1992) ha llamado «lingualización de la política», ha servido para encubrir la existencia del verdadero conflicto —el que enfrenta al español y el valenciano— por parte de unas clases sociales dominantes, cómodamente instaladas en el monolingüismo castellanohablante[20]. Como ha recordado recientemente Raquel Casesnoves (2002c):

> El movimiento anticatalanista y de secesión lingüística (el blaverismo) surgió en reacción a las fuerzas democráticas de izquierda que luchaban por la autonomía política y cultural. Con la invención de un *peril catalán,* basado en una supuesta anexión de dependencia de Valencia a Cataluña y una lengua valenciana diferente a la catalana, se intentaba obstaculizar e impedir el proceso de normalización lingüística, y como tal, la resolución del verdadero conflicto entre el castellano y el valenciano.

Paradójicamente, en los últimos tiempos la noción de conflicto lingüístico está siendo utilizada por algunos sectores castellanohablantes en comunidades como Cataluña y el País Vasco. En éstas, los gobiernos autonómicos respectivos han puesto un celo considerable en la implantación de políticas lingüísticas destinadas al uso hegemónico —o exclusivo— de las correspondientes lenguas autóctonas en dominios institucionales tan importantes como la educación, lo que ha levantado la señal de alarma entre los sectores de la población menos identificados con el nacionalismo político dominante, que denuncian el arrinconamiento al que se ven sometidos sus derechos lingüísticos[21]. Este hecho no ha pasado inadvertido ni siquiera a algunos hispanistas extranjeros, como el norteamericano Robert Vann (1999b), quien ha llamado la atención recientemente sobre un incremento significativo

[20] Véase un detallado resumen histórico de este proceso en Pradilla (1999).

[21] Sobre la cuestión de los derechos lingüísticos individuales y colectivos y su plasmación en el derecho internacional, véase Fernández Liesa (1999); y sobre los conflictos que plantea actualmente en España, véase también más adelante tema XV, §§ 6.1 y 7.

del sentimiento de discriminación de los castellanohablantes en el seno de la Cataluña actual, donde la lengua autóctona desempeña una posición social y económica hegemónica. En este sentido, muchos miembros de este grupo consideran que la política lingüística de las autoridades catalanas no va destinada en la práctica a incrementar el bilingüismo en la sociedad, sino a un decidido —y cada vez menos disimulado— impulso al empleo exclusivo del catalán en numerosos dominios sociales, económicos y profesionales. Ello hace que muchos hablantes que tienen el castellano como lengua materna y dominante vean reducidas sus oportunidades en un mercado lingüístico en el que el poder político y social convierte en «legítima» (Bourdieu 1991) una única lengua, en perjuicio de la otra. Así ocurre, por ejemplo, con esta mujer, quien advierte la presión favorable al catalán y contraria al uso del castellano —y a sus mismos intereses profesionales— por parte del jefe de su empresa. A la pregunta del investigador sobre quiénes son hoy en día discriminados por razón de lengua en Barcelona, esta mujer responde:

> Los que hablan castellano [...] porque hoy en día queda hasta mal hablar en castellano a veces. De verdad, eso a mí me pasa a veces, y yo me siento incómoda, porque a veces parece que estás ent... entre uy entablando [ring, ring] una guerra dialéctica ¿sabes?, que... yo tenía la otra empresa que trabajaba antes un jefe, que yo estaba hablando un día con la recepcionista en castellano, porque me salió del corazón, porque me apetecía, y vino y dijo: *«què passa que ara es parla en castellà amb aquesta empresa, aqui sempre s'ha parlat catalaà»*, y no sé qué no sé cuantus, *«i avian si canvieu i parleu en català»*. Esto me dio mucha rabia a mí. Y yo dije: «este señor, ¿qué coño le importa? Yo hablo como me da la gana con esta chica, si quiero hablarle en castellano y ella también, ¿por qué le tengo que hablar en catalán? ¿Porque lo diga él?» O sea, se ha pasado de una dictadura a la otra.

Frente al carácter más excepcional de esta clase de respuestas durante los primeros años del proceso de normalización social del catalán a comienzos de la década de los 80, en los que se consiguió un amplio consenso social en la sociedad catalana, en la actualidad son cada vez más comunes estos juicios de «agravio» por parte de la minoría castellanohablante, cuya intensidad revela un cambio pendular respecto a los patrones tradicionales del conflicto lingüístico en esta región[22].

---

[22] Sobre este conflicto lingüístico entre los inmigrantes castellanohablantes en la ciudad de Barcelona, véase un análisis en profundidad a cargo de Báez de Aguilar (1997). Asimismo, véanse otras consideraciones en torno a esta cuestión en el tema XV, §§ 6.1 y 7.

Señalemos, por último, que pese a la divergencia entre los conceptos de diglosia y conflicto lingüístico que acabamos de reseñar, algunos autores han intentado tender puentes entre unas nociones teóricas que se antojan útiles para el estudio del bilingüismo social, sin renunciar, por lo tanto, a ninguna de ellas. En el contexto gallego, por ejemplo, Mauro Fernández (1984: 390) ha propuesto la distinción entre una *diglosia conflictiva* y una *diglosia no conflictiva*, con normas claramente establecidas y aceptadas por la sociedad en el primer caso, y cuestionadas progresivamente —en vías de reemplazo, que no de eliminación— en el segundo (también diglosia *débil* o *glosomaquia).*

Tema XIII

# La descripción del bilingüismo social (II): Otros modelos de elección lingüística

## 1. Introducción

En las situaciones de bilingüismo social las lenguas en contacto acaban afectándose de formas muy diferentes, que van desde la presencia de huellas estructurales foráneas en los correspondientes sistemas lingüísticos (interferencias, procesos de pidginización y criollización, etc.), hasta la propia suerte de las lenguas como vehículos de comunicación social. En íntima relación con el fenómeno de la diglosia y de sus principales consecuencias en el mundo hispánico, que analizábamos en el capítulo anterior, en este y en el siguiente nos ocuparemos de otro tema que ha despertado un notable interés entre los sociólogos del lenguaje por las repercusiones históricas, sociales y políticas que tiene en el seno de las comunidades de habla bilingües. Nos referimos a los procesos *de elección, desplazamiento* y *muerte* de lenguas, y en particular a aquellos en los que participa el español, bien sea como lengua beneficiada, bien sea, por el contrario, como lengua «damnificada».

La materia desarrollada en torno a esta cuestión se estructura como sigue. El presente tema va destinado a comentar algunos de los principales modelos de elección de lenguas que se han elaborado en las últimas décadas como complemento al esquema de la diglosia que abordábamos en el capítulo anterior. Por otro lado, los aspectos estructurales y sociales más relevantes de los procesos complementarios de mantenimiento y desplazamiento lingüístico serán tratados monográficamente en el tema siguiente (véase tema XIV).

## 2. Modelos de elección lingüística en las comunidades hispánicas bilingües

Entendemos por *elección de lenguas* el proceso mediante el cual los hablantes eligen una lengua o variedad lingüística y no otra en una situación comunicativa determinada. En este sentido, el concepto se diferencia de otras clases de elección, en las que se hallan implicadas también diversas variedades lingüísticas, como ocurre con los fenómenos de cambio de código o de interferencia lingüística más o menos radical (interferencias, préstamos, pidgins, variedades fronterizas).

Con todo, esta diferenciación, aparentemente fácil desde un punto de vista teórico, se complica considerablemente cuando abordamos el análisis de los discursos reales, ya que en no pocas ocasiones las lenguas seleccionadas por los hablantes en las comunidades bilingües o multilingües son variedades híbridas que no responden a las reglas de un único sistema lingüístico, sino que se sitúan en un *continuum* lectal en el que fenómenos como los anteriores representan justamente la norma y no la excepción. Así ocurre, por ejemplo, en numerosas comunidades hispanas del sudoeste de EE.UU., donde se ha advertido la existencia de un eje estilístico que oscila entre los extremos representados por el inglés, por un lado, y el español estándar, por otro. En la mayoría de los casos, los hablantes se sitúan en diferentes puntos intermedios de esa línea imaginaria a través de diversas modalidades híbridas que, como hemos visto anteriormente, han recibido diferentes denominaciones (por ej., *Tex-Mex, Spanglish, Mix-im-up, Cubonics,* etc.).

Las dificultades teóricas y prácticas para sistematizar el funcionamiento de las elecciones lingüísticas por parte de los individuos no han arredrado a los estudiosos de este tema, quienes a lo largo de las últimas tres décadas han propuesto diversos modelos interpretativos. Éstos podrían agruparse en dos grandes grupos. Por un lado, los que podríamos calificar como modelos *deterministas* ponen el énfasis en el seguimiento por parte de los hablantes de una serie de normas sociales relevantes en el seno de la comunidad, antes que en el modo en que son capaces de construir, interpretar y hasta ocasionalmente, transformar activamente la realidad comunicativa que les rodea. Por el contrario, los modelos *no deterministas* se articulan preferentemente en torno a estos últimos rasgos.

En lo que sigue nos ocuparemos de las aplicaciones que estos modelos interpretativos han tenido en el seno de las comunidades de habla hispánicas, comenzando por el esquema determinista que —al margen de la teoría sobre la *diglosia*— ha conocido un mayor desarrollo en la bibliografía especializada. Nos referimos a la teoría sobre el *dominio sociolingüístico* y su forma de representación más habitual, el *árbol de decisiones lingüísticas,* desarrollados inicialmente por Fishman (1965, 1968).

## 3. La teoría del «dominio sociolingüístico» y sus aplicaciones al ámbito hispánico

El *dominio sociolingüístico* adopta la organización social como base para la descripción de las elecciones lingüísticas. Cuando los hablantes emplean dos o más lenguas, es poco frecuente y hasta extraño que lo hagan en cualquier contexto. Por ello, el punto de partida para Fishman (1965) es dar respuesta a las siguientes preguntas, que forman parte ya del acervo conceptual de la sociología del lenguaje: ¿quién habla, qué lengua, con quién y cuándo?

Las respuestas a dichas preguntas obligan en la mayoría de los casos a enumerar los factores sociales implicados en la elección de una determinada lengua y no otra, entre los que sobresalen los sentimientos de solidaridad e identidad grupal, o los atributos que configuran la situación comunicativa (tema, estatus y caracteres personales de los participantes, lugar, etc.)[1]. Ahora bien, con el fin de evitar el riesgo de fragmentación al que conduciría inevitablemente una interpretación atomicista de este modelo, Fishman concibe el *dominio sociolingüístico* como una entidad en cierto modo abstracta, esto es, como un agregado de situaciones comunicativas prototípicas, que giran en torno a determinados temas y situaciones, al tiempo que estructuran la percepción que los propios hablantes poseen de esos mismos contextos. En consecuencia, el investigador competente debe determinar qué ámbitos son relevantes para la elección de lenguas en cada comunidad de habla.

Entre las formas de representación teórica de las opciones de elección lingüística que están a disposición del hablante bilingüe en

[1] Para un análisis detallado de la importancia de estos factores, véase Grosjean (1982).

los diferentes *dominios* sociolingüísticos sobresale el llamado *árbol de decisiones lingüísticas,* puesto en práctica quizá por primera vez entre nosotros por la norteamericana Rubin (1968) en su investigación pionera sobre el bilingüismo paraguayo. En ese trabajo, se advertía, por ejemplo, que los factores esenciales que regulaban por entonces la elección lingüística en Paraguay eran dos. Por un lado el carácter urbano o rural de la comunidad, y por otro, el grado de formalidad e intimidad de las interacciones. De esta manera, y como se refleja en el gráfico 1, en los dominios que discurren en ámbitos rurales la elección cuasi categórica es el guaraní, mientras que en contextos urbanos los hablantes bilingües eligen el español cuando la situación es formal, pero acuden al guaraní o a la primera lengua aprendida cuando la situación comunicativa puede interpretarse como informal e íntima (en relación con este tema en el contexto paraguayo, véanse también Corvalán y Granda eds. 1982; Corvalán 1992).

GRÁFICO 1
Árbol de elecciones lingüísticas en Paraguay, según Rubin (1968)

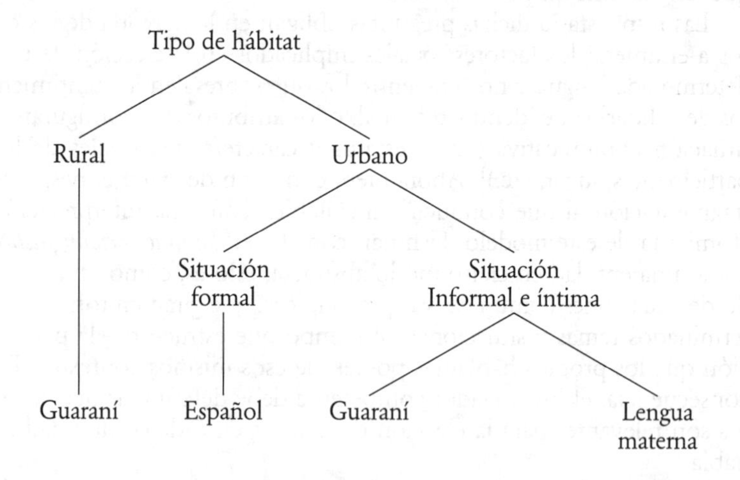


Tanto en los países latinoamericanos como en las comunidades hispanas de EE.UU. han surgido desde entonces numerosos estudios acerca de la elección de lengua en contextos de bilingüismo social basados en la teoría del dominio sociolingüístico. A continuación nos hacemos eco de una pequeña muestra en diversas regiones.

Hornberger (1991), por ejemplo, ha analizado el uso del español y el quechua en comunidades bilingües del sur del Perú[2], distinguiendo al respecto tres dominios sociales fundamentales, que determinan el empleo de una u otra lenguas entre los hablantes nativos:

a) el *ayllu*, nombre quechua que sirve para designar esferas tradicionales como: 1) la casa, 2) la *fiesta*, 3) la *faena* y 4) los encuentros informales entre miembros de la comunidad;

b) el *no-ayllu*, ámbitos de interacción en escenarios ajenos a la comunidad de origen, como la escuela, instituciones políticas y administrativas (ayuntamiento, juzgado, etc.), y en las que a menudo se dan cita miembros de comunidades diferentes, y

c) la *comunidad*, dominios creados en tiempos más recientes en instituciones y actividades de origen foráneo, pero integrados ya en la comunidad indígena (clases de alfabetización, deportes, actividades extraescolares, etc.) (véase tabla 1).

Frente al primero de los dominios, en el que la norma es el empleo exclusivo del quechua, en estos dos últimos la lengua preferida —y en ocasiones exclusiva, como en el caso del *no-ayllu*— es el español. En este sentido, el español ha penetrado en ámbitos de uso tradicionalmente reservados al quechua, especialmente en la esfera de la comunidad. Con todo, existen situaciones comunicativas en las que algunos factores contextuales pueden dar lugar a elecciones lingüísticas variables, así como a la práctica del cambio de código y el préstamo lingüístico intenso. Hornberger menciona algunos casos de este tipo: a) una mujer se dirige en un dominio *ayllu*, como la *fiesta*, a una persona jerárquicamente superior, un sacerdote; b) una chica se dirige a una amiga en un dominio *no ayllu* como la escuela para pedirle prestado un bolígrafo. En estos casos, la elección puede realizarse (en quechua o en español), bien tomando como elemento preferente el escenario, bien el tipo de relación entre los interlocutores[3].

Como es sabido, en EE.UU. la minoría hispana es, con diferencia, la que muestra un mayor grado de retención de su propia lengua, se-

---

[2] De acuerdo con las cifras proporcionadas por el Instituto Nacional de Estadística peruano, en 1984 la proporción de hablantes de quechua en este país ascendía a un 22 por 100, aunque en algunas regiones del interior las cifras son mucho más elevadas. Por ejemplo, en el departamento de Puno, donde se realizó la investigación de Hornberger (1991), la mitad de la población tiene el quechua como lengua habitual o dominante.

[3] En los ejemplos anteriores, se elegirá el quechua en ambos casos. En el primero porque el escenario corresponde a un dominio típicamente *ayllu*, y en el segundo, porque la relación entre las dos interlocutoras es de solidaridad, pese a encontrarse en un ámbito formal como la escuela.

TABLA 1
Elecciones lingüísticas en diferentes dominios de uso en comunidades quechuahablantes del departamento de Puno (Perú), según Hornberger (1991)

| DOMINIO | SITUACIÓN SOCIAL | | LENGUA |
|---|---|---|---|
| | *Relaciones entre los participantes* | *Escenario* | |
| *Ayllu* | 2 miembros de la comunidad | (A) Hogar,<br>(B) *Faena*<br>(C) *Fiesta*<br>(D) Encuentros informales | Quechua |
| *No-ayllu* | Miembros de comunidades diferentes | (E) Instituciones gubernativas<br>(F) Escuela (clases)<br>(G) Encuentros informales | Español |
| Comunidad | 2 miembros de la comunidad<br><br>Miembros de comunidades diferentes | (H) Clases de alfabetización<br>(I) *Club de Madres*<br>(J) Encuentro de adventistas<br>(K) Actividades extraescolares<br>(L) Actividades deportivas<br>(M) *Recreo* | Quechua o español |

guida, aunque a considerable distancia, por otras minorías, como la polaca o la italiana[4]. En líneas generales, ha habido una transmisión ininterrumpida del español al cabo de muchas décadas y el nivel de conservación de esta lengua es todavía elevado, incluso entre las generaciones nacidas ya en EE.UU. En la última década, el crecimiento de la población hispana ha sido espectacular en este país. Así, mientras que en 1996 las estadísticas oficiales indicaban que esta minoría ascendía ya a 28 millones de habitantes, lo que representaba por entonces un 10,5 por 100 de la población total, las referidas a julio de 2001[5] hablan de 37 millones de personas, o lo que es lo mismo,

[4] En el extremo contrario, franceses y alemanes sobresalen por el menor grado de retención de su lengua materna (Lamboy 2000). Como subrayan de forma muy gráfica Portes y Hao (2000: 58): «Estados Unidos es un auténtico cementerio de lenguas extranjeras, en el que el conocimiento de las lenguas maternas de cientos de grupos inmigrantes rara vez se prolonga más allá de la tercera generación. En ningún otro país es tan rápido el proceso de asimilación lingüística ni el paso al monolingüismo.»

[5] Datos extraídos del diario *Los Angeles Times*, en su edición del 15 de enero de 2003.

un 13 por 100 de la población total, situándose ya al mismo nivel que la tradicional primera minoría del país, la minoría negra[6].

Entre los dominios sociolingüísticos en los que el español se utiliza con mayor frecuencia figuran el *hogar,* el *vecindario* y la *iglesia,* ámbitos que contrastan con la presencia mayoritaria del inglés en otros que se asocian habitualmente con el progreso social, como la *escuela,* el *trabajo* o los *medios de comunicación (vid.* A. Ramírez 1992a y 1992b). Este cuadro sociolingüístico se repite de forma recurrente en todo el país, si bien las cifras de retención/abandono del español en algunos dominios específicos varían de unas comunidades a otras, en función de factores extralingüísticos diversos, como los que consideraremos con detalle más adelante (véase tema XIV). De momento, veamos un ejemplo correspondiente a ciertos dominios de uso (hogar, vecindario y trabajo) entre los miembros de una comunidad hispana situada en la región noreste de Estados Unidos (Mendieta 1996).

Como puede observarse (tabla 2), para estos hablantes tanto la *casa* como las *relaciones familiares* constituyen el principal reducto para el empleo del español, si bien incluso en estos ámbitos sociales el uso de la lengua disminuye considerablemente en las relaciones comunicativas entre miembros de la misma generación *(v. gr.* en la conversación con los hermanos). Por el contrario, la lengua de las *relaciones laborales* pasa a ser indiscutiblemente el inglés, en particular en la interacción verbal con las personas que ocupan puestos de poder. Y entre ambos extremos se sitúan las relaciones con el *vecindario,* donde el empleo del español es más bajo que en el hogar, pero no tanto como en el mundo laboral.

Hakuta y D' Andrea (1992) señalan también que la fidelidad al español entre las comunidades de origen mexicano en California está principalmente asociada con el uso de aquél en el hogar. Por el contrario, fuera de la esfera doméstica el cambio al inglés es rápido y constante. Ahora bien, este desplazamiento favorable al inglés tiene una mayor repercusión entre las generaciones más jóvenes, sobre todo cuando abandonan el domicilio paterno, como se ha advertido en diversas ocasiones tras el análisis de censos de población estadounidenses

[6] Ahora bien, un estudio realizado en 1997 por los gobiernos de México y EE.UU. acerca de la inmigración ilegal reveló que alrededor de 105.000 mexicanos indocumentados se colaban cada año por la larga frontera entre los dos países (Roca 2000b: 195). Este hecho, junto al elevado crecimiento vegetativo de los hispanos, indica que la población hispana crece a un ritmo vertiginoso, probablemente por encima de lo que señalan las estadísticas.

TABLA 2

Porcentajes de uso de español e inglés en tres dominios de uso (hogar, vecindario y trabajo) entre hispanohablantes residentes en el estado de Indiana, según Mendieta (1996)

| | A | B | C |
|---|---|---|---|
| Padre | 59,4 | 7,2 | 33,3 |
| Madre | 57,9 | 13,0 | 28,9 |
| Hermano | 28,9 | 14,4 | 56,5 |
| Hermana | 29,7 | 21,6 | 48,6 |
| Abuelos | 68,9 | 12,0 | 18,9 |
| Esposo/a | 38,4 | 23,0 | 35,6 |
| Novio/a | 17,6 | 20,5 | 61,7 |
| Hijo | 18,6 | 27,9 | 53,4 |
| Hija | 17,9 | 33,3 | 48,7 |
| Nieto | 23,0 | 30,7 | 46,0 |
| Nieta | 23,0 | 5,6 | 69,2 |

| | A | B | C |
|---|---|---|---|
| Vecinos (= edad) | 17,6 | 22,3 | 60,0 |
| Vecinos (+ edad) | 30,2 | 16,2 | 53,4 |
| Vecinos (– edad) | 14,2 | 16,6 | 69,0 |
| Vecinos (mujeres) | 17,6 | 23,5 | 58,8 |
| Vecinos (hombres) | 18,8 | 22,3 | 58,7 |

| | A | B | C |
|---|---|---|---|
| Jefe | 3,9 | 16,4 | 80,6 |
| Compañero (= edad) | 7,8 | 17,1 | 75,0 |
| Compañero (+ edad) | 14,9 | 10,4 | 74,6 |
| Compañero (– edad) | 4,7 | 17,4 | 77,7 |
| Compañero (mujer) | 3,0 | 13,8 | 80,0 |
| Compañero (hombre) | 7,5 | 18,1 | 74,2 |
| Clientes | 37,7 | 37,7 | 18,8 |

A = sólo o más español; B = igualmente español e inglés; C = más inglés

(cfr. Mazeika 1975; Veltman 1983; Lamboy 2000) (sobre la importancia del hogar en los procesos de mantenimiento del español, véanse más detalles posteriormente en el tema XIV, § 5).

En España disponemos también de investigaciones que se han esforzado por analizar la evolución experimentada por las lenguas diferentes del español en diversos ámbitos de uso, como consecuencia de los procesos de normalización sociolingüística emprendidos tras la restauración de la democracia a finales de la década de los 70.

Una de las regiones donde han menudeado este tipo de estudios es la Comunidad Valenciana, donde diversas fuentes parecen apuntar en la dirección de un cambio en la distribución de usos y funciones de las lenguas en los últimos tiempos. Así, algunas encuestas publicadas desde mediados de los años 80 por instituciones públicas como la Generalitat Valenciana (1989a, 1989b, 1992, 1995) o el Centro de Investigaciones Sociológicas *(vid.* Siguan y CIS 1994, 1999) muestran un tímido incremento tanto en los niveles de competencia como en los de uso del valenciano en diversos contextos sociales, incluso en aquellos reservados tradicionalmente al español.

TABLA 3
Frecuencia de uso del valenciano
en las comarcas valencianohablantes de la Comunidad Valenciana
según diferentes dominios sociales (%)[7]
(fuente: Generalitat Valenciana 1989b, 1992 y 1995)

| DOMINIOS | 1989 | 1992 | 1995 |
|---|---|---|---|
| En casa | 44,2 | 48,9 | 49,2 |
| Con los amigos | 41,0 | 38,2 | 39,9 |
| Pequeños comercios | 38,2 | 40,2 | 42,1 |
| Supermercados | 24,9 | 22,2 | 26,5 |
| En la calle | — | 23,1 | 26,6 |

Como puede observarse en la tabla anterior, el valenciano sigue empleándose mayoritariamente en el dominio familiar, seguido de la comunicación con los amigos, mientras que su difusión social es menor en los espacios públicos (la calle o el supermercado), donde el carácter más impersonal de la comunicación favorece el uso del castellano (Ninyoles 1996). Con todo, el empleo de la lengua autóctona ha ex-

[7] Los datos estadísticos que se proporcionan en esta tabla tan sólo se refieren a las comarcas históricamente valencianohablantes, en las que se concentra casi el 90 por 100 de la población total de la comunidad y que se sitúan en las regiones más próximas a la costa, originalmente repobladas por catalanes durante el periodo de la Reconquista. Por el contrario, buena parte de las regiones del interior son castellanohablantes como consecuencia de un proceso de repoblación que corrió a cargo mayoritariamente de aragoneses y castellanos.

perimentado un avance en todos los dominios sociolingüísticos durante el periodo 1989-1995, que podemos cifrar aproximadamente en un 10 por 100 en términos generales, si bien algunos datos más recientes señalan también un mayor incremento en ámbitos formales asociados a la administración autonómica. Entre ellos figura también la educación obligatoria, en la que el uso del valenciano ha conocido un significativo desarrollo en las últimas dos décadas (Blas Arroyo 2002b, y más adelante tema XV, § 6.1). Pese a ello, el incremento del valenciano en el medio escolar no ha logrado atraer en lo esencial a otros dominios de uso, como recuerda Casesnoves (en prensa) en esta cita:

> los espacios públicos siguen reservados para el castellano. Resultado nada sorprendente y que por otra parte coincide con la conclusiones de un estudio reciente donde se señala que un tercio de los valencianohablantes renuncia a utilizar su lengua cuando se encuentra en un comercio, en un hospital o en un lugar de ocio[8].

Martín Zorraquino y sus colaboradores —véase Martín Zorraquino *et al.* (1995)— han abordado también este tipo de cuestiones sociolingüísticas en su estudio sobre la Franja oriental de Aragón limítrofe con Cataluña, una comarca en la que el español convive en una distribución funcional diglósica con una variedad fuertemente castellanizada del catalán, conocida habitualmente como *chapurreao*. Aunque el empleo del dialecto local es claramente mayoritario en el conjunto de la sociedad, la preeminencia de éste se produce sobre todo en las esferas de uso más informales, como puede observarse en el gráfico 2. De este modo, la distancia entre el catalán y el español en dominios como el hogar, la calle o las tiendas es abrumadora. Sin embargo, se atenúa algo en las relaciones laborales, y llega prácticamente a neutralizarse en ámbitos como la banca o la esfera pública y administrativa. Por último, el esquema se invierte completamente en otros dos dominios adicionales (sanidad e Iglesia), donde el empleo del español es claramente superior al dialecto local. Por otro lado, ciertas diferencias sociolectales advertidas por estos autores permiten vislumbrar también algunas divergencias funcionales relevantes. Así, mientras que un 80 por 100

---

[8] A ello hay que añadir que esta distribución sociolingüística presenta algunos desequilibrios territoriales, ya que existen notables diferencias entre unas zonas y otras (los mayores niveles de uso se producen en la provincia de Castellón y los menores en la de Alicante).

aproximadamente de la población de mayor edad emplea habitualmente el chapurreao, dicha proporción cae hasta un 50 por 100 entre el segmento más joven de la sociedad. E idénticas diferencias se aprecian en función del nivel educativo: cuanto mayor es éste, menor el empleo del dialecto catalán, y viceversa. De ahí que si esta tendencia persistiera en el futuro, nos hallaríamos ante un proceso de desplazamiento lingüístico favorable al español en el medio y largo plazo.

GRÁFICO 2
Elección de lenguas por dominios sociales en la Franja oriental de Aragón, según Martín Zorraquino *et al.* (1995)

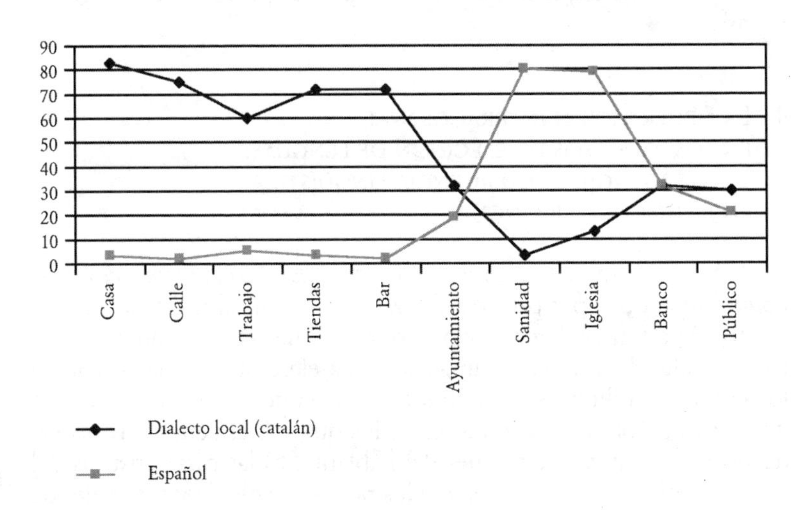


Ahora bien, pese a lo que muestran estas y otras investigaciones similares, con no poca frecuencia la actuación lingüística no se reduce a la simple obediencia de las normas sociales imperantes en la comunidad, lo que ha obligado a algunos autores a criticar este tipo de representaciones, ya que suponen una imagen excesivamente simplificada de los factores que intervienen en las elecciones lingüísticas. El mayor inconveniente que presentan nociones como la del dominio sociolingüístico es que no permiten contemplar los procesos de negociación que a menudo se establecen entre los interlocutores en el curso de las interacciones reales. Estos procesos son más heterogéneos en las comunidades multilingües y multiétnicas, donde las barreras comunicativas son potencialmente mayores, pero incluso en las sociedades bilingües más estables y diglósicas, existe siempre un reducto para la negociación interaccional. Por ello, la elección de una lengua en las situaciones de contacto de lenguas se convierte en una tarea no siempre fácil. Como sabemos, el lenguaje desempeña un papel simbólico trascendental en las comunidades lingüísticas, particularmente cuando se asiste a procesos de cambio respecto a estadios anteriores. En tales circunstancias, y como ha recordado Heller (1984: 109): «... negotiation in conversation is a playing out of a negotiation for position in the community at large».

En las páginas siguientes nos hacemos eco de algunos modelos sobre la elección lingüística en los que se reconocen de forma más clara que en los esquemas deterministas estas posibilidades negociadoras[9].

## 4. La negociación interaccional en los procesos de elección de lenguas: convergencia y divergencia lingüística en el discurso bilingüe

Frente a los modelos teóricos sobre la *diglosia* o el *dominio de uso sociolingüístico*, otras perspectivas del análisis toman al individuo como punto de partida preferente, y por lo tanto enfatizan los componentes psicosociales de la elección lingüística. La elección de una lengua en los contextos bilingües o multilingües depende de la interacción de una serie compleja de factores, entre los que sobresalen: a) las necesidades y expectativas personales del hablante; b) las características del grupo social al que pertenece, y c) los rasgos psicológicos y sociales de los individuos con los que el hablante establece en cada caso la comunicación (situación inmediata). Por ello, las diferentes combinaciones a que pueden dar lugar estos factores desembocan en la práctica en elecciones lingüísticas no siempre fáciles de predecir.

Desde la psicología social ha habido un intento serio de desarrollar un esquema teórico de elección lingüística basado en estos principios, que recibe el nombre de *teoría de la acomodación* (cfr. Giles *et al.* 1973; Giles 1984). La idea principal que subyace en este mode-

[9] Sobre la *teoría de la marcación* (Myers-Scotton 1993b), otro de los modelos de elección lingüística más influyentes en la bibliografía contemporánea, véase más adelante tema XVII, § 7.3, donde se abordará al tratar el cambio de código.

lo es que la elección de lengua no puede explicarse adecuadamente atendiendo tan sólo a los rasgos situacionales, ya que existen también factores psicológicos implicados en este proceso que resultan determinantes. Así, y a partir de las investigaciones llevadas a cabo por la psicología social desde hace varias décadas, sabemos, por ejemplo, de la importancia que tienen la «atracción por semejanza» con los demás en la actuación de los individuos. Éstos son conscientes de que consiguen mejores evaluaciones reduciendo el número y el grado de diferencias con los demás, y actúan en consecuencia.

Aplicada esta idea a las comunidades bilingües, ello supone que uno de los modos más frecuentes de determinar la elección de una lengua en un acto comunicativo determinado es atendiendo a la identidad etnolingüística de los interlocutores. Desde esta perspectiva, pues, la diversidad de lenguas y variedades lingüísticas empleadas por los hablantes se deriva de una visión racionalista y estratégica. Como afirma Coupland (2001: 10):

> In the sociolinguistic version of ration action, linguistic codes and styles are assumed to be a matter of more-or-less conscious and strategic choice by rational social actor. «Rationality» here means assuming that actor is aware of social norms for language and able to anticipate the consequences of their actions.

La cuestión fundamental que se plantea en la aplicación de esta teoría a la descripción de las elecciones lingüísticas en las comunidades bilingües es determinar las razones que llevan a las personas a actuar de una u otra manera. En opinión de Giles, Bourhis y Taylor (1977) tanto la *convergencia* como la *divergencia* lingüística dependen en última instancia de dos factores esenciales: a) la pertenencia de los hablantes a grupos sociales *dominantes* o *subordinados,* y b) en este segundo caso, la posibilidad de que un cambio social provoque realmente una mejora de su posición en la comunidad.

Por ello, el proceso de acomodación puede funcionar de dos modos opuestos. El primero responde a las necesidades de *convergencia,* lo cual supone que el hablante utiliza en la conversación la misma lengua que su interlocutor conoce o prefiere. En las comunidades de habla valencianas, por ejemplo, esta estrategia lleva a una mayoría de los valencianohablantes a cambiar al español en presencia de un interlocutor que se dirige a ellos en esta última lengua *(vid.* Blas Arroyo 1996). Por su parte, Ringer Uber (2000) ha advertido que, si bien la lengua mayoritaria de los negocios en Puerto Rico es el español, el proceso de acomodación que lleva al empleo del inglés en presencia de anglohablantes se produce casi sin excepción. Este ejemplo muestra perfectamente cómo una regla determinista, basada en la teoría del dominio social de uso, puede alternarse como consecuencia de un interés específico de los hablantes.

Por el contrario, la estrategia contraria, esto es, la *divergencia lingüística,* tiene lugar cuando el hablante, por las razones que sea, no está interesado en participar de las mismas normas que su interlocutor, y por lo tanto, elige una lengua diferente[10]. En el seno de algunas minorías se han advertido ciertos patrones de elección lingüística, que podrían interpretarse como casos de divergencia, especialmente entre los miembros más jóvenes de la sociedad. Estos patrones pueden obedecer a razones psicológicas, afectivas y sociales diferentes, aunque, sin duda, el conflicto generacional entre padres e hijos está en el origen de algunos de ellos. Este hecho puede advertirse, por ejemplo, en las palabras de este alumno de educación secundaria de la ciudad de Valencia, cuya lengua materna y dominante en el hogar es el valenciano y que posteriormente ha realizado, incluso, estudios en esa lengua:

> [...] cuando era pequeño, [mi padre] me hablaba siempre en valenciano, como a mi hermana [...] después de que me puse a seguir la enseñanza en valenciano [...] después con mi padre al principio le hablaba en castellano, y solo cuando empecé a tener un poco de conciencia me dije: «Vamos a ver, si él me habla siempre en valenciano, ¿por qué no le hablo yo también en valenciano?» Y ahora le hablo siempre en valenciano (traducción de la cita francesa de Casesnoves 2002b: 27).

La cita anterior es interesante porque revela el cambio de un comportamiento divergente en la elección de lengua a otro convergente, una vez que el hablante ha «tomado conciencia» de la necesidad de utilizar esta lengua por razones ideológicas. Al principio, sin

---

[10] En la práctica, no todos los individuos y grupos con conductas divergentes reciben la misma categorización. A este respecto, es útil la distinción realizada por Becker (1973) entre: a) los *desviantes puros,* es decir, aquellos que rompen deliberadamente con las normas sociolingüísticas y por ello son sancionados por la sociedad, y b) los *desviantes secretos,* pertenecientes a las clases privilegiadas y cuyo comportamiento divergente no se interpreta, sin embargo, como tal en la comunidad. Incluso cabría imaginar una tercera categoría, la del *falsamente acusado,* que daría cuenta de los individuos que obedecen las reglas y que, sin embargo, sufren la censura de los demás (véanse más detalles sobre esta interesante cuestión en St. Clair 1982).

embargo, un acto de rebeldía generacional le inducía a hablar con su padre en castellano, pese a que ésta no era la lengua del hogar en ningún caso.

En las comunidades hispanas de EE.UU. los comportamientos divergentes pueden responder también a estrategias de lo que se ha denominado *ambivalencia étnica (Ethnic Ambivalence)* o *evasión étnica (Ethnic Evasion)*, y que caracterizan la actuación de ciertos individuos que, deseosos de integrarse cuanto antes en la comunidad de llegada, muestran un rechazo al empleo de la lengua y la cultura nativas, incluso en los dominios sociales en los que resultan habituales (cfr. Valdés 1975; Tse 1998; Bailey 2000). Orellana, Ek y Hernández (1999: 124), por ejemplo, recuerdan el caso de Andy, un chico de 11 años de origen mexicano que afirmaba no hablar español nunca por miedo a que la gente pensara que venía de México.

Otra razón diferente para justificar este tipo de elecciones reside en el temor de los individuos a las reacciones negativas por parte de otros miembros de su propio grupo etnolingüístico ante sus posibles errores y desviaciones normativas. Autores como Hill y Hill (1986) y Krashen (1998), por ejemplo, ha presentado diversos casos de este sentimiento de *acomplejamiento lingüístico (Language Shyness)*, que induce a algunos hablantes a evitar el empleo de la lengua minoritaria por miedo a quedar en ridículo. Éste es uno de ellos (tomado de Krashen 1998: 42):

> I began to realize as I spoke Spanish to my relatives, they would constantly correct my grammar or pronunciation. Of course, since I was a fairly young child the mistakes I made were «cute» to them and they would giggle and correct me. This [...] would annoy me to no end. I wasn't trying to be «cute»; I was trying to be serious. My relatives would say, «You would never know that you are the daughter of an Argentine». Comments like these along with others are what I now believe shut me off to Spanish...

Tanto las elecciones lingüísticas como diversos fenómenos característicos del discurso bilingüe, como el cambio de código, permiten al hablante el despliegue de diferentes identidades psico-sociales. Y lo que resulta más interesante aún: tales identidades pueden ser objeto de negociación entre los interlocutores en el curso de las interacciones verbales. Como ha destacado Bailey (2000) en relación con este tema: «The micro-level activities out of which larger-scale social constellations such as race and ethnicity are constituted and reproduced can thus be observed in language.»

Este autor ha mostrado, por ejemplo, el modo en que un adolescente dominicano residente en Nueva York adopta este tipo de estrategias, dirigidas a transitar entre diversas identidades en la comunicación con diferentes interlocutores. Veamos un ejemplo, correspondiente a una conversación entre varios alumnos de un centro escolar situado en un barrio neoyorquino donde viven miles de hispanos[11].

Situación: Wilson se vuelve para ver a Gabriela, una inmigrante dominicana recién llegada a la comunidad y que lleva un vestido muy atrevido. Wilson gira su cabeza al paso de Gabriela y la conversación comienza de este modo:

(ED) Wilson: (a Gabriela)... ¡Muchacha diablo! Ssss ...
(Wilson se gira hacia su pupitre y coge una revista.) [...]
(Claudia, otra alumna de origen guatemalteco, se sienta enfrente de Wilson y éste empieza a cantar merengue dirigiéndose a ella.)
(ED) Wilson: (a Claudia) (cantando) Dame del pollito, dame del pollito.
(IAE) Claudia: (a Wilson) *I hate that song.*
(ED) Wilson: Del pollito...
(ED) Wilson: (apuntando de nuevo hacia Claudia) Del pollita buena.
(Otro estudiante le pregunta algo a Wilson que no se entiende bien en la grabación.)
(ED) Wilson: Mira para allá.
(IAE) Wilson: *Look over there* (le hace gestos con la cabeza para que se vuelva).
(ED) Wilson: (cantando y mirando al mismo tiempo la revista) Dame del pollito...
(Claudia se levanta de su silla y se va hacia el principio de la clase; Wilson levanta un vaso del pupitre.)
(ED) Eduardo: (a Wilson) ¿Cómo tú vas?
(IAE) Wilson: (a Claudia) *Can you throw that away for me, please?* (le acerca el vaso a Claudia pero ésta no lo coge).
(ED) Eduardo: (a Wilson) ¿Cómo tú vas [a] botar esa lata? Eso vale cinco cheles para la gente pobre. ¿No has visto los viejitos recogiéndolas?
(AAVE) Wilson: *She left me hanging, yo!* hhh hhh (suspiros en broma por el rechazo de Claudia).
(ED) Wilson: (dirigiéndose al grupo y en referencia a un dominicano que ha llegado recientemente a la clase y que se sienta detrás de Wilson) Este viejo, ¡si habla solo!

[11] Fragmento tomado de Bailey (2000).

(IAE) Wilson: *Man!* (levantando la revista hacia su compañero).
(IAE) Wilson: (al profesor) *Which article are we supposed...*
(ED) Eduardo: (cantando) María se fue... (título de una canción merengue muy conocida).

ED: español dominicano; IAE: inglés americano estándar; AAVE: inglés afroamericano

Generalmente, los hablantes dominicanos residentes en Nueva York, especialmente los más jóvenes, asocian el empleo de las dos lenguas de su repertorio verbal a objetivos diferentes. Por ejemplo, se valen del inglés para invocar un marco interaccional dominicano, mientras que el español suele ser el marcador de solidaridad. Ahora bien, junto con estos objetivos generales, y como puede apreciarse en el fragmento anterior, el hablante bilingüe es capaz de cambiar sin solución de continuidad entre el español dominicano y diversas variedades del inglés (estándar y afroamericano) para conseguir otros tantos fines interaccionales: flirtear con las chicas, avisar a un compañero de clase para que vuelva la cabeza, bromear con los amigos, dirigirse al profesor, comentar actividades de la clase con el investigador, etc. Obsérvese, por ejemplo, cómo el uso del español vernáculo para dirigir un piropo a unas compañeras refuerza su identidad masculina («¡Muchacha diablo! Ssss»; «dame del pollito») y en particular, el que destina a Claudia sugiere una identidad específicamente dominicana, ya que se realiza acompañado de movimientos corporales y melódicos típicamente merengues, uno de los principales símbolos de identidad cultural de este país caribeño[12]. Como contrapartida, en este acto de negociación interaccional, la reacción negativa de Claudia («I hate that song») va acompañada de una estrategia lingüística divergente: la respuesta en inglés a la intervención previa en español de su compañero («Dame del pollito, dame del pollito»).

[12] «Dame del pollito» es un estribillo de una canción dominicana, en la que destaca el doble sentido de la expresión.

TEMA XIV

# La descripción del bilingüismo social (III): Los procesos de mantenimiento, desplazamiento y muerte lingüísticos en las comunidades de habla hispánicas

## 1. INTRODUCCIÓN

Tanto el *mantenimiento* lingüístico como su reverso, la *sustitución* o *desplazamiento,* son consecuencia directa de los procesos de elección descritos en el capítulo anterior. La sustitución recibe también el nombre de *muerte lingüística* cuando la lengua llega a desaparecer por completo de un territorio. Existe, sin embargo, discusión entre quienes opinan que es posible hablar de este desenlace cuando la lengua desaparece en una comunidad de habla determinada, independientemente de que en otras zonas pueda seguir siendo utilizada (Dorian 1981), y aquellos que prefieren restringir el término a los casos en que muere el último hablante de una lengua (Denison 1977). En el mundo hispánico, por ejemplo, el primero sería el desenlace que se aventura para el español en Filipinas, mientras que el segundo afecta a numerosas lenguas indígenas mesoamericanas, cuya extinción va de la mano de la desaparición de sus cada vez más escasos hablantes. Con todo, la metáfora que encierra la noción de muerte lingüística da cuenta más de un proceso dinámico de abandono que de un estadio concreto, de manera que, en lo que sigue, no estableceremos unos límites rígidos con respecto al fenómeno de la sustitución, excepción hecha, claro está, de los casos en los que el proceso se ha consumado definitivamente.

El alcance de los procesos de desplazamiento y abandono lingüístico es objeto de intenso debate entre los sociólogos del lenguaje. Para autores como Hill (1978), por ejemplo, en los últimos quinientos años la mitad de las lenguas del mundo han desaparecido. Desde un punto de vista sincrónico, las predicciones tampoco son muy alentadoras, aunque las magnitudes del desplazamiento varían de unos autores a otros. Así, mientras que para Krauss *et al.* (1992) tan sólo un exiguo 10 por 100 de las lenguas actuales se ve en la actualidad libre de dichos procesos, otros investigadores no son tan pesimistas, si bien reconocen que aproximadamente la mitad de las aproximadamente seis mil lenguas que existen en el mundo se hallan amenazadas en la actualidad, y muchas de ellas en franco proceso de desaparición (King 1999: 109). Frente a éstos, sin embargo, algunos estudiosos han subrayado lo extremo de estos vaticinios, señalando a continuación que el desplazamiento lingüístico nunca tiene lugar a gran escala y que, en la realidad, sólo un número relativamente escaso de lenguas se encuentran seriamente amenazadas por una desaparición a medio plazo.

En los procesos de sustitución lingüística sobresalen dos aspectos fundamentales, a los que dedicamos una atención monográfica en las páginas que siguen, por su especial trascendencia en las comunidades de habla hispanas. En primer lugar, nos referiremos a los aspectos *lingüísticos* más sobresaliente en las etapas más avanzada del abandono, próximas, como hemos visto, a la muerte lingüística. El resto del tema lo dedicaremos al repaso de algunos de los *factores sociales* más vinculados a los procesos de mantenimiento/desplazamiento lingüístico en el mundo hispánico, y en los que el español se ve afectado de diferente manera, en función del contexto sociolingüístico en que se ve inmerso.

## 2. Aspectos estructurales del abandono y la muerte de lenguas

En las últimas fases de su evolución una lengua sufre alteraciones profundas en su gramática. En los últimos años ha aumentado el interés por definir con exactitud la diferencia entre fenómenos lingüísticos que representan desenlaces «normales» del contacto y los que, por el contrario, singularizan los procesos de sustitución y muerte lingüística. Pese a ello, las etiquetas terminológicas con que se designan habitualmente tales estadios en la evolución de las lenguas sometidas a procesos intensos de abandono —obsolescencia, pérdida, declive, atrición, contracción, etc.— aparecen también con alguna frecuencia en la descripción de otros tipos de dinamismo lingüístico, como ocurre con la criollización y pidginización, la adquisición de segundas lenguas o el propio cambio lingüístico (Grinvevald 1997: 260).

Siguiendo a Muntzel (1987: 862-863), podemos resumir en tres grupos las interpretaciones principales en torno a estos procesos de atrición lingüística:

> [...] a) es un tipo de pérdida de rasgos jerarquizados, o sea, todo lo contrario de la adquisición lingüística o una regresión respecto a los estados anteriores de la misma lengua; b) es una especie de reacción antiestructural debida a una situación de presión social a raíz del contacto sociocultural con un grupo mayoritario, y c) representa el uso de un «código restringido».

Desde el primer punto de vista, que será el que abordemos prioritariamente en este epígrafe, estos fenómenos muestran similares parámetros funcionales y estructurales, y se hallan envueltos en parecidas matrices socioculturales y neuropsicológicas. Jakobson (1956) fue el primero en formular la *hipótesis de la regresión*, según la cual los procesos de pérdida son imágenes especulares de los de adquisición, de forma que lo primero que se pierde es aquello que se aprendió en último lugar. Esta hipótesis presupone que tanto unos procesos como otros son graduales y pueden ser identificados a través de etapas diferentes (véase también R. Andersen 1993; en contra, sin embargo, Dorian 1989)[1].

En los últimos años se han estudiado con detalle los procesos de *préstamo léxico* masivo que caracterizan ciertos estadios avanzados de decadencia lingüística. No en vano, la muerte lingüística se ha definido «as the extreme case of language contact where an entire language

[1] La unidad básica entre los procesos de adquisición de la lengua en el nivel individual y el abandono lingüístico desde el punto de vista comunitario ha sido puesta a prueba empíricamente en diversas ocasiones. Entre nosotros, por ejemplo, Bayley (1999) la ha confirmado recientemente a partir de una muestra de niños de origen mexicano implicados en un proceso de desplazamiento lingüístico. En esta investigación se advierte, efectivamente, cómo la pérdida de distinciones en la morfología verbal para la expresión del tiempo y el aspecto verbales constituye una imagen del modelo previsto en los proceso de adquisición de segundas lenguas. Bayley (1999) sigue, a este respecto, el esquema desarrollado por R. Andersen (1993), según el cual los aprendices de segundas lenguas se sirven inicialmente de la información aspectual desarrollada por sus respectivos idiomas maternos para marcar las diferencias temporales en la lengua objeto de aprendizaje.

is borrowed at the expense of another» (Campbell 1994: 1960). En ellos son frecuentes, por ejemplo, los fenómenos de *relexificación* y pérdida de recursos en el léxico patrimonial, lo que, como contrapartida, suele llevar aparejado el incremento en la complejidad semántica de las unidades no afectadas por dichos cambios (Dressler y Wodak 1977).

Entre nosotros no han faltado estudios que han dado cuenta precisamente de estos fenómenos, que afectan, sobre todo, a numerosas lenguas indígenas de América, en las que la sustitución del léxico nativo por vocabulario español representa una de las manifestaciones más evidentes de la decadencia lingüística. Stiles (1987), por ejemplo, ha documentado el proceso de préstamo intenso desde el español hacia diversas lenguas mayas para aludir a objetos y conceptos característicos de la civilización moderna para los que no se han encontrado recursos propios en la lengua indígena. Asimismo, es conocido el caso de la relexificación intensa sufrida por el nahuatl y otras lenguas mesoamericanas a lo largo de los últimos siglos, que ha terminado afectando incluso a algunos paradigmas habitualmente poco permeables a la influencia extranjera, como los marcadores discursivos o los conectores sintácticos (cfr. Hill y Hill 1986; Brody 1995). Por otro lado, y como ha señalado Brody (1995), el esquema de *duplicación* —el uso de un marcador indígena seguido de otro español—, bajo el que suelen aparecer estos elementos —véanse (1) y (2)—, representa a menudo una etapa previa a la pérdida definitiva de las unidades autóctonas:

(1) Pos in novecinnóhhuãn, *siempre huelica* este niquinvitaroa, pero ãmo cnquih [bueno, mis vecinos, siempre siempre uh los invito, pero ellos no quieren (venir)] (ejemplo del nahuatl; tomado de Hill y Hill 1986: 190).
(2) *pero jasa* yajni Ø och— Ø ja a ?kwali... [pero, pero, cuando se acerca la noche...] (ejemplo del tojolab'al; tomado de Brody 1995: 139).

Mencionemos también el caso de España, donde existe un caso prototípico de relexificación y de castellanización gramatical, como el que representa el *caló*, la lengua tradicional de la minoría gitana (cfr. Román 1995b, Bakker 1995).

En el nivel *morfológico* son habituales fenómenos como la reducción del alomorfismo, la pérdida de ciertas categorías gramaticales (*v. gr.*, el género), la simplificación de distinciones básicas en la morfología verbal (tiempo, modo y aspecto), la desaparición de ciertos paradigmas autóctonos (sufijos apreciativos, etc.). En el habla de numerosos hispanohablantes de origen mexicano en EE.UU., se ha llamado también la atención acerca de casos de regularización gramatical y de eliminación de redundancias morfológicas (género, número, etc.) como consecuencia directa del desgaste funcional que experimenta el español en muchas de estas comunidades norteamericanas *(vid.* Hernández Chávez 1993).

Asimismo, en el ámbito de la *sintaxis* se han hecho notar algunos desenlaces relevantes entre hablantes sometidos a procesos de atrición funcional, derivados del intenso contacto con una lengua dominante. Así ocurre con la simplificación de ciertos paradigmas sintácticos, la progresiva desaparición de los elementos subordinantes o la sustitución de las construcciones sintéticas por otras de naturaleza analítica basadas en la perífrasis o el circunloquio, entre otros. En relación con el primero de estos hechos, por ejemplo, Morales (1995) ha observado que la masiva sustitución del pronombre *se* por otras formas con valor impersonal *(uno, tú impersonal...)* entre los hablantes portorriqueños se produce entre los bilingües que han adquirido el español en Estados Unidos en una proporción mucho más alta que entre los individuos que tenían esta lengua como materna cuando emigraron a la nación norteamericana.

Pese a ello, hay que ser cautos a la hora de evaluar la naturaleza de estos cambios en la gramática. A este respecto, se ha dicho que las pérdidas en dicho nivel pertenecen más al orden cuantitativo que al cualitativo, es decir, se limitan por lo general, al desgaste y a la disminución en el uso de ciertas construcciones, pero no tanto a la modificación y la reducción de los correspondientes patrones sintácticos (Grinvevald 1997: 264). Esta predicción ha sido confirmada, por ejemplo, por Hakuta y D'Andrea (1992) entre hablantes hispanos de segunda generación en una comunidad de habla hispana de la frontera estadounidense con México. A juicio de estos autores, el desgaste en la competencia sintáctica que muestran estos hablantes debe interpretarse como una dificultad en la recuperación de los procedimientos nativos más que como un caso de pérdida total. Por su parte, Almeida Toribio (2001) ha destacado desde una perspectiva generativista que las principales muestras de atrición estructural en áreas de la morfología del español hablado en EE.UU., como las faltas de concordancia en los sintagmas nominales y verbales, pertenecen al apartado de las reglas opcionales, mientras que los rasgos formales más profundos aparecen, por lo general, preservados.

Por lo que se refiere al nivel *fonológico,* las normas que regulan los cambios en las situaciones más acusadas de desplazamiento lingüístico pueden reducirse a dos tipos principales *(vid.* R. Andersen 1982). En primer lugar, la disminución en la nómina de distinciones fonológicas, como el advertido por Grinvevald (1997) en la lengua pipil de El Salvador, la cual ha perdido la cantidad vocálica como rasgo distintivo como consecuencia del intenso contacto con el español. Por su parte, Campbell y Muntzel (1992) han ofrecido una explicación similar para dar cuenta de la neutralización de consonantes postvelares y velares a favor de estas últimas realizaciones en la lengua tuxtla mexicana. La explicación estructural parece sencilla: el español no posee consonantes postvelares y por otro lado, éstas se hallan más marcadas fonológicamente que las velares[2]. Por otro lado, el segundo rasgo es complementario del anterior: las lenguas obsolescentes tienden a conservar aquellas oposiciones sistemáticas que resultan comunes a las dos idiomas en contacto *(vid.* Kirschner 1996).

Como hemos señalado anteriormente, para algunos autores tales procesos se asemejan a los de pidginización y criollización, debido a los fenómenos de reducción y simplificación que resultan habituales en todos ellos. Borgstrom (1991), por ejemplo, ha advertido las relaciones con el proceso de pidginización observadas en el desarrollo lingüístico de niños bilingües de origen hispanoamericano en Suecia. En este contexto, tanto las restricciones funcionales como las limitaciones léxicas y gramaticales o los fenómenos masivos de simplificación, interferencia y mezcla de lenguas que se observan en el español hablado por estos niños pueden desembocar, a juicio de esta autora, en la aparición de una variedad pidgin. Por su parte, investigadores como Silva-Corvalán (1994a y 1994b), Greeen (1994) y Valladares (1990) han realizado observaciones de este mismo tenor para referirse al español hablado en algunas minorías hispanas en EE.UU. El último de los autores mencionados, por ejemplo, justifica los casos recurrentes de simplificación —que identifica con el interlenguaje de los procesos de aprendizaje de segundas lenguas— como consecuencia de los procesos de asimilación lingüística a los que se ven sometidos los inmigrantes y a las situaciones comunicativas extremas en la que se ven obligados a vivir. Circunstancias que, salvadas algunas distancias históricas, guardan, sin duda, algún parecido con las que llevan al surgimiento de las lenguas pidgins. Como recuerda este mismo autor:

> [...] es justificado sospechar que aquellos grupos en trance de asimilación mostrarán un habla restringida a la función comunicativa

---

[2] Pese a ello, si estas oposiciones tienen un alto valor funcional, tienden a preservarse, incluso aunque la lengua dominante no las posea.

siempre que se sientan socialmente distanciados de los que hablan el idioma dominante. Por lo tanto, en esta primera fase de restricción funcional del nuevo idioma, es de esperar que el interlenguaje de los inmigrados refleje algunas de las modificaciones que se encuentran normalmente en los píchines (págs. 381-382).

Esta cita nos recuerda que los procesos avanzados de desplazamiento lingüístico afectan considerablemente a la variación *funcional* de las lenguas. Especial relevancia adquiere en este sentido el abandono de la lengua obsolescente para el desarrollo de las funciones públicas más prestigiosas en el seno de la comunidad. Así ocurrió en el pasado en España con lenguas como el vasco, que a lo largo de los siglos vio reducido drásticamente su campo de acción en algunos de los principales dominios formales e institucionales. Con todo, dichas restricciones adquirieron un mayor impulso en unos territorios que en otros, lo que ha tenido consecuencias importantes para el desarrollo futuro de dicha lengua en las comarcas que integran el actual País Vasco (*vid.* Ciérbide 1996)[3].

Pese a ello, el patrón anterior puede llegar a invertirse, siendo entonces los registros y funciones más informales los que se pierden en primer lugar, y quedando relegado el uso de la lengua minoritaria a los niveles más formales, como la expresión religiosa, ritual, etc. Así ha ocurrido, por ejemplo, en algunas comunidades del sur de México, donde la lengua indígena se encuentra en la actualidad al alcance de unos pocos iniciados, quienes, además, tan sólo son capaces de utilizarla en las ceremonias litúrgicas.

Con todo, los estadios más avanzados de desplazamiento son aquellos en los que la lengua minoritaria deja de emplearse en la comunicación entre padres e hijos en el dominio familiar. A juicio de Garzón (1992), este factor, al que ha seguido complementariamente un rechazo creciente de la lengua nativa por parte de las generaciones más jóvenes, está en el origen de la práctica desaparición de la lengua tekti-

[3] Este autor ha destacado la progresiva reducción funcional del vasco en las tierras alavesas desde los siglos X al XIX, sin duda, la provincia menos vascófona en la actualidad. En concreto, destaca cómo en los siglos XVI y XVII especialmente, el español acabó imponiéndose en estos territorios como única lengua jurídica y administrativa. Por otro lado, una nueva oleada de retracción funcional del vasco durante el siglo XIX tuvo su origen en los dominios religioso y educativo, ya que los clérigos, principales actores en ambas esferas públicas, comenzaron a oficiar y enseñar exclusivamente en español, lo que acabaría teniendo consecuencias decisivas para la evolución del bilingüismo social en la zona.

teko, perteneciente a la familia maya en el sur de México. Otro ejemplo muy representativo de esta situación es también el que ofrece el español de la isla de Trinidad, donde, como ha visto Moodie (1986), es ya, a estas alturas, una lengua *obsolescente* en la isla. Y algo similar ocurre en otro contexto geográfico con los dialectos isleño (cfr. Coles 1996; Lipski 1987) y bruleño (Holloway 1997), variedades hispanas empleadas ya apenas por unos pocos cientos de hablantes en sendas poblaciones del estado norteamericano de Luisiana, St. Bernard y Ascensión, respectivamente.

En una reciente monografía sobre esta última variedad, el bruleño[4], Holloway (1997) se ha referido a algunos de los fenómenos que caracterizan los procesos de muerte lingüística descritos en estas páginas, y que en buena medida se derivan de la casi absoluta falta de conciencia lingüística que demuestran sus hablantes. Entre ellos destacan:

a) el préstamo léxico intenso, procedente tanto del inglés *(cuilta < quilt; craba < crab)* como del francés acadiano *(carota < carote; poison < poison)*. Por otro lado, se incluyen también aquí numerosos ejemplos de calcos sintáctico-semánticos *(la camisa se cogió fuego < the shirt caught fire);*

b) los reanálisis léxicos *(ojo, oreja, uña > zojo, zoreja, zajo);*

c) las modificaciones fonéticas en el paradigma de las consonantes líquidas y nasales;

d) la preferencia por construcciones analíticas en lugar de las correspondientes sintéticas;

e) la pérdida de alomorfismo;

f) la inestabilidad de los paradigmas preposicionales y pronominales;

g) la reducción extrema del sistema verbal para la expresión de los morfemas de tiempo, modo y aspecto, etc., y

h) la reducción estilística, que afecta principalmente a los registros más formales, y que conduce a la pérdida de distinciones pragmático-

[4] El bruleño es una variedad vestigial del español que fue traída a estas tierras de la Luisiana actual por inmigrantes llegados desde las islas Canarias a finales del siglo XVIII. Por ello, algunos de sus rasgos principales son característicos de esta variedad meridional española. A este contingente seguiría posteriormente otro de canadienses acadianos, de habla francesa. El mismo nombre, *brule*, proviene de una palabra del francés acadiano que alude a la práctica agrícola de quemar la tierra para su regeneración periódica, práctica que los inmigrantes canadienses aprendieron de sus vecinos canarios, a los que acabarían estigmatizando con el tiempo.

interaccionales básicas, como la oposición *tú/usted* entre las formas de tratamiento.

En otro ámbito de abandono lingüístico avanzado, el que representan algunas comunidades sefardíes, se han puesto en relación también algunos de los rasgos más destacados de estos dialectos —repartidos por el mundo desde la expulsión de los judíos de España a finales del siglo XV— con los procesos de muerte lingüística que nos ocupan. Junto a los aspectos sociolingüísticos, a los que nos referiremos más adelante, T. Harris (1994) ha analizado las principales características lingüísticas de estos dialectos, entre las que destacan ciertas reducciones paradigmáticas en los niveles fonológico y morfológico, la presencia de arcaísmos y neologismos léxicos, o la importación de interferencias y préstamos masivos, procedentes de las lenguas en contacto en cada comunidad.

Dentro de las comunidades de habla *obsolescentes,* en las que la muerte lingüística parece inminente, podemos distinguir diferentes clases de hablantes en función de sus habilidades lingüísticas, así como de los principales cambios estructurales que se advierten en su habla. Desde los hablantes *fluidos,* entre los que todavía es posible encontrar una notable competencia activa, hasta los *no hablantes* en el extremo opuesto, quienes han perdido ya por completo la capacidad para expresarse en dicha lengua. Entre ambos polos se encuentran diversas categorías, como la de los *semihablantes,* definidos por Dorian (1989) como poseedores de una competencia activa muy limitada, pero capaces todavía de comprender la mayor parte de los mensajes en la lengua obsolescente. O también, los *recordantes (rememberers),* quienes tan sólo son capaces de reproducir algunas palabras y expresiones de carácter formular.

Algunas aplicaciones de esta clase de tipologías al mundo hispánico las encontramos, por ejemplo, en el mencionado estudio de Holloway (1997) sobre el bruleño, así como en algunos trabajos Kirschner (1984, 1996) sobre diversas comunidades hispanas de EE.UU. Este autor ha señalado que, si bien la mayoría de los hablantes pueden caracterizarse como nativos dada la fluidez que demuestran en español, una buena parte muestra al mismo tiempo rasgos propios de los hablantes *imperfectos,* en los que se observa una considerable reducción estilística *(vid.* Kirschner 1996). Por otro lado, este mismo autor ha distinguido también entre las categorías de los *casi nativos* y los *bilingües,* en función de la capacidad de los hablantes para la realización simultánea de fenómenos como el cambio estilístico y la alternancia de códigos (véase también Flores Farfán 1998, en relación con las comunidades de habla indígenas en México).

## 3. Aspectos sociolingüísticos del mantenimiento/sustitución de las lenguas minoritarias

Los cambios estructurales en lenguas minoritarias sometidas a procesos avanzados de sustitución lingüística suelen llevar aparejados sentimientos de baja estima hacia la lengua por parte de sus hablantes, los cuales pueden acelerar por ello el mismo proceso de desplazamiento[5]. Y es que, como ha recordado Muntzel (1987: 863), a propósito de la desaparición de las lenguas precolombinas en Mesoamérica y la contribución a ello del contacto con el español: «en los casos de sustitución las condiciones sociolingüísticas pueden ejercer presión hacia el desplazamiento».

Pese a la importancia de estos factores en el desplazamiento severo o la muerte de lenguas minoritarias, no disponemos, salvo excepciones, de suficientes teorías relevantes acerca de la decadencia y la mortandad lingüísticas. Una de las más difundidas en la bibliografía sociolingüística corresponde al psicólogo social Howard Giles y sus colaboradores (Giles *et al.* 1977), a quienes debemos uno de los escasos modelos teóricos que han intentado sistematizar la contribución de los principales variables no estructurales que operan en estos procesos. En éste se propone la combinación de tres parámetros fundamentales: el *estatus*, el *potencial demográfico* y el *apoyo institucional*, que, combinados entre sí, dan cuenta de un rasgo fundamental, la denominada *vitalidad etnolingüística*, que se define de la siguiente manera:

> La vitalidad de un grupo etnolingüístico es la que hace que éste se comporte como una entidad colectiva activa en las interacciones intergrupales. Por ello, se ha dicho que las minorías etnolingüísticas con poca o nula vitalidad tienden a desaparecer como asociaciones distintivas. Y al contrario, cuanta más vitalidad tiene un grupo etnolingüístico, más probable es su pervivencia en contextos intergrupales (pág. 308; cita extraída de Appel y Muysken 1996: 52).

[5] Appel y Muysken (1987: 174 y ss.) ofrecen una buena revisión, a través de diversos ejemplos históricos, de este proceso en el que los factores estructurales y sociales se retroalimentan.

A continuación nos ocupamos de algunas líneas de investigación que han desarrollado estos conceptos, y otros complementarios, en el mundo hispánico.

## 4. El estatus de las lenguas

El *estatus* de una lengua no se reduce a una única categoría, sino que incluye varias: económica, social, histórica y lingüística. Por otro lado, el estatus no es un hecho invariable, sino que va asociado al destino de las propias comunidades de habla. Como es lógico, éste puede ser extremadamente variable en el tiempo, como atestigua, sin ir más lejos, el español en diferentes periodos de la historia moderna. A este respecto, hay que recordar, por ejemplo, que durante los siglos XVI y XVII, en los que el imperio español alcanzó su máxima expansión, la lengua española se convirtió en una lengua «de moda» en muchas cortes europeas, incluidas Francia, Inglaterra o Austria, como atestiguan numerosos testimonios de la época.

Algunos casos singulares en nuestros días permiten vislumbrar cómo el elevado estatus social de ciertas lenguas ha influido poderosamente en su preservación en contextos de fuerte aislamiento. Así ocurre, por ejemplo, con la comunidad italianohablante de Chipilo (México), en la que cerca de 2.500 hablantes —descendientes de inmigrantes que llegaron a estas tierras mexicanas desde la región del Veneto a finales del siglo XIX— mantienen todavía su lengua de origen en la actualidad. A ello ha contribuido sobremanera la intensa identificación con la cultura italiana por parte de sus miembros (Mackay 1992). Por otro lado, en la población costarricense de Monteverde, fundada a mediados del siglo XX por cuáqueros norteamericanos, si bien es previsible un desplazamiento general hacia el español en un futuro próximo, es también probable que la asociación del inglés con el poder económico y social contribuya a preservarlo como una robusta segunda lengua de la comunidad (Watts 2000).

## 5. El uso de la lengua en las relaciones familiares

Como hemos destacado anteriormente (véase tema XIII, § 3), uno de los escenarios más habituales del desplazamiento lingüístico corresponde al abandono de la lengua minoritaria en la transmisión generacional entre padres e hijos[6]. De ahí que en los contextos de minorización, como el que, por ejemplo, presenta el español en numerosas regiones estadounidenses, la presencia de esta lengua en los dominios domésticos, pero especialmente en el hogar, constituye uno de los factores más explicativos de su alto grado de retención. Retención que contrasta con el frecuente abandono lingüístico que caracteriza a otras minorías (véase anteriormente tema XIII, § 3).

Con todo, incluso entre las poblaciones hispanas de este país, la situación varía considerablemente entre unas comunidades y otras, en función de factores diversos, como la edad de llegada y el tiempo de residencia en los EE.UU., el país de procedencia de los inmigrantes, la densidad de de población inmigrante, la segregación residencial, etc. Así, se ha escrito que algunas comunidades específicas, como los hablantes de origen mexicano en el estado de Texas, los exiliados cubanos en Florida o los inmigrantes portorriqueños de Nueva York, sobresalen por encima del resto por su mayor fidelidad al español *(vid.* C. Solé 1982). Por el contrario, el desplazamiento es especialmente notable entre los hispanohablantes de Colorado, así como entre los individuos de origen centro y sudamericano que viven dispersos a lo largo de las principales ciudades del este de EE.UU.[7], como ocurre con la comunidad hispana de Indiana, estudiada por Mendieta (1996). En ella, y como vimos en otro momento (véase la tabla 1, página siguiente), el español aparece sobre todo en la interlocución con los mayores (abuelos, padres, madres), pero mucho menos entre los miembros de la misma generación (hermanos, novios) o con los menores (hijos, nietos), donde el inglés es predominante. Además, es interesante observar algunos cambios significativos respecto a los patrones tradicionales de empleo de la lengua en el hogar:

> [...] aunque el uso exclusivo del español con los hijos es bajo, es bastante más elevado el porcentaje de padres que señalan hablar inglés

---

[6] Justamente por ello, a veces se ha señalado la paradoja que suponen algunos ensayos de política lingüística, destinados a la revitalización de las lenguas minoritarias, y que han conseguido el empleo de éstas en los dominios más formales y simbólicos, pero no en el hogar, donde se hace más necesario para la transmisión generacional de la lengua (véase King 1999, para el caso del quechua en algunas regiones ecuatorianas).

[7] Con todo, en un estudio comparativo reciente acerca de las diferencias intergeneracionales entre inmigrantes de origen cubano, dominicano y portorriqueño en Nueva York, Lamboy (2000) confirmaba la existencia de usos y actitudes más favorables al inglés entre los representantes de segundas generaciones, pero no así diferencias entre los grupos de origen, cuyo comportamiento a este respecto era muy similar.

y español por igual, lo que puede ser índice de un cambio en los modelos tradicionales de transmisión, donde el español deja de ser la lengua del hogar por excelencia pero al mismo tiempo no queda completamente desplazado por el inglés (pág. 97).

Con todo, el desplazamiento hacia el inglés no siempre es irreversible, ya que a veces el proceso sociolingüístico ofrece un patrón cíclico. A este respecto, por ejemplo, se ha notado que cuando cambian las circunstancias vitales de la persona en la sociedad —por ejemplo, al formar una familia— no es infrecuente que algunos hablantes de origen hispano muestren una inclinación a aumentar la frecuencia de uso del español (cfr. Mendieta 1996 y Zentella 1997 para las comunidades hispanas de Indiana y Nueva York, respectivamente).

TABLA 1
Porcentajes de uso de español e inglés en las relaciones familiares entre hispanohablantes residentes en el estado de Indiana, según Mendieta (1996)

| | A % | B % | C % |
|---|---|---|---|
| Padre | 59,4 | 7,2 | 33,3 |
| Madre | 57,9 | 13,0 | 28,9 |
| Hermano | 28,9 | 14,4 | 56,5 |
| Hermana | 29,7 | 21,6 | 48,6 |
| Abuelos | 68,9 | 12,0 | 18,9 |
| Esposo/a | 38,4 | 23,0 | 35,6 |
| Novio/a | 17,6 | 20,5 | 61,7 |
| Hijo | 18,6 | 27,9 | 53,4 |
| Hija | 17,9 | 33,3 | 48,7 |
| Nieto | 23,0 | 30,7 | 46,0 |
| Nieta | 23,0 | 5,6 | 69,2 |

A = sólo o más español; B = igualmente español e inglés; C = más inglés

Parecidas relaciones de causalidad se advierten, aunque ahora con los papeles cambiados, cuando el español es la lengua que ocupa una posición social dominante frente a otros idiomas. En estos casos, el grado de retención de esas otras lenguas se encuentra también íntimamente asociado a su empleo en el ámbito familiar. Así ocurre, por ejemplo, con el vasco, cuyos perfiles de uso ha estudiado Urrutia (2000a) a partir de una amplia muestra de población escolar. Como muestra el análisis factorial que reproducimos en las dos tablas adjuntas, y que recoge los pesos estadísticos de aquellos factores que explican la variabilidad en el empleo de las dos lenguas, el uso del vasco entre los escolares de esta comunidad se explica a partir de factores como las relaciones amistosas (.12), pero sobre todo el hogar (.43), y de forma muchas más secundaria en función de la lengua dominante del individuo (.04) o de la zona (.02). Por el contrario, el empleo del castellano se asocia mayoritariamente con su carácter de lengua dominante (.46) y en mucha menor medida, con las relaciones familiares (.11) y amistosas (.04).

TABLA 2
Peso estadístico de los factores asociados al uso dominante del vasco y castellano entre escolares de la Comunidad Autónoma Vasca, según Urrutia (2000a)

| AL USO DOMINANTE DEL VASCO | PESO FACTORIAL |
|---|---|
| La lengua de uso con la familia: vasco | .43 |
| La lengua de uso con los amigos: vasco | .12 |
| La L1 vasco | .04 |
| La zona sociolingüística básicamente vascohablante | .02 |

| AL USO DOMINANTE DEL CASTELLANO | PESO FACTORIAL |
|---|---|
| La lengua de uso con la familia: castellano | .11 |
| La lengua de uso con los amigos: castellano | .04 |
| La L1 castellano | .46 |
| La zona sociolingüística básicamente castellanohablante | .007 |
| El modelo A | .01 |

Parecidas conclusiones se derivan de otras situaciones sociolingüísticas en España, donde la interrupción de la transmisión generacional de algunas lenguas autóctonas ha representado uno de los factores más significativos en el proceso secular de desplazamiento lingüístico. Así ocurre, por ejemplo, en algunas comarcas de la Comunidad Valenciana, pero especialmente en ciudades como Alicante y Valencia, en las que el proceso de sustitución ha alcanzado niveles mucho más avanzados que en el resto de la región (cfr. Montoya 1996; Casesnoves 2002b). En ciudades como Valencia, por ejemplo, los jóvenes que han aprendido el valenciano en la escuela emplean esta lengua muy raramente, incluso en contextos informales en los que su uso resulta más frecuente, como explica este joven (intervención tomada de Casesnoves 2002b):

> [...] al final decidí que era imposible [hablar en valenciano con los amigos] porque, bueno... Además yo lo entiendo, porque si has conocido a algún castellano, por ejemplo, J. no ha querido nunca hablarme en valenciano, nunca, y eso no ha tenido nunca importancia....

Por otro lado, la importancia del factor que estamos considerando se revela también en el grado de competencia que los hablantes son capaces de adquirir sobre las lenguas sometidas a procesos de minorización. Diversas investigaciones centradas en las comunidades del sudoeste de EE.UU. a lo largo de las últimas tres décadas han mostrado que el aumento en el dominio y uso del inglés en el hogar en los primeros años de vida del niño afecta negativamente tanto a la frecuencia de empleo del español como al dominio adquirido sobre esta lengua (cfr. Ortiz 1975; Floyd 1982; Hernández Chávez 1993). Como ha señalado Bernal-Enríquez (2000: 121):

> [...] para que se transmita un idioma de una generación a otra, es esencial mantener el uso a un nivel suficientemente alto para llegar a la adquisición completa porque la adquisición parcial no asegura la transmisión a la siguiente generación. Además donde una de las lenguas es más fuerte, es decir, de mayor uso, y valor en la sociedad, la tendencia es a usar menos la lengua más débil, y esto a su vez finalmente lleva a la pérdida[8].

Con todo, y pese a lo indicado en los párrafos anteriores, el empleo de la lengua minoritaria en el hogar es un requisito necesario pero no suficiente para su mantenimiento en niveles aceptables. En este sentido, se ha visto que un factor tanto o más necesario es la existencia en el entorno del individuo bilingüe de otros hablantes de la lengua minoritaria. Ello permite explicar las quejas de numerosos hispanohablantes en EE.UU., quienes destacan que, pese a su fidelidad hacia el español en las relaciones familiares, sus hijos no alcanzan una competencia suficiente en dicha lengua, ya que la mayoría de las interaccio-

---

[8] No en vano, estos mismos estudios han comprobado que, por lo general, los años de escolarización —casi siempre en inglés— guardan una relación inversamente proporcional al nivel de uso del español (A. Hudson *et al.* 1995).

nes verbales fuera del hogar las realizan en inglés (cfr. W. Lambert y P. Taylor 1996; Portes y Hao 1998; Hinton 1999).

## 6. Los factores demográficos

En ocasiones se ha puesto en duda que el número de hablantes sea un elemento decisivo para inferir las posibilidades de mantenimiento de una lengua minoritaria en un contexto desfavorable (cfr. Clyne 1982; Romaine 1989). En este sentido, más importante que la cantidad de usuarios de una lengua sería la «calidad» de los mismos. Pese a ello, es justo reconocer que los grupos minoritarios suficientemente amplios se encuentran, por lo general, en una posición más favorable, en particular cuando se concentran en determinadas áreas. Por ello, el mantenimiento de la lengua puede verse favorecido cuando la movilidad social del grupo etnolingüístico es reducida, como sucede con numerosas comunidades de origen hispano en EE.UU., cuyos individuos viven en barrios o pequeñas «villas urbanas» dentro de la ciudad. Esta situación genera redes sociales muy densas y resistentes a las presiones externas, que, por lo general, favorecen el abandono de la lengua minoritaria. A este respecto, Rubal (1993) sostiene, por ejemplo, que la conservación del español entre los portorriqueños de algunas grandes ciudades estadounidenses tiene en la segregación residencial y en las precarias condiciones laborales de sus miembros —*v. gr.*, trabajos no sólo peores, sino también peor remunerados, pero que no requieren en muchos casos el uso del inglés— una de sus principales causas[9]. Dicha situación contrasta, sin embargo, con la de otras comunidades de origen europeo y asiático, cuya diversidad social, laboral y lingüística invita a la sustitución lingüística. O incluso, con la que ofrecen otras poblaciones hispanas repartidas por Estados Unidos, en las que la escasa densidad de población, junto con otros factores como la mezcla de distintas nacionalidades (mexicanos, portorriqueños, cubanos, etc.) o la proliferación de matrimonios mixtos, suelen acelerar el desplazamiento lingüístico en beneficio del inglés (cfr. Attinasi 1985; Mendieta 1996; Heartland Center 1996).

---

[9] Jaramillo (1995) ha advertido también la importancia de la densidad residencial como acicate para el mantenimiento del español entre la población hispana de Tucson (Arizona, EE.UU.).

Ahora bien, incluso en los casos de segregación demográfica y residencial el desplazamiento lingüístico hacia la lengua mayoritaria es un desenlace habitual cuando la comunidad de acogida controla el poder político. En relación con este hecho, cabe recordar la polémica desatada en Argentina a comienzos del siglo pasado acerca de la posible declaración de la lengua italiana como idioma cooficial del país, en atención a la importancia del contingente inmigratorio italiano. Y sin embargo, el cambio hacia el español se universalizó también en ese caso, debido a que el control político estaba en manos de la mayoría castellanohablante.

Por último, se ha destacado también que uno de los indicadores más serios para determinar la potencial vitalidad de una lengua minoritaria es la proporción entre la magnitud del grupo etnolingüístico minoritario dentro de la sociedad y el número de usuarios de la lengua propia dentro del mismo (Brenzinger 1997: 276). A este respecto, algunos afirman que el esquema tradicional de desplazamiento hacia el inglés en algunas comunidades hispanas de EE.UU. puede estar experimentando un vuelco debido a que la densidad de población de habla española ha aumentado vertiginosamente en las últimas décadas como consecuencia de la inmigración, factor del que nos ocupamos seguidamente *(vid.* Hidalgo 1995).

## 7. La inmigración

Junto a los factores reseñados en el párrafo anterior, algunos especialistas han destacado otras variables determinantes para entender los desenlaces de asimilación lingüística y cultural —o sus contrarios— entre las minorías inmigrantes. En opinión de Schumann (1976), la *distancia social* entre el grupo de acogida y el grupo inmigrante, determinante por la suerte de las lenguas minoritarias, depende de rasgos como los siguientes:

a) la *relación* entre los dos grupos, que puede ser de *dominación, igualdad* o *subordinación;*

b) las *pautas de integración* en la sociedad de acogida, que a su vez pueden adoptar las formas de la *asimilación,* la *aculturación* y la *preservación;*

c) el *tamaño* del grupo inmigrante;

d) su *grado* relativo de *aislamiento* en la sociedad mayoritaria;

e) el *nivel de cohesión* entre los miembros de las minorías;

f) la *voluntad* del grupo inmigrante de permanecer en el país de adopción, y

g) la *congruencia* o similitud entre las culturas de ambos grupos.

En Estados Unidos, las ingentes oleadas inmigratorias procedentes de todos los rincones del mundo han producido generalmente un bilingüismo transitorio, como consecuencia del cual una población originariamente bilingüe se convierte en anglófona al cabo de tan sólo dos o tres generaciones (cfr. Barnach-Calbó 1990; Amastae y Elías-Olivares 1982; Bernal-Enríquez 2000). Como recuerdan al respecto Portes y Hao (2000: 59):

> Se ha descrito la estructura de este cambio lingüístico como un proceso que dura tres generaciones. La generación inmigrante aprende todo el inglés que puede, pero en casa habla la lengua materna; la segunda generación puede hablar en casa la lengua materna, pero en la escuela y el trabajo se sirve de un inglés sin ningún tipo de acento; hacia la tercera generación el inglés se convierte en la lengua hablada en el hogar, y ya no hay un conocimiento efectivo de la lengua de los padres.

La caracterización que encierran estas palabras vale para casi todos los grupos inmigrantes, si bien algunos de ellos han mantenido sus lenguas durante periodos más dilatados de tiempo, como demuestran en especial las comunidades hispanas, que han mostrado mayor resistencia al desplazamiento que otros grupos minoritarios. Autores como Hernández Chavez (1978) observaban ya a finales de la década de los 70 que el mantenimiento del español en las comunidades de origen mexicano del sudoeste de EE.UU. encontraba su principal explicación en la continua afluencia de inmigrantes de aquel país. Asimismo, otro pionero en esta clase de estudios, Carlos Solé (1979), advertía también por las mismas fechas que, pese a la disminución en el grado del retención del español observada a partir de las segundas y terceras generaciones de inmigrantes, el futuro de esta lengua era mucho más prometedor que el de otras lenguas minoritarias en EE.UU., debido principalmente al cauce creciente de la inmigración hispana.

Más recientemente otras investigaciones (cfr. Wherritt y N. González 1989; A. Hudson *et al.* 1995; Lynch 2000) se han sumado a los esfuerzos por evaluar las relaciones entre el mantenimiento del español y la continua afluencia de inmigrantes de origen hispano a EE.UU. La mayoría de estos trabajos han confirmado lo que se esperaba: que el número de hablantes de español en diversas regiones estadounidenses es directamente proporcional a los contingentes inmigratorios. Así ocurre, sobre todo, en los estados del sudoeste, debido a la inmigración mexicana, o en Florida como consecuencia de la masiva llegada de cubanos a lo largo de las últimas décadas. Sólo en la ciudad de Miami, por ejemplo, el censo de 1990 arrojaba un total de 953.000 hispanos en la capital de Florida, lo que para entonces representaba ya casi el 50 por 100 de la población, porcentaje que probablemente se haya incrementando desde esa fecha y que, a opinión de Lynch (2000: 273), representa una de las principales garantías no sólo del mantenimiento, sino también del progreso social del español de Miami. Por otro lado, un censo más reciente (2000) estimaba la población de origen hispano en Los Ángeles —otras de las concentraciones más elevadas de hablantes de español en Estados Unidos— en torno a esas mismas cifras, frente a un 30 por 100 de anglosajones de raza blanca y un 20 por 100 restante repartido entre las minorías negra y asiática.

La importancia del factor inmigratorio en las comunidades de habla hispanas del sudoeste estadounidense ha permitido advertir, incluso, una correlación positiva entre la distancia geográfica con la frontera mexicana y el grado de retención del español. A partir de los datos proporcionados por el censo de población de EE.UU. de 1980, A. Hudson *et al.* (1995) han comprobado, por ejemplo, que el mantenimiento de la lengua española es mayor entre las comunidades hispanas que viven más cerca de la frontera con México que en el resto (véase más adelante tabla 5). Por otro lado, este eje de la distancia geográfica guarda también una estrecha relación con el grado de integración de las minorías etnolingüísticas en el seno de la sociedad anglófona mayoritaria, de manera que cuanto más alejadas se hallan éstas de su país de origen, mayor es también la asimilación lingüística y cultural.

Otra muestra significativa de la importancia del factor inmigratorio en los procesos de mantenimiento o desplazamiento lingüístico lo ofrece Gynan (1998b) en su estudio sobre la evolución del bilingüismo paraguayo en la esfera familiar, a partir de los datos obtenidos tras la comparación entre dos censos recientes (años 1982 y 1992). De este estudio se desprende, por ejemplo, que el significativo descenso del monolingüismo en guaraní en la capital del país (– 44,8 por 100) no obedece básicamente a los cambios intergeneracionales, como alguna vez se ha sugerido, sino a los importantes movimientos migratorios desde Asunción hacia otros departamentos del país que han tenido lugar durante este periodo de tiempo. Y es que numerosos hablantes de guaraní que llegan a la capital para realizar temporalmente ciertas actividades (servicio militar, trabajos ocasionales, etc.) acaban regresando a sus regiones de origen, de mayoría guaraní (véase tabla 3). Como contrapartida, en estas últimas, el monolingüismo en esta lengua se ha incrementado notablemente (60,2 por 100) durante este tiempo, en proporciones incluso más altas que el monolingüismo en español (47,4 por 100) como muestra la tabla 4, referida al departamento de San Pedro, situado en el centro de Paraguay y que alberga la mayor proporción de guaranihablantes del país.

TABLA 3
Evolución de las lenguas usadas en el hogar en Asunción (Paraguay), según Gynan (1998b)

| | CENSO DE 1982 | CENSO DE 1992 | CAMBIOS (%) |
|---|---|---|---|
| | 406.065 | 432.371 | 6,5 |
| Monolingüismo en guaraní | 19.357 | 10.694 | – 44,8 |
| Bilingüismo (español y guaraní) | 296.450 | 317.336 | 7,0 |
| Monolingüismo en español | 84.880 | 92.449 | 8,9 |

TABLA 4
Evolución de las lenguas usadas en el hogar en el departamento de San Pedro (Paraguay), según Gynan (1998b)

| | CENSO DE 1982 | CENSO DE 1992 | CAMBIOS (%) |
|---|---|---|---|
| | 156.279 | 232.923 | 49,0 |
| Monolingüismo en guaraní | 115.715 | 185.388 | 60,2 |
| Bilingüismo (español y guaraní) | 35.867 | 41.330 | 15,2 |
| Monolingüismo en español | 1.041 | 1.534 | 47,4 |

En España se han llevado a cabo también investigaciones acerca de la incidencia del factor inmigratorio en los procesos de mantenimiento y desplazamiento lingüísticos, en especial en Cataluña, región donde la relevancia cuantitativa de la inmigración ha sido particularmente elevada en el último medio siglo. En esta región se ha destacado, por ejemplo, la existencia de diferencias significativas entre diversas comunidades inmigrantes en el proceso de aculturación. En el terreno actitudinal, por ejemplo, Esteva (1977) estuvo entre los primeros en llamar la atención sobre el hecho de que los individuos de extracción social más baja, pero en particular los inmigrantes meridionales, se mostraban generalmente más favorables a dicha aculturación que otros grupos sociales más elevados *(v. gr.,* funcionarios, cargos en la administración pública, profesiones liberales, etc.)[10]. Incluso por las mismas fechas, Badia i Margarit (1977) describía un proceso de *bilingüismo-diglosia-monolingüismo* (en catalán) entre las segundas generaciones de inmigrantes andaluces, para cuyos miembros la lengua catalana actuaba ya —y la realidad más reciente no ha hecho más que confirmarlo— como lengua de prestigio.

Pese a ello, no todos coinciden en este esquema de desplazamiento lingüístico tan favorable al catalán entre las minorías inmigrantes. Para Strubell (1988), por ejemplo, son relativamente escasos los inmigrantes partidarios de un cambio hacia el catalán y ello, entre otras razones importantes, porque muchos de éstos se concentran en barrios y zonas periféricas donde constituyen una mayoría abrumadora (para la importancia de la segregación residencial en el mantenimiento lingüístico, véase anteriormente § 6). Ya en un trabajo anterior este mismo autor *(vid.* Strubell 1984) había llamado la atención sobre el hecho de que la identidad con Cataluña entre los inmigrantes procedentes del sur de España se desarrollaba más rápidamente en el terreno cultural que en el estrictamente lingüístico[11]. Pese a ello, reconocía que el tiempo de residencia en la sociedad de acogida es un factor importante en el grado de conocimiento y uso de la lengua autóctona. Así, mientras que los inmigrantes con un periodo de residencia inferior a diez años hablaban en catalán en tan solo un 14 por 100 de las interacciones ordinarias, aquéllos cuya residencia se prolongaba ya por un periodo superior a las cuatro décadas elevaban esas cifras hasta un 69 por 100.

Por lo que se refiere a las situaciones en las que el español convive con otras lenguas, como consecuencia de la inmigración española hacia diversos destinos europeos a partir de la pasada década de los 60, algunas investigaciones han recogido también muestras de sustitución lingüística que se completan a partir de la segunda o la tercera generación, y en las que se han advertido de igual modo los fenómenos de desgaste estructural a los que aludíamos anteriormente (véase anteriormente § 2). Así lo ha visto, por ejemplo, Van Esch (1993) en un es-

[10] Sobre las relaciones complejas, y no siempre exentas de dificultad, entre los inmigrantes y la población autóctona de Cataluña, véase también Esteva (1984).

[11] Este papel lo desempeña, por ejemplo, la afición por el F. C. Barcelona, un equipo de fútbol que se ha convertido en uno de los principales símbolos colectivos catalanes en la actualidad. Cabría añadir, sin embargo, que tan importante como este sentimiento favorable a los colores de este equipo es la actitud manifiestamente contraria hacia su máximo rival, el Real Madrid, en el que muchos seguidores barcelonistas ven simbolizado el sempiterno centralismo español.

tudio sobre la situación del español en Holanda, país en el que, pese al elevado estatus que se concede a esta lengua, y a los programas de educación bilingüe para los niños de inmigrantes, el desplazamiento lingüístico entre las minorías inmigrantes sigue un curso inexorable[12].

## 8. La presencia de la lengua minoritaria en ámbitos de uso público

La relación entre el esfuerzo de ciertas instituciones públicas y el mantenimiento de las lenguas minoritarias se encuentra todavía en un estadio de investigación incipiente. Pese a ello, no han faltado los esfuerzos por desvelar la importancia de algunas de estas instituciones, como los medios de comunicación de masas, la Iglesia, el sistema educativo, las diferentes administraciones (regionales, estatales, etc.), los procesos electorales, etc., en los procesos de mantenimiento/desplazamiento lingüístico en el mundo hispánico.

La progresión de los medios de comunicación social en español en EE.UU. ha sido espectacular en las últimas décadas, como revelan ya numerosas fuentes. Entre éstas, la National Association of Hispanic Publications daba cuenta recientemente de la existencia de casi dos centenares de publicaciones periódicas dirigidas a un público hispano en el territorio estadounidense, con una tirada global de más de 10 millones de ejemplares. Con todo, lo más destacable es quizá el hecho de que tan sólo una decena de estas publicaciones están escritas enteramente en inglés, mientras que dos tercios lo hacen exclusivamente en español y el resto en un formato bilingüe (Gómez Dacal 2001: 53).

Por otro lado, diversos estudios de mercado han confirmado la íntima relación entre este progreso espectacular y factores económicos como la capacidad de compra de los más 35 millones de hispanos re-

---

[12] Sobre la situación del español hablado por las segundas generaciones de inmigrantes en las regiones germanófilas de Suiza, véanse Lüdi (1998) y Jiménez (2000). Por su parte Vilar (1995) ha investigado la significación de ciertos factores sociales en el grado de retención entre inmigrantes españoles de segunda generación en Alemania. Entre las principales conclusiones de dicho estudio destaca el hecho de que tanto el sentimiento de identidad española, como los viajes a España o el aprendizaje formal del español, desempeñan un papel positivo en la conservación del idioma entre los hijos de inmigrantes que llegaron a Alemania a mediados del siglo XX. Para otro contexto geográfico, como el representado por la comunidad hispana de Australia y los factores que afectan a la lealtad lingüística de sus miembros, véase M. Martín (1999).

sidentes en los EE.UU., cifrada en unos 440.000 millones de dólares, o la mayor efectividad de las campañas de marketing en español (datos extraídos de Gómez Dacal 2001: 54)[13].

Los hechos anteriores son especialmente ciertos en grandes ciudades como Los Ángeles, San Diego o Nueva York, pero sobre todo en Miami, donde el conjunto de canales de radio, televisión y prensa escrita dobla al de las otras metrópolis. Incluso la proporción de usuarios de estos medios se sitúa ya en muchos casos en niveles similares a los que ofrecen los medios de comunicación anglosajones. Así, el número de emisoras de radio en español iguala ya al de emisoras en inglés y la suma de lectores de los dos principales diarios en lengua castellana de esta ciudad *(El Nuevo Heraldo* y *Diario de las Américas)* ofrece cantidades en la actualidad muy respetables (alrededor de 350.000), todavía inferiores a las del principal diario en inglés —*Miami Herald,* con 851.000 lectores— pero en franca progresión (Lynch 2000: 274)[14].

Por otro lado, la presencia más que notable de esta lengua en el sector público —sanidad, transporte, educación, administración de justicia...— y privado —banca, seguros, etc.— está desempeñando también un papel importante en el mantenimiento del español en EE.UU. Y ello, pese a que en muchos estados, el apoyo institucional ha disminuido en la última década, en especial en la esfera educativa, donde los programas de educación bilingüe para las minorías hispanas se han reducido bruscamente respecto al periodo inmediatamente anterior.

Como es sabido, desde mediados de la década de los 80, hasta veintidós estados norteamericanos diferentes votaron a favor de diversas proposiciones de ley que perseguían la declaración como única lengua oficial del inglés. Ello tendría repercusiones inmediatas en la educación, como la retirada inmediata de fondos públicos para la instrucción básica de las minorías etnolingüísticas en su propia lengua. Estas iniciativas corrieron a cargo del movimiento llamado *English Only,* fuertemente arraigado entre los sectores más conservadores de la sociedad norteamericana de origen anglosajón. Éstos veían en peligro su cómodo *statu quo* monolingüe, tras la masiva llegada de inmigrantes de todo el mundo, pero especialmente de hablantes hispanos, que representan

---

[13] En este trabajo se menciona, por ejemplo, el estudio realizado por la agencia Roslow Research Group, el cual revela que los anuncios en español dirigidos a la población hispana son: a) un 61 por 100 más eficaces que los realizados en inglés; b) 4,5 veces más persuasivos, y c) permanecen más en la memoria (57 por 100) que los anuncios en inglés.

[14] A ello habría que añadir las ediciones en español de algunos de los magazines norteamericanos más populares *(Time, Newsweek, People, Cosmopolitan,* etc.).

ya la primera minoría del país y que, por lo general, demuestran una notable lealtad lingüística hacia su idioma (cfr. Combs 1999; Crawford 2000; Barker *et al.* 2001)[15].

Pese a ello, las cifras de la educación bilingüe en estados como Florida no sólo no han disminuido (véase más adelante tema XV, § 6.3), sino que han aumentado espectacularmente en los últimos años. Y lo que es más importante aún, dicha progresión se halla fuertemente asociada a las necesidades económicas y comerciales de la comunidad. Como aseguraba hace poco el director de Visa Internacional para la zona de Latinoamérica y el Caribe, James F. Patridge (citado en Lynch 2000: 274-275):

> I don't give a hoot about political aspects of it...To me, that's a lot of garbage. I'm interested in the financial well-being of this community. We need bilingual people to survive.

Por otro lado, el 95,7 por 100 de una muestra de 245 de ejecutivos están conformes con que el bilingüismo español-inglés es esencial para el futuro de la economía de la zona. No en vano, la región de Miami controla en EE.UU. el 43 por 100 del comercio con el Caribe y el 28 por 100 con Sudamérica. Por ello, en el sur de Florida (especialmente en el condado de Miami-Dale) muchos anglohablantes aprenden el español como medio de promoción social y profesional[16].

En Hispanoamérica, por el contrario, esa misma difusión del español a través de los medios de comunicación y su presencia ubicua en los medios institucionales durante el último siglo han tenido, lógicamente, consecuencias negativas para las lenguas amerindias. En México, por ejemplo, se ha constatado un estrecho vínculo histórico entre la difusión de la

---

[15] El deseo de hacer del inglés un elemento indispensable del espíritu «americano» tiene, sin embargo, una larga tradición en EE.UU. A este respecto es conocida la declaración del presidente Teodoro Roosevelt: «Aquí sólo hay sitio para una lengua, y esa lengua es el inglés; queremos que en nuestro crisol, los individuos se conviertan en americanos, y no en huéspedes de una pensión políglota.»

[16] Sobre la importancia de la lengua como hecho político relevante en los procesos electorales de EE.UU. en la actualidad, véase Gómez Dacal (2001: 27). A este respecto, cabe recordar, por ejemplo, que en la campaña electoral para la presidencia de este país, año 2000, el candidato republicano, George W. Bush, tuvo un especial cuidado en atraer el voto hispano a través de estrategias como los anuncios y carteles electorales no sólo en inglés (como hiciera Al Gore, candidato demócrata) sino también en español. Estudios demoscópicos posteriores demostraron que los resultados de dichas estrategias fueron muy positivos para las filas republicanas en estados decisivos en aquellas elecciones, como Florida.

electricidad y el éxito subsiguiente de algunos medios de comunicación de masas (la radio a partir de los años 40 y posteriormente la televisión) y el imparable desplazamiento hacia el español que ha tenido lugar en las comunidades nahuatl *(vid.* Hill y Hill 1977, 1986)[17].

Asimismo, en estas regiones se ha resaltado una relación estrecha entre el desplazamiento lingüístico y las campañas de alfabetización de las minorías indígenas de América, como ha puesto de relieve, sin ir más lejos, el proceso de abandono de numerosas lenguas mesoamericanas, a partir de la introducción masiva del español en la educación en la década de los 60 en México (I. García y M. Vázquez 1994). Y es que, como señalaba recientemente Francis (2000: 32), parece que los objetivos de universalización de la educación básica, como fundamento para el progreso social y material de las personas, se han demostrado incompatibles en la práctica como el mantenimiento de las lenguas indígenas. Y ello por una razón de peso, como es la imposibilidad de «aprender» muchas de estas lenguas, dado que en el mejor de los casos, su pervivencia está ligada tan sólo al registro oral.

Pese a ello, en los últimos treinta años, varios países hispanoamericanos han desarrollado ensayos de planificación lingüística, dirigidos a fomentar el empleo de las lenguas amerindias en la educación básica, como un medio indispensable para su revitalización social, así como para la integración de sus hablantes en las respectivas sociedades (véase el tema XV para el desarrollo más detallado de estas cuestiones)[18].

## 9. El contexto político y económico

El escenario político y económico en que se desenvuelven las minorías etnolingüísticas suele ser también determinante para el desenlace de sus lenguas. Como ha recordado Zimmermann (1999: 61, 122)

---

[17] En el virreinato de la Nueva España, y pese a que el español era la lengua políticamente dominante, el nahuatl continuó siendo durante mucho tiempo la principal lengua hablada por la población indígena. El desplazamiento hacia el español, que tuvo lugar inicialmente entre las elites bilingües de estas comunidades, no se produciría sistemáticamente hasta bien entrado el siglo XVIII *(vid.* Hidalgo 2001). Desde entonces, sin embargo, el proceso de abandono de la lengua ha sido imparable.

[18] Como contrapartida, no hay que olvidar algunos casos de analfabetismo que ilustran ejemplos paradigmáticos de abandono lingüístico, como ocurre con las minorías gitanas en países europeos como España *(vid.* Román 1995a y 1995b). Pese a ello, en este caso hay tener presentes otros factores no menos relevantes, como el cambio hacia una cultura sedentaria por parte de un pueblo tradicionalmente nómada, el estatus privilegiado del español o la presión política y económica ejercida por la sociedad española sobre los grupos minoritarios.

en relación con las lenguas amerindias, la supervivencia de éstas podría resultar insostenible en los tiempos modernos sin una intervención externa, no sólo ya de alcance nacional, sino, incluso, internacional.

Desde una perspectiva sociopolítica, el desplazamiento lingüístico puede adoptar diversas formas, que van desde el abandono voluntario de la lengua propia por parte de los grupos minoritarios, hasta la imposición y la coerción impuestas desde fuera por la mayoría. Estos desenlaces diferentes han recibido otras tantas denominaciones más o menos transparentes —y afortunadas—, como las de *suicidio* (Denison 1977), *genocidio* lingüístico (Calvet 1981), *glotocidio* (J. Ruiz ed. 1986), etc. Sin embargo, en la mayoría de los ejemplos de desplazamiento lingüístico es posible encontrar componentes de ambas causas.

Por otro lado, pueden distinguirse tres ámbitos en los que tiene lugar el proceso de sustitución lingüística, en función del horizonte político y económico en que se insertan las minorías (Brenzinger 1997: 279). Desde los *regionales*, que, por lo general, se ven escasamente afectados por las presiones institucionales, y que todavía podemos encontrar en algunas sociedades tribales, hasta los *imperiales* y *globales*. Los imperiales se caracterizan por el hecho de que la lengua «reemplazante» es el idioma propio del poder invasor, el cual se evalúa como superior a la lengua primitiva del territorio. La mayoría de los casos de desplazamiento lingüístico conocidos a lo largo de la historia tienen lugar en este contexto y el caso de las lenguas indígenas de América Latina es, sin duda, uno de los más característicos[19]. Con todo, y pese a que numerosas lenguas han desaparecido desde los tiempos de la conquista, dejando en la práctica poco más que algunas huellas topográficas, algunas, como el quechua, el tupi o el guaraní, han sobrevivido hasta los tiempos actuales, incluso con el auxilio del poder colonial, aunque a expensas, eso sí, de otras lenguas minoritarias que no han corri-

[19] Otra cuestión más polémica es si la Corona española se embarcó durante los siglos de la colonización en una política sistemática y deliberada de erradicación de las lenguas indígenas, como se ha sostenido frecuentemente *(vid.* G. Ruiz 1990). En los últimos tiempos, autores como Sánchez Albornoz (2001) han criticado esta idea, que a su juicio representa una falsificación histórica que no se corresponde con la realidad demostrada por la documentación disponible. Para este autor, la implicación de las autoridades imperiales españolas en la hispanización de América obedeció a razones religiosas, como la evangelización de los nativos o la idea bíblica del multilingüismo como una torre de Babel, de la que tan sólo podían derivarse consecuencias perversas y contrarias al ideal cristiano.

do igual suerte[20]. Por otro lado, en un mismo territorio, la suerte de las lenguas minoritarias ha podido variar considerablemente, desde la desaparición total hasta una especie de compromiso diglósico con la lengua mayoritaria. Un compromiso que, en la práctica, ha supuesto una cierta estabilidad en el tiempo y por ende, la supervivencia de no pocas lenguas.

En la actualidad, sin embargo, la mayor parte de los fenómenos de sustitución tienen lugar en ámbitos *globales,* esto es, en situaciones en las que la lengua minoritaria se desenvuelve en el seno de los estados modernos. En éstos, la presión física y colonial ha sido sustituida por otra, más sutil —pero no menos poderosa y efectiva—, de carácter social y económico, y ejecutada, principalmente, a través del sistema educativo y de los medios de comunicación de masas. Entre nosotros, por ejemplo, A. Hudson *et al.* (1995) han advertido una correlación muy significativa entre el grado de instrucción y los ingresos familiares de cinco comunidades hispanas del sudoeste de EE.UU. y el nivel de desplazamiento lingüístico de sus miembros a favor del inglés: cuanto más elevados son los índices anteriores, menor es la lealtad lingüística de los individuos de origen hispano y por consiguiente, más alta su tendencia a abandonar el español (véase tabla 5).

Por otro lado, muchos inmigrantes abandonan el español convencidos de que constituye un estorbo para su progreso. Y es que la asociación entre el dominio del inglés y el progreso material se halla tan difundida en la conciencia colectiva que puede desencadenar una actitud contraria al mantenimiento del español, lengua que no pocos asocian con la pobreza y la marginación social (cfr. C. Solé 1982, Zentella 1997)[21].

---

[20] Conviene no olvidar, por otro lado, que en los territorios de lo que sería el imperio español en América, la desaparición de algunas lenguas indígenas se había producido ya antes de la llegada de los españoles. A este respecto, cabe recordar el desenlace de algunas de esas lenguas como consecuencia de la invasión de los imperios azteca en Centroamérica e inca en la región de los Andes, respectivamente.

[21] Durante una estancia en Los Ángeles, conocimos a una mujer salvadoreña que, tras una década de residencia en la ciudad californiana, se negaba a hablar en español con otros hablantes de origen hispano que no fueran sus familiares más directos. Esa norma incluía, por supuesto, al autor de estas páginas, a quien esta mujer alentaba al empleo exclusivo del inglés como mejor estrategia para el progreso social en la sociedad norteamericana.

TABLA 5
Correlación entre los niveles de mantenimiento lingüístico y diversos factores sociodemográficos entre la población de origen hispano en las regiones del sudoeste de EE.UU., según A. Hudson *et al* (1995: 175)

| | LEALTAD | NIVEL DE RETENCIÓN |
|---|---|---|
| Años de educación formal (media) | –.68 | –.64 |
| Renta *per cápita* | –.59 | –.51 |
| Nivel de pobreza | .45 | .50 |
| Personas por vivienda | .43 | .56 |
| Distancia de la frontera con México | –.25 | –.43 |

De este argumento participan no sólo los propios hablantes afectados por las situaciones de minorización, sino también algunos lingüistas. Recientemente, por ejemplo, y desde una posición crítica con las políticas lingüísticas emprendidas en la España autonómica durante los últimos años, Lodares (1999) ha destacado que la difusión de una lengua como el español se halla históricamente asociada a razones económicas, y no tanto afectivas. Desde esta perspectiva, el éxito de un idioma como lengua nacional o internacional no depende, pues, del idealismo o de la astucia de las elites intelectuales y políticas de un país, sino de su capacidad para servir como instrumento de comunicación comercial, científica y tecnológica. En cualquier caso, el mantenimiento de una lengua no responde a procesos azarosos ni a leyes naturales, sino a las elecciones conscientes y deliberadas que realizan los miembros de la comunidad a partir de motivaciones materiales principalmente. De ser esto cierto en la historia del español, los factores geográficos, demográficos y políticos, frecuentemente citados, para explicar su hegemonía sobre otras lenguas peninsulares, habrían desempeñado un papel secundario, frente a la mayor relevancia de su atractivo económico y comercial para los hablantes de esas otras lenguas.

Por otro lado, ello contribuiría a explicar también la particular difusión del español en algunas regiones estadounidenses en la actualidad. Como hemos mencionado anteriormente, el atractivo económico del español en EE.UU. es especialmente intenso en estados como Florida, donde en ciudades como Miami:

> [...] the current younger generation in Miami does not associate Spanish principally with economic disadvantage or with the older

> generation. For them, Spanish is not tied to nostalgia for life back on the island of Cuba, since the overwhelming majority of them have never been in Cuba. To many Miami-born bilinguals, Spanish is not just the language of their proud Cuban grandparents, but also a language of immense everyday social value. Spanish gives them access to a dynamic urban culture that depends on the economic power of the Spanish-speaking world (Lynch 2000: 272)[22].

El *nacionalismo* político aparece también como un factor importante asociado al mantenimiento lingüístico en comunidades cuya evolución se ha visto gravemente perturbada a lo largo de la historia, así como, en general, en todas aquellas que han mantenido con mayor celo la cultura autóctona. Como es sabido, este hecho se ha revelado particularmente decisivo en algunos casos extremos de normalización de lenguas minoritarias, como atestiguan los ejemplos del hebreo en Israel, el francés en Quebec (Canadá), el flamenco en Bélgica[23].

En el mundo hispánico disponemos también de algunos ejemplos representativos, cuyas consecuencias para el español difieren en función del contexto histórico y social. Así, en la España actual, los procesos de normalización de lenguas como el catalán, el vasco y el gallego han ido de la mano, ya desde finales del siglo XIX, de movimientos políticos de corte nacionalista en sus respectivos territorios. Por ello, las relaciones entre estos movimientos ideológicos y las cuestiones lingüísticas se dejan sentir por doquier, aunque la incidencia de los primeros sea más visible en unas regiones que en otras. En la actualidad, por ejemplo, en algunas ciudades del País Valenciano como su capital, en las que el proceso de normalización lingüística del valenciano parece encontrar mayores dificultades que en el resto de la comunidad autónoma, la elección del valenciano como lengua de comunicación ordi-

---

[22] La otra cara de la moneda la muestra Boswell (2000: 424), quien recuerda que a comienzos de la década de los 90 casi medio de millón de personas residentes en Florida eran incapaces de hablar en inglés, y de éstas un 82 por 100 eran hispanas. En este trabajo se destaca también la relación positiva entre el nivel de competencia en inglés y el nivel socioeconómico de los individuos.

[23] En el extremo contrario, cabe citar, sin embargo, algunos casos de comunidades históricas que han demostrado una notable lealtad lingüística hacia su lengua sin demandar a cambio el derecho de autodeterminación o la independencia política en el seno de los estados en que se integran. Es el caso de los retorromanos y suizos italianos o del movimiento «yidista» en el Este de Europa al final de la Primera Guerra Mundial. Ello demuestra que las relaciones entre el mantenimiento de lenguas minoritarias y el nacionalismo político no siempre van de la mano, ni tienen por qué orientarse hacia unos mismos objetivos sociales o lingüísticos.

naria entre los jóvenes depende en muchos casos de una «toma de conciencia» ideológica. Una conciencia en la que desempeña un papel muy importante la posesión de un sentimiento nacionalista, casi siempre de izquierdas, y que generalmente comienza a desarrollarse en los adolescentes a partir de su paso por los centros de enseñanza públicos (*vid.* Casesnoves 2003).

En otro contexto diferente, y tras un siglo de asociación económica y política con Estados Unidos, la isla de Puerto Rico mantiene todavía una identidad cultural y lingüística marcadamente autónoma y vinculada al uso del español en todos los dominios sociales[24] (cfr. Clampitt 2000; Solís 2000). Este hecho singular se atribuye a diversos factores, pero entre éstos figura de forma preeminente la defensa de la lengua realizada por las elites políticas y culturales portorriqueñas, las cuales han difundido a lo largo de todo este tiempo la identificación de la identidad portorriqueña con el uso del español, al tiempo que presentaban la extensión del inglés como una importante amenaza para su mantenimiento. Al menos por esta vez, este nacionalismo de signo hispano ha vencido a otro, el estadounidense, el cual ha intentado durante décadas, sin éxito aparente, la anglonización o cuando menos, la bilingüización social de la isla (Ortiz 2000: 391 y ss.).

---

[24] Tras la imposición del inglés como idioma cooficial en 1902, en un intento por crear un territorio leal a EE.UU. el objetivo prioritario de los sucesivos gobiernos norteamericanos para incrementar el nivel de bilingüismo en la población ha fracasado en lo esencial, ya que la gran mayoría de los portorriqueños que viven en la isla no sólo continúan teniendo el español como primera lengua (93 por 100 de acuerdo con el censo de 1996), sino también como principal vehículo de instrucción (73 por 100 según ese mismo censo) y hasta en muchos casos, como lengua exclusiva. Con todo, hay que reconocer que el bilingüismo instrumental se ha incrementado significativamente durante el siglo XX, debido a las estrechas relaciones políticas y económicas con el gigante norteamericano. Por ello, en la actualidad, y de acuerdo con cifras oficiales recientes, casi la mitad de los hablantes de Puerto Rico (48 por 100) muestra la capacidad de expresarse en inglés (frente a tan sólo un 4 por 100 en 1910). De todos modos, estas cifras son rebajadas significativamente por otras instituciones, como el Colleges Board, según el cual el último censo de 1990 arrojaba tan sólo un 23,2 por 100 de portorriqueños capaces de hablar inglés con facilidad (Ortiz 2000: 397).

Un desenlace todavía más favorable al bilingüismo social e individual es el que ofrecen los portorriqueños nacidos en EE.UU., muchos de los cuales, especialmente los de segunda generación, tienen el inglés como primera lengua. En general, estos hablantes han adquirido una competencia lingüística y comunicativa suficiente elevada como para ser considerados bilingües equilibrados.

## 10. El tipo de hábitat

Junto con los factores reseñados en las páginas anteriores, los procesos de mantenimiento y desplazamiento lingüístico se han asociado también ocasionalmente a otras variables sociales, que pueden llegar a ser también relevantes en ciertas situaciones de bilingüismo social. Así ocurre, por ejemplo con el grado de semejanza entre las lenguas y culturas en contacto (Clyne 1982), los procesos de industrialización y urbanización (cfr. Tabouret-Keller 1968; Timm 1980), las barreras geográficas (MacConvell 1990) o el tipo de hábitat (cfr. Tabouret-Keller 1968; Romaine 1989), por mencionar sólo algunos de los que más atención bibliográfica han recibido.

En relación con este último, es un lugar común entre los estudiosos del bilingüismo social que los habitantes de las ciudades son, por lo general, más proclives a la sustitución lingüística que los residentes en medios rurales. Como hemos visto anteriormente (véase § 5), el hogar es uno de los ámbitos de uso social más importante para el mantenimiento de las lenguas minoritarias y es, sin duda, en los ambientes rurales donde éste ocupa un lugar más destacado en la vida cotidiana (cfr. Romaine 1989, Tabouret-Keller 1968). Por el contrario, la mayor impersonalidad de las relaciones familiares en las ciudades fuerza con más frecuencia a los hablantes al empleo de las lenguas mayoritarias.

Hill y Hill (1977, 1986), por ejemplo, han destacado que los asentamientos en la ciudad de gentes originarias de zonas rurales mexicanas constituyen uno de los principales focos de desplazamiento hacia el español desde las lenguas amerindias (véase también Flores Farfán y Valinas 1992). Por su parte, Y. Solé (1996) ha advertido que en la sociedad paraguaya, prototipo tradicional de bilingüismo diglósico estable, se ha disparado el número de monolingües hispanohablantes en las ciudades, preferentemente en la capital del país, lo que induce a pensar que un proceso serio de sustitución lingüística podría llegar a ser una realidad en el plazo de varias generaciones[25]. Por otro lado, en la península Ibérica algunos autores han atribuido al carácter tradicionalmente rural de ciertas lenguas como el gallego su pervivencia secular,

[25] Paradójicamente, sin embargo, los avances recientes en la educación bilingüe en este país parecen limitados principalmente a las áreas urbanas, ya que extensas áreas del país viven prácticamente en «zonas de exclusión» económica (Gynan 2001).

pese a los intentos sucesivos de castellanización en la era moderna (cfr. M. Fernández 1983; Monteagudo y Santamarina 1993). Y algo parecido sucede en la Comunidad Valenciana, donde también se ha destacado el contraste que ofrece el proceso de sustitución lingüística que se ha producido principalmente en las capitales de provincia —en especial en las ciudades de Valencia y Alicante— con los índices mayores de retención de la lengua autóctona que muestran las comarcas rurales del interior. En la ciudad de Valencia, por ejemplo la frecuencia de uso del valenciano se reduce a la mitad en todos los dominios sociales respecto a las cifras disponibles para el resto de las comarcas valencianohablantes (cfr. Ninyoles 1992, Casesnoves 2002b).

Ahora bien, pese a lo anterior, conviene matizar esta clase de ideas para no caer en generalizaciones excesivas. Como recordaba Fishman (1972b) hace ya unos años, en la mayoría de los casos los movimientos más efectivos para el mantenimiento de las lenguas han partido de las ciudades y no de los pueblos. Y por otro lado, el hábitat rural no es tan relevante para el mantenimiento lingüístico porque en éste se concentre un mayor número individuos que utilizan la lengua minoritaria, pues, en la práctica, las comunidades rurales aparecen aisladas en mayor medida que las poblaciones urbanas.

## 11. Las actitudes lingüísticas

Mención especial requiere el capítulo de las actitudes lingüísticas, al que dedicábamos una atención monográfica en un tema anterior y que completamos aquí por la especial relevancia que se le ha concedido en la bibliografía especializada sobre los procesos de mantenimiento o abandono de lenguas minoritarias.

Como veíamos entonces (véase tema XI), aunque la identificación con una lengua y su cultura y las actitudes positivas hacia ambas no son una garantía para la pervivencia de las lenguas[26], no puede negarse que, al menos como punto de partida, constituyen un pilar importante para su normalización social. Ningún esfuerzo institucional, por

[26] Fuera de nuestras fronteras, este hecho lo representa de forma paradigmática el irlandés, lengua cooficial en Irlanda junto al inglés, pero que apenas ha experimentado un aumento significativo en el uso real por parte de una población que sigue decantándose abrumadoramente por el empleo ordinario de la lengua inglesa. Se trata de uno de los casos más claros de desplazamiento hacia una lengua mayoritaria, aunque las actitudes hacia ésta sean negativas.

serio que sea, es capaz de obtener éxito alguno, si no viene precedido por una actitud favorable hacia el mantenimiento de las lenguas minoritarias por parte de una mayoría significativa de la población. Un ejemplo paradigmático de ello lo encontramos entre nosotros en los resultados totalmente divergentes que se han obtenido a veces tras la aplicación de un mismo modelo de educación bilingüe en comunidades que presentan un marco sociolingüístico similar, pero en las que el componente actitudinal hacia las lenguas difiere radicalmente. Así ocurre, por ejemplo, en dos ciudades del estado de Texas (EE.UU.), como Laredo y San Antonio, las cuales cuentan con importantes minorías hispanas, pero en ambas la experiencia de la educación en español ha conocido desenlaces muy diferentes. Así, mientras que en Laredo la aplicación pionera de dichos programas se consideró todo un éxito, debido, entre otras razones, al entusiasmo mostrado por la población hispana a la que iban destinados, lo contrario fue el caso de San Antonio, cuya comunidad manifestó una actitud mucho menos receptiva (Mackey 1976). En este sentido, pues, la distinción entre razones *instrumentales* e *integrativas* en la valoración subjetiva de las lenguas debe ser tenida en cuenta también en los procesos de desplazamiento lingüístico.

Entre las nociones integrativas más relevantes para lo que ahora nos ocupa figura la *lealtad lingüística*, definida inicialmente por Weinreich (1953: 209-210) como:

> [...] el estado mental en que la lengua, en su calidad de entidad intacta y en contraposición a otras lenguas, ocupa una posición elevada en la escala de valores, posición que necesita ser defendida.

Como recuerda Moreno Fernández (1998: 252), la lealtad lingüística surge como reacción a una posible sustitución de lenguas, que impulsa a los hablantes de las lenguas minoritarias a intentar preservarlas, al tiempo que las convierten en un símbolo social, esto es, en una auténtica «causa» por la que luchar. Los ejemplos de ello en las comunidades de habla hispánicas son numerosos, tanto en los casos en que el español aparece en una situación social desventajosa como en aquellos otros en los que representa la lengua de prestigio.

Por lo que se refiere a los primeros, y en particular a la situación del español en EE.UU., algunos investigadores han advertido que, pese a la relevancia de otros factores, como los reseñados anteriormente (demográficos, institucionales, etc.), el grado inédito que ha alcanzado la preservación de esta lengua en un contexto social claramente desfavorable sólo puede explicarse por la magnitud de los factores de motivación, actitud y arraigo hacia la lengua materna entre los miembros de este grupo etnolingüístico.

A este respecto, diversos trabajos empíricos han demostrado la relación directa entre el grado de lealtad lingüística y el nivel de retención del español en estas comunidades norteamericanas. Así ocurre, por ejemplo, con los estudios de A. Hudson *et al.* (1995) y Margarita Hidalgo (1993), ambos ya mencionados en estas páginas anteriormente. Por ceñirnos ahora a los datos de este último, recordemos que esta autora ha aportado datos muy significativos, en los que se advierten diferencias importantes entre las comunidades próximas a México y otras más alejadas de la frontera. En efecto, Hidalgo ha comprobado que tanto la lealtad lingüística hacia el español como el grado de empleo de esta lengua se hallan mucho más acentuados en las primeras. No en vano, en las regiones fronterizas una parte considerable de la población hispana participa en las actividades comunitarias que refuerzan el uso del español (iglesia, comunidades de vecinos, etc.), lo que, de paso, tiene una incidencia positiva en la conservación de la lengua. Ello la ha llevado a vaticinar en un trabajo posterior que el futuro del español se halla en íntima correspondencia con la vindicación del patrimonio cultural y étnico mexicano (*vid.* Hidalgo 1995). A juicio de esta autora, la relación es tan estrecha que ambos factores operan como una ecuación perfecta[27].

Por otro lado, la lealtad hacia la lengua española no sólo difiere desde el punto de vista geográfico, sino también de acuerdo con factores generacionales y socioculturales, como ha advertido, por ejemplo, Rivera Mills (2000) en su estudio sobre una localidad situada al norte de California (Fortuna), donde se concentra la mayor proporción de hispanohablantes de la zona. En esta investigación, y a las preguntas de:

a) ¿es importante para usted mantener el español?,
b) ¿prefiere hablar en español que en inglés?,

esta autora ha observado notables diferencias entre las respuestas dispensadas por los miembros de generaciones y clases sociales diferentes. Como puede apreciarse en la tabla 6, el porcentaje de los que afirman que el mantenimiento del español es importante desde un punto de vista per-

[27] Sobre el grado de implicación afectiva de los miembros de las comunidades chicanas en la preservación del español, véase también Hernández Chávez (1993).

sonal resulta elevado en términos absolutos, pero baja considerablemente entre los miembros de la tercera generación. Por otro lado, la tabla 7 muestra también una notable interacción entre la lengua preferida y factores como la generación o la clase social en el nivel de preferencia por uno u otro idioma. Así, los hablantes de la tercera generación muestran ya clara una preferencia por el inglés como vehículo de comunicación ordinario (40 por 100 *vs.* 30 por 100), al contrario que los miembros de la primera generación (19 por 100 *vs.* 75 por 100). Asimismo, las preferencias por el inglés se incrementan conforme ascendemos en la pirámide social, de manera que sólo los representantes de la clase baja dicen preferir la comunicación en español[28].

TABLA 6
Respuestas de informantes hispanos residentes
en Fortuna (California) a la pregunta
«¿es importante para usted mantener el español?»,
según Rivera Mills (2000)

| GENERACIÓN | TA% | NA/ND% | MD% | N |
|---|---|---|---|---|
| 1.ª generación | 88 | 6 | 6 | 16 |
| 2.ª generación | 100 | 0 | 0 | 24 |
| 3.ª generación | 50 | 25 | 25 | 10 |

TA = totalmente de acuerdo; NA/ND = ni de acuerdo ni en desacuerdo; MD = moderadamente en desacuerdo

Frente a la lealtad de quienes ven amenazada su lengua en una situación de desigualdad social, podríamos considerar, siguiendo a Gregorio Salvador (1983), dos tipos de *deslealtad lingüística*. Por un lado, la esperable en los hablantes de estas lenguas, que, incapaces de resistir la presión social ejercida por los idiomas mayoritarios, inician un pro-

[28] Por otro lado, y como señala Rivera Mills (2000: 380), no deja de ser significativo que los hablantes de segunda y tercera generación muestren su lealtad al español ¡respondiendo al cuestionario en inglés!, como revela la respuesta de esta mujer: «I look in the mirror and I can't deny who I am and where I come from. I know some of us try to pretend we can become "gringos" by dyeing our hair blond and wearing jeans, but I think even those people must know that they can't deny our heritage —*se lleva en la sangre.*»

TABLA 7
Lengua preferida entre los hispanohablantes de origen mexicano residentes en Fortuna (California) por generaciones y clases sociales, según Rivera Mills (2000)

| | INGLÉS % | ESPAÑOL % | AMBAS POR IGUAL % | N |
|---|---|---|---|---|
| 1.ª generación | 19 | 75 | 6 | 16 |
| 2.ª generación | 37 | 42 | 21 | 24 |
| 3.ª generación | 40 | 30 | 30 | 10 |
| Clase baja | 15 | 75 | 10 | 23 |
| Clase media | 42 | 38 | 20 | 15 |
| Clase alta | 43 | 36 | 21 | 12 |

ceso de abandono, que puede desembocar en la pérdida definitiva al cabo de unas pocas generaciones[29]. Ahora bien, junto a ésta, Salvador postula también otro tipo de deslealtad: la de quienes siendo hablantes nativos de una lengua mayoritaria reniegan de ella en un deseo de convergencia (véase tema XIII, § 4) con los miembros de otras comunidades idiomáticas sometidas a procesos de normalización intensos, reflejo a su vez de cambios sociales y políticos no menos profundos. El académico español se refiere con este segundo tipo de deslealtad a numerosos hablantes que tienen como lengua materna el español y que, sin embargo, han adoptado recientemente otra como lengua habitual en aquellas regiones españolas que cuentan con una lengua propia diferente al castellano.

Junto con la lealtad, otros factores actitudinales sobresalen en los procesos de mantenimiento y sustitución lingüística (cfr. Weinreich 1953; Garvin y Mathiot 1968). Siguiendo un esquema tradicional ya en los estudios sobre este tema, que en el mundo hispánico tuvo en el trabajo de Rubin (1968) sobre el bilingüismo social paraguayo una de sus primeras aplicaciones sistemáticas, podemos distinguir los siguientes parámetros:

a) la *fidelidad,* entendiendo por tal la resistencia de los hablantes a la pérdida de usos y cambios de estructura de una lengua particular. Como ya advirtiera Weinreich (1953), los individuos con un elevado

[29] Para un estudio sobre las consecuencias psicolingüísticas de este tipo de deslealtad entre los hablantes californianos de origen hispano que han abandonado definitivamente el español y tan sólo muestran una competencia activa en inglés, véase Espinoza (1996).

nivel de fidelidad son a menudo excepcionalmente puristas en sus actitudes, y conceden una especial trascendencia a todos los aspectos relacionados con la estandarización y las regulaciones lingüísticas. Pese a ello, dichos esfuerzos no siempre se ven coronados por el éxito[30];

b) el *orgullo,* es decir, el sentimiento de satisfacción personal al poseer una lengua propia, aunque ésta pueda ser minoritaria y diferente a la de otros miembros de la sociedad. Así, y pese al creciente bilingüismo de la sociedad portorriqueña contemporánea, acelerado en las últimas décadas por la presión norteamericana, la mayoría de los hablantes de la isla se muestra particularmente orgullosa de su lengua principal, el español (Ringer Uber 2000). Con todo, las razones para los sentimientos de orgullo pueden diferir entre unas lenguas y otras dentro de la comunidad. Así, y de ser ciertos los resultados obtenidos recientemente por Gynan (1998a) en Paraguay, en este país el orgullo por el guaraní es principalmente de raigambre etnolingüística, ya que se considera por encima de todo como un elemento emblemático de la nación paraguaya. Por el contrario, el orgullo por el español, también presente, tiene un carácter mucho más utilitario e instrumental, relacionado, pues, con el progreso social y material;

c) el *prestigio,* entendido aquí como el valor que se otorga a una lengua para garantizar el progreso social y material. Como hemos visto ya, en las sociedades diglósicas los hablantes conceden escaso prestigio a la lengua baja, por lo que es difícil que su empleo se extienda a los dominios formales. Así ocurre, por ejemplo, en las comarcas del Bajo Aragón, en las que, si bien un 80 por 100 de la población utiliza ordinariamente el catalán en las interacciones cotidianas, dicha lengua no ha alcanzado el estatus de oficial. En estas localidades, el español es prácticamente la única lengua empleada en las situaciones formales e institucionales, y a ello contribuyen el poco prestigio que adquiere el catalán entre sus propios hablantes (y no digamos entre los castellanohablantes), así como la escasa conciencia de pertenecer a la comunidad idiomática catalana (cfr. Huguet 1995; Martín Zorraquino 1998b). Por el contrario, en la vecina Cataluña, el uso del catalán entre los inmigrantes aparece fuertemente asociado a factores instrumentales, como los que revelan las siguientes declaraciones (tomadas de Doyle 1996: 35):

---

[30] La reacción reciente de ciertos sectores puristas para proteger las lenguas mayas de la interferencia intensa procedente del español se ha revelado con el tiempo claramente inefectiva (Stiles 1987).

> [...] [el catalán significa] tan sólo, ya que aunque he nacido aquí, me considero gallega, un medio para hallar un buen trabajo y cómo no, más cultura.

> Una lengua que no suelo usar mucho pero la veo necesaria para tener más posibilidades a la hora de optar a un trabajo.

En un extremo todavía más radical de este eje se sitúan las lenguas criollas. En las sociedades donde éstas conviven con una lengua mayoritaria, el desplazamiento lingüístico suele constituir la norma, debido, entre otras razones, a la pésima valoración que reciben generalmente entre sus propios hablantes. Así lo han advertido, por ejemplo, entre nosotros N. Morgan (1988) y Spence (1994) entre los hablantes criollos de República Dominicana y Puerto Limón (Costa Rica), respectivamente. Y lo mismo sucede, aunque ahora agravado hasta los extremos de la muerte lingüística, con algunas variedades vestigiales del español, que han permanecido aisladas durante siglos en contextos sumamente adversos. Así ocurre con el *bruleño,* dialecto español llevado a las tierras de la Luisiana por inmigrantes canarios y cuya estigmatización social ha sido tradicionalmente tan elevada que sus hablantes han preferido identificarse con sus vecinos de origen canadiense y habla francesa. Como recuerda Holloway (1997: 207), el caso del *bruleño* es uno de los ejemplos más claros de actitudes negativas dispensadas hacia los hablantes de lenguas en proceso de extinción. Actitudes que, como no podría ser de otra manera, acaban provocando un severo rechazo de estos mismos hablantes hacia su propia lengua[31]. Un ejemplo muy ilustrativo de este deliberado cambio de adscripción etnolingüística, a causa del estigma social otorgado por otros grupos mayoritarios o incluso, por el mismo sistema educativo[32] lo ofrece este hombre de negocios de Ascensión:

> [...] it took me a long time to get the Brule out of me. I'd be in class (at business college) and somebody would ask me if I was related to the Lopez family from Brule Capite. Everybody would know I was Spanish if I admitted it, so I just said I was from Donaldsonville.

[31] Ello ha conducido, por ejemplo, a los intentos de afrancesar y posteriormente anglonizar hasta los antropónimos de esos hablantes. Por desgracia, el poderoso estigma asociado a la condición de «bruleño» continúa todavía hoy.

[32] La importancia como agente estigmatizador del sistema educativo monolingüe ha sido destacada también por Lipski (1990: 10) para el caso de otra variedad vestigial del español norteamericano, el *isleño,* dialecto hablado en otra población de Luisiana, St. Bernard.

Sin llegar a estos extremos, en muchas comunidades hispanas de Estados Unidos el prestigio se asocia en exclusiva al inglés[33], si bien recientemente se ha llamado la atención acerca de algunas excepciones crecientes, en las que el elevado estatus que los hablantes conceden a la lengua española contribuye poderosamente a su mantenimiento. Así ocurre, por ejemplo, en una pequeña comunidad de origen mexicano en el estado de Iowa, donde Wherritt y N. González (1989) han advertido el considerable prestigio que los hispanos dispensan al español, incluso en dominios formales como la educación.

Mención especial merecen también los estudios que se han ocupado de evaluar empíricamente la mayor o menor inclinación de ciertos grupos sociales hacia la sustitución lingüística, en función del grado de preferencia por las lenguas de prestigio. Así sucede, por ejemplo, con las mujeres, como se ha destacado con alguna frecuencia en la bibliografía sociolingüística. Por lo que al contexto hispánico se refiere, dicha hipótesis ha sido también puesta a prueba empíricamente en algunos casos, con resultados que, en algunos casos, coinciden con los reseñados en otros dominios sociolingüísticos, en los que las mujeres aparecen frecuentemente como impulsoras del mencionado desplazamiento. A este respecto, por ejemplo, X. Rodríguez (1988) ha destacado este grupo social como el principal agente de la progresiva pérdida de dominios comunicativos para el gallego en beneficio del español. Más recientemente, Lameiras Fernández (1994) ha subrayado también que en Galicia, las mujeres no sólo valoran el castellano (y el inglés) por encima que los hombres, sino que además otorgan a los hablantes de la primera lengua un estatus socioeconómico mayor que a los gallegohablantes. Y en las comunidades hispanas del sudoeste estadounidense, se ha resaltado asimismo que las mujeres no sólo muestran por lo general menor competencia lingüística en español que los hombres, sino

[33] Un número reciente de la prestigiosa revista *Hispania* (AA.VV. 1999) se planteaba, con el significativo título de «El español, ¿lengua muerta en nuestra profesión?», la escasa capacidad de la comunidad científica hispánica para publicar trabajos en español. Pese a la buena voluntad mostrada por los editores, éstos constatan que la mayoría de los artículos recibidos en la revista aparecen escritos en inglés. Asimismo, los colaboradores de este número de la revista, todos ellos profesores de universidad en EE.UU., advierten acerca de las dificultades crecientes para impartir cursos de postgrado en español. Por otro lado, no deja de ser significativo que la mayoría de las monografías publicadas en los últimos años en torno al español en EE.UU. se hallen también escritas en inglés. En una de las más recientes, coordinada por la profesora Anna Roca, bajo el título de *Research on Spanish in the United States,* encontramos una treintena aproximada de artículos, de los cuales tan sólo seis aparecen escritos en español.

que, además, resultan precursoras del desplazamiento lingüístico por el elevado prestigio que otorgan al inglés como principal instrumento para la movilidad social de sus hijos (Chávez 1988).

Con todo, algunos estudios han detectado que el factor sexo interacciona de forma decisiva con otras variables sociales relevantes, en especial el estatus socioeconómico y cultural. En un trabajo en el que se comparan empíricamente las actitudes hacia el español de una muestra compuesta por 108 madres de origen hispano de Miami de diferente extracción social, W. Lambert y P. Taylor (1996) han confirmado estas diferencias. Así, mientras que las madres de clase obrera potencian sin ambages el desplazamiento hacia el inglés de sus hijos, las de clase media vinculan también el progreso material de éstos con la adquisición de una buena competencia en español en una región donde la relevancia social de esta lengua no deja de crecer (véase también en el mismo sentido R. García y C. Díaz 1992 y Lynch 2000);

d) la *utilidad,* o grado de necesidad de una lengua para la comunicación ordinaria. Continuando con el ejemplo del catalán, que hemos utilizado en las secciones anteriores, muchos hablantes —incluidos numerosos inmigrantes— identifican en la actualidad dicha lengua no sólo como un instrumento para el desarrollo material (encontrar buenos trabajos, ganar más dinero, etc.), sino también como un elemento de socialización e integración en la sociedad catalana actual, como revela el testimonio de este joven de ascendencia castellanohablante:

> El catalán lo relaciono sobre todo con el entorno del deporte que practico. Es la lengua con la que me expreso cuando me divierto, salgo, hago deporte, en el instituto. Con el catalán me relaciono socialmente, mientras que el castellano se limita a mi familia (citado en Doyle 1996: 37)

Algunos estudios recientes han establecido también una estrecha relación entre el mantenimiento del español en las comunidades de habla norteamericanas y el sentimiento creciente de su necesidad para el desarrollo cabal de las relaciones sociales. Así, en el trabajo que reseñábamos en un párrafo anterior, W. Lambert y D. Taylor (1996) advertían también que las relaciones de los jóvenes en el seno de redes sociales densas fuera de la familia (bandas, grupos de amigos, etc.) representan ya un factor explicativo de primer orden, más importante incluso que el propio dominio familiar, tradicional en la retención de la lengua española en EE.UU. Asimismo, otro resultado significativo que se deriva de este estudio es que el grado de competencia alcanzado por los hijos en numerosas familias hispanas está íntimamente relacionado con los hábitos y la aptitud lingüística demostrada por los hermanos (especialmente por los mayores), pero mucho menos con los de la madre. Ambos datos hablan, en suma, de una tendencia creciente en la sociedad de Miami a la retención del español como consecuencia —entre otras razones expuestas con anterioridad— de la utilidad que los individuos otorgan a esta lengua para la comunicación cotidiana.

Otros investigadores han resaltado parecidas conclusiones a partir de sus propios datos empíricos en esta comunidad. Entre ellos figura Lynch (2000: 280), quien concede una importancia decisiva al «recontacto» con el español que parecen estar experimentando las generaciones más jóvenes de origen cubano en el seno de redes sociales en las que la comunicación en español resulta no ya sólo necesaria, sino muchas veces, imprescindible[34]. Como ha dejado escrito Didion (1987: 63) acerca de la presencia ubicua de la lengua española en la zona:

> What was unusual about Spanish in Miami was not that it was so often spoken, but that it was so often heard: in say, Los Angeles, Spanish remained a language only barely registered by Anglo population, as part of the ambient noise, the language spoken by the people who worked in the car wash and came to trim the trees and cleared the tables in restaurants. In Miami Spanish was spoken by the people who ate in the restaurants, the people who owned the cars and the trees, which made on the socioauditory scale, a considerable difference. Exile who felt isolated or declassed by language in New York or Los Angeles thrived in Miami.

En otros ámbitos bilingües, sin embargo, la utilidad instrumental de las lenguas puede diferir en función de la adscripción etnolingüística y cultural de los interlocutores. King (1999: 120), por ejemplo, ha destacado que en la región ecuatoriana de Tambopanga, los hablantes nativos valoran la utilidad del quechua y el español de diferente manera: mientras que la primera es la lengua de la comunicación intergrupal, el español es útil también, pero para la conversación con los his-

[34] En este trabajo se cita, por ejemplo, el caso de una chica de 23 años de origen cubano, nacida en Miami y que pese a tener como lengua materna el español, pasó pronto al inglés como lengua dominante tras su paso por el colegio. Sin embargo, en los últimos años, nuevas relaciones sociales con amigos de origen inmigrante de distinta procedencia (argentinos, mexicanos...) y sus actividades en la parroquia la han llevado a ese «recontacto» con el español.

panohablantes «blancos» de la zona, como revelan las palabras de dos de sus miembros:

> Español es para formar comunicación con los hispanohablantes de Saraguro y de provincia...
>
> Para poder hablar así. Para cuales no quieren, no se puede con gente blanca. Rechazan a nosotros por no hablar castellano. Ya no tanto pueden maltratar a nosotros como a los antepasados;

e) el *rechazo,* esto es, el sentimiento negativo ante una lengua con la que se convive cotidianamente en una situación de contacto, ya sea el que dispensan los hablantes del grupo mayoritario hacia la lengua minoritaria en situaciones de cambio social, ya sea, por el contrario, el que las minorías manifiestan hacia las lenguas socialmente dominantes, en las que ven un freno para el desarrollo de aquélla.

Por lo que se refiere a la primera posibilidad, hemos tenido la ocasión que comprobar cómo en la ciudad de Valencia (Blas Arroyo 1994), las actitudes por lo general positivas hacia la lengua autóctona por parte de la mayoría de la población se ven atemperadas entre ciertos grupos de monolingües castellanohablantes por algunos sentimientos de rechazo, especialmente entre las clases medias-altas así como entre los inmigrantes procedentes de algunas comunidades españolas monolingües (Aragón, Murcia, Andalucía o Extremadura). Estos hablantes —incluidos también no pocos nacidos en la misma ciudad de Valencia[35]— ven en el impulso social e institucional otorgado recientemente al valenciano un elemento perturbador, que modifica seriamente el *statu quo* que ha permitido tradicionalmente a los castellanohablantes el empleo único del español en cualquier contexto social, sin necesidad de aprender y utilizar la lengua autóctona.

Más extremos son aún los sentimientos de rechazo entre algunos sectores de la población en comunidades como el País Vasco o Cataluña, donde la política lingüística decididamente favorable a la normalización social de las lenguas autóctonas ha recibido severos ataques en los últimos años por parte de numerosos castellanohablantes y algunos colectivos ciudadanos. En Cataluña, por ejemplo, estos críticos han acusado al gobierno catalán de ejercer una especie de imperialismo lingüístico y cultural, similar al que los sectores nacionalistas han denunciando tradicionalmente respecto al gobierno central español

---

[35] Al menos un 25 por 100 de estos hablantes mostraban en esta investigación una respuesta positiva a la pregunta «¿le molesta que le hablen en valenciano?».

(cfr. Hoffmann 1996; D. Smith 1998; Slone 1998) (sobre esta cuestión, véanse también los temas XI y XV).

En ocasiones, y como consecuencia de la presión ejercida por estas políticas lingüísticas, dichos sentimientos de rechazo se trasladan a la propia lengua, a través de juicios que traslucen el malestar ocasionado por causas —obviamente— extralingüísticas. Doyle (1996: 39), por ejemplo, recuerda el testimonio de este inmigrante de segunda generación que decía que: «[el catalán] es una lengua que ni me va ni me viene». Por su parte, O'Donnell (1991: 183) menciona el caso de una mujer castellanohablante de 40 años que acusaba al catalán de «rusticidad» y «falta de refinamiento», al tiempo que «detestaba» seguir películas en la televisión dobladas al catalán. Con todo, y como recuerda este mismo autor, estos juicios son mucho más frecuentes en las regiones aragonesas de habla catalana (la Franja) que en Cataluña, donde el prestigio de la lengua catalana es generalmente muy elevado.

Pese a que los prejuicios seculares acerca de la inferioridad genética y cultural de ciertas lenguas y comunidades lingüísticas han sido ampliamente refutados por la comunidad científica, permanecen todavía como mitos en el inconsciente colectivo, y lo que es peor, en la planificación de algunas políticas lingüísticas que afectan muy negativamente al desarrollo de las lenguas y culturas minoritarias. Por ello, junto con las actitudes positivas de los miembros de las minorías hacia su propia lengua, en los procesos de mantenimiento son importantes también las que pueda recibir de los grupos mayoritarios, en particular si éstos pertenecen a la cúspide social [36].

Pese a lo anterior, la influencia de las actitudes en los procesos de mantenimiento o desplazamiento lingüístico en situaciones de contacto es sumamente controvertida, entre otras razones, por la imposibilidad de probar relaciones de causalidad a partir de simples datos estadísticos. ¿Son unas actitudes positivas instrumento necesario y/o suficiente para el mantenimiento de las lenguas minoritarias en situaciones de contacto? La pregunta tiene una especial relevancia para

[36] Entre nosotros, Alvarado (1978) advertía ya a los años 70 que entre los factores que determinan la progresión del español en los EE.UU. figura una actitud receptiva hacia la lengua y la cultura hispánicas por parte de los medios intelectuales del país. Fuera de nuestros dominios, es revelador también el éxito de diversos enclaves de habla albanesa en Italia, que contrasta vivamente con el fracaso de otros del mismo origen en tierras griegas. A juicio de Hamp (1980), la clave está en las diferencias culturales e ideológicas entre las respectivas sociedades de acogida: mientras que en Italia prevalecen unas actitudes positivas hacia los elementos culturales más localistas, en Grecia se lleva a cabo una política más restrictiva, y por consiguiente, menos favorable hacia las minorías.

la situación sociolingüística del español en el mundo, tanto en aquellas regiones donde figura como la lengua del poder (*v. gr.*, Hispanoamérica, península Ibérica), como en otras donde su influencia se ve limitada ampliamente por la presencia del inglés, como muestra el ejemplo norteamericano.

Por lo que a estas últimas se refiere, Carlos Solé (1977) observaba ya hace más de dos décadas que la elevada lealtad hacia el español demostrada por los grupos generacionales más jóvenes y los sectores más dinámicos de la sociedad en las comunidades chicanas no se correlacionaba necesariamente con un compromiso por impulsar su uso social (véanse datos de este mismo tipo en Mejías y Anderson 1984 y Hakuta y D'Andrea 1992 en otras comunidades de origen mexicano). Por poner un ejemplo representativo más reciente: en zonas con fuerte mayoría hispana como el condado de Los Ángeles, la tendencia decidida a la apertura de emisoras de radio en español se ha visto atemperada en los últimos tiempos por los intereses comerciales de empresas de comunicación que responden a nuevos gustos estéticos y musicales por parte de los sectores hispanos más jóvenes. Como recordaba un cronista del diario *Los Angeles Times* (21-02-2003) a propósito del cambio al inglés llevado a cabo por una tradicional emisora musical hispana de Santa Mónica (California):

> Spanish-language radio traditionally played regional Mexican music or Mexican oldies that appealed to older audiences. Many young Latinos weren't getting what they wanted on those stations and dialled in the English-language hits on KIIS-FM, KPWR-FM and others [...] «It makes sense. Young people tend to be English-dominant, even if they're bilingual», said Ron Rodrigues, editor of the trade magazine Radio & Records... For a broadcaster to want to cover the Latino population in L.A. you're going to have to do a couple of English formats.

Incluso en aquellas áreas donde la presencia del español es socialmente más relevante, las perspectivas de mantenimiento del español a medio y largo plazo son advertidas con pesimismo por parte de algunos estudiosos. Resnick (1988: 100-101), por ejemplo, vaticinaba hace unos años que incluso en el área de Miami, una de las regiones donde el español tiene una presencial social más activa, las nuevas generaciones acabarán imponiendo un desplazamiento inexorable hacia el uso exclusivo del inglés:

> The assimilatory force of American society continues to operate, and Cubans are too close to mainstream America in their values,

> ideologies, aspirations and physical characteristics for them not to join it... We must wait to see whether an EMT (ethnic mother tongue) now in its third generation can survive the cultural assimilation of its speakers in America...[37].

En algunas comunidades bilingües españolas, algunos sociólogos del lenguaje han llamado también la atención acerca del error que, en su opinión, cometen quienes tienden a considerar el mantenimiento de una lengua minoritaria como el resultado de un acto de lealtad de los hablantes y la pérdida, como consecuencia de la renuncia voluntaria y consciente por parte de los usuarios. Aunque todo ello pueda ocurrir en algunos casos, para autores como Mollà y Viana (1989) son los cambios globales, de carácter social y político, los que determinan en la mayoría de los casos el mantenimiento o la sustitución de las lenguas. En sus palabras:

> [...] la lealtad individual tiene una ínfima influencia en las sociedades modernas, de carácter urbano e industrial. Contrariamente, la difusión de una determinada lengua no está provocada siempre por factores de carácter nacionalista, sino más bien al contrario. [...] Una vez más, los valores instrumentales son los que determinan los hechos lingüísticos y no los valores de carácter simbólico (patriótico, nacional, etc.) (págs. 27-28; desde una posición paradójicamente coincidente, véase también Lodares 1999).

Por otro lado, algunas investigaciones recientes han puesto también de relieve el contraste abrupto entre unas actitudes globalmente positivas hacia la lengua y la cultura propias y el desplazamiento imparable de las poblaciones nativas hacia el idioma mayoritario. Entre nosotros, ello ocurre, por ejemplo, entre las comunidades de habla indígenas de América Latina, en las que el español ocupa una posición dominante y donde muchas lenguas minoritarias se hallan en trance de desaparición, si no lo han hecho ya. Así, de la investigación de Langan (1992-1993) sobre el bilingüismo en una comunidad guatemalteca (San Tomás de Chichicastenango) se desprende que la inmensa mayoría de

---

[37] Similares opiniones mantenían por las mismas fechas O. García y R. Otheguy (1988), para quienes tan sólo el factor demográfico es favorable al mantenimiento del español en Miami, mientras que todos los demás (socioculturales, económicos, ideológicos, políticos...) propician abiertamente el desplazamiento hacia el inglés. En contra de esta opinión, sin embargo, Roca (1991) y Lynch (2000), entre otros, realizan predicciones mucho más alentadoras para el español.

esta población reconoce la importancia del mantenimiento de la lengua quiche y sin embargo, la preferencia por el español invade buena parte de los dominios sociales de uso, una situación que se agrava conforme aumenta el nivel educativo de los individuos[38].

En el caso del español, quizá la prueba más significativa de este desequilibrio entre unas actitudes globalmente positivas y su escaso uso cotidiano la presenta el colectivo de profesores y responsables de la educación bilingüe. Como ha mostrado MacGregor (1998) en un estudio llevado a cabo en las regiones de sudoeste de Nuevo México y oeste de Texas, y en el que se analizan las relaciones entre las actitudes hacia las lenguas (español e inglés) y el empleo de ambos idiomas en las esferas pública y privada, las conclusiones para el español son globalmente decepcionantes. En efecto, los resultados de este trabajo demuestran que, si bien los responsables de la enseñanza del español muestran actitudes positivas hacia la lengua, como no podría ser de otro modo, el uso del inglés es mucho más frecuente en todos los dominios —formales e informales— fuera del aula. MacGregor (1998) advierte también otro dato sumamente revelador, como es el hecho de que la elección de lengua se halle fuertemente influida por la jerarquía profesional, de manera que la posibilidad de dirigirse en español a los cargos de mayor estatus en la escuela (directores, administradores generales, etc.) es considerablemente menor que la advertida cuando la comunicación se dirige a otros de menor prestigio social (secretarias, conserjes, empleados de la cafetería...). Pero incluso en la esfera doméstica, el uso del español muestra un claro déficit con respecto a la otra lengua. Al final, el resultado no puede ser más decepcionante:

> Although the language capabilities and occupations of the informants placed them in a unique position to promote the maintenance of Spanish, the lack of use of Spanish in both home and school environments suggests that they are not fulfilling their potential in this regard.

[38] Flodell (1991) ha señalado también que en la pequeña comunidad de origen sueco afincada en Argentina desde el siglo XIX la sustitución de la lengua nativa por el español ha sido inexorable en las últimas décadas, pese a la especial lealtad y la fidelidad a los orígenes suecos, a la participación frecuente en manifestaciones locales de la cultura sueca y, en fin, a unas actitudes francamente positivas hacia la lengua propia entre la mayoría de sus miembros.

TEMA XV

# Cuestiones de planificación lingüística en el mundo hispánico

## 1. INTRODUCCIÓN

El hecho de que las lenguas cambien, se mantengan o sean abandonadas significa que las alternativas lingüísticas están constantemente a disposición de los hablantes. Éstos pueden potenciar unas lenguas en detrimento de otras, en diferentes momentos, y su elección depende de una combinación muy compleja de factores históricos, sociales, políticos y afectivos, cuyo estudio ha recaído en el ámbito de la llamada *planificación lingüística*[1]. Por ello, el concepto de planificación da cuenta de elecciones explícitas y deliberadas, realizadas por los individuos en el curso de la historia[2], y destinadas, en palabras de Cooper (1989: 43): «to influence

[1] Con todo, conviene recordar que, si bien los estudios sobre el tema han tenido un desarrollo relativamente reciente, la planificación lingüística es tan antigua como las propias lenguas, ya que en diversos momentos de su desarrollo muchas de ellas se han visto sometidas a procesos institucionales que las han afectado en mayor o menor medida (Moreno Fernández 1998: 332).

[2] Entre los hitos más relevantes en la evolución de las lenguas occidentales ocupa un lugar destacado la *Gramática* de Nebrija, en la que la lengua castellana aparece explícitamente como «compañera del Imperio» a finales del siglo XV, y, por ende, como principal instrumento de una política de asimilación lingüística y cultural de los pueblos vencidos por el imperio español. Pese a ello, dicha política no alcanzaría su

behavior of others with respect to the acquisition, structure, or function of their language codes». En todo caso, tales elecciones son distintas de aquellas que han tenido lugar de forma natural, como consecuencia de cambios lingüísticos espontáneos[3].

Conviene aclarar, sin embargo, que la planificación lingüística no se asocia a cualquier tipo de elección, sino a los usos de la lengua en el desempeño de sus funciones oficiales o públicas. Es decir, no se ocupa de la comunicación casual y cotidiana, en la que las elecciones que realizan los hablantes se corresponden con factores psicosociológicos ordinarios que regulan la situación comunicativa. Por el contrario, el objeto de la planificación comprende desde la proclamación de lenguas oficiales, con sus correspondientes desarrollos legislativos y estatutarios, hasta la regulación de normativas que afectan a numerosas instancias públicas de menor rango.

En suma, y junto con la elección entre diversas alternativas posibles, los caracteres más importantes de la planificación lingüística pueden resumirse de la siguiente manera (Fasold 1984: 246):

a) toda planificación supone una intervención sobre el uso *institucional* de una lengua. Por ello, trata de una labor que, con independen-

---

plenitud hasta la expulsión de los jesuitas en el siglo XVIII y la hispanización forzada de los nativos de América. En este sentido, todavía es objeto de polémica el proceso que, desde la tolerancia inicial hacia las lenguas amerindias en el siglo XVI, impulsada por la prioridad de evangelizar a los indígenas, desembocó tan sólo una centuria más tarde en una política de asimilación total, cuando los responsables del imperio creyeron advertir que el español apenas había avanzado en el tiempo transcurrido. En esta nueva etapa, que se iría consolidando en siglos posteriores, las principales órdenes religiosas, que habían llevado a cabo la evangelización inicial, perdieron buena parte de su influencia a favor del clero secular. Y éste, en connivencia con el poder político, pretendió contribuir a la coherencia de la sociedad colonial forzando la hispanización de los indios. Asimismo se ha llamado la atención sobre el hecho de que el sistema legal español en el Nuevo Mundo se basó en dos políticas lingüísticas que entraron en conflicto entre sí. Por un lado, el objetivo prioritario de la cristianización y la asimilación a los principales valores de la cultura española, con el objeto de mantener a ultranza una homogeneidad religiosa, lingüística y cultural. Y frente a éste, las restricciones prácticas impuestas por una política más liberal. Como consecuencia de esta última, en aquellos lugares donde más se protegió a los indios, tanto sus lenguas —al menos las de mayor uso— como sus respectivas culturas fueron también más preservadas.

[3] Aunque algunos autores distinguen entre los conceptos de *planificación* y *política* lingüística, en el sentido de que la primera representa una parte, o más concretamente, la realización factual de la segunda *(vid.* Appel y Muysken 1996: 72), en el presente tema adoptamos preferentemente el primero de los términos en un sentido amplio, aunque sin dogmatismo alguno. De ahí que, en ocasiones, podamos hacer uso también del segundo.

cia de su origen, acaba siendo impulsada y planificada por medio de estructuras políticas;

b) es *explícita*, en el sentido de que sus experiencias son siempre deliberadas y conscientes;

c) se orienta hacia un *objetivo*, y

d) se enfrenta a los *problemas lingüísticos* y *comunicativos* de forma *sistemática.*

En las últimas décadas han menudeado los trabajos sobre planificación lingüística que vinculan esta disciplina con la defensa de los derechos de las minorías lingüísticas, especialmente en las situaciones de minorización y desplazamiento. Los intentos de revitalización[4] o normalización de estas lenguas amenazadas suponen, como veremos, la creación de formas y funciones nuevas para las mismas, con el fin de incrementar tanto sus ámbitos de uso como, en definitiva, el número de usuarios.

Pese a ello, la interpretación de los objetivos de la planificación lingüística no ha estado exenta de polémica entre los especialistas. Y es que en su desarrollo cabe distinguir al menos dos aproximaciones diferentes (Fasold 1984: 250). La primera, de carácter *instrumental*, enfatiza principalmente la función del lenguaje como medio de comunicación, independientemente de sus valores simbólicos. Desde este punto de vista, la planificación lingüística tiende a hacer las lenguas más eficaces y estéticamente más bellas. Frente a ella, la aproximación *sociolingüística* —a la que pertenecería el paradigma citado en el párrafo anterior— ve en la planificación una fuente indispensable para conseguir una serie de objetivos sociales. Pese a ello, el desarrollo de ambas corrientes de pensamiento no ha sido incompatible, y en la práctica, ambas han incorporado líneas de actuación comunes en no pocos casos.

Como en otras ocasiones a lo largo de la presente monografía, el objetivo principal de este capítulo es ofrecer una revisión amplia y representativa de los principales factores e hitos que han condicionado las tareas de planificación lingüística en el mundo hispánico.

---

[4] Junto a estos conceptos, aparecen en la bibliografía especializada otros con similar contenido metafórico, aunque en el presente caso su traducción del inglés resulta menos afortunada: renacimiento *(revival)*, inversión *(reversal)*, etc.

## 2. Niveles de la planificación lingüística

Las aproximaciones teóricas a la planificación lingüística coinciden, por lo general, a la hora de distinguir dos planos distintos entre las tareas que le son propias. Por un lado, el plano que incide sobre el *corpus,* esto es, sobre la forma y la estructura lingüística y por otro, el que atiende principalmente al *estatus* de las lenguas en la sociedad y, por lo tanto, a su capacidad para desempeñar nuevas funciones comunicativas.

Esta división, ya clásica (Kloss 1968), sigue manteniéndose en lo esencial en la bibliografía especializada, si bien ha sido objeto de algunas subdivisiones posteriores, dadas las fronteras poco nítidas que se advierten en el momento de concretar las actividades dentro de cada plano. Así, por ejemplo, y aunque en el presente capítulo, y por motivos expositivos, incluiremos el proceso de la *estandarización* dentro de las labores asociadas a la planificación del corpus, ya que se halla íntimamente relacionada con la codificación lingüística de una variedad unificadora, no debemos olvidar tampoco el componente funcional básico de las principales tareas asociadas al mismo.

A la vista de estas dificultades, autores como Haugen (1966b) distinguen cuatro momentos diferentes en la planificación, en cada uno de los cuales lo lingüístico y lo sociológico tienen alternativamente un mayor peso:

Gráfico 1
Modelo de planificación lingüística según Haugen (1966b)

| | Forma | Función |
|---|---|---|
| Sociedad (planificación sobre el estatus) | 1. Selección (toma de decisiones)<br>a. Identificación de problemas<br>b. Definición de normas | 3. Implantación (sistema educativo)<br>a. Corrección<br>b. Evaluación |
| Lengua (planificación sobre el corpus) | 2. Codificación (estandarización)<br>a. Grafías<br>b. Gramática<br>c. Léxico | 4. Elaboración (desarrollo funcional)<br>a. Modernización terminológica<br>b. Desarrollo estilístico<br>c. Internacionalización |

a) la *selección* de una lengua o variedad lingüística comunitaria de entre las disponibles en la sociedad;

b) su *codificación,* es decir, el desarrollo de gramáticas, diccionarios, etc., que la fijen;

c) la *implantación* y *difusión* en la sociedad de la nueva lengua, generalmente a instancias del poder político, y

d) la *elaboración,* que, en lo esencial, coincide con la modernización de lenguas para adaptarlas a las necesidades cambiantes de las sociedades contemporáneas.

## 3. Los conceptos de «lengua nacional» y «lengua oficial» y sus implicaciones en el mundo hispánico

La importancia del concepto *lengua nacional* se ha destacado con frecuencia en los estudios sobre planificación lingüística. En una de las caracterizaciones más conocidas de este concepto, Jernudd (1973) concibe la *lengua nacional* en un sentido fishmaneano, es decir, como la lengua de una determinada nacionalidad, con independencia de que ésta dirija o no un Estado, o, incluso, de que sea su principal vehículo de comunicación. En este sentido, podríamos considerar como lenguas nacionales tanto el gaélico en Irlanda como el norsk en Noruega o el galés en el País de Gales. Y lo mismo se ha hecho en España con lenguas como el vasco, el gallego o el catalán, en sus respectivas comunidades. Bajo esta interpretación, las relaciones entre la lengua y la nacionalidad resultan sumamente complejas, ya que la primera se convierte, junto con la religión, la cultura y la historia, en un componente esencial del llamado *nacionismo.* En estos casos, la lengua *nacional* sirve como vínculo de unión con un pasado glorioso —real o imaginario—, que contrasta con un presente generalmente mucho más precario. Por ello, y como subraya el conocido lema de Fishman (1978b: 46): «la lengua materna es un aspecto del alma».

Con todo, no es ésta la única caracterización posible del concepto que nos ocupa. En la práctica convive con otra, que ha hecho fortuna especialmente en algunos estados con una larga tradición centralista, en los que tan sólo merece la condición de lengua nacional aquella que reúne dos requisitos indispensables: a) la emplean todos los miembros de un estado, y b) viene avalada por una larga tradición literaria y prestigiosa. Así ocurre, por ejemplo, en Francia, donde idiomas como el catalán, el bretón, el corso o el vasco no han merecido históricamente la denominación de lenguas —serían *dialectos* antes que *lenguas*—, y mucho menos el calificativo de «nacionales».

Desde un punto de vista funcional, se ha escrito que las lenguas nacionales desempeñan funciones *unificadoras* y *separadoras*, ya que contribuyen a unir a individuos y grupos diferentes en torno a entidades colectivas superiores, al tiempo que los alejan simbólicamente de otras comunidades vecinas (Garvin y Mathiot 1968). Y ello, sin perjuicio de que numerosas actividades en las sociedades modernas *(v. gr.*, la ciencia, la tecnología, etc.) requieran también, y cada vez en mayor medida, el desarrollo de *funciones participatorias y prestigiadoras* (Garvin 1973: 30-31; Mollà y Palanca 1987: 93).

En el mundo hispánico no han faltado las referencias explícitas al papel de la lengua española como elemento aglutinador en torno a determinadas nacionalidades. Junto con el importante papel en este sentido que la lengua ha desempeñado históricamente en la configuración histórica del Estado español, el idioma ha servido también como elemento de integración y unidad entre los pueblos hispanoamericanos tras lograr la independencia en el siglo XIX, y sin que ello supusiera la eliminación de sus respectivas variedades locales[5]. Como ya destacara Henríquez Ureña (1921) a comienzos del siglo pasado por referencia a la nación mexicana:

> En México, como en toda la América de habla española, el elemento primordial es el español; el espíritu nacional no es otra cosa que espíritu español modificado. Modificado, principalmente, por el medio, y luego por las mezclas (citado en Guitarte 1958: 403).

Estas impresiones se han visto confirmadas mucho más recientemente en diversas investigaciones llevadas a cabo en comunidades hispanoamericanas, en las que una mayoría significativa interpreta la lengua española en términos simbólicos y, hasta en algún caso, nacionalistas. Moreno de Alba (1998: 73) ha destacado, por ejemplo, este hecho en el México actual, donde un estudio reciente emprendido por este autor arroja resultados como los que se resumen en la tabla 1[6]:

---

[5] No en vano y como quería el poeta: «Somos a través de un idioma que es nuestro siendo extranjero.»

[6] Para un análisis detallado de la polémica que enfrentó a intelectuales hispanoamericanos como Bello, Sarmiento y Lastarría en torno al mantenimiento o la ruptura con la norma lingüística española tras la independencia de España en el siglo XIX, véase Niño Murcia (1997). Como es sabido, el conservadurismo bellista fue decisivo en la posición básicamente unificadora que acabaría adoptándose, frente a la postura mucho más radical y separatista instigada por Sarmiento y Lastarría.

TABLA 1
Actitudes hacia el español como lengua nacional
entre hablantes mexicanos, según Moreno de Alba (1998)

| LA LENGUA ESPAÑOLA ES UN SISTEMA MUY ÚTIL DE COMUNICACIÓN | HOMBRES % | MUJERES % | JÓVENES % | ADULTOS % | E. SUPER. % | SIN E. SUP. % | TOTAL % |
|---|---|---|---|---|---|---|---|
| a) pero no debe necesariamente respetarse ni estimarse | 24 | 21 | 25 | 11 | 15 | 25 | 20 |
| b) que, además, debe respetarse, pero no necesariamente estimarse | 18 | 16 | 16 | 18 | 16 | 17 | 17 |
| c) que, además, debe respetarse y estimarse | 58 | 63 | 59 | 71 | 69 | 68 | 63 |

Como puede apreciarse, una proporción muy elevada de la población interpreta la lengua española no sólo como un sistema de comunicación indispensable, sino también, en términos *integrativos*. Esto es, como una institución que debe respetarse y estimarse ya que forma parte, junto con otros elementos simbólicos —la bandera o el himno nacional— del patrimonio común mexicano[7]. Por otro lado, la correlación entre las respuestas obtenidas y algunos factores sociales permite comprobar que el sentimiento anterior, aunque mayoritario en el conjunto de la sociedad mexicana, es más destacado entre los hablantes adultos (71 por 100) que entre los jóvenes (59 por 100). Y similares diferencias, aunque no tan acusadas, se dan entre las mujeres (63 por 100) y los hombres (58 por 100). Por el contrario, el nivel académico y educativo de los hablantes apenas tiene significación alguna (69 por 100 para informantes con estudios superiores *vs.* 68 por 100 para el resto).

En otro contexto, y a propósito del papel que desempeña el español en la configuración de una nacionalidad como la cubana, uno de

[7] Con todo, este valor en el caso de la lengua no está a la altura de los otros dos.

los últimos países en lograr la independencia de España, Valdés (1994: 368) observa:

> [...] la lengua que heredamos de España los cubanos es hoy tan nuestra como lo es de las restantes naciones que constituyen la llamada Hispanoamérica.

Y en otro momento advierte significativamente:

> [...] nuestra lengua nacional es un logro histórico de nuestro pueblo. Si realmente es una lengua europea que heredamos de los españoles, en Cuba nos apropiamos de ella y la hicimos nuestra, la moldeamos de tal forma que respondiera a nuestras necesidades de manifestación espiritual y de creación de bienes materiales *(ibíd.)*[8].

Como vemos, la lengua nacional se utiliza, pues, como un símbolo para articular algún tipo de identidad colectiva, sea ésta nacional, regional o étnica. Ahora bien, justamente por ello, esa función unificadora tiene también una importante contrapartida separadora, ya que al tiempo que permite agrupar a las personas en torno a determinadas entidades colectivas, puede emplearse también para establecer barreras simbólicas con otras entidades vecinas, a las que se asocia con lenguas diferentes. Un ejemplo claro de esta doble función lo ofrece entre nosotros la República Dominicana, cuyo sentimiento nacional es generalmente tan intenso como el menosprecio hacia la vecina Haití, país históricamente rival, y al que se dispensan prejuicios racistas muy extendidos socialmente entre los dominicanos[9]. En la configuración de este profundo sentimiento de «dominicanidad» la lengua desempeña un papel muy relevante, como ha destacado recientemente Almeida

[8] Valdés analiza el proceso que llevó al castellano a configurarse como la lengua nacional y oficial de Cuba. Como recuerda este autor, tan sólo el español contaba con posibilidades de imponerse a la larga como lengua nacional del mestizo pueblo cubano, ya que ninguna otra lengua europea, africana, asiática o indoamericana tenía el respaldo institucional, cultural y demográfico de que disfrutaba el primero en la Cuba colonial.

[9] Un hablante dominicano entrevistado por Almeida Toribio (2000c: 264) señaló lo siguiente respecto a la idea de «negritud»: «Cuando aquí se dice que una persona es blanca es no solamente por la tez de la piel, se mira en el grado de astucia, de inteligencia, en la forma de sus pensamientos. Se dice "fulano es blanco, piensa como blanco", o sea, que es una persona que no es bruto, que tiene una habilidad de ver las cosas un poquito más allá de la nariz. Lo paradójico, y triste al mismo tiempo, es que la propia población dominicana es también en gran medida de raza negra.»

Toribio (2000c: 265) en su estudio sobre la comunidad dominicana de Nueva York. Como subraya esta autora:

> [...] it [Spanish dominican] serves a unifying and separatist function, binding Dominicans to their Hispanic past and isolating them from their African and African-American neighbors.

Las palabras de esta mujer de clase obrera, residente en Nueva York, resumen bien la importancia del español como elemento simbólico aglutinador:

> La cultura dominicana influye mucho el idioma. Yo diría que ser dominicano y hablar [español] es importante, por no decir original *[sic]*. El dominicano que no hable [dominicano] puede sentirse igual de orgulloso pero le falta algo.

Conviene distinguir claramente el concepto de lengua *nacional* del que utilizamos al hablar de *lengua oficial*. Mientras que este último designa la lengua reconocida como apta en los dominios públicos e institucionales, la lengua nacional tan sólo da cuenta de la lengua nativa de una determinada nacionalidad. En ocasiones, ambos papeles vienen a ser desempeñados por una misma lengua, lo que representa un considerable menor esfuerzo planificador. Así ocurre, por ejemplo, en países de Hispanoamérica como Argentina o Cuba, en los que la lengua española desempeña la doble función de idioma oficial del Estado, por un lado, y de lengua nacional, por otro. En muchos otros, sin embargo, la existencia de dos o más lenguas nacionales u oficiales puede generar tensiones entre las correspondientes *nacionalidades* que conviven en un mismo territorio. Ello ha despertado ocasionalmente los deseos de algunos intelectuales y lingüistas de uniformar ambos papeles. Así, hace ya tres décadas Escobar (ed. 1972: 87) decía lo siguiente para referirse a la situación sociolingüística peruana, país en el que, como es sabido, el español convive con otras lenguas amerindias:

> [...] mientras la lengua oficial no llegue a ser una *lengua nacional*, no se puede sostener que existe una nación peruana.

Las lenguas oficiales pueden cumplir su papel bien en solitario *(v. gr.*, los casos referidos de Argentina o Cuba) o mediante el estatus de cooficiales. En estos casos, comparten dicha condición con otra lengua en un territorio político y administrativo, como ocurre en la actualidad con la actual España autonómica, donde el español tiene reconocido el estatus de oficial junto al vasco, el gallego y el catalán (incluida la variedad valenciana) en el País Vasco, Galicia, Cataluña, Islas Baleares y Comunidad Valenciana, respectivamente. Incluso cabe una posibilidad adicional, como es la de mantener el carácter cooficial tan sólo en un región concreta de una determinada entidad política y administrativa, como sucede con el vasco en Navarra, cuyo estatus de cooficialidad se limita a la zona vascófona situada al norte de la comunidad foral.

Siguiendo a Haugen (1966a), podemos distinguir tres tipos de comunidades de habla, en función de las relaciones que se establecen entre sus respectivas lenguas nacionales y oficiales, así como de los problemas comunicativos que pueden plantearse en su seno:

a) comunidades *primarias,* en las que la variación interlingüística es escasa y donde, por consiguiente, los problemas de comunicación entre grupos etnolingüísticos diferentes son menores, como lo son también las necesidades de planificación. Así ocurre en algunos países europeos oficialmente monolingües, en los que existen muy pocas minorías lingüísticas (Portugal o Islandia). O en el mundo hispánico, en naciones como Argentina y Cuba, o en las comunidades españolas oficialmente monolingües (Andalucía, Castilla y León, Castilla-La Mancha, La Rioja, etc.) (Moreno Fernández 1998: 336);

b) comunidades *secundarias,* en las que ya se utilizan dos —y a veces más— lenguas diferentes, que se corresponden con otros tantos grupos etnolingüísticos. Pese a ello, la comunicación entre los miembros de estos grupos es posible, bien sea por la filiación genética de las lenguas, lo que facilita la comprensión *(v. gr.,* el caso de las lenguas romances en España), bien sea por la preeminencia social de una de ellas, que es conocida por todos los miembros de la comunidad (de nuevo, el caso de España es representativo, ya que la inmensa mayoría de los hablantes de gallego o catalán conocen al mismo tiempo el español);

c) más problemas plantean, sin embargo, las comunidades *terciarias,* en las que los hablantes de diferentes lenguas no pueden comunicarse entre sí por la considerable distancia estructural de las lenguas correspondientes a cada nacionalidad, como ocurre en Suiza entre los hablantes de diferentes cantones de habla germana, italiana o francesa, o en España en las comunidades de habla vascas, donde el español y el vasco son dos lenguas muy distintas[10].

[10] Con todo, en este último caso, y al igual que ocurre en otras comunidades españolas donde se hablan lenguas romances, la mayoría de los vascohablantes son capaces de expresarse en español.

Entre nosotros, Moreno Fernández (1991, 1998) ha reflexionado en diversas ocasiones acerca del alcance de estas clasificaciones en el mundo hispánico, proponiendo la existencia de cuatro esquemas diferentes, que dan cuenta de las relaciones entre las lenguas y sus correspondientes comunidades.

En el primero de ellos, nos encontramos ante hablas locales independientes, vinculadas por una misma norma de prestigio. En ocasiones, estas hablas pueden convivir en el espacio y en el tiempo con otras, que, sin embargo, no cuentan con una referencia de prestigio ni con un sistema regulado. Así sucede, por ejemplo, con numerosas variedades del español de América, en las que se advierte la huella de lenguas indígenas precolombinas, o en España con las hablas castellanas, en las que todavía se adivinan reminiscencias léxicas del leonés (cfr. Borrego 1981 y González Ferrero 1991).

Situación distinta es la que ofrecen aquellas comunidades en las que dos hablas locales, asociadas a una misma norma de prestigio y a la misma lengua, ejercen entre sí una influencia recíproca. En el repertorio lingüístico de la ciudad de Toledo (España), por ejemplo, se ha observado la influencia tanto de la norma culta del español general como la que ejercen las hablas castellanas del norte peninsular (cfr. Molina Martos 1992; Calero 1993). Asimismo, este esquema permitiría dar cuenta de las influencias mutuas entre las hablas rurales y urbanas, pero especialmente de las segundas sobre las primeras.

Otras comunidades de habla pueden experimentar la influencia de otras variedades regionales. La diferencia con el modelo anterior es que esta vez cada una de dichas hablas remite a su propia norma culta, aunque sigamos hablando de dialectos o variedades de una misma lengua. En la práctica, sin embargo, una de esas normas puede aparecer ante los hablantes de toda una comunidad idiomática como más prestigiosa que las demás. Así, por ejemplo, la presión ejercida por la norma castellana en numerosas comunidades americanas y andaluzas se ha dejado sentir con frecuencia a lo largo de la historia, hasta el punto de que, como vimos en un tema anterior (véase el tema XI), muchos de sus hablantes valoran más positivamente la norma peninsular septentrional que sus propias variedades estándares.

Por último, las situaciones de contacto interlingüístico, y en particular entre lenguas que responden a sus respectivos modelos normativos, pueden originar —junto a fenómenos habituales, como la interferencia lingüística o el cambio de código— ciertas variedades híbridas, como ocurre, por ejemplo, con los dialectos *fronterizos* entre Uruguay y Brasil (Elizaincín 1973, 1976) o con el llamado *chapurreao* de la Franja oriental aragonesa, donde conviven el español y el catalán (Martín Zorraquino *et al.* 1995).

Por otro lado, y frente a lo que pretendía Haugen, Moreno Fernández (1998: 341) considera que las situaciones diversas que tienen lugar en el mundo hispánico, incluso las que podríamos incluir en el capítulo de las comunidades primarias, encierran problemas complejos y a menudo difíciles de resolver. Entre ellos destacan:

a) la forma de aceptar, y posteriormente integrar, los préstamos de otras lenguas y variedades lingüísticas;

b) el tipo de variedad lingüística que debería enseñarse en el sistema educativo (y en qué variedad hacerlo)[11] y en los medios de comunicación;

c) las dificultades que surgen en la actualización de las terminologías;

d) el estatus social de las variedades híbridas, etc.

Por ello, los objetivos generales de una planificación del español deberían girar, en su opinión, en torno a los siguientes aspectos:

a) favorecer la unidad y el enriquecimiento de la lengua;

b) garantizar el derecho a comunicarse en esa lengua en situaciones públicas, y

c) proteger su uso correcto y prestigioso. Objetivos —especialmente los dos últimos— que en muchos casos distan de ser una realidad.

## 4. La planificación del «corpus» en las comunidades hispanas

Entre las principales labores asociadas a la planificación lingüística del corpus suelen distinguirse tres categorías, que, siguiendo a Jernudd (1973) denominamos: *grafización, estandarización* y *modernización,* respectivamente.

[11] Por desgracia, en el mundo hispánico no han proliferado los esfuerzos planificadores de intelectuales como Vidal de Battini o Bello, quienes orientaban a maestros y padres de familia acerca de qué español enseñar y cómo hacerlo. Con todo, hay que recordar que en situaciones de marginación social, como las que presentan algunas minorías hispanas en EE.UU., el empleo exclusivo de variedades estándares en el proceso educativo se ha demostrado contraproducente (véase Zentella 1987 para la comunidad portorriqueña de Nueva York).

### 4.1. *Problemas de grafización*

Los problemas que atañen a la primera de las actividades mencionadas son numerosos y complejos, como la adopción de un determinado alfabeto para lenguas que no disponen de él, la distancia entre grafemas y sonidos, etc. En relación con este último, por ejemplo, hay que recordar una larga polémica en la tradición española, que ha enfrentado históricamente a los defensores de una adecuación entre la lengua hablada y la escrita, por un lado, y a los más puristas y fieles a las normas de la tradición escrita, por otro[12]. Ambas actitudes pueden rastrearse ya en el siglo XVI en autores como Juan de Valdés y Miguel Salinas, respectivamente, si bien ambos humanistas eran conscientes de la necesidad de normalizar el idioma, tanto en el plano oral como en el escrito (Moriyón 1988-1989). Un siglo más tarde, Gonzalo Correas realizaba ya una propuesta de reforma ortográfica más precisa, en la cual este autor se alejaba definitivamente de la tradición latina y rechazaba una aproximación etimológica para la ortografía del español. Correas proponía un alfabeto con veinticinco letras para representar otros tantos sonidos a partir de un principio básico de economía, según el cual, cada grafema debía corresponder a un sonido y viceversa.

Por otro lado, los intentos impulsados desde la Real Academia por resolver los problemas ortográficos del español se remontan ya al momento fundacional de la institución académica. Con todo, durante la época colonial la mayoría de las propuestas realizadas por la Academia no traspasaron los límites de la metrópolis, por lo que durante mucho tiempo las normas imperantes en las colonias fueron, por lo general, más conservadoras que en España.

En todo caso, en este panorama general hay que mencionar algunas excepciones notables, especialmente la figura del venezolano Andrés Bello, quien en 1822 daba a conocer su conocido lema, «escribe como pronuncias», como un criterio básico para la reforma ortográfica en el Nuevo Mundo. Pese a ello, sus normas no fueron adoptadas hasta 1844 y, además, cayeron en desuso muy poco tiempo después. Entre las ideas de Bello figuraban algunas reformas radicales:

---

[12] Los intentos por adaptar la ortografía a las normas cambiantes de la lengua oral han encontrado resistencias activas al menos desde el siglo XIII.

a) el empleo de *i* en lugar de *y* vocálica *(lei);*

b) la eliminación de la *h (onor)* y *u* en los grupos *qu, gu (qeso);*

c) la sustitución del grafema *r* por *rr* para la expresión del sonido vibrante múltiple *(rrápido);*

d) los grupos *ze, zi* en lugar de *ce, ci (zerilla, zitar);*

e) el empleo de *q* en lugar de *c (qolor),* etc. Con todo, y pese a no triunfar, la influencia de estas propuestas se ha dejado notar hasta nuestros días[13].

Con todo, los problemas que presenta el español en este sentido no son nada comparados con los que ofrecen otras lenguas con las que éste convive en diversos territorios del mundo hispánico. Así ocurre, por ejemplo, en algunas comunidades bilingües españolas, en las que, recientemente, se han desatado casos de conflicto lingüístico que afectan seriamente a la tarea de normativización ortográfica. Junto con el caso valenciano, en el que una minoría propone una escritura fonológica, sin correspondencia con las normas del catalán estándar (cfr. M. Stewart 1996; Pradilla 1999), en Galicia se enfrentan también dos corrientes de pensamiento antagónicas sobre las relaciones entre el gallego y el portugués *(vid.* Herrero 1993). Los defensores del *diferencialismo* ponen el énfasis en la autonomía del gallego, mientras que los adalides del *reintegracionismo* subrayan su filiación con la lengua vecina. En la actualidad, los primeros parecen haber alcanzado una posición más influyente a través de instituciones como la Real Academia Galega o el Instituto da Lingua Galega, en las que se toman decisiones que afectan a la planificación del gallego. Con todo, aun dentro de esta corriente es posible distinguir a su vez dos versiones diferentes, en función del grado de radicalidad de sus propuestas[14].

---

[13] Para un análisis de las complejas relaciones entre Bello y la Real Academia Española, institución embarcada por entonces en la redacción de un diccionario que promoviese el uso de un español universal, véase Urrutia (2000b). En relación con este mismo tema hay que recordar, asimismo, las propuestas innovadoras de otros escritores e intelectuales latinoamericanos, como el argentino Domingo Sarmiento, quien, ya en la primera mitad del siglo XIX, atacó los intentos conservadores por mantener en la escritura viejas distinciones fónicas que afectaban al orden de las sibilantes */s, z/* y las labiales */b, v/* (cfr. Velleman 1997; Niño-Murcia 1997).

[14] Por otro lado, las actuales *Ortografía* y *Morfología* del gallego, publicadas por el Instituto incluso antes de que se aprobara la ley de normalización lingüística gallega, han recibido las críticas de unos y otros por su presunta artificialidad, así como por el excesivo seguimiento de las normas castellanas. De hay que no resulte extraño el hecho de que, en la actualidad, podamos encontrarnos hasta con tres propuestas ortográficas diferentes para escribir el gallego.

Entre las lenguas precolombinas de América los problemas relacionados con la *grafización* son todavía mucho más serios, ya que éstas han carecido tradicionalmente de sistemas de escritura[15]. De ahí que en la creación reciente de algunos de estos sistemas se hayan visto implicados factores que a menudo trascienden las cuestiones puramente técnicas. Así sucede, incluso, entre las lenguas más extendidas, como el quechua. Pese a haber contado con cierta difusión escrita en los últimos siglos, esta lengua ha carecido de un sistema gráfico unificado, al tiempo que las normas de escritura seguían básicamente las normas del español. Incluso en la actualidad, la propuesta de representación de ciertos fonemas velares mediante el seguimiento de modelos anglosajones o españoles ha originado un vivo debate en la comunidad indígena, en cuyo seno algunos han destacado las connotaciones imperialistas y de dependencia respecto a los dos colosos «coloniales» que representa esta forma de actuar[16]. Y ni que decir tiene que en otras muchas ocasiones, los problemas son todavía más graves, ya que requieren la unificación o, a veces, hasta la creación *ex novo* de alfabetos que permitan codificar la lengua como primer paso para su enseñanza.

### 4.2. *Los procesos de estandarización*

La razón última de los procesos de *estandarización* reside en la necesidad de intercomunicación entre todos los hablantes de una determinada comunidad idiomática, con independencia de su lugar de origen, residencia, edad, clase social, etc.[17].

---

[15] Pese a lo avanzado de algunas de las culturas precolombinas en otros aspectos, éstas carecían de sistemas de escritura, lo que supuso una ventaja incuestionable para el avance del español. Por otro lado, López García (2000) ve en esta ausencia de sistemas gráficos una de las principales razones que explican la obsesión unitarista de muchos intelectuales hispanoamericanos, desde Bolívar y Bello en el siglo XIX hasta los recientes dictámenes de las academias y universidades latinoamericanas: «En Hispanoamérica el español se considera el instrumento propio de la escritura, con lo que su uniformidad y escasa diferenciación respecto del español europeo meridional están servidas.»

[16] El sistema gráfico del quechua unificado consta de veinte consonantes y tan sólo tres vocales, y a diferencia del español no contiene ninguna de las grafías siguientes, consideradas ajenas a la idiosincrasia de la lengua andina en el proceso de estandarización emprendido recientemente: *b, d, g, rr, x, e, o* (Gleich 1994).

[17] Frente a este concepto, algunos autores se han servido de otro inverso, el de *desestandarización,* para dar cuenta de ciertos procesos históricos que han llevado, justamente, al abandono de la variedad estándar en algunas regiones hispanas. Es el caso de

Para dar cuenta de lo que en la actualidad conocemos habitualmente como *lengua* o *variedad estándar,* se han utilizado en el pasado otras etiquetas equivalentes, como las de lengua *literaria,* lengua *nacional,* lengua *literaria nacional,* etc. Sin embargo, las connotaciones que presentan la mayoría de estas denominaciones prefieren evitarse en la bibliografía sociolingüística contemporánea. De ahí que al comienzo de esta sección convenga realizar algunas precisiones terminológicas, como las que permiten distinguir entre:

a) la *lengua normativa,* o *codificada,* esto es, sometida a normas que regulan el uso correcto del idioma;

b) la *lengua estándar,* entendiendo por tal la variedad común superadora de la diversidad que, a su vez, sirve como vínculo de unión y de referencia lingüística entre los miembros de toda la comunidad de habla, y

c) la *lengua literaria,* es decir, la lengua de la creación artística *(vid.* Mollà y Palanca 1987: 92).

De acuerdo, pues, con la definición más frecuente en la sociolingüística actual[18], la responsabilidad de elaborar un dialecto *estándar* supone

---

Germán de Granda (2001), quien ha descrito en esos términos las consecuencias lingüísticas de la regresión económica que experimentaron algunas regiones surandinas a partir de mediados del siglo XVII. Como es sabido, estas tierras conocieron un notable esplendor económico durante el siglo XVI y buena parte del XVII, como consecuencia de la explotación de las minas de plata, lo que atrajo a las elites de habla española, que cultivaron durante todo este tiempo las normas lingüísticas de un prestigioso dialecto peninsular. Sin embargo, a partir de la segunda mitad del XVII, y como consecuencia de la crisis económica que siguió al descenso brusco en la extracción y manufacturación de la plata, dichas normas lingüísticas experimentaron un notable cambio. Éste supuso la conservación de numerosos arcaísmos léxicos y gramaticales, así como una notable interferencia procedente de las lenguas indígenas de la región. De esta manera, el proceso de estandarización iniciado en los primeros momentos del periodo colonial se invirtió radicalmente, dando lugar a otro proceso, esta vez de desestandarización, cuyos efectos han llegado hasta nuestros días.

[18] Aunque ciertamente, no la única, como demuestran algunas polémicas en el seno de la lingüística hispánica. Así, para el malogrado Manuel Alvar (1990), la lengua estándar no coincidía con lo que acabamos de ver, sino que era «[...] el resultado de un consenso basado, precisamente, en los usos literarios [...] esa lengua es [...] la langue de Saussure: existe en todas partes, está aceptada por todos los hablantes (no sólo los escribientes), pero nadie la utiliza». En todo caso, y dadas las dificultades que entraña la definición de un concepto tan escurridizo como el presente, algunos sociolingüistas prefieren, incluso, eludir el término. Así, Moreno Fernández (1998) ha propuesto la distinción entre *lengua española,* como *diasistema* (el español general), y *castellano,* como variedad *prestigiosa* sobre la que se han elaborado hasta la fecha la mayoría de los dictámenes académicos.

no sólo la promoción de una variedad por encima de otras, sino también la prescripción de reglas y normas lingüísticas unificadoras bajo la forma de gramáticas, diccionarios, manuales de pronunciación, etc. Ahora bien, en el caso de las lenguas minoritarias más amenazadas por los procesos de abandono lingüístico, esta «promoción» de unos dialectos en detrimento de otros puede dar lugar a problemas serios. Siguiendo a Fishman (1991: 342-344), podríamos resumir éstos en tres apartados.

El más común de estos problemas radica en la posibilidad de que los hablantes de la lengua minoritaria consideren el estándar como una variedad artificial y extraña, ajena, pues, a su competencia lingüística. Este desenlace se ha advertido, por ejemplo, en diversos procesos de revitalización social, como muestran los casos del irlandés moderno (Dorian 1994: 485), el quechua en algunas áreas andinas (King 1999: 115-117), o el euskera batua en las comarcas vascoespañolas.

Otro problema potencial importante se deriva del mismo acto discriminatorio que supone la promoción de unos dialectos en contra de otros. En tales circunstancias, los hablantes de los dialectos menos favorecidos por el proceso de estandarización pueden interpretar que otros hablantes de su misma comunidad lingüística se han visto claramente amparados por las autoridades.

Por último, existe también la posibilidad de que los hablantes de las variedades menos favorecidas vean incrementados sus sentimientos —diglósicos— de subordinación, pero esta vez ya no sólo respecto a otra lengua mayoritaria, sino también respecto a la nueva variedad estándar de su propia lengua. Una variedad que, sin embargo, muchos hablantes seguirán viendo como artificial y extraña.

Una muestra de la mayoría de estos desenlaces puede verse en los intentos de estandarización que, con diferente grado de éxito, se han emprendido en Latinoamérica para la revitalización social de lenguas como el quechua. En un estudio reciente, King (1999) ha destacado, por ejemplo, que este tipo de sentimientos ambivalentes son moneda común entre muchos ecuatorianos, después de que a comienzos de la pasada década de los 80 se llegara al acuerdo de crear un quechua *unificado,* que en la actualidad funciona como la variedad estándar en extensas zonas de la región andina. De este modo, en algunas áreas del país, como la región de Saraguro, se ha establecido una división creciente entre dicha variedad y el llamado quechua *auténtico*. Y aunque ambos dialectos resultan mutuamente inteligibles, las tensiones y polémicas entre los miembros de generaciones diferentes han menudeado durante todo este tiempo. Así, los hablantes más jóvenes, que han aprendido el quechua unificado tanto de forma oral como por escrito en las últimas dos décadas, interpretan la variedad de sus mayores como corrompida, y por lo tanto, inferior. Así lo revelan testimonios como los siguientes (extraídos de King 1999: 116-117):

> Los mayores usan castellano y quichua; mezclan bastante. Dicen «chayta presta». Ahora estamos dando cuenta que no está bien. Yo estoy aprendiendo quichua unificado, no quichua de los mayores.

> Los de colegio tienen una estructura; los mayores hablan sin su buena estructura.

Por su parte, los de más edad consideran que la variedad estándar contiene demasiadas formas artificiales y ajenas a la competencia lingüística de los hablantes.

Esta dialéctica afecta a menudo al ámbito de las elecciones léxicas, como revela el testimonio anterior. Los defensores del quechua unificado sustituyen numerosos castellanismos por neologismos o por formas supuestamente previas a la influencia del español. Así, mientras que los hablantes más adultos utilizan términos como *estado, pizarrón* o *carro,* la norma del estandar prescribe *mamallacta, qillcana pirca* y *antahua,* respectivamente.

La labor histórica de estandarizar el *corpus* lingüístico ha variado de unas sociedades a otras, si bien las hispánicas han seguido, por lo general, la tradición de las Academias, instituciones inauguradas en el siglo XVI por la Academia della Crusca en Florencia, a la que seguiría poco después la creada en Francia por Richelieu[19]. El nacimiento de la Real Academia Española en 1713 y las obras normativizadoras que de ella derivaron en las primeras décadas[20] son hitos importantes en la estandarización moderna del español, que tuvieron su complemento en 1870 mediante la creación de otras instituciones similares en distintos países de habla hispana. Todas éstas mantienen estrechos vínculos entre sí, y entre sus objetivos más importantes figura evitar la fragmentación del español en el mundo[21].

---

[19] Estas instituciones difieren de la tradición anglosajona, que rechazó la idea de crear una Academia y otras formas de regulación lingüística, encomendando la estandarización del inglés a la iniciativa de personalidades relevantes de su cultura, como el poeta y lexicógrafo inglés Samuel Johnson o el político norteamericano Daniel Webster.

[20] El primer diccionario data de 1741 y la primera gramática se publicó tres décadas después, en 1771.

[21] Pese al prestigio de las academias del mundo hispánico, no han faltado tampoco algunos detractores, especialmente críticos con el conservadurismo latente en sus obras normativas y en sus diccionarios, al menos en el pasado.

Entre los intentos más destacados de estudiar científicamente las normas estándares panhispánicas destaca el proyecto conocido como *Estudio coordinado de la norma lingüística culta de las principales ciudades de Iberoamérica y de la Península Ibérica,* propuesto inicialmente por el lingüista Juan M. Lope Blanch en 1966. Mediante el uso de cuestionarios unificados y la aplicación de una metodología que, al menos en parte, recoge ya las aportaciones de la moderna sociolingüística —*v. gr.,* criterios socioculturales para la selección de los informantes, etc.—, en la actualidad disponemos de muestras de habla representativas del sociolecto culto hablado en algunas de las más importantes ciudades del mundo hispánico (Bogotá, Buenos Aires, Caracas, La Habana, La Paz, Lima, México, San José de Costa Rica, San Juan de Puerto Rico, Santiago de Chile, etc.). Para los dialectólogos y sociolingüistas españoles e hispanoamericanos, dicho proyecto se presentaba en palabras de Rabanales (1987: 166) como un recurso imprescindible para:

> ayudar a rectificar [estas] falsas generalizaciones y llenar grandes lagunas [mediante] una tarea conjunta para estudiar lo que consideramos lengua española en todas sus manifestaciones; como un sistema (o mejor, diasistema) en sus diversas realizaciones normativas y en sus distintos niveles del análisis [...] Y todo esto dentro de los principios tanto de la lingüística oracional como de la llamada «lingüística textual», más apta para el estudio de las estructuras coloquiales.

En los últimos años, este corpus, que cuenta en la actualidad con más de un millón de palabras, ha servido ya como fuente para la realización de diversos estudios dialectológicos y variacionistas, algunos de ellos de carácter comparativo, que contribuyen a un mejor conocimiento de aquello que une y separa —más lo primero que lo segundo— a los sociolectos cultos del mundo hispánico[22].

Más recientemente, a este proyecto se han añadido otros, como el que lleva por nombre «Difusión internacional del español por radio, televisión y prensa». Iniciado en 1988 a instancias del Colegio de México, este proyecto pretende recoger muestras del español estándar utilizado en los principales medios de comunicación de los países de habla española, como un instrumento igualmente para preservar la uni-

[22] J. A. Samper y C. E. Hernández (1999) han publicado en formato CD-ROM el conjunto de las entrevistas realizadas hasta la fecha.

dad del español, sin afectar por ello a la identidad de cada región. Las peculiaridades lingüísticas de uno de estos países, Colombia, se han abordado recientemente en un libro de C. Mayorga y A. González (1999). Tras un detallado estudio cuantitativo, estos autores observan que buena parte del corpus mediático colombiano (72 por 100) sigue de cerca las normas de un español estándar y prestigioso, lo que se refleja principalmente en el léxico[23]. Ni que decir tiene que nuevos estudios de otras regiones del mundo hispánico son necesarios para enriquecer este ambicioso proyecto.

### 4.3. *La modernización de las lenguas*

El concepto de *modernización* no ha estado menos exento de polémica que los anteriores en la teoría sobre la planificación lingüística. Inicialmente designa el proceso mediante el cual una lengua se convierte en un medio de comunicación eficaz, con igual desarrollo y capacidades que otras para el desempeño de cualquier función social y comunicativa imaginable en las sociedades modernas. Ferguson (1968), creador de esta noción, destacaba que, a través de su modernización, las lenguas son capaces de crear nuevos estilos y formas de discurso, inexistentes en etapas previas. Para algunos autores, dicho proceso implica una mayor complejidad tanto en el léxico como en el nivel gramátical (Garvin 1973: 27), si bien otros consideran que la gramática no suele experimentar modificaciones importantes (Fasold 1984: 250). Para Fasold, el problema en realidad «no es de la lengua, sino de la habilidad que los hablantes deben adquirir en su manejo».

Un aspecto relevante en toda tarea de modernización lingüística lo representan las *terminologías,* listados de vocabulario técnico que hacen posible la actualización de los idiomas ante los avances científicos, tecnológicos, jurídicos, etc., que experimentan las sociedades en momentos determinados de la historia. Pese a que este proceso de creación terminológica es muy antiguo, en el mundo occidental ha encontrado un desarrollo especialmente notable en las últimas décadas. En este contexto, las lenguas suelen debatirse entre la disyuntiva que supone acudir a recursos léxicos propios o, por el contrario, echar mano de préstamos ajenos. Por lo general, los procedimientos más habituales obede-

[23] La preocupación por el uso de una variedad prestigiosa del español por parte de la prensa de este país es una constante histórica que se remonta, incluso, al periodo previo a la independencia colombiana *(vid.* Niño Murcia 2001).

cen a alguna de las estrategias siguientes: a) la adopción de un término nativo cuyo abanico conceptual se incrementa con nuevas acepciones; b) los préstamos léxicos procedentes de lenguas extranjeras, con mayor o menor grado de adaptación a las normas de la lengua receptora; c) los calcos semánticos a partir de modelos foráneos; y d) las creaciones *ex novo* (Haugen 1987: 633).

La dialéctica entre lo patrimonial y lo extranjero preside también muchas de las decisiones de las instituciones encargadas de velar por la pureza de la lengua. En el mundo hispánico, algunas academias e intelectuales han insistido en la necesidad de reemplazar los anglicismos endémicos del español actual por neologismos autóctonos; iniciativas, sin embargo, que, al igual que en otros dominios geográficos *(v. gr.,* el caso francés), han tenido escaso éxito hasta la fecha, ya que los hablantes han seguido utilizando mayoritariamente los préstamos del inglés[24]. Una faceta radical de esta política la representó el gobierno revolucionario de Fidel Castro, el cual, no satisfecho con «desamericanizar» el idioma español en Cuba, quiso impulsar una progresiva «rusificación» del mismo en épocas pasadas.

Similar preocupación, sólo que agravada por el estado de postración de sus lenguas, han sentido aquellos hablantes de lenguas indígenas que han visto cómo el español ha reemplazado progresivamente su léxico patrimonial. En este sentido destacan esfuerzos como el emprendido por el Instituto Nacional Indigenista de México, institución que ha redactado diversos catálogos de palabras españolas y extranjeras y los correspondientes vocablos nativos, destinados a sustituir los anteriores.

## 5. La planificación del «estatus»

Continuando con la clasificación inicial de Haugen (1966a), que nos está siguiendo de guía en el presente capítulo, le llega el turno ahora a las tareas relacionadas más directamente con la planificación del *estatus* lingüístico.

En ésta suelen distinguirse diversas etapas. Por un lado, la llamada *selección,* que comienza con la identificación de los problemas asocia-

[24] Colombia ha sido una de las naciones que más empeño han puesto en la defensa del español. Leyes y reglamentos han servido para potenciar el uso de esta lengua en todos los dominios oficiales, profesionales y legales, así como para la regulación del idioma en los medios de comunicación, como radio y televisión. Entre las medidas más llamativas —y polémicas— se incluyen multas para aquellos que vulneren las leyes de protección del idioma.

dos al uso de una lengua, y concluye con la delimitación de la norma que servirá como variedad estándar[25]. Por otro, la *implantación*, que representa la difusión social de la variedad seleccionada, preferentemente a través del sistema educativo y —en la actualidad también— de los medios de comunicación.

En los casos más extremos, estos procesos pueden alterar notablemente la realidad sociolingüística de algunas comunidades de habla respecto a situaciones pretéritas, no sin generar al mismo tiempo tensiones entre sectores sociales con intereses no siempre coincidentes y a menudo, contrapuestos. A este respecto, la fracasada experiencia noruega de intervención lingüística estatal contrasta con las leyes de «franconización», emprendidas hace unas décadas por el gobierno regional de Quebec, y en las que se llegan a prever sanciones económicas contra aquellos individuos y empresas que no cumplan con los objetivos mayoritarios de implantación social del francés. Entre nosotros, y aunque a un nivel más modesto, la última Ley del Catalán, aprobada en 1998 por el Parlamento de Cataluña, ha levantado las voces de algunos colectivos ciudadanos y grupos políticos, que han criticado la marginación de los derechos de los castellanohablantes a favor de una decidida catalanización lingüística y cultural de la sociedad, que contrasta con el amplio consenso generado en torno a la primera de las leyes normalizadoras a comienzos de los 80 (véase § 7)[26].

Con todo, el proceso de planificación no puede considerarse completo si no media una *evaluación* de los resultados obtenidos. Junto con la valoración de los instrumentos puestos a disposición de los planificadores por los poderes públicos, se impone también una revisión de las metas alcanzadas, ya sea con el objeto de ratificar lo conseguido, o, por el contrario —si los resultados no son satisfactorios—, elaborar nuevos planes que permitan mejorarlos en el futuro. Por otro lado, se ha des-

---

[25] La delimitación de la norma no es una tarea sencilla, como tampoco lo es la caracterización que de ella han hecho los especialistas. A este respecto conviene recordar la existencia de dos concepciones diferentes en la delimitación teórica de este concepto en la lingüística europea contemporánea, las derivadas de la obra de Saussure y Coseriu, respectivamente.

[26] Uno de los aspectos más controvertidos de la ley ha surgido en su aplicación a la industria del cine, ya que las propuestas de doblaje al catalán realizadas por el gobierno de la Generalitat contaron desde un principio con el rechazo de las principales compañías de cine norteamericano. Al final, y tras un arduo proceso negociador, se alcanzó un acuerdo entre las partes, que, no obstante, coincidía escasamente con las pretensiones iniciales del gobierno catalán, lo que originó un notable malestar entre los círculos más nacionalistas.

tacado también la necesidad de que en la misma participen agentes externos, conocedores de los problemas sociolingüísticos de la comunidad, pero ajenos a ella, con el fin de que la evaluación resulte lo más objetiva posible[27].

Para ser efectiva, la labor planificadora no sólo debe resultar adecuada, sino también aceptable para la mayoría de los miembros de la comunidad, incluidos aquí tanto los grupos mayoritarios como los minoritarios. Ésta es, por ejemplo, una de las razones que se han esgrimido frecuentemente para explicar el fracaso de las políticas de bilingüización emprendidas por sucesivos gobiernos de Estados Unidos en la isla de Puerto Rico. En el mejor de los casos, los planificadores de turno habrían atendido los factores pedagógicos implicados en los programas de enseñanza del inglés, pero no otras variables extralingüísticas que resultan tanto o más relevantes para el éxito de la planificación. Y entre ellas ocupa un lugar privilegiado el recelo de la mayoría de los portorriqueños hacia las prácticas e ideologías asimilacionistas que se adivinan tras muchos de estos planes (cfr. Pousada 1996; Morales 1998).

En resumen, y como ha recordado acertadamente Ortiz (2000: 399), una planificación lingüística profunda y sistemática exige del cumplimiento de diversas etapas que, sin embargo, pocas veces se llevan a cabo rigurosamente, lo que trae consecuencias indeseadas tanto desde el punto de vista lingüístico como social. En primer lugar, una investigación objetiva de la realidad sociolingüística, que incluya aspectos diversos como los dominios sociales en que desarrollan habitualmente las lenguas que son objeto de la planificación, así como un estudio riguroso de las actitudes y creencias lingüísticas que manifiestan los hablantes hacia cada una de ellas. En segundo lugar, una formulación explícita de los objetivos de la planificación, en la que se decida qué papel social deben desempeñar las lenguas en los diferentes ámbitos de uso. En el caso portorriqueño, por ejemplo, el inglés podría fluctuar entre las condiciones de principal lengua extranjera o de segunda lengua, dependiendo del ámbito social en que nos situemos (en las interacciones comerciales, por ejemplo, el inglés es, sin duda una segunda lengua en Puerto Rico, pero no así en otras esferas de la vida comunitaria). En tercer lugar, una planificación rigurosa requiere una implantación detallada, mediante el auxi-

[27] Por otro lado, la participación de los lingüistas profesionales en algunas actividades importantes de la planificación, como la educación, ha sido casi siempre muy limitada, lo que ha tenido consecuencias perniciosas en ciertos casos, como la educación bilingüe en EE.UU.

lio de metodologías que resulten adecuadas al tipo de lengua que se desea regular (lengua materna, segunda lengua o lengua extranjera). Y por último, la tarea de evaluación, por medio de la cual sea posible juzgar el grado de éxito o fracaso obtenido, así como las principales dificultades detectadas en el proceso de implantación.

## 6. Sobre las tareas de implantación: la educación bilingüe en el mundo hispánico

Como hemos señalado anteriormente, el proceso de implantación de una variedad estándar tiene su instrumento más adecuado en el sistema educativo, auxiliado en la era moderna por la prensa y otros medios de comunicación de masas[28]. A continuación ofrecemos un repaso de algunos de sus resultados en diversos contextos del mundo hispánico.

### 6.1. *El caso español*

En los últimos tiempos se ha llamado la atención sobre el diferente éxito que han alcanzado las políticas educativas desarrolladas en diversas comunidades bilingües, al tiempo que se ha venido subrayando la necesidad de que los planificadores evalúen con mayor rigor y precisión sus estrategias en función del contexto social y lingüístico de la comunidad, ya que las mismas recetas no son siempre válidas en contextos diferentes[29].

---

[28] A propósito de la influencia de estos últimos, se ha destacado que su presencia ubicua y su importancia en la vida social moderna resultan determinantes para la delimitación de las normas de uso del español contemporáneo. Por ello, al decir de algunos, ni las pautas marcadas por los escritores ni las prescripciones realizadas por la Real Academia pueden ya en la actualidad con las normas de estilo de las agencias de prensa y de los principales periódicos, que introducen y sancionan los usos del español actual. Véase una revisión de los esfuerzos emprendidos a este respecto por la Agencia EFE y el diario *El País,* a través de sus respectivos —e influyentes— libros de estilo en Lebsanft (1997).

[29] Desde una perspectiva histórica, hay que recordar que uno de los primeros textos legales de política lingüística oficial en la España contemporánea data de mayo de 1975, momento en el que el Ministerio de Educación del último gobierno franquista propuso la enseñanza —de manera experimental— de las llamadas lenguas regionales en los periodos preescolar y primario. A partir de entonces, diversas instituciones centrales, pero sobre todo autonómicas, han corrido a cargo de las tareas de planificación relacionadas con el uso de las lenguas autóctonas en el sistema educativo.

En *Cataluña,* la política educativa llevada a cabo en los últimos veinte años se ha interpretado desde diferentes perspectivas, en función, casi siempre, de los intereses ideológicos de quienes la han evaluado. Por un lado, autores de orientación nacionalista como Strubell (1996, 1998) la han caracterizado sin ambages como un instrumento de planificación lingüística destinado a frenar, e incluso, a invertir, el proceso de sustitución experimentado por la lengua catalana desde hace siglos. Especial relevancia han adquirido en la aplicación de dicha política instituciones como la Dirección General de Política Lingüística del gobierno catalán, responsable durante todo este tiempo del diseño, la coordinación y la evaluación del Plan General de Normalización Lingüística, principal instrumento para la promoción del catalán tanto en el sistema educativo como en otras esferas institucionales.

Como uno de los frutos principales de dicha política, esta lengua se ha impuesto prácticamente como el único idioma instrumental de la educación obligatoria en toda la red escolar de esa comunidad autónoma, tarea que ha corrido a cargo del Servei d'Ensenyament del Català, órgano dependiente de la Consejería de Educación del gobierno de la Generalitat. Significativamente, mientras que en 1985 el catalán tan sólo era obligatorio en una o dos asignaturas de los ciclos de primaria y secundaria (Arnau y Boada 1986), en la actualidad todo el sistema educativo catalán se desarrolla en dicha lengua, mientras que el español —y su literatura— aparece tan sólo como una asignatura más del *currículum* escolar[30] (Artigal 1995).

Los defensores de esta política educativa señalan la necesidad de la inmersión lingüística para los niños que no tienen el catalán como lengua materna, basándose para ello en dos argumentos principales: a) la inmersión sería un requisito indispensable para detener el desplazamiento lingüístico secular de la lengua catalana; y complementariamente, b) los niños de origen catalán aprenden, por lo general, más fácilmente la lengua española que los de origen castellanohablante el catalán, debido al prestigio de esta lengua y a su presencia ubicua en la sociedad (véanse similares opiniones positivas sobre la

[30] Entre los debates que se llevaron a término durante los primeros años destaca la polémica entre los partidos nacionalistas, por un lado, y los socialistas/comunistas, por otro, acerca de cuál debía ser la lengua de instrucción de los niños en Cataluña: mientras que los primeros abogaban por dejar esta elección a los padres, los grupos políticos de izquierdas se inclinaba por que la educación primaria se realizara en la lengua materna de los alumnos, siguiendo así de cerca las directrices de la UNESCO y otros organismos internacionales.

aplicación de los programas de inmersión lingüística en Cataluña en Artigal 1995, Vila 1992 y Huguet y Llurda 2001, entre otros)[31]. Con todo, estos juicios no son compartidos por todos. Así, para colectivos como la Asociación por la Tolerancia y contra la Discriminación o el Foro Babel[32], que han criticado severamente la política educativa llevada a cabo por el gobierno catalán en las últimos años, pese a que la Constitución española reconoce la cooficialidad de las dos lenguas en Cataluña y prácticamente la mitad de la población es de origen castellanohablante, el español ha adquirido, paradójicamente, la condición de lengua minoritaria en la comunidad. En el sistema educativo, ello se refleja fielmente en el hecho de que tan sólo figure como una segunda lengua y nunca, o casi nunca, como vehículo de instrucción (Slone 1998).

Desde diversos sectores nacionalistas se han denunciado estas críticas como una especie de «quintacolumnismo españolista» contra los legítimos intentos de las autoridades catalanas por defender la lengua «propia» —como es reconocido por el Estatuto de Autonomía— de esta comunidad (Strubell 1998). Sin embargo, la mayoría de quienes en Cataluña y en otras regiones peninsulares defienden los derechos lingüísticos de los castellanohablantes responden fundamentalmente a

[31] Situación distinta es la que presentan las comunidades catalanohablantes de la Franja, en la vecina Aragón. En estos municipios, la presencia del catalán en el currículum escolar se limita, en el mejor de los casos, a su enseñanza optativa como segunda lengua. Con todo, algunos estudios recientes han comprobado que incluso estos tímidos ensayos de promoción del catalán tienen efectos positivos sobre las actitudes hacia esta lengua en el seno de una sociedad tradicionalmente poco cercana a la identidad etnolingüística y cultural catalana (cfr. Huguet *et al.* 2000; Huguet y Llurda 2001).

[32] O anteriormente, cuando el tema de los derechos lingüísticos de los castellanohablantes era un absoluto tabú, organizaciones como la Acción Cultural Miguel de Cervantes, CADECA (Coordinadora de Afectados en defensa del castellano) o la Asociación de Profesores por el Bilingüismo. El resultado más emblemático de estas asociaciones fue la publicación anónima, bajo el seudónimo de Azahara Larra Server, del libro-manifiesto *Extranjeros en su país* en 1992. En este libro, que fue boicoteado en numerosas librerías catalanas, se vertían críticas tan graves como la siguiente: «[...] una Cataluña en cuyas esquinas acechan, escondidos, comisarios políticos capaces de sancionar a todo aquel que no acepte sus reglas de juego siempre en aras de la normalización». La más reciente Asociación por la Tolerancia y contra la Discriminación (fundada en 1994 por Antonio Robles, a quien se otorga la autoría del manifiesto anterior) ha llevado a cabo algunas acciones llamativas, como la obtención de 50.000 firmas en una campaña contraria a la política lingüística del gobierno catalán, a la que se califica de «limpieza étnica» o la Caravana por la Tolerancia Lingüística, que recorrió España durante tres semanas bajo el lema: «En castellano también, por favor.»

intereses individuales ante políticas lingüísticas que les dejan prácticamente desamparados. Por otro lado, de este desamparo serían también responsables los sucesivos gobiernos centrales que, deseosos de mantener a toda costa el consenso constitucional con las principales fuerzas nacionalistas en torno a estas cuestiones, siempre delicadas, han abandonado a su suerte a las minorías castellanohablantes —paradójicamente mayoritarias en no pocas ocasiones— y sus correpondientes derechos lingüísticos.

En la práctica, pues, y frente a la pretensión de las autoridades autonómicas, que niegan la existencia de un conflicto como consecuencia de la implantación de esta política lingüística, esta situación parece estar generando ya algunas divisiones en el seno de la sociedad catalana (cfr. M. J. Plaza 1999; Vann 1999b; D. Smith 1998).

A diferencia de Cataluña, el sistema educativo de las Islas Baleares establece la utilización de las dos lenguas como instrumento de comunicación escolar[33]. Un decreto promulgado en 1997 por el gobierno autonómico introducía la obligación de impartir al menos un 50 por 100 de las materias docentes en catalán en el plazo de cuatro cursos escolares (hasta 2001-2002), obligación ineludible desde el comienzo al menos para las asignaturas de Conocimiento del Medio, Ciencias de la Naturaleza y las materias afines en lengua catalana. En todo caso, los niveles de empleo de ambas lenguas en cada centro deben ser decididos por los claustros de profesores respectivos a través de su Proyecto Lingüístico, y con la aprobación del Consejo Escolar. Hasta hace unos años (curso 1993-1994) el porcentaje de alumnos que recibía la educación enteramente en catalán ascendía a un 20,7 por 100, frente a un 63 por 100 que lo hacía en español y un 16,2 por 100 restante en programas bilingües[34].

Con todo, las islas se enfrentan a problemas lingüísticos añadidos, algunos de los cuales obedecen a la notable presencia de algunas mino-

---

[33] Un problema serio con el que se ha enfrentado la política lingüística en la educación balear es la falta de competencias en materia de educación hasta hace relativamente poco, a diferencia de las demás comunidades bilingües tratadas en este capítulo. Ello ha traído como consecuencia la falta de un cuerpo legislativo propio, así como de instituciones que llevaran a cabo las tareas de planificación.

[34] En la red privada las proporciones de cursos impartidos enteramente en español ascendían hasta un 89 por 100. Por otro lado, las diferencias regionales son también importantes, con los mayores porcentajes de empleo del catalán como lengua instrumental en Menorca, seguida por Mallorca y en último lugar por Ibiza, isla donde un aplastante 81,5 por 100 de alumnos recibía clases en español.

rías lingüísticas europeas (alemanes, ingleses...). Éstas, cada vez más numerosas, incrementan las necesidades docentes compensatorias para unos alumnos cuya lengua materna no es ya ni el catalán ni el español *(vid.* Munar 2001).

La *Comunidad Valenciana* establece en la actualidad tres modelos lingüísticos para sus alumnos de los ciclos de enseñanza obligatoria (infantil, primaria y secundaria), a saber (Blas Arroyo 2002b):

- *Programa de Inmersión Lingüística* (PIL): va dirigido a alumnos monolingües castellanohablantes, que, sin embargo, viven en zonas de mayoría ambiental valencianohablante, y cuyo entorno familiar muestra unas actitudes positivas hacia la lengua autóctona. Como señalan sus diseñadores en la Comunidad Valenciana, el Programa de Inmersión Lingüística se propone conseguir «todos los objetivos lingüísticos y académicos a través del cambio de lengua del hogar a la escuela» (Pascual y Sala 1997: 125), En este programa, que contaba ya con algunas experiencias pioneras a finales de los años 80 en colegios de Alicante, Elche y Valencia, la legislación establece que el área de castellano se introduzca a partir del segundo ciclo de la enseñanza primaria. Incomprensiblemente, este programa no tiene continuidad en la educación secundaria, lo que ha originado no pocos problemas de desorientación entre el alumnado en su paso de un ciclo a otro (Sala 1992; Pitarch 1994).
- *Programa de Enseñanza en Valenciano* (PEV): dirigido a alumnos valencianohablantes que viven en comarcas de predominio lingüístico valenciano. El PEV utiliza como lengua de instrucción el valenciano, y persigue aumentar el prestigio de esta lengua entre los alumnos que la tienen como materna, sin descuidar por ello la competencia comunicativa en español, lengua que se va introduciendo progresivamente en el currículum docente. El Programa de Enseñanza en Valenciano se articula como línea de educación (en valenciano) en los proyectos educativos de los centros. En la práctica, ello supone la existencia de colegios donde conviven líneas educativas diferentes: unos alumnos cursan sus estudios en la línea en valenciano y otros siguen el programa —único obligatorio— de Incorporación Progresiva al Valenciano, que describimos a continuación.
- Cuando por los motivos que sea, no pueda aplicarse ninguno de los modelos anteriores, las autoridades educativas establecen como programa de aplicación obligatoria el llamado *Pro-*

*grama de Incorporación Progresiva del Valenciano* (PIV), dentro de los territorios históricamente valencianohablantes. La docencia se imparte principalmente en castellano, pero el valenciano se introduce de forma paulatina como lengua de instrucción en diversas áreas didácticas. La proporción de éstas varía en función de diversas variables sociales, como el grado de presencia ambiental del valenciano en el municipio, la voluntad de los padres, la disponibilidad de un profesorado bilingüe adecuado, etc. En la práctica se trata del programa más extendido en los territorios valencianohablantes donde, como queda dicho, representa el mínimo obligatorio. Por su parte, los centros ubicados en las comarcas castellanohablantes del interior también pueden aplicar este modelo —e incluso los anteriores, aunque en la práctica ello no ocurra casi nunca—, siempre que los padres o tutores lo soliciten, y de acuerdo con las posibilidades organizativas de cada centro.

Junto con la clara preeminencia de este último modelo lingüístico en el conjunto de la Comunidad Valenciana (aproximadamente el 65 por 100 de los alumnos de la comunidad reciben su instrucción bajo el mismo), cabe destacar también la desigual distribución geográfica y social en el uso del valenciano como lengua curricular. En relación con la primera variable, hay que subrayar la clara ventaja que a este respecto ofrece la provincia más catalanohablante de toda la comunidad, Castellón, la cual supera claramente a Valencia y Alicante. En estas dos provincias, pero sobre todo en Alicante —y más en su capital— el empleo del castellano es claramente predominante, salvo en los mínimos que establece la ley y en algunos municipios de mayoría social valencianohablante. Por otro lado, la valencianización del sistema educativo se asocia principalmente con la red pública de enseñanza, la única en la que aparecen centros y alumnos que siguen los modelos de inmersión lingüística (PIL) y enseñanza en valenciano (PEV)[35].

Al igual que otras disposiciones legislativas en la España autonómica, La Ley de Normalización del Gallego, que data del mismo año que la valenciana (1983), prevé el impulso social de la lengua autóctona, tanto en la administración pública como en la enseñanza (art. 13). La

[35] Sobre otros desfases entre la teoría y la práctica de las lenguas en el sistema educativo valenciano, véase nuestro trabajo Blas Arroyo (2002b). Como vemos, estas diferencias regionales y sociales asemejan mucho el caso valenciano al balear reseñado anteriormente.

*Comunidad de Galicia* dispone para ello de una Consejería autonómica, que asume las competencias en educación desde hace dos décadas, así como de una de Dirección de Política Lingüística, que se ocupa monográficamente de las principales tareas relacionadas con la normalización del idioma en la sociedad. En el ámbito educativo los modelos lingüísticos gallegos se hallan más próximos a los programas valencianos que a los catalanes y vascos. A diferencia de estos últimos, el sistema gallego establece el uso del español y el gallego como vehículos de instrucción para todos los alumnos, si bien la presencia de esta última lengua es menor que la del castellano y sus proporciones en el currículum educativo difieren en función del nivel académico.

En la enseñanza infantil y el primer ciclo de la primaria la ley prevé el derecho de los alumnos a recibir la educación en su lengua materna, por lo que los profesores están obligados al empleo de la lengua mayoritaria entre los miembros de la clase. Sin embargo, con el paso a ciclos superiores de primaria y secundaria obligatoria, la frecuencia de empleo del gallego como lengua curricular disminuye. Las nuevas leyes educativas prevén su presencia obligatoria en asignaturas correspondientes a dos materias de estudio (Ciencias Naturales, Ciencias Sociales...) en estos ciclos obligatorios, y opcional en alguna otra, dependiendo de su demanda social. Por su parte, el nuevo Bachillerato establece también el uso de la lengua autóctona en asignaturas troncales como Filosofía (primer curso) e Historia (segundo curso), y en algunas optativas (Ética, Introducción a las Ciencias Políticas, Geografía de Galicia, etc.).

Como no podía ser de otro modo, los resultados de esta política difieren drásticamente de acuerdo con el punto de vista que adoptan sus jueces. Para las autoridades educativas gallegas, responden a un bilingüismo «limpio y armónico», como el que predomina en la sociedad gallega, y alejado del conflicto artificial que, por razones políticas e ideológicas, pretenden introducir algunos (cfr. Regueiro 1999). Por el contrario, otros autores son mucho más críticos y han denunciado los aspectos negativos que plantea este sistema de enseñanza que, a su juicio, va destinado a asentar la tradicional situación diglósica, al tiempo que no ha conseguido mejorar los niveles de competencia escrita de una lengua que continúa siendo claramente secundaria en este medio (Turell ed. 2001).

En el *País Vasco* las autoridades educativas llevan a cabo tres programas de educación diferentes. En cada uno de ellos las lenguas del repertorio verbal comunitario, el vasco y el español, tienen un protagonismo muy diferente. De este modo, y una vez desaparecido durante la pasada década de los 80 el modelo que aseguraba exclusivamente la enseñanza en castellano, en la actualidad los alumnos de la Comunidad Autónoma Vasca pueden matricularse en uno de estos tres sistemas:

a) *modelo A:* que asegura al español el papel de principal lengua de instrucción, con el vasco como una asignatura más del currículum académico;

b) *modelo B:* o modelo bilingüe, con un número aproximadamente similar de asignaturas en las dos lenguas, aunque en la práctica exista casi siempre un desequilibrio que favorece a una de ellas[36], y

c) *modelo D:* que garantiza el empleo del vasco como principal lengua de comunicación escolar, con la lengua española —y su literatura— como asignatura obligatoria del currículum escolar.

Entre estos modelos, los dos últimos han terminado imponiéndose en el sistema educativo vasco, con un desarrollo especialmente intenso del modelo D en las comarcas más vascófonas, sobre todo en la red pública. La evolución de los modelos educativos a favor del euskaldún —y en menor medida el bilingüe—, y en detrimento del castellanohablante, es clara en estos últimos años, como muestra la tabla 2, en el que se ofrecen datos correspondientes a las últimas dos décadas. En este tiempo, el porcentaje de alumnos matriculados en el conjunto de la Comunidad Autónoma Vasca en el modelo D ha pasado de un minoritario 12 por 100 a comienzos de los años 80 a un 40 por 100 en el curso 1999-2000. Por el contrario, la matrícula en el modelo castellanohablante (A), mayoritario hace dos décadas (61 por 100), ha descendido en nuestros días a cifras inferiores a las del modelo euskaldún. Pese a ello, estas diferencias se acrecientan notablemente en función de factores adicionales, como el grado de uso del vasco en la sociedad o la red educativa (pública o privada). Así en la provincia más vascófona de todas, Guipúzcoa, no existen ya en la actualidad programas educativos correspondientes al modelo A en la escuela pública, y son muy pocos los colegios privados (tan sólo algunos colegios bilingües, no concertados) donde quedan aulas de este tipo. En el extremo contrario se sitúa, sin embargo, Álava, la provincia con menor población de toda la Comunidad Autónoma Vasca y donde las proporciones son todavía favorables a los programas castellanohablante, y bilingüe (véanse más datos sobre esta evolución en Kremnitz 1991; Garmendia 1994; Etxebarría 1996; Ariztondo 2000 y Olaziregi 2001), entre otros.

---

[36] Según el testimonio personal de algunos profesores de secundaria guipuzcoanos, en esta provincia dicho desequilibrio favorece sistemáticamente al vasco en la mayoría de los centros.

TABLA 2
Evolución (en % sobre el total) de los modelos educativos en la Comunidad Autónoma Vasca (periodo 1982-2000), según Olaziregi (2001)

| | 1982-1983 | 1987-1988 | 1992-1993 | 1997-1998 | 1999-2000 |
|---|---|---|---|---|---|
| % Modelo A | 61 | 68 | 57 | 44 | 38 |
| % Modelo B | 8 | 13 | 18 | 19 | 21 |
| % Modelo D | 12 | 18 | 24 | 36 | 40 |

La aplicación de los programas de inmersión lingüística a la población escolar castellanohablante de las comunidades catalanas y vascas ha generado duras críticas en algunos sectores implicados en el proceso educativo (padres, profesores, colectivos ciudadanos, etc.), especialmente en los últimos años, en los que el consenso torno a la aplicación de medidas excepcionales para la normalización social de las lenguas minoritarias en España parece haber concluido. A este respecto, los más críticos señalan que la generalización de estos programas está basada en una aceptación acrítica de los llevados a cabo en Canadá a partir de los años 60 y 70 del pasado siglo. Sin embargo, los responsables de la política educativa en Cataluña y el País Vasco eluden el hecho de que, frente a las excelentes condiciones sociales en que tales programas se desarrollaron en el país norteamericano[37], en las regiones bilingües españolas una mayoría amplia de los niños castellanohablantes procede de familias inmigrantes, con escasos recursos económicos y culturales y por lo tanto, con escasas posibilidades de contrarrestar el déficit lingüístico que toda inmersión lingüística supone para la lengua materna. En opinión de algunos autores, ello está teniendo ya consecuencias graves tanto en los pobres resultados escolares de muchos de estos niños como en el deterioro de su competencia lingüística en español (cfr. Herreras 1998; Guerrero 1998; Salvador 2004).

Una región donde la política lingüística en la educación ha generado hasta la fecha menos polémica es *Navarra*. En esta comunidad foral, la legislación distingue tres zonas lingüísticas, según el grado de presen-

[37] Originalmente, los escolares que ingresaban en este país en programas de inmersión lingüística en una lengua minoritaria que no era la suya (el caso del francés entre los anglófonos) pertenecían generalmente a familias de clase media, con un elevado nivel sociocultural y económico.

cia del vasco en el repertorio verbal de la comunidad: a) una zona vascófona, situada en la región norte de la provincia, lindante con otras comarcas vascohablantes, b) una zona mayoritaria no vasca, que abarca buena parte de la Navarra media y meridional, y c) un área de transición mixta entren las dos anteriores, y en la que aparecen poblaciones donde el vasco tuvo notable extensión en épocas pasadas, pero mucho menos en la actualidad *(v. gr.,* el caso de ciudades como Estella, Tafalla...).

Esta división tiene consecuencias en el sistema educativo actual, en el que pueden distinguirse hasta cuatro modelos diferentes en función de la relevancia concedida al español y al vasco como lengua de instrucción. En un extremo se sitúa el modelo educativo en vasco, dispensado en algunos colegios e institutos de la zona norte, y en el que toda la educación se lleva a cabo en esta lengua, con la excepción de la enseñanza del español y su literatura. En el polo opuesto se sitúan la mayoría de las escuelas de la Ribera de Navarra, al sur de la comunidad foral, en las que el vasco tan sólo se ofrece, en el mejor de los casos, como una asignatura optativa dentro de un currículum escolar enteramente en español (cfr. Biain 2000, Urroz 2001).

Para cerrar este epígrafe, señalemos, por último, que en España la tradicional desidia institucional para la extensión de la lengua y la cultura hispanas en el mundo, cuyas raíces se remontan ya al periodo imperial en el siglo XVI, ha sido paliada en parte mediante la creación reciente del Instituto Cervantes, institución que recoge el modelo de otros centros similares en el mundo occidental (British Council, Liceo Francés, Instituto Goethe, Instituto Leopardi, etc.) (Mar-Molinero 2000; Sánchez 1992; Lodares 2000). No obstante, más polémico ha resultado para algunos el hecho de que, junto con la enseñanza del español, el Instituto tenga como uno de sus objetivos principales la extensión del concepto cultural de hispanidad[38].

### 6.2. *El contexto hispanoamericano*

En los últimos tiempos ha aumentado el interés de los estudiosos por analizar las políticas de educación bilingüe desarrolladas en algunos países hispanoamericanos que cuentan con minorías etnolingüísticas.

Entre los estados que más decididamente han desarrollado programas de este tipo figura Ecuador, país que desde el año 1978, y a través

[38] Por otro lado, el interés por el aprendizaje del español como lengua extranjera ha crecido notablemente en numerosos países de todo el mundo durante los últimos años.

del Centro de Investigación para la Educación Indígena, se ha situado a la cabeza de la educación multilingüe y multicultural en América (Chiodi 1990; Vries 1998; Yáñez 1991). También en la región andina, Bolivia es otra nación en la que se han producido algunos progresos en la introducción del quechua dentro del sistema educativo estatal, al menos en los niveles educativos elementales, lo que ha supuesto una cierta inflexión en el proceso secular de sustitución lingüística en la región (P. Plaza y X. Albó 1989; Albo 1995; Barrientos y Aima 2001; Choque 2001; véase, sin embargo, una opinión bastante más crítica en Burns 1984).

En Centroamérica, estados como Guatemala han destacado también en el impulso legal a las políticas lingüísticas tendentes al fomento de las lenguas amerindias en la educación. Investigadores como S. Stewart (1984) Richards (1989) y Chiodi (1990), entre otros han analizado el contexto sociolingüístico de este país, dedicando una atención especial al proceso histórico de reformas que han conducido en los últimos tiempos a la enseñanza de diversas lenguas mayas en los niveles primarios de la educación[39]. La opinión de estos autores resulta globalmente positiva, ya que, a su juicio, el gobierno guatemalteco ha promovido decididamente una ideología favorable a la revitalización lingüística y cultural del legado indígena, lo que está contribuyendo a recuperar algunas de estas lenguas nativas (véase también Cabrera *et al.* 1987)[40].

Con todo, este de la educación es también uno de los ámbitos donde más se han dejado notar los fracasos de la planificación lingüística en otros países hispanoamericanos. Éste parece ser el caso de México, donde en repetidas ocasiones se ha destacado el brusco contraste entre las buenas intenciones de las autoridades educativas y una realidad casi siempre mucho más precaria y presidida, generalmente, por el bajo nivel sociocultural de los instructores bilingües o el uso de materiales didácticos pobres y escritos exclusivamente en español[41]. Como han puesto de relieve Freedson y Pérez (1995) en su análisis de

---

[39] Por el contrario, los esfuerzos anteriores a los programas de 1980 para la alfabetización de la población bilingüe, tanto en español como en la correspondiente lengua indígena, fracasaron rotundamente.

[40] La política lingüística en Guatemala ha tenido que abordar tareas muy serias de planificación del corpus como la grafización, estandarización y modernización lexicográfica de estas lenguas.

[41] Por no hablar de otros problemas de partida más graves, como la falta de estandarización y la notable fragmentación de las lenguas indígenas (Coronado 1992).

los programas de educación bilingüe llevados a cabo en el estado de Chiapas (México) desde finales de la década de los 80, la profusión de actos legislativos y reformas curriculares desarrollados entre los años 1988 y 1994, y que perseguían impulsar la educación bilingüe en la enseñanza primaria, quedó severamente dañada por la práctica educativa posterior. Y ello debido tanto a las numerosas deficiencias administrativas —derivadas, a su vez, de un desconocimiento rampante del contexto local— como al escaso interés mostrado por la red escolar estatal en la ejecución de sus propios planes. Asimismo, otros estudios han detectado que la actitud mayoritaria de muchos maestros hacia la educación bilingüe y bicultural es casi siempre negativa, y no sólo por el empleo recurrente del español como lengua instrumental, sino también —y principalmente— por el desprecio hacia las lenguas indígenas que inculcan a sus alumnos (véanse sendos resúmenes sobre esta cuestión en Aguirre 1993 y Lastra 1994)[42].

En la región centroamericana se ha destacado también la ausencia de políticas lingüísticas que aseguren la educación bilingüe y la supervivencia de las lenguas minoritarias en diversos países de la región, como Costa Rica y Nicaragua, donde, junto a algunas lenguas amerindias obsolescentes, perviven también ciertas variedades criollas de base inglesa entre los descendientes de antiguos esclavos (Fleischmann 1992).

El brusco contraste entre el espíritu legislativo de la planificación lingüística y una realidad educativa mucho más prosaica se ha advertido también en países sudamericanos, como Chile y Paraguay, una de las naciones, esta última, donde el bilingüismo social e institucional ha alcanzado cotas más elevadas[43]. Tras un estudio empírico acerca de las actitudes de los profesores que llevan a cabo la introducción del guaraní en el sistema educativo paraguayo, Corvalán (1984) concluía hace unos años que, por lo general, éstos sólo promueven el empleo de la lengua autóctona como un instrumento auxiliar en el aula, pero no

---

[42] El proceso de estabilización y expansión del español en México, emprendido por los sucesivos gobiernos mexicanos a partir de la independencia del país, se realizó a través de dos estrategias principales de planificación lingüística, que alternaron en el tiempo: a) el método directo, y b) el método bilingüe. Mientras que el primero ponía el énfasis en la enseñanza del español y el olvido de las lenguas autóctonas, el modelo bilingüe perseguía, justamente, el aprendizaje del idioma dominante a través de la alfabetización en las lenguas amerindias. El segundo procedimiento se ha revelado más efectivo, si bien las deficiencias en el proceso son tantas que su eficacia es menor de la esperada, hasta el punto de que todavía hoy es posible encontrar mexicanos que no saben hablar español.

[43] Sobre las deficiencias de la educación bilingüe en la comunidad mapuche del sur de Chile, véase Contreras (1998).

como medio de instrucción en tareas formales como la lectura o la escritura[44]. Cierto es que la situación del guaraní ha mejorado en las últimas décadas, en las que se han producido algunos avances importantes en materia de política lingüística, como el reconocimiento de su cooficialidad junto con el castellano. Sin embargo, la presencia de esta lengua en el sistema educativo paraguayo se encuentra de momento limitada, paradójicamente, a las zonas urbanas, como consecuencia de los graves problemas económicos a los que se enfrenta el país (Cruzabie 2001; Gynan 2001)[45].

Por último, y en relación con los programas de educación bilingüe emprendidos desde comienzos de la pasada década de los 70 por sucesivos gobiernos peruanos, se ha criticado también que éstos no hayan tenido suficientemente en consideración el contexto sociolingüístico en que se desenvuelve el contacto entre el español y el quechua en este país andino[46]. Junto a ello, han aparecido también deficiencias metodológicas importantes, al tiempo que los objetivos de la planificación no han estado siempre bien definidos (cfr. Citarella 1990; Godenzzi 1996; Hornberger 1999)[47].

### 6.3. *La enseñanza bilingüe en Estados Unidos*

El análisis de la educación de las minorías hispanas en EE.UU. ha resaltado algunos problemas serios, que afectan, entre otras cosas, a los pobres resultados académicos que obtiene la población escolar, la cual

---

[44] Algo menos crítica se muestra esta autora en una incursión más reciente en el tema *(vid.* Corvalán 1998), en la que, no obstante, repite los principales desafíos a los que se enfrenta la educación bilingüe en este y otros países sudamericanos: una preparación pedagógica y lingüística adecuada de los maestros implicados en los programas bilingües, eliminar la confusión frecuente entre la lengua como medio de instrucción y como objeto lingüístico de estudio, la enseñanza adecuada de la otra lengua (el español o el guaraní) como segundo idioma del alumno, etc.

[45] La paradoja surge por el hecho de que la mayor extensión social de esta lengua se produce en las zonas rurales, mientras que en las urbanas el número de castellanohablantes no ha dejado de crecer en las últimas décadas.

[46] Hay que recordar que la historia de la planificación lingüística en el Perú andino se remonta ya al periodo de los incas. Para una revisión de los principales hitos de estos tiempos precolombinos, véase Klee (2001).

[47] Pese a ello, en algunos casos extremos de desplazamiento lingüístico tales programas se han demostrado beneficiosos, ya que han conseguido frenar el proceso de abandono y eventual muerte lingüística (véase Tacelosky 2001 en relación con la lengua de la tribu shipibo en la región amazónica del Perú).

se sitúa frecuentemente por debajo de otros grupos etnolingüísticos, como blancos de origen europeo y asiáticos.

Uno de estos problemas se deriva del empleo en el medio escolar de un discurso académico claramente ajeno al repertorio verbal de la mayoría de los alumnos, cuyo entorno social es, con frecuencia, muy bajo. Desde una perspectiva bernsteineana (véase tema VII, § 6), adoptada recientemente por Bartolomé y Macedo (1999) para evaluar la educación que reciben muchos escolares de origen mexicano en Estados Unidos, estos autores destacan que los alumnos se enfrentan en la escuela a dos dificultades a menudo insalvables. Por un lado, la falta de una competencia adecuada en este discurso académico, dispensado además en la mayoría de los casos en su segunda lengua, el inglés. Pero por otro lado, también, un déficit importante en la adquisición del español estándar. Esta situación conduce a lo que denominan significativamente *pedagogía «trampa» (pedagogia of entrapment),* en la que:

> [...] many linguistic minority students in English-only or bilingual settings are not being explicitly prepared to comprehend and produce more formal academic ways of speaking and writing in any language (pág. 239).

Esta situación se ha agravado considerablemente en los últimos años como consecuencia de la disminución drástica de los programas de educación bilingüe destinados a las principales minorías etnolingüísticas en diversas regiones estadounidenses. A partir de iniciativas patrocinadas por colectivos ciudadanos, como el *English-Only,* numerosos estados norteamericanos con una presencia importante de minorías hispanas votaron hace unos años a favor de leyes que reconocían el carácter oficial exclusivo del inglés e imponían importantes restricciones para el empleo de otras lenguas minoritarias en esferas públicas como la educación, lo que en muchos casos ha supuesto la práctica desaparición de los antiguos programas de educación bilingüe (cfr. Combs 1999; Gómez Dacal 2000; Vilar García 2000, O. García 2001; Barker *et al.* 2001)[48].

---

[48] Con todo, más preocupantes parecen incluso los sentimientos de insolidaridad que se advierten en el seno de algunas comunidades hispanas, donde este tipo de iniciativas políticas asimilacionistas no se ven del todo con malos ojos *(vid.* Rivera Mills 2000: 384). Especialmente polémicas resultan en este sentido algunas declaraciones de ciertas personalidades públicas de origen hispano, como las realizadas a mediados de los años 90 por Alfredo Estrada. Este conocido publicista y editor hispano-norteamericano se ha declarado favorable en repetidas ocasiones a la asimilación de las comunidades hispanas a la lengua y cultura mayoritarias en EE.UU.

Para los detractores de la enseñanza bilingüe, los programas educativos destinados a la educación básica en la lengua materna de los escolares[49] representan una pérdida de tiempo y de dinero públicos, y abogan claramente por la «inmersión» en inglés como el mejor medio para la integración social y el futuro profesional de los inmigrantes. Los defensores de esta inmersión en detrimento de la educación bilingüe se basan en dos argumentos principales. Por un lado, en un silogismo aparentemente sugestivo, pero del todo acientífico, y que Krashen (2000: 432) resume de la siguiente manera:

> So, many immigrants have acquired English successfully, the argument goes, without any special help: Why should today's immigrant be resisting English language acquisition, and be holding tight onto their first language and culture?

La respuesta de los defensores de la educación bilingüe para las minorías etnolingüísticas se ha demostrado empíricamente cierta en numerosas ocasiones: es cierto que los niños son perfectamente capaces de adquirir una cierta competencia en otra lengua sin necesidad de ningún programa educativo específico, pero no ocurre así cuando se trata de conseguir un registro académico, imprescindible para el progreso en el ámbito escolar (Cummins 1989).

El segundo argumento de muchos defensores de la inmersión en inglés resulta todavía más falaz: los inmigrantes, especialmente los hispanos, se resisten a aprender inglés y permanecen aferrados a sus lenguas y culturas de origen[50]. Numerosos estudios han demostrado, sin embargo, lo erróneo de tales asertos. Por ejemplo, los datos aportados por investigaciones rigurosas llevadas a cabo en las últimas dos déca-

---

[49] Los defensores de la educación bilingüe consideran ésta como el mejor medio para el desarrollo cognoscitivo del niño, así como para la adquisición de un registro académico en otras lenguas, indispensable para el éxito escolar.

[50] A este respecto son interesantes las citas de algunos políticos destacados, que demuestran no sólo la notable ignorancia de quienes las esgrimen, sino también su considerable difusión acrítica entre amplios sectores de la sociedad norteamericana. Así, el que fuera candidato a la presidencia de EE.UU., Robert Dole, argumentaba en 1995 en contra de la resistencia de los inmigrantes a aprender inglés y señalaba la necesidad «of language [English] to help hold us together». Con todo, más agresivo se mostraba todavía en torno a esta cuestión el ex líder de la mayoría republicana, Newt Gringrich, quien por las mismas fechas advertía a los inmigrantes: «immigrants need to make a sharp break with the past».

das, como las de A. Hudson y G. Bills (1980) y Portes y Hao (1998) —véanse las tablas 3 y 4— advierten que el cambio hacia el inglés en las habilidades y preferencias de los hablantes hispanos es insostenible, sobre todo entre las generaciones más jóvenes.

TABLA 3
Juicios sobre la competencia lingüística propia en español e inglés en dos grupos de edad de hispanohablantes residentes en Estados Unidos, según A. Hudson y G. Bills (1980)

| GRUPOS DE EDAD | ESPAÑOL | INGLÉS |
|---|---|---|
| Joven | 33 | 81 |
| Adulta | 85 | 47 |

TABLA 4
Juicios sobre la competencia propia y preferencias lingüísticas entre los hispanohablantes residentes en Estados Unidos, según Portes y Hao (1998)

| | INGLÉS | INGLÉS | ESPAÑOL | ESPAÑOL | PREFIEREN |
|---|---|---|---|---|---|
| | *Bien* | *Muy bien* | *Bien* | *Muy bien* | *Inglés* |
| Mexicanos | 86,1 | 43,7 | 69,1 | 34,9 | 44,8 |
| Total | 93,6 | 64,1 | 44,3 | 16,1 | 72,3 |

En ausencia, pues, de una política lingüística oficial, el debate actual sobre la educación bilingüe en EE.UU. se halla controlado por una ideología hegemónica claramente inclinada hacia el monolingüismo anglófono, que ha conocido sus mejores momentos durante las presidencias republicanas de Ronald Reagan y George Bush durante los años 80. Ello ha traído consecuencias nefastas para la educación bilingüe, entre otras razones porque en los escasos programas que todavía persisten, la comunicación aparece dominada por el inglés y el uso del español se convierte las más de las veces en una experiencia negativa, a la que en nada contribuyen ni la competencia limitada de algunos profesores ni —lo que es peor— la inserción de anglohablantes exclusivos en programas destinados inicialmente a las minorías hispanas[51]. Como ha destacado Shannon (1999: 197) a este respecto:

> All participants, including administrators, mentor teachers, teacher candidates, and students, are found to operate by default according to a language ideology that accepts English monolingualism as the norm.

Desde otro punto de vista, incluso en los años dorados de la educación bilingüe en EE.UU. estos programas fueron criticados también por la ideología asimilacionista subyacente en muchos de ellos, ya que su objetivo fundamental reside en la incorporación más rápida posible de las minorías etnolingüísticas a la lengua dominante, cuando no «a la ideología cultural, social, política y económica de la mayoría» (Silén 1997: 38). Pero no en el mantenimiento de las raíces culturales y lingüísticas de éstas en una sociedad multilingüe y multicultural.

Con todo, existen todavía algunas excepciones notables a este panorama sombrío que en tiempos recientes ofrece la educación bilingüe en Estados Unidos. Una de éstas viene representada por la región meridional del estado de Florida, donde tanto la enseñanza del español como en español ha conseguido un amplio apoyo social e institucional. Según datos del sistema público de enseñanza del condado de Miami-Dade, durante el curso 1997-1998, 97.086 alumnos seguían cursos de español como lengua de instrucción, cifra nada desdeñable, a la que hay que sumar 62.896 más, correspondientes a los alumnos matriculados en español como segunda lengua. La mayoría de éstos se hallan inscritos en alguno de los cuarenta programas de *inmersión doble (two-way immersion programs)* existentes en la zona, para cuyas necesidades crecientes se han habilitado importantes recursos financieros en los últimos tiempos que, entre otras cosas, han supuesto la contratación de docenas de nuevos profesores bilingües capaces de impartir la enseñanza en español. Ahora bien, lo más interesante –y esperanzador— de todo este proceso es que la educación bilingüe se deriva de las propias necesidades económicas y comerciales de la comunidad, como han reconocido los responsables de las principales empresas norteamericanas con sede en Miami (Lynch 2000: 275-276).

[51] Críticas de este tipo se han formulado también en la educación bilingüe de algunas comunidades autónomas españolas, como la Comunidad Valenciana *(vid.* Blas Arroyo 2002b).

El caso portorriqueño puede considerarse también como una importante excepción al panorama que ofrece la educación bilingüe en EE.UU. aunque esta vez por razones diferentes. Como es sabido, la condición de estado libre asociado que mantiene Puerto Rico con respecto a EE.UU. desde comienzos del siglo XX concede a la isla un estatus político, cultural y lingüístico particular. Ello ha provocado importantes tensiones en el seno de la sociedad portorriqueña a lo largo de todo el siglo pasado entre sectores diversos de la población, que oscilan entre el asimilacionismo en un extremo y el independentismo en otro, aunque de momento con una mayoría todavía favorable al mantenimiento del *statu quo* estadolibrista. Sea como fuere, lo cierto es que los intentos sucesivos del gobierno norteamericano y de las administraciones de Puerto Rico por acelerar un bilingüismo social en la isla han fracasado en lo esencial (véase un buen resumen de las distintas etapas de este proceso en Ortiz 2000: 390 y ss.). En los últimos años, y tras la corta experiencia de oficialidad exclusiva del español a comienzos de los años 90[52], a la que siguieron diversos intentos —fracasados— en el Congreso norteamericano por extender la enseñanza en inglés y oficializar esta lengua en la isla[53], las autoridades portorriqueñas han elaborado un plan para mejorar la competencia en inglés de la población escolar, conocido bajo el nombre de «Proyecto para Formar un Ciudadano Bilingüe». Mediante el énfasis en la enseñanza de esta lengua en los primeros años de la edad escolar y la mejora del perfil lingüístico de los maestros destinados a llevar a cabo dicho programa, el plan ha recibido, sin embargo, severas críticas por parte de amplios sectores académicos y profesionales de la sociedad portorriqueña, que lo consideran un instrumento inadecuado para las necesidades de Puerto Rico, ya que desconoce la realidad sociolingüística de la nación, en la que el inglés no pasa de la condición de lengua extranjera, o de segunda lengua en el mejor de los casos.

Por último, hay que mencionar también algunos cambios positivos en la orientación de la política educativa estadounidense durante el último periodo de la presidencia de Clinton, durante el cual

[52] Significativamente, dicha declaración, que tan sólo se mantuvo en vigor entre los años 1991 y 1993 —fecha esta última en que fue derogada como consecuencia de la victoria electoral de los partidos anexionistas—, recibió en 1991 el Premio Príncipe de Asturias de las Letras.

[53] Un asesor del congresista norteamericano Don Young, defensor de la oficialidad del inglés como paso previo para la estatalidad de Puerto Rico, manifestaba contrariado tras el fracaso de sus iniciativas: «Puerto Rico permanecerá en la transición hacia la estatitad mientras no acepte el idioma inglés» (citado en Mulero 1998: 24).

se promulgó la International Education Policy, en cuyo primer párrafo se lee:

> Para continuar compitiendo con éxito en una economía globalizada y mantener nuestro papel de líder mundial, los Estados Unidos necesitan asegurarse de que sus ciudadanos adquieren una amplia comprensión acerca del mundo, el dominio de otros idiomas y el conocimiento de otras culturas.

A juicio de Gómez Dacal (2000: 35) este reconocimiento abre inmensas posibilidades para la lengua española, ya que «hablar de aprender idiomas en EE.UU. significa, en la mayoría de los casos, adquirir las competencias necesarias para hablar en español».

## 7. Balance de las políticas lingüísticas en la España autonómica: la dialéctica entre el principio de territorialidad y los derechos lingüísticos individuales

Como recordaba recientemente una hispanista alemana, entre todos los estados europeos España proporciona en la actualidad un ejemplo fascinante de política lingüística en «acción» (Hoffmann 1996: 93). Y ello por diversos motivos:

> Fascinating is the speed with which language policies have formulated and set in motion, the extent to which they have begun to affect many spheres of public life in many parts of the Iberian Peninsula, and fascinating, too, are the results which are beginning to become apparent. It is also a process which is, for many Spaniards, controversial. For linguists, the public debate in Spain on linguistic issues which has been, and still is, going on, is both dramatic and illuminating.

En las últimas décadas, el considerable peso político y social de los movimientos nacionalistas en comunidades españolas como el País Vasco o Cataluña ha influido poderosamente en el desarrollo de los modelos de planificación lingüística, y no sólo en el ámbito educativo, sino también en otras esferas institucionales, e incluso privadas[54]. Por

[54] En la práctica, las políticas lingüísticas seguida por las autoridades del País Vasco y Galicia han seguido de cerca el modelo catalán, un hecho poco realista porque las condiciones de partida de estas comunidades son muy diferentes (Hoffmann 1996: 99 y ss.).

otro lado, y como ocurre siempre en estos casos, en los que intervienen decisiones políticas que afectan a intereses individuales y colectivos diferentes, las críticas los han acompañado desde el primer momento. Para unos, el resultado de dos largas décadas de planificación lingüística se resume en iniciativas insuficientes y timoratas, que dificultan, cuando no impiden sencillamente, una verdadera normalización social de las lenguas minoritarias. Otros, por el contrario, han denunciado desde diversas instancias la discriminación a la que se ven sometidos el español y sus hablantes respectivos en las comunidades autónomas con lengua propia.

Inicialmente, y por lo que respecta al español, cabría comenzar este epígrafe señalando que, pese a tratarse de la única lengua reconocida legalmente como oficial en toda España, no es objeto de un cuerpo explícito de planificación lingüística, como sí lo son, por el contrario, las lenguas autóctonas en sus respectivos territorios. González Ollé (1978) recordaba hace unos años, con ocasión de los debates parlamentarios que introdujeron la oficialidad del castellano[55] en la Constitución española, algunos de los principales hitos de este proceso histórico que comenzó en el siglo XIII en la corte de Alfonso X el Sabio. Pese a ello, tanto en esta etapa como durante muchos siglos después, no hubo apenas textos legales que incluyeran declaraciones explícitas acerca de la oficialidad de la lengua. No en vano, habría que esperar al siglo XIX, y sobre todo al XX, para ver aparecer un número creciente de disposiciones legales en este sentido, que acabarían afectando a todos los sectores de la vida pública española, y que tendrían consecuencias importantes en los debates constitucionales en diversos momentos de la reciente historia española.

El establecimiento del castellano como lengua oficial es, pues, un hecho jurídico considerablemente tardío[56] respecto a su situación social, política y cultural en el marco de la realidad española. Como señalaba González Ollé (1978: 280): «[...] así se explica que haya podido considerarse lengua oficial sin serlo o desde varios siglos antes de legalmente serlo.»

Por otro lado, es también singular el hecho de que el carácter oficial de esta lengua surja como una garantía legal del castellano ante la

---

[55] Término de consenso político, utilizado para evitar el de *español*, en el que los principales grupos nacionalistas veían connotaciones indeseadas.

[56] En la práctica el castellano no se considera como lengua oficial en la legislación española hasta la Segunda República (sobre el mismo tema, véanse Lodares 2000; Brumme 2003).

situación jurídica que se sanciona para el resto de las lenguas en la nueva realidad política española.

En relación con estas últimas, Siguan (1986: 35) ha indicado que la mejor manera de decidir sobre el grado de tolerancia o de ayuda que un Estado concede a las lenguas minoritarias es examinar el papel que les otorga en distintos ámbitos de la vida pública, como la política, la enseñanza y los medios de comunicación. En su opinión, existen diversos modelos de planificación, cuyos extremos están representados, por un lado, por los estados federales —donde cada lengua tiene un carácter oficial exclusivo en un territorio determinado: el caso de Suiza o Bélgica— y en el extremo opuesto, por aquellos países que, como Francia, han emprendido con éxito una política de centralización y unificación lingüística. En una posición intermedia se encontraría la España actual, en la que junto a una situación privilegiada para la lengua de todo el Estado —el español—, se reconoce el estatus de cooficialidad para otras lenguas, como el catalán (incluida su variedad valenciana), el gallego o el vasco, en sus respectivos territorios. Por otro lado, las deficiencias del sistema educativo español a lo largo de los tiempos justificarían el escaso éxito de los intentos de unificación lingüística en España, al tiempo que dejarían abierta la posibilidad de éxito de los procesos contemporáneos de normalización lingüística, frente a las dificultades mucho mayores que encuentran en Francia lenguas como el vasco, el catalán o el bretón.

En su *España plurilingüe* (1992) el psicolingüista catalan realiza una cuidada evaluación de las primeras políticas de normalización lingüística en las comunidades autónomas españolas con lengua propia. Los principales textos legales en que se apoyan tales políticas coinciden en tres rasgos básicos:

a) la consideración de la lengua autóctona como lengua *propia,* es decir, como principal seña de identidad de cada comunidad autónoma. Así, por ejemplo, el catalán tiene reconocido, junto al estatus de oficialidad, el de lengua de Cataluña en el Estatuto de Autonomía promulgado en 1979 (véase también Reniu i Tresseras 1996)[57];

b) la decisión de compensar la situación de inferioridad secular de dichas lenguas y, por lo tanto, la voluntad de promover su conocimiento y empleo en todos los ámbitos de la vida social hasta conseguir su completa *normalidad;*

---

[57] Véase una opinión contraria a esta calificación, que relega al español a simple *lengua oficial,* en Lodares (2000: 110).

c) la cooficialidad de las lenguas (castellano y lengua propia) en cada territorio histórico, y con ello, la posibilidad de utilizar, en cualquier circunstancia, uno de los dos idiomas con los mismos efectos legales.

Estos caracteres impulsan un modelo de bilingüismo generalizado con el que, sin embargo, no todos parecen sentirse satisfechos. Por un lado, algunos sociolingüistas e intelectuales de estas comunidades autónomas se muestran sumamente escépticos acerca de la eficacia de estos desarrollos legislativos de la planificación lingüística (cfr. Pitarch 1984, 1986; Aracil 1982; Mollà y Palanca 1987, etc.). A juicio de estos autores, la normalización depende de cambios sociales de gran magnitud, que van más allá de la simple buena voluntad plasmada en unos textos legales. Para Aracil (1982), uno de los primeros representantes de esta corriente de pensamiento, hay que partir de la distinción entre lenguas *minoritarias* y lenguas *minorizadas,* lo que a menudo está lejos de ser una realidad entre los apologistas del bilingüismo[58]. Mientras que el primero es el caso de las lenguas que cuentan con un número relativamente reducido de hablantes, las lenguas *minorizadas* son aquellas que, además de minoritarias, sufren un proceso de reducción en los usos públicos y privados en el seno de su propia comunidad de habla. Por ello, en este último contexto las soluciones al contacto de lenguas se reducen generalmente a dos: a) la *sustitución,* esto es, el abandono progresivo de la lengua minoritaria a favor de la lengua mayoritaria; o b) la *normalización,* que supone, la inversión del proceso anterior, y por consiguiente, la extensión social en el uso de la lengua propia hasta la desaparición, al cabo de algunas generaciones, de la segunda. En esta evolución desde el estadio de bilingüismo al monolingüismo social se producen importantes cambios cuantitativos —en número de hablantes y frecuencias de uso— y cualitativos —en ámbitos diferenciados y normas de uso—, con etapas intermedias en la que

[58] El concepto de lengua minoritaria no está exento de dificultades en su aplicación al contexto español. En la bibliografía general sobre planificación lingüística, el término se utiliza para referirse a minorías lingüísticas en el seno de estados multilingües. Sin embargo, en la España autonómica actual, la denominación «minoritaria» puede variar en función del punto de vista que adoptemos. Así, desde la perspectiva estatal, los grupos etnolingüísticos catalanes, vascos o gallegos son «minorías». Ahora bien, en el seno de algunas comunidades autónomas como Galicia, donde un porcentaje muy amplio de la población es hablante nativo de la lengua autóctona, las minorías vendrían a estar representadas por los castellanohablantes. Para evitar esta polisemia se introducen, justamente, términos como el de *minorización.*

se aprecian diferentes grados de pseudolingüismo en una u otra lengua. Procesos, además, que se completan antes en ciertos estratos sociales y, preferentemente, en ámbitos urbanos (véanse opiniones similares en Mollà y Palanca 1987: 122-127; Bastardas y Soler eds. 1988: 187-210; Strubell y Trueta 1993).

En suma, desde esta perspectiva ideológica, resulta ilusoria la consecución de un bilingüismo equilibrado en las comunidades españolas con lengua propia. En palabras de uno de sus representantes:

> [...] ¡qué desgracia que para subir uno, tenga que bajar el otro! Así es, y los piadosos intentos de conseguir un ilusorio equilibrio entre las lenguas en conflicto, están condenados al fracaso. Un conflicto lingüístico [...] no se puede resolver como un compromiso, porque las soluciones en juego son excluyentes, no se pueden partir por la mitad (Vilhar 1986).

Por ello, la solución apuntada es la superación del conflicto que se deriva del bilingüismo social mediante el establecimiento de la *territorialidad* lingüística (Sánchez Carrión 1981). En las sociedades donde impera (Quebec), este principio supone la sustitución progresiva de la lengua del Estado por la lengua autóctona y, por lo tanto, la correspondiente normalización social de esta última. Por otro lado, dicha crítica de los procesos de planificación lingüística actuales encierra un rechazo radical de las ideologías «bilingüistas», incluso de aquellas que desde instancias oficiales defienden una normalización que persigue la igualdad social de las lenguas.

Incluso entre aquellos que reconocen los avances experimentados por las respectivas lenguas autonómicas en relación con periodos históricos anteriores, como el régimen franquista, muchos son todavía los que siguen poniendo el acento en los «peligros» que para la supervivencia de estas lenguas supone la presencia en dichas comunidades de la lengua española. A este respecto, por ejemplo, en Cataluña, comunidad donde el proceso de revitalización social de la lengua autóctona ha resultado más exitoso, diversos autores han señalado que factores como la fortísima inmigración —y los mayores índices de natalidad entre los inmigrantes—, el uso ubicuo del español como lengua de todo el Estado —lo que la convierte en la práctica en la «primera lengua habitual» en muchas áreas de Cataluña— o el mismo hecho de que casi todos los catalanohablantes sean en la práctica bilingües, pero no así los castellanohablantes, representan factores amenazantes para el avance del catalán (cfr. Wardhaugh 198; Vallverdú 1988; Strubell 1996). Esta visión pesimista del proceso normalizador se condensa bien en las palabras del sociolingüista británico R. Wardhaugh (1987: 120), quien a mediados de la tormentosa e inestable década de los 80 decía lo siguiente:

> The freedom that the present rather fragile democracy has brought could turn out to be even more harmful to the minority language of Spain than oppressive dictatorship.

Ahora bien, como cabía esperar, no son éstas las únicas reacciones a las políticas lingüísticas emprendidas en los últimos tiempos en España. Desde una posición contraria a la reseñada en los últimos párrafos, algunos han destacado los problemas éticos que plantean ciertas decisiones de la planificación lingüística en estas comunidades autónomas. Como recordaba Moreno Fernández (1998: 335), la planificación sobre el estatus de las lenguas revela, como cualquier opción política relevante, intereses ideológicos concretos que pueden chocar —y en la práctica lo hacen a menudo— con los intereses y derechos de los individuos que integran la comunidad. Así, al intento de territorialidad lingüística, defendido, como hemos visto, por numerosos sectores nacionalistas, y que supone la sustitución progresiva de la lengua del Estado, se opone, en el extremo contrario, la defensa de los derechos lingüísticos de los castellanohablantes a través de diversos movimientos sociales y políticos que han proliferado en los últimos años en comunidades como Cataluña y el País Vasco[59].

En esta línea argumental, algunos hispanistas extranjeros (cfr. Hoffmann 1996, Vann 1999b) se han hecho eco también desde fuera de los problemas generados en algunas regiones españolas como consecuencia de la aplicación de unas políticas que han llevado a tratar como minorías etnolingüísticas a los hablantes exclusivos de español, situación insospechada hace apenas dos décadas. En palabras de Charlotte Hoffmann (1996):

---

[59] Es el caso del llamado colectivo Babel, movimiento ciudadano nacido en los últimos años en Cataluña e integrado por políticos, artistas e intelectuales, que se ha destacado por su crítica de los principios que orientan la política lingüística de la Generalitat de Cataluña (*vid.* M. L. Calero 2002). Una compilación de artículos sobre el tema a cargo de sus miembros más destacados puede verse en el volumen monográfico coordinado por Santamaría (1999), *Foro Babel. El nacionalismo y la lenguas de Cataluña.* Sobre la Asociación por la Tolerancia y contra la Discriminación, otro grupo de similares características, véase Slone (1998) y lo escrito en este tema en § 6.1.

> [...] language planners may risk becoming guilty of the same kind of excesses as were committed by centralist language planners of the past who were concerned with ensuring the hegemony of Castilian Spanish to the detriment of the other linguistic varieties. In other words, in some respects language planners appear to be starting to repeat the very same injustices they originally set out to redress; that is to say, the results of the attempts to change the linguistic behaviour of certain communities seem to be, to some extent, counterproductive...

El celo con que se han ejecutado dichas políticas, favorables al uso casi exclusivo de la lengua autóctona en las instituciones públicas y en el sistema educativo, antes que a la difusión real del bilingüismo, explican las crecientes denuncias de discriminación por parte de los castellanohablantes, y no descartan que, como consecuencia de ello, y en virtud de los vaivenes de la historia, la situación pueda cambiar en el medio plazo en beneficio del español y en contra de la normalización de estas lenguas (Vann 1999b). Por ello, algunos investigadores sugieren que los artífices de la planificación deberían reorientar sus políticas hacia un mayor pluralismo, permitiendo con ello mayores dosis de bilingüismo social y desacelerando en algún grado el proceso de promoción de la lengua propia en los territorios respectivos.

En un trabajo reciente, en el que pasa revista a la Ley del Catalán promulgada en 1988 por el Parlamento autonómico, Hoffmann (2001) ha planteado otra cuestión relevante: ¿hasta qué punto puede una región que es parte de un país multilingüe y representado en la Unión Europea promover políticas lingüísticas basadas en la potenciación del monolingüismo? Como era de esperar, la respuesta negativa que esta autora ofrece a dicho interrogante no es compartida, sin embargo, por otros autores, cuya valoración de la política lingüística llevada a cabo por el gobierno catalán es mucho más positiva. Así, autores como Branchadell (1999) dicen encontrar un aceptable equilibrio entre los esfuerzos del poder político para promover el empleo de una identidad nacional articulada en torno a una lengua común (el catalán) y el respeto a las minorías para organizarse y expresar sus propios valores culturales (en el presente caso, la minoría castellanohablante)[60].

[60] Menos defendible resulta ya la opinión de este autor según la cual el español tan sólo se requiere cuando los ciudadanos se dirigen a las instituciones del Estado central. Es evidente para cualquiera que conozca la situación sociolingüística catalana que la difusión de esta lengua en Cataluña alcanza dominios sociales mucho más amplios que los apuntados en esa afirmación.

Ahora bien, en relación con esta polémica, resulta pertinente pararse a considerar las contradicciones que se observan cuando algunos abordan los derechos individuales de los hablantes. Paradójicamente, los derechos de éstos pueden variar radicalmente en función no sólo de cuál sea la lengua de las minorías, sino también del contexto sociopolítico en que éstas se desenvuelven. Myhill (1999) ha resaltado estas contradicciones recientemente, en especial las que afectan a la dialéctica entre la defensa de los derechos individuales de los inmigrantes para el mantenimiento de sus lenguas respectivas, por un lado, y el principio de territorialidad defendido en otras ocasiones como ideal para resolver los conflictos lingüísticos. El problema surge no sólo cuando estos principios se adivinan incompatibles en algunos casos, sino también, y ello es más grave, cuando un mismo autor es capaz de defender ambos, en función tan sólo de cuáles sean las minorías etnolingüísticas afectadas. Veamos un ejemplo representativo.

Un adalid tradicional de los derechos lingüísticos de los inmigrantes, como Joshua Fishman (1991), ha considerado siempre lógico y deseable que los hispanos de EE.UU. difundan y aprendan en las escuelas el español. Sin embargo, al mismo tiempo aplaude la política lingüística catalana que, al menos en la esfera educativa, aplica a rajatabla el principio de territorialidad, de manera que el catalán es desde hace ya casi dos décadas la única lengua de instrucción en las escuelas de Cataluña, con independencia de cuál sea la lengua materna de los alumnos. Más aún, la resistencia de algunos sectores de la población catalana a esta política asimilacionista es descrita por Fishman (1991: 299) con un término de claras connotaciones negativas («reticencia»), muy distinto, en todo caso, a la admirable «persistencia» con la que los inmigrantes hispanos defienden su derecho a la educación en español en EE.UU. Complementariamente, el juicio positivo que se dispensa a esta catalanización lingüística (y subsiguiente descastellanización) tampoco tiene su correlato en otros escenarios. Así, las opiniones de Fishman y de otros defensores de las lenguas minoritarias son abiertamente críticas, como no podría ser de otro modo, con movimientos como el *English Only* que impulsan el uso exclusivo del inglés en el sistema educativo norteamericano.

## 8. Las ideologías de la planificación y sus consecuencias en las sociedades bilingües hispánicas

Como hemos tenido ocasión de comprobar, la práctica de la planificación lingüística suele ir asociada a ciertas ideologías. Una de éstas —aunque, desgraciadamente, no de las más habituales— la representan las ideologías que Cobarrubias (1983) denomina *pluralistas*, ya que, con mayor o menor éxito, defienden la coexistencia de grupos etnolingüísticos diferentes y su derecho a mantener y cultivar sus lenguas y culturas respectivas en igualdad (al menos en el plano teórico). La consecución de dichos derechos se pretende a través de políticas basadas en los derechos individuales, antes que en la territorialidad lingüística.

Frente a éstas, las ideologías *nacionalistas*, mucho más frecuentes, favorecen la asimilación, persiguiendo el uso de una lengua por parte de todos los miembros de la comunidad de habla. En España, por ejemplo, el nacionalismo español inherente al régimen franquista supuso una vuelta de tuerca especialmente intensa al proceso de desplazamiento de otras lenguas peninsulares como el catalán, iniciado varios siglos atrás. La dictadura franquista fue particularmente activa en este desplazamiento mediante la aplicación de un riguroso centralismo y de políticas de asimilación impulsadas desde el gobierno, que llevaron en alguna época a la virtual proscripción de la lengua catalana. Contrariamente a quienes sostienen que la política de deslegitimación social del catalán emprendida por la dictadura franquista fracasó en lo esencial *(vid.* Woolard 1985), el sociolingüista norteamericano Robert Vann (1999b) ha destacado que la ideología centralista impulsada por aquélla acabó teniendo consecuencias más relevantes de lo que habitualmente se admite. Así, del estudio empírico que da pie a esta investigación se desprende que el grado de exposición a las lenguas en los círculos educativos y académicos representa en la actualidad el factor más significativo para explicar la inclinación etnolingüística e ideológica (pro-española o pro-catalana) de los hablantes en capital catalana. Ello explicaría que los sentimientos más españolistas, y por ende, contrarios a la política lingüística emprendida por los gobiernos nacionalistas catalanes, se hallen mucho más acentuados entre las generaciones cuyo proceso educativo se produjo durante el franquismo.

Por desgracia, los ejemplos no parecen haber desaparecido en España tras la restauración democrática, si bien ahora son algunos sectores nacionalistas periféricos quienes persiguen abiertamente la marginación de la lengua española como paso previo a un progresivo monolingüismo social catalán, vasco o gallego. Uno de los críticos más significados de estas ideas, el sociólogo vasco Mikel Azurmendi (1998), ha llamado la atención acerca de la gravedad que esta política lingüística ha adquirido en los últimos tiempos en el País Vasco, donde las pretensiones nacionalistas de hacer del euskera el principal símbolo comunitario no sólo desconocen la pluralidad lingüística vasca, sino que, además, adquieren connotaciones políticas dramáticas, ligadas a prácticas terroristas y a movimientos de raigambre fascista. Por su parte, Lodares (2000) ha denunciado recientemente lo que, en su opinión, representa una clara impostura por parte de los grupos nacionalistas que dirigen la política lingüística en algunas comunidades autónomas con lengua propia. A juicio de este autor, tales políticas adolecen de escaso realismo social y económico, y representan un caso singular en la historia de la planificación lingüística contemporánea: el sometimiento de la mayoría a las minorías lingüísticas y políticas de algunas de esas comunidades. Asimismo, sostiene que la presente defensa y proyección pública de las lenguas minoritarias en España, lejos de ser una marca de progresismo, como habitualmente se piensa, representa una herencia del viejo *tradicionalismo* español, tan inclinado a la salvaguarda de los particularismos regionales y contraria a la modernización del país.

Los ejemplos históricos de las políticas de aculturación y nivelación lingüísticas muestran diferencias en los métodos —más o menos represivos— pero no en sus objetivos esenciales. Wardhaugh (1992: 394) distingue a este respecto entre dos tipos de actitudes hacia las minorías lingüísticas por parte de los grupos mayoritarios, lo que al tiempo permite hablar de otras tantas clases de lenguas. Por un lado, se hallarían las lenguas *toleradas,* las cuales ni se fomentan ni se prohíben en la práctica, al menos en la esfera privada, como ha ocurrido con los idiomas de numerosas minorías inmigrantes en países de la Europa Occidental o con las lenguas amerindias en Norteamérica. Asimismo, podríamos considerar dentro de este paradigma al vasco actual en el Estado francés, situación que contrasta con su situación, mucho más positiva, en España[61]. Incluso podríamos incluir en este apartado el caso del español en algunas regiones del sudoeste de EE.UU. tras la revolución conservadora impulsada por los gobiernos republicanos de Ronald Reagan y George H. Bush. Fruto de una ideología nacionalista, que impulsa el monolingüismo en inglés como fórmula lingüística ideal para la nación norteamericana, la presencia del español en las esferas públicas y

---

[61] Mientras que el centralismo francés —en la Constitución de este país tan sólo se reconoce la lengua francesa como «la lengua de Francia»— ha limitado los intentos de normalización del euskera, en España, olvidado ya el periodo franquista, se ha pasado a una etapa de autonomía política, que se ha traducido no sólo en el reconocimiento oficial de la lengua vasca, sino también en el crecimiento progresivo del número de hablantes, además de otros éxitos en las esfera pública de los que nos hacíamos eco anteriormente.

oficiales se ha visto desde entonces severamente afectada, especialmente, como vimos, en la educación[62].

Frente a las anteriores, las lenguas *desautorizadas* o *proscritas* son aquellas que sufren sanciones y restricciones oficiales, como atestiguan ejemplos históricos tanto fuera *(v. gr.,* el gaélico en Escocia tras el levantamiento popular de 1745) como dentro de nuestras fronteras idiomáticas. Éste ha sido el caso del vasco durante el régimen franquista o el del español en Puerto Rico durante la primera etapa del proceso de americanización emprendido tras la cesión de la isla a EE.UU. en 1898. A raíz de la promulgación de la Ley de los Idiomas Oficiales en 1902, que establecía la oficialización del inglés tanto en el sistema judicial como en la educación, las autoridades norteamericanas iniciaron un proceso de claro menosprecio del español hablado en la isla, bien visible en fragmentos como el siguiente, a cargo de uno de los primeros responsables de la Junta Escolar portorriqueña:

> Entre las multitudes puertorriqueñas no parece existir devoción por su idioma ni por ningún ideal nacional, comparable con la devoción que mueve a los franceses, por ejemplo, en el Canadá o en las provincias del Rin. Otra consideración importante que no debe pasarse por alto es que la mayor parte de del pueblo de esta Isla no habla un español puro. Su lenguaje es un patois casi ininteligible a los nativos de Barcelona o Madrid. No posee literatura alguna y poco valor como un medio intelectual. Existe la posibilidad de que sería casi más fácil educar a esta gente fuera de su patois en inglés, que lo que sería educarlos en la elegante lengua de Castilla.

Por último, consideramos las ideologías *puristas,* las cuales se hallan en íntima correspondencia con las ideologías nacionalistas, tanto por razones históricas como por los objetivos que ambas persiguen. La búsqueda de la asimilación lingüística de las minorías ha sido una constante en el desarrollo de los principales estados nacionales europeos, en los que sentimientos y actitudes hacia una forma ideal de lengua —especialmente en su variedad escrita— han impulsado la ecuación «una sola lengua para cada nación».

---

[62] En estos contextos, las mayorías suelen dispensar actitudes *paternalistas* hacia las lenguas y grupos minoritarios. Una prueba de ello entre nosotros la ha presentado Castejón (1997) al evaluar críticamente la educación compensatoria para miembros de grupos etnolingüísticos y socioeconómicos minorizados —en especial inmigrantes magrebíes— en Cataluña. Esta autora sostiene que la dialéctica por la dominación lingüística y cultural por parte del catalán y el español en Cataluña deja completamente de lado las necesidades de estas minorías, lo que se refleja en unas políticas condescendientes, paternalistas y, lo que es peor, mal planificadas.

# UNIDAD TEMÁTICA VI

## *Consecuencias lingüísticas del bilingüismo social*

## Tema XVI

# Fenómenos de contacto en el discurso bilingüe (I): La interferencia lingüística en las comunidades bilingües hispánicas

Una vez desarrollada en los temas anteriores la perspectiva más sociológica del contacto de lenguas, le corresponde el turno ahora a los desenlaces lingüísticos más habituales del bilingüismo social. Aunque éstos pueden ser llegar a ser muy variados y complejos, en las últimas décadas los especialistas han tendido a agruparlos en varias corrientes de investigación monográficas, entre las que en la presente monografía abordaremos principalmente dos:

a) el estudio de la interferencia lingüística, concepto en el que, inicialmente, incluimos cualquiera de los complejos procesos que puede adoptar la influencia interlingüística en los diferentes niveles del análisis (tema XVI), y

b) el análisis de la alternancia de lenguas en el seno de una misma unidad discursiva, fenómeno conocido generalmente bajo el nombre de *cambio de código* (tema XVII).

## 1. Introducción

Pese al éxito cosechado a raíz de la obra liminar de Weinreich (1953) sobre el contacto de lenguas, el concepto de interferencia ha vivido en los últimos años horas bajas, y sólo recientemente algunos autores han levantado la voz desde diferentes disciplinas, como la sociolingüística o la lingüística histórica, para rehabilitarlo (cfr. Mougeon y Beniak 1991; Thomason y Kaufman 1988; Thomason 2001).

Probablemente sea en el ámbito de esta última donde los recelos hacia la influencia interlingüística comenzaron antes. Como se ha recordado alguna vez (Mougeon y Beniak 1991: 82), la lingüística diacrónica ha trabajado tradicionalmente con la idea de que los cambios en la lengua tienen como causa primera y fundamental los factores internos. A partir de este principio, la apelación a otros, externos al sistema, se ha visto a menudo como un recurso extremo, especialmente cuando no se encontraba una explicación plausible a partir de la propia estructura lingüística afectada (cfr. Thomason 1985; Thomason y Kaufman 1988). Conceptos ya tradicionales como *sustrato, adstrato* o *superestrato*[1] se han utilizado, precisamente, para dar cuenta de procesos de cambio para los que, en muchos casos, no se disponía de mejores alternativas.

Con todo, es en la lingüística sincrónica donde los malos tiempos para la influencia interlingüística como factor explicativo de los fenómenos de variación y cambio lingüístico se adivinan más importantes. Y ello por diversas razones. Para empezar, y como han subrayado Mougeon y Beniak (1991: 181), a la interferencia le ha pasado como a tantos otros conceptos científicos, que tras un periodo de esplendor, han visto cómo eran sometidos a revisión y hasta a las críticas más acerbas. A esto último ha contribuido, sin duda, el abuso con que frecuentemente se recurre al contacto lingüístico para explicar los hechos de variación y cambio en las lenguas[2].

---

[1] Como es sabido, en la lingüística histórica el *sustrato* apela a las situaciones en que una lengua ha desaparecido de un territorio, no sin dejar a cambio algunos restos en la lengua que ha ocupado su lugar. Es el caso, por ejemplo, de la huella estructural aportada por el vasco al castellano hablado en los territorios en que surgió esta última lengua, poblada por entonces por vascohablantes. Por su parte, el *adstrato* da cuenta de la influencia de una lengua vecina durante un periodo determinado, como ocurre con los catalanismos, leonesismos, etc., en el castellano. Por último, el concepto de *superestrato* corresponde a los préstamos que ha dejado la lengua de un pueblo conquistador sobre la lengua del territorio conquistado *(v. gr.,* el caso de los germanismos medievales del español). Para una extensión de estos conceptos en la interpretación de fenómenos característicos del hablante bilingüe desde una perspectiva cognitiva, véase López García (2000).

[2] Véanse, por ejemplo, algunas opiniones críticas en torno al supuesto alcance desmesurado de la penetración del español por el inglés en la actualidad, en Otheguy (1993), Braselmann (1994) y Silva-Corvalán (1994b), entre otros.

Aunque de otro orden, algunas carencias metodológicas tienen también su parte de responsabilidad en el descrédito de la noción que nos ocupa entre la comunidad científica. Poplack (1983), por ejemplo, ha destacado la insuficiencia que supone olvidar en sociolingüística el principio laboveano de la *cobertura responsable (accountable reporting),* esto es, la necesidad de informar no sólo del aspecto contrastivo de los fenómenos observados en cada comunidad de habla, sino también de la frecuencia relativa que adquieren los rasgos desviantes con respecto a las variantes estándares. La ausencia de esta clase de datos puede entrañar consecuencias decepcionantes, como por ejemplo, hacer creer que los fenómenos descritos son variantes generalizadas en la comunidad, cuando en la realidad tan sólo afectan a algunos individuos o grupos sociales aislados.

Esta crítica guarda relación con otro hecho relevante, como es el escaso conocimiento que, en ocasiones, han demostrado los investigadores de turno acerca de las comunidades de habla que son objeto de estudio. Deficiencias que son particularmente evidentes en el terreno de la criollística, uno de los ámbitos de estudio en los que el recurso a las causas interferenciales se ha hecho con frecuencia un tanto a ciegas, sin un conocimiento riguroso de las circunstancias sincrónicas y diacrónicas que confluyen en cada caso.

La necesidad de profundizar en los perfiles sociolingüísticos de las comunidades de habla bilingües constituye, pues, uno de los requisitos esenciales para un tratamiento adecuado de las consecuencias lingüísticas del contacto. Sin este conocimiento, y sin la necesaria distinción epistemológica —que ya realizaran algunos de los pioneros en los estudios modernos sobre el contacto de lenguas, como Weinreich 1953 y Mackey 1976— entre las *interferencias* que se producen en el plano del *habla,* por un lado, esto es, en la actuación ocasional de los hablantes con distinto grado de competencia en las lenguas comunitarias, y las *interferencias en la lengua,* por otro, las cuales suponen ya la difusión y consolidación social de lo cambios inducidos por el contacto, no alcanzaremos un estadio de desarrollo teórico suficiente para devolver a la noción que nos ocupa la importancia que, a nuestro juicio, tiene (sobre esta distinción, véase más adelante § 3).

No obstante, en los últimos años, y aun reconociendo la justicia de la mayoría de los reproches anteriores, algunos autores han advertido del peligro que supone toda reacción extrema en la investigación lingüística y han intentado poner en su justo término las implicaciones derivadas del contacto de lenguas. Y es que, junto a las deficiencias teóricas y metodológicas reseñadas, cuya realidad no puede obviarse, existen también otras razones menos confesables que están en el origen de la «mala prensa» que ha adquirido el concepto, especialmente en el estudio de las lenguas minoritarias. Klein-Andreu (1985) subrayaba hace unos años el estigma que se adjudica en estos casos a todo aquello que permita advertir una influencia lingüística extranjera, especialmente si ésta procede de una lengua socialmente poderosa. Y ello debido a un falso purismo, adornado, eso sí, de las mejores intenciones. Más aún, generalmente no hay problema en admitir el papel de la interferencia en el plano del aprendizaje de segundas lenguas, porque la integridad de la lengua receptora no se halla en peligro. Ahora bien, desde el punto de vista sociolingüístico, las cosas ya no son tan fáciles de asumir, puesto que hablamos de lenguas minoritarias que reciben la huella de otros idiomas —mayoritarios—, en lo que se perfila como una influencia «colonial», que no puede sino suponer un descrédito para las primeras.

Como consecuencia de todo lo anterior, algunos lingüistas parecen ignorar o incluso menospreciar la importancia del contacto de lenguas en sus estudios sobre las lenguas minoritarias. El deseo de presentar éstas de la forma más atractiva posible ha llevado a algunos estudiosos a exagerar el papel de los factores puramente internos en la evolución lingüística, contagiados quizá por la creencia popular de que las lenguas que presentan una proporción elevada de mezcla e hibridación son estructuralmente inferiores, al igual que, de paso, lo serían también sus propios hablantes.

## 2. Orígenes del concepto

El concepto de interferencia procede del campo de la física, disciplina en la que el término designa el encuentro entre dos movimientos ondulatorios con el resultado de un reforzamiento o por el contrario, de una anulación de la onda. Y es precisamente de esta ciencia de la que, más adelante, lo han importado otras, como la electrónica, la pedagogía, la psicología o la lingüística. En todas ellas, sin embargo, el término ha adoptado un sentido «negativo», como sinónimo de «perturbación» (Van Overbecke 1976).

En la lingüística han predominado las interpretaciones de la interferencia no bajo la óptica de dos elementos que se alteran como consecuencia del contacto interlingüístico, sino atendiendo, sobre todo, a la circunstancia de que un rasgo marcadamente ajeno se introduce en un código o en el uso que se hace de ese código (Payrató 1985). De esta manera, el término se halla próximo a otros tradicionalmente conocidos bajo las denominaciones de «injerencia», «intromisión», «infiltración», etc., lo que ha permitido a autores como Fishman (1968: 29) criticar la consideración excesivamente purista del concepto:

> The model of pure, monolithic *langue* leads the linguistic to assume that the interaction or fusion of two such *is* «interference», that is, deleterious, harmful, noxious[3].

La aparición del término «interferencia» en el campo de la lingüística es relativamente reciente, aunque se han encontrado antecedentes sobre conceptos similares en épocas pasadas. En el siglo XIX, por ejemplo, algunos críticos del comparatismo, como Whitney (1881), Schuchardt o la escuela de los neogramáticos, se ocuparon de una forma intuitiva de fenómenos próximos al que nos ocupa (Payrató 1985: 47-48). Sin embargo, no sería sino avanzada ya la primera mitad del siglo XX cuando se iniciaría de verdad el empleo sistemático de esta noción.

Con todo, los primeros estudios sobre interferencias se detenían en el terreno de lo estrictamente lingüístico, bajo una óptica estructuralista triunfante en ese momento tanto en Europa como en América. Las relaciones entre lengua y sociedad se encontraban todavía en un estadio muy poco avanzado, por lo que el análisis de las influencias entre lenguas vecinas no se incluía aún en un contexto más amplio, como el que hoy conocemos.

En esta situación, la obra de Weinreich (1953) se erige como un hito todavía no superado en los estudios sobre las lenguas en contacto. Weinreich supone, en efecto, la inserción definitiva de los problemas lingüísticos del bilingüismo en el ámbito de la sociolingüística. En *Languages in Contact. Findings and Problems,* se dedica una atención decisiva a lo que se denominan «causas no estructurales», que favorecen o, por el contrario, inhiben la interferencia, sentando las bases de lo que posteriormente sería el desarrollo de la disciplina. A Weinreich, por ejemplo, se debe la importancia concedida a partir de entonces a los aspectos socioculturales del bilingüismo, como el prestigio de las lenguas en contacto, las actitudes de los hablantes hacia cada una de

---

[3] A la vista de estas connotaciones negativas, algunos autores como Haugen (1970: 6) se han declarado partidarios de la utilización de un nombre más neutro: «transferencia», término bajo el que se engloba no sólo la parte negativa del fenómeno, sino también los efectos del reforzamiento que experimenta el sistema en cuestión.

ellas, las características del bilingüismo en los diferentes subgrupos de hablantes, la duración e intensidad del contacto, la influencia del registro y del ámbito comunicativo, etc., factores decisivos para la comprensión de unos problemas hasta ese momento considerados tan sólo bajo un punto de vista exclusivamente lingüístico.

## 3. Los límites de la interferencia lingüística: interferencias en el habla vs. interferencias en la lengua. Implicaciones para el español en contacto con otras lenguas

Como ocurre con otras esferas de la investigación lingüística, un problema importante que se ha planteado en el estudio sobre la interferencia es la misma delimitación de su ámbito de estudio. La cuestión reside en determinar si circunscribimos su análisis al habla de los bilingües individuales o, o si por el contrario, cabe hacerlo extensivo también al conjunto de la comunidad de habla, incluyendo ahora a los hablantes monolingües, en cuyo repertorio verbal pueden detectarse también fenómenos de contacto. Las definiciones que sobre la noción de interferencia lingüística se han desarrollado en los últimos tiempos permiten vislumbrar claramente esta discrepancia. Resumiendo el estado de la cuestión, podríamos condensar en dos las caracterizaciones más importantes sobre el concepto que nos ocupa.

En primer lugar, podríamos hablar de una interferencia *stricto sensu,* la cual inicialmente tan sólo daría cuenta de los rasgos lingüísticos procedentes de una lengua modelo, que son utilizados de forma ocasional por los hablantes bilingües cuando se expresan en una segunda lengua, sobre la que muestran menor competencia. A este concepto restringido pertenece, por ejemplo, la clásica definición de Weinreich (1953: 1) que reproducimos a continuación, y según la cual:

> The instances of deviation from the norms of either language which occur in the speech of bilinguals as a result of either familiarity with more than one language, *i. e.,* as result of language contact, will be referred to as interference phenomena.

Ahora bien, diversos estudios han demostrado que la existencia de conductas monolingües repletas de interferencias, lejos de ser una excepción, constituye una regla extendida por muchas regiones del mundo. A este respecto, se ha recordado, por ejemplo, que en muchas comunidades del Lejano Oriente y de Latinoamérica, donde se viven situaciones generalizadas de bilingüismo y hasta de multilingüismo, el habla de todos los individuos, jóvenes y adultos, bilingües individuales o monolingües, se halla fuertemente marcada por la presencia de rasgos que denotan la convivencia de más de una lengua en las respectivas comunidades de habla. Y en un estudio, ya clásico, sobre el multilingüismo en el norte de la India, en la frontera entre lenguas de origen indoeuropeo y dravidiano, Gumperz y Wilson (1971: 155) comprobaron también cómo la competencia de bilingües y monolingües reflejaba unos rasgos interferenciales casi idénticos.

La polisemia conceptual reseñada en los párrafos anteriores guarda una estrecha correspondencia con una distinción que ya el propio Weinreich realizara en su libro sobre el contacto de lenguas. A partir de la conocida dicotomía saussureana, el lingüista norteamericano distinguía por entonces entre dos clases de interferencia:

a) las *interferencias en el habla*, en el caso de los rasgos lingüísticos que se derivan del conocimiento por parte del bilingüe de una segunda lengua, y

b) las *interferencias en la lengua*, que ya no son sólo el fruto ocasional de la condición bilingüe de algunos miembros de la comunidad de habla. Por el contrario, se trata de rasgos extendidos social y lingüísticamente entre la mayoría de los individuos y grupos que integran aquélla. Ocasionalmente, además, tales interferencias pueden haber pasado a formar parte del sistema lingüístico receptor, el cual ha experimentado una reestructuración en alguno de sus paradigmas como consecuencia del contacto con otras lenguas[4].

En la práctica, sin embargo, resulta difícil establecer una delimitación clara entre el bilingüismo como fenómeno social y como hecho individual. Por ello, y a partir de la dicotomía establecida por Weinreich entre los dos tipos de interferencia reseñados, no han faltado posteriormente algunas propuestas adicionales que han intentado arrojar algo más de luz sobre esta cuestión. En este sentido, un autor contemporáneo de Weinreich, como el lingüista de origen noruego Einar

[4] Utilizando una imagen metafórica, Weinreich expresa las diferencias entre ambos tipos de la siguiente manera: «In speech, interference is like sand by stream; in language, it *is* the sedimented sand deposited on the bottom of a lake» (Weinreich 1953: 11).

Haugen (1954), propuso por las mismas fechas restringir la noción de interferencia al primero de los sentidos mencionados anteriormente. De esta manera, cuando el rasgo desviante que es fruto del contacto lingüístico acaba siendo adoptado como variante mayoritaria por la mayoría de la sociedad, pierde su condición interferencial.

En esta misma línea argumental, el canadiense William Mackey (1976: 310-312) ha dedicado también algunas páginas de su influyente obra sobre el bilingüismo al intento de precisar algunos conceptos relacionados con la polémica que nos ocupa. A este respecto, quizá haya sido este autor quien mayor énfasis ha puesto en la distinción entre dos fases en todo proceso interferencial, y para las que él mismo ha propuesto los nombres de *interferencia* e *integración,* respectivamente. En sus palabras:

> By interference I mean the use of elements of one language or dialect while speaking or writing another; it is characteristic of the message. By integration I mean the incorporation into one language or dialect of elements from another; it is characteristic of code.

Para Mackey, pues, la distinción responde a una cuestión de grado para la que resultan decisivos dos requisitos fundamentales, tanto lingüísticos como sociales. Por un lado, un elemento lingüístico se halla más *integrado* cuanto más asimilado se muestra a las normas de la lengua receptora. Por otro, cuanto mayor es su uso en el conjunto de la sociedad mayor es también su nivel de integración social. Así pues, si la mayoría de los hablantes de una comunidad bilingüe comparten los mismos rasgos interferenciales, probablemente es porque ya se encuentran estabilizados e integrados en unos modelos de habla vernáculos. Mackey sugiere que el nivel de integración puede ser medido a través de una escala numérica, cuyas divisiones representarían estadios más o menos avanzados de un mismo fenómeno. En suma, si una forma de origen interferencial representa la variante mayoritaria de una variable lingüística determinada en el seno de la comunidad, ya no podrá considerarse como un caso de interferencia, sino como una forma integrada en la lengua de destino, que ha sustituido a otras variantes autóctonas (Mackey 1976: 312).

El problema, claro está, reside en saber con precisión el estadio de integración en que se halla un fenómeno concreto, especialmente si no contamos con trabajos cuantitativos que nos ofrezcan alguna pista fiable. Ya en una fecha tan temprana como 1954 —tan sólo un año después de la publicación del libro fundacional de U. Weinreich—, un comentarista de la obra del investigador norteamericano se hacía cargo de esta dificultad en los siguientes términos:

> The majority of such interference phenomena are ephemeral and individual, other show greater regularities, being repeated over and over again by many speakers. The mechanisms of interference appear to be the same in both cases, but the linguist is of course mainly interested in those which are not entirely sporadic and individually conditioned, but which exhibit some systematic regularities. Such interference phenomena, spreading from the speech of bilinguals to the speech of monolinguals, can be expected to tell us something about the linguistic conditions of the interference phenomena, and also about the linguistic systems in contact, their similarities and congruencies, and their differences (Vogt 1954: 369).

Desgraciadamente, cinco décadas más tarde de emitido este juicio, seguimos sin contar con una bibliografía significativa en la que el aparato cualitativo de las investigaciones sobre el contacto de lenguas en el mundo hispánico se vea reforzado por datos empíricos cuantitativos relevantes. Con todo, disponemos ya de algunos estudios que han partido de esta necesaria distinción teórica entre diversos estadios en el proceso interferencial. Así ocurre en algunas situaciones de contacto entre inglés y español en EE.UU., en las que se han analizado fundamentalmente interferencias en el nivel léxico (préstamos) (véase un resumen en Gómez Capuz 2000), o en otras en las que el español convive con algunas lenguas peninsulares como el catalán (cfr. Gómez Molina 1986; Blas Arroyo 1993a).

Un estudio variacionista sobre algunos de estos fenómenos en el español hablado en la ciudad de Valencia (Blas Arroyo 1993a) nos permitió comprobar el diferente alcance social de algunos de dichos rasgos vernáculos. Como muestra el gráfico 1, fenómenos como:

a) la extensión de los usos de *hacer* en contextos desconocidos fuera de estas áreas *(¡qué olor hace!* = «qué mal huele»; *qué hacen en TV* = «qué ponen/echan en TV»; *qué mala cara haces* = «que mala cara tienes»; *¿nos hacemos un café?* = «nos tomamos un café», etc.) (FEN 1);

b) la neutralización formal de las categorías adverbial *(abajo)* y preposicional *(bajo),* que lleva al empleo de esta última forma en ambos contextos *(están ahí bajo; lo he dejado bajo la mesa)* (FEN 2);

c) el empleo de un *que* átono al comienzo de las oraciones interrogativas absolutas a partir de un modelo idéntico en la sintaxis catalana *(¿que está cerrada la farmacia?)* (FEN 3);

d) ciertos fenómenos de convergencia como la concordancia en impersonales con *haber (habían flores en el jardín)* (sobre la polémica caracterización de este fenómeno, véase más adelante § 6.3) (FEN 4), o

e) la reducción a estructuras nominales de sintagmas preposicionales con valor temporal *(tengo el carné siete años ← tengo el carné (desde) hace siete años; vivo en esta casa diez años ← vivo en esta casa desde hace diez años)* (FEN 5) muestran una considerable extensión en el seno de la comunidad estudiada, aunque en algunos casos las diferencias entre los grupos sociales que la integran sean también considerables.

Así y como cabía esperar, el mayor grado de difusión se produce entre: a) los catalanohablantes habituales, b) los nacidos en comarcas del ámbito lingüístico catalán, y c) los sociolectos bajos. Por el contrario, los menores índices se dan entre: a) los monolingües castellanohablantes; b) los inmigrantes nacidos fuera de las comarcas de habla catalana, y c) los sociolectos altos.

Por el contrario, ciertas confusiones en el ámbito preposicional, típicamente interferenciales, como las que tienen lugar entre *a* y *en* en combinación con verbos estativos *(están al centro de la calle)* (FEN 6), o entre *en* y *con* en complementos de valor modal *(la niña está en fiebre)* e instrumental *(pártelo en el tenedor)* (FEN 7) o el empleo de un *de* partitivo característico de la sintaxis catalana y desconocido por el español estándar *(me gusta el disco, pero los hay de mejores)* (FEN 8), alcanzan a proporciones de la población mucho menores, y en todo caso, nunca a los miembros castellanohablantes monolingües, y en general tampoco (salvo en contextos muy informales) a los miembros más cultivados de la sociedad, sea cual sea su adscripción etnolingüística.

Los problemas que plantean las cuestiones relacionadas con estos procesos de adaptación y difusión social de los fenómenos de contacto han llevado al lingüista catalán Lluis Payrató (1985) a proponer una interesante tipología en torno a las posibilidades conceptuales que puede ofrecer la noción de interferencia lingüística. A este respecto, este autor propone cuatro fases en el desarrollo de un mismo proceso interferencial:

1) Elementos de procedencia extranjera, adaptados a lo largo de la historia de una lengua. En este sentido, y en relación con el español, podríamos hablar de germanismos, arabismos, galicismos, etc., que han penetrado en nuestra lengua en diversos momentos de su evolución histórica.

2) En un estadio previo al anterior se encuentran aquellas formas lingüísticas que han alcanzado también un alto grado de adaptación (fonológica y gramatical) a las normas de la lengua receptora, si bien tanto ésta como su reconocimiento por parte de las instituciones normativas

Gráfico 1
Difusión social de ocho fenómenos de contacto en el español de una comunidad de habla valenciana, según Blas Arroyo (1993a)

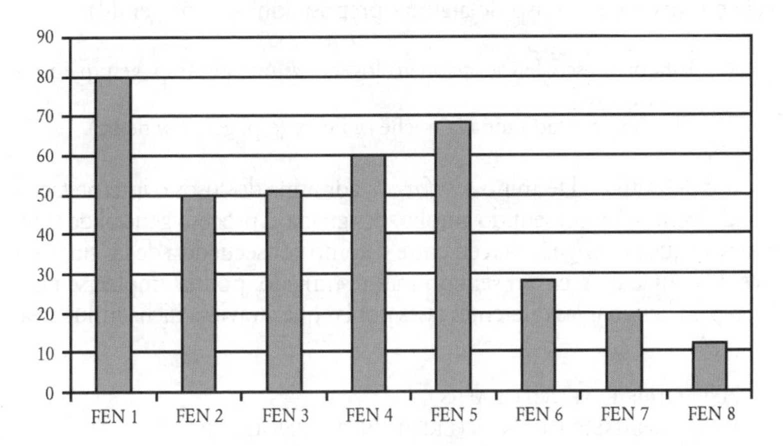


correspondientes son mucho más recientes. Piénsese, por ejemplo, en los numerosos anglicismos aceptados en las últimas ediciones del *Diccionario académico* en campos como la tecnología o la informática, y que actualmente son ya de uso común entre millones de hispanohablantes.

3) Un grado todavía menos avanzado en el proceso de integración sería el que alcanzan aquellos elementos de procedencia externa al sistema, que son de uso generalizado entre los hablantes de la comunidad (bilingües, pero también monolingües), y que, a diferencia de los anteriores, no son aceptados todavía por la normativa. Por ejemplo, y como veíamos más arriba, fenómenos como los ejemplificados en (1) y (2) se hallan muy difundidos en las comunidades de habla catalanas de la Comunidad Valenciana. Sin embargo, y frente a los anglicismos mencionados en el párrafo anterior, tanto la extensión de los usos de *hacer* como el *que* introductor de interrogativas absolutas no han recibido aún el beneplácito de las autoridades lingüísticas, que siguen considerándolas como dialectalismos, alejados del español estándar:

(1) Esta noche *hacen* una nueva serie de Emilio Aragón.
(2) *¿Que* no ha venido todavía tu hermano?

4) Por último, se sitúan los elementos que utiliza ocasionalmente un hablante bilingüe —ahora ya no monolingües, a no ser de forma

consciente, y por razones retóricas o estilísticas— cuando se expresa en una lengua no dominante de su repertorio verbal. A este paradigma pertenecerían fenómenos mucho menos extendidos en las mismas comunidades del ámbito lingüístico catalán, como el *de* partitivo en (3), o la confusión en el uso de algunas preposiciones, como en (4):

(3) Está bien ese Mercadona, pero los hay *de* mejores (esp. gen. pero los hay mejores).
(4) El niño ha estado toda la noche *en* fiebre (esp. gen. *con* fiebre).

En definitiva, el término *interferencia* admitiría dos usos o interpretaciones diferentes. En un sentido amplio, designaría el proceso general de la influencia que las lenguas ejercen entre sí como consecuencia de las situaciones de contacto. Y en un sentido más restringido, podría emplearse también para designar las diferentes fases por las que atraviesa dicha influencia.

## 4. Aspectos estructurales en el análisis de la interferencia lingüística en el mundo hispánico

### 4.1. *Los mecanismos de la interferencia lingüística*

Desde la obra de Weinreich (1953) es frecuente distinguir diversas estrategias entre las formas que puede adoptar la interferencia lingüística. A partir de la perspectiva estructuralista[5] empleada originalmente por el autor norteamericano, distinguimos entre diversos mecanismos, que ejemplificamos con datos extraídos de la bibliografía escrita a ambos lados del Atlántico (español de América y español de las comunidades de habla catalanas), en diferentes niveles del análisis lingüístico:

1) La *subestimación* de oposiciones estructurales tiene lugar cuando la lengua receptora abandona distinciones sistémicas autóctonas como resultado de su ausencia en la lengua modelo.

En el español hablado en Paraguay, por ejemplo, Granda (1982: 180) ha destacado un mecanismo interferencial de este tipo, que afecta a la realización de la fricativa palatal central *[j]* como africada, tanto en po-

[5] Para una interpretación de estas diferencias desde otras perspectivas teóricas, como la gramática generativista o la lingüística de prototipos, véanse los trabajos de Payrató (1985) y Pruñonosa (2000), respectivamente, con ejemplos que afectan al contacto español-catalán en el primer caso y al español-guaraní en el segundo.

sición inicial *(yace)* como en posición intervocálica *(mayo)*. El lingüista español caracteriza este fenómeno como un caso de «reducción» —o en los términos adoptados aquí, «subestimación»— de alófonos en distribución complementaria (africado y fricativo) a tan sólo uno (africado) por influencia del guaraní. Y lo mismo sucedería con los mecanismos epentéticos y paragógicos que llevan en esta misma variedad dialectal a la simplificación de la estructura silábica al esquema CV, no marcado en la lengua amerindia *(cruceta > curuceta)*.

Los fenómenos interferenciales de este tipo también se observan en niveles más profundos del análisis, como el gramatical. Así, en el español yucateco es frecuente escuchar en la conversación ordinaria oraciones como las de (5) y (6), en las que una única preposición sirve para expresar diferentes relaciones circunstanciales, a partir del modelo sintáctico característico de las lenguas mayas, en las que las preposiciones no varían en función de la orientación locativa del complemento (Flores Farfán 2000: 148):

(5) Estoy yendo *en* mi pueblo (esp. gen. Estoy yendo *a* mi pueblo).
(6) El ratón salió *en* su agujero (esp. gen. El ratón salió *de* su agujero).

Mecanismos de subestimación se observan también en algunas variedades del español hablado en el ámbito lingüístico catalán en la esfera de ciertos elementos deícticos, como los demostrativos y adverbios de lugar. En Cataluña[6], por ejemplo, los paradigmas tripartitos *(este, ese, aquel; aquí/ahí/allí)* de estas categorías sufren una característica reducción, que lleva a la pérdida de los correspondientes términos intermedios *(ese, ahí)* y al mantenimiento tan sólo de los miembros extremos *(este/aquel; aquí/allí)*, un hecho del que han dado cuenta diversos investigadores en los últimos años (cfr. Payrató 1985; Casanovas 1996a; Wesch 1997) y que responde claramente a la influencia de la gramática catalana, que en estos mismos paradigmas tan sólo cuenta con dos elementos. Y lo mismo sucede en algunas parcelas del vocabulario, donde la ausencia de ciertas distinciones significativas en catalán conduce al empleo de un solo término español. Así ocurre, por ejemplo, con los pares léxicos: *morro/hocico, vidrios/cristales, costilla/chuleta, pez/pescado, bonito/guapo,* resueltos entre algunos catalanohablantes a favor del primer término de los pares respectivos cuando se expresan en español (cfr. Payrató 1985; M. C. Serrano 1996; Casanovas 1996b).

---

[6] No en las comunidades de habla valencianas, ya que el dialecto de éstas mantiene un esquema triádico similar al del español (véase más adelante § 5.1).

2) Frente a la estrategia anterior, la *sobreestimación* de oposiciones supone que la lengua receptora establece distinciones estructurales ausentes en sus variedades monolingües, como consecuencia del contacto con otra lengua que sí las alberga en su sistema lingüístico. Fenómenos de este tipo se advierten, por ejemplo, en la pronunciación del español de algunas regiones del ámbito lingüístico catalán, y más concretamente en la distinción que llevan a cabo no pocos hablantes bilingües entre variantes abiertas y cerradas de las vocales *[ę]* y *[ǫ]*, a partir del correspondiente modelo catalán, en el que ambos sonidos poseen valor fonemático. Del mismo modo, aunque esta vez al otro lado del océano, la oposición entre consonantes simples y glotalizadas en las lenguas mayas o el considerable número de vocales en otomí (entre nueve y trece vocales, según las variedades) constituye una fuente virtual de interferencias en la pronunciación del español hablado por individuos que tienen estas lenguas como habituales y dominantes (Flores Farfán 2000: 147, 149).

En el *léxico,* y de regreso al contexto peninsular, diversas regiones de habla catalana presentan, asimismo, fenómenos de sobreestimación estructural que conducen a la distinción significativa entre términos poco frecuentes o inexistentes fuera de estas comunidades de habla. Es el caso, por ejemplo, del par *trabajo/faena,* cuyos términos adoptan la distribución conceptual característica del equivalente catalán *treball/feina,* donde el primer término tiene una significación más restringida *(ja ha trobat treball)* que el segundo *(té encara molta feina),* a diferencia de lo que ocurre en el español general, donde *faena* se aplica a los trabajos domésticos o agrícolas (M. C. Serrano 1996: 387). De este modo, en las comarcas de habla catalana se documentan enunciados como el siguiente (7):

(7) Hacía la *faena* (el trabajo, los deberes) de la escuela muy pronto (ejemplo de M. C. Serrano 1996: 387).

3) Más complejo que los anteriores resulta el mecanismo de la *reinterpretación,* mediante el cual, elementos de la lengua receptora dejan de oponerse a través de sus rasgos patrimoniales y pasan a hacerlo de acuerdo con otros que recogen el modelo de una lengua donante. Así, en el español paraguayo, la oposición sistemática entre los fonemas */i/* y */u/* se reestructura a partir de la adición de algunos alófonos característicos del guaraní que actúan en distribución complementaria, como *[i] (perfecto > perfeito)* o el sonido glotal ['] *(me caí > me ca'i)* (cfr. Granda 1980a: 343-344; Pruñonosa 2000: 115). Por su parte, los ha-

blantes mexicanos de la lengua totonaca reinterpretan ciertas reglas fonotácticas del español a partir de sus propios esquemas fonológicos. De esta manera, la */ñ/* se reinterpreta como */ni/ (puño >punio, niño >ninio)* y la combinación de fonemas nasales */mn/* se resuelve como */pn/ (alumno > alupno)* (Flores Farfán 2000: 154).

En el español hablado en las comarcas de habla catalana este hecho se detecta también en algunas esferas de la gramática, como ocurre con el empleo de ciertas preposiciones. Así, tanto en comunidades valencianas (Gómez Molina 1986; Blas Arroyo 1993a) como catalanas (Palet 1987; Casanovas 1998; Vann 1998), las preposiciones locativas *a* y *en* sufren una reordenación funcional en algunos de sus usos que supone el abandono de la distinción estructural que las preside en el español estándar. Debido a una clara influencia del catalán, la preposición *a* se emplea en el castellano de estas regiones en contextos circunstanciales estáticos, acompañando a verbos que no implican movimiento, como *poner(se)* o *estar*. De esta manera, en el habla de numerosos hablantes bilingües es frecuente oír enunciados como los de (8) y (9)[7]:

(8) Ponte *al* centro de la habitación (ejemplo de Blas Arroyo 1992: 96) (esp. gen. Ponte *en el* centro de la habitación).
(9) Estoy *a* casa (ejemplo de Casanovas 1996a: 411) (esp. gen. Estoy *en* casa).

Otro hecho de similares características afecta en el paradigma verbal a pares léxicos como *ir/venir*, cuya distribución funcional difiere, por influencia del catalán, de la que encontramos en otras variedades del español. Los ejemplos (10) al (12), tomados del estudio de Vann (1998) sobre el español hablado en Barcelona, muestran las diferencias entre las dos lenguas en esta esfera de la deixis espacial, así como la reordenación sufrida por dicho par en el español hablado en estas regiones. Por ejemplo, en la respuesta a una hipotética llamada a la puerta, en el español general tan sólo es posible *ir*, verbo que sirve para expresar un movimiento que se aleja del hablante *(iré a verte el lunes)*. Pero no *venir*, que empleamos, por el contrario, cuando el movimiento circula precisamente en dirección a éste *(ven a visitarme el lunes)*. Sin embargo, en catalán es éste, justamente, el verbo que utilizamos en dicho contexto, ya que *venir* se usa para referir el movimiento tanto hacia el

[7] Para otros ejemplos de reordenación en el uso de otras preposiciones *(por, para, sin, de...)*, véanse los trabajos de Vann (1998: 264) y Wesch (1997: 300), ambos sobre materiales extraídos del español de Barcelona *(v. gr.*, «El Joaquín me enseñó *de* bailar lambada»).

hablante como hacia el interlocutor. De este modo, frases como la ejemplificada en (12) son relativamente comunes en el español oral de estas regiones (véanse también Wesch 1997, Casanovas 1996b) y M. C. Serrano 1996 sobre el mismo fenómeno interferencial en las Baleares):

(10) Esp. est.: ¡Ya voy (ya vengo)!
(11) Cat. est.: Ja vinc (ja vaig).
(12) Esp. cat.: ¡Ya *vengo!*

Una reinterpretación similar se produce también en la oposición entre *ser* y *estar,* verbos cuya distribución funcional en español difiere en algunos contextos respecto a la que podemos encontrar en los equivalentes catalanes *ser/estar.* Al menos en el catalán estándar, rasgos semánticos como la permanencia momentánea en un lugar, la localización o las cualidades transitorias se expresan con *ser* y no con *estar,* lo que sirve para justificar ciertos trueques léxicos en el español hablado, como los de (13) y (14) (ejemplos tomados de M. C. Serrano 1996: 389):

(13) Mamá *es* a casa de la abuelita (esp. gen. Mamá *está* en casa de la abuelita).
(14) El pan *es* a la mesa (esp. gen. El pan *está* en la mesa).

4) La *sustitución* implica el reemplazo de elementos autónomos por otros tomados directamente de la lengua que actúa como modelo. Siguiendo con los ejemplos del español paraguayo aportados por Granda (1994b), nos hacemos eco ahora de las realizaciones labiodentales del fonema bilabial */b/,* las cuales no pueden atribuirse, a juicio de este autor, al carácter conservador de dicho dialecto, sino a la influencia directa del guaraní, que sólo conoce la primera articulación en contextos no nasales. En este sentido, podemos hablar, pues, de sustitución de un rasgo pertinente (el bilabial) por otro (el labiodental) como consecuencia de la interferencia lingüística (véase también, Krivoshein de Canese y Corvalán 1987). Por su parte, Flores Farfán (2000: 147) ha llamado la atención acerca de otros rasgos de este tipo en el español hablado por miembros de la comunidad maya-yucateca, como la sustitución del fonema */f/* por */p/: Pernando* por *Fernando.*

Fenómenos gramaticales pertenecientes a este mismo paradigma se aprecian también en el español de las regiones catalanas. Así ocurre, por ejemplo, con el que lleva a la sustitución del presente de subjuntivo —prescrito por la norma— por el futuro de indicativo en oraciones subordinadas temporales *(cuando vendrás, iremos al cine vs. cuando ven-*

*gas, iremos al cine),* rasgo dialectal señalado por diversos diccionarios (Seco 1961: 202) y gramáticas normativas (RAE 1973: 540), y advertido más recientemente en algunas investigaciones dialectológicas y sociolingüísticas en áreas como Lérida (Casanovas 1996, 1998) y Castellón (Blas Arroyo y Porcar 1997).

Estos fenómenos interferenciales pueden provocar transposiciones funcionales en los usos característicos de una unidad lingüística. Así ocurre, por ejemplo, con el empleo de los cuantificadores *todo/a(s)* con valor adverbial, esto es, con un sentido equivalente al que presenta *muy* en el español estándar para la intensificación adjetiva *(Juan estaba todo preocupado por lo de su padre/Juan estaba muy preocupado por lo de su padre).* Este rasgo, detectado en comunidades de habla castellonenses *(vid.* Blas Arroyo *et al.* 1992) y catalanas *(vid.* Casanovas 1996a), copia el esquema morfosintáctico catalán, en el que *tot* puede aparecer como sinónimo de *molt (muy)* en tales contextos.

Los mecanismos de *subestimación* y *sobreestimación* son inversos y comportan cambios en la lengua que suponen bien la reducción, bien el aumento de los elementos que la componen. Sin embargo, los casos de *reinterpretación* son más problemáticos, ya que implican cambios no tanto en la nómina de los elementos lingüísticos cuanto en las relaciones estructurales que se producen en su seno. Por último, los fenómenos *sustitutorios* representan la categoría más general, si bien normalmente exigen también algún grado de semejanza formal o conceptual entre los correspondientes paradigmas de ambas lenguas.

A estos procesos, que, como vimos, encontramos ya en la obra de Weinreich (1953), Payrató (1985) ha añadido más recientemente otros. Se trata de los mecanismos de:

5) *Importación,* que suponen la simple transferencia de un elemento desde la lengua fuente a la lengua receptora. Por ejemplo, en el español hablado en la región de Otavalo (Ecuador), donde se produce el contacto habitual con el quechua, la formulación de *peticiones de información* se realiza preferentemente mediante una reestructuración de los recursos patrimoniales, entre los que destaca el uso preferente del imperativo. Con todo, a estas estrategias se añade también otra, calcada del quechua, y que se concreta en la adición al verbo «dar» de un valor cortés y mitigador del que carece en español estándar (Hurley 1995b).

En la *gramática* del español hablado en las regiones de habla catalana encontramos de nuevo algunos fenómenos de este tipo, como la presencia de un morfema partitivo *(de),* característico de la sintaxis catalana *(En tinc de noves, de taules)* y desconocido en el español general. Este rasgo, ejemplificado en (15), y del que ya daba cuenta Seco (1961: 134) en su *Diccionario de dudas y dificultades,* se ha documentado posteriormente tanto en el español hablado en diversas comarcas catalanas (Badia i Margarit 1981; Casanovas 1998; Wesch 1997), como en la región valenciana (Blas Arroyo 1993a). En esta última, nuestros datos empíricos apuntan hacia un uso restringido generalmente a los sociolectos bajos, aunque también es posible escucharlo más ocasionalmente en boca de otros catalanohablantes habituales en registros de habla informales. Por el contrario, y a diferencia de otros fenómenos reseñados anteriormente, no se detecta entre los monolingües (ejemplos extraídos de Blas Arroyo 1992)[8].

(15) Me gusta el disco, pero los hay *de* mejores (esp. gen. Me gusta el disco, pero los hay mejores).
(16) ¿*Que* tienes frío? (esp. gen. ¿Tienes frío?).

Un elemento importado del mismo tipo, aunque con una difusión social notablemente más elevada (Blas Arroyo 1992; Wesch 1997; Casanovas 1998), que llega a alcanzar incluso a no pocos castellanohablantes exclusivos, es la presencia de un *que* expletivo, (16), desconocido por la gramática del español estándar, al comienzo de actos de habla interrogativos directos.

Con todo, es sin duda el nivel *léxico* el que proporciona los ejemplos más frecuentes de los mecanismos de importación, en los que hay que incluir los préstamos que el español ha recibido de otras lenguas a lo largo de la historia, incluidos los centenares de anglicismos que hoy pueblan la mayoría de sus variedades (sobre éstos, véase más adelante § 5.3.2). De momento, y por continuar con el contacto catalán-español, al que nos hemos venido refiriendo a lo largo del presente epígrafe, señalemos que ciertos factores estructurales, como la condensación semántica que encierran algunos elementos frecuentes del vocabulario

[8] Algo parecido sucede con la doble negación en contextos ajenos al español general *(tampoco no vino, nadie no me lo dijo).* Aunque Casanovas (1998: 360) advierte que en el español «del área catalana sea frecuente» (en todo caso, su estudio se limita al español de Lérida), nosotros lo hemos encontrado mucho más ocasionalmente en Valencia (Blas Arroyo 1993a; véase también Gómez Molina 1986, para la comunidad de habla de Sagunto). En parecido sentido, cabría hablar de la presencia en el habla de algunos catalanohablantes habituales de una locución conjuntiva característica de esta lengua al comienzo de ciertas subordinadas causales *(com[o] que): Com que los precios están disparatados en el Valle de Arán, la gente se ha subido a la parra.*

catalán, favorecen también su difusión en castellano. Es el caso de verbos como *caldre* («ser necesario», cat. *caldre;* sobre todo en la modalidad negativa: *no cal[e] que vengas), enchegar* (cat. *engegar,* «poner en marcha el motor de un coche»), *plegar* («salir del trabajo») (Blas Arroyo *et al.* 1992; Wesch 1997; Martínez de Sousa 1974; Casanovas 2000). En otros casos, los catalanismos léxicos proporcionan matices más extensos o precisos que los equivalentes castellanos. Así, *chafardear* (cat. *xafardear)* se usa en tierras catalanas como sinónimo de «chismorrear» pero también de «curiosear». Por su parte, *parada* (en Valencia frecuentemente bajo la forma diminutiva: *para[d]eta)* designa en estas áreas al «puesto en el mercado»[9].

6) Más excepcionalmente, el contacto de lenguas puede consistir también en la *pérdida* de elementos patrimoniales como consecuencia de la falta de equivalentes en la lengua modelo. Y si en el párrafo anterior mencionábamos la importación de un significado nuevo para el verbo «dar» como estrategia mitigadora en una región ecuatoriana, en el presente nos hacemos eco de la práctica desaparición en esta área de contacto del verbo *poder,* muy frecuente como elemento modalizador en la formulación de peticiones en la mayoría de los dialectos del español *(¿podría decirme...?)* (cfr. Blum-Kulka 1989; Hurley 1995b).

De otro tipo es la pérdida que se produce en el español hablado en la Comunidad Valenciana, donde son frecuentes enunciados como los de (17) y (18). Se trata de construcciones nominales en función circunstancial que denotan el tiempo transcurrido desde el inicio de una actividad o estado hasta el momento del habla, y que suponen una reducción clara respecto a las que son normativas en el español estándar. Aunque en la lengua hablada de otras regiones peninsulares no faltan ejemplos de economía lingüística que conducen a la desaparición del nexo preposicional *(desde),* no nos consta la existencia de estructuras similares a las ejemplificadas a continuación y en las que, junto a la preposición, desaparece también el verbo fosilizado *hacer.* A nuestro juicio, en la difusión notable de esta clase de estructuras nominales desempeña un papel decisivo un modelo sintáctico equivalente en el catalán coloquial *(Tinc el carnet set anys),* aunque en este sentido no es descartable, de nuevo,

[9] Otros préstamos frecuentes, con equivalentes castellanos más o menos precisos (entre paréntesis) son *sucar* («untar»), *pica* («fregadero»), *embolicar* («envolver»), *prou* (usado como elemento extraoracional: *«Prou,* no puedo *más»).*

la posible influencia recíproca entre las dos lenguas *(vid.* Blas Arroyo 1992, 1993a)[10].

(17) Tengo el carnet de conducir *Ø siete años* (esp. gen. Tengo el carnet de conducir *[desde hace]* siete años).

(18) Vivo en esta finca *Ø diez años* (esp. gen. Vivo en esta finca *[desde hace]* diez años).

7) Ahora bien, junto a la pérdida de elementos patrimoniales, habría que considerar también el proceso inverso, es decir, el *mantenimiento,* o cuando menos, el *incremento* de la frecuencia de éstos respecto otras comunidades de habla. En el ámbito lingüístico catalán, la influencia del contacto resulta, por ejemplo, determinante en algunos fenómenos *fonéticos* del español hablado, como sucede con la notable conservación de la */-d-/* intervocálica en contextos que llevan a su pérdida frecuente en otras regiones peninsulares *(pescado* > *pescao; acabado* > *acabao);* o la especial tensión articulatoria que conduce al mantenimiento de ciertos grupos consonánticos cultos *([eksámen, ak (jón])* que en el español de otras variedades tienden a relajarse o a desaparecer *([egsámen/exámen; ag (jón/a (jón]).* Y lo mismo cabría decir del mayor grado de retención en estas regiones de los fonemas finales en algunos extranjerismos, en los que se reúnen dos consonantes *(carnets, chalets, clubs, yogurs),* combinaciones habituales en catalán *(camions, parets),* pero no en español (Casanovas 1996a: 408).

---

[10] Se trataría de un ejemplo más de *convergencia* (a)gramatical —desde un punto de vista normativo— entre dos lenguas tan cercanas como el español y el catalán, las cuales confluyen en una misma solución sintáctica, con independencia de que la misma sea contraria a lo que establece la normativa. En diversas ocasiones, hemos defendido que éste puede ser también el caso de otro rasgo extraordinariamente activo en estas comunidades de habla como es la concordancia entre el verbo y el sintagma nominal siguiente en oraciones impersonales con el verbo *haber (Habían flores en el jardín, hubieron fiestas)* (Blas Arroyo 1993a). A diferencia de otra regiones peninsulares, en las que la concordancia aparece de forma más ocasional, y se halla más marcada diafásica y diastráticamente, estas soluciones aparecen como variantes cuasi categóricas en estas áreas, como se ha destacado en diversas ocasiones (Seco 1961; Llorente Maldonado 1980; Blas Arroyo 1993a; Casanovas 1996a, 1998). Por lo tanto, y aunque la propia tendencia interna del español a regularizar un paradigma sintáctico irregular sea un factor importante en dicha concordancia, no creemos que ésta sea incompatible con la influencia del contacto con el catalán. Al menos por lo que se refiere al español peninsular —otro panorama ofrece, sin duda, el español de América—, creemos que esta última puede ser incluso más decisiva que la primera, dada la extraordinaria difusión social adquirida por dichas variantes concordadas en las regiones del ámbito lingüístico catalán.

Por otro lado, la *gramática* del español coloquial en estas áreas presenta también algunas muestras adicionales del mismo tipo, que demuestran la importancia del contacto en el mantenimiento de variantes que sufren un considerable retroceso en otros dominios hispánicos. A este respecto, uno de los ejemplos más paradigmáticos quizá sea el representando por el *futuro flexivo,* forma que ha perdido considerable vitalidad en otras regiones —en especial en el español de América, aunque también en el peninsular— a favor de otras soluciones como la perífrasis *ir a + infinitivo* o el *presente* de indicativo. Sin embargo, ello no parece ocurrir, al menos con el mismo grado de intensidad, en tierras catalanas (Vedrina 1993; Wesch 1997) y castellonenses (Ramírez-Parra y Blas Arroyo 2000; Blas Arroyo 2004), donde, como señalábamos en otro momento, todavía conserva una considerable vitalidad, especialmente entre los catalanohablantes habituales (véase tema III, § 6)[11] (sobre los denominados «préstamos de frecuencia», véase también más adelante § 5.3.2.2).

## 4.2. *Niveles del análisis lingüístico en el estudio de la interferencia*

En las últimas décadas se han desarrollado diversas hipótesis acerca del tipo de variables lingüísticas que pueden ser objeto de interferencias con más frecuencia (cfr. Muysken 1984; Moravscik 1978). Por lo general, se acepta que el material *léxico* es el más fácilmente transferible en una situación de contacto, en especial en la dirección que va desde la lengua de mayor prestigio social hacia las lenguas minoritarias. Ello podría obedecer fundamentalmente al hecho de que las palabras con contenido léxico tienen una mayor relación con la función referencial, que a su vez es más favorable que otras funciones del lenguaje para la influencia interlingüística.

En el extremo opuesto, el nivel gramatical, y en particular, la sintaxis, se concibe habitualmente como el *locus* menos propicio para la difusión de las interferencias, tanto en la matriz lingüística del contacto como en la social (Romaine 1989: 63). Las razones para ello son diversas, aunque no siempre han estado bien justificadas. Es cierto, por ejemplo, que el nivel gramatical es el más estructurado en las lenguas,

[11] El contacto de lenguas se ha postulado también más ocasionalmente como un factor explicativo del mayor grado de conservación del sistema etimológico de los pronombres de tercera persona en el español de estas regiones orientales (Casanovas 1996a).

aquel que confiere a éstas sus caracteres más singulares y, por lo tanto, sin duda también, el que resulta más difícilmente alterable por influencias externas. Ahora bien, en ocasiones pueden ser otras razones, menos confesables, las que han contribuido a crear esta opinión. Por un lado, nos encontramos con el hecho indiscutible de que, en la historia de la lingüística, ha sido, precisamente, el cambio sintáctico el menos estudiado, aunque de ello no pueda inferirse, obviamente, su inexistencia.

En la práctica, algunos investigadores han puesto en duda recientemente las tesis más tradicionales en torno a la escasa entidad de la interferencia en los niveles más profundos del análisis lingüístico. Así, Thomason y Kaufman (1988) han esgrimido diversos fenómenos, extraídos de otras tantas comunidades de habla repartidas por todo el mundo, y a partir del contacto entre lenguas tipológicamente muy diversas, que avalarían la tesis de que cualquier elemento lingüístico, sea del nivel que sea, puede ser objeto de interferencia, siempre que se den cita determinadas condiciones sociolingüísticas, como un contacto intenso y prolongado en el tiempo.

Entre nosotros, estas ideas han encontrado también algunos defensores, especialmente entre los estudiosos del contacto entre el español de América y algunas lenguas amerindias. Entre éstos, por ejemplo, figura Campbell (1987), quien ha defendido la hipótesis de que lenguas de la familia azteca, como el pipil, hablado todavía por algunos cientos de personas en El Salvador, han tomado prestadas del español ciertas palabras funcionales, como las conjunciones, creando variantes que se oponen a la estrategia de la yuxtaposición habitual en las lenguas centroamericanas. Véase un ejemplo:

(19) Juan (i-)wan María (Juan y María).

Y en una dirección inversa, Muysken (1996) ha señalado que la principal huella estructural del quechua sobre el español hablado en las regiones andinas tiene lugar, justamente, en ámbitos profundos del análisis como la sintaxis, por encima de otros más periféricos como la fonología o el léxico[12]. A este respecto, y por mencionar tan sólo un ejemplo, destaca el empleo en estas variedades vernáculas de unidades

[12] En la práctica, la influencia léxica del quechua sobre el español hablado en la zona se limita en buena medida a términos que poseen un significado despreciativo, como *carishina* («mujer que no desempeña bien sus tareas domésticas»); *chumado* («borracho»), *llucha* («desnudo»); *mapa* («sucio»), *sarapanga* («caña de maíz»).

conectoras en la posición final de los enunciados, como en (20) y (21). Un rasgo alejado del español estándar y que revela, a juicio de este autor, la adaptación al español de estrategias gramaticales características de la lengua andina como la inserción de sufijos finales:

(20) Vamos a ir *pero*.
(21) Así es *pues*.

Frente a estas tesis, investigadoras como Carmen Silva-Corvalán (1992, 1998) se han destacado por enfatizar que la permeabilidad entre las gramáticas sólo se atestigua en un nivel superficial de las relaciones sintácticas, y, además, únicamente en aquellos puntos del sistema que resultan compatibles con la lengua de destino. Más aún, aun reconociendo que la influencia interlingüística puede desencadenar cambios en la lengua, en la mayoría de los casos éstos no serían la consecuencia de un interferencia directa[13] en el nivel sintáctico, sino en otros niveles menos profundos, como el léxico o la pragmática. Por otro lado, tales cambios no son anárquicos, sino que están fuertemente restringidos por las reglas estructurales de la lengua receptora, así como por ciertos principios cognitivos universales que caracterizan la adquisición del lenguaje, y entre los que destacan la tendencia a la simplificación o a la convergencia gramatical.

Aunque más tarde tendremos tiempo de desarrollar con detalle algunos de los puntos centrales de esta tesis, que cuenta con numerosos seguidores en la sociolingüística hispánica, valga de momento con decir que, desde este punto de vista, la influencia del inglés sobre algunas esferas gramaticales del español hablado en Los Ángeles no se producirían mediante una transferencia directa desde la gramática del inglés a la del español (Silva-Corvalán 1998: 229-232). En (22), por ejemplo, se trata de la *anteposición del sujeto* en contextos en los que el español general muestra preferencia por la posposición. Por su parte, (23) muestra la *elisión* del nexo subordinante *que* al comienzo de una completiva, al tiempo que (24) representa un *calco léxico-sintáctico,* el que lleva a la adición de un significado nuevo para el interrogativo *cómo:*

(22) Yo llegué a las cuatro y luego *ellos* llegaron (esp. gen. Yo llegué a las cuatro y luego llegaron *ellos).*
(23) Mi mamá no quiere que haga eso. Ella piensa Ø si, si no voy full time no voy a terminar (esp. gen. Ella piensa *que* si, si...).

---

[13] O transferencia, concepto que utiliza preferentemente dicha autora.

(24) Y tu carro que compraste, *¿cómo* te gusta? (esp. gen. Y el carro que compraste ¿te gusta?).

En opinión de Silva-Corvalán (1998), el hecho de que en el primer caso el español permita tanto la anteposición como la posposición, o la limitación del segundo a la sintaxis de los verbos estimativos *(creer, pensar, saber...),* junto con la posibilidad que muestra el español para dicha elisión en algunos registros formales y escritos *(le agradecería Ø me dijera si puedo...),* se conjuran en contra de una sustitución directa de la sintaxis española por la inglesa. Por último, en (24), la estructura *X gustar Y* no está tomada, obviamente, del inglés; lo que se ha producido es, sencillamente, un cambio en la subcategorización del verbo *gustar,* para recubrir contextos interrogativos como los del ejemplo anterior.

Por otro lado, la influencia del inglés actúa cuando las severas restricciones funcionales que afectan al empleo del español en estas comunidades de habla norteamericanas conducen a la pérdida de los condicionantes semántico-pragmáticos normales en el español estándar. En tales casos, y como consecuencia casi siempre de procesos de simplificación o generalización cognitiva, el contacto de lenguas actúa, sobre todo, incrementando la frecuencia de las variantes vernáculas y acelerando los procesos evolutivos internos (véase más adelante § 6.4).

Por otro lado, y como revelan algunos de los ejemplos anteriores, a menudo es un problema delicado decidir cuál es el nivel lingüístico implicado en ciertos fenómenos interferenciales. Un caso paradigmático lo ilustran las dificultades que numerosos bilingües hispanos muestran para la pronunciación del morfo */-s/,* característico de la tercera persona del singular de los verbos ingleses, una pronunciación que muchos de estos hablantes suelen omitir. Es cierto que el español posee seis formas diferentes en los tiempos verbales, mientras que el inglés sólo presenta dos en sus verbos regulares, pero la omisión de la */-s/* no puede explicarse solamente mediante la comparación entre los dos sistemas morfológicos. Por el contrario, es necesario comparar también el sistema fonológico del español, que rechaza los grupos consonánticos finales, y el inglés, donde tales agrupaciones tienen un importante valor funcional (Baetens-Beardsmore 1982: 69).

Por último, hay que tener presente también el hecho de que mientras que las interferencias en la pronunciación o los préstamos léxicos pueden detectarse con relativa facilidad, y ser, por lo tanto, motivo de estigmatización por parte de los miembros más puristas de la comunidad de habla, las huellas estructurales en la gramática puede aparecer enmascaradas, en particular si aprovechan posibilidades estructurales de la lengua receptora (Hill y Hill 1986: 343).

A diferencia de los niveles del análisis lingüístico considerados hasta el momento, las investigaciones sociolingüísticas sobre interferencias en otros dominios, como la *pragmática* o el *análisis interaccional* han sido mucho más escasas hasta la fecha. Y ello pese a que representan con frecuencia un *locus* ideal para la acción interferencial, y en el que, además, pueden resultar determinantes ciertos factores sociales y culturales, por encima, incluso, de los estrictamente lingüísticos (cfr. Silva-Corvalán 1992; Hurley 1995). No en vano, algunos estudios han mostrado cómo la resistencia a la permeabilidad interlingüística es menor cuando se hallan implicados factores sociales que afectan a las relaciones comunicativas entre los interlocutores en ciertas comunidades bilingües. Argente y Payrató (1991), por ejemplo, han llamado la atención sobre el hecho de que algunos casos de variación fónica en algunas lengua peninsulares diferente del castellano —derivados a su vez de préstamos previos procedentes de esta lengua— tienen una significación sociopragmática muy interesante en comunidades bilingües españolas, como Cataluña y Galicia, en las que funcionan alternativamente como estrategias de identidad sociolingüística o como recursos retóricos en ciertos contextos comunicativos bilingües. Como veremos más adelante, y al igual que ocurre con el cambio de código —véase tema XVII—, la interferencia puede ser también portadora de funciones retóricas relevantes y encerrar importantes significados discursivos y sociales (para más detalles en torno a la relevancia sociolingüística e interaccional en los procesos interferenciales, véanse Hill y Hill 1986; Flores Farfán y Valinas 1989; Howard 1995; Escobar 2001a, entre otros).

## 5. Desarrollos y perspectivas en el estudio de la interferencia lingüística en el mundo hispánico

Al igual que en otras ocasiones, revisamos a continuación algunos temas concretos relacionados con la interferencia lingüística de los que se ha ocupado la bibliografía especializada en diferentes contextos geográficos y sociolingüísticos del mundo hispánico.

### 5.1. *El caso español*

En este marco los estudios más numerosos son los que inciden en la huella que diversas lenguas han dejado sobre la pronunciación y el vocabulario españoles en las correspondientes regiones peninsulares.

Por lo que se refiere al contacto con el *catalán*, diversos autores han descrito algunas de estas peculiaridades fonéticas, léxicas y gramaticales del español hablado en diversas regiones del este peninsular e insular. Desde diferentes perspectivas teóricas y metodológicas (estudios dialectológicos, sobre análisis de errores, trabajos variacionistas, etc.), estos trabajos han venido a llenar en los últimos años una importante laguna en la investigación sobre el contacto español-catalán en comunidades donde la influencia ejercida por la lengua autóctona en el español ha sido tratada raramente en la bibliografía lingüística. Frente a algunos trabajos de corte más general (Jordana 1933; Moll 1961; Badia i Margarit 1981; Marsà 1986), en los últimos años ha habido una tendencia a acotar geográficamente el alcance de los estudios. Así, Wesch (1997) y Vann (1998) han descrito diversos fenómenos de interferencia gramatical en el español hablado en la ciudad de Barcelona. Entre éstos, y por citar sólo algunos de los más representativos en el nivel gramatical, destacan:

a) la reducción de algunos paradigmas deícticos, como los demostrativos y los adverbios de lugar, a dos grados, siguiendo la estructura del catalán *(este/ese/aquel → este/aquel; aquí/ahí/allí → aquí/allí);*

b) el uso de algunas preposiciones a partir de los modelos catalanes *(piensa* a *comprar pan; el Joaquín me enseñó* de *bailar lambada; vino* con *tren);*

c) la importación de ciertas unidades gramaticales, como locuciones conjuntivas *(... pero* como que *no me gusta nunca voy)* o un *que* átono al comienzo de los enunciados interrogativos absolutos (¿que *me entiendes?),* o

d) la confusión en el uso de ciertos verbos como *venir/ir (ya* vengo por *ya* voy), *ser/estar (mi madre* es *a casa), sacar/quitar* (sácate *la chaqueta),* traer/llevar *(ya te los* traigo por *ya te los* llevo).

Algunos de estos rasgos se han detectado también en comunidades de habla leridanas (Casanovas 1995, 1996a, 1996b, 1996c, 1998, 2000), castellonenses (Blas Arroyo *et al.* 1992; Blas Arroyo y Porcar 1997), valencianas (Gómez Molina 1986; Casanova 1996; Blas Arroyo 1993a, 1998) y baleares (Moll 1961; M. C. Serrano 1996). Y si bien una parte importante de ellos posee un claro origen interferencial, en otros se advierte una *convergencia* de soluciones estructurales entre las dos lenguas en contacto (sobre esta cuestión, véase más adelante el epígrafe 6.3).

Desde una perspectiva sociolingüística, hay que destacar algunos estudios en los que tanto el grado como la dirección de la interferencia se miden a partir de los principios y métodos del variacionismo. Esta línea de investigación se inicia con el trabajo de Gómez Molina (1986), quien estudió la extensión social y el nivel de integración de algunas interferencias recíprocas entre el español y el catalán hablado en la ciudad de Sagunto (Valencia). Pese a detenerse preferentemente en las que discurren en la dirección español → catalán, este autor consideró también diversos casos de la dirección contraria en el paradigma de las preposiciones, donde las diferencias estructurales entre ambas lenguas se dejan sentir con más claridad y donde, como señalamos anteriormente, se producen confusiones entre algunos elementos. Con todo, tanto este fenómeno como los otros dos investigados por el mismo autor —la presencia de un *de* con valor partitivo y la doble negación en contextos desconocidos por el español general— presentan un grado de difusión social escaso y similar al detectado posteriormente por nosotros mismos *(vid.* Blas Arroyo 1993a) en la ciudad de Valencia.

En nuestro estudio variacionista sobre los fenómenos de contacto en la ciudad de Valencia, hemos analizado de forma empírica las matrices sociales y lingüísticas que están detrás de diversos hechos de interferencia y convergencia gramatical en el español hablado en las comarcas valencianas centrales, como consecuencia del contacto secular con el catalán. Este trabajo ha puesto el énfasis en el hecho de que, contrariamente a lo esperado, la influencia de la lengua catalana afecta de forma notable a numerosas parcelas del español en esta comunidad, incluida la morfosintaxis. Además, este hecho pone en duda la tesis, ampliamente difundida entre los estudiosos del contacto de lenguas, según la cual la interferencia tan sólo se produce de forma significativa en la dirección que va desde la lengua con mayor prestigio y estatus social hacia las lenguas minoritarias (sobre esta cuestión, véase posteriormente § 7.2).

Por último, un ámbito especialmente prometedor en los estudios más recientes sobre el contacto español-catalán es el de las funciones sociales, pragmáticas e interaccionales que los fenómenos interferenciales pueden desempeñar. Junto con el trabajo pionero de Argente y Payrató (1991), acerca de la relevancia pragmática de ciertos fenómenos de interferencia fónica —véase anteriormente § 4.2—, el de Vann (1998) ha llamado también la atención más recientemente acerca de algunos usos innovadores en el español hablado en ciudades como Barcelona como consecuencia del contacto con el catalán. Éstos, que afectan a ciertas unidades deícticas, como los verbos de movimiento, los demostrativos y los locativos (véanse los ejemplos [25], [26] y [27]), pueden interpretarse no sólo como fenómenos de interferencia gramatical sino también como ejemplos paradigmáticos de interferencia sociopragmática. La prueba es que numerosos hablantes se sirven de ellos no sólo como elementos deícticos en la conversación, sino también como marcadores de identidad etnolingüística en tiempos de cambios profundos en la sociedad catalana, para representar en su habla la ideología catalanista políticamente hegemónica en la Cataluña actual.

(25) Ya *vengo* (esp. gen. Ya *voy).*
(26) Ya te los *traigo* a tu oficina (esp. gen. Ya te los *llevo* a tu oficina).
(27) Me gusta este al lado mío, no *este* detrás tuyo (esp. gen. Me gusta este al lado mío, no *ése* detrás de ti).

En otro ámbito geográfico, la huella actual del *euskera* sobre el español en el País Vasco ha merecido también la atención de diversos investigadores. A este respecto Urrutia (1995) y Fernández Ulloa (1996) han descrito recientemente los rasgos más singulares de la lengua española hablada en las comunidades de habla vascas, entre los que ocupan un lugar sobresaliente los debidos al contacto lingüístico. Entre estos últimos destacan el uso de hipocorísticos *(Santi, Chomin),* sufijos diminutivos vascos *(Javiertxu, Josetxu, deustoarra = de Deusto),* el artículo determinado usado como adjetivo posesivo *(la madre me ha dicho = mi madre...),* las repeticiones como estrategia intensificadora *(año, año, siempre estoy = todos los años...),* ciertas alteraciones en el orden de palabras en contextos no marcados *(tres sobresalientes tiene Juan)*[14], los pleonasmos con pronombres reflexivos *(se están quejándose)* o ciertos usos vernáculos del infinitivo *(¡andar bien! = ¡qué vaya bien!).* Otros hechos, como el *leísmo* —y en particular la notable difusión del leísmo femenino *(le vi a la chica del quinto)*—, el uso del condicional en la prótasis de las oraciones condicionales *(si tendría dinero, lo haría)* o la duplicación del objeto mediante clíticos *(le veo a Juan en el parque)* son, por el contrario, característicos también de otras áreas del español peninsular, por lo que es más difícil determinar su origen interferencial. Pese a ello, no es descartable la influencia catalizadora del contacto lingüístico sobre las tendencias estructurales que muestra el propio español (más detalles sobre esta cuestión en § 6).

Otro fenómeno para el que se ha supuesto un origen, o cuando menos una influencia importante del contacto con el vasco, es la *omisión* frecuente del *objeto pronominal,* un rasgo que ha merecido recientemente la atención de diversos investigadores desde diferentes perspectivas teóricas (cfr. Urrutia 1995; Fernández Ulloa 1996; Urrutia y Fernández

[14] A no confundir con la estructura rematizadora del español, con acento enfático y valor contrastivo en el primer sintagma, seguido de pausa: «TRES sobresalientes, tiene Juan [no uno].»

Ulloa 1997; Landa 1995, 2000). F. Landa sostiene, en la misma línea argumental que Silva-Corvalán, que la influencia del vasco opera sobre estructuras paralelas en español, lo que facilita la extensión de dicha variante en las matrices lingüísticas y sociales del discurso bilingüe.

(28) —No encuentro el libro de Alarcos.
—Yo tengo uno, si quieres te Ø presto (esp. gen. si quieres te *lo* presto).

El hecho de que el fenómeno ejemplificado en (28) tenga lugar en español, lengua que acepta el artículo *cero* en ciertos contextos gramaticales *(v. gr.,* con referentes no específicos: «¿Compraste ya el pan? Sí, *Ø,* compré»), pero no en el francés de las correspondientes comarcas vascófonas —dado que esta lengua requiere siempre de la expresión categórica de las formas pronominales de objeto— parece apuntar, efectivamente, hacia un fenómeno de convergencia por simplificación, antes que hacia un préstamo sintáctico radical[15].

Por otro lado, y al igual que veíamos en el caso catalán, algunas de estas variantes del español hablado en el País Vasco parecen tener en la actualidad un significado marcadamente simbólico e identitario en boca de ciertos hablantes. Así lo han visto, por ejemplo, Mendieta y Molina Martos (1995) en su estudio sobre ciertas estructuras características de estas comunidades de habla, como el esquema de *dislocación sintáctica a la izquierda* que advertimos en (29). Mediante esta clase de construcciones, el hablante destaca en primer término la entidad que encierra la información presupuesta, aunque sin la presencia posterior de un clítico pronominal, variante mucho más frecuente en el español general:

(29) ... porque no le dejaban poner nombres en euskera; *nombres en euskera* no Ø dejaban poner (esp. gen. *nombres en euskera* no *los* dejaban poner).

Mediante el auxilio de un test de aceptabilidad, Mendieta y Molina Martos (1995) concluyen que la difusión de esta estructura informativa vernácula entre los hablantes vascos se halla relacionada significativamente con su nivel de bilingüismo, de manera que tanto su em-

[15] Otros estudios descriptivos sobre el español hablado en diversas regiones del País Vasco y norte de Navarra, y en los que se dedica también atención al contacto de lenguas, son los de Echaide (1968), Steenmeijer (1979), García Mouton (1996) y Echenique (1998), entre otros. Al margen, hay que destacar también algunos estudios cuantitativos que han medido la influencia léxica del vasco sobre el español actual en diversas ciudades de la comunidad, como San Sebastián —M.ª J. Azurmendi (1982)— y Bilbao —M. Etxebarría (1985, 1986).

pleo como sus evaluaciones positivas aumentan conforma lo hace también su competencia en euskera. Ahora bien, complementariamente:

> [...] estas anteposiciones funcionan como un marcador de identidad étnica mediante el cual el hablante tiene la posibilidad de expresar su solidaridad intralingüística con el interlocutor (pág. 547).

Ello explica el hecho significativo de que, cuando el hablante identifica una mayor competencia en vasco en su interlocutor, el empleo de dicha construcción se intensifique.

Desde hace siglos, la influencia mutua entre el español y el gallego viene siendo muy intensa, lo que se traduce en la existencia de dos variedades muy características de cada una de las lenguas: el «gallego castellanizado» y el «castellano agallegado» (C. García 1976; Silva Valdivia 1991). Por lo que a este último se refiere, hay que destacar que, salvo en el nivel léxico —en el que adquiere un protagonismo más marginal y restringido a ciertos ámbitos de uso domésticos— la influencia de la lengua gallega sobre el español hablado en estas comunidades noroccidentales de la península Ibérica es particularmente destacada. En el nivel fonológico, quizá el rasgo más sobresaliente sea la interferencia suprasegmental, caracterizada por la sucesión rápida de líneas melódicas típica del gallego, en lugar de los grupos entonacionales más extensos del español general. Así, la expresión de una frase como «pasado mañana por la tarde estudiaremos la lección», presenta una línea quebrada, con tres elevaciones lentas al comienzo y caídas rápidas al final de cada uno de los grupos fónicos:

GRÁFICO 2

Representación gráfica de la entonación característica del castellano hablado por gallegos, según C. García (1976: 331)

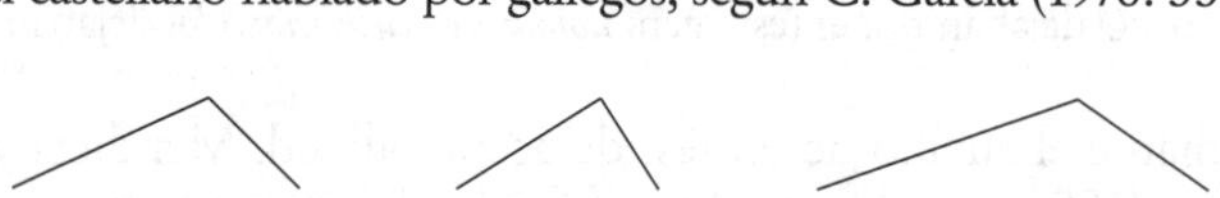

*Pasado mañana,* *por la tarde,* *estudiaremos la lección.*

Con todo, la interferencia en este nivel no se detiene en la entonación, ya que afecta también al sistema vocálico. En éste, por ejemplo, el carácter abierto o cerrado de las vocales medias *(/e/* y */o/)* no depende del contexto fónico, como en español, sino del grado de abertura de la palabra gallega cognada, por lo que aquéllas pueden llegar a adquirir valor fonemático. Por otro lado, hay que destacar también el cierre de estas vocales en ciertos contextos átonos *(decir: dicir, Portugal: Purtugual)*, u otros fenómenos consonánticos, como el seseo *(conocer: conoser)*, la geada *(gato:*

*hato)* o la presencia en el habla de un fonema velar nasal, rasgos que obedecen al calco de los hábitos articulatorios de la lengua autóctona.

La gramática de esta variedad presenta también numerosas particularidades que obedecen a la influencia directa del gallego. Así ocurre en el sistema morfológico, donde destacan, entre otros:

a) el uso del sufijo diminutivo *-iño/a* tanto en sustantivos *(mujeriña)* y adjetivos *(pobriño)* como, incluso, en adverbios *(hasta lueguiño);*

b) trueques en el género de algunos sustantivos por influencia del que sus equivalentes poseen en gallego *(el sal, el cal, la vinagre);*

c) el uso casi exclusivo de las formas simples del pasado en detrimento de las compuestas *(hace un rato desayuné un café y un bollo);*

d) el valor equivalente al pluscuamperfecto de indicativo de la terminación en *-ra* del subjuntivo *(ya marchara cuando llegué);*

e) el uso de la perífrasis *haber (de) + infinitivo* como variante para la expresión del futuro inmediato y no como expresión modal obligativa como en español, entre otros.

Por último, la sintaxis gallega se deja sentir también en algunos caracteres del español hablado en la región, como:

a) la concordancia en género y número del adverbio *medio* con el adjetivo al que acompaña *(tu tía está media loca);*

b) el empleo de un característico dativo de interés *(aquí te llueve mucho);*

c) la anteposición del pronombre respecto al infinitivo *(no se mover);*

d) el uso de *más* como refuerzo de la coordinación copulativa *(Juan y más Enrique);*

e) la sustitución de las perífrasis *estar/andar + gerundio* por *estar/andar + a + infinitivo (anda a trabajar);*

f) algunas confusiones preposicionales *(venimos preguntar lo que sucede; voy junto de Juan, Juan va en Vigo);*

g) el uso de la preposición con verbos transitivos *(llaman por ti* por *te* llaman), etc.[16].

---

[16] Los fenómenos anteriores y sus correspondientes ejemplos están tomados de C. García (1976 y 1986) y Kabatek (1991). Por otro lado, y aunque C. García (1976) no utiliza este término, considera también algunos casos que cabría considerar como fenómenos de *convergencia* (véase más adelante § 6.3), ya que en ellos la influencia del gallego alcanza soluciones estructurales también visibles en otras variedades del español, aunque en éstas por razones distintas. Así ocurre con el interrogativo *¿lo qué?,* marcado sociolectalmente en otros dialectos del español (A: *¿Estudias o trabajas?,* B: *¿Lo qué?)* o ciertas terminaciones verbales por analogía, consideradas como vulgarismos en el español general *(fuistes, llorastes)* y que este autor considera «calcos del gallego». Asimismo,

Desgraciadamente, y hasta donde llega nuestro conocimiento, faltan estudios empíricos que den cuenta, al igual que se ha hecho en otras regiones españolas, de las matrices sociales y lingüísticas que se hallan detrás de estos hechos de variación. Con todo, en los últimos años, disponemos ya de algunas referencias esperanzadoras, como el reciente estudio variacionista de Pollán (2001) sobre las variantes en la expresión del pasado *(pasado simple, imperfecto de subjuntivo y pluscuamperfecto de indicativo);* (para una revisión de sus principales resultados, véase anteriormente tema III, § 7)[17].

### 5.2. *La influencia de las lenguas indígenas en el español hispanoamericano*

#### 5.2.1. Introducción

La influencia que sobre el español han ejercido las lenguas indígenas de América ha ocupado la atención de numerosos investigadores desde hace décadas[18]. Fontanella de Weinberg (1980) destacaba hace unos años que, junto a las hipótesis mayoritarias, que han intentado explicar los caracteres más generales del español de América, como la tesis *andalucista*[19], o su contraria, la del *desarrollo independiente*[20], existe en la bibliografía hispánica un amplio abanico de publicaciones que defienden el influjo determinante de las lenguas de sustrato prehispánicas en numerosas variedades geográficas del español americano. Esta

menciona la inserción de la preposición *de* junto a *que* «bastante corriente antes de la extensión actual de este fenómeno por el ámbito lingüístico del habla coloquial castellana» (C. García 1976: 334).

[17] Otros trabajos sobre interferencias en esta región española abordan la cuestión desde otras ópticas: lingüística contrastiva *(vid.* López Martínez 1994 sobre un proceso de convergencia mutua entre gallego y español en las construcciones *a + OD),* tipología de los hechos interferenciales (Silva Valdivia 1991), lingüística histórica (Lema 1991), etc.

[18] Entre los trabajos de conjunto más útiles para el tema que nos ocupa desde un punto de vista dialectológico, destacamos las monografías de Lipski (1996) y Alvar (1996b).

[19] Tesis defendida en el pasado por lingüistas como Catalán (1956) y Lapesa (1980), entre otros. Éstos han defendido la relación entre las principales variedades del español americano y las hablas meridionales españolas, dada la importancia decisiva que estas últimas tuvieron en los primeros tiempos de la colonización de América.

[20] Véanse los trabajos clásicos de Henríquez Ureña (1921) y Amado Alonso (1961), entre otros, para quienes la evolución del español de América es en gran parte independiente de la experimentada por los modelos peninsulares. Sobre las implicaciones ideológicas de esta polémica en sus inicios, véase Valle (1998).

última corriente de pensamiento lingüístico fue iniciada por Rodolfo Lenz en el español chileno, variedad que, a juicio de dicho autor «es, principalmente, español con sonidos araucanos»[21].

En relación con el impacto estructural de estas lenguas en el español hablado en América, en la actualidad compiten también algunas ideas aparentemente irreconciliables. Para algunos autores la huella de estas lenguas es mucho más importante de lo que se ha aceptado comúnmente y se halla en la base de la diversificación y la fragmentación del español de América *(vid.* Bartos 1987)[22]. En el extremo opuesto se sitúan, por el contrario, quienes consideran que el español hablado en el continente americano no ha sufrido modificaciones sustanciales, ya que las atestiguadas hasta la fecha tienen un carácter más bien periférico y de importancia estructural menor (cfr. Sala 1988; Quesada 2000)[23].

En todo caso, y con independencia del grado de fragmentación o de unidad que otorguemos al español en América en su conjunto, es indiscutible que algunas lenguas indígenas han dejado una importante huella en el castellano, llegando en ocasiones a generar variedades vernáculas considerablemente alejadas del español estándar. Así ocurre, por ejemplo, con la llamada *motosidad* —o *motoseo*—, nombre con el que se designan algunas variedades autóctonas del español hablado en las regiones andinas, como consecuencia de la influencia de lenguas como el quechua o el aimara. Autores como Cerrón Palomino (1989, 1996), Pozzi-Escot (1998), J. Calvo (ed. 2000) y Klee (2001), entre otros, han descri-

[21] Es sabido, sin embargo, que a diferencia de otras lenguas prehispánicas, como el quechua o el nahuatl, el español convivió mucho menos con el mapuche, ya que la colonización española supuso el arrinconamiento del pueblo araucano en el sur de la actual nación chilena. Como ha indicado López García (2000) acertadamente, la reacción desmesurada a hipótesis poco realistas como la defendida por Lenz explicaría la cerrazón de algunos a admitir la incuestionable impronta de las lenguas precolombinas en el español actual.

[22] Conocida es también la polémica acerca de la caracterización del español americano, en la que se dan cita opiniones más o menos extremas. Algunos estudiosos consideran que se trata de una variedad con rasgos únicos, que la caracterizan uniformemente, mientras que otros establecen algunas divisiones en su seno. Por su parte, estas últimas oscilan entre las más simples (variedades costeras *vs.* variedades interiores) *(vid.* Zamora Munné y Guitart 1982) y otras mucho más complejas, que implican la distinción entre numerosas zonas dialectales en función de factores diversos. Entre éstos, sin embargo, suele ocupar un lugar preeminente la lengua amerindia principal del territorio (cfr. Henríquez Ureña 1921, Rona 1964).

[23] Para los más críticos con esta última postura, la negación más o menos radical de la influencia de las lenguas indígenas sobre el español americano guarda una estrecha relación con ciertas actitudes puristas e ideológicas («españolistas»), que, en el peor de los casos, se han realizado además con escaso —y en ocasiones, nulo— conocimiento de dichas lenguas (cfr. Hurley 1995a y b, Cassano 1982).

to los rasgos más singulares de estas variedades, tanto desde el punto de vista descriptivo como —más ocasionalmente— desde una perspectiva sociolingüística, destacando en este último sentido el diferente grado de extensión social y de estigmatización de ciertos fenómenos[24].

Hay que reconocer que, en países como Perú, Bolivia y Ecuador, la huella de las lenguas andinas sobre el español oral es notable en todos los niveles del análisis lingüístico. Un hecho que a veces llega a afectar, incluso, a la misma comprensión entre hablantes de diferente procedencia geográfica. Como recuerda Cerrón Palomino (1996: 120) a este respecto:

> [...] muchas veces no se quiere decir lo mismo aun empleándose formas y expresiones similares una vez confrontados un hablante de castellano general con otro de la variedad andina, produciéndose verdaderos desencuentros comunicativos.

Ahora bien, las variedades en contacto en estas sociedades no aparecen en el repertorio verbal comunitario como unidades discretas. Por el contrario, se configuran como un *continuum* panlectal, en el que los distintos lectos se sitúan en distintos puntos de un eje imaginario, que se extiende entre los extremos *basilectal* —representado por la variedad más cercana al quechua— y *acrolectal* —el español estándar. Con todo, la mayoría de los idiolectos, al menos en las zonas de más uso de las lenguas andinas, aparecen más cercanos al primero de dichos extremos[25].

Paraguay es otro de los países sudamericanos donde se ha dejado notar más intensamente la impronta de las lenguas autóctonas. En él se utilizan, incluso, algunos términos *(jopará, guarañol)* que aluden a las variedades vernáculas que resultan del contacto secular entre el español y el guaraní, y que configuran de nuevo un *continuum* amplio de idiolectos, que se sitúan entre los extremos representados por las variedades estándares de ambas lenguas (Dietrich 1995). En todo caso, y como ha recordado Corvalán (1992: 23) en relación con el término *jopará*, éste vale tanto

---

[24] Klee (2001), por ejemplo, ha destacado la notable difusión de estos rasgos vernáculos en países como Perú, en los que, como consecuencia del proceso histórico de desplazamiento lingüístico, favorecido en las últimas décadas por la inmigración masiva desde las regiones del interior hacia la capital, dichas variantes se han extendido por todo el país, de tal manera que hoy las emplea un número creciente de peruanos.

[25] En la dirección contraria, debemos a Muysken (1996) algunos de los trabajos más importantes sobre la llamada *media lengua*, variedad del quechua hablada en Ecuador, donde la huella léxica del español es masiva. Asimismo el investigador holandés es autor de diversos trabajos acerca del español rural ecuatoriano, así como sobre diversos pidgins y hablas extranjeras utilizados en esta región andina para la comunicación con los indígenas y los no ecuatorianos (cfr. Muysken 1980; Argüello 1979).

para las variedades del español influido por el guaraní, como para las de esta última lengua tras siglos de contacto con el español. En sus palabras:

> [...] llamamos *jopará* tanto al guaraní paraguayo o al castellano paraguayo resultantes de las dos lenguas en contacto [...] en otras palabras, *jopará* es un término guaraní que significa mezcla y que se refiere a las interferencias en los niveles estructurales en ambas lenguas.

Asimismo, esta autora ha llamado también la atención *(vid.* Krivoshein de Canese y Corvalán 1987) sobre el hecho de que en el repertorio verbal paraguayo haya crecido en las últimas décadas un complejo proceso de interferencias desde el guaraní hacia el español, invirtiendo así la dirección tradicional del contacto de lenguas en Paraguay, y demostrando con ello que la influencia interlingüística no depende exclusivamente del prestigio de las lenguas, sino también de otra serie compleja de factores sociolingüísticos, como la intensidad del contacto, la duración del mismo, etc. (para más detalles sobre esta cuestión, véase más adelante § 7.2).

En este panorama bibliográfico sobre el contacto de lenguas en Paraguay no podemos olvidar la amplia contribución bibliográfica de Germán de Granda (1996), a quien debemos algunos de los estudios más importantes sobre el español hablado en esta región sudamericana, tanto desde el punto de vista sincrónico como diacrónico (véanse más detalles sobre estas investigaciones parciales en § 5.2.2).

La influencia de las lenguas mesoamericanas y la configuración de un complejo de variedades idiolectales entre éstas y el español han atraído también la atención de algunos estudiosos en los últimos años (cfr. Lope Blanch 1980; Flores Farfán 2000; Lastra 1995; Zimmermann 1995). Uno de los aspectos generales más destacados de esta línea de investigación es la polémica en torno a si la influencia de estas lenguas sobre el español hablado en algunas regiones centroamericanas permite hablar de variedades etnolingüísticas diferenciadas, como las advertidas en la región andina. Para Lastra (1995), quien se ha ocupado con minuciosidad de las interferencias procedentes de lenguas amerindias como el otomí y el nahuatl, no puede hablarse con propiedad de un «español indio» en países como México, ya que por encima de algunas similitudes entre las lenguas indígenas *(v. gr.,* ausencia de algunos morfemas, como el genero, etc.), las divergencias estructurales que las separan son mucho más numerosas, lo que dificulta la extensión de una interferencia uniforme y masiva sobre el español. Pese a ello, otros estudiosos conceden al menos la existencia de «dialectos étnicos» para caracterizar el español hablado por algunos de estos pueblos, como los otomíes (Zimmermann 1995).

### 5.2.2. Fenómenos interferenciales en el español de América

Junto con los trabajos reseñados —y otros muchos que, por razones lógicas, no tienen cabida en estas páginas—, en los que se analiza la interferencia lingüística de las lenguas indígenas desde una perspectiva general, otros muchos estudios han dado cuenta de aspectos parciales de dicha influencia. A continuación nos hacemos eco de algunas de esas investigaciones, con el fin de ofrecer una visión más completa del influjo de las lenguas amerindias en el español de algunas regiones hispanoamericanas. Al igual que en otras ocasiones, nuestro repaso se estructura en diversos niveles del análisis lingüístico, en particular los que afectan a la pronunciación, por un lado, y a diversas facetas de la gramática, por otro.

#### 5.2.2.1. Nivel fonológico

Comenzando por la región mesoamericana, con la que concluíamos la sección anterior, debemos mencionar en primer término las aportaciones bibliográficas del malogrado lingüista español Juan Manuel Lope Blanch, quien distinguió diversas áreas de influencia nahuatl en la fonética del español hablado en México. En uno de sus trabajos más tempranos en torno a esta cuestión, Lope Blanch (1967) hacía suya una hipótesis sustratística avanzada ya anteriormente por autores como Henríquez Ureña (1921) y Malmberg (1965), quienes habían postulado, entre otras cosas, que el fonema */s/* mexicano es diferente al de otras variedades geográficas del español, debido, justamente, a la influencia del nahuatl. Asimismo, en otros trabajos posteriores, Lope Blanch (1980, 1981) dio cuenta de ciertos procesos fonéticos que afectan al español hablado en la región de Yucatán (México), como la reducción en el número de fonemas, la labialización de */n/* final de palabra, la sustitución de */p/* por */f/*, entre otros. Fenómenos extendidos considerablemente en el repertorio verbal de las comunidades de habla correspondientes y que son consecuencia del grado notable de bilingüismo de sus habitantes[26].

[26] Sobre las interferencias entre el nahuatl y el español pueden consultarse también los trabajos de Flores Farfán y Valinas (1992) y Flores Farfán (2000), en los que se ofrece un repaso de las principales huellas dejadas en el español hablado en México por lenguas pertenecientes a diferentes familias lingüísticas. Y desde una perspectiva diacrónica, sobre los primeros siglos del contacto entre ambas lenguas, en los que la mayoría de la población tan sólo era competente en nahuatl, véase Hidalgo (2001).

Nuestro recorrido *sudamericano* comienza esta vez por Chile, donde como vimos anteriormente, Rodolfo Lenz advertía ya la huella fonética arahuaca, tesis, no obstante, que sería criticada poco después por Amado Alonso, y que ha dado lugar a una polémica que continúa hasta nuestros días. Por otro lado, la lengua ancestral del pueblo mapuche ha dejado también algunos rasgos en la pronunciación española de la región (cfr. Cassano 1972, 1977; Contreras 1999). Entre éstos destacan:

a) el incremento en la frecuencia de aparición de palabras terminadas en */i/* y */u/* acentuadas, así como en */m/;*
b) la importación de diversos fonemas característicos de la lengua mapuche, y
c) la aparición de combinaciones consonánticas desconocidas por el español *(ef, lk, lw, dw, dl, fwk, dm, wl, dp, thl, thk, mwl, gwl),* etc. *(vid.* Cassano 1972).

Pese a ello, y como destacábamos más arriba, es en la región *andina* donde se ha advertido una influencia más destacada en el sistema fonológico del español, procedente, sobre todo, de lenguas que todavía cuentan con una amplia difusión social y geográfica, como sucede con el quechua. En la pronunciación, los principales cambios se reflejan en fenómenos como:

a) la apócope, que surge al adaptar las palabras a la estructura bisilábica del quechua;
b) la debilitación del acento;
c) la palatalización de ciertas consonantes, o
d) la particular abertura de las vocales medias.

Por otro lado, las palabras del quechua que han penetrado en el vocabulario español conservan en esencia su estructura fónica original, con excepción de algunos cambios menores que, no obstante, permiten su identificación vernácula. Y en el mismo sentido, se ha dado cuenta también de que, como consecuencia del influjo quechua, el sistema vocálico vernáculo se reduce en la práctica a tres fonemas *(a, i, u),* lo que origina en el habla algunos fenómenos de sustitución *(piru < pero)* (cfr. Escobar 1976, 1978; Hurley 1995a y b).

La influencia del *guaraní* en la pronunciación del español hablado en Paraguay ha sido objeto de atención por parte de Germán de Granda (1980a), Krivoshein de Canese y Corvalán (1987) y Pruñonosa (2000), entre otros. Entre las huellas fonéticas más destacables de esta influencia figuran rasgos como:

a) la presencia de una sexta vocal —centro-posterior cerrada y sin labialización *[y]*— en contextos implosivos *(perfecto > perfeyto)* y algunas otras formas aisladas *(puerta > pyerta);*

b) las epéntesis y paragoges vocálicas para la formación de grupos silábicos *CV*, normativos en guaraní *(cruceta > curuceta);*

c) la inserción de un fonema glotal en la articulación de algunas vocales consecutivas *(alcohol > alko'ol);*

d) la realización labiodental sonora de las oclusivas bilabiales en cualquier posición *(burro > vurro; caballo > cavallo);*

e) la realización de la fricativa palatal, *[y]*, como africada, en posición inicial e interna *(mayo > maŷo);*

f) la realización como fricativa palatal sorda [š] de la africada *[ĉ]* correspondiente en el español estándar *(chicharrón > šišarró);*

g) la extensión de la consonante vibrante simple *[r]* a la posición postconsonántica o inicial de palabra *(borrica > mburiká)* y ocasionalmente, también, a ciertos contextos intervocálicos *(corral > korá).*

Con todo, la difusión sociolingüística de estos fenómenos varía en la sociedad paraguaya. Así, mientras que rasgos como a) y e) puede considerarse como generales en el español paraguayo, aunque no sin algunas restricciones sociolectales, otros, como b) o g), afectan sólo a hablantes con escasa competencia en español y en ámbitos preferentemente rurales (Granda 1981).

5.2.2.2. Nivel gramatical

La influencia de algunas lenguas indígenas se ha dejado sentir también en diversas esferas de la gramática del español. A este respecto, el área lingüística *andina* ha recibido una atención creciente en los últimos tiempos, en los que diversos estudios han mostrado la interferencia real de lenguas como el quechua o el aimara.

Los ejemplos de dicha influencia alcanzan a diversos paradigmas. Así, Godenzzi (1995: 113-114) ha analizado desde una perspectiva variacionista el alcance social de la *elisión del artículo* en el español de estas regiones andinas, uno rasgo que se deriva de la inexistencia en ambas lenguas amerindias de dicha categoría lingüística. Por otro lado, los datos de este trabajo muestran también la incidencia significativa del factor socioeconómico en la distribución social de dicho rasgo. En este sentido, los usos acordes con el español estándar, que llevan a la expresión del artículo en contextos como los de (30), se producen preferentemente entre los hablantes económicamente privilegiados. Por el contrario, dicha forma se sustituye progresivamente por la variante vernácula —sin artículo—, como en (31), conforme descendemos en la pirámide social.

(30) ... y una hija de una mitani estaba jugando con nosotros; *la* niña sería de nuestra edad también.

(31) *Ø* Cañería riego ahora está secado (esp. gen. *La* cañería...).

Una distribución sociolectal similar se ha advertido también en relación con otros rasgos gramaticales vernáculos, característicamente derivados del contacto secular en la zona, como los que afectan en diversas comunidades a: a) la falta de concordancia en el interior del sintagma nominal *(el libros)* (Hurley 1995b); b) el uso de los pronombres clíticos de tercera persona (cfr. Klee 1990; Camacho *et al.* 1995; L. Sánchez 1998; L. Paredes 2001)[27]; c) el orden de ciertos constituyentes, como los adjetivos (L. Sánchez 1996) y otros elementos en el predicado *(vid.* Ocampo y Klee 1995 para la variación OV/VO); d) el doble posesivo (Granda 1997), o e) la expresión del pretérito (cfr. Stratford 1991, Klee y Ocampo 1995), por mencionar algunos de los más destacados[28].

En relación con esta última variable, por ejemplo, se ha señalado que, aunque el español de las regiones andinas posee el mismo número de paradigmas para la expresión del pasado que el español general, existen diferencias cualitativas importantes, de orden pragmático, que están estrechamente asociadas al contacto con el quechua (Klee y Ocampo 1995) y el aimara (Stratford 1991). En estas variedades, por ejemplo, las formas del pretérito pluscuamperfecto —véanse (32) y (33)— no sólo se emplean para indicar un tiempo anterior al momento del habla, como en el español estándar, sino también para dar cuenta de que el hablante no ha sido testigo directo de la información que

---

[27] La neutralización de los pronombres de tercera persona singular y plural en la forma *lo* responde a la ausencia en quechua de este tipo de satélites verbales, así como a la no marcación del género y el número en sustantivos, pronombres y adjetivos. Por otro lado, este rasgo, junto con otros de origen interferencial, como el calco sintáctico a partir de un sufijo oracional del quechua, que indica la adquisición indirecta de la información emitida por el hablante, ha llevado a algunos a proponer la inclusión de la región del noroeste argentino, donde ambos tienen también lugar, en la misma área lingüística que el español andino (cfr. Cerrón Palomino 1996; Granda 1994b; Caravedo 1996-1997).

[28] Asimismo, la influencia del quechua está en el origen del empleo del gerundio en diversas perífrasis verbales desconocidas en otras variedades del español *(me mandó hablando* = «me riño»; *ella puso rompiendo* = «ella lo rompió al ponerlo [en algún lugar»]; véase Niño Murcia [1995] para un análisis de estas perífrasis en regiones andinas de Colombia y Ecuador, y Granda [1995] para la región del noroeste argentino).

se transmite. Por el contrario, el resto de las formas temporales, incluido el presente histórico, expresan experiencias personales relacionadas con el pasado.

(32) Para... dice, como, bisté así, dice, lo ha puesto a la brasa, y lo *habían comido. Habían comido* estos seis.
(33) ¡Media vuelta el loco! Así, dice, le ha tirado con la revista y ¿qué pasa? Mi hija *había creído* que le estaba tirando con piedra. Fajjssmss... Se *había asustado*. Se le *había venido* (Klee y Ocampo 1995: 63).

En esta misma línea de investigación, diversos autores han insistido en los valores semántico-pragmáticos divergentes que adquieren ciertas unidades funcionales en estas regiones andinas respecto del español general. J. Calvo (ed. 2000), por ejemplo, ha analizado los usos de partículas cuyo empleo en el español andino supone el calco de sufijos característicos del quechua, lo que da lugar a cambios posicionales y, ocasionalmente semánticos. Es el caso de expresiones adverbiales *(todavía, ya, siempre, nunca, ahora, entonces...)* y nexos *(y, ni, más, además, también, tampoco, pero...)*, que aparecen colocados característicamente en una posición distinta a la habitual en español estándar, como muestran los ejemplos siguientes (extraídos de J. Calvo ed. 2000: 75):

(34) Yo comeré *todavía*.
(35) ¿Te acuerdas *y*?

Véase cómo en (34), el sentido que adquiere «todavía» («yo comeré antes de hacer cualquier otro actividad») es diferente del que posee en el español general. Y lo mismo sucede con la conjunción copulativa *y*, cuya posición en (35) resulta insólita en la sintagmática del español, al igual que el significado transmitido por el hablante («te lo dije y te lo repito).

Por su parte, Escobar (2001a) llamado también la atención acerca de la influencia del quechua en algunos empleos innovadores de los diminutivos en el español hablado en Perú, que en estas variedades de contacto aparecen con valores sociopragmáticos diferentes a los que resultan comunes en el español estándar. Principalmente, ello ocurre en situaciones comunicativas no familiares, en las que no existe un conocimiento previo entre interlocutores que cuentan con un parecido estatus social. En estos casos, el uso de los diminutivos surge como una estrategia destinada a reducir la formalidad de la interacción e incrementar la cordialidad. Y lo mismo ocurre con ciertos valores epistémicos del futuro verbal, en los que la significación modal prevalece sobre la temporal. En enunciados como los de (36) y (37), el futuro se presenta como un marcador para indicar que las predicciones del hablante están basadas en inferencias realizadas por él mismo y no en la realidad misma[29]:

(36) [Los niños están] mal alimentados / pues los huauas (niños) también no comen nada así / de suficiente no *tendrán* para un tarro de leche /para una libra de carne...

(37) [En Pisac, la gente] se *dedicará* pues de trabajar de los chacras / y los demás caballeros se trabajan en cerámica / y los demás trabajan en agricultura.

Junto con la influencia del *guaraní* en la fonética del español paraguayo, que analizábamos en un párrafo anterior, digamos ahora que la interferencia afecta también a diversas parcelas de la gramática en dicha variedad de contacto. En este caso, sin embargo, la interferencia actúa preferentemente como un mecanismo acelerador de procesos evolutivos también presentes en otras variedades del español, aunque no necesariamente en los mismos contextos, lo que, sin duda, representa una novedad importante debida al contacto de lenguas. Algunos de estos fenómenos, como la neutralización de los morfemas de género y caso entre los pronombres de tercera persona (*leísmo* y *loísmo)* o la *elisión del objeto,* han recibido alguna atención bibliográfica en los últimos tiempos. En una de las aportaciones más recientes al tema, Palacios (2000) ha concluido que en el contexto paraguayo dichos fenómenos responden indiscutiblemente al contacto secular entre el español y el guaraní, ya que esta lengua carece de un sistema pronominal átono de tercera persona similar al español, lo que implica que no posee equivalentes para los pronombres de dativo o acusativo. Por el contrario, la construcción pronominal guaraní exige la presencia de un pronombre tónico de tercera persona como término de un sintagma preposicional. Asimismo, en este paradigma sobresalen otros dos hechos lingüísticos fundamentales:

---

[29] Véase también Zavala (2001) sobre la influencia del quechua en los valores novedosos que adquiere *pues* como marcador discursivo. Por otro lado, diversos estudios han advertido el incremento en el uso de ciertas variantes respecto a lo que constituye la norma en el español estándar. Así ocurre, por ejemplo, con el empleo frecuente del *imperativo* para la formulación de peticiones, y la consiguiente disminución de las formas modalizadoras, más habituales en el español general (sobre este hecho pragma-gramatical en diversas regiones andinas, véanse los trabajos de Hurley (1995a y 1995b) y Bustamante y Niño Murcia (1995). Y sobre el alcance general de la influencia de las lenguas indígenas en la formulación de la cortesía lingüística, véase Koike (1989).

a) la ausencia de marcas de género (y en la práctica, también de número), y

b) la imposibilidad de referir a objetos con el rasgo [– animado].

Desde este punto de vista, fenómenos como el *leísmo*, el *loísmo* o la *elisión del objeto* en el español de Paraguay serían el resultado de un proceso de reestructuración del sistema pronominal, que consiste en la neutralización de los rasgos de género y número (y en el caso del leísmo, también de caso), debido a la presencia en guaraní de una única forma pronominal *(ichúpe)* en la que no se especifica ninguno de dichos rasgos (Palacios 2000: 140).

Pese a ello, la distribución sociolingüística de dichos fenómenos es muy variable en la sociedad paraguaya. Así, el *leísmo de persona* se encuentra muy generalizado en toda la comunidad de habla, excepto en los contextos en que aparecen referentes [– masculinos] [– singulares]; por otro lado, afecta a todos los sociolectos, pero su difusión es particularmente amplia en los grupos sociales medios y medio-altos urbanos[30].

Por el contrario, el *loísmo* es un fenómeno preferentemente rural, que supone la neutralización de los rasgos de género y número de las formas pronominales de objeto directo. Por otro lado, en estos sociolectos bajos las variantes loístas no parecen estar condicionadas ni por restricciones semánticas ni por imperativos sintácticos, como revelan los siguientes ejemplos, donde los referentes de *lo* son tanto [ + animados] —ejemplos (38) y (39)—, como [– animados] —ejemplos (40) y (41):

(38) El que puede se ha comprado una *vaca* en su época y *lo* va criando.
(39) Cualquier persona que llevan a emplear *lo* emplean allí.
(40) La *hierba* del campo *lo* tiene en la casa.
(41) Vivían en *chabolitah* que *lo* hasían ellos mihmo.

El hecho de que esta matriz de rasgos lingüísticos y sociolingüísticos se haya documentado también en otras áreas del español americano, como ocurre con la región andina *(vid.* Caravedo 1996-1997), obedece, a juicio de Palacios (2000: 133), a las características estructurales de las lenguas amerindias, que:

[30] En el estudio se advierten también algunos casos de leísmo de cosa, pero son muy escasos, y ello debido a otro fenómeno interferencial relacionado, como es la tendencia a la elisión del objeto [– animado] que muestra el español paraguayo y que, al igual que ocurre con el leísmo y el loísmo, no está sujeto a fuertes restricciones semánticas y sintácticas, como en otras variedades del español (Palacios 2000: 133).

> [...] permiten, activan y fomentan la aparición de un sistema pronominal distinto al resto de las modalidades del español, de tradición no bilingüe. Es, en definitiva [...] el sistema pronominal paraguayo, con los fenómenos de leísmo y loísmo, el resultado de la influencia del guaraní sobre el español en la modalidad paraguaya.

Con todo, algunos autores han atemperado la influencia directa del guaraní sobre el español, ponderando los paralelismos que a este respecto mantiene con otras variedades —actuales y pasadas— del español. Incluso un investigador como Granda, que tantas páginas ha dedicado a analizar la huella estructural dejada por la lengua amerindia en el español paraguayo, ha matizado con el tiempo algunas de sus interpretaciones originales. De esta manera, si hace veinticinco años Granda (1979) adscribía directamente a la influencia del guaraní otro fenómeno representativo de este dialecto como es la *doble negación* —véase (42)—, años más tarde, el lingüista español explicaba éste como el resultado de la retención en esta variedad de contacto de una estructura ya existente en el español del siglo XVI *(vid.* Granda 1991; véase en el mismo sentido su crítica más reciente hacia la consideración de la reiteración adjetival elativa en el español andino en Granda 2003).

(42) Esp. parag.: *Nada no* dije (esp. gen. *Nada* dije/*No* dije *nada).*
Guar.: Mba'eve nda-'ei (Nada no dije).

Y en parecido sentido, Choi (2000) ha negado también recientemente que tanto la *omisión del objeto pronominal*, reseñada anteriormente («Trajo la bandeja y *Ø* puso en la mesa»), como el uso de la preposición *en* con verbos de movimiento («Nosotros pensábamos ir *en* Uruguay») obedezcan sólo al calco directo de estructuras guaraníticas paralelas, ya que el español —y otras lenguas romances— cuenta también con estructuras similares en algunas variedades actuales y pretéritas. En definitiva, factores externos —la presión del guaraní, que posee estructuras similares, tras siglos de contacto intenso— e internos[31] se dan cita para explicar estos hechos evolutivos característicos del español paraguayo[32]:

[31] En el caso de los pronombres clíticos su «debilidad» estructural, ya que su presencia/ausencia no afecta a las capacidades de comunicación y comprensión de los hablantes. En el de las preposiciones, la competencia entre «a» y «en» en la historia del español para su empleo con verbos estativos y de movimiento.

[32] Desde un punto de vista sociolingüístico, Choi (2000) admite, sin embargo, la existencia de diferencias relevantes entre ambos fenómenos. Así, la variable preposicional tan sólo es aceptable para los hablantes bilingües, lo que reforzaría la hipótesis del sustrato lingüístico, mientras que el segundo fenómeno es mucho más general y aparece

Por último, las interferencias entre el *español* y el *portugués* en las regiones fronterizas entre Uruguay y Brasil han merecido también el interés de dialectólogos y sociolingüistas en las últimas décadas. Hensey, a quien debemos algunos libros (Hensey 1972) y artículos (Hensey 1982) sobre la influencia del portugués en la fonología y el vocabulario españoles de estas áreas limítrofes, ha advertido que tanto el nivel de bilingüismo social como el grado que alcanza la interferencia es notablemente mayor en el lado brasileño de la frontera. En estas obras se dedica también una atención destacada al análisis del *fronterizo,* dialecto que se caracteriza como una variedad del portugués sujeta a una fuerte influencia del español y cuyos primeros análisis sistemáticos debemos a Rona (1965).

Otro autor destacado en los estudios sobre estas variedades híbridas es el lingüista uruguayo Elizaincín, quien ha descrito las áreas de convergencia entre los dialectos portugueses de Uruguay y las variedades rurales del español, que afectan principalmente a la fonética, y en menor medida, también, a la gramática (Elizaincín 1973, 1976, 1995). Entre los fenómenos de este último nivel destacan, por ejemplo:

a) el empleo habitual de pronombres personales de tercera persona para la referencia a objetos inanimados, como en (43);
b) el uso del infinitivo en contextos en los que el español estándar requiere el subjuntivo (44);
c) la combinación del verbo «decir» con la preposición «para» (45);
d) el empleo del marcador corroborativo *¿no es?* (46), o
e) el uso de lusismos léxicos como los que aparecen en (47), entre otros.

Rasgos que Elizaincín (1995) justifica como consecuencia del contacto histórico con el portugués en esta región sudamericana:

(43) Sabe que *él* es prohibido porque siempre... casi siempre termina mal *[el juego de la taba].*
(44) Ella viene toda marcada pa' quebrarse para que Ud. *cortar* la medida que quiere.
(45) Yo *dije para* ella (esp. gen.: *a* ella).
(46) El almacén es muy completo, *¿no es?*
(47) *caprichoso* («meticuloso»), *azude* («espigón»), *gomo* («gajo de la naranja»), *cuchilar* («dormitar»).

---

en el habla de todo el espectro social. Para el análisis de otros hechos del español paraguayo explicables por el principio de causación múltiple, véase Granda (1979). Y sobre el propio concepto de causación múltiple, lo escrito en estas páginas más adelante (§ 6.2).

Asimismo, se ha atribuido a la interferencia del portugués el uso del artículo determinado en sintagmas con valor posesivo *(voy a ir con* la *madre* = *con* mi *madre),* característico también del español uruguayo en la frontera con Brasil *(vid.* Powers 1985).

### 5.3. *La influencia del inglés en el español de Estados Unidos*

#### 5.3.1. Introducción

La influencia del inglés sobre el español hablado en Estados Unidos representa, sin duda, un de los ámbitos de estudio más destacados en la investigación sociolingüística hispánica. A ella nos hemos referido ya tangencialmente en la primera parte de este libro, dedicada al estudio de la variación lingüística en español. Con todo, será en estas páginas donde profundicemos en esta cuestión, que ha recibido un importante esfuerzo bibliográfico en las últimas tres décadas.

Tras los trabajos pioneros de Espinosa (1909) sobre la lengua española en Nuevo México, que algunos todavía sitúan entre los mejores estudios descriptivos sobre el tema en EE.UU. (Teschner, Bills y Craddock 1975), la tradición investigadora en torno al español en este país experimentaría un parón importante hasta la década de los 60 del pasado siglo[33]. A partir de esta época dicha tradición se reanudaría con algunos hitos bibliográficos importantes, como los trabajos de Lance (1969) sobre el español hablado en Texas, o los de Hernández Chávez *et al.* (1975) y Bowen y Ornstein (eds. 1976), acerca de la lengua de los chicanos en diversas comunidades del sudoeste estadounidense. Con todo, durante este tiempo el interés de los investigadores se cifró, por lo general, en la descripción de las variedades vernáculas por lo que tenían de desviación respecto al español estándar. Y todo ello al margen, las más de las veces, del estudio sobre el contexto social y sobre las condiciones que afectaban en cada caso a la variabilidad lingüística.

Con todo, esta situación cambiaría de forma significativa poco tiempo después, cuando el análisis del español en EE.UU. comenzó a

[33] El olvido del hispanismo en la lingüística norteamericana se remonta a comienzos del siglo XX, cuando lingüistas de la talla de Bloomfield, coetáneo de Espinosa y doctorado como aquél en la Universidad de Chicago, ignoraban todo aquello que no se correspondiera con la tradición del estructuralismo. Por otro lado, se ha destacado también el desinterés tradicional de los lingüistas norteamericanos por los estudios realizados en Latinoamérica, un rasgo que, salvo excepciones destacadas, pervive en nuestros días.

encauzarse por los cauces teóricos y metodológicos de la moderna sociolingüística. De esta manera, ya en los años 80, el interés hacia el español se convirtió en una auténtica preocupación nacional, lo que tuvo consecuencias incluso en las perspectivas del análisis lingüístico, que acabarían ampliándose a los ámbitos comunicativo e interaccional[34]. Dicho interés queda reflejado en la publicación de numerosos trabajos monográficos, que en muchos casos representan la culminación de otros tantos congresos y simposios celebrados en diversas universidades norteamericanas. En la mayoría de las ocasiones, los estudios publicados en estas obras de conjunto constituyen por sí solos un buen estado de la cuestión sobre el tema del contacto inglés-español en Estados Unidos. Entre ellas destacamos ahora las de Durán (1981), Amastae y Elías-Olivares (ed. 1982), Elías-Olivares (ed. 1983), Morgan, Lee y Van Patten (1987), Wherritt y O. García (ed. 1989), Wherritt y N. González (1989), Bergen (ed. 1990), Klee y Ramos (eds. 1991), Roca y Lipski (eds. 1993), Amastae *et al.* (1995), Silva-Corvalán (ed. 1995), Roca y Jensen (eds. 1996), Roca (ed. 2000c), etc.[35].

Por lo que al grado de influencia del inglés sobre el español norteamericano se refiere, en la bibliografía se adivinan dos posiciones enfrentadas. Por un lado, autoras como Klein-Andreu (1980, 1986), Lavandera (1981) o Silva-Corvalán (1986) han defendido que la situación de contacto intensa entre las dos lenguas favorece los procesos de convergencia. Por el contrario, Poplack (1983) (véase también Pousada y Poplack 1982; Elías-Olivares 1982, o Torres Cacoullos 1999a, entre otros), sostiene que las desviaciones respecto al español estándar que se advierten en estas variedades son más la consecuencia de un uso exclusivamente oral e informal del lenguaje que de una verdadera convergencia con el inglés. Incluso, en una versión radical de esta postura, algunos niegan la existencia de influencia alguna en niveles profundos de la lengua como el gramatical. A este respecto, en su análisis sobre las variedades chicanas del sudoeste norteamericano, Rosaura Sánchez (1983: 99) concluía hace unos años —a nuestro modo de ver exageradamente— que:

---

[34] A. Ramírez (1992a), Lipski (2000) y Roca (ed. 2000c) constituyen algunas referencias fundamentales para una revisión de conjunto sobre las principales áreas de estudio entre las variedades del español en EE.UU.

[35] A partir de una conjunción de criterios demográficos y lingüísticos (preferentemente fonológicos), es posible distinguir tres grandes áreas en el español de EE.UU. *(vid.* Beardsley 1982): a) el español de los estados del sudoeste; b) el español portorriqueño, y c) el español cubano, principalmente en Florida.

> In fact all variants occurring within Chicano Spanish can be explained within the rules of Spanish grammar and are not the result of English interference or convergence.

### 5.3.2. Estudios variacionistas sobre fenómenos interferenciales en el español de Estados Unidos

En el apartado de estudios sobre fenómenos de contacto en el español de EE.UU. la bibliografía disponible ha aumentado vertiginosamente en los últimos años. Junto con las referencias ya señaladas anteriormente (véanse temas I-III), comentamos a continuación algunos trabajos adicionales que cuentan con un especial interés para nosotros, por la perspectiva variacionistas que adoptan. Al igual que otras veces, agrupamos estos estudios por niveles del análisis lingüístico.

#### 5.3.2.1. Nivel fonológico

Comenzando por el nivel *fonológico,* nos hacemos eco inicialmente de algunos trabajos que han abordado la influencia del sistema fonológico inglés en el español hablado de diversas comunidades del sudoeste. Así ocurre, por ejemplo, con sendas investigaciones variacionistas a cargo de Phillips (1982) y Torres Cacoullos y Ferreira (2000) acerca de la distribución sociolingüística de los alófonos bilabial *[b]* y labiodental *[v]* de */b/* en el español de Los Ángeles y Nuevo México, respectivamente.

En el primero de ellos, se analiza la distribución social de dichas variantes, y entre otras conclusiones relevantes se confirma la influencia del inglés en la difusión del alófono labiodental[36], sobre todo entre los segmentos de población más jóvenes, aquellos que muestran una mayor competencia en dicha lengua. En la tabla 1 (página siguiente) pueden verse resumidos algunos de los principales resultados de dicha investigación, entre los que destacan: a) el incremento de la variante labiodental conforme aumenta el grado de competencia en inglés, con cifras máximas entre los individuos con un marcado desequilibrio a favor de esta lengua, y b) la influencia del contexto fonológico, con las frecuencias más

[36] No hay que olvidar que en esta lengua el segmento labiodental tiene carácter fonemático.

altas de *[v]* en el entorno postconsonántico y tras pausa, y las más bajas en los contextos intervocálicos.

TABLA 1
Correlaciones entre el contexto fonológico
y dos factores extralingüísticos (competencia lingüística mayoritaria
y edad de los hablantes) en la realización
de la variante labiodental *[v]* en el español hablado en Los Ángeles,
según Phillips (1982)

| | CONTEXTO INTERVOCÁLICO | PAUSA + /*b*/ | NASAL + /*b*/ |
|---|---|---|---|
| *Mayor competencia* | N | N | N |
| Española | 5 | 16 | 8 |
| Equilibrada | 14 | 37 | 37 |
| Inglesa | 29 | 57 | 62 |
| *Edad* | | | |
| Menores de 25 años | n.d | 46 | 15 |
| 26-50 | n.d | 38 | 9 |
| Más de 50 años | n.d | 24 | 4 |

Sin embargo, más recientemente Torres Cacoullos y Ferreira (2000) han llamado la atención sobre el hecho de que, al menos en la comunidad de Nuevo México, donde se ha realizado su estudio, la influencia del inglés se ve claramente superada por otro factor, cuya relevancia explicativa es mayor: la frecuencia relativa de las palabras en el discurso. De este modo, la ocurrencia de la variante labiodental es significativamente más elevada en las palabras que aparecen más a menudo, y mucho más baja en las de menor frecuencia. Por otro lado, la influencia del inglés tan sólo tiene alguna importancia en este segundo grupo de palabras. Por ejemplo, la variante bilabial se ve favorecida en éstas cuando el cognado inglés presenta asimismo una consonante bilabial.

5.3.2.2. Nivel gramatical

En la esfera *gramatical*, Klein-Andreu (1985) ha encontrado pruebas que confirman la influencia del inglés en el uso predominante de las formas progresivas del verbo en detrimento del presente simple entre hablantes bilingües de la ciudad de Nueva York[37]. Con ello, dicha autora contradice la opinión formulada anteriormente por Pousada y Poplack (1982), quienes unos años atrás habían sostenido la inexistencia de indicios significativos de convergencia en el sistema verbal del español entre los hablantes portorriqueños. En opinión de Klein-Andreu, el hecho de no encontrar diferencias gramaticales «radicales» entre las variantes vernáculas y estándares no permite, sin embargo, desechar la importancia de la interferencia lingüística en el contacto español-inglés.

Otros estudios se han centrado en el empleo del *artículo*, una categoría gramatical en la que el español y el inglés difieren en ciertos contextos de uso (Lipski 1978a). A este respecto, Jagendorf y Otheguy (1995) han llamado la atención acerca del incremento notable en el español hablado en la ciudad de Nueva York de sustantivos sin determinación en función de sujeto, tanto en la lengua oral, (48), como en algunos tecnolectos de la lengua escrita (lengua publicitaria, periodística...), (49):

(48) No, eso está cerrado desde la Feria Mundial. Pero, Ø gente puede entrar ahí aunque no haya Feria Mundial.
(49) Combat se puede usar cerca de Ø niños... Con Combat Ø cucarachas se desaparecen (Jagendorf y Otheguy 1995: 160).

A juicio de estos autores, estas elisiones constituyen la manifestación de un cambio lingüístico en sus etapas iniciales, en el que la competencia lingüística en inglés de los hablantes bilingües constituye un factor muy significativo, como se desprende de los juicios de aceptabilidad detectados. Así, cuando los investigadores pidieron a una muestra de hablantes de origen hispano su evaluación acerca de enunciados reales en los que aparecían las variantes elididas, nada menos que un 80 por 100 de los hispanos nacidos en Nueva York o con más de cinco años de residencia en esta ciudad contestaban favorablemente, sin realizar corrección alguna. Por el contrario, estas cifras descendían hasta un significativo 42,8 por 100 entre los hispanohablantes llegados más recientemente a la ciudad de los rascacielos (véase tabla 2)[38].

[37] Estas conclusiones se han visto confirmadas más recientemente por Ramos Pellicia (1999), quien ha advertido que el mayor grado de empleo del inglés en la comunicación ordinaria entre los hablantes portorriqueños se relaciona positivamente con el uso de una estructura verbal perifrástica, incluso con verbos de significación télica: «*Estaba disparando* un tiro» (esp. gen.: «*Disparó* un tiro»).

[38] Por otro lado, hay que recordar que numerosos escritores y académicos del mundo hispánico han llamado la atención acerca del empleo excesivo del artículo indeterminado, que atribuyen, precisamente, a la influencia del inglés.

TABLA 2
Grado de aceptación del artículo *cero* en contextos no normativos en dos grupos de hispanohablantes residentes en Nueva York, según Jagendorf y Otheguy (1995)

| | NIVEL DE ACEPTACIÓN DEL ARTÍCULO Ø | | | |
|---|---|---|---|---|
| | *Sí* (N) | *Sí* (%) | *No* (N) | *No* (%) |
| Hispanos de Nueva York | 65 | 42,8 | 87 | 57,2 |
| Otros | 96 | 80,0 | 24 | 20,0 |

Por último, en el paradigma preposicional se ha destacado también la influencia del inglés en comunidades hispanohablantes como la de San Antonio (Texas). M. García (1995), por ejemplo, ha llamado la atención acerca del empleo de la preposición *en* en sintagmas con valor temporal, locativo y cuasi-locativo, como en (50) al (52), contextos para los que el español estándar reserva otras preposiciones. Con todo, en estos usos, y junto con la influencia directa del inglés en algunos casos, otros muestran consecuencias adicionales del contacto de lenguas, como las que serán abordadas más adelante (véase § 6). De este modo, mientras que en (50) y (51) el calco de expresiones similares del inglés parece evidente, en (52) el sintagma «en veces» no es una interferencia directa de esta lengua *(at times)*. Su origen, más bien, hay que buscarlo en la influencia que ejercen los otros usos vernáculos de esta variedad de contacto[39]:

(50) Pues *en los domingos* y *en los sábados,* este, trato de no hacer mucho estudio (esp. gen. Pues los domingos y los sábados...).
(51) He ido *en México,* pero antes de casarme (esp. gen. He ido *a México...).*
(52) Como *en veces* están en el estudio... (esp. gen. Como *a veces* están...).

Ahora bien, frente a la tesis que supone la influencia directa en los procesos de cambio lingüístico, numerosos autores prefieren circuns-

[39] Véanse otras muestras de simplificación y nivelación morfosintácticas en hispanohablantes estadounidenses en E. Martínez (1993), a quien debemos también algunas informaciones interesantes sobre la correlación entre dichos rasgos vernáculos y algunos factores socioculturales.

cribir los efectos del contacto lingüístico a la aceleración de procesos evolutivos, ya activados en otras variedades del español, aunque en etapas menos avanzadas. Ello ha permitido afirmar en ocasiones que la supuesta influencia masiva del inglés en la sintaxis del español hay que reducirla objetivamente al papel de catalizador en la frecuencia de uso de ciertas variantes que, pese a ello, tienen ya una larga tradición en la gramática de las variedades subestándares españolas.

En este sentido, cabría hablar, como hace Vázquez Ayora (1977), de *anglicismos de frecuencia*, para aludir a aquellas unidades sintácticas que se difunden en español como consecuencia del contacto con el inglés y en detrimento de otras combinaciones más características del español general. Es el caso, por ejemplo, de los sintagmas N + N, que si bien se atestiguan aquí y allá en la historia del español, se utilizan con particular profusión en el español chicano en lugar de la combinación N + prep + N, más común en la lengua española: *caja idiota (< idiot box, television); baline-cena (< dinner-dance).* Y lo mismo cabría decir del incremento en la posición antepuesta de los adjetivos valorativos, que Silva-Corvalán (1994b) ha advertido con alguna frecuencia entre los hablantes con menor competencia en español de la ciudad de Los Ángeles. O de la extensión de «estar» en detrimento de «ser» en esta misma comunidad de habla, un cambio «en marcha» desde hace siglos en español, pero que en esta variedad se aprecia con mayor intensidad entre los hablantes bilingües que cuentan con el inglés como lengua dominante (Silva-Corvalán 1986).

Esta misma ampliación conceptual de «estar» para recubrir significados tradicionalmente asignados a «ser», como muestran los enunciados de este hablante, se observa también en el español hablado en Houston (Texas):

(53) No, yo nací, pues no es Monterrey, es a... como media hora de Monterrey... viene siendo Nuevo León, [en] un pueblito chiquito, no *está* muy grande (esp. gen. ... no *es* muy grande).

Al igual que los autores citados más arriba, Gutiérrez (2002: 115), a quien pertenece el ejemplo anterior, ha aportado algunos datos empíricos que demostrarían la aceleración de este cambio lingüístico en dicha variedad sureña. Entre los principales figura el hecho de que los usos más novedosos de «estar» tienen lugar entre las generaciones de hispanos más recientes, justamente los más expuestos a la influencia del inglés. Un patrón de distribución lineal que podemos observar claramente en la tabla 3.

TABLA 3
Grado de aceptación de los usos de *ser* (normativos) y *estar* (innovadores) en tres generaciones de hispanohablantes residentes en Houston (Texas), según Gutiérrez (2002)

| | SER % | ESTAR (INNOVADOR) % |
|---|---|---|
| 1.ª generación | 76 | 24 |
| 2.ª generación | 61 | 39 |
| 3.ª generación | 54 | 46 |

Este mismo autor *(vid.* Gutiérrez 1995, 2002) ha llamado también la atención acerca de una tendencia similar en el uso abrumador de las formas perifrásticas para la expresión del futuro (54) en detrimento de la forma flexiva (55) y del presente de indicativo con valor prospectivo (56) en estos dialectos meridionales:

(54) ... le gusta viajar con el carro, y me da mucha pena a mí pero pues... ya tiene... *va a cumplir* los veinte años en nov... en... enero.
(55) ¿A quién *pondremos* allí?
(56) Y luego la... la niña, la segunda es una mujer, ahora el Año Nuevo *completa* diecisiete añoh.

A través del análisis comparativo de este fenómeno variable en la capital de Texas, por un lado, y en dos poblaciones mexicanas monolingües (las ciudades de Morelia y México) por otro, Gutiérrez (2002) ha demostrado que es, efectivamente, en la comunidad bilingüe norteamericana donde la evolución favorable a la variante perifrástica del futuro ha adquirido un mayor progreso (89 por 100), con independencia de que en todas ellas dicha forma sea claramente preferida por la mayoría de los hablantes, como puede observarse en la tabla 4 (véanse más detalles sobre los perfiles de esta variable gramatical en tema III, § 6).

Por otro lado, en estas regiones sudoccidentales se advierte un cambio adicional, como es la especialización del futuro morfológico para la expresión de valores modales (no prospectivos), en proporciones significativamente más elevadas que en los dialectos monolingües y en parecida línea a lo señalado en otras situaciones de

TABLA 4
Distribución global de las tres variantes del futuro verbal
en tres comunidades de habla hispana
(Houston, Ciudad de México y Morelia), según Gutiérrez (2000)

| FUTURO | EE.UU. | CIUDAD DE MÉXICO[40] | MORELIA |
|---|---|---|---|
| Perifrástico | 89% (114) | 51% (824) | 73% (102) |
| Morfológico | 4% (5) | 26% (417) | 8% (12) |
| Pres. indicativo | 7% (10) | 23% (374) | 19% (26) |
| *Total* | (133) | (1.615) | (140) |

contacto (véase anteriormente § 5.2.2 para el contexto bilingüe español-quechua)[41].

Otro de los rasgos que han recibido una notable atención bibliográfica es la extensión de las formas del modo indicativo en detrimento del subjuntivo en algunos dialectos del español norteamericano. El incremento de este fenómeno, especialmente entre las generaciones más recientes de hispanohablantes, se ha puesto en relación con las restricciones funcionales que afectan al español en dichas comunidades. Aquéllas dificultarían el empleo de un modo, como el subjuntivo, que requiere de una madurez cognitiva que, dadas las circunstancias, muchos hablantes no estén en condiciones de alcanzar. Y menos aún, en ausencia de las presiones normativas que resultan habituales en las comunidades monolingües (sistema educativo, prensa...).

A las aportaciones bibliográficas de Silva-Corvalán (1994a) y Ocampo (1990) sobre este tema en la comunidad de habla de Los Ángeles, hay que añadir otras contribuciones interesantes, en especial determinados estudios comparativos que confirman la influencia del contacto de lenguas. A este grupo pertenece, por ejemplo, el trabajo de Guitart (1987), quien ha analizado comparativamente el uso de ambos modos entre hablantes venezolanos y portorriqueños, en el que se advierte una significativa mayor inclinación de es-

[40] Datos extraídos de Moreno de Alba (1977).

[41] Otra variable de este tipo en la que se aprecia, a juicio de Gutiérrez (2002: 119-123), una acción similar del contacto lingüístico es la expresión condicional del futuro, con un aumento notable del imperfecto de subjuntivo (en detrimento del condicional simple que establece la norma) entre las generaciones más jóvenes (*v. gr.*, «¿si tuviera yo mucho dinero, qué *hiciera* con el dinero o qué fuera mi decisión?»).

tos últimos hacia el empleo del modo indicativo en contextos de variabilidad. Un hecho gramatical que este autor justifica por la presencia del inglés en la competencia lingüística de muchos portorriqueños, frente al carácter monolingüe de la mayoría de los hablantes venezolanos.

Algunos años más tarde, Studerus (1995) confirmaría esta misma tesis al comparar el habla de dos muestras de población de origen mexicano, situadas a ambos lados de la frontera con Estados Unidos (en México y Texas, respectivamente). Y en efecto, los datos de esta investigación apuntan de nuevo hacia el contacto con el inglés como un factor explicativo relevante en las frecuencias de uso de cada modo verbal. Así, el empleo normativo del subjuntivo en determinados contextos que admiten variabilidad es significativamente más elevado entre la población monolingüe mexicana que en la comunidad chicana en contacto directo con el inglés[42].

Por último, la influencia catalizadora del contacto con el inglés se ha mencionado también para la explicación de otros hechos de variación y cambio lingüístico que caracterizan al español de estas regiones, y que resumimos a continuación en dos párrafos adicionales:

a) la *expresión del sujeto pronominal* en proporciones más elevadas que en otras comunidades de habla hispánicas (cfr. Demuyakor 1994; Baumel 1996; en contra, sin embargo, N. Flores y J. Toro 2000) (para otras variables explicativas relacionadas con este hecho, véase anteriormente tema III, § 9);

b) el proceso de sustitución de la forma *se* como marca de impersonalidad por otras variantes alternativas entre los hablantes portorriqueños, una tendencia que Morales (1995) ha advertido significativamente más desarrollada entre los bilingües (B1 y B2) que entre los monolingües (ES); y en algunos usos específicos *(v. gr.,* el llamado *se* «inclusivo», porque entre sus referencias incluye también al hablante), entre aquellos que han adquirido el español en Estados Unidos (B2). Estas diferencias pueden apreciarse en la tabla 5 (véase), donde se compara el uso del pronombre y otras formas alternativas *(uno, tú impersonal, tercera persona del plural)* entre estos grupos de hablantes:

---

[42] Por su parte, Lynch (2000) han detectado también una reducción de los usos del subjuntivo en el español hablado en Miami por parte de hablantes de origen cubano. Pese a ello, las proporciones de esta disminución frecuencial resultan significativamente menores que en el área de Los Ángeles, un hecho que se pone en relación con el mayor grado de lealtad lingüística hacia el español por parte de esta minoría etnolingüística.

TABLA 5
Distribución de diversas variantes pronominales para la expresión de la impersonalidad en grupos de hablantes portorriqueños con diferente competencia en español e inglés, según Morales (1995)

| | ES | | B1 | | B2 | |
|---|---|---|---|---|---|---|
| | N | % | N | % | N | % |
| *Se* impersonal (exclusivo) | 212 | 66,8 | 39 | 14,6 | 21 | 15,32 |
| 3.ª pers. plural | 105 | 33,1 | 227 | 85,3 | 116 | 84,60 |
| *Se* impersonal (inclusivo) | 121 | 46,0 | 44 | 14,4 | 31 | 8,30 |
| *Uno* | 114 | 43,3 | 184 | 60,1 | 209 | 56,30 |
| *Tú* | 28 | 10,6 | 78 | 25,5 | 131 | 35,30 |

ES = castellanohablantes monolingües; B1 = bilingües que han adquirido el español en Puerto Rico; B2 = bilingües que han adquirido el español en EE.UU.

#### 5.3.2.3. Nivel léxico

Pese al creciente interés por los niveles del análisis reseñados, en el contexto norteamericano son, sin duda, los trabajos que se ocupan de los *anglicismos léxicos* aquellos que representan la sección más voluminosa dentro de esta línea de investigación.

Generalmente los autores que han analizado esta vertiente de la interferencia lingüística, para la que se reservan habitualmente algunos términos específicos *(préstamo, calco...)*, utilizan en sus trabajos diversos criterios taxonómicos que permiten establecer diferencias entre los mismos[43]. Así ocurre, por ejemplo, con la distinción frecuente entre varias clases de anglicismos, en función del grado de alteración formal y semántica que suponen para su integración en la lengua española. De este modo, y siguiendo a Smead (2000), podríamos distinguir inicialmente entre:

---

[43] Entre los trabajos monográficos sobre préstamos léxicos del inglés en el español, en los que se abordan la mayoría de las cuestiones abordadas en estos párrafos, destacan algunos libros, como los de Pratt (1980), Rodríguez González (1996), Lorenzo (1996), Medina López (1998), Rodríguez Segura (1998), Mendieta (1999), Gómez Capuz (2000), así como numerosísimos artículos publicados en las últimas décadas. En otro capítulo hay que mencionar también algunos diccionarios sobre el léxico de ciertas variedades del español norteamericano, como el *Diccionario del español chicano*, de Galván y Teschner (1977). Y lo mismo cabría decir de los estudios que se detienen en el análisis de los llamados *cognados falsos o parciales*, conocidos también como *falsos amigos* (cfr. Bolinger 1948; Marín 1980b; Prado 2000, etc.).

a) *Préstamos (loans):* en los que aparecen implicados tanto la forma como el significado de los correspondientes términos ingleses. Es el caso de *high school* en el siguiente ejemplo:

(57) ... porque mi esposo acabó la escuela, pos —¿cómo se dice?— la *high school.* Y graduó del colegio de aquí (tomado de Lope Blanch 1989: 108)[44].

b) *Calcos de palabra (calquewords):* palabras simples en las que distinguimos una forma española, aunque con un significado original anglosajón. En el enunciado anterior, el sustantivo *colegio* representa un ejemplo de esta categoría, ya que su significado (por influencia del inglés *college* = escuela técnica universitaria) difiere aquí de los valores habituales en el español general[45].

c) *Calcos sintagmáticos (phrasal calques):* expresiones compuestas que utilizan formas igualmente nativas, pero de nuevo a partir de modelos semánticos ingleses. Así ocurre con *escuela alta* en (58), sintagma que supone una traducción no literal (de lo contrario hubiera sido «alta escuela») de *high school:*

(58) ... ahora lo echaron fuera de la high school, de la *escuela alta,* porque fallaba mucho (Lope Blanch 1989: 237)[46].

Otra clasificación habitual, aunque no exenta de problemas, como veremos (véase más adelante tema XVII, § 3.1), es la que separa los préstamos *asimilados* de los préstamos *no asimilados,* en función del grado de integración lingüística que muestran en la lengua receptora, en nuestro caso el español. Los dos mecanismos más frecuentes de adaptación son la integración fonológica y la morfológica. En ambos ope-

---

[44] Véanse más ejemplos posteriormente en la tabla 6.

[45] Otros ejemplos de este mismo tipo serían los representados por (entre paréntesis el significado novedoso): *aplicación* (formulario, plantilla), *argumento* (noticia), *apología* (disculpa), *audiencia* (publico), *carpeta* (alfombra, moqueta), *carta* (tarjeta), *confidencia* (confianza), *ganga* (pandilla), *grados* (niveles académicos, notas), *groserías* (víveres, comida), *ingeniero* (maquinista), *lectura* (charla, conferencia), *librería* (biblioteca), *marcas* (notas, calificaciones), *oficial* (funcionario), *parientes* (padres), *póliza* (política), *principal* (director), *registración* (matrícula), *suceso* (éxito), *tenientes* (inquilinos), etc. (Roca 2000b: 201-202).

[46] Todavía sería posible encontrar una categoría híbrida entre las dos últimas: los casos de colocaciones que incorporan uno o más calcos de palabras, de forma que su origen inglés se manifiesta bien en la forma, bien en el significado: *yarda de madera* (< *lumberyard), dar quebrada* (< *to give someone a break), bil de la luz* (< *light bill), tener fon* (< *to have fun) (vid.* Otheguy 1993).

ra la misma regla básica: la lengua receptora adapta generalmente los préstamos según las reglas y principios que se hallan más próximos a su estructura particular[47]. De esta manera, y siguiendo a Clegg (2000: 156), de quien tomamos el presente ejemplo, el término inglés *volleyball* se transforma en español en *voleibol*, siguiendo las siguientes reglas:

a) mantenimiento de la */o/* por adaptación visual de la forma escrita;
b) reducción de *[ll]* > *[l]*;
c) nueva adaptación, esta vez del diptongo *[ey]* > *[ei]*;
d) por su parte, la forma *[ból]* podría interpretarse bien como un caso de adaptación fonológica de */ball/* o como un ejemplo de integración morfológica a partir de */bola/* > *[ból]*, y
e) por último, habría que mencionar también un cambio acentual para adaptar mejor la palabra a las normas fonotácticas del español.

Por otro lado, este autor, distingue cuatro estrategias de adaptación mayoritarias *(vid.* Clegg 2000: 157-158)[48]:

a) adaptaciones *visuales* a partir de la forma escrita: *boxear, iceberg, pijama...;*
b) adaptaciones *orales* (más frecuentes que las anteriores, dado que el medio de exposición al inglés responde a la lengua hablada mucho antes que a la escrita): *morosaico* (< *motorcycle), beibisira* (< *babysitter), chachua* (< *shower)...;*
c) *calcos:* palabras que tienen una forma española pero con un significado procedente del inglés; así: *ignorar:* con el sentido de «no prestar atención»; *mayor* (alcalde < *city mayor);*
d) formas *parcialmente* adaptadas: *jámborger* (< *hamburger), jey fiver* (< *hay fever), tícher* (< *teacher)...*[49].

---

[47] Ello se demuestra también en la acentuación. Así, los préstamos del inglés muestran una preferencia marcada por la acentuación paroxítona, en consonancia con el patrón fónico mayoritario en la lengua española. Esta preferencia alterna también con la acentuación, más ocasional, de la última sílaba pesada del préstamo (Alonso Cortés 1998: 399).

[48] Una quinta estrategia, menos frecuente, la representarían las formas no adaptadas, del tipo: *fultaim* (< *full time), cartúm* (< *cartoon), blóaut* (< *blow out),* etc.

[49] Véase también M. Cantero (2000), quien aborda otros procedimientos de adaptación nominal (fonológicos, truncamientos, morfemas derivativos a partir de raíces inglesas) y verbal (empleo del sufijo *-ear).* Más detalles sobre la integración lingüística del léxico extranjero en la discusión posterior sobre los límites entre el préstamo y el cambio de código (véase tema XVII, § 3.1).

Asimismo, es habitual encontrar la división entre préstamos *nucleares* y préstamos *culturales*[50]. La diferencia entre ambos estriba en el hecho de que, a diferencia de los culturales, los préstamos nucleares no «aportan» nada relevante a la lengua receptora para cubrir necesidades referenciales nuevas, de manera que podría decirse que, aparentemente, resultan redundantes. En cualquier caso, la presencia notable de estas formas nucleares en la lengua de los grupos minoritarios, como ocurre entre nosotros con las comunidades hispanas de EE.UU. (cfr. Gumperz y Hernández Chávez 1975; Smead 2000)[51], apoya la tesis clásica de Haugen, según la cual los préstamos léxicos se justifican casi siempre más allá de las propias nccesidades de la lengua.

El carácter más o menos innovador de algunos préstamos en el español hablado en EE.UU. es objeto de polémica entre los estudiosos, particularmente en el caso de los calcos sintagmáticos a los que nos referíamos anteriormente. Así, la opinión de Otheguy (1993), para quien buena parte de estos calcos tan sólo son simples ejemplos de extensión semántica y el resto responde a traducciones culturales, ha sido matizada más recientemente por autores como Smead (2000: 164). Para este último, por ejemplo, resulta indiscutible el carácter cultural de algunas expresiones, como «El día de dar gracias o día de acción de gracias», calcada del término con el que se conoce esta popular celebración norteamericana *(Thanksgiving Day).* Sin embargo, esta explicación resultaría mucho más discutible para explicar el modismo: «entrar (le) por un oído y salir (le) por el otro», del que existe también un equivalente inglés «to go in one ear and out the other». Si se concibe como un préstamo, sería difícil decidir si se trata de un anglicismo o por el contrario de un hispanismo en el inglés, o incluso de una tercera fuente de la que han bebido ambas lenguas. Por otro lado, algunos casos de calco sintagmático representan verdaderas innovaciones en el discurso bilingüe, como la expresión «pa(ra a)trás» (< *back),* examinada con detalle por Lipski (1985a), o los casos que Silva-Corvalán (1992) denomina «relexificación» y que tienen lugar cuando expresiones con sentido figurativo, como «to look forward», son reproducidas en español como «mirar adelante para». En suma, y como resume el propio Smead (2000: 170):

[50] Para otras clasificaciones posibles de los préstamos léxicos en la bibliografía especializada, véase un estado de la cuestión en Gómez Capuz (2000).

[51] En otro contexto diferente, Munteanu (1996) ha advertido también la particular recurrencia de esta clase de préstamos nucleares en el discurso de los hablantes rumanos residentes en España, unidades léxicas que simplemente sustituyen a las correspondientes voces rumanas.

> Some so-called phrasal calques show no evidence of syntactic transference and are simply instances of cultural innovation. Others [...] do demonstrate minor linguistic innovations in that an underutilized pattern may become more frequent or be extended to new contexts. In the final analysis, one must decide whether the frequency of occurrence of a particular structure or form has any direct relationship with linguistic competence. If we dismiss frequency as merely an artefact of linguistic competence, we are unlike to see any relationship to linguistic competence. However, if we recognize that quantitative differences can and frequently do lead to qualitative differences, we may be more likely to assume that frequency has an important relationship with linguistic competence. Nonetheless, the question is not easily answered.

Por último, dentro de los estudios empíricos sobre anglicismos léxicos, los hay que han llamado la atención acerca de la presencia abrumadora de la categoría nominal en los procesos de préstamo procedentes del inglés (cfr. Teschner 1974; Tsuzaki 1970; A. Ramírez y E. Mendieta 1990; Smead 2000), en consonancia con los resultados obtenidos en otras situaciones de contacto (cfr. Haugen 1953, para el par inglés/noruego; Muysken 1981, para los préstamos del español en el quechua, y S. Poplack, D. Sankoff y Ch. Miller 1988, para el par inglés/francés en Canadá). Así, a partir de una muestra de 840 préstamos extraída del *Diccionario de español chicano* de Galván y Teschner (1977), Smead (2000) ha comprobado que un 74 por 100 son *sustantivos,* como los que se recogen en la tabla 6[52]; categoría seguida a larga distancia por el *verbo* (20 por 100), mientras que el 6 por 100 restante se lo disputan el resto de las clases de palabras[53].

---

[52] Desde un punto de vista conceptual, se ha destacado también la concentración reciente de estos anglicismos en ciertos campos léxicos como los deportes, los automóviles, el lenguaje académico, etc. (cfr. Smead 2000; González Gómez 1998 y 2000).

[53] Junto con los contextos geolingüísticos comentados en las páginas anteriores, hay que recordar también la presencia más marginal —y sometida a procesos de sustitución rampante en algunos casos— del español en otros lugares del mundo, donde, como no podía ser de otro modo, ha recibido también la huella estructural de diversas lenguas. Sobre la influencia de las lenguas de Filipinas sobre el español, véanse Lipski (1986-1987), A. Quilis y C. Casado (1992), Casado (1995), A. Quilis (1996a, 1998). Asimismo, estos y otros autores han contribuido a un mejor conocimiento de las características de nuestro idioma en algunas regiones africanas, como Guinea, donde la influencia de lenguas indígenas, como el *fang,* se deja sentir en diversos niveles del análisis lingüístico (cfr. Granda 1985; Casado 1995; A. Quilis 1996b). Finalmente, sobre el bilingüismo angloespañol en Gibraltar, véanse Lipski (1986) y Moyer (2000).

TABLA 6
Algunos anglicismos habituales en el español hablado en Estados Unidos (con equivalencias en inglés y español), según Roca 2000: 201-203

| ANGLICISMOS | INGLÉS | ESPAÑOL |
|---|---|---|
| Apoinmen | *Appointment* | Cita, turno |
| Bil | *Bill* | Cuenta |
| Boul | *Bowl* | Plato hondo, fuente |
| Braun | *Brown* | Marrón, carmelita |
| Brecas | *Brakes* | Frenos |
| Breik | *Break* | Receso |
| Bronche | *Brunch* | Desayuno-almuerzo |
| Cash | *Cash* | (Pago) al contado |
| Escor | *Score* | Calificación |
| Espíquer | *Speaker* | Altavoz o bocina |
| Estárer | *Starter* | Motor de arranque |
| Estocks | *Stocks* | Acciones |
| Failear | *To fail* | Archivar |
| Frisarse | *To freeze* | Congelarse |
| Friser | *Freezer* | Congelador |
| Fúrnitur | *Furniture* | Muebles |
| Jobi | *Hobby* | Pasatiempo |
| Jáiescul | *High school* | Secundaria |
| Junk o yonke | *Junk* | Basura, desperdicio |
| Laundri o londri | *Laundry* | Lavandería |
| Lipstic | *Lipstick* | Pintura de labios |
| Performans | *Performance* | Actuación |
| Populación | *Population* | Población |
| Prínter | *Printer* | Impresora |
| Printear | *To print* | Imprimir |
| Troca | *Truck* | Camión |
| Vacunclíner | *Vacuum cleaner* | Aspiradora |

## 6. EN LOS LÍMITES DE LA INTERFERENCIA LINGÜÍSTICA: FENÓMENOS ALTERNATIVOS EN LA EXPLICACIÓN DE FENÓMENOS DE VARIACIÓN Y CAMBIO LINGÜÍSTICO EN COMUNIDADES HISPANAS BILINGÜES

### 6.1. *Introducción*

Una cuestión que ha suscitado un notable interés entre los especialistas, y a la que nos hemos referido tangencialmente en algunos capítulos anteriores, es el debate acerca de la naturaleza exacta de los fenómenos lingüísticos que tienen lugar en las situaciones de contacto de lenguas. Y es que, con no poca frecuencia, el influjo que unas lenguas ejercen sobre otras puede revestir aspectos diferentes, cuyos límites no siempre son fáciles de precisar. Por ello, tras décadas en que cualquier desviación respecto a la norma que afectara al español de las comunidades bilingües se justificaba como fruto de la influencia directa de otras lenguas, recientemente son cada vez más los investigadores que ponen el freno a este tipo de interpretaciones, para dar cabida a otras posibilidades hermenéuticas.

En ocasiones, la simple comparación interdialectal entre variedades que conviven en una misma comunidad de habla permite desterrar la hipótesis de la influencia directa de lenguas como el inglés. Así se advierte, por ejemplo, en un reciente trabajo de N. Flores y J. Toro (2000), en el que se han comparado las frecuencias de aparición de los pronombres personales de sujeto en hablantes hispanos de diversa procedencia en la ciudad de Nueva York, un fenómeno variable profusamente estudiado también en otras comunidades, y que, en el caso de las norteamericanas, algunos han puesto en relación con el inglés (véase anteriormente § 5.3.2). Sin embargo, de los datos empíricos de esta investigación se desprende que la procedencia dialectal de los individuos es un factor mucho más predictivo que el contacto con el inglés. Como señalan estos autores:

> Speakers of Caribbean Spanish in New York have a higher percentage of subject personal pronoun expression than speakers of Colombian & Mexican dialects, not because of contact with English, but because higher rates already have been evidenced in the Caribbean.

Datos como éste han justificado algunos argumentos radicales, como, por ejemplo, la pretensión de que tan sólo sería lícito acudir al poder explicativo de la interferencia directa cuando previamente se haya descartado cualquier otra explicación interna (Lope Blanch 1987: 8). A nuestro juicio, sin embargo, y como acertadamente han visto Granda (1980a) y Lastra (1992), entre otros, ello significa negar sistemáticamente la influencia del contacto entre dos lenguas en el caso de que el fenómeno en cuestión haya sido documentado, no importa cuál sea su frecuencia, en cualquier otra área remota. Lo cual, en el fondo, conduce a una interpretación absurda: una cosa es limitar el alcance explicativo de la interferencia y otra muy distinta negarlo de plano.

En su estudio sobre diversos hechos fonéticos característicos del español hablado en Paraguay, Granda (1980a) se ha hecho eco de esta cuestión. En concreto, su análisis del habitual reemplazo de la africada *[ĉ]* por la fricativa sorda *[š]* en este país conduce, a nuestro modo acertadamente, a la reafirmación del hecho interferencial, y ello pese a constatar que similares procesos fonéticos tienen lugar en otras regiones del español (Caribe, Centroamérica, regiones andinas, Andalucía...). El lingüista español esgrime para ello diversas razones de peso, que resumimos a continuación:

a) la semejanza entre los patrones de variación paraguayos y los de otras regiones centroamericanas y andinas en las que la evolución fonética obedece también al influjo de las correspondientes lenguas amerindias;

b) la distribución sociolingüística del fenómeno, con la mayor frecuencia de las realizaciones fricativas entre los hablantes con un bilingüismo más desequilibrado a favor del guaraní, o

c) el hecho de que *[š]* no se produzca en la región argentina de Corrientes y Misiones, en la que también se habla el guaraní, pero en cuyo dialecto no existe en la actualidad el fonema prepalatal fricativo sordo, sino otro de naturaleza africada y muy próxima a la del español general. Por ello, concluye Granda (1980b: 43): «Considero que, también en este caso, la interferencia del guaraní ha sido el factor determinante del rasgo fonético analizado.»

En definitiva, el reconocimiento de que algunas soluciones estructurales características de las situaciones de contacto coinciden, parcial o totalmente, con otras existentes en algunas variedades presentes o antiguas de la lengua no da patente de corso para negar de entrada la interferencia lingüística. En este sentido, y a diferencia de otras aproximaciones teóricas y metodológicas al contacto de lenguas, la orientación sociolingüística es decisiva para conocer el alcance exacto de los fenómenos de contacto. Por desgracia, sin embargo, no contamos con demasiadas investigaciones en las que se tenga presente el principio laboveano de la *responsabilidad (accountability)*, y en las que, por lo tanto, se dé cuenta no sólo del aspecto cualitativo del contacto de lenguas, sino también de las diferencias cuantitativas entre individuos y grupos sociales diferentes.

Con todo, es innegable que ambos tipos de presión, *externa* (interferencia) e *interna*, pueden estar en el origen de muchos hechos de variación y cambio lingüístico en las sociedades bilingües, como veremos a continuación.

### 6.2. *El principio de causación múltiple*

En relación con las cuestiones planteadas en el párrafo anterior, nos hemos ocupado en el estudio sobre las consecuencias lingüísticas del contacto entre el catalán y el español en las comarcas bilingües de la Comunidad Valenciana (*vid.* Blas Arroyo 1999a). Por lo que se refiere a la influencia de la primera lengua sobre la segunda, es sabido, como vimos, que fenómenos habituales en estas regiones, como los que aparecen en los ejemplos (59) al (61), tales como la *doble negación*, la inclusión de partículas con valor *partitivo* en determinados contextos lingüísticos desconocidos en español, o el uso del futuro en la prótasis de las subordinadas temporales, por citar tan sólo algunos ejemplos, representan rasgos que pueden encontrarse con alguna frecuencia en el habla de algunos individuos bilingües, generalmente de baja extracción social y cuya competencia activa en valenciano es muy superior a la que demuestran en español:

(59) *Tampoco no* lo he visto (esp. est.: *Tampoco* lo he visto o *no* lo he visto *tampoco).*
(60) Tengo bolígrafos azules y *de* rojos (esp. est.: Tengo bolígrafos azules y Ø rojos).
(61) Cuando *vendrás,* iremos al cine (esp. est.: Cuando *vengas,* iremos al cine).

Ahora bien, qué ocurre con otras variables lingüísticas, que podrían ser interpretadas alternativamente bien como fenómenos de contacto, bien como tendencias internas de la propia lengua española, como ocurre con la concordancia en impersonales con *haber* o la reducción a estructuras nominales de sintagmas preposicionales de valor temporal, que en el español hablado en la Comunidad Valenciana conocen una notable difusión social. Como es sabido, las variantes ejemplificadas en (62) son corrientes también en el español de América, y aunque las de (63) no nos consten en otras regiones, podrían concebirse como un ejemplo más de la tendencia a la reducción y a la economía lingüística habituales en la lengua[54]:

[54] En la práctica, enunciados como «Vivo en esta finca hace siete años», donde también desaparece la preposición —aunque no el verbo fosilizado *hacer*—, es posible oírlas también en otras regiones peninsulares.

(62) *Hubieron* fiestas en aquel pueblo (esp. est. *Hubo* fiestas en aquel pueblo).
(63) Vivo en esta finca *siete años* (esp. est. Vivo en esta finca *desde hace siete años).*

Incluso puede ocurrir que tales tendencias «desviantes» no se produzcan sólo en una lengua, sino en ambas, y en nuestro caso, pues, también en catalán; y al igual que en español, contrariamente a lo que reza la normativa[55]. No en vano, ya Weinreich (1953) había subrayado que la proximidad estructural entre dos lenguas constituye uno de los factores más favorecedores de la influencia recíproca.

En consecuencia, hay que reconocer que a veces puede resultar difícil decidir acerca del estatus de un fenómeno concreto, esto es, si el mismo obedece a la interferencia provocada por otro sistema lingüístico, o si por el contrario, responde básicamente a cambios internos que tienen lugar en la evolución de la propia lengua. Ahora bien, en la práctica no es en absoluto descartable que puedan actuar al mismo tiempo ambas fuerzas.

Entre nosotros, por ejemplo, Dvorak (1983) ha defendido que la inversión en la concordancia sujeto-objeto/verbo que se observa en el siguiente ejemplo:

(64) A él le gusta los deportes.

y que resulta frecuente entre los bilingües portorriqueños y cubanos de EE.UU., es el resultado de dos fuerzas paralelas: una de carácter estructural (el debilitamiento de los marcadores de objeto en la lengua española) y otra de naturaleza externa (la influencia de la construcción inglesa con el verbo *like).*

Los casos anteriores muestran, pues, cómo, en ocasiones, un fenómeno puede quedar explicado por un principio de *causación múltiple* (cfr. Malkiel 1967; Thomason y Kaufman 1988; Mougeon y Beniak 1991), en el que intervienen dos clases de factores diferentes: la influencia externa de otro idioma, por un lado, y la que ejercen al mismo tiempo ciertos procesos evolutivos internos de la propia lengua afectada, por otro. En palabras de J. Calvo (ed. 2000: 75), referidas a algunos usos novedosos de ciertas partículas en el español andino (véase anteriormente § 5.2.2):

---

[55] En el catalán estas estructuras no son tampoco normativas, aunque alcanzan una difusión social muy elevada, al menos en las regiones valencianas.

> [...] hay una predisposición, y en ocasiones un uso larvado, en el español peninsular (del siglo XVI al actual) que posibilitan que la influencia quechua y aymará no sea estructuralmente rompedora de los esquemas propios, sino incentivadora de los mismos. Con los nuevos usos, las viejas formas se complementan y saturan, abriéndose de ese modo el esquema cognitivo de las mismas a áreas desconocidas.

### 6.3. *La convergencia gramatical*

La noción de *convergencia* ha servido tradicionalmente para delimitar aquellos casos de sincretismo alcanzado por las gramáticas de lenguas diferentes —incluso, a veces, tipológicamente muy alejadas— al cabo de siglos de intenso contacto lingüístico. Bajo esta caracterización teórica, dicho término fue empleado por Gumperz y Wilson (1971) en su estudio sobre la ciudad de Kupwar, situada al norte de la India, en la que diversas lenguas pertenecientes a familias lingüísticas diferentes han alcanzado soluciones gramaticales comunes[56].

Entre nosotros, autores como Hardman (1982) o Appel y Muysken (1987) han considerado la región andina como una de las principales «áreas lingüísticas» del mundo, en la que ciertas categorías gramaticales trascienden los límites estructurales de las lenguas implicadas en el contacto. Asimismo, se ha postulado la inclusión de algunas variedades sefardíes del Este de Europa en el ámbito de la *balcanología,* línea de investigación que se ocupa de los fenómenos de convergencia entre diversas lenguas en esta región, otra de las principales «áreas lingüísticas» en el mundo. No en vano, el sefardí muestra algunos de los fenómenos típicos del balcanismo en todos los niveles del análisis lingüístico.

Sin embargo, en otros estudios sobre el contacto de lenguas, la *convergencia* se ha caracterizado también de forma menos radical como un conjunto de procesos paralelos que desembocan en el desarrollo de estructuras gramaticales comunes en las lenguas en contacto, lo que puede traducirse en desenlaces diferentes, como (Palacios 2000: 140):

a) la eliminación o ampliación de restricciones gramaticales de un fenómeno lingüístico;

---

[56] Véase Appel y Muysken (1987: 154-156) para un buen resumen sobre las principales «áreas lingüísticas» en el mundo.

b) la activación de una determinada variante, reflejada en un incremento de su frecuencia de uso;

c) la supresión de ciertos elementos de un paradigma lingüístico.

Por ello, y a diferencia de las interferencias y calcos directos, la convergencia actúa a partir de estructuras y procesos presentes en la propia evolución de la lengua receptora.

Algunos ejemplos de este tipo de desenlaces los hemos visto ya, por ejemplo, al comentar fenómenos característicos del español paraguayo, como el leísmo y el loísmo o la frecuente omisión del objeto directo pronominal [– animado] (véase § 5.2.2). En palabras de Palacios (2000: 141), que resumen algunas de las ideas expuestas anteriormente:

> [...] la invariabilidad pronominal del guaraní sin restricciones de género, número o caso activa la posibilidad que el español tiene de neutralizar los rasgos de género, número y/o caso [...] con lo que la estructura del español paraguayo converge con la del guaraní en la tendencia hacia la invariabilidad pronominal que se registra en los casos de leísmo y loísmo analizados en este trabajo. En cuando a la elisión del objeto pronominal [– animado], la ausencia de un correlato pronominal en guaraní para los objetos [– animados] permite la convergencia lingüística de esta lengua con el español, eliminando restricciones de un fenómeno ya conocido en el español general, como es la elisión, pero sujeto a fuertes restricciones sintácticas y semánticas. [Por otro lado] La generalización del fenómeno, como aumento de la frecuencia de uso, también puede achacarse a la convergencia con el guaraní...

En la práctica esta autora sigue la senda iniciada sobre este mismo tema por Germán de Granda (1996), autor que, junto a los conceptos de interferencia y convergencia, ha empleado también la noción de *isogramatismo* para aludir a ciertos fenómenos de contacto en el español paraguayo. En esta variedad, y como consecuencia de la presión estructural ejercida por el guaraní, alternan ciertas construcciones agramaticales (que el lingüista español denomina *interferencias),* con otras en las que se aprecia un proceso de coalescencia *(convergencia)* de soluciones estructurales entre las dos lenguas implicadas. Estas últimas afectan a fenómenos conocidos también en otros dialectos, como la omisión del objeto o la sustitución de las formas del subjuntivo por las del indicativo. Por otro lado, el modo en que tienen lugar estos procesos puede ser muy complejo, como el propio Granda (1979) ha mostrado en otra ocasión, a propósito de la reestructuración que ha terminado afectando a la distribución funcional de los artículos *la/lo* en esta región. Este desenlace ha tenido lugar como resultado de un largo proceso de ida y vuelta, en el que cabe distinguir dos etapas principales. En primer lugar, surge con el nacimiento en la lengua guaraní de un nuevo paradigma gramatical como consecuencia del intenso contacto con el español. Sin embargo, con posterioridad, este nuevo sistema acaba afectando también a la gramática española mediante la creación de nuevas variantes vernáculas.

Este tipo de influencias recíprocas entre las gramáticas en contacto, que desembocan en desarrollos convergentes, no representan un desenlace excepcional en las situaciones de bilingüismo social. Por ello, a la acepción habitual que el concepto de convergencia adquiere en el estudio de las comunidades hispanas de EE.UU., en las que se dice que el inglés y el español «convergen» en determinadas estructuras, pero donde es una lengua básicamente (en este caso, el inglés) la que condiciona sobre todo a la otra —pero no al revés—, podemos añadir otras posibilidades. Entre ellas la de que dos o más lenguas se vean alteradas como consecuencia del contacto y confluyan en soluciones comunes, desconocidas o poco frecuentes en los estadios de lengua previos. Éste sería el caso, como hemos visto, del par guaraní-español, en las variables lingüísticas estudiadas por Granda, o también, a nuestro juicio, el de algunos desarrollos convergentes entre lenguas tipológicamente próximas, como el catalán y el español en las comunidades del este peninsular. De este modo, fenómenos característicos del español hablado en las comunidades de habla valencianas, como la neutralización de ciertas formas prepositivas y adverbiales que muestra (65), o la concordancia en impersonales con *haber,* como en (66), podrían interpretarse a la luz de estos principios, ya que en ambos casos la influencia de los hábitos sintácticos del catalán hablado no impide en la práctica otra, de signo inverso, para justificar variantes que tampoco son normativas en catalán:

(65) Están aquí *bajo* (esp. gen. Están ahí *abajo).*
(66) *Habían* flores en el jardín (esp. gen. *Había* flores en el jardín).

Aunque los estudios sobre la convergencia suelen limitarse al ámbito de la gramática, ocasionalmente el concepto se ha ampliado también para recubrir otros desenlaces posibles en otros niveles del análisis lingüístico. Así ocurre, por ejemplo, cuando dos unidades convergen semánticamente como consecuencia de factores diversos, entre los que la influencia interlingüística ocupa un lugar destacado. En un estudio reciente sobre una de las comunidades hispanas más antiguas de EE.UU. (la ciudad de San Antonio, Texas), M. García (2001) ha estudiado el proceso de convergencia que tiene lugar en esta variedad dialectal entre las expresiones adverbiales «siempre» y «todo el tiempo». Como consecuencia del mismo, la segunda variante ha ampliado su esfera significativa para abarcar usos reservados en el español general al adverbio «siempre», como los que pueden observarse al comparar los ejemplos de (67) y (68):

(67) De chiquita, mi papá, este, mi 'apá *todo el tiempo* nos hablaba en inglés.
(68) Ya pa'cuan' se levantaba, m'amá ya había café hecho *todo el tiempo* (M. García 2001: 306-307).

Con todo, la extensión de dicho proceso convergente no tiene una difusión homogénea en toda la sociedad, ya que, como puede advertirse en la tabla 7, éste tiene lugar preferentemente entre las generaciones más jóvenes. ¿Qué factores contribuyen a esta distribución sociolingüística? La respuesta hay que encontrarla de nuevo en una conjunción de variables internas y externas diferentes:

a) la mayor erosión de las restricciones semánticas en el habla de las generaciones más recientes (en especial, la cuarta generación), entre cuyos miembros el cambio al inglés se encuentra en una etapa especialmente avanzada (véase tabla 7);
b) la transparencia semántica de la expresión analítica *(todo el tiempo),* frente a la mayor opacidad del *siempre,* y *last but not least;*
c) el menor esfuerzo cognitivo que supone el empleo de un mismo esquema léxico tanto en una lengua como en otra *(todo el tiempo = all the time* vs. *siempre/always).*

TABLA 7
Distribución de los usos de *siempre* y *todo el tiempo* por generaciones en el español hablado en San Antonio, Texas, según M. García (2001)

| GENERACIÓN | N | SIEMPRE | | TODO EL TIEMPO | |
|---|---|---|---|---|---|
| | | N | % | N | % |
| Segunda | 9 | 63 | 80 | 16 | 20 |
| Tercera | 6 | 18 | 45 | 22 | 55 |
| Cuarta | 3 | 1 | 4 | 26 | 96 |

Finalmente, podríamos hablar también de desarrollos convergentes en ámbitos como la pragmática, en los que se comprueba o bien la disminución o bien el incremento de determinados recursos comunicativos como consecuencia de procesos de contacto intenso. Hurley (1995b) ha visto, por ejemplo, cómo tanto el español como el quechua de la región de Otavalo en Ecuador muestran una notable coincidencia en el empleo preferente de ciertos recursos —y la ausencia de otros— para la expresión de *peticiones*. Como se aprecia en la tabla 8, estas dos variedades de contacto difieren del español hablado en otras regiones monolingües (en el presente caso, Argentina, tras su estudio por Blum-Kulka 1989), a causa de rasgos como:

a) la virtual desaparición del verbo modal «poder» como elemento mitigador;

b) el incremento significativo de las formas del imperativo, tanto con valor presente como futuro, y

c) la reestructuración de estas últimas para solicitar de una forma más cortés la ejecución inmediata del acto peticionario. Junto a dichas estrategias convergentes, el paradigma de este acto de habla en el español de esta región andina presenta también un caso de calco semántico, como es el uso del verbo «dar» como elemento mitigador:

TABLA 8
Análisis comparativo de las estrategias utilizadas en español (dos comunidades) y quechua para la expresión de peticiones, según Hurley (1995b)

| ESTRATEGIA GRAMATICAL | ARGENTINA (BLUM-KULKA 1989) | ESPAÑOL DE OTAVALO | QUECHUA DE OTAVALO |
|---|---|---|---|
| *¿Puede?...* | 40 % | 2,2 % | 0,0 % |
| Imperativo (presente) | 40 % | 61,9 % | 72,7 % |
| Imperativo (futuro) | 0 % | 7,7 % | 11,3 % |
| Uso de «dar» como mitigador | 0 % | 10,2 % | 11,2 % |

## 6.4. *Los procesos de simplificación en situaciones de contacto*

Lo visto hasta el momento permite introducirnos en el debate acerca de otro concepto relacionado, el cual se ha utilizado también en la explicación de fenómenos lingüísticos en situaciones de contacto de lenguas: la *simplificación* estructural. En la sociolingüística hispánica, y en particular en la investigación sobre el contacto entre el español y el inglés en EE.UU., Silva-Corvalán ha sido una de las investigadoras que más énfasis han puesto en defender esta noción como una de las principales causas explicativas de ciertos fenómenos desviantes. En la práctica, Silva-Corvalán se suma así a otros autores que han acudido al poder explicativo de dicho concepto, aunque, por desgracia, éste no siempre haya tenido el mismo valor en la bibliografía lingüística[57].

Para Silva-Corvalán (1994b: 4), la *simplificación* tiene su origen en un universal lingüístico básico, como es la necesidad de aliviar el esfuerzo cognitivo que supone el empleo de dos sistemas lingüísticos por parte de los hablantes bilingües. El efecto que provoca consiste en el empleo más frecuente de una forma (X) en un contexto determinado, en detrimento de otra forma (Y), relacionada con la anterior. Con todo, ambas variantes, X e Y, existen ya en la lengua con anterioridad al contacto lingüístico[58]. A juicio de la investigadora chilena, esta clase de procesos operan frecuentemente entre lenguas tipológicamente similares y sometidas a situaciones intensas de contacto, como las que se producen en la actualidad entre el español y el inglés en EE.UU. En sus palabras:

> [en estos casos] los hablantes de la lengua secundaria simplifican o sobregeneralizan reglas gramaticales, pero no introducen elementos que causan cambios radicales en el sistema de esta lengua (Silva-Corvalán 1992: 55).

Así se desprende de los datos empíricos obtenidos por la propia investigadora en el español de Los Ángeles a propósito de diversos fenómenos sintácticos, como:

a) la no expresión del complementante *que:* «yo creo Ø no la quiere ver»;

---

[57] Las nociones de simplicidad y simplificación se encuentran entre los conceptos más ambiguos y escurridizos que podemos encontrar en la lingüística. Por otro lado, y desde una perspectiva diacrónica, la simplificación suele relacionarse con el proceso de *koinización* o *nivelación*, que tiene lugar en comunidades en las que se alcanza una notable confluencia de soluciones estructurales como consecuencia de un proceso de colonización previo, en el que diferentes dialectos han confluido en un mismo lugar (cfr. Fontanella de Weinberg 1993; Granda 1994d; Valle 1998).

[58] Otros autores han propuesto también que la simplificación estructural supone la aparición de innovaciones que representan alternativas más simples, en el sentido de más regulares o transparentes, que las correspondientes variantes estándares (cfr. Trudgill 1983: § 6; Mougeon y Beniak 1991: 217).

b) la omisión del clítico verbal obligatorio cuando la construcción correspondiente en inglés no requiere de un pronombre oblicuo: «me dieron en la cara, y quebraron mi, mi jaw»;

c) el orden SVO, no marcado en ambas lenguas, pero más categórico en inglés, y

d) la notable simplificación del paradigma verbal, orientada principalmente a la reducción del sistema mediante la eliminación de las formas compuestas y la sustitución de algunas formas simples de la conjugación por otras[59].

Por otro lado, la prueba más evidente de que la simplificación debe interpretarse como un proceso evolutivo —y no como un «an end-state» (Silva-Corvalán 1994b: 3)—, acelerado por la situación de contacto, es que los hablantes de segundas y terceras generaciones (sobre todo, estos últimos), muestran unos patrones de variación mucho más avanzados que los inmigrantes de origen mexicano recién llegados.

Pese a ello, investigaciones recientes han venido a poner en duda algunos de estos asertos en relación con fenómenos descritos hasta ahora como muestras de simplificación. Así, tras comparar cuantitativa y cualitativamente el habla de hispanohablantes con diferentes grados de competencia en español en comunidades situadas a ambos lados de la frontera entre México y el estado norteamericano de Texas, Fairclough (2000) ha advertido que algunos hechos de generalización estructural no se producen más entre los hablantes bilingües que entre los monolingües. En este trabajo se analiza en concreto la distribución lingüística y sociolectal de una variable sintáctico-informativa, como la que lleva a la alternancia entre el estilo directo y el estilo indirecto en la reproducción de citas. Contrariamente a lo que sería esperable, los datos empíricos muestran que el mayor esfuerzo cognitivo implícito en las estructuras de estilo indirecto no disminuye en el habla de los individuos con menor competencia en español (bilingües), ya que utilizan esta variante tanto o más que los hablantes monolingües[60]. Asimismo, en otro estudio sobre otra comunidad texana (San Antonio),

[59] En relación con este rasgo, se ha resaltado que dicho proceso de simplificación, aunque no tan avanzado como en la actualidad, se remonta ya a los primeros momentos de la colonización española en la Alta California del siglo XVIII (Acevedo 2000: 113).

[60] Con todo, Fairclough (2000) reconoce que el mecanismo de simplificación se advierte en otras esferas estructurales, como la variabilidad en el empleo del indicativo o subjuntivo en algunas cláusulas subordinadas, así como en otros ámbitos pragmáticos y funcionales.

no se adivinan tampoco signos de simplificación en la asignación de género a sustantivos y adjetivos entre los hablantes hispanos, quienes, a este respecto, muestran unos patrones de variación similares a los de otras comunidades de habla monolingües *(vid.* M. García 1998).

Cuando las situaciones de contacto desembocan en hechos de simplificación, puede resultar difícil determinar cuál de las causas (la interferencia o las tendencias evolutivas internas) es más relevante. Ahora bien, cuando el perfil de la nueva variante lingüística es más complejo que el de las variantes preexistentes, resulta verosímil atribuir directamente a la interferencia lingüística el factor explicativo fundamental (Thomason 1985). Entre nosotros, por ejemplo, C. Solé (1977) ha sugerido que los cambios morfológicos más simples que tienen lugar en el español hablado en Texas (EE.UU.) obedecen a procesos de simplificación, que tienen otros correlatos en el propio sistema y que son la consecuencia directa de las restricciones comunicativas a las que se ve sometida la lengua española en estas regiones. Por el contrario, los cambios sintácticos más radicales —especialmente en el paradigma de los tiempos verbales— son ya el resultado de una notable reestructuración, atribuible directamente a la interferencia del inglés. Y desde una perspectiva sustratística, López García (1985) ha adoptado una interpretación similar para explicar diversos rasgos estructurales generalmente reconocidos como hechos de «forma interior» del español *(la oposición ser/estar, a + objeto directo, conjugación objetiva, lo + adjetivo,* etc.) a partir de fenómenos paralelos del vasco. A su juicio:

> [...] cuando una lengua pertenece a la misma familia que otras y difiere notablemente de ellas en algunas propiedades lingüísticas que han llegado a configurar su fisonomía idiomática no parece insensato buscar el origen de la evolución en causas exógenas como el sustrato (López García 2000).

## 7. Las causas de la interferencia lingüística

Como hemos tenido ocasión de mostrar a lo largo del presente tema, en la bibliografía sobre la interferencia lingüística, incluida la que tiene lugar en el mundo hispánico, se ha dedicado una atención prioritaria al análisis estructural de los procesos implicados en el contacto de lenguas, pero mucho menos al peso de los factores que están detrás de su aparición —o no— en cada caso. Y ello pese a que es ésta una cuestión especialmente relevante, ya que de la conjunción de factores lingüísticos y extralingüísticos que se dan cita en cada situación de contacto depende, en última instancia, su propia existencia.

Afortunadamente, en la actualidad existe ya un cierto consenso entre los estudiosos según el cual el análisis de las causas de la interferencia no puede enfocarse exclusivamente desde un punto de vista lingüístico. Por el contrario, la explicación cabal de los procesos interferenciales requiere un marco interdisciplinar, en el que deben abordarse no sólo los factores de orden estructural, sino también otros de carácter psicológico, social y cultural, que singularizan cada comunidad de habla, y que, por ende, contribuyen a explicar algunos datos relevantes como el grado de difusión social de las interferencias y su frecuencia de uso entre los miembros de la sociedad, incluidos, ocasionalmente, los propios hablantes monolingües.

En este sentido, debemos nuevamente a Weinreich (1953: 3-6) la primera formulación precisa acerca de la necesidad de conjugar factores *estructurales* —los que conciernen a las lenguas como sistemas semióticos— y *no estructurales* —extralingüísticos— en la investigación sobre las causas de la interferencia. Dichos factores actúan juntos y no aisladamente, y el resultado de tal síntesis es el que lleva al éxito —o al fracaso— de aquéllas. Aplicando al estudio del contacto de lenguas las palabras de un artículo fundacional de la disciplina sociolingüística, en el que intervino el propio lingüista norteamericano podamos decir:

> Linguistic and social factors are closely interrelated in the development of language change. Explanations which are confined to one or the other aspect, no matter how well constructed, will fail to account for the rich body of regularities that can be observed in empirical of language behaviour (Weinreich *et al.* 1968: 188).

Pese a ello, y tan sólo a efectos expositivos, ofrecemos a continuación un breve resumen por separado de los factores más relevantes en cada caso, con una especial atención, como siempre, al alcance e importancia que adquieren en diversas regiones del mundo hispánico.

### 7.1. *Los factores estructurales*

Van Overbecke (1976: 123) fue uno de los primeros autores en llamar la atención acerca de la *economía verbal* como una de las causas fundamentales de la interferencia desde el punto de vista lingüístico. Anteriormente, otros investigadores, como el propio Weinreich (1953: 2-11) o Haugen (1954), habían subrayado también la importancia que la identificación de las unidades lingüísticas puede tener para los bilingües. A este último autor, por ejemplo, pertenecen los conceptos de *diafono* y *diamorfo,* utilizados para aludir a las unidades que resultan válidas para las dos lenguas (en los niveles fónico y gramatical, respectivamente) y que son la consecuencia de las identificaciones interlingüísticas realizadas por los hablantes. Y es que, como ha señalado entre nosotros García Fernández (1988: 30) a propósito de la competencia lingüística del niño bilingüe:

> [...] la evolución a partir de esa mezcla generalizada parece pasar por una progresiva supresión de los elementos más específicos de cada lengua y por la generalización de los elementos comunes o más próximos y adaptables, acompañada de intercambios y modificaciones fonético-fonológicas, semánticas y sintácticas de todo tipo.

Otro factor estructural que condiciona fuertemente la vitalidad de la interferencia es la *frecuencia* relativa de un determinado elemento en el discurso. Ya Weinreich había destacado que cuanto mayor es el uso de un determinado morfema o construcción en la lengua, tanto mayor es también la posibilidad de que pueda transferirse a otras lenguas en situación de contacto.

En íntima correspondencia con el factor anterior se encuentra asimismo el *grado de integración* y estabilidad que los elementos poseen dentro de los diferentes paradigmas de la lengua: «The fuller the integration of the morpheme, the less likelihood of its transfer» (Weinreich, 1953: 35).

Algunos lingüistas han formulado la hipótesis de que los elementos más estables de cada lengua son aquellos que resultan menos fácilmente alterados por el fenómeno interferencial. A ese respecto, Haugen (1953: 405-408) advertía que algunos elementos muy frecuentes y firmemente sistematizados en el código, como ocurre con los fonemas o con los morfemas constitutivos, tienen muchas menos posibilidades de verse modificados en virtud de la influencia de una segunda lengua, frente a sustantivos o verbos, palabras mucho más fácilmente transferibles.

En los últimos años se han propuesto algunas jerarquías en torno al potencial de «transferencia» de las diferentes categorías léxicas que componen una lengua. En la mayoría de éstas, el sustantivo ocupa siempre la primera posición[61]. Entre nosotros, los trabajos de Muys-

[61] Como recuerda Moravscik (1978: 111), autor de una de las hipótesis más difundidas en este sentido: «no lexical item that is not a noun can belong to the class of properties borrowed from a language unless this class includes at least one noun».

ken (1981) en torno a la influencia entre el español y el quechua en algunas regiones andinas han permitido la formulación de una escala, bien conocida entre los estudiosos del contacto de lenguas, y que esquematizamos a continuación. Como puede verse, en ella el sustantivo ocupa la primera posición, seguido del adjetivo y el verbo; por el contrario, en el extremo opuesto se sitúan determinadas palabras funcionales, cuyos paradigmas son mucho más reducidos y estables en las lenguas, como las conjunciones subordinantes o los pronombres:

> sustantivo > adjetivo> verbo > preposición > conjunción coordinante > cuantificador > determinante > pronombre > pronombre clítico > conjunción subordinante

Parecidos resultados se han obtenidos en algunos recuentos parciales sobre préstamos en comunidades de habla hispánicas del sudoeste de EE.UU. Así, en uno de los primeros trabajos de este tipo, titulado *Frecuency Dictionary of Spanish Words,* sus autores, Juilland y Chang Rodríguez (1964), proporcionaban las siguientes cifras, a partir de una muestra de 5.024 palabras diferentes[62].

Obsérvese en la tabla 9 (página siguiente) cómo son de nuevo los sustantivos (50,7 por 100), seguidos a considerable distancia por adjetivos (24 por 100) y verbos (19,1 por 100), las clases léxicas más afectadas por la influencia del inglés. Entre las tres categorías suman nada menos que el 93,8 por 100 de todos los anglicismos detectados en el corpus. Por el contrario, el 6,2 por 100 restante se lo reparten las demás categorías, con cifras casi anecdóticas en la mayoría de los casos.

Generalmente se apela a la función representativa del lenguaje para explicar estas jerarquías. Según esto, el material lingüístico extranjero se

[62] Similares resultados a los que ofrecen Galván y Teschner (1977) en su *Diccionario del español chicano.* No obstante, en éste se aprecian algunas diferencias reseñables respecto al recuento anterior, en particular la considerable menor presencia de adjetivos (tan sólo 3 por 100) entre los 888 anglicismos considerados. Otra confirmación empírica de estas jerarquías la proporcionó algunos años más tarde el trabajo de S. Poplack, D. Sankoff y Ch. Miller (1988). La masiva investigación sobre el discurso bilingüe en la comunidad de Ottawa-Hull por parte de estos autores supuso el análisis de unos 20.000 préstamos, de los cuales un 64 por 100 resultaron ser sustantivos, 14 por 100 verbos, 12 por 100 interjecciones y expresiones formulares, 8 por 100 adjetivos y 1,5 por 100 conjunciones. Por otro lado, una comparación de estos resultados con la distribución normal de las palabras en francés reveló algunas diferencias muy importantes entre el discurso monolingüe y el bilingüe. Así, en las variedades monolingües del francés los sustantivos constituían tan sólo un 15 por 100 del vocabulario total, es decir, cinco veces menos que la frecuencia obtenida entre los préstamos.

incorpora a las lenguas si satisface determinadas necesidades referenciales. De ahí que cuanto mayor sea el contenido léxico de las palabras (el caso de los sustantivos, los adjetivos o verbos) mayor será también su utilidad para cubrir nuevas demandas de significado.

TABLA 9
Análisis frecuencial de las clases de palabras a las que pertenecen los préstamos en el español hablado en Estados Unidos, según Juilland y Chang Rodríguez (1964)

| CLASES DE PALABRAS | N | % |
|---|---|---|
| Sustantivos | 2.549 | 50,7 |
| Adjetivos | 1.205 | 24,0 |
| Verbos | 957 | 19,1 |
| Pronombres | 52 | 1,0 |
| Preposiciones | 15 | 0,3 |
| Conjunciones | 19 | 0,3 |
| Adverbios | 185 | 3,7 |
| Interjecciones | 7 | 0,1 |
| Numerales (cardinales) | 35 | 0,7 |

Ahora bien, junto a este principio se sitúan otros no menos importantes. Así, aquellas clases de palabras que forman paradigmas cerrados y estructurados son más difícilmente alterables que las clases más abiertas. Ello explicaría, por ejemplo, que entre los adjetivos, sean precisamente los calificativos y no los determinativos (demostrativos, posesivos...) los que más frecuentemente aparecen implicados en los procesos de interferencia lingüística. Por otro lado, y junto con las restricciones paradigmáticas, la estructura sintagmática de la lengua desempeña también un papel relevante en la potencial aceptación del material lingüístico extranjero. De este modo, dentro de las categorías abiertas, una clase como el verbo es objeto de interferencia en menor medida que el sustantivo, debido a la mayor relevancia estructural del primero para la configuración de los enunciados oracionales *(vid.* Appel y Muysken 1987).

A pesar de la importancia de estos factores estructurales en el origen y la difusión de las interferencias, en la práctica muchas veces no pueden explicar por sí solos lo que ocurre en la realidad. No en vano, en no pocas ocasiones lenguas emparentadas genéticamente, y por lo tanto con notables puntos de semejanza estructural, han sufrido históricamente un menor grado de interferencia que el producido en otros pares con muchos menos elementos en común. Y ello, sin duda, porque en la configuración completa del fenómeno interferencial se dan cita una serie de causas extralingüísticas, cuya relevancia puede superar incluso la de los propios factores estructurales.

## 7.2. *Factores no estructurales*

Los factores no estructurales derivan del contacto del sistema lingüístico con el mundo exterior, de la familiaridad de ciertos individuos con el código y del valor simbólico y de las emociones que el sistema, como un todo, puede evocar. La importancia de estos factores en la difusión social de las interferencias es discutida en la sociolingüística contemporánea, pero resulta innegable que sólo mediante su consideración es posible explicar numerosos fenómenos derivados del contacto de lenguas.

Son muchos los ejemplos que podrían esgrimirse para demostrar la importancia de estos factores extralingüísticos, y aun su preeminencia respecto a los de naturaleza estructural. Entre ellos figura el caso de la extinta URSS, en la que las migraciones masivas a lo largo del siglo XX terminaron afectando a las características estructurales de numerosas lenguas. Los procesos de interferencia entre estas lenguas han caracterizado siempre a las principales «áreas lingüísticas» de estas regiones de la Europa Oriental, pero desde el primer tercio del siglo pasado, y como consecuencia del naciente imperialismo soviético, dichos procesos se ampliaron notablemente, e incluso tuvieron lugar entre lenguas y grupos etnolingüísticos muy alejados geográficamente entre sí. En este sentido, destaca la histórica interferencia «planificada» desde el ruso hacia otras lenguas nacionales como el ucraniano, el georgiano o las lenguas bálticas (Lewis 1972: 340).

Entre nosotros disponemos también de numerosos ejemplos que muestran esta misma variabilidad espacial o temporal de los procesos interferenciales en diferentes regiones. Payrató (1985: 98) ha recordado a este respecto cómo los dialectos peninsulares del catalán han sido históricamente objeto de interferencia por parte del español con mucha mayor intensidad que la experimentada dentro del mismo ámbito lingüístico por las hablas baleáricas. Por su parte, Escobar (2001a), tras rastrear minuciosamente los comienzos de la influencia del quechua sobre el español peruano, ha concluido que los factores sociales, demográficos y lingüísticos del periodo colonial español no favorecieron dicha influencia en un primer momento. Sólo tras una etapa de transición, a caballo entre los siglos XVIII y XIX, en la que dichas condiciones cambiaron considerablemente, vería la luz una variedad de contacto que con el tiempo desembocó en el español andino que conocemos hoy (véase anteriormente § 5.2.2). Y en otra región diferente, un reciente estudio sobre documentación española en los territorios del actual estado de Nuevo México ha demostrado la existencia de una evolución considerable en los patrones y difusión social de los préstamos al español procedentes de lenguas indígenas entre los siglos XVII y XIX. Frente a una mayor flexibilidad en los periodos más tempranos, en las últimas etapas de la presencia española en la región surgiría un clima mucho más hostil a dicha influencia indígena y más favorable, por el contrario, a los préstamos del inglés (Trujillo 2000).

En relación con la actual influencia del inglés en el español hablado en EE.UU., algunos autores han acuñado el concepto de *interferencia sociolingüística* para dar cuenta, justamente, de la «invasión» de anglicismos en el español contemporáneo, en dominios comunicativos tan amplios y trascendentes socialmente como la ciencia, la tecnología, la cultura, los deportes, el comercio, el lenguaje académico, etc. (cfr. Olivera 1986; Smead 2000). Sin embargo, el alcance de dicha influencia es lógicamente mayor en los territorios donde el español se halla en contacto directo con el inglés que en otras regiones. Así lo han comprobado, por ejemplo, Otheguy *et al.* (1993) en un amplio estudio comparativo sobre el número de anglicismos presentes en el habla ordinaria en sendas comunidades de habla hispanas, situadas en Estados Unidos y Latinoamérica, respectivamente. De los datos empíricos aportados por este trabajo se desprende que la intensidad de la interferencia es ¡cinco veces! mayor en el contexto estadounidense que en el otro[63].

Siguiendo a Weinreich (1974: 21), podemos distinguir dos clases de *factores no estructurales*, a saber: a) factores inherentes a la relación de los individuos con las lenguas de su repertorio verbal, y b) factores que caracterizan a los grupos sociales y etnolingüísticos considerados como un todo.

Entre los primeros cabe destacar:

a) la facilidad para la expresión verbal del hablante y su habilidad en mantener separadas las dos lenguas;

---

[63] Pese a ello, un estudio anterior de O. García *et al.* (1985) había advertido que las diferencias principales entre ambas eran más bien cualitativas que cuantitativas (*v. gr.*, mayor cantidad de calcos en los dialectos norteamericanos, al tiempo que los préstamos crudos se difunden más rápidamente por todos los sociolectos). Por otro lado, el español en EE.UU. se ve mucho más sometido a las faltas ortográficas y gramaticales que las demás variedades americanas, por la falta de referencias normativas y las restricciones funcionales que condicionan el uso de la lengua en el país norteamericano. Por el contrario, el número de regionalismos en estas comunidades norteamericanas es menor que en el resto de Hispanoamérica.

b) la relativa pericia en cada una de ellas;

c) la especialización en el uso las lenguas, en función de los temas o de la identidad del interlocutor;

d) las actitudes del hablante hacia las lenguas de su repertorio.

Y entre los segundos:

e) el tamaño del grupo bilingüe y la homogeneidad o diferenciación social de sus miembros;

f) el predominio de individuos bilingües o monolingües dentro de cada grupo etnolingüístico;

g) las actitudes comunitarias hacia cada lengua;

h) las actitudes hacia las respectivas culturas de las comunidades etnolingüísticas implicadas;

i) las actitudes hacia el bilingüismo como tal;

j) la tolerancia o intolerancia con respecto a la mezcla de lenguas y a las expresiones incorrectas (purismo lingüístico);

k) las relaciones entre el grupo bilingüe y las comunidades unilingües (para un desarrollo de todos estos aspectos, véase Rotaetxe 1988: 293-313).

Como hemos visto en otro momento (véase tema XI), la cuestión de las actitudes hacia la interferencia tiene una especial relevancia en el desarrollo del contacto de lenguas. La tantas veces advertida —y temida por algunos— invasión de anglicismos en la actualidad ha disparado las señales de alarma entre los más puristas, que han visto en estos préstamos uno de los principales peligros con que se enfrenta la lengua española en la actualidad (cfr. Alvarado 1982; Olivera 1986; Lope Blanch 1999a, etc.)[64]. De ahí que las advertencias en torno a esta cuestión y las llamadas a mantener la pureza y la unidad del idioma hayan proliferado en las últimas décadas en diversos países de habla española. En ocasiones, esta preocupación parece alcanzar también a los propios hablantes, como ha revelado un estudio reciente publicado por Moreno de Alba (1998: 75) a partir de una muestra de informantes mexicanos. Como revela el gráfico 3, a la pregunta: «¿es la lengua española algo que debe defenderse [...] del abuso del anglicismo?», formulada por el investigador, un notable 68 por 100 se decanta por una respuesta favorable a tomar medidas contra la invasión de anglicismos, frente a un mucho más reducido 23 por 100 de los hablantes que declara que

[64] Estas admoniciones no son nuevas. A este respecto, cabe recordar las que Navarro Tomás realizó en los años 40 acerca del «envilecimiento» del español hablado en Puerto Rico como consecuencia de la influencia del inglés.

no es necesaria la intervención de los poderes públicos en esta tarea, ya que la lengua española se defiende sola; o un 9 por 100 que considera que estos anglicismos no suponen ninguna agresión real contra la lengua[65]. Por otro lado, el cuadro muestra también algunas diferencias entre hombres y mujeres, siendo estas últimas las que muestran una mayor preocupación por la corrección lingüística (72 por 100 *vs.* 62 por 100 los hombres), en línea con los modelos de distribución generolectales más habituales (véase anteriormente tema V).

Ahora bien, desde una óptica contraria, a veces se ha destacado también que la interferencia constituye un fenómeno recurrente en la evolución de todas las lenguas y que las reacciones excesivamente alarmistas ante la inclusión de préstamos procedentes del inglés —o anteriormente del francés en el siglo XIX— resultan poco razonables, ya que no amenazan en absoluto el inmenso patrimonio de la lengua española. Asimismo, y por lo que se refiere esta vez a las lenguas precolombinas en contacto con el español, algunos han defendido que el notable sincretismo alcanzado tras siglos de bilingüismo social puede interpretarse positivamente desde una perspectiva ecológica como una útil estrategia de supervivencia, de la que, paradójicamente, son enemigas las actitudes más puristas. Como han destacado Hill y Hill (1986: 59) en su célebre estudio sobre las comunidades de habla nahuatl de México:

> An ecological approach to language may include a «therapeutic» concern for its «cultivation and preservation» (Haugen), but has no room for purist rigidity. Instead, an ecological perspective can see linguistic syncretism as having a positive, preservationist effect on a language when its speakers must adapt rapidly to changing circumstances. The bridgework of bilingual is seen not as a symptom of degeneration, but as a sign of the fundamental vitality and adaptability of traditions.

Desde este punto de vista, pues, se considera que las actitudes puristas van en la práctica en contra de la preservación de la lengua amerindia, ya que indirectamente favorecen el empleo del español. Ante el temor de cometer incorrecciones en el uso de la propia lengua y las dificultades para el aprendizaje de la misma en contextos formales y académicos, es lógico que muchos hablantes se retraigan y propicien el uso de la lengua vinculada a las funciones socialmente elevadas. De ahí que:

---

[65] Frente a este panorama, algunos académicos y lingüistas se han alarmado recientemente ante la actitud mucho más pasiva de los españoles hacia la corrección idiomática (Lope Blanch 1999a).

GRÁFICO 3
Actitudes hacia la defensa del español entre mujeres y hombres mexicanos, según Moreno de Alba (1998)

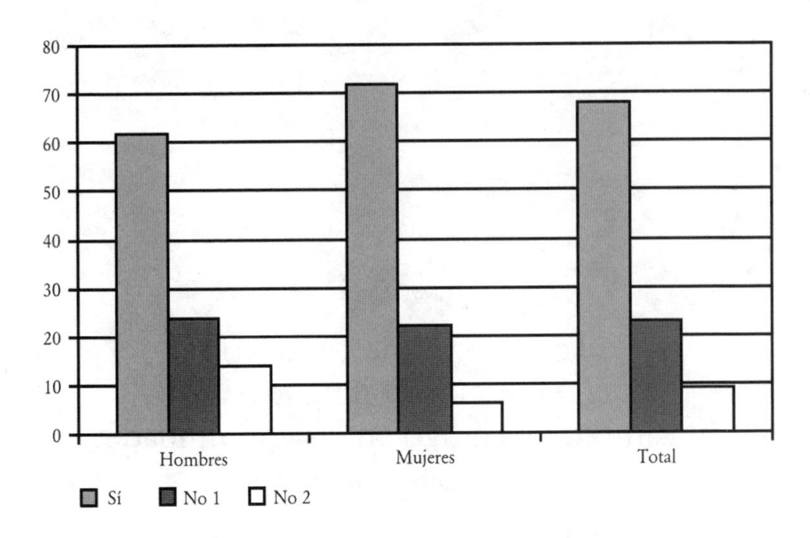


Sí = «Es algo que debemos defender»; No 1 = «No es algo que deba defenderse porque se defiende solo»; No 2 = «No es algo que deba defenderse porque nadie la está atacando»

> [...] by questioning ways of speaking which are hundreds of years old in the Malinche towns, purism becomes a contributing factor in the forces which are driving Mexicans underground at best, or to extinction at worst (Hill y Hill 1986: 66).

Esta adaptación a las circunstancias, que supone la inclusión de abundante material español en la lengua autóctona, no impide, sin embargo, la existencia de un notable sentimiento de identidad etnolingüística por parte de muchos miembros de la comunidad nahuatl. Ésta se manifiesta, por ejemplo, en el uso por parte de algunos hablantes de palabras y expresiones cuyo empleo se valora muy positivamente, pues actúan como un símbolo identitario. Ahora bien, es significativo que los individuos que más exhiben este tipo unidades en su discurso muestran un nahuatl no menos hispanizado que los demás miembros de la comunidad[66].

[66] Véase, sin embargo, una interpretación menos optimista de estas variedades sincréticas para la preservación de las lenguas prehispánicas en Hernández Sacristán (2000).

## Tema XVII

# Fenómenos de contacto en el discurso bilingüe (II): El cambio de código en las comunidades de habla hispanas

## 1. Introducción

Tras desarrollar en el tema anterior el fenómeno general de la interferencia, en el que hemos evaluado las principales modalidades que ésta puede adoptar, así como las restricciones lingüísticas y sociales que determinan su extensión en el seno de las comunidades de habla hispánicas, corresponde ahora el turno a otro fenómeno recurrente en el discurso bilingüe, cuyo estatus privilegiado como objeto de estudio corre en paralelo al desarrollo de la moderna sociolingüística. No en vano, hasta la llegada de esta disciplina, el *cambio de código* se había concebido, generalmente, como un ejemplo palmario de la perversión a la que pueden conducir las situaciones más anárquicas del contacto de lenguas. Por lo general, esta impresión ha comenzado a desaparecer de la esfera científica, pero no así de otros círculos más profanos, en los que el fenómeno sigue suscitando actitudes muy negativas.

El desarrollo del presente tema se estructura en torno a las principales cuestiones sobre las que ha girado el estudio del cambio de código en la bibliografía especializada. A este respecto, analizaremos en primer lugar un problema que suscita todavía una considerable polémica entre los especialistas, como es el que afecta a los límites conceptuales entre este fenómeno y el préstamo léxico. Inicialmente, ambos son manifestaciones diferentes del discurso bilingüe, pero no siempre es fácil distinguirlas, sobre todo cuando los enunciados de otra lengua son particularmente reducidos (palabras, lexías complejas, etc.). Más adelante, abordaremos las principales restricciones estructurales que regulan la posibilidad de la alternancia lingüística entre el español y otras lenguas en diferentes situaciones de contacto, tomando como referencia algunas de las principales teorías al uso. Por último, y tras evaluar diversas tipologías sobre el cambio de código, nos ocuparemos también de las implicaciones pragmáticas y sociolingüísticas de un fenómeno que en algunas comunidades bilingües hispánicas representa, como veremos, una modalidad comunicativa muy productiva.

## 2. Caracterización del cambio de código en una teoría sociolingüística sobre el contacto de lenguas

La traducción del término inglés *code-switching*[1] por el español *cambio de código* es relativamente frecuente en la bibliografía hispánica, tanto en trabajos escritos en esta última lengua —Martín Butragueño (1989), Gimeno (1990), Moreno Fernández (1988), Blas Arroyo (1999a), etc.—, como en traducciones de obras extranjeras —cfr. R. Hudson (1981), Fishman (1972a), Labov (1972b). Pese a ello, dicha denominación —que aquí adoptaremos prioritariamente, aunque no de forma exclusiva— compite con otras adaptaciones de la terminología anglosajona. López Morales (1989: 171-174), por ejemplo, habla de *alternancia de códigos,* Rotaetxe (1988: 98) prefiere el término *conmutación* y Silva-Corvalán (1989: 179) titula con el rótulo *intercambio de códigos* el apartado que dedica a este fenómeno en el seno de su conocida introducción a la sociolingüística[2].

---

[1] Probablemente, fue Haugen (1953) quien utilizó por primera vez este término con el objeto de establecer unos límites claros entre este fenómeno, en el que las lenguas se mantienen diferenciadas, y el de interferencia o préstamo léxico, en el que, sin embargo, tiene lugar ya una cierta adaptación de las unidades lingüísticas en el seno de la lengua receptora. Sin embargo, y como veremos más adelante, en la práctica del discurso bilingüe las cosas no son siempre tan claras.

[2] Silva-Corvalán (1989: 117) establece, además, una diferencia entre los casos canónicos de *intercambio,* que generalmente se dan entre los bilingües equilibrados, y los fenómenos de mera *sustitución,* más habituales entre hablantes bilingües que cuentan con una lengua claramente dominante, y cuyos elementos sustituyen muchas veces a los de la otra lengua por falta de suficiente competencia lingüística en esta última.

Otros términos que se han difundido con alguna frecuencia en los modernos estudios sobre el contacto de lenguas aparecen como subdivisiones teóricas a partir del fenómeno general de la alternancia lingüística. Así ocurre, por ejemplo, con la *mezcla de códigos (code mixing)*, concepto con el que algunos autores designan ciertas clases particulares de cambio de código, como ocurre con el llamado cambio *intraoracional*, que tiene lugar en los límites entre diversos constituyentes de la oración (cfr. Singh 1985; Treffers-Daller 1994; Clachar 2000; para más detalles sobre esta cuestión, véase más adelante § 5.3)[3]. Otros, como McClure (1977), distinguen, por el contrario, entre *cambio de código —code changing—*, cuando la alternancia está motivada por restricciones situacionales y o estilísticas (véase más adelante § 7.1), y *mezcla de código —code mixing—* cuando el cambio de lengua obedece a razones puramente referenciales como consecuencia, por ejemplo, de las dificultades para acceder a un término o expresión en una lengua que el hablante no domina suficientemente.

En la práctica, la relativa anarquía terminológica que revelan estas definiciones no obedece sólo a una mera disputa nominativa —tan habitual, por otro lado, en la lingüística—, sino que es también una consecuencia de los notables problemas de caracterización que presentan todavía las alternancias lingüísticas.

El *cambio de código* ha sido estudiado desde comienzos de los años 70 a partir de diversas perspectivas (Appel y Muysken 1996: 175 y ss.). Desde un punto de vista sociopragmático, los investigadores se han preguntado por las razones sociales e interaccionales que inducen al individuo bilingüe a pasar de una lengua a otra dentro de un mismo acto comunicativo, como vemos que ocurre en (1) y (2), enunciados en los que el español y el catalán (en su variedad valenciana) alternan dentro de una misma unidad comunicativa (ejemplo tomado de Blas Arroyo 1996):

(1) ... el año pasado, aquel gol de Sthoikov que perdió la pelota. Romario en aquella banda, nefastamente, Romario tal... *mos van fer la jugá* y Sthoikov le pegó un cruce a la escuadra...

[3] Ocasionalmente el concepto sirve también como término genérico para aludir a los diferentes fenómenos de contacto que es posible encontrar en una comunidad de habla *(vid.* Pfaff 1979: 295) o, incluso, por razones estilísticas, como sinónimo de lo que aquí denominamos cambio de código *(vid.* Appel y Muysken 1987).

(2) ... pero ya estamos ahí al *bombet,* y estamos todos, *quí mos tocarà?* [risas]... *qui mos tocarà* y esto es lo bonito del fútbol.

Por el contrario, otros autores han profundizado, desde una óptica psicolingüística, acerca de los aspectos del lenguaje humano que permiten llevar a cabo el propio hecho de la alternancia. Y por último, no han faltado tampoco lingüistas, procedentes de diferentes corrientes de pensamiento estructural, que se han planteado diversas cuestiones relevantes de orden teórico, como las razones que justifican que en (1) y (2), podamos hablar de *cambio de código* y no de *préstamo* o *interferencia léxica,* en función del punto de vista que adoptemos (véase más adelante § 3); o las restricciones locales o universales que restringen las posibilidades de la alternancia (véase más adelante § 6).

Y ello por no hablar de los propios hablantes en general y hasta de algunos profesionales de la lingüística y los medios de comunicación en nuestros días, quienes han visto en el cambio de código una manifestación de la decadencia lingüística y el resultado de un dominio imperfecto de las lenguas en contacto (véase tema XI, § 7). Estereotipos, no obstante, que algunos estudiosos han tratado de desmentir en los últimos tiempos aportando serias pruebas empíricas en contra (véase § 5.3).

Una de las primeras definiciones del *cambio de código* en la bibliografía sociolingüística corresponde a Gumperz (1982: 59), quien caracterizaba el fenómeno como «[...] the juxtaposition within the same speech exchange of passages *of* speech belonging to two different grammatical systems or subsystems».

De esta definición, cabe retener, en primer lugar, el hecho de que el cambio de código puede aparecer indistintamente en el seno de comunidades bilingües o monolingües, con la salvedad de que, en este último caso, las variedades alternantes son dialectos de una misma lengua[4]. En segundo lugar, los enunciados correspondientes a diferentes lenguas o variedades tienen lugar en el desarrollo de una misma unidad discursiva. Y generalmente, además, quedan agrupados bajo una misma unidad prosódica, y están regidos por relaciones sintácticas y semánticas equivalentes a las que tienen lugar dentro de las unidades de cada lengua en contextos monolingües.

---

[4] Sin embargo, el estudio del fenómeno en este contexto, y pese a su interés intrínseco, ha tenido un desarrollo muy escaso.

## 3. ENTRE EL PRÉSTAMO LÉXICO Y EL CAMBIO DE CÓDIGO: INTENTOS DE DELIMITACIÓN

Pese a la aparente claridad de definiciones como la anterior, numerosos autores han dejado constancia de las dificultades que se presentan a la hora de delimitar con precisión tales conceptos en el análisis de los discursos reales. Ello es particularmente cierto cuando los fenómenos interferenciales y el cambio de código se hallan muy difundidos en la sociedad —como ocurre, por ejemplo, en muchas comunidades hispanas de EE.UU.—, y por consiguiente, cuando resulta más difícil la verificación de las restricciones lingüísticas que operan en el discurso bilingüe. Por otro lado, se han señalado también algunas zonas de intersección entre ambas categorías, cuya caracterización resulta compleja, como ocurre con el uso de *expresiones cultas extranjeras* en pasajes monolingües (cfr. Badia i Margarit 1979; Payrató 1985)[5] o el recurso a una segunda lengua cuando el hablante desconoce un término o expresión determinada en la primera (cfr. Gumperz 1976; Payrató 1985; Silva-Corvalán 1989).

En lo que sigue resumimos algunas de las principales propuestas de distinción que se han realizado en los últimos años en torno a esta espinosa cuestión, que en la actualidad sigue enfrentando a los especialistas.

### 3.1. *El criterio de la integración lingüística y su relevancia en los contextos bilingües hispánicos*

#### 3.1.1. Introducción

Entre los defensores de la diferencia conceptual entre el préstamo léxico y el cambio de código se ha utilizado a menudo el criterio de la integración lingüística como uno de los principales elementos delimitadores. Haugen (1953), por ejemplo, estuvo entre los primeros en pro-

[5] A propósito de la primera categoría, Badia i Margarit (1979: 30), quien ha estudiado su difusión entre los hablantes catalanes, señala que «[...] es propio de personas cultas y aparece en ocasiones de un tono más bien elevado; responde a una actitud consciente; proporciona a las expresiones utilizadas una connotación especial intencionada...». Payrató (1985: 71) ejemplifica algunas de estas expresiones, como *qué largo me lo fiáis, ¡acabáramos!*, a partir del castellano; *last but not least*, del inglés y numerosos latinismos *(quo vadis, grosso modo, pro domo sua...)*, etc.

poner que los fenómenos bilingües deben situarse en un *continuum* lingüístico, en cuyos extremos se situarían, por un lado, el *cambio de código,* con el mayor grado de distinción estructural entre las lenguas, y en el extremo opuesto, la *integración* (o *préstamo),* que representaría el máximo nivel de diferenciación. Entre ambos, diversos grados de *interferencia* constituirían fenómenos intermedios de hibridación lingüística.

Con todo, probablemente haya sido la investigadora norteamericana Shana Poplack (1980; 1984) quien más empeño ha puesto en la delimitación precisa de estos fenómenos en las últimas décadas. En diversos trabajos publicados en los años 80, Poplack propuso un modelo de análisis variacionista para separar convenientemente los casos de transferencia de los de cambio de código. A partir de criterios lingüísticos y distribucionales cuantitativos, esta investigadora señalaba por entonces que el préstamo léxico supone la incorporación de palabras de una lengua *modelo* u *objeto* en el discurso de otra lengua —*prestataria* o *copia.* Además, dicho fenómeno implica tanto la integración lingüística —fonológica, gramatical...— como la integración social en el caso de los préstamos ya definitivamente arraigados[6].

El cambio de código, por el contrario, se entendería como el uso alternante en el discurso bilingüe de dos lenguas por parte de los mismos hablantes, sin que en estos casos se produzca una adaptación plena o parcial de los constituyentes de ambas. Con todo, y a semejanza de los préstamos, los ejemplos de alternancia transcódica pueden alcanzar también —aunque no es imprescindible— un nivel elevado de integración social, es decir, pueden convertirse en una modalidad discursiva extendida y habitual en la sociedad, como ocurre, por ejemplo, en la comunidad portorriqueña de Nueva York y otras grandes ciudades norteamericanas (cfr. Poplack 1980; Zentella 1981; L. Torres 1997)[7].

En la sociolingüística hispánica algunos estudios siguieron directamente los postulados de Poplack para la distinción entre préstamos y cambios de código. Otheguy (1993) y sus colaboradores *(vid.* Otheguy,

---

[6] No así, los *préstamos momentáneos,* que aunque parcial o totalmente integrados lingüísticamente carecen todavía de la suficiente distribución social. Entendemos por integración social la siguiente interpretación de Gimeno (1990: 152): «a pesar de las dificultades encontradas en su estudio, podría definirse sincrónicamente como la frecuencia y difusión de un cierto elemento en el habla de la comunidad, y diacrónicamente como una fase del proceso del préstamo».

[7] Al parecer, en la comunidad de habla neoyorquina este atributo no se limita a la minoría portorriqueña, aunque sí sea ésta la más conocida y estudiada. De hecho, el fenómeno del cambio de código afecta también recurrentemente a otras colectividades de inmigrantes de origen caribeño, como los dominicanos (Marsh 1988; Bailey 2000).

García y Fernández 1989), por ejemplo, adaptaron una versión simplificada del modelo, que sólo tomaba en consideración el nivel de adaptación fónica, para determinar el estatus de los ítem léxicos aislados en el repertorio verbal de una comunidad de habla de origen cubano en West New York (New Jersey). Todas las palabras de origen inglés integradas en el español se consideraban casos de interferencia léxica *(single-word borrowings),* mientras que, cuando se preservaba la fonología inglesa, asistíamos a fenómenos de alternancia o cambio de código *(single-words switches),* incluso aunque éstos no tuvieran más extensión que la palabra aislada.

En la práctica, sin embargo, las cosas no suelen presentar unos límites tan definidos y ello por diversas razones. En primer lugar, hay que recordar que la adaptación lingüística, sea fónica o gramatical, puede ser —y a menudo es— una cuestión de grado y no categórica. La misma Poplack, defensora de la distinción conceptual que nos ocupa, demostraba al mismo tiempo que la integración fónica de los elementos anglófonos en el español de la comunidad portorriqueña de Nueva York tenía lugar tan sólo gradualmente y de acuerdo con diversos parámetros, como la frecuencia de uso, el grado de desplazamiento de los sinónimos correspondientes dentro de la lengua, el nivel de integración gramatical o las actitudes lingüísticas (más o menos puristas) hacia el propio hecho interferencial.

En segundo lugar, la falta de integración lingüística de algunos préstamos plenamente consolidados en la lengua receptora puede responder también a causas sociolingüísticas. Así ocurre, por ejemplo, cuando la lengua fuente es el idioma nativo de un grupo socialmente prestigioso, como atestiguan en la actualidad numerosos anglicismos en el español o en otras lenguas peninsulares (catalán, gallego, etc.). En el dominio de la informática y otros desarrollos tecnológicos recientes, por ejemplo, muchos préstamos anglosajones se extienden socialmente sin apenas adaptación fonológica o gramatical. Y sin embargo, pocas dudas existen acerca de que, al menos en estos casos, nos hallamos ante fenómenos de transferencia léxica (préstamos) genuinos y no ante cambios de código.

Incluso, la idea de que el tiempo constituye un factor que conduce inexorablemente a la integración de los préstamos se ha revelado no siempre cierta. De hecho, algunos estudios han mostrado cómo ciertos factores extralingüísticos pueden neutralizar y a veces, invertir el signo de dicha adaptación. Así, y de la misma forma que las reacciones subjetivas hacia la variación lingüística pueden cambiar con el tiempo (véase tema X), las actitudes hacia la integración de los préstamos pueden experimentar también modificaciones importantes en el eje temporal (Myers-Scotton 1993b: 179). En el ámbito hispánico, por ejemplo, estudios como el de Hill y Hill (1986) sobre el nahuatl moderno, o el Karttunen y Lockhart (1976) sobre la incidencia del español en esta lengua en textos del siglo XVI, demuestran que los préstamos recientes en la lengua mesoamericana experimentan hoy, paradójicamente, menor grado de adaptación fonológica que hace cuatrocientos años. Como señalan los primeros (Hill y Hill 1986: 198):

> [...] we can see a trend for nonnative forms to replace nativized ones and for speakers to pronounce new loan items exactly as in Spanish». Mougeon y Beniak (1991) emplean significativamente el término *desintegración* para aludir a este fenómeno que se advierte también en relación con los préstamos del inglés en algunas áreas del francés canadiense.

Ni siquiera cuando se abandona el ámbito aparentemente más periférico de la integración fonológica y se sustituye por el más robusto de la adaptación gramatical (morfológica o sintáctica), los resultados dejan de escapar a la polémica. El principal problema que plantea la integración gramatical como criterio diferenciador es que los patrones de adaptación no son tampoco unívocos. Así, no todos los préstamos consolidados adquieren una adaptación morfológica total en la lengua receptora, al tiempo que se ha demostrado que algunos casos de cambio de código cumplen también con las reglas gramaticales de la lengua matriz[8]. En suma, podemos encontrarnos con dos patrones gramaticales aparentemente contradictorios, aunque a menudo complementarios: a) la adaptación incompleta tanto de préstamos como de cambios y b) la integración sintáctica de ambos.

Por otro lado, la adaptación gramatical de los ítem extranjeros en el discurso bilingüe puede responder también, al igual que en el nivel fónico, a factores sociolingüísticos relevantes, como el prestigio de las lenguas. Algunos estudios muestran a este respecto perfiles sociolingüísticos diferentes, incluso a partir de pares de lenguas tipológicamente similares. Así, Treffers-Daller (1994) ha comprobado que en la ciudad de Bruselas, donde el francés y el flamenco gozan de un estatus

[8] Se ha advertido, por ejemplo, que las alternancias entre el francés y diversas lenguas inmigrantes en Francia suelen mostrar un grado alto de integración sintáctica, incluso con idiomas como el árabe, tipológicamente muy diferentes de la lengua francesa (L. Dabène y D. Moore 1995).

similar, los elementos léxicos de origen francés se hallan plenamente integrados morfo-fonológicamente en el discurso flamenco. Estos datos contrastan, sin embargo, con los obtenidos por Gardner-Chloros (1991) en su estudio sobre el bilingüismo social en Estrasburgo, donde el desequilibrio sociolingüístico entre el francés y la variedad vernácula del alemán hablada en Alsacia es la causante de que las palabras de origen francés conserven intacta su morfología cuando aparecen en el discurso de la otra lengua.

### 3.1.2. Críticas al criterio de la integración en la sociolingüística hispánica

En el dominio hispánico no han faltado críticas al criterio de la integración lingüística como principal elemento delimitador de los fenómenos de contacto, aunque las propuestas encerradas en dichas críticas no hayan sido siempre coincidentes. Así, y en relación inicialmente con la adaptación fonológica, ya Sobin (1976: 42) consideraba que ciertos términos ingleses, adaptados fonológicamente en el español hablado de Texas (EE.UU.), deberían interpretarse, pese a todo, como cambios de código antes que como préstamos (en el mismo sentido, véase también Appel y Muysken 1987). Por el contrario, por las mismas fechas Elías-Olivares (1976: 42) sostenía que ciertas alternancias que afectan a términos todavía no adaptados lingüísticamente, y que pertenecen a campos léxicos especializados de la cultura anglosajona dominante (comercio, ciencia, tecnología, etc.), deberían analizarse invariablemente como integrantes ya del léxico de los hablantes chicanos.

Asimismo, algunos autores han criticado el criterio de la adaptación en otros niveles del análisis, como la morfología o la sintaxis. Pfaff (1979: 298), por ejemplo, ha observado que la adaptación morfológica de categorías diferentes varía de forma notable en el español hablado en EE.UU. Así, mientras que los verbos suelen completar el proceso de integración debido a los requerimientos que imponen morfemas como el tiempo, el aspecto, la persona, el número, etc., otras clases de palabras —sustantivos, adjetivos....— no tienen las mismas exigencias estructurales y, por lo tanto, no son objeto, por lo general, de adaptaciones tan rígidas. Por su parte, Muysken (1981) ha visto que, frente a la integración morfológica completa de los verbos de origen español en el quechua, los sustantivos muestran mucha mayor flexibilidad en parcelas como la formación del plural o en la adición de afijos apreciativos.

### 3.2. *La teoría del préstamo momentáneo* (nonce borrowing)

#### 3.2.1. La caracterización del *préstamo momentáneo* de Poplack

Consciente de las dificultades que el criterio de la integración plantea a la hora de establecer fronteras nítidas entre los fenómenos del discurso bilingüe, Poplack (1988) desarrolló a partir de la segunda mitad de los años 80 una revisión de su teoría, en la que se iba a incluir un nuevo concepto como piedra angular de su esfuerzo definitorio, el llamado *préstamo momentáneo (nonce borrowing),* así como algunas distinciones importantes dentro del *cambio de código.*

Como respuesta a las críticas que sus restricciones universales al cambio de código habían suscitado (cfr. Poplack 1980, 1983), Poplack y D. Sankoff (1988) reconocen ahora que los fenómenos de hibridación lingüística son más variados de lo que inicialmente habían sospechado y que tal diversidad estructural se corresponde, a su vez, con la variabilidad contextual innata a las comunidades de habla. Por ello, el estudio de los fenómenos de contacto no puede realizarse a partir de materiales aislados, escasamente representativos y sobre todo, desconocedores de la realidad subyacente en el repertorio comunicativo de la comunidad. Como advirtiera la propia investigadora norteamericana en otro trabajo escrito por las mismas fechas:

> [...] we need to know the community patterns, both monolingual and bilingual, the bilingual abilities of the individual, and whether the context is likely to have produced speech in the code-switching mode or not (Poplack 1988).

A partir del estudio de diversas situaciones de contacto Poplack y D. Sankoff (1988) concluyen que los hablantes bilingües tienen a su disposición cuatro estrategias diferentes a través de las cuales pueden mezclar elementos lingüísticos de diversa procedencia, sin obtener por ello enunciados agramaticales, en un extremo, ni préstamos consolidados en la lengua receptora, en otro. Tales estrategias son:

a) el cambio de código fluido *(smooth switching)* en puntos de equivalencia estructural;

b) el cambio de código «balizado» *(flagged switching);*

c) la *inserción* de constituyentes, y
d) los *préstamos momentáneos (nonce borrowings).*

En lo que sigue, nos ocuparemos del alcance de este último concepto, y dejaremos para más adelante el análisis de las demás estrategias del discurso bilingüe (véase § 6.2).

Frente a los cambios de código, el *préstamo momentáneo* supone el empleo de palabras —simples, compuestas[9]— aisladas, que se encuentran integradas en la lengua receptora desde el punto de vista morfosintáctico, aunque ya no necesariamente fonológico —y aquí radica una de las diferencias respecto al criterio original de la adaptación. En los fragmentos siguientes, extraídos del *corpus* de Ottawa-Hull, Poplack señala diversos ejemplos de préstamos momentáneos en el discurso bilingüe canadiense (marcados en cursiva):

(3) Il y avait une *band* là qui jouait de la musique *steady,* puis il y avait des *games* de *ball,* puis... ils vendaient de *ice cream,* puis il y avait une grosse *beach* le monde se baignait.
(4) Il y avait toutes sortes de chambres là, tu sais là, un *dining room, living room,* un *den,* un *family room,* un *family room,* mais... mille neuf cent quatre-vingt-dix-neuf par mois.

En opinión de Poplack (1988), *préstamos momentáneos* como los que aparecen en letra cursiva en los ejemplos anteriores difieren cuantitativamente de los *préstamos establecidos* en función de diversos parámetros, principalmente: a) la frecuencia de uso en la comunidad de habla; b) el grado de aceptación en el seno de ésta, y c) el nivel de integración fonológica, que no es un requisito imprescindible para los préstamos momentáneos, aunque ocasionalmente, suele también producirse, al menos en algún grado. En todos estos parámetros, las cifras alcanzadas por los préstamos momentáneos son menores que las correspondientes a los préstamos consolidados.

Recientemente hemos aplicado estos principios a un *corpus* bilingüe español-catalán, donde algunos casos de hibridación observados podrían formar parte de este paradigma (Blas Arroyo y Tricker 2000). Por ejemplo, los enunciados siguientes, cuya lengua base es en cada

[9] Por supuesto, se incluyen aquí las lexías complejas así como otras clases de locuciones compuestas por más de una palabra, pero que, a efectos referenciales y semánticos, actúan de la misma forma que las unidades léxicas discretas.

caso el español o el catalán, contienen palabras aisladas que patrimonialmente pertenecen a la otra lengua. Su inclusión en el capítulo de préstamos espontáneos podría aventurarse a partir de argumentos diversos, como su ausencia en diccionarios u otras recopilaciones lexicográficas, o su adaptación a la gramática de la lengua receptora, proceso al que en algún caso acompaña también un cierto grado de integración fónica:

(5) ... com que jo no podia viure baix el mateix *techo* que ell.
(6) ... i tu no saps els *escándalos* que ha armat quan era jove.
(7) Límpiate con el *mocaor* (pañuelo).
(8) ¿Ya estáis *dotoreando* otra vez? (cotilleando).

En las comunidades de habla valencianas tanto los enunciados de (5) y (6), en los que la lengua base es el catalán, como los de (7) y (8), donde este papel lo desempeña el español, diversas palabras aisladas —etimológicamente pertenecientes a la otra lengua— salpican a menudo el discurso de los individuos bilingües e, incluso, en ocasiones también —aunque, lógicamente, en menor grado—, el de los monolingües. Estas unidades, correspondientes a clases léxicas (verbos, sustantivos, adjetivos, etc.), no tienen, sin embargo, una difusión amplia en la sociedad, siendo a menudo el resultado de actos idiolectales momentáneos. Ahora bien, en estos casos la congruencia gramatical queda garantizada: en ocasiones, porque las reglas morfológicas o sintácticas del español y el catalán coinciden, y en otras, mediante la adaptación lingüística de los ítem extranjeros a las normas estructurales de la lengua receptora. Así, en (6) el sustantivo plural español va precedido de la forma catalana del artículo determinado *(els)* y no de la correspondiente española *(los)*, y lo mismo ocurre en (8), donde el verbo coloquial *dotorear* se construye con el sufijo de gerundio español *(-ando)*, en lugar del catalán *(-ant)*.

En definitiva, la frontera entre préstamos *momentáneos* y *establecidos* se sitúa en el nivel del análisis en que se centra la investigación: mientras que los últimos se hallan plenamente legitimados —gramatical y socialmente— en el nivel comunitario, los préstamos momentáneos reflejan una estrategia utilizada «ocasionalmente» por los hablantes para el empleo de material ajeno a la lengua base del discurso sin necesidad de «cambiar» de lengua.

La teoría sobre el préstamo momentáneo ha sido puesta a prueba experimentalmente en investigaciones parciales sobre diversos pares de lenguas. En estos trabajos se desarrolla la idea de que los préstamos momentáneos se comportan estructuralmente de la misma forma que los ítem léxicos equivalentes de la lengua receptora y a diferencia de los verdaderos cambios de código. En palabras de D. Sankoff, S. Poplack y S. Vanniarajan (1990: 97):

> The nonce loan hypothesis, which basically states no more than that borrowing, whether nonce or established, is a phenomenon of language mixture distinct from code-switching and is operationally distinguishable as such, at least at the aggregate level...

Pese a ello, la propia investigadora norteamericana (Poplack 1988: 239) reconoce que, en ocasiones, la clasificación de fenómenos de contacto es más fácil de mantener en un nivel teórico que en el estudio de enunciados reales:

> [...] given a simple utterance containing words from two codes there is not necessarily any a priori way of distinguishing a switch from a loanword from one of the other results of language contact discussed here. What appears to be the same phenomenon may have a different status from one bilingual community to another.

Asimismo admite que no todas las formas individuales procedentes de otra lengua tienen por qué aparecer bajo el fenómeno del préstamo, ni siquiera ocasional, por lo que *«single-word code-switches are theoretically possible»* (S. Poplack, D. Sankoff y Ch. Miller 1988: 53) (la cursiva es nuestra).

### 3.2.2. Críticas a la noción de *préstamo momentáneo*

Para Myers-Scotton (1993a), probablemente la investigadora que más ha destacado en los últimos por su crítica a las tesis de Poplack, los llamados *préstamos momentáneos* son también, como los más inequívocos cambios interoracionales o intraoracionales, ejemplos palmarios de alternancia de lenguas. Desde su perspectiva, si bien tanto las formas de cambio de código —incluidos los que Poplack denomina préstamos momentáneos— como los préstamos —consolidados, para la autora anterior— se hallan sujetos a los mismos mecanismos de producción, ambos fenómenos de contacto se diferencian por un hecho fundamental: los primeros no forman parte del lexicón mental de la lengua matriz, mientras que los últimos sí. Por otro lado, esta diferencia de estatus no se manifiesta por medio de distintos niveles de integración, sino fundamentalmente a través de su frecuencia de aparición en el discurso: los enunciados que aparecen en los cambios de código tienen un valor de recurrencia bajo[10], mientras que los préstamos son mucho más frecuentes. En suma, desde esta perspectiva analítica los préstamos pertenecen a un «specifiable set from the embedded language which speakers know in some abstract sense as part of matrix language competence» (Myers-Scotton 1993b: 35). De ahí que se hallen a disposición todos los hablantes de la comunidad, incluidos los monolingües, lo que no puede decirse de los cambios de código[11].

Un punto de vista similar ha adoptado Gardner-Chloros (1991: 102) para quien si un término extranjero «is an innovation on the speaker's part, it is a code-switch». Por el contrario, si: «[...] it is frequently used in that community —whether in free variation with a native one— then it is at least on its way to becoming a loan».

Lo que lleva a esta autora a concluir la siguiente relación de contigüidad temporal —y conceptual— entre cambios de código y préstamos: «in short, a loan is a codeswitch with a full-time». Con todo, y al igual que otras estrategias lingüísticas, las alternancias pueden generalizarse y extenderse por la comunidad. Incluso, del mismo modo que los préstamos, pueden difundirse de forma irregular, adquiriendo mayor frecuencia de uso en determinados grupos de la sociedad que en otros.

A partir del análisis proporcionado por diversas investigaciones sobre otros tantos pares de contacto en el mundo (entre otros el español/quechua), Nortier y Schatz (1992) han abordado también el estatus de las palabras aisladas en el discurso bilingüe para evaluar la distinción que hace Poplack entre los préstamos momentáneos, por un lado, y los cambios de código, por otro. Para estos autores, los fenómenos de contacto obedecen a un proceso evolutivo en el que pueden observarse diversas etapas. En la primera, y desde una perspectiva meramen-

[10] Con ello, no quiere decirse, obviamente, que haya pocos ejemplos de cambio de código en el discurso bilingüe, sino tan sólo que las formas lingüísticas que se intercambian son en cada caso diferentes. Por el contrario, las formas del préstamo se repiten en el discurso de forma recurrente, ya que aparecen almacenadas en el lexicón mental del hablante.

[11] Con todo, Myers-Scotton (1993b: 204) admite que el criterio de la frecuencia no es siempre operativo. Más aún, «deciding "how much" relative frequency is "enough" is, as I admit, an arbitrary decision».

te sincrónica, no es posible distinguir materialmente entre el estatus del préstamo y el del cambio de código, ya que los mecanismos de producción que subyacen en ambos serían idénticos. En una segunda fase, más avanzada, ciertas unidades comienzan un proceso de adaptación fonológica en la lengua receptora, pero carecen todavía de integración morfológica. Con todo, es ya en la tercera, pero sobre todo en la cuarta fase, cuando las formas extranjeras se han adaptado completamente a la gramática de la otra lengua y los hablantes no son ya conscientes de su origen foráneo. En resumen: la pretendida delimitación entre diversos fenómenos estaría justificada, pero sólo desde un punto de vista diacrónico.

### 3.3. *Otras distinciones basadas en criterios pragmáticos*

La hipótesis que subyace bajo todas las tesis diferenciadoras es que préstamos y cambios de código difieren como *procesos* dentro del discurso bilingüe, aunque pueda haber semejanzas entre ambos en sus manifestaciones concretas. Así las cosas, diversos autores, pese a reconocer las dificultades conceptuales que entrañan los intentos de delimitación de los fenómenos de contacto, han intentado salvar la distinción teorética mediante la introducción de algunos criterios adicionales.

Una de las propuestas delimitadoras más conocidas es la formulada por Peter Auer (1984), uno de los sociolingüistas que más claramente han preconizado una aproximación interaccional al estudio de la hibridación lingüística, en detrimento de las interpretaciones más tradicionales y habituales (gramaticales —cfr. Poplack 1980, 1988— y macrosociolingüísticas —cfr. McClure y McClure 1988; Gal 1979; Breitborde 1983).

Auer (1984) plantea la existencia de dos tipos de *alternancia lingüística*, término genérico que abarca tanto el *cambio de código* como la *transferencia*[12]. Para este autor, la diferencia entre ambos no estriba en el grado de integración ni en la longitud de los enunciados extranjeros en el discurso de otra lengua, sino en el elemento de la interacción con el que se encuentra conectado el fenómeno de contacto. Sí éste resulta ser un elemento particular de un determinado enunciado —*v. gr.*,

[12] Término que prefiere al más tradicional de *interferencia*, que vincula sobre todo al dominio del aprendizaje de segundas lenguas.

una palabra, un sintagma, una unidad más larga, etc.— estamos ante un caso de *transferencia*. Por el contrario, si el fenómeno de alternancia incide sobre la propia estructura o marco conversacional —*v. gr.*, cambios en el cuadro participativo, el tópico de la interacción, la secuencialidad de los intercambios e intervenciones, el tono de la conversación: formal/informal, etc.— hablaríamos ya de cambio de código.

Desde esta perspectiva, pues, la extensión de los enunciados alternantes no es decisiva. Por lo que se refiere a la transferencia, ésta se reduce a menudo al nivel de la palabra, pero ni mucho menos se limita a ella, si aceptamos las tesis de Auer. Complementariamente, el hecho de que los términos léxicos aislados pertenezcan habitualmente a la categoría de la *transferencia* no impide, sin embargo, que puedan tener también repercusiones importantes en el desarrollo interaccional, y por ende, la posibilidad de su evaluación como prácticas de cambio de código.

Una aplicación entre nosotros de este modelo para el análisis de la alternancia lingüística lo ha emprendido Melissa Moyer (2000) en su investigación sobre el cambio de código entre hablantes gibraltareños[13]. A este respecto, dicha autora ha destacado el empleo estratégico que los miembros de esta pequeña comunidad de habla realizan cuando alternan entre las dos lenguas principales de su repertorio, el inglés y el español. Ocasionalmente estos cambios pueden afectar a unidades mínimas del enunciado, las cuales, sin embargo, tienen un notable valor simbólico como elementos que configuran el tono de la conversación. Así ocurre, por ejemplo, en casos como los ejemplificados en (9) mediante el uso de la partícula «¿no?» al final de turnos de palabra producidos íntegramente en inglés. Lo relevante es el hecho de que en enunciados como éste, el hablante no sólo despliega alguna de las funciones habituales de dicho marcador discursivo en español[14], sino también su deseo de marcar abiertamente la conversación como informal mediante el paso a una lengua, el español, que en el contexto gibraltareño se asocia, precisamente, con este tipo de registros:

(9) E: Se pelean entre ellos y después vamos a tomar una copita.
A: Sí, sí. I mean the thing is I got an opinion. I was talking in general *no?*
M: Right, right, right, right.

[13] Véase también Álvarez Cáccamo (2000) para el discurso bilingüe español-gallego.

[14] Las dos principales funciones de *¿no?* en el discurso son: a) obtener información del interlocutor, o b) obtener su aprobación o aquiescencia.

A veces, el empleo de este tipo de enunciados mínimos sirve para desencadenar la *convergencia* lingüística (véase tema XIII), de manera que el turno de palabra del interlocutor siguiente aparece en la misma lengua con la que el hablante anterior ha concluido su turno de habla, como se aprecia en este otro ejemplo, extraído del mismo *corpus* bilingüe:

(10) A: And the Moroccan population they live at Casemates most of the...
M: Right, Right.
A: Some of them might like me, my, my, my husband is Moroccan. But he's not Moroccan, he's French Algerian, but he's Moslem, and he, he, he is not... He doesn't live down there. He never has nor... He said that all who live down there are from the countryside, *campesinos, ¿no?*
M: *Sí, bueno...*

## 4. La «lengua base» en el discurso bilingüe

Otro problema que subyace en los intentos de distinción entre fenómenos de contacto radica en la posibilidad —o no— de distinguir una lengua base en un fragmento concreto del discurso bilingüe. La hipótesis sobre esta «lengua base» supone aceptar que existe una lengua a partir de la cual se realizan cambios «de ida y vuelta».

Appel y Muysken (1996: 181 y ss.) recuerdan la existencia de diversos puntos de vista desde los que contemplar esta cuestión teórica. Desde una óptica *psicolingüística*, por ejemplo, la lengua base sería la lengua dominante del individuo bilingüe en cuyo discurso tienen lugar los cambios de código. Por ejemplo, para un catalanohablante habitual, la práctica de la alternancia lingüística, que lleva a la inserción ocasional de enunciados en castellano en su discurso, supone un cambio desde el catalán hacia el español, con vuelta casi siempre a la primera lengua, ya que es éste el idioma en el que tienen lugar la mayoría de sus interacciones verbales. Ahora bien, este criterio puede quedar neutralizado en ocasiones por otros. Así, y por continuar con el ejemplo anterior, desde una perspectiva *sociolingüística*, pueden existir coordenadas contextuales y extralingüísticas en las que la lengua no marcada en la comunidad de habla, incluso para un catalanohablante, sea el empleo habitual del castellano. Como hemos mencionado ya en temas anteriores, en la Comunidad Valenciana muchos valencianohablantes habituales cambian al español en presencia de castellanohablantes (cfr. Blas Arroyo 1994; Gómez Molina 1998). En tales circunstancias, la lengua base de la conversación no sería ya el catalán, sino el castellano, y los cambios hacia aquella lengua irían seguidos, con toda probabilidad, de una «vuelta» al español.

A juicio de Muysken (1995: 190), sin embargo, ninguna de las respuestas anteriores es particularmente satisfactoria, lo que justificaría la apelación al criterio *gramatical* como el más satisfactorio. Si es posible afirmar que la morfología y la sintaxis de un enunciado pertenecen a una u otra lengua, cabría concluir que ésta es, precisamente, la lengua base a partir de la que tiene lugar la alternancia. En esta línea argumental, para algunos autores la lengua base es aquella a la que pertenecen los elementos claves para la organización del esquema oracional, como el determinante en el seno del SN o el verbo para el conjunto de la oración (cfr. Klavans 1985; Disciullo *et al.* 1986). Para los seguidores de la teoría generativa, cada elemento rector de la frase *(v. gr.,* verbo, preposición, auxiliar) crea una matriz estructural. Si la cadena de la rección se rompe mediante la inserción de material léxico extranjero, el elemento más alto en el árbol jerárquico es el que determina la lengua del resto del constituyente afectado.

Ahora bien, en tal caso, ¿cómo explicar que la alternancia en el siguiente enunciado tenga lugar, precisamente, a partir del verbo de la oración?:

(11) La maestra compró los *books for the children* (ejemplo tomado de Dussias 2001: 96).

La respuesta habría que buscarla en la presencia del artículo español *(los),* el cual actuaría como elemento «neutralizador» de las diferencias entre las lenguas de los dos componentes del predicado: el verbo español y el complemento directo en inglés. O dicho de otra manera, dicho artículo vendría a «castellanizar» las necesidades de subcategorización (en español) del verbo «compró».

Por último, una alternativa a la lengua base es la consideración de una gramática «convergente», o al menos parcialmente convergente para algunos subsistemas. A partir de datos del contacto inglés-español en EE.UU., Lipski (1978b) ha planteado la hipótesis sobre una «gramática compuesta» que medie entre las dos lenguas implicadas, permitiendo la codificación lingüística en más de un sistema. Esta idea ha sido desarrollada también por Romaine (1989), para quien todos los enunciados, bilingües o monolingües, se generan a partir de una serie de reglas no necesariamente iguales a las que rigen en el discurso monolingüe.

## 5. Tipologías sobre los cambios de código y aplicaciones al contexto hispánico

En los primeros estudios sobre el cambio de código hubo una tendencia a eludir el problema taxonómico, concentrando la atención únicamente en constituyentes más amplios que la palabra, como sintagmas, oraciones, turnos de palabra, etc. Durante los años 70 y buena parte de la década siguiente, muchos investigadores aceptaron, explícita o implícitamente, la idea de que sólo estas unidades extensas podrían ser consideradas como verdaderos ejemplos de cambio de código.

Pese a ello, en la bibliografía especializada suelen distinguirse diversos tipos de alternancias, a partir de la clase de elementos que se combinan en el discurso. Veamos algunos de esos tipos y sus implicaciones en aquellos discursos bilingües en los que interviene el español.

### 5.1. *Cambios tipo «etiqueta»* (tag-switches)

Se entiende por cambios tipo etiqueta —*tag-switches* en la bibliografía anglosajona— aquellos enunciados en los que la alternancia tiene por objeto ciertas unidades periféricas del discurso —aunque no por ello menos relevantes desde el punto de vista comunicativo—, como enlaces extraoracionales, marcadores discursivos, interjecciones, unidades parentéticas, rutinas conversacionales, coletillas interrogativas *(tag-questions),* etc., como las que figuran en los ejemplos siguientes, extraídos de diferentes *corpus* bilingües hispanos:

(12) Se quedó unos, *you know,* ella dijo, me voy a quedar aquí un mes... (Almeida Toribio 2000d: 193).

(13) M: *Porque* ehm my... Ethan's sister, she bought one in phase... Your're phase two *¿no?*
A: Mmmm, yeah.
M: I think she bought in phase three, and el de... la casa de ella is going to be completed at the same time as mine. *Bueno,* it's supposed to (Moyer 2000: 494).

(14) ... *y luego,* he answers from behind of me (Koike 1987: 150).

(15) *Bon dia,* venía a hablar con el vicerrector de investigación (Blas Arroyo 1993b: 231).

En (12), la lengua base es el español y el cambio tiene por objeto un de los marcadores discursivos con más alto rendimiento funcional en el inglés norteamericano *(you know)* (Schiffrin 1987). Tras éste, el discurso vuelve al español. En (13) y (14), por el contrario, la lengua principal es el inglés y el cambio tiene lugar al final de los correspondientes enunciados. En el primer caso, mediante un marcador corroborativo *(¿no?)*, característico del español y mediante el cual el hablante gibraltareño atenúa la fuerza ilocutiva de su discurso previo, al tiempo que busca la aquiescencia del interlocutor. Por su parte, (14) representa el empleo por parte del hablante de un enlace extraoracional en español, previo a la proposición siguiente en inglés. Finalmente, (15) muestra el cambio de lengua a partir de una rutina conversacional de saludo *(bon dia)*, hecho característico en algunos contextos del discurso bilingüe catalán-español en las comarcas de habla valencianas (Blas Arroyo 1993b, 1996).

Dado que estas unidades y expresiones periféricas están sujetas a restricciones sintácticas mínimas y que su carácter ritual permite la aparición frecuente en el discurso, no es extraño encontrar abundantes muestras de esta clase de cambios de código. Por ello, se trata de la alternancia que menos problemas estructurales plantea, de ahí que pueda aparecer con relativa frecuencia incluso en el habla de muchos hablantes monolingües en determinadas situaciones, como la ejemplificada por (15) (cfr. Romaine, 1989; Blas Arroyo, 1993b). De hecho, algunos autores han llamado la atención acerca del uso de alternancias de este tipo como una especie de «emblema bilingüe» en el desarrollo de intervenciones que tienen lugar, por lo demás, en otra lengua. Nosotros mismos (Blas Arroyo 1993b, 1996; Blas Arroyo y Tricker 2000) hemos advertido que este hecho explicaría la relativa frecuencia de estos usos entre hablantes cuya competencia activa es básicamente monolingüe (castellanohablante), pero que utilizan estos enunciados híbridos como una *estrategia de neutralidad (vid.* Appel y Muysken 1987), o mejor aún, como un mecanismo de *acomodación* y *convergencia* hacia el grupo mayoritario (bilingüe) y socialmente dominante en la comunidad, en momentos de cambios sociales y políticos profundos, como los que tienen lugar actualmente en algunas comunidades españolas con lengua propia. En estas regiones, la presión social favorable a la normalización social de las lenguas diferentes del castellano estimula la realización de esta clase de cambios de código entre algunos castellanohablantes, especialmente a través de ciertas rutinas conversacionales como saludos, despedidas, agradecimientos, etc., que requieren una mínima competencia activa[15] (para más detalles sobre esta cuestión, véase § 7). Los ejemplos (16) al (19) muestran algunos ejemplos adicionales, obtenidos por nosotros mismos en diversos *corpus* de habla valencianos y vascos (Blas Arroyo 1993b):

(16) *Bon dia.* ¿Podría enseñarme esos pantalones que tiene en el escaparate?
(17) *Com estem,* Paco? ¿Te fuiste por fin este fin de semana a Benicassim?
(18) *Kaixo,* ¿cómo va esa vida? (hola...).
(19) Javier, que me voy eh, *agur* (...adiós).

Por otro lado, se ha puesto también en relación la aparición de ciertos préstamos *nucleares* (véase tema XVI, § 5.3.2) en las lenguas con un proceso en el que tales elementos surgirían previamente en el discurso bilingüe bajo la forma de cambios de código que afectan a algunas unidades periféricas consideradas en este apartado[16]. En palabras de Mougeon y Beniak (1991: 209):

> [...] that sentence connectors and other kinds of discourse organizers are often reported in lists of core lexical borrowings may not be a coincidence since these items all occur at prime switching points. If this view of things is correct, then core lexical borrowing (or at least some of its manifestations) would simply be a by-product of code-switching.

En estudios sobre el francés canadiense y sobre el español chicano, Mougeon y Beniak (1991) y Silva-Corvalán (1994b) han mostrado, respectivamente, una asociación entre el uso de estos préstamos nucleares y un patrón de alternancia entre las lenguas implicadas en el contacto. Por ejemplo, ambas investigaciones han dado cuenta empíricamente de la frecuencia con que ciertos conectores del inglés se han extendido a ambas lenguas en estas comunidades bilingües. Así ocurre, por ejemplo, con el nexo consecutivo *so,* que sustituye a menudo a la locución conjuntiva *así que* en español de Los Ángeles (California), y que en palabras de Silva-Corvalán (1994b: 170): «It is a stable, widespread loan in LA Spanish.»

---

[15] Sobre las relaciones entre el lenguaje formular y el cambio de código, especialmente en la lengua infantil, véase McDowell (1982) para el contexto bilingüe español-inglés, y Litvak (1986) y Stavans (1992) entre hablantes trilingües en hebreo, español e inglés.

[16] Un proceso que contrasta con el de los préstamos *culturales,* formas que aparecen de manera mucho más abrupta en el léxico de la lengua receptora.

Asimismo, otros autores (cfr. Hill y Hill 1986, Brody 1987, 1995, Hurley 1995b) sugieren que el hecho de que estos elementos periféricos representan puntos del discurso en los que la alternancia de lenguas es frecuente podría estar en el origen del intenso préstamo posterior de toda clase de partículas españolas (conjunciones, interjecciones, marcadores discursivos, marcas de vacilación, *tags*, etc.) a las lenguas amerindias.

## 5.2. *Cambios interoracionales*

Frente a los anteriores, en los cambios *interoracionales* la alternancia ocurre en los límites de los enunciados oracionales. Por lo tanto, ahora cada oración o cláusula aparece en una lengua, de manera que el cambio a una segunda se produce a partir del límite que representan las unidades conectoras, las pausas, etc. Véanse los siguientes ejemplos, tomados de otros tantos *corpus* bilingües hispánicos:

(20) Érase una vez una linda princesita blanca como la nieve. *Her stepmother, the queen, had a magic mirror on the wall* (Almeida Toribio 2000d).
(21) Sometimes, I start in English *y termino en español* (Poplack 1980).
(22) —¿Cuál es la solución, (de) este problema? De que salen todas... Qué piensas.
—*Sex Education*. Deben de saber más (M. García 1995).
(23) Llegué a Oviedo a las once. *It was raining very hard* (D'Introno 1996).

En las situaciones de contacto entre lenguas genéticamente muy próximas, como ocurre con el español y el catalán en (24) y (25), algunas palabras formalmente idénticas o muy próximas desde el punto de vista fonético constituyen un *locus* apropiado para el cambio de lengua[17]. La *bivalencia* de estas unidades las hace especialmente aptas para dicha función *(vid.* Woolard 1999):

(24) Alberto Fabra que está en el pleno i/y *ha fet tard* (Blas Arroyo 1998).
(25) Però si arriba als puestos Ricki, i/y ja/ya va i/y *viene el camarero y le deja la botella* (Woolard 1999).

---

[17] Ya Clyne (1967) había señalado que ciertos elementos sintácticos, como los nexos, provocan en el discurso bilingüe una especie de «efecto dominó» *(trigger efect)*, ya que a partir de ellos tienen lugar con frecuencia los cambios de lengua.

Así ocurre, por ejemplo, en (24) con la conjunción copulativa, la cual difiere en la lengua escrita en catalán *(i* latina) y español *(y* griega), pero no así en la pronunciación, que es idéntica en ambos casos. Por su parte, el ejemplo de (25) es más complejo ya que, junto a la misma conjunción, aparecen otros elementos con similares dosis de bivalencia, como el hipocorístico *(Ricki)*, el adverbio (distintos también en la escritura *—ja/ya—*, pero muy próximos en la pronunciación) y el verbo *(va)*, cuyo origen podría atribuirse indistintamente a cualquiera de las dos lenguas.

Igualmente, podrían considerarse como manifestaciones adicionales de este tipo de cambios aquellos que tienen lugar en los límites de ciertas secuencias conversacionales, como turnos de palabra, pares de adyacencia, etc. Es lo que ocurre, por ejemplo, en la siguiente conversación entre dos interlocutores gibraltareños, que alternan entre el inglés y el español (citado en Moyer 2000: 490):

(26) A: Esta gente hablan inglés. Porque yo conozco un sacerdote y es de Galicia. He tra... trained, he trained in Ireland and he speaks perfect English.
M: *Sí, sí, sí, sí.*
A: ... and he he he he adores Ireland no?
M: *Claro.*
A: *Pero dice que* he loves practicing his English. Y ahora está en Tánger.

Junto a cambios interoracionales en el seno de un mismo turno («he loves practicing his English. *Y ahora está en Tánger»)*, obsérvese cómo la conversación discurre entre alternancias desde el inglés al español y viceversa en el paso de un turno de palabra a otro. Así, el hablante A comienza su primera intervención en español, pero cambia al inglés en uno de los puntos de transición oracional (... y es de Galicia. *He tra... trained...)* para concluir su turno en esta segunda lengua. Sin embargo, las breves intervenciones de M lo hacen siempre en español, lengua que A acaba retomando también al comienzo de su último turno *(Pero dice que)*.

A diferencia también de los cambios tipo *etiqueta*, la alternancia interoracional requiere ya una notable competencia activa por parte de los individuos bilingües, ya que los cambios deben respetar la gramática de ambas lenguas. Por ello no son previsibles en la actuación lingüística de los monolingües, salvo en contextos formulares y bajo una función estética o lúdica del lenguaje.

### 5.3. *Cambios intraoracionales*

Por último, los cambios de código *intraoracionales*[18] tienen lugar en el interior de los constituyentes de la oración, como podemos observar en los siguientes ejemplos:

(27) Por la noche, los siete enanitos *found her on the ground, seemingly dead* (Almeida Toribio 2000d: 184).
(28) ... la casa de ella *is going to be completed at the same time as mine* (Moyer 2000: 494).
(29) Mis padres van a venir para los *holidays* (Milian 1996).
(30) Se me hace que *I have to respect her* porque 'ta... older (Lance 1975).

En (27) y (28) la alternancia se produce entre el sujeto (español) y el predicado (inglés). Por su parte (29) muestra el cambio entre el determinante *(los)* y el sustantivo *(holidays)*[19]. Por último, el enunciado (30) ejemplifica otro caso frecuente de cambio intraoracional, como el que tiene lugar —en el presente caso, por partida doble— entre un complementante *(que, porque)* y la oración que introduce *(I have to respect her.../... older)*.

Los cambios intraoracionales suponen un riesgo sintáctico más elevado que los anteriores, lo que explica el hecho de estén presentes sólo en el habla de los bilingües más equilibrados y fluidos (cfr. Poplack 1980; López Morales 1989; Azuma 1991; Azuma y Meier 1997; Almeida Toribio 2000d). A este respecto, diversos autores han rebatido, por medio de rigurosos datos empíricos, la tesis tradicional que establecía la incompatibilidad entre un bilingüismo ideal y equilibrado, y la práctica del cambio de código, pretendida, entre otros, por pioneros en el estudio del bilingüismo como Weinreich (1953) y Lance (1975)[20]. López Morales (1989), por ejemplo, ha recordado que

[18] Como señalábamos más arriba (véase § 2), algunos autores prefieren reservar el término *mezcla de códigos (code mixing)* para aludir a esta clase de alternancias.

[19] Con todo, hay que recordar que para algunos investigadores esta clase de sustantivos aislados no son manifestaciones de cambios de código, sino de préstamos momentáneos *(vid.* Poplack 1997, y anteriormente § 3.2).

[20] Es frecuente incluir también en esta nómina al mismo Labov (1971), quien en alguno de sus primeros escritos calificaba el cambio de código como una manifestación de hibridación irregular *(irregular mixture)* de dos sistemas lingüísticos diferentes.

los bilingües más desequilibrados, esto es, aquellos que muestran un dominio claramente superior de una lengua sobre la otra, recurren, sobre todo a los cambios tipo etiqueta. Por el contrario, los bilingües equilibrados prefieren los cambios interoracionales, pero sobre todo, los de tipo intraoracional, pues no en vano requieren de una mayor competencia lingüística en ambas lenguas (véanse gráficos 1 y 2, respectivamente).

GRÁFICO 1
Tipos de cambio entre los bilingües con competencia bilingüe favorable al español

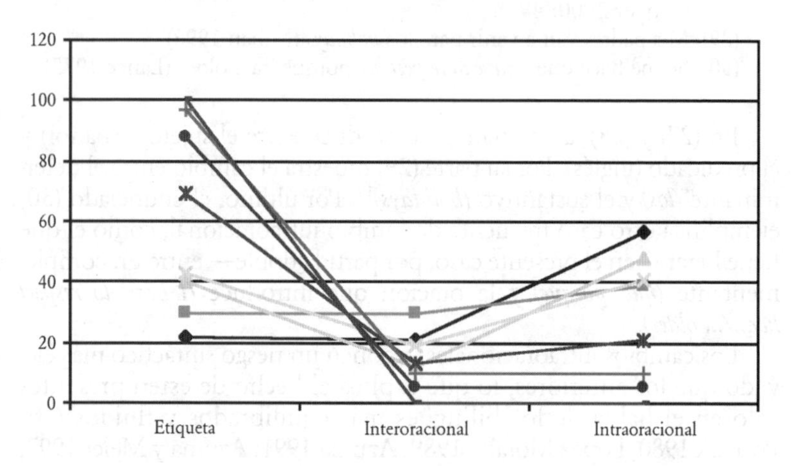


Por su parte, Almeida Toribio (2000d: 185 y ss.) ha demostrado que los hablantes bilingües más proficientes muestran un mayor control de los cambios de código interoracionales e intraoracionales, no sólo en su papel de locutores, sino también en el de receptores. Pese a que a estos hablantes no se les «enseña», obviamente, la práctica del cambio de código, suelen mostrar intuitivamente una competencia hacia la aceptabilidad y gramaticalidad de los enunciados del discurso bilingüe similar a la que podríamos encontrar entre los hablantes monolingües en relación con sus lenguas respectivas. Por ejemplo, los informantes de origen dominicano residentes en Nueva York estudiados por esta autora coinciden en su mayor parte al aceptar como posibles muestras de cambio de código las de (31) y (32), en las que se siguen las principales restricciones estructurales propuestas en la bibliografía especializada (véase más adelante § 6),

Gráfico 2
Tipos de cambio entre los bilingües
con competencia bilingüe equilibrada

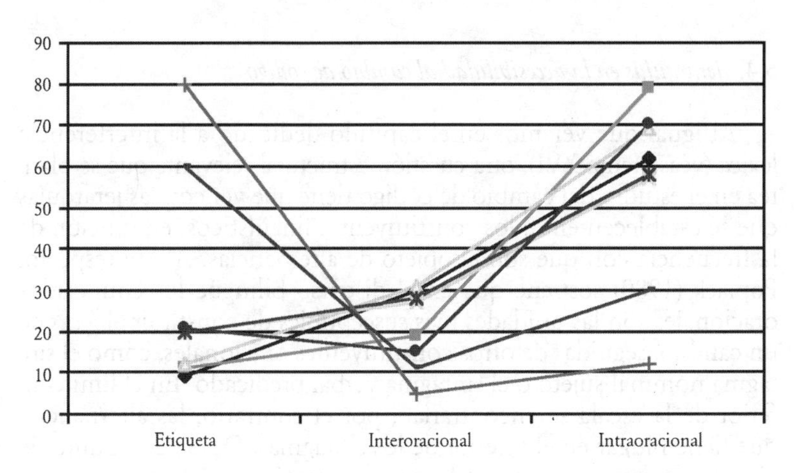


pero no las de (33) y (34), donde se violan tales restricciones. Y ello con independencia de que no encontraran respuesta alguna cuando se les pedía que justificaran sus afirmaciones, exactamente igual que ocurre con los juicios de gramaticalidad entre los hablantes de una sola lengua:

(31) Al cumplir ella los veinte años, el rey invitó *many neighboring princes to a party.*
(32) Princess Grace was sweet *y cariñosa con todos.*
(33) Very envious and evil the *reina mandó a un criado que matara a la princesa.*
(34) En la cabina vivían siete enanitos que *returned to find Snow White*[21].

Con todo, y pese a la distinción, inicialmente clara, entre los tipos de cambio reseñados en las páginas anteriores, en la práctica no siempre resulta fácil diferenciarlos en el análisis de los discursos rea-

[21] Estos resultados se han confirmado también en otros estudios sobre diversas comunidades de habla hispanas en EE.UU., donde se demuestra una correlación significativa entre la clase de cambios realizados por los hablantes y el grado de destreza en el uso de las lenguas (cfr. Wentz y McClure 1977; Poplack 1980; L. Torres 1989; Cheng y Butler 1989).

les. Por no hablar, claro está, del hecho de que todas las clases pueden aparecer al mismo tiempo, lo que puede complicar aún más su identificación.

### 5.4. *Jerarquías en la accesibilidad al cambio de código*

Al igual que veíamos en el capítulo dedicado a la interferencia léxica (véase tema XVI), otra cuestión estructural relevante que se plantea en el estudio del cambio de código tiene que ver con las jerarquías que se establecen entre los constituyentes lingüísticos, en función de la frecuencia con que son el objeto de alternancias. A este respecto, Poplack (1980) sostiene que en el discurso bilingüe los enunciados oracionales son las unidades más susceptibles de constituir el *locus* de un cambio, seguidas de otros constituyentes oracionales, como el sintagma nominal sujeto o el sintagma verbal predicado. En el límite inferior de la escala se encontrarían, por el contrario, las alternancias que tienen lugar en el interior de los sintagmas. Desde este punto de vista, pues, cuanto mayor es la jerarquía sintáctica del constituyente, mayor es la posibilidad de que represente un punto adecuado para las alternancias. De este modo, un cambio como el de (35) sería más frecuente en el discurso bilingüe que los representados por (36) y (37), ya que en el primero está implicada una cláusula oracional subordinada, mientras que en el segundo y en el tercero tan sólo lo están el sintagma nominal en función de objeto directo y el sustantivo, respectivamente:

(35) Juan dijo *that she wanted to end the class early today* (Dussias 2001).
(36) Los hombres comieron *the sandwiches* (Klavans 1985).
(37) No, la *potato* de anoche, tú acabaste con ella (Milian 1996).

Sin embargo, algunos autores han puesto en duda la validez de estas hipótesis en el análisis de otros *corpus* bilingües. Así, Berk-Seligson (1986: 325-326) ha advertido que en el contacto entre el hebreo y el judeo-español en Israel, la categoría del sustantivo es, con mucho, el constituyente más sometido a cambios. Pese a ello, hay que recordar que al menos parte de estas discrepancias obedecen a las diferencias de partida que estas investigadoras mantienen respecto a la identificación como muestras de cambio de código (Berk-Seligson) o de préstamo (Poplack) de unos mismos enunciados del discurso bilingüe.

Por otro lado, se ha señalado también que existen diferencias frecuenciales considerables en aquellas alternancias en que intervienen elementos funcionales y léxicos en función de cuál sea la unidad a partir de la cual se realiza el cambio de lengua. A este respecto, se ha escrito, por ejemplo, que un enunciado como (38), en el que la alternancia no se realiza en el límite de la palabra funcional (artículo), sino en la categoría léxica (adjetivo + sustantivo), es mucho más previsible en el discurso bilingüe que el representado por (39), donde sucede lo contrario[22]. De la misma forma, parece más fácil encontrar ejemplos de (40), donde el cambio se produce a partir de la misma oración subordinada, que de (41), donde la alternancia incluye también al nexo[23]:

(38) Es una *little box* asina y ya viene... (Lance 1975).
(39) Los hombres comieron *the sandwiches* (Klavans 1985).
(40) I'm not sayin's that *son chuecos,* yo no digo eso (Lipski 1985b).
(41) Janet dijo *that she wanted to end the class early today* (Dussias 2001).

La razón de este contraste se ha buscado en las diferencias sintácticas y léxicas existentes entre las categorías afectadas. Desde el momento en que las palabras funcionales, como el artículo o la conjunción subordinante, se hallan más constreñidas por las restricciones sintácticas de una lengua, al tiempo que su valor referencial es mucho más escaso, es poco probable que constituyan un punto frecuente para el cambio de lengua *(vid.* Muysken 1995).

Por su parte, Myers-Scotton (1993b) ha interpretado este hecho a la luz de una reciente hipótesis de raigambre psicolingüística, su *teoría sobre la lengua matriz (Matrix Language Frame Model).* Ésta se basa en la distinción dentro de todos *corpus* bilingüe entre:

a) una lengua principal o *matriz (Matrix Language),* que, en palabras de la propia autora, especifica «the morpheme order and supplies the syntactically relevant morphemes in constituents consisting of morphemes from both participating languages» (1993b: 3), y

[22] Milian (1996) señala que nada menos que un 81 por 100 de los cambios que se observan en su *corpus* bilingüe español-inglés se producen en el primer contexto, frente a tan sólo un 6 por 100 en el segundo.

[23] Estas diferencias aparecen también en diversos trabajos sobre otros tantos *corpus* bilingües español-inglés en EE.UU., como los de D. Sankoff y S. Poplack (1981), Lipski (1985b) y Dussias (2001), entre otros.

b) una lengua *incrustada (Embedded Language)*, cuyo papel en las restricciones que afectan al cambio de código es menos relevante, ya que provee a los enunciados de unidades conceptuales (no funcionales), principalmente.

La distinción entre estas unidades, que la autora denomina «morfemas del sistema» *(system morphemes)* y «morfemas de contenido» *(content morphemes)*[24], respectivamente, es también relevante, ya que afecta al modo en que estas unidades participan en el cambio de código. Así, en los enunciados bilingües los morfemas del sistema aparecen seleccionados por la lengua matriz, mientras que los morfemas conceptuales pueden pertenecer a cualquiera de ellas, incluida la lengua *incrustada*. Desde esta perspectiva teórica, se explicaría, pues, que en (38) un elemento funcional como el artículo siga las especificaciones sintácticas de la lengua matriz (en este caso el español), mientras que el sustantivo siguiente se inserta en el hueco funcional en el que se permite, ahora sí, la presencia de una categoría léxica de una segunda lengua. Por el contrario, en (39), las restricciones sintácticas que impone el modelo no son obedecidas, ya que la inserción se produce en el límite representado por un morfema del sistema (el artículo).

Para Myers-Scotton (1993b) los cambios ejemplificados en (38) o (40) representan el tipo óptimo de alternancia desde un punto de vista psicolingüístico, ya que se presume que se producen con mayor rapidez y requieren de un menor esfuerzo cognitivo que los de (39) o (41). Esta hipótesis ha sido confirmada empíricamente por Dussias (2001) en un trabajo reciente, en el que, además, se afirma que el esfuerzo cognitivo necesario para procesar el contenido de dichas frases desde la perspectiva del receptor es similar al desarrollado por el hablante para su emisión. Según esto, los oyentes bilingües son capaces de procesar los enunciados (42) y (44) con mayor rapidez —esto es, en menos tiempo— y seguridad que los de (43) y (45), respectivamente (véanse gráficos 3 y 4):

(42) La maestra compró los *books for the children.*
(43) La maestra compró *the books for the children.*
(44) Juan pensaba que *the airplane arrived at six.*
(45) Juan pensaba *that the airplane arrived at six.*

---

[24] Dicotomía próxima a la que en el discurso monolingüe se establece entre unidades funcionales (determinantes, afijos verbales y nominales, etc.) y léxicas (sustantivos, adjetivos, verbos, etc.).

GRÁFICO 3
Medias de respuesta (en milisegundos) para cambios de código entre *Determinante* y *Sustantivo,* según Dussias (2001)

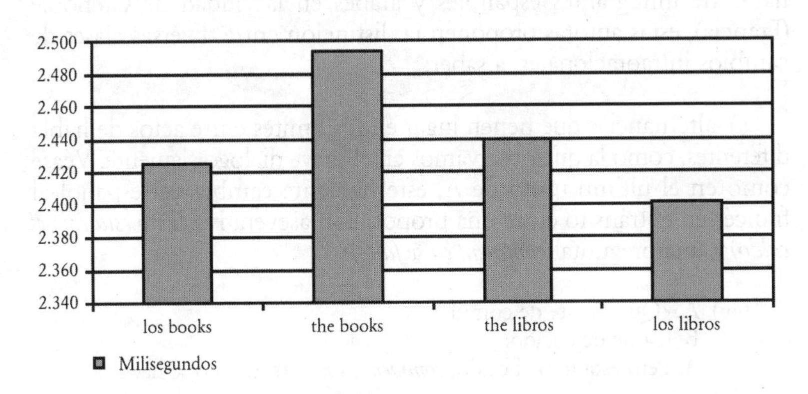


GRÁFICO 4
Medias de respuesta (en milisegundos) para cambios de código entre el *nexo* y la oración *subordinada,* según Dussias (2001)

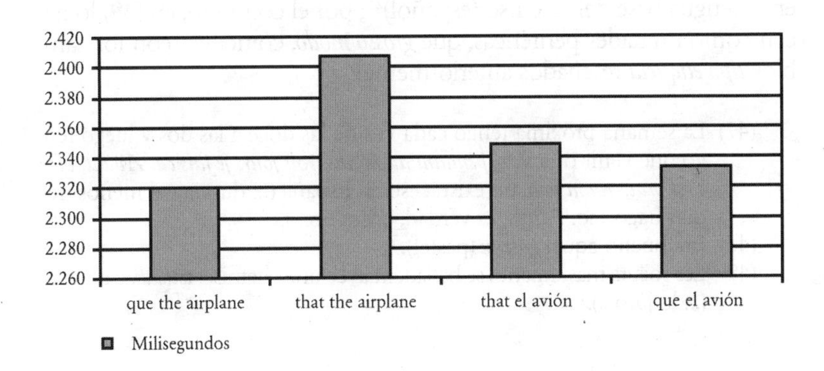


## 5.5. *Otras clasificaciones*

Junto a la tríada reseñada en las secciones anteriores, y que, como vimos, se basa en criterios básicamente sintácticos, en los últimos años se han propuesto también otros ensayos taxonómicos sobre el cambio de código, en los que lo sintáctico se combina con diversos factores de orden pragmático y discursivo.

A partir de la distinción inicial entre cambios interoracionales e intraoracionales, L. Dabène y D. Moore (1995) se han sumado recientemente a estos intentos. En su estudio sobre el discurso bilingüe en el habla de inmigrantes españoles y árabes en la ciudad de Grenoble (Francia), estas autoras proponen la distinción entre diversas clases de cambios intraoracionales, a saber:

a) alternancias que tienen lugar en los límites entre actos de habla diferentes, como la que observamos en el breve diálogo siguiente. Véase cómo en el último turno de A, este hablante cambia del español al francés en el tránsito entre una proposición aseverativa *(Pero está rojo el caldo)* y una pregunta *(comment ça se fait?):*

(46) A. ¿Qué hiciste de comida?
B. Carne de cocido.
A. Pero está rojo el caldo, *comment ça se fait?* (¿cómo se hace?);

b) alternancias que operan en el interior de un mismo acto de habla, y que a su vez, pueden afectar a unidades sintagmáticas, como en (47), o a ítem léxicos aislado, como en (48) y (49). En (48) los elementos se insertan como elementos sintácticos de la lengua fuente (francés) en la lengua base del discurso (español)[25]; por el contrario, en (49) lo hacen como unidades periféricas, que *grosso modo,* coinciden con los cambios *tipo etiqueta* reseñados anteriormente:

(47) La semana próxima tengo cada vez de las doce a las dos y luego tengo que venir otra vez, *pendant au moins trois jours je fais ça. Avant, bien c'est vrai, avant non,* no existía eso en España (... durante al menos tres días hago eso. Antes, es verdad, antes no...).
(48) Era bueno aquel *gateau* (pastel).
(49) Les soeurs masulmanes se balladent avec une chemise, *wallah,* c'est vrai! (... lo juro...).

## 6. Las restricciones lingüísticas al cambio de código

### 6.1. *Introducción*

Como recuerdan Appel y Muysken (1996), uno de los grandes problemas con los que se enfrenta una interpretación exclusivamente so-

[25] Lo que Poplack (1997) y sus seguidores considerarían, probablemente, un cambio momentáneo.

ciológica del cambio de código es el hecho de que, en el mejor de los casos, puede explicar por qué tienen lugar las alternancias y cuáles son las funciones pragmáticas o retóricas que cumplen, pero es incapaz de proporcionar claves para comprender por qué los cambios tienen lugar, precisamente, en los puntos del discurso en que lo hacen. Este hecho, explica, sin duda, el que una parte muy importante de la bibliografía acerca del cambio de código se haya detenido en la investigación de las propiedades sintácticas de los enunciados alternantes, y más concretamente, en el intento de dar respuesta a dos interrogantes complementarios: en qué puntos del enunciado es posible la mezcla de lenguas y en cuáles no.

En el desarrollo de esta línea de investigación se distinguen diversos momentos en el curso de las últimas tres décadas *(vid.* Appel y Muysken 1996). Una primera etapa, a la que pertenecen la mayoría de los estudios pioneros sobre el cambio de código en diversos *corpus* hispánicos de EE.UU., se caracterizó por una excesiva atomización de las propuestas, así como por un elevado impresionismo, ya que con no poca frecuencia se daba cuenta casi de tantas restricciones específicas como de ejemplos obtenidos en el propio discurso bilingüe.

En una de las incursiones más destacadas de esta fase, Gumperz y Hernández Chávez (1975) observaron, por ejemplo, que las posibilidades de la alternancia disminuían, e incluso llegaban a desaparecer, cuando las combinaciones de elementos alteraban la «impresión» intuitiva que los hablantes nativos tienen interiorizada acerca de los límites entre las unidades sintácticas y semánticas. Desde esta perspectiva, factores como la relativa independencia semántica o pragmática de los enunciados o su congruencia secuencial serían determinantes para la configuración de la alternancia de lenguas entre los hablantes bilingües. Por su parte, Timm (1975) proponía por entonces restricciones sintácticas del mismo orden, como la necesidad de que pertenezcan a la misma lengua los pronombres de sujeto y objeto o las formas auxiliares y principales de las perífrasis verbales (en la misma línea, véase Jacobson 1978). De este modo, entre los contextos sintácticos en los que se intuía posible la alternancia figuraban las combinaciones entre el sujeto y el predicado en construcciones copulativas, como en (50), o entre el núcleo del SN y una subordinada de relativo, como en (51). Por el contrario, cambios como los de (52), en los que la alternancia tendría que producirse entre el pronombre y el resto de la subordinada adjetiva, se advertían imposibles, al igual que aquellos entre el sujeto u objeto y el verbo principal como en (53), o entre verbo principal y verbo auxiliar en el seno de perífrasis verbales, como en (54):

(50) And my uncle Sam *es el más agabachado* (Gumperz y Hernández Chávez 1975).
(51) Those friends are friends from Mexico *que tienen chamaquitos* (Gumperz y Hernández Chávez 1975).
(52) ... que have *chamaquitos* (Gumperz y Hernández Chávez 1975).
(53) ... yo *went*/mira *him* (Timm 1975).
(54) ... they want *a venir* (Timm 1975).

Pese al interés, y al mérito indudable de estas investigaciones, que abrían un campo hasta entonces inexplorado en el estudio del discurso bilingüe, éstas planteaban algunos problemas metodológicos de entidad, ya que, junto con el análisis de enunciados concretos, obtenidos tras la grabación de conversaciones reales, los investigadores recurrían en no pocas ocasiones a entrevistas y juicios de gramaticalidad y aceptabilidad aportados por los propios informantes[26]. Desgraciadamente, estos juicios no siempre coinciden con la actuación real de los hablantes, quienes pueden no recordar cuál fue la lengua que utilizaron en un momento determinado. O incluso pueden falsear sus respuestas en situaciones en las que el cambio de código se halla estigmatizado, lo que ocurre con frecuencia. Por otro lado, los contraejemplos a las restricciones propuestas, que serían advertidos en estudios posteriores, hicieron poner en duda la validez de muchas de ellas[27].

### 6.2. *A la búsqueda de restricciones de carácter universal*

Los problemas que suscitó la bibliografía pionera sobre las restricciones al cambio de código fueron superados algunos años más tarde, ya entrada la década de los 80, mediante algunos cambios en la metodología de las investigaciones —los juicios subjetivos de los hablantes

[26] Con todo, autores como McClure (1977) y Almeida Toribio (2000d) han defendido la necesidad de estos test de aceptabilidad ya que, en su opinión, ayudan a evaluar el grado en que la práctica del cambio de código refleja la misma competencia bilingüe de los hablantes.

[27] En la práctica, hemos tenido ocasión de comprobar ya a través de los ejemplos anteriores cómo algunos de los tipos supuestamente imposibles no sólo se producen en la realidad, sino que, además, lo hacen con una frecuencia más alta que otros a los que, inicialmente, se otorgaban mayores posibilidades.

dejaban de ser un criterio discriminatorio relevante—, pero sobre todo, mediante la búsqueda de restricciones de carácter más general que las planteadas hasta ese momento.

Dentro de esta línea de investigación, que pasaría a dominar el panorama de los estudios sobre el cambio de código, han desempeñado un papel estelar las propuestas de Poplack (1980) sobre las restricciones de *morfema independiente* y *equivalencia*, respectivamente. A diferencia de los trabajos anteriores, Poplack concluía que las restricciones halladas en su estudio sobre la comunidad portorriqueña de Nueva York podrían generalizarse a otras situaciones de contacto de lengua.

### 6.2.1. La restricción de equivalencia estructural en el bilingüismo español-inglés

La hipótesis sobre la *equivalencia* estructural reza como sigue:

> Code-switches will tend to occur at points in discourse where the juxtaposition of L1 and L2 elements does not violate a syntactic rule of either language, i. e., at points around which the surface structures of the two languages map onto each other.

En el discurso bilingüe español-inglés, sin duda, el más conocido y estudiado, este principio significa que el cambio puede ocurrir, por ejemplo, entre determinantes y nombres, ya que ambas lenguas presentan las mismas reglas sintagmáticas en la combinación de dichas unidades. Sin embargo, entre el sustantivo y el adjetivo la posibilidad de la alternancia se limita a aquellos casos en los que este último precede al primero, pero no a la inversa, ya que si bien el español admite cambios en la posición de los adjetivos cualitativos, el inglés sólo acepta la anteposición (Poplack 1981).

S. Poplack y D. Sankoff (1981) observaban que las restricciones sintácticas de la alternancia son fenómenos de superficie que no pueden interpretarse en el nivel de la estructura profunda. De este modo, la estructura superficial de las dos lenguas en contacto debe combinarse para producir una gramática que proporcione oraciones gramaticales en cada lengua. Y los datos empíricos manejados por Poplack y Sankoff confirmaban, efectivamente, que la integridad sintáctica tanto del español como del inglés se mantenía en los casos de alternancia (véase gráfico 5).

Gráfico 5
Aplicación de la restricción de equivalencia
al discurso bilingüe inglés-español, según Poplack (1981)

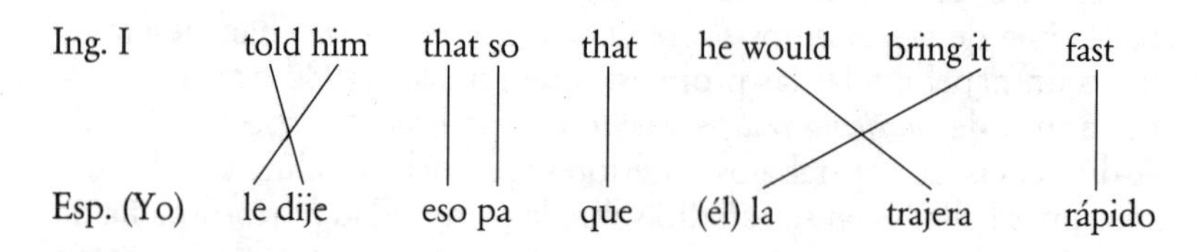


Pese a ello, el principio de equivalencia sería pronto puesto en duda por otros investigadores, a partir del hallazgo de algunos contraejemplos. Así, y contrariamente a las previsiones de autores como Pfaff (1979) o la misma Poplack (1980), acerca de la imposibilidad de conmutar entre español e inglés cuando el orden de los constituyentes en el seno del SN es adjetivo/sustantivo, Sobin (1984) mostraba algunos años más tarde resultados contrarios en un *corpus* bilingüe similar (véase también Anisman 1975). Por otro lado, investigadores como Berk-Seligson (1986) negaban que las restricciones de equivalencia estructural tuvieran validez universal, ya que en el mejor de los casos responden a las coincidencias sintagmáticas entre lenguas estructuralmente próximas, como el inglés y el español, sobre las que hasta aquel momento se había centrado la mayoría de las investigaciones sobre el cambio de código. Sin embargo, en el estudio de esta autora sobre una situación de contacto entre lenguas alejadas genéticamente como el judeo-español y el hebreo, incluso los hablantes bilingües con mayor grado de competencia en ambas lenguas violaban con frecuencia este principio, al producir oraciones que no eran gramaticales en ninguno de los dos idiomas.

Por su parte, Silva-Corvalán (1989: 184) destacaba también que, junto a los bilingües equilibrados, con un similar dominio sobre las dos lenguas, existen siempre hablantes en los que dicha competencia se halla claramente descompensada a favor de una de ellas, por lo que el tipo de cambio que realizan no sigue siempre los mismos patrones, ni se ajusta en todo momento a las restricciones propuestas por Poplack. La investigadora chilena (Silva-Corvalán 1983) es autora, por ejemplo, de un estudio sobre el cambio de código entre el inglés y el español entre bilingües de origen hispano en la ciudad de Los Ángeles cuya lengua dominante es el inglés, y entre los que se observa un porcentaje alto de sustituciones precedidas de mecanismos de corrección, así como la violación del principio de equivalencia estructural en no pocas ocasiones (véase también en el mismo sentido Valdés 1982b):

(55) *Nine* tiene ella.
(56) Esas son, este, muchachas *low class.*
(57) Entonces mi amigo que, que se, *sits in front of me,* bueno, puso...

Obsérvese cómo en (55), uno de estos hablantes altera el orden de palabras no marcado en ambas lenguas, de manera que el cambio se produce a través de una estrategia de topicalización entre el objeto directo (inglés) y el verbo (español), elementos que, al mismo tiempo, preceden al sujeto. Por su parte (56) muestra cómo la restricción que impediría el cambio de lenguas entre un sustantivo *(muchachas)* y el complemento adjetival siguiente *(low class)* —dado que en inglés la adjetivación es casi siempre antepuesta— no se aplica tampoco en los casos en que existe un fuerte desequilibrio en la competencia sobre ambas lenguas. Por último, en (57) advertimos también la alternancia entre dos elementos como el pronombre *(se)* y el verbo *(sits),* entre los que supuestamente tampoco debería realizarse el cambio de código, debido a que esta combinación opera en español, pero no en inglés.

Como reacción a estas críticas, Poplack y sus principales colaboradores reelaboraron la teoría inicial, lo que permitió distinguir, ya de forma más matizada, entre diversos fenómenos de contacto, al tiempo que se limitaba el alcance universal del principio de equivalencia a una de las clases de alternancia posibles. Como veíamos anteriormente (véase § 3.2.1), a partir de un importante estudio comparativo sobre diversas situaciones de contacto en el mundo, S. Poplack y D. Sankoff (1988) advertían que, al margen de los *préstamos consolidados,* que forman parte ya del lexicón mental, los individuos bilingües utilizan, por lo general, cuatro estrategias de hibridación lingüística diferentes: a) cambios de código fluidos *(smooth switches)* en puntos de equivalencia estructural; b) cambios de código «balizados» *(flagged switches);* c) préstamos ocasionales *(nonce borrowings),* y d) inserción de constituyentes.

La diferencia entre los dos cambios de código principales[28], la ejemplifica Poplack (1988) a través de la observación de dos situaciones

[28] Sobre los préstamos momentáneos *(nonce borrowings),* véase anteriormente § 3.2.1.

de contacto geográfico y social muy diferentes. Así, en el barrio portorriqueño de Nueva York, el cambio de código aparece como un marcador de identidad etnolingüística, es decir, como una modalidad comunicativa que inunda por doquier el discurso bilingüe, con transiciones continuas entre español e inglés, como la que se aprecia en el siguiente fragmento:

(58) But I used to eat the *bofe,* the brain. And then they stopped selling it because *tenía, este, le encontraron que tenía* worms. I used to make some *bofe! Después yo hacía uno d'esos* concoctions: the garlic *con cebolla, y hacía un mojo, y yo dejaba que se curara eso* for a couple of hours. Then you be drinking and eating that shit. Wooh! It's like eating anchovies when you're drinking. Delicious!

Obsérvese cómo en el ejemplo anterior, las transiciones entre el inglés y el español se producen en el interior de la mayoría de los constituyentes de la oración: desde la palabra aislada (to eat the *bofe),* a la cláusula subordinada (because *tenía, este, le encontraron...),* pasando por los límites sintagmáticos *(yo dejaba que se curara eso* for a couple of hours) o el mismo interior de los sintagmas (the garlic *con cebolla, d'esos* concoctions). En todos los casos, además de respetar escrupulosamente el principio de equivalencia, las alternancias se producen de manera fluida, sin estrategias compensatorias.

Sin embargo, la comunidad bilingüe de Ottawa-Hull (Canadá) difiere notablemente de la anterior en la forma de mezclar y alternar las dos lenguas implicadas en el contacto, inglés y francés (cfr. S. Poplack, D. Sankoff y Ch. Miller 1988; Poplack 1988). De hecho, sólo una parte mínima del discurso bilingüe contiene alternancias intraoracionales —las más frecuentes e idiosincrásicas en el habla de los portorriqueños— y la mayoría son cambios de código sobre los que el hablante llama la atención a través de diversas estrategias discursivas:

a) la búsqueda de la «palabra justa»:

(59) Je veux pas avoir des *dishpan hands;*

b) el comentario metalingüístico:

(60) Je m'adresse en français, pis s'il dit *«I'm sorry* comment?... ben la je je recommence en anglais;

c) la autojustificación por la supuesta falta de aptitud en una lengua, como en (61) o la repetición/traducción, como en (62):

(61) Mais je te gage par exemple que... excuse mon anglais, mais les *odds* sont là.
(62) Je suis un peu trop anglicisé, anglifié, *anglicized.*

En suma, a fin de que la alternancia consiga su objetivo interaccional y no pase inadvertida, entre los bilingües canadienses de Ottawa-Hull es necesario que el cambio de código aparezca «balizado» *(flagged)*, es decir, exactamente lo contrario de lo que ocurre entre los hablantes portorriqueños[29]. Mientras que entre los bilingües canadienses los cambios no balizados en los puntos de equivalencia estructural representan apenas un 4 por 100 del *corpus*, la proporción de alternancias balizadas entre los portorriqueños tampoco excede de una cifra similar (5 por 100). Como consecuencia de esta estrategia, la cadena hablada se interrumpe justamente en la frontera de la alternancia, lo que hace superflua cualquier condición sintáctica de gramaticalidad.

En un *corpus* bilingüe catalán-español correspondiente a las comunidades de habla valencianas (Blas Arroyo y Tricker 2000), hemos tenido ocasión de observar ambos tipos de cambio de código, si bien la alternancia fluida no muestra en nuestro caso el mismo grado de libertad advertido por Poplack entre los hablantes portorriqueños. Sirvan como ejemplo los siguientes enunciados:

(63) Entonses ella, la meua filla, estava treballant, *ella no se encontraba mala, no tenia calentura* (entonces, ella, mi hija, estaba trabajando...).
(64) ... i va passar pel meu costat i no me va conèixer i diu: *¡pero qué pelo te has cortao!...* (pasó por mi lado y no me conoció y dice...).
(65) ... i me pegave unes bronques impressionants, *vamos que era una persona inmadura...* (y me pegaba unas broncas impresionantes...).
(66) ... i estic molt orgullós, me sentà eee... *bueno medio en castellano medio en valenciano, perdóneme, muy orgulloso me siento de haber estao...* (y estoy muy orgulloso, me senté...).

[29] La autora señala como causa de estas diferencias el papel de las actitudes lingüísticas antes los fenómenos característicos del contacto de lenguas. Así, mientras que entre los portorriqueños de Nueva York el bilingüismo aparece como un elemento emblemático de su identidad, el conocimiento del inglés por parte de la población de origen francófono en Canadá no se asocia con la emergencia de ningún grupo etnolingüístico diferenciado. Sobre el tema de las actitudes hacia el cambio de código, véase anteriormente tema XI, § 7.

(67) ... estic parlant de lo que ere an, eeer *de lo que era antes el cine Capitol* (estoy hablando de lo que era...).
(68) ... recuerdos a toda Almazora *i un abraç a tots,* gracias Vicente (... un abrazo a todos...).
(69) ... que demà es el dia de Sant Valentí, *el dia de los enamorados* (que mañana es el día de San Valentín...).

A diferencia de los ejemplos (63) al (65), donde las alternancias se producen de forma espontánea, atendiendo a diversos principios discursivos —*v. gr.*, el estilo directo en (64), o la introducción de aclaraciones en (63) y (65)—, pero sin que el hablante llame la atención sobre el cambio de lengua que está realizando, los casos siguientes representan fenómenos de transición diferentes. Obsérvese, por ejemplo, cómo en (66) el hablante cambia de lengua conscientemente, tras una breve vacilación, cuando advierte que el valenciano utilizado en su alocución anterior es una opción «marcada» (cfr. Myers-Scotton 1993b) en el acto comunicativo en que tiene lugar[30]. Pero no se limita a cambiar de lengua, sino que explícitamente advierte que esa transición se está produciendo *(bueno, medio en castellano...).* Por su parte, el hablante de (67) realiza una alternancia en un punto del discurso en el que, aparentemente, sufre una «laguna» léxica que le impide completar la frase en catalán. Caso distinto al ejemplo de (68), que responde a una estrategia discursiva habitual en diversos medios de comunicación valencianos (Blas Arroyo 1996, 1998), en los que ciertos papeles institucionales, como el de presentadores y conductores de programas, cuya lengua principal es el español, acostumbran realizar conscientemente algunas rutinas conversacionales —como la de despedida en el presente caso— en catalán. Finalmente, la hablante de (69) ejemplifica con su intervención otra clase de alternancia habitual en esta comunidad de habla: aquella que se produce a partir de referencias culturales que, tradicionalmente, tienen lugar de forma preferente en castellano. Así ocurre, por ejemplo, con la alusión a «el día de los enamorados», tras nombrar a «Sant Valentí» en el entorno catalán precedente[31].

---

[30] Se trata de un programa de televisión, por lo tanto, un contexto que los hablantes interpretan como formal.

[31] Un ejemplo parecido, extraído de otro *corpus* bilingüe español esta vez en el que alternan el vasco y el español, sería el siguiente: «[...] arratsaldean ikasten dut e beste kurtso bat deitzen da *curso de adaptación pedagógica*» (He cogido otro curso a mediodía que se llama...). Obsérvese la función metalingüística del cambio de código, forzada probablemente por la escasa frecuencia con que este tipo de referencias técnicas se realizan en vasco (ejemplo citado en Turell ed. 2001: 105).

En suma, dos modos de alternancia lingüística diferentes, que en el caso de la comunidad de habla valenciana responden a objetivos estratégicos e interaccionales también diferentes.

### 6.2.2. La restricción de morfema independiente

La segunda restricción propuesta por Poplack (1980) es la de *morfema independiente*. Ésta prevé que no es posible el cambio de lengua en los límites entre un morfema ligado y un lexema, como los de (70) y (71):

(70) **run-eando* [rʌn-eándo];
(71) **cant-ing* [Kánt-iŋ];

a menos que éstos se hayan incorporado ya a la lengua receptora. Así, por ejemplo,

(72) *janguendo* [xang-eándo] (< ingl. *hanging out),*

en cuyo caso, ya no nos encontraríamos ante un verdadero cambio de código, sino ante un préstamo léxico (ocasional o consolidado, en función de su recurrencia en el discurso, véase § 3.2.1).

Ahora bien, y al igual que ocurriera con la restricción de equivalencia, algunas investigaciones posteriores, incluso en el mismo contexto bilingüe español-inglés, pusieron también en tela de juicio la validez presuntamente universal de este principio, como revelan ciertos contraejemplos que suponen una violación del mismo:

(73) El agua está *boil*-ando [boil-ando].
(74) Me está *kiss*-ando [kiss-ando][32].

Por otro lado, se ha señalado también que la condición del morfema libre es problemática cuando las variedades y lenguas entre las que se efectúan los cambios son semejantes fonológicamente. En estos casos, puede resultar difícil asegurar si ha habido o no adaptación fonológica en las combinaciones de morfemas como los anteriores. A partir de los datos proporcionados por un *corpus* bilingüe en la comunidad hispana de Los Ángeles (EE.UU.), Silva-Corvalán (1989: 184) ha

[32] Esta frase la escuchamos en boca de una niña de origen mexicano en Los Ángeles.

concluido, por ejemplo, que en numerosos casos particulares no podemos determinar con certeza si los lexemas han sido adaptados fonológicamente o no a la lengua receptora, dadas las semejanzas fonéticas que se producen en algunos contextos entre dos lenguas como el inglés y el español.

| | *Ejemplo* | *Pronunciación* | *Inglés* | *Español* |
|---|---|---|---|---|
| (75) | Sainos | [sáin + o + s] | Signs | Avisos |
| (76) | Dichamos | [dič$^h$ + ámos] | Ditch | No ir a clase |
| (77) | Yampean | [ĵ ^mp + éan] | Jump | Saltar |

La sociolingüista chilena observa que en (75), por ejemplo, la pronunciación de la raíz, *[sáin],* podría ser tanto española como inglesa. En (76), las consonantes [č$^h$] son típicamente anglosajonas, pero la vocal anterior de la terminación *(ámos)* es característicamente española. Y la misma hibridación compleja se produce en (77), donde la vocal de la raíz *(ĵ ^mp)* es inglesa, pero la consonante nasal es idéntica en ambas lenguas . Así las cosas, esta autora se pregunta lo siguiente:

> ¿En base a qué parámetros se puede determinar, por tanto, si un segmento corresponde a la fonología inglesa o a la española? ¿O debemos concluir que en estos casos no hay intercambio entre morfemas dependientes, porque la fonética inglesa se debe únicamente a un error de aprendizaje de la fonética española, como sugiere Poplack? El problema requiere ser considerado cuidadosamente pues la validez de la condición de morfema independiente está sujeta a la determinación de qué grado de integración fonológica indica si un morfema está «adaptado» o no a la fonología de una u otra lengua.

### 6.2.3. Otras propuestas teóricas basadas en el principio de dependencia

A las tesis de Poplack y sus colaboradores han seguido en el tiempo otras propuestas basadas no tanto en el principio de linealidad cuanto en el de jerarquía sintáctica. Así ocurre con aquellos autores que predicen la imposibilidad del cambio cuando dos elementos de la cadena hablada dependen uno de otro, al margen de las reglas que rijan su combinatoria en cada una de las lenguas.

Una de las teorías más refinadas en la aplicación de este modelo es la propuesta de Disciullo, Muysken y Singh (1986), quienes basan su análisis en la teoría chomskiana de la rección y el ligamento. Dicha restricción sintáctica reza así: «[...] whenever constituent X governs Y, both constituents must be drawn from the same language.»

Esta restricción predice, por ejemplo, que elementos del discurso no sometidos a estas reglas, como marcadores discursivos, exclamaciones, interjecciones, algunos adverbios, etc., pueden combinarse fácilmente. Por su parte, las unidades ajustadas a reglas de dependencia estructural pueden ser también objeto de alternancias, siempre y cuando se respeten las reglas anteriores. De este modo, la teoría predice que los complementos de un verbo o de una preposición y estas últimas categorías deben pertenecer a la misma lengua, o lo que es lo mismo, que el cambio de lengua en sus límites es imposible. Salvo que, como vimos anteriormente, intervengan elementos neutralizadores de las diferencias interlingüísticas, como los determinantes en el seno de un SN o los nexos introductorios de oraciones subordinadas, los cuales actúan «españolizando» o «anglonizando» los correspondientes sintagmas (sobre esta cuestión, véase anteriormente § 4)[33].

Woolford (1983) ha seguido también los principios de la teoría chomskiana de la rección y el ligamento para analizar la gramaticalidad de ciertos cambios que afectan a oraciones interrogativas incrustadas y a las reglas de movimiento del sujeto pronominal en el discurso bilingüe español-inglés. A su juicio, el modelo predice adecuadamente que la alternancia intraoracional no se genera a partir de una estructura arbórea mixta, sino de dos gramáticas independientes que operan al mismo tiempo. En este sentido, las dos gramáticas actúan de la misma manera que como lo hacen las gramáticas en los enunciados monolingües, con la salvedad de que ahora cada una de ellas genera tan sólo una parte de la oración. Ello explicaría, a su juicio, la imposibilidad de cambios como los siguientes:

(78) *Yo estoy not studying/*Yo no estoy studying.
(79) *the casa big/*the house chiquita.
(80) *I/yo lo bought/*I/yo it compré.

---

[33] Más recientemente Belazi *et al.* (1994) han reformulado esta teoría, limitando las restricciones a los elementos que actúan como núcleos funcionales *(Functional Head Constraint)* y no a las unidades léxicas, como el verbo. Desde esta perspectiva, los cambios no son posibles —al menos entre los bilingües más competentes, véase anteriormente § 5.3— entre algunos de estos núcleos (complementante, inflexión verbal, negación, determinante y cuantificador) y sus complementos respectivos. Por el contrario, el cambio entre el verbo y su complemento, negado por la teoría demasiado restrictiva de Disciullo *et al.* (1986), es perfectamente posible, como revela el siguiente ejemplo, ya que ninguno de los dos elementos pertenece al paradigma anterior: «They used to serve *bebidas alcohólicas en este restaurante*» (tomado de Almeida Toribio 1996: 207).

Obsérvese cómo en los tres casos se han mezclado elementos dentro de constituyentes de la oración que presentan reglas categóricas diferentes en ambas lenguas (véanse algunas enmiendas a esta teoría en D'Introno 1996: 187 y ss.).

## 7. Consideraciones sociolingüísticas en torno al cambio de código en las comunidades de habla hispánicas

Las consideraciones sobre el cambio de código que presentaremos a partir de aquí muestran una clara vinculación del fenómeno de la alternancia de lenguas con las perspectivas sociolingüística y pragmática del discurso bilingüe, o lo que es lo mismo, con las funciones discursivas y sociales que puede desempeñar. Y es que, si antes nos hacíamos eco de algunas críticas en torno a los análisis que excluyen la perspectiva sintáctica del cambio de código (Appel y Muysken 1987), es el momento de recordar que un estudio puramente gramatical de la alternancia resulta inevitablemente simplista, ya que no considera el papel de este fenómeno como una estrategia conversacional que se encuentra a la disposición de los hablantes bilingües, y —aun en ocasiones— de algunos monolingües para objetivos interaccionales muy diversos. Y ello por no hablar de otro hecho sociolingüístico no menos revelante, como es la posibilidad de que el cambio de código se convierta no sólo en un elemento idiosincrásico del repertorio verbal comunitario, sino también en un importante índice de identidad etnolingüística.

### 7.1. *La significación social de los cambios de código situacionales: entre la diglosia y la alternancia lingüística*

En una de las primeras aproximaciones sociolingüísticas al fenómeno que nos ocupa, Gumperz (1976) propuso una clasificación del cambio de código, cuyos principios seguiremos en este capítulo, y en la que se distingue inicialmente entre cambios de código *situacionales* (también llamados en ocasiones *transaccionales)* y cambios de código *no situacionales* (o *metafóricos).*

Los cambios *situacionales* surgen como consecuencia de los principios básicos del habla, tales como el tema del diálogo, las relaciones de poder/solidaridad entre interlocutores, la importancia social de las variedades lingüísticas enfrentadas, etc. Con todo, ya el propio Gumperz reconocía que este tipo de cambios podría ser identificado con el fenómeno más general de la *diglosia*. A nuestro juicio, sin embargo, bajo la modalidad de la alternancia lingüística no asistimos a la especialización funcional de las lenguas dependiendo del dominio sociolingüístico o el tema de la interacción. En las comunidades diglósicas esta jerarquización funcional permite predecir con cierto grado de aproximación la lengua que utilizará el hablante bilingüe en un ámbito determinado, lo cual no puede decirse en la mayoría de los ejemplos de cambios de código. En algunos casos, porque dicho fenómeno ha llegado a instituirse como una modalidad no marcada del discurso bilingüe y en otros, porque el recurso al cambio de código representa una estrategia discursiva con importantes efectos funcionales y retóricos (véase más adelante § 7.2).

Por otro lado, para que podamos hablar con propiedad de cambio de código es preciso que las alternancias se lleven a cabo en el seno de unidades interaccionales discretas *(v. gr.,* una conversación con amigos en el bar de la facultad). Por el contrario, la *elección de lengua* en contextos diglósicos implica el mantenimiento de la misma durante el tiempo en que perduran las mismas coordenadas situacionales y comunicativas, de manera que sólo cuando éstas se modifican, tiene lugar una nueva elección lingüística. Tomemos el ejemplo de numerosos estudiantes universitarios castellonenses, quienes en los periodos de descanso de la jornada escolar hablan generalmente entre sí en valenciano, pero cambian al castellano cuando, una vez de vuelta a clase, se dirigen a algunos profesores para la revisión de un examen o cualquier otra actividad académica[34]. En este caso, hablaríamos, pues, de especialización funcional, o si se quiere de *diglosia,* pues el cambio de lengua tiene lugar al mismo tiempo que se produce el cambio en las coordenadas situacionales y en muchos casos, sigue relacionándose con las diferencias de poder (profesor/alumno) y la formalidad (registro coloquial *vs.* registro académico).

Con todo, en estos contextos diglósicos también es posible encontrar manifestaciones de cambio de código, como las que tienen lugar

---

[34] Obviamente ello no siempre ocurre así, ya que la elección de lengua depende también de otros factores, como la adscripción lingüística del interlocutor (si el profesor es un valencianohablante que, además, imparte las clases en catalán, la lengua de la interacción seguirá siendo con toda probabilidad esta última), el tipo de estudios (los cambios de lengua son más frecuentes en las carreras científicas que en las humanísticas), etc. No obstante, si el profesor es castellanohablante la experiencia indica que el cambio de lengua es muy frecuente.

cuando un hablante se dirige alternativamente a sus interlocutores en una lengua u otra, según la identidad etnolingüística de cada uno de ellos. El caso de las comunidades de habla valencianas representa de nuevo un ejemplo paradigmático de esta posibilidad (Blas Arroyo 1993b). Como puede observarse en el fragmento conversacional siguiente, el hablante A, cuya lengua dominante es el catalán, y que utiliza en su conversación con B (también valencianohablante), pasa al español cuando se dirige a un segundo interlocutor castellanohablante. Y ello, pese a que este último posee suficiente competencia pasiva como para seguir una conversación íntregamente en catalán. Sin embargo, en estas circunstancias, y salvo que intervenga una decidida voluntad por parte de algunos hablantes fuertemente comprometidos con la normalización social de la lengua autóctona, el cambio de lengua suele ser automático[35].

(81) A (bilingüe) a B (bilingüe): A mi el cotxe que mes m'agrada, amb molta diferència, és el Sierra. L'altre dia un amic meu s'en va comprar uno.
Hablante A (bilingüe) a C (castellanohablante): *¿Por cierto sabes quién es? Rafa, el que estaba aquí el año pasado.*
Hablante A (bilingüe) a B (bilingüe): *Li va costar tan sols un milió i mig de pessetes, després de vendre el seu. Li van donar 800.000 pessetes per un cotxe que té ja cinc anys.*

### 7.2. *El cambio de código como estrategia discursiva y sociolingüística*

En los últimos tiempos diversos autores, tanto dentro como fuera de nuestras fronteras —cfr. Myers-Scotton (1993b), MacConvell (1988), Appel y Muysken (1987), Blas Arroyo (1993b, 1998), Nussbaum y Tusón (1995), Pujolar (2001), etc.—, han insistido en ver ciertas manifestaciones del cambio de código como estrategias conversacionales que encierran importantes valores discursivos y sociolingüísticos en las comunidades bilingües.

El concepto *estrategia de neutralidad*, por ejemplo, propuesto, entre otros, por Appel y Muysken (1987) da cuenta de algunos fenómenos comunicativos que se producen en el seno de las comunidades de ha-

[35] Calsamiglia y Tusón (1984) advirtieron este mismo patrón de cambio al castellano en su análisis del discurso bilingüe entre jóvenes catalanes, quienes invariablemente pasaban a esta lengua en presencia de algún interlocutor castellanohablante. Y lo mismo han señalado J. Argente y A. Lorenzo (1991) en la sociedad gallega.

bla bilingües y que, siguiendo a estos autores, podemos resumir en dos grandes apartados, a partir de la función sociopragmática principal que desempeñan:

a) la neutralización de identidades diferentes en el seno de un mismo grupo etnolingüístico, y
b) la neutralización de identidades diferentes en situaciones de comunicación intergrupal, en las que los hablantes pertenecen a agregados etnolingüísticos diferentes.

Como veremos en lo que sigue, el cambio de código se configura como una importante estrategia discursiva que puede funcionar en cualquiera de las dos categorías anteriores.

Entre los primeros en advertir el componente etnolingüístico del cambio de código en las comunidades de habla hispanas de EE.UU. figuran Lance (1975) y Hernández Chávez (1978). En sus investigaciones sobre sendas comunidades de habla chicana y portorriqueña, respectivamente, estos autores señalaron que la alternancia de lenguas responde básicamente a la evaluación realizada por los hablantes en torno a una serie de atributos, entre los que ocupa un lugar destacado la identidad étnica[36]. De ahí que en estos contextos, por ejemplo, los cambios desde el inglés hacia el español sirven para la expresión de sentimientos personales y tienen lugar preferentemente cuando la conversación gira en torno a temas relacionados con la cultura hispana. Por el contrario, los cambios desde el español hacia el inglés suelen apuntar hacia otros atributos, como la distancia emocional o la conversación sobre elementos culturales típicamente norteamericanos (música, televisión, cine, etc.).

En otro estudio temprano sobre el cambio de código entre bilingües chicanos, Rosaura Sánchez (1983) observó también la importancia de estos factores identitarios y familiares. En este trabajo, se mencionaba, por ejemplo, el caso de una joven que hablaba en español cuando se dirigía a su abuela —máxima depositaria de la herencia hispana de la familia—, pero cambiaba al inglés cuando discutía a continuación con su hermana pequeña. Por otro lado, esta investigación apuntaba también la hipótesis —refrendada en estudios posteriores— de que el cambio de código resulta más frecuente entre los miembros de segundas generaciones de inmigrantes, como un estadio

[36] Otros son el sexo, la edad, el grado de solidaridad y confidencialidad con el hablante, etc.

transitorio en el proceso de desplazamiento lingüístico hacia el inglés, que a menudo culmina en la tercera generación (véase anteriormente tema XIV)[37].

La idea de que el cambio de código contribuye a «neutralizar» identidades lingüísticas y culturales mixtas, al tiempo que desempeña una papel positivo como sistema de comunicación «neutral», se ha advertido también en otras comunidades de habla hispanas de EE.UU. (Jacobson 1978). Con todo, dicho papel es particularmente visible entre las generaciones más jóvenes, como ocurre en la comunidad de origen mexicano de Chicago *(vid.* Elías-Olivares 1995), o entre los jóvenes portorriqueños de las grandes metrópolis norteamericanas (cfr. R. Reyes 1976; Poplack 1980; L. Torres 1997). En este último caso, por ejemplo, los jóvenes portorriqueños que vuelven a la isla tras haber nacido en Nueva York continúan desplegando en su discurso muestras de alternancia lingüística, aunque esta vez, en palabras de Clachar (2000): «to display an attachment to the North American component of their ethnic background».

Estas construcciones teóricas, destinadas a dar cuenta de las estrategias con que cuentan los bilingües para «neutralizar» o «acomodar» identidades etnolingüísticas híbridas, pueden resultar útiles también para la explicación de algunos fenómenos de cambio de código que se observan entre individuos (cuasi)monolingües en comunidades de habla sometidas a cambios sociales importantes que afectan al estatus de las lenguas en contacto. En diversas regiones bilingües españolas no es infrecuente escuchar en la actualidad en boca de castellanohablantes exclusivos algunas manifestaciones de cambio de código en unidades periféricas de la conversación *(v. gr.,* expresiones de saludo, despedida, gratitud, marcadores discursivos, etc.) así como en enunciados con un fuerte contenido expresivo (palabras tabú, expresiones malsonantes, tacos, etc.), como los que advertíamos anteriormente (véanse ejemplos [16] al [19] en § 5.1). Como hemos defendido en otro lugar (Blas Arroyo 1993b) estos ejemplos de cambio de código conscientes, por parte de unos hablantes que, por lo demás, siempre se expresan en español, revelan el empleo de este recurso verbal como una estrategia de *convergencia* con el grupo que actualmente ocupa una posición ideológica y social dominante.

---

[37] No obstante, otros ejemplos sugieren que, al igual que otros fenómenos como la diglosia, el cambio de código puede actuar a favor del mantenimiento del bilingüismo *(vid.* Romaine 1989: 39).

### 7.3. *El cambio de código a la luz de la teoría de la marcación y sus aplicaciones al estudio del bilingüismo hispánico*

Las normas sociales que regulan el cambio de código pueden variar de unas comunidades de habla a otras, como han puesto de manifiesto algunos autores en el caso del bilingüismo español. Nosotros mismos hemos llamado la atención (Blas Arroyo 1996) acerca de este hecho en el estudio comparativo de dos regiones vecinas e integrantes del ámbito lingüístico catalán, como la Comunidad Valenciana y Cataluña.

A propósito de esta última, Woolard (1988) había señalado anteriormente que, en ciudades como Barcelona, se impone el empleo cuasi categórico del catalán o del español en la conversación. De ahí que fenómenos como el cambio de código —salvo algunos casos estereotipados— apenas tienen cabida en el repertorio verbal de esta comunidad. Por otro lado, la alternancia viene desaconsejada por implícitas, aunque profundas, razones psicosociales que afectan a la sociedad catalana. A diferencia de lo que ocurre con el caso valenciano, el catalán, lengua que marca los límites del grupo etnolingüístico autóctono, tiene un considerable prestigio en sí mismo. Por ello, el cambio al castellano para conseguir determinados efectos sociopragmáticos, como invocación del poder, la autoridad, la formalidad, etc., sería innecesario y hasta contraproducente.

En parecido sentido, Kerbrat-Orecchioni (1992: 881 y ss.) ha proporcionado algunos datos acerca del contexto psicosociolingüístico en el que español y catalán conviven en la actualidad en Cataluña. Según esta autora, en las ciudades catalanas las interacciones verbales entre castellanohablantes (L1) y catalanohablantes (L2) habituales se desarrollan con frecuencia de acuerdo con las siguientes reglas: en las conversaciones heterolingües, y para evitar toda reacción de rechazo entre sus interlocutores catalanófonos, es relativamente habitual que un L1 (castellanohablante) comience su discurso en catalán, incluso aunque su competencia lingüística en esta lengua sea escasa. Como es lógico, los catalanohablantes dominantes (L2) responden a su interlocutor en catalán, pese a que conocen el origen foráneo del mismo, conocimiento que viene facilitado gracias a la eficacia que, como *indicio de contextualización,* tiene el acento «extranjero». Ahora bien, generalmente llega un momento en el que se produce un cambio de lengua, cuya iniciativa corresponde al catalanohablante habitual, y que persigue facilitar la comunicación entre los participantes. La investigadora francesa añade que dicho cambio de lengua es posible sin peligro para la imagen *(face)* del catalanohablante habitual, ya que con su iniciativa de empezar la conversación en catalán su interlocutor ha reconocido, al menos implícitamente, el estatus dominante de la lengua autóctona en la sociedad catalana contemporánea y ha proporcionado suficientes pruebas de su buena voluntad[38].

Estas normas sociolingüísticas e interaccionales tienen algunos puntos en común con el contexto valenciano, pero en su mayor parte difieren. Al igual que en Cataluña, los valencianohablantes suelen cambiar al español cuando se encuentran en presencia de un interlocutor castellanohablante. Ahora bien, en el caso valenciano no hay contrapartidas similares a las del ejemplo catalán. El cambio no se produce a cambio de ningún reconocimiento implícito del estatus del catalán; en la práctica, la mayoría de los valencianohablantes nativos pasan al español exclusivamente por lo que ellos mismos consideran «cortesía» hacia su interlocutor (Blas Arroyo 1996; Gómez Molina 1998). La impresión mayoritaria entre los valencianohablantes es que hablar en la misma lengua que el interlocutor es una muestra de «deferencia», incluso cuando son conscientes de que éste «entiende el valenciano», lo que permitiría la práctica del *dualingüismo* y, por consiguiente, el mantenimiento de esta lengua en la conversación.

Las diferencias entre estos dos modelos, en los que interviene la práctica del cambio de código situacional, pueden interpretarse a la luz de la *teoría de la marcación,* que debemos a la investigadora norteamericana Carol Myers-Scotton (1993a). El modelo de esta autora descansa

[38] Con todo, la situación en Cataluña no ha sido siempre así. Como hemos indicado más arriba, Calsamiglia y Tusón (1984) vieron, en su estudio sobre el cambio de código entre jóvenes de un barrio barcelonés, que la coexistencia en el discurso de las dos lenguas no solía provocar conflictos, pero, si estos aparecían ocasionalmente, la solución desembocaba siempre en un cambio al español. Por otro lado, mientras que los catalanohablantes habituales cambiaban a menudo al español en presencia de castellanohablantes, éstos sólo pasaban al catalán para realizar referencias breves a aspectos de la vida y la sociedad catalanas, regresando inmediatamente después al español. Sobre los problemas de «acomodación» que encuentran muchos catalanohablantes en presencia de castellanohablantes, véase también O'Donnell (1991: 185), a quien pertenece la siguiente cita: «[...] Catalans often don't know how to approach Castilian speakers: whether to use Catalan immediately, at the risk of being misunderstood or seeming discourteous, or to begin the conversation in Castilian Spanish, out of practicality or "politeness". Those who choose to use Catalan in linguistically ambiguous situations also face other dilemmas: whether to be punctilious about correcting other people's Catalan (thus discouraging Castilianisms and errors) or to show a greater tolerance for poorly spoken Catalan, and thereby encourage its use.»

en un principio pragmático general y en una serie de máximas que lo desarrollan. El primero es el llamado *principio de negociación,* de raigambre griceana (Grice 1975), que da cuenta de las elecciones de lengua que realizan los hablantes. Según este principio, todas las elecciones pueden ser explicadas a partir de las motivaciones íntimas de cada hablante. Por otro lado, las máximas que lo desarrollan generan diferentes tipos de cambios de código en el discurso bilingüe, a saber:

a) CC (cambios de código) como una *secuencia de elecciones no marcadas;*
b) CC como una *elección no marcada en sí misma;*
c) CC como una *elección marcada;*
d) CC como una *elección exploratoria.*

Los dos tipos de cambios no marcados (a y b) ocurren bajo diferentes circunstancias contextuales, pero en última instancia remiten a motivos semejantes. En los casos de (a), el hablante cambia de lengua en función de las modificaciones que surgen en el cuadro comunicativo. Cuando alguno de los factores contextuales relevantes modifica el marco de la interacción verbal (cambio de interlocutor, tema, escenario, tono, etc.), el hablante puede concluir que un cambio de lengua es necesario, con el fin de ajustar las nuevas coordenadas situacionales a las elecciones «no marcadas» —esto es, más naturales, y por lo tanto más frecuentes— que rigen en la comunidad de habla. De esta manera, por ejemplo, el modelo prevé que un valencianohablante cambiará de lengua con bastante probabilidad, cuando se dirija a interlocutores de una identidad etnolingüística diferente a la suya. Por el contrario, en Cataluña ese mismo cambio, que quizá acabe produciéndose también, no lo hará probablemente de forma inmediata, sino al cabo de algunos turnos de habla adicionales. Y en todo caso, responderá a motivaciones sociales diferentes a las que determinan la alternancia en la comunidad vecina.

Frente al caso valenciano, que permite ejemplificar el primero de los tipos de cambio en la teoría de la marcación, existen otras comunidades de habla en el mundo hispánico en las que el propio hecho de la alternancia lingüística representa una estrategia comunicativa *no marcada en sí misma.* Y en este sentido también, una de sus principales señas de identidad etnolingüística. Así ocurre, por ejemplo, con el cambio de código entre las minorías portorriqueñas de algunas grandes ciudades norteamericanas, como Nueva York, como veíamos anteriormente.

Ahora bien, las alternancias pueden utilizarse también como una opción *marcada* en contextos en los que no es esperable la aparición de una determinada lengua de acuerdo con las normas sociolingüísticas imperantes en la comunidad. En estos casos, el hablante o bien persigue determinados efectos retóricos en su discurso (véase más adelante § 8), o bien actúa impulsado por un deseo de *divergencia* lingüística con su(s) interlocutor(es) (sobre este concepto, véase anteriormente tema XIII, § 4). Siguiendo con el caso valenciano, y aunque la norma interaccional predominante sigue imponiendo, como hemos visto, el cambio de lengua desde el catalán al español en contextos de filiación heterolingüe, cada vez son más frecuentes los casos de *dualingüismo*. En éstos, cada hablante mantiene su lengua en la conversación, aunque por lo general —y especialmente entre lenguas genéticamente muy próximas— la comunicación queda asegurada. Pese a ello, las motivaciones para actuar de esta manera pueden diferir entre unos grupos etnolingüísticos y otros: mientras que los castellanohablantes persisten en su cómodo monolingüismo tradicional, propiciado por unos usos comunicativos que siempre han favorecido el empleo del español, cada vez más valencianohablantes hacen valer su derecho al uso exclusivo de su lengua, con independencia de la adscripción lingüística del interlocutor.

Por último, el cambio de código *exploratorio* tiene lugar cuando los hablantes invierten los primeros turnos de su conversación en acomodarse a la lengua del interlocutor, generalmente cuando no existe un conocimiento previo entre los participantes.

En un estudio sobre el discurso bilingüe español-vasco hemos explicado también algunas muestras del cambio de código y la elección lingüística a la luz de los presupuestos de esta teoría (Blas Arroyo 1999a). El cuadro participativo en el que se desarrolla la conversación siguiente se halla integrado por miembros de una familia vasca de clase media-alta, castellanohablantes monolingües en su mayoría, y para quienes trabaja en el servicio doméstico una señora de la zona. Esta persona es bilingüe, si bien tiene el vasco como lengua materna y claramente dominante. Las conversaciones entre ella y los componentes de la familia se realizan siempre en castellano, dado que estos últimos no conocen el vasco. Sin embargo, en el episodio al que aludimos, puede observarse una sucesión de intervenciones en las dos lenguas:

(82) C1: Marian, por cierto, el otro día vi a tu hermana por la calle.
V2: ¿Sí?, ¡no me digas! Es que está pasando unos días en casa.
C1: Pues no sabía nada...
*(Entra en escena V1.)*

V2: *Kaixo Paquita, zer moduz?*
V1: Ondo, hemen, betiko martxan.
V2: Zer moduz pasa durne udara?
V1: Oso ondo, eguraldi honekin...
V2: Eta semeak?
V1: Zaharrena lanean eta bigarrena han dago, lanean hasi hahian, baina *en estos tiempos no es fácil. ¡Qué vas a hacer!....*
*(V2 continúa en vasco durante dos intervenciones más, pero finalmente pasa al castellano en la conversación con V1 y con el resto de los interlocutores)*[39].

El primer cambio, en la dirección castellano → vasco, se produce durante un breve intercambio de saludo entre la hablante bilingüe (a partir de ahora V1) y otra participante ocasional, que se había sumado poco antes a la conversación. Se trata de una persona (V2) cuya lengua materna es el castellano, pero que ha adquirido una competencia respetable en vasco en los últimos años, hasta el punto de convertirla en lengua habitual de comunicación. Ahora bien, obsérvese cómo hay un punto en el que V1 vuelve de nuevo al castellano, y ello pese a que la interlocución directa se sigue produciendo con V2, quedando el resto de los participantes como testigos (mudos) de la conversación.

¿Como se explica este nuevo cambio de lengua, esta vez en la dirección vasco → castellano? La respuesta hay que hallarla probablemente en el contexto sociolingüístico en que se desarrolla la conversación, o en los términos de la *teoría de la marcación*, en la asunción por parte de uno de los interlocutores (V1) de que el intercambio comunicativo en vasco en ese contexto supone una opción claramente *marcada*, que atenta no sólo contra los intereses de los demás participantes, sino también —aunque por otros motivos— contra los suyos propios. V1 parece ser consciente de que, en virtud de su posición jerárquica (baja) en la escala social, la conversación no puede continuar en vasco, ya que ello impediría la comprensión al resto de los interlocutores, cuyo estatus es claramente más elevado, por no hablar de las consecuencias negativas que para su propia *imagen* ello podría suponer. En suma, el desequilibrio entre los papeles sociales desempeñados por los

---

[39] V2: ¿Qué tal Paquita?
V1: Bien, aquí como siempre.
V2: ¿Qué tal habéis pasado el verano?
V1: Muy bien, con este tiempo...
V2: ¿Y los hijos?
V1: El mayor, trabajando, y el segundo intentado empezar a trabajar, *pero en estos tiempos no es fácil. ¡Qué vas a hacer!...*

diferentes protagonistas de la interacción verbal parece imponer un cambio definitivo al castellano, que acaba afectando incluso a la propia V2: tras diversos intentos por continuar la conversación en vasco, ésta termina aceptando la opción *no marcada* que representa el castellano en ese contexto interaccional.

La teoría de la marcación ha sido adoptada también ocasionalmente para la interpretación de otros ejemplos del bilingüismo hispánico. Mendieta y Cintrón (1995), por ejemplo, han acudido a sus principios para analizar las motivaciones psicosociales que llevan a algunos poetas chicanos y portorriqueños a realizar determinadas elecciones lingüísticas. Desde esta perspectiva, el uso de palabras y expresiones españolas fuertemente asociadas a la identidad étnica hispánica representa un ejemplo claro de elecciones *marcadas*. Pero junto a ellas, estos escritores exhiben un modo *no marcado* de discurso bilingüe a través, precisamente, de estrategias como el cambio de código. Una práctica comunicativa en las que coinciden con los miembros de sus respectivas comunidades de habla.

### 7.4. *La práctica del cambio de código en el medio escolar*

Por último, y antes de concluir esta sección, quisiéramos destacar también la atención dispensada en la bibliografía sociolingüística a la práctica del cambio de código como estrategia comunicativa en algunos dominios institucionales, especialmente en la esfera escolar. No en vano, la investigación sistemática del cambio de código en países como EE.UU. aparece ligada históricamente a la lucha por los derechos civiles y contra las desigualdades sociales y académicas que afectaban a algunas minorías, como la hispana (Riegelhaupt 2000: 204). Es a partir de los años 60, principalmente, cuando comienza a hablarse de educación bilingüe en las escuelas norteamericanas y por consiguiente de la introducción de otros idiomas aparte del inglés, y aun de la mezcla de éstos, en la práctica escolar. Desde entonces, diversos estudios han dado cuenta de las funciones y caracteres principales asociados al cambio de código en dicho medio. Entre estos destacamos algunos recurrentes:

a) el papel de la alternancia para mejorar el nivel de comprensión de los alumnos *(vid.* Carrasco 1981);

b) la realización de cambios contextuales —de formalidad, contenidos, etc.— en el desarrollo de las clases (cfr. Timm 1993);

c) la repetición o concurrencia alternativa de contenidos en dos lenguas diferentes para mejorar la comprensión (cfr. Zentella 1982, Milk 1990, Jacobson 1990);

d) el mismo proceso de aprendizaje, que lleva a emplear el cambio de código de forma contextualmente apropiada, tanto fuera como dentro de las clases (G. Valdés 1978);

e) las relaciones entre el cambio de código y los modelos de educación bilingüe (inmersión, submersión...) *(vid.* I. Carranza 1995);

f) las relaciones entre la alternancia como modalidad discursiva «no marcada» en la sociedad y las variedades estándares de la lengua en las que se enseña a los niños *(vid.* Zentella 1982), y *last but not least,*

g) el empleo como estrategia de ocultación por parte de los hablantes bilingües en presencia de una audiencia monolingüe (Carrasco 1984).

## 8. Funciones rétoricas y discursivas del cambio de código en las interacciones verbales

Junto a las vertientes sintáctica y sociolingüística del análisis del cambio de código, otra perspectiva que ha gozado de un notable predicamento en los últimos tiempos es la de orientación pragmático-discursiva, la cual asume que la motivación para numerosas alternancias es básicamente funcional y estilística. En este contexto, las investigaciones llevadas a cabo hasta la fecha se han centrado en el estudio de los significados retóricos que el cambio de código puede desarrollar. Definidos ya los llamados cambios *situacionales* en la clasificación de Gumperz (1976), le corresponde el turno ahora a los que este autor denomina cambios *metafóricos.*

Para Gumperz (1982: 61), los cambios metafóricos conciernen sobre todo a los efectos que el hablante desea conseguir a través de su discurso y mucho menos al marco situacional en que se produce la comunicación. En sus palabras:

> [...] en lugar de afirmar que los hablantes usan la lengua en respuesta a prescripciones fijas y predeterminadas parece más razonable asumir que construyen sus propias normas para comunicar a la audiencia información metafórica acerca de cómo deben ser entendidas sus palabras...

Lo anterior implica —y ésta es una importante diferencia respecto a muchos cambios situacionales— que los hablantes son a menudo conscientes de los alternancias que introducen y de las significaciones retóricas que esperan conseguir mediante su empleo. Por ello, el cambio de código puede funcionar en las interacciones verbales como un importante *indicio de contextualización*, a través del cual el individuo bilingüe apunta hacia el significado de determinadas unidades discursivas, como citas, ejemplificaciones, repeticiones, narraciones, etc.[40]. Indicios que un hablante monolingüe sólo puede realizar, lógicamente, mediante señales y estrategias explícitas (y en una sola lengua).

Una de las funciones discursivas más recurrentes del cambio de código es la codificación de *citas* en estilo directo. En estos casos, como en (83) y (84), el cambio de lengua sirve para introducir la voz de un participante ajeno al acto de habla y que —supuestamente— realizó su alocución en una lengua distinta a la utilizada por el hablante:

(83) Pero dijo ella: «*I'll give it some time*» (Almeida Toribio 2000d: 192).
(84) La tia va i me diu l'atre dia: *A ver si limpiamos el portal, ¡eh!* (Blas Arroyo 1993b: 230).

Con todo, las citas no siempre se realizan en la lengua en que fueron producidas originalmente (Gumperz 1982: 82), hecho que puede ser portador de interesantes significados sociales y funcionales, y que ha sido advertido también en diversos contextos del bilingüismo hispánico[41].

En ocasiones, se han incluido también dentro de los cambios metafóricos los enunciados en que aparecen fragmentos de lenguaje *fraseológico*, como refranes, máximas, locuciones y frases hechas, etc., reproducidos en una lengua diferente a la lengua base del discurso. Estos ejemplos encajan bien dentro de las alternancias cuyo objetivo fundamental es la *cualificación* del mensaje (Gumperz 1982: 79). Como señala Silva-Corvalán (1989: 181) a propósito de dicha función:

> [...] se ha propuesto que los bilingües intercambian códigos con el objeto de lograr un efecto retórico, es decir, para añadir colorido, emoción, e interés al coloquio. Con frecuencia los bilingües mismos explican que intercambian códigos porque una u otra de las lenguas ofrecen una expresión que codifica en forma más precisa y breve el mensaje que quieren comunicar.

Ésta es, precisamente, la misión del lenguaje fraseológico, al que acude el hablante bilingüe para modelar de forma más expresiva su

[40] Sobre el sentido de este concepto, véase anteriormente tema IX, § 5.
[41] Así lo han hecho, por ejemplo, Fina (1989) a partir del par español-inglés en una comunidad norteamericana, J. Argente y A. Lorenzo (1991) en su estudio sobre el cambio de código en una comunidad gallega y nosotros mismos (Blas Arroyo 1993b, 1998) en algunos trabajos sobre el contacto catalán-español en Valencia (España).

mensaje. Asimismo, podríamos incluir dentro de este capítulo numerosos cambios que afectan a muletillas, marcadores discursivos, rutinas conversaciones y, en general, a toda clase de palabras y enunciados que sirven como elementos expresivos y de apoyo en el discurso, y que constituyen a menudo un punto a partir del cual se realizan las alternancias, como han puesto de relieve diversos estudios en contextos geográficos y sociolingüísticos diferentes. Así ocurre, por ejemplo, con la conversación bilingüe en Galicia, donde, en opinión de J. Argente y A. Lorenzo (1991), el cambio de código implica a veces el uso de expresiones rutinizadas que buscan, consciente o inconscientemente, la confirmación por parte del interlocutor de las opiniones o hechos narrados por el hablante. Esta misma función interpersonal se adivina también en el discurso bilingüe español-inglés en Gibraltar *(vid.* Moyer 2000), donde, como veíamos anteriormente, ciertas partículas españolas que aparecen con frecuencia al final de los enunciados que tienen como lengua base el inglés (el caso de la interrogativa *¿no?)* se hallan íntimamente relacionadas con la negociación del acuerdo y el desacuerdo entre los participantes.

Otra función habitual del cambio de código es la que desempeñan aquellas alternancias encaminadas a repetir, en dos lenguas diferentes, partes de un mismo enunciado. Sus objetivos pueden ser diversos, como clarificar, ampliar o conferir un cierto énfasis expresivo al mensaje. Esta última función parece clara en los dos pasajes siguientes, que corresponden a un cuento infantil, y donde ciertos tópicos de la narración aparecen resaltados, precisamente, mediante el cambio de lengua:

(85) ... un príncipe, *Príncipe Charming,* estaba pasando por el bosque.
(86) ... un gran palacio, *a great palace,* y allí entonces la princesa... (ejemplos de Almeida Toribio 2000d: 192).

Como ya señalara Gumperz (1982: 78), lo relevante en estos casos es el propio hecho de la alternancia, y no tanto su valor referencial, ya que el mismo contenido es repetido, sin variaciones significativas, en ambos sistemas lingüísticos. Diferentes son, sin embargo, los casos de repeticiones en contextos discursivos institucionales, como el medio escolar, donde el cambio de lengua busca facilitar la comprensión al interlocutor. Y lo mismo sucede en algunos contextos donde existen importantes restricciones funcionales para las lenguas minoritarias, como sucede con el español en numerosas comunidades norteamericanas. Eugene García (1980) vio, por ejemplo, cómo un porcentaje muy amplio de las alternancias realizadas por las madres de origen mexicano en la comunicación con sus hijos pequeños (de entre 2 y 4 años) cumplían la función de repetir en español la información proporcionada previamente en inglés o la de traducir mensajes que el niño no había comprendido a la primera[42].

Otra situación en la que tienen lugar cambios de código aparece cuando el hablante bilingüe demuestra fallas en su competencia sobre una determinada lengua, bien sea por su falta de habilidad en el manejo de la gramática, bien sea por su desconocimiento acerca de determinados términos o expresiones en un registro determinado. A este respecto, Payrató (1985: 71) contradice las opiniones de Gumperz (1976), quien había afirmado previamente que dichos cambios no son muy frecuentes. Como recuerda el primero al referirse a numerosos catalanohablantes:

> [...] pensemos sencillamente en todos aquellos casos en que los hablantes catalanes, refiriéndose a según que términos —*v. gr.*, de carácter científico—, recurren a términos castellanos puesto que ignoran los correspondientes catalanes.

En otros casos, los hablantes pueden interpretar que ciertos temas pueden ser discutidos más apropiadamente en una lengua que en otra, o que determinadas palabras o expresiones de un idioma son semánticamente más precisas para la expresión de según qué ideas. En cualquier caso, suele tratarse de los cambios más conscientes, de manera que cuando se interroga a los hablantes acerca de las razones que les impulsa a cambiar de lengua en determinados pasajes de su discurso, la respuesta suele ser invariablemente el desconocimiento de los términos o expresiones correspondientes en el otro idioma. En un estudio acerca del cambio de código en el relato de experiencias personales a cargo de una comunidad de bilingües portorriqueños en EE.UU., L. Torres (1992) ha visto cómo entre los hablantes que muestran un claro desequilibrio competencial a favor del español, el cambio de código cumple a menudo esta función referencial, mientras que las modalidades más creativas —y arriesgadas sintácticamente— de la alternancia resultan más frecuentes entre los bilingües equilibrados.

Por último, se ha llamado también la atención sobre ciertos usos del cambio de código destinados a impresionar a la audiencia acerca

---

[42] Como contraste, los niños apenas cambiaban de lengua —menos de un 1 por 100 de los enunciados estudiados en esta investigación. Sin embargo, McClure (1977) ha encontrado numerosos ejemplos de cambio entre niños chicanos de esas mismas edades.

de las habilidades lingüísticas del hablante (Myers-Scotton y Ury 1977). Y tampoco faltan ejemplos en los que esta función *metalingüística* del cambio de código se traduce en cambios a ciertos idiomas de cultura —inglés, francés, latín...—, tanto en la lengua oral como en la lengua escrita (Payrató 1985; Appel y Muysken 1987).

# Bibliografía


AA.VV. (1999), «El español, ¿lengua muerta en nuestra profesión?», *Hispania,* 82, 2, 177-189.

ABDULAZIZ, M. (1978), «Triglossia and Swahili-English bilingualism in Tanzania», en J. Fishman (ed.), *Advances in the Study of Societal Multilingualis,* La Haya, Mouton, 129-152.

ACEVEDO, R. (2000), «Perspectiva histórica del paradigma verbal en el español de California», en A. Roca (ed.), *Research on Spanish in the United States: Linguistic Issues and Challenges,* Cascadilla, Somerville, MA Publication, 110-120.

ADORNO, W. (1973), *The attitudes of selected Mexican and Mexican American parents in regards to bilingual/bicultural education,* United States International University.

AGHEYISI, R. y FISHMAN, J. (1970), «Language attitude studies: A brief survey of methodological approaches», *Anthropological Linguistics,* 12, 137-157.

AGUIRRE, G. (1993), *Lenguas vernáculas. Su uso y desuso en la enseñanza: la experiencia de México,* México, Universidad Veracruzana, Instituto Nacional Indigenista, Gobierno del estado de Veracruz, Fondo de Cultura Económica.

ALARCOS, E. (1984), *Estudios de Gramática Funcional del Español,* Madrid, Gredos.

— (1994), *Gramática de la lengua española,* Madrid, Espasa Calpe.

ALBA, O. de (1982a), *Estratificación social del español de Santiago de los Caballeros, La /s/ implosiva,* Río Piedras, Universidad de Puerto Rico.

— (ed.) (1982b), *El español del Caribe. Ponencias del VI Simposio de Dialectología,* Santiago de los Caballeros, Pontificia Universidad Católica Madre y Maestra.

— (1988), *Variación fonética y diversidad social en el español dominicano,* Madrid, UNED.

— (1995), *Léxico disponible de la República Dominicana,* Santo Domingo, Pontificia Universidad Católica Madre y Maestra.

ALBA DE DIEGO, V. y SÁNCHEZ LOBATO, J. (1980), «Tratamiento y juventud en la lengua hablada. Aspectos sociolingüísticos», *Boletín de la Real Academiaa Española*, 95-129.

ALBÓ, X. (1995), *Bolivia plurilingüe. Guía para planificadores y educadores*, La Paz, UNICEF/CIPCA (Centro de Investigación y Promoción del Campesinado, Bolivia).

ALCINA, J. y BLECUA, J. M. (1975), *Gramática española*, Barcelona, Ariel.

ALLARD, R. y LANDRY, R. (1990), «Contact des langues et développement bilingue: un modèle macroscopique», *The Canadian Modern Language Review*, 46, 3, 527-553.

— (1994), «Subjective ethnolinguistique vitality: a comparision of two mesures», *International Journal of the Sociology of Language*, 108, 117-144.

ALMEIDA, M. (1987), *El habla de Las Palmas de Gran Canaria*, La Laguna, Universidad de La Laguna.

— (1987-1988), «Perfecto simple y perfecto compuesto en el español de Canarias», *Revista de Filología de la Universidad de La Laguna*, 6-7, 69-77.

— (1995), «Gender in Linguistic Change Processes», *Studia Neophilologica*, 67, 2, 229-235.

— (1999), *Tiempo y ritmo en el español canario: un estudio acústico*, Madrid-Frankfurt am Main, Iberoamericana-Vervuert.

— y DÍAZ-PERALTA, M. (1998), «Aspectos sociolingüísticos de un cambio gramatical: la expresión de futuro», *Estudios Filológicos*, 33, 7-22.

— y VIDAL, C. (1995-1996), «Variación socioestilística del léxico: Un estudio contrastivo», *Boletín de Filología*, 35, 49-65.

ALMEIDA TORIBIO, J. (1994), «Dialectal Variation in the Licensing of Null Referential and Expletive Subjects», en C. Parodi *et al.* (eds.), *Aspects of Romance Linguistics: Selected Papers From The Linguistic Symposium on Romance Languages XXIV (March 10-13)*, Washington D. C., Georgetown University Press, 409-432.

— (1996), «Code-switching in Generative Grammar», en A. Roca y J. Jensen (eds.), *Spanish in contact*, Cascadilla, Somerville, MA Publication, 203-226.

— (2000a), «Setting Parametric Limits on Dialectal Variation in Spanish», *Lingua: International Review of General Linguistics*, 110, 5, 315-341.

— (2000b), «Language Variation and the Linguistic Enactment of Identity among Dominicans», *Linguistics*, 38, 6(370), 1133-1159.

— (2000c), «Nosotros somos dominicanos: Language and Self-Definition among Dominicans», en A. Roca (ed.), *Research on Spanish in the United States: Linguistic Issues and Challenges*, Cascadilla, Somerville, MA Publication, 252-270.

— (2000d), «*Once upon a time*, en un lugar muy lejano...: Spanish-English Codeswitching across Fairy Tale Narratives», en A. Roca (ed.), *Research on Spanish in the United States: Linguistic Issues and Challenges*, Cascadilla, Somerville, MA Publication, 184-203.

— (2001), «On Spanish Language Decline», *Proceedings of the Annual Boston University Conference on Language Development*, 25, 2, 768-779.

ALONSO, A. (1961), *Estudios lingüísticos: temas hispanoamericanos,* Madrid, Gredos.
— y HENRÍQUEZ UREÑA, P. (1967), *Gramática castellana,* Buenos Aires, Losada.
ALTABEV, M. (1998), «The Effect of Dominant Discourses on the Vitality of Judeo-Spanish in the Turkish Social Context», *Journal of Multilingual and Multicultural Development,* 19, 4, 263-281.
ALVAR, M. (1956), «Diferencias en el habla de Puebla de Don Fadrique (Granada)», *RFE,* 40, 1-32.
— (1969a), *Estructuralismo, geografía lingüística y dialectología social,* Madrid, Gredos.
— (1969b), «Hombres y mujeres en las hablas andaluzas», en *Variedad y unidad del español,* Madrid, Prensa Española, 129-146.
— (1972), *Niveles socioculturales del español de Las Palmas,* Las Palmas, Publicaciones del Cabildo Insular.
— (1986), *Hombre, Etnia, Estado. Actitudes lingüísticas en Hispanoamérica,* Madrid, Gredos.
— (1990), «La lengua, los dialectos y la cuestión del prestigio», en F. Moreno Fernández (coord.), *Estudios sobre variación lingüística,* Alcalá de Henares, Universidad de Alcalá, 13-26.
— (ed.) (1996a), *Manual de dialectología hispánica. El español de España,* Barcelona, Ariel.
— (ed.) (1996b), *Manual de dialectología hispánica. El español de América,* Barcelona, Ariel.
— y POTTIER, B. (1983), *Morfología histórica del español,* Madrid, Gredos.
ALVARADO, E. (1978), «Condiciones sociales del español estadounidense», *Boletín de la Academia Norteamericana de la Lengua Española (BANLE),* 2-3, 41-48.
— (1982), «The Impact of English in Panama», *Word,* 33, 1-2, 97-107.
ÁLVAREZ, C. (1991), «Code-Switching in Narrative Performance: Social, Structural, and Pragmatic Function in the Puerto Rican Speech Community of East Harlem», en C. Klee y L. Ramos García (eds.), *Sociolinguistics of the Spanish Speaking World: Iberia, Latin America, United States,* Tempe, AZ, Bilingual Press/Editorial Bilingüe, 271-298.
ÁLVAREZ CÁCCAMO, C. (1983), «Cara uhna caracterización da diglosia galega. Historia e presente dunha dominación lingüística», *Grial,* 79, 23-42.
— (1991), «Language revival, code manipulation and social power in Galiza: off-record uses of Spanish in formal communicative events», en C. Klee y L. Ramos (eds.), *Sociolinguistics of the Spanish Speaking World: Iberia, Latin America, United States,* Tempe A, AZ, Bilingual Press, 41-76.
— (2000), «Para um modelo do "code-switching" e a alternância de variedades como fenómenos distintos: dados do discurso galego-português/espanhol na Galiza», en *Estudios de Sociolingüística. Linguas, sociedades e culturas,* 1, 1, 111-128.
AMASTAE, J. (1989), «Contact and Bilingualism in the Hispanic World: Reflections on the State of the Art», *Hispania,* 72, 4, 810-820.

— *et al.* (eds.) (1995), *Contemporary Research in Romance Linguistics,* Amsterdam, Benjamins.

— y Elías-Olivares, L. (1978), «Attitudes toward varieties of Spanish», en M. Paradis (ed.), *The Fourth LACUS Forum (1977),* Columbia, Carolina del Sur, Hornbeam Press, 286-302.

— y Elías-Olivares, L. (eds.) (1982), *Spanish in the United States,* Cambridge (MA), Cambridge UP.

Ammon, U. *et al.* (eds.) (1987-1988), *Sociolinguistics. An International Handbook of Science of Language and Society,* 2 vols., Berlín, Mouton de Gruyter.

Andersen, E., Brizuela, M., DuPuy, B. y Gonnerman, L. (1995), «The Acquisition of Discourse Markers as Sociolinguistic Variables: A Cross-Linguistic Comparison», en Eve V. Clark (ed.), *The Proceedings of The Twenty Seventh Annual Child Language Research Forum,* Stanford (CA), Center Study Language and Information, 1995, 61-70.

Andersen, R. (1982), «Determining the linguistic attributes of language attrition», en R. Lambert y B. Freed (eds.), *The Loss of Language Skills,* Rowley (MA), Newbury House, 83-118.

— (1993), «Four Operating Principles and Input Distribution as Explanations for Underdeveloped and Mature Morphological Systems», en K. Hyltenstam y A. Viberg (eds.), *Progression and Regression in Language: Sociocultural, Neuropsychological, and Linguistic Perspectives,* Cambridge, Cambridge University Press, 309-339.

Anisman, P. (1975), «Some Aspects of Code Switching in New York Puerto Rican English», *Bilingual Review/Revista Bilingüe,* 2, 1-2, 56-85.

Antón, M. (1994), *Sociolinguistic Aspects of Post-Nuclear Phonological Phenomena in Asturian,* tesis doctoral (edición en microficha), Amherst, University of Massachusetts.

Appel, R y Muysken, P. (1987), *Language contact and bilingualism,* Londres, Edward Arnold (trad. esp.: *Bilingüismo y contacto de lenguas,* Barcelona, Ariel, 1996).

Aracil, Ll. (1965), *Conflit linguistique et normalisation linguistique dans l'Europe nouvelle,* Perpiñán, IRSCE.

— (1982), *Papers de sociolingüística,* Barcelona, La Magrana.

Argente, J. y Lorenzo, A. (1991), «A Relevancia Social da Alternancia Lingüística», *Cadernos de Lingua,* 3, 91-109.

Argente, J. y Payrató, L. (1991), «Towards a Pragmatic Approach to the Study of Languages in Contact: Evidence from Language Contact Cases in Spain», *Pragmatics,* 1, 4, 465-480.

Argüello, F. M. (1979), «La mezcla de quechua y castellano: el caso de la *media lengua* en el Ecuador», *Lexis,* 3, 41-55.

— (1987), «Variación y cambio lingüístico en el español de Ecuador: realidad sociolingüística e implicaciones metodológicas para su investigación», en *Actas del I Congreso Internacional sobre el español de América,* San Juan, Puerto Rico, 655-665.

Ariztondo, J. (2000), «La política lingüística en la Comunidad Autónoma Vasca», en G. Bossaj y F. Báez de Aguilar (eds.), *Identidades lingüísticas en la España autonómica,* Madrid, Iberoamericana, 69-80.

ARJONA, M. (1979), «Usos anómalos de la preposición *de* en el habla popular mexicana», *Anuario de Letras,* 17, 167-184.
ARNAU, J. y BOADA, H. (1986), «Languages and School in Catalonia», *Journal of Multilingual and Multicultural Development,* 7, 2-3, 107-122.
ARNOLD, M., ROSADO, J y PENFIELD, D. (1979), «Language Choice by Bilingual Puerto Rican Children on a Picture Labeling Task», *Modern Language Journal,* 63, 7, 349-354.
ARTIGAL, J. M. (1995), *Els programes d'inmersió als territories de llengua catalana,* Barcelona, Fundació Jaime Bofill.
ATIENZA, E. (1996), «Una tipología de las interferencias catalán-castellano a partir de las producciones escritas de los estudiantes universitarios bilingües», en *Actas del Congreso Internacional de Didáctica de la Lengua y la Literatura,* Barcelona, Universidad de Barcelona, 577-582.
— *et al.* (1996), «Interferencia catalán-castellano en distintos ejercicios de traducción. A propósito de la producción escrita de estudiantes universitarios bilingües en Barcelona (UPF)», comunicación presentada en el *III Congreso Internacional de Traducción,* Bellaterra, Universidad Autónoma de Barcelona.
ATTINASI, J. (1983), «Language Attitudes and Working Class Ideology in a Puerto Rican Barrio of New York», *Ethnic Groups,* 5, 1-2, 55-78.
— (1985), «Hispanic Attitudes in Northwest Indiana and New York», en L. Elías-Olivares *et al.* (eds.), *Spanish Language and Public Life in the USA,* Nueva York, Mouton de Gruyter, 27-58.
AUER, P. (1984), *Bilingual conversation,* Amsterdam, Benjamin Publishers.
AUSTIN, J. *et al.* (1997), «The Acquisition of Spanish Null and Overt Pronouns: Pragmatic and Syntactic Factors», *Cornell Working Papers in Linguistics,* 15, 160-177.
ÁVILA, R. (1988), «Lengua hablada y estrato social: un acercamiento léxico-estadístico», *Nueva Revista de Filología Hispánica (NRFH),* 36, 131-148.
— (1991), «Sobre semántica social: conceptos y estratos en el español de México», *Estudios Sociológicos* (México), 9, 26, 279-314.
— (1994), «Sociosemántica: Referentes sustantivos y verbales en el habla culta y popular de la ciudad de México», *Nueva Revista de Filología Hispánica (NRFH),* 42, 2, 415-458.
ÁVILA JIMÉNEZ, B. (1995), «A Sociolinguistic Analysis of a Change in Progress: Pronominal Overtness in Puerto Rican Spanish», *Cornell Working Papers in Linguistics,* Ithaca (NY), Cornell University Press, 13, 25-47.
AZEVEDO, M. (1984), «The Reestablishment of Catalan as a Language of Culture», *Hispanic Linguistics,* 1, 2, 305-330.
AZORÍN, D., MARTÍNEZ, M.ª A. y SANTAMARÍA, M.ª I. (1999), «Léxico y creación lexica en un corpus oral de lenguaje juvenil», en J. Fernández González *et al.* (eds.), *Lingüística para el siglo XXI,* vol. I, Salamanca, Ediciones de la Universidad de Salamanca, 217-227.
AZUMA, S. (1991), «Two Level Processing Hypothesis in Speech Production: Evidence from Intrasentential Code-Switching», *Papers from the Regional Meetings, Chicago Linguistic Society,* 27, 1, 16-30.

— y Meier, R. (1997), «Open Class and Closed Class: Sentence-Imitation Experiments on Intrasentential Code-Switching», *Applied Psycholinguistics,* 18, 3, 257-276.

Azurmendi, M.ª J. (1982), *Elaboración de un modelo para la descripción del bilingüismo y su aplicación parcial en la comarca de San Sebastián,* San Sebastián, Caja de Ahorros Provincial de Guipúzcoa.

Azurmendi, M. (1998), *La herida patriótica: la cultura del nacionalismo vasco,* Madrid, Taurus.

Bacon, S. y Finnemann, M. (1992), «Sex Differences in Self-Reported Beliefs about Foreign-Language Learning and Authentic Oral and Written Input», *Language Learning,* 42, 4, 471-495.

Badia i Margarit, A. (1969), *La llengua dels barcelonins. Resultat d'una enquesta sociológico lingüística,* I, Barcelona, Edicions 62.

— (1977), «Lenguas en contacto: bilingüismo, diglosia, lenguas en convivencia», en M. Alvar (ed.), *Comunicación y lenguaje,* Madrid, Karpos, 109-133.

— (1979), «Actituds populars davant el purisme idiomàtic», en *Miscel.lània Aramon i Serra I,* Barcelona, Curial, 27-37.

— (1981), «Peculiaridades del uso del castellano en las tierras de lengua catalana», *Actas del I Simposio para profesores de Lengua y Literatura Españolas,* Madrid, Castalia, 11-31.

Baetens-Beardsmore, H. (1982), *Bilingualism: Basic Principles,* Clevedon, Avon, Multilingual Matters.

Báez de Aguilar, F. (1997), *El conflicto lingüístico de los emigrantes castellanohablantes en Barcelona,* Málaga, Servicio de Publicaciones de la Universidad.

Bailey, B. (2000), «Social/Interactional Functions of Code Switching among Dominican Americans», *Pragmatics,* 10, 2, 165-193.

Baker, C. (1992), *Attitudes and Language,* Clevedon, Multilingual Matters.

Bakker, P. (1995), «Notes on the Genesis of Calo and Other Iberian Para-Romani Varieties», en Y. Matras (ed.), *Romani in Contact: The History, Structure, and Sociology of a Language,* Amsterdam, John Benjamins Publishing Co., 125-150.

Barca, A. *et al.* (1990), «La estructura cognitiva de los niños bilingües y no bilingües: un estudio diferencial», *Revista de Psicología General y Aplicada,* 43, 1, 97-104.

Barker, V., Giles, H., Noels, K., Duck, J., Hecht, M. y Clement, R. (2001), «The English-Only Movement: A Communication Analysis of Changing Perceptions of Language Vitality», *Journal of Communication,* 51, 1, 3-37.

Barnach-Calbó, E. (1990), «El bilingüismo y la minoría hispana en Estados Unidos», *Revista Española de Estudios Norteamericanos,* 3, 105-112.

Baron, D. (1986), *Grammar and Gender,* New Haven (CT), Yale University Press.

Barrenechea, A. y Alonso, A. (1977), «Los pronombres personales sujeto en el español hablado de Buenos Aires», en J. Lope Blanch (ed.), *Estudios sobre el español hablado en las principales ciudades de América,* México, Universidad Nacional Autónoma de México, 333-349.

Barrientos, J. y Aima, S. (2001), «Logros y desafíos en el proceso de normalización de las lenguas originarias de Bolivia», en Comisión Nacional de

Bilingüismo (CNB)/LINGUAPAX (eds.), *Desafíos de la educación intercultural bilingüe en el tercer milenio. IV Congreso Latinoamericano de Educación Intercultural Bilingüe, Asunción, 6-9 de noviembre de 2000,* Asunción (Paraguay), Comisión Nacional de Bilingüismo, Ministerio de Educación y Cultura (MEC), Proyecto MEC-BID, LINGUAPAX, Organización de las Naciones Unidas por la Educación, la Ciencia y la Cultura (UNESCO), 247-252.

BARRIGA, R. (1985-1986), «La producción de oraciones relativas en niños mexicanos de seis años», *Nueva Revista de Filología Hispánica,* 34, 1, 108-155.

BARRIOS, G. (1996), «Marcadores lingüísticos de etnicidad», *International Journal of the Sociology of Language,* 117, 81-98.

BARTOLOMÉ, L. y MACEDO, D. (1999), «(Mis)Educating Mexican Americans through Language», en T. Huebner y K. Davis (eds.), *Sociopolitical Perspectives on Language Policy and Planning in the USA,* Amsterdam, John Benjamins, 223-241.

BARTOS, L. (1987), «Síntomas de fragmentación del español en Hispanoamérica», *Études Romanes de Brno,* 18, 27-35.

BASCUR, S. (1995), *The Relationship among Language Learning Strategies, Sex, Language Learning Styles, Career Choice, and Spanish Language Achievement,* tesis doctoral, University of Alabama.

BASTARDAS, A. (1985), *Bilingüització de la segona generació immigrant,* Barcelona, La Magrana.

— y SOLER, J. (eds.) (1988), *Sociolingüística i llengua catalana,* Barcelona, La Magrana.

BATCHELER, R. y POUNTAIN, C. J. (1992), *Using Spanish: a guide to contemporary usage,* Cambridge, Cambridge University Press.

BAUHR, G. (1989), *El futuro en* vé e ir a+infinitivo *en el español peninsular moderno,* Gotemburgo, Universidad de Gotemburgo.

— (1992), «Sobre el futuro cantaré y la forma compuesta voy a cantar en español moderno», *Moderna Sprak,* 86, 1, 69-79.

BAUMEL, S. (1996), *Mexican-Spanish in Houston, Texas: A Study of Language Contact and its Effects on Overt Subject Pronouns,* Gainesville, University of Florida.

BAYLEY, R. (1999), «The Primacy of Aspect Hypothesis Revisited: Evidence from Language Shift», *Southwest Journal of Linguistics,* 18, 2, 1-22.

— y PÉREZ-ÁLVAREZ, L. (1997), «Null pronoun variation in Mexican-descent children's narrative», *Language Variation and Change,* 9, 349-371.

BEARDSLEY, T. (1982), «Spanish in the United States», *Word,* 33, 1-2, 15-28.

BECKER, H. (1973), *Outsiders: Study in the sociology of deviance,* Nueva York, The Free Press.

BEDMAR, M.ª J. (1992), «Progresión de soluciones aspiradas de -s implosiva en la provincia de Ciudad Real», en *Actas del II Congreso Internacional de Historia de la Lengua Española,* 2, 61-70.

BELAZI, H., RUBIN, E. y ALMEIDA TORIBIO, J. (1994), «Code-switching and X-bar theory: the functional head constraint», *Linguistic Inquiry,* 25, 221-237.

BELL, A. (1984), «Language style as audience design», *Language in Society,* 13, 145-204.

BENÍTEZ, P. (1992a), «Disponibilidad léxica en la zona metropolitana de Madrid», *Boletín de la Academia Puertorriqueña de la Lengua Española*, 1, 1, 71-102.
— (1992b), «Niveles socioculturales y disponibilidad léxica», Alcalá de Henares, Universidad de Alcalá, Ms.
BENTIVOGLIO, P. (1980-1981), «El dequeísmo en Venezuela: ¿un caso de ultracorrección?», *Boletín de Filología de la Universidad de Chile*, 31, 705-719.
— (1987), *Los sujetos pronominales de primera persona en el habla de Caracas*, Caracas, Universidad Central de Venezuela.
— (1988), «La posición del sujeto en el español de Caracas: Un análisis de los factores lingüísticos y extralingüísticos», en R. Hammond y M. Resnick (eds.), *Studies in Caribbean Spanish Dialectology*, Washington D.C., Georgetown University Press, 13-23.
— (2003), «Las construcciones "de retoma" en las cláusulas relativas: un análisis variacionista», en F. Moreno Fernández *et al.* (eds.) (2003), *Lengua, variación y contexto. Estudios dedicados a Humberto López Morales*, II, Madrid, Arco/Libros, 507-520.
— y D'INTRONO, F. (1977), «Análisis sociolingüístico del dequeísmo en el habla de Caracas», *Boletín de la Academia Puertorriqueña de la Lengua Española*, 6, 1, 58-82.
— y SEDANO, M. (1992), «El español hablado en Venezuela», *HPEA*, 790-815.
— (1999), «Actitudes lingüísticas hacia distintas variedades dialectales del español latinoamericano y peninsular», en *Identidad cultural y lingüística en Colombia, Venezuela y en el Caribe hispánico*, 135-159.
BEREITER, C. y ENGELMAN, S. (1966), *Teaching Disadvantaged Children in the Preschool*, Englewood Cliffs (NJ), Prentice-Hall.
BERGEN, J. (ed.) (1990), *Spanish in the United States: Sociolinguistic Issues*, Washington D.C., Georgetown University Press.
BERK-SELIGSON, S. (1984), «Subjective Reactions to Phonological Variation in Costa Rican Spanish», *Journal of Psycholinguistic Research*, 13, 6, 415-442.
— (1986), «Linguistic Constraints on Intrasentential Code-Switching: A Study of Spanish/Hebrew Bilingualism», *Language in Society*, 15, 3, 313-348.
BERNAL-ENRÍQUEZ, Y. (2000), «Factores socio-históricos en la pérdida del español del suroeste de los Estados Unidos y sus implicaciones para la revitalización», en A. Roca (ed.), *Research on Spanish in the United States: Linguistic Issues and Challenges*, Cascadilla, Somerville, MA Publication, 121-136.
BERNARDO, D. y RIEU, B. (1977), «Diglòssia a Catalunya Nord», *Treballs de Sociolingüística Catalana (TSC)*, 1, 55-62.
BERNSTEIN, B. (1961), «Social structure, language and learning», en *Educational Research*, 3, 163-176.
— (1972), «Social Class Differences in the Relevance of Language to Socialization», en J. A. Fishman (ed.), *Advances in the Sociology of Language (II) Selected Studies and Applications*, La Haya, Mouton, 126-149.
BERSCHIN, H. (1987), «Futuro analítico y futuro sintético en el español peninsular colombiano», *Lingüística Española Actual*, 9, 101-109.

BERTOLOTTI, V. (1999), «El imperfecto de subjuntivo: aspectos diacrónicos y sincrónicos» (manuscrito inédito), Montevideo, Universidad de la República.

BETANCOURT, A. (1991), «Sonorización de *-s:* ¿un caso de rotacismo en Antioquía?», *Lingüística y Literatura,* 12, 7-14.

BETANCOURT, R. (1976), «Sex Differences in Language Proficiency of Mexican-American Third and Fourth Graders», *Journal of Education,* 158, 2, 55-65.

BIAIN, I. (2000), «Situación actual de la educación bilingüe en la Comunidad Foral de Navarra», en M. Siguan (coord.), *La educación bilingüe,* Barcelona, Horsori, 81-94.

BIERBACH, C. y NEU-ALTENHEIMER, I. (1988), «Table Ronde», en *Situations de diglossie,* 108-156.

— y REIXACH, M. (1988), «Katalonien», en U. Ammon, N. Dittmar y K. Mattheier (eds.), *Sociolinguistics. A Handbook of the Science of Language and Society,* 2 vols., Berlín, Nueva York, Mouton de Gruyter, 1324-1334.

BILLS, G. (1989), «The US Census of 1980 and Spanish in the Southwest», *International Journal of the Sociology of Language,* 79, 11-28.

— (1997), «New Mexican Spanish: Demise of the Earliest European Variety in the United States», *American Speech,* 72, 2, 154-171.

BIONDI, E. (1992), «El uso de (p) en el habla española de los inmigrantes de origen árabe en la Argentina», *Hispanic Linguistics,* 1992, 5, 1-2, 143-168.

BLAKE, R. (1988), «Sound Change and Linguistic Residue: The Case of (f-) > (h-) > /(ø)/», *Georgetown University Round Table on Languages and Linguistics,* 53-62.

BLANCO, A. (1995), *Análisis fonético de una red social de Alcalá de Henares,* tesina inédita, Alcalá de Henares.

— (1999), «Presencia/ausencia de sujeto pronominal de primera persona en español», *Español Actual,* 72, 31-39.

BLAS ARROYO, J. L. (1992), «Consecuencias del contacto de lenguas en el español de Valencia», *Español Actual,* 57, 81-100.

— (1993a), *La interferencia lingüística en Valencia (dirección: catalán → español). Estudio sociolingüístico,* Castellón, Universitat Jaume I.

— (1993b), «Perspectiva sociofuncional del cambio de código. Estado de la cuestión y aplicaciones a diversos casos del bilingüismo peninsular», *Contextos,* XI/21, 221-263.

— (1994a), «La comunidad de habla. Caracterización sociolingüística del concepto y aplicaciones posibles para la descripción del bilingüismo peninsular», *Bilingual Review/Revista Bilingue,* 19, 1, 9-24.

— (1994b), «Valenciano y castellano. Actitudes lingüísticas en la sociedad valenciana. Estudio sobre una comunidad urbana», *Hispania,* 77, 1, 143-155.

— (1994-1995), «*Tú* y *usted:* dos pronombres de cortesía en el español actual. Datos de una comunidad peninsular», *Estudios de Lingüística,* 10, 21-44.

— (1995), «Los pronombres de tratamiento y la cortesía», *Revista de Estudios Hispánicos* (Universidad de Puerto Rico), XXII, 439-466.

— (1996), «Caracterización sociolingüística del cambio de código», *Hispanic Linguistics,* 9,1, 1-32.
— (1997), «De nuevo el español y el catalán, juntos y en contraste. Estudio de actitudes lingüísticas», *Sintagma,* 7, 29-41.
— (1998), «Efectos del cambio de código en los medios de comunicación audiovisuales. Análisis del discurso bilingüe español-catalán», *Iberoromania,* 48, 38-65.
— (1999a), *Lenguas en contacto. Consecuencias lingüísticas del bilingüismo social en las comunidades de habla del este peninsular,* Frankfurt/Madrid, Vervuert/Iberoamericana.
— (1999b), «"Están ahí *bajo"*: un caso de variación gramatical en una situación de contacto de lenguas», en M. J. Serrano (ed.), *Estudios de variación sintáctica,* Frankfurt am Main, Vervuert, 173-196.
— (2002a), «"¿Era Bin Laden un líder de los talibán?... ¿o de los talibanes?": presiones externas e internas en un fenómeno reciente de variación morfológica», *Revista de Investigación Lingüística,* 5, 1, 63-103.
— (2002b), «The languages of the Valencian educational system: the results of two decades of language policy», *International Journal of Bilingual Education and Bilingualism,* 5, 6, 318-338.
— (2004), «El español actual en las comunidades del ámbito lingüístico catalán», en Rafael Cano Aguilar (coord.), *Historia de la Lengua Española,* vol II, Barcelona, Ariel, 1065-1086.
— Boix, G.; Gil, E. y Tejada, P. (1992), *Variedades del castellano en Castellón,* Castellón, Diputación de Castellón.
— y Casanova Ávalos, M. (2001-2002): «Factores sociales y de adscripción lingüística en el léxico disponible de una comunidad bilingüe española», *Lenguas Modernas,* 28-29, 24-43.
— (2003), «La influencia del modelo educativo y del entorno sociocultural en la disponibilidad léxica. Estudio de las comunidades de habla castellonenses», en F. Sánchez Miret (ed.), *Actas del XXIII Congreso Internacional de Lingüística y Filología Románica,* Salamanca (24-30 de septiembre de 2001), Salamanca-Tubinga, Niemeyer.
— y Porcar, M. (1994), «"El empleo de las formas *ra* y *se* en las comunidades de habla castellonenses". Aproximación sociolingüística», *Español Actual,* 62, 73-98.
— (1997), «Aproximación sociolingüística al fenómeno de la neutralización modal en las comunidades de habla castellonenses. Análisis de algunos contornos sintácticos», *Sintagma,* 9, 27-45.
— y Tricker, D. (2000), «Principles of variationism for disambiguating language contact phenomena: the case of lone Spanish nouns in Catalan discourse», *Language Variation and Change,* 12, 2, 103-140.
Blum-Kulka, S. (1989), «Playing it safe: the role of conventionality in indirectness», en S. Blum-Kulka, J. House y G. Kasper (eds.), *Cross Cultural Pragmatics: Requests and Apologies,* Norwood (NJ), Ablex.
Bódalo, J. (1985), «Atitúes diglósiques na práutica cultural del movimientu obreru asturianu, nos años 20 y 30», *Lletres Asturianes,* 17, 11-15.

BOIX, E. (1997), «Ideologías lingüísticas en familias lingüísticamente mixtas (catalán-castellano) en la región metropolitana de Barcelona», en C. Bierbach y K. Zimmermann (eds.), *Lenguaje y comunicación intercultural en el mundo hispánico,* Madrid, Iberoamericana, 169-190.

BOLINGER, E. (1948), «1.464 identical cognates in English and Spanish», *Hispania,* XXXI, 271-279.

— (1956), «Subjunctive -ra and -se: free variation?», *Hispania,* XXXIX, 345-349.

BORETTI DE MACCHIA, S. (1989), «(De)queísmo en el habla culta de Rosario», *Anuario de Lingüística Hispánica,* 5, 27-48.

BORGES, J. L. (1976), «Las alarmas del doctor Américo Castro», *Otras inquisiciones,* Madrid, Alianza Editorial, 35-40.

BORGSTROM, M. (1991), «El desarrollo bilingüe de un niño latinoamericano en Suecia», *Moderna Sprak,* 85, 2, 187-195.

BORREGO, J. (1981), *Sociolingüística rural. Investigación de Villadepera de Sagayo,* Salamanca, Universidad de Salamanca.

— (1994), «Dificultades para el estudio sociolingüístico del léxico», en A. Alonso, B. Garza y J. A. Pascual (eds.), *II Encuentro de lingüistas y filólogos de España y México,* Salamanca, Junta de Castilla y León, Consejería de Cultura y Turismo y Universidad de Salamanca, 119-131.

— (1998), «Desajustes semántico-sintácticos y variación dialectal», *La Torre: Revista General de la Universidad de Puerto Rico,* 3, 7-8, 89-97.

— *et al.* (1978), «Sobre el *tú* y el *usted*», *Estudia Philologica Salmanticensiae,* 3, 53-70.

BORZONE DE MANRIQUE, A. y GRANATO DE GRASSO, L. (1995), «Discurso narrativo: algunos aspectos del desempeño lingüístico en niños de diferente procedencia social», *Lenguas Modernas,* 22, 137-166.

BOSQUE, I. (1990), «Las bases gramaticales de la alternancia modal. Repaso y balance», en I. Bosque (ed.), *Indicativo y Subjuntivo,* Madrid, Taurus, 13-65.

BOSWELL, T. (2000), «Demographic Changes in Florida and Their Importance for Effective Educational Policies and Practices», en A. Roca (ed.), *Research on Spanish in the United States: Linguistic Issues and Challenges,* Cascadilla, Somerville, MA Publication, 406-431.

BOUCHARD RYAN, E. y CARRANZA, M. (1977), «Reactions toward varying degrees of accentedness in the speech of Spanish-English bilinguals», *Language and Speech,* 20, 267-273.

BOUCHARD RYAN, E. y GILES, H. (eds.) (1982), *Attitudes Towards Language Variation: Social and Applied Contexts,* Londres, Arnold.

BOURDIEU, P. (1991), *Language and Symbolic Power,* Cambridge, Harvard University Press (MA).

BOURHIS, R., GILES, H. y LAMBERT, W. (1975), «Social consequences of accommodating one's style of speech: a crooss-national investigation», *International Journal of the Sociology of Language,* 6, 55-71 (también en *Linguistics,* 166).

BOWEN, J. D. y ORNSTEIN, J. (eds.) (1976), *Studies in Southwest Spanish,* Rowley, Newbury House.

BRANCHADELL, A. (1999), «Language Policy in Catalonia: Making Liberalism Come True», *Language and Communication,* 19, 4, 289-303.

BRASELMANN, P. (1994), «Syntaktische Interferenzen? Zum englischen Einfluss auf die spanische Syntax», *Iberoromania,* 39, 21-46.

BREITBORDE, L. (1983), «Levels of Analysis in Sociolinguistic Explanation: Bilingual Codeswitching, Social Relations and Domain Theory», *International Journal of the Sociology of Language,* 39, 4-45.

BRENZINGER, E. (1997), «Language Contact and Language Displacement», en F. Coulmas (ed.), *The Handbook of Sociolinguistics,* Oxford, Basil Blackwell, 273-284.

BRIGHT, W. (1997), «Social factors y language change», en F. Coulmas (ed.), *The Handbook of Sociolinguistics,* Oxford, Basil Blackwell, 81-91.

BRIZUELA, M. (1992), «Marcadores discursivos en narrativas de niños bilingües», en H. Urrutia y C. Silva-Corvalán (eds.), *Bilingüismo y adquisición del español. Estudios en España y Estados Unidos,* Bilbao, Horizonte, 333-352.

— ANDERSEN, E., DUPUY, B. y GONNERMAN, L. (1999), «Cross-Linguistic Evidence for the Early Acquisition of Discourse Markers as Register Variables», *Journal of Pragmatics,* 31, 10, 1339-1351.

BROCE, M. y TORRES CACOULLOS, R. (2002), «"Dialectología urbana" rural: La estratificación social de (r) y (l) en Coclé, Panamá», *Hispania,* 85, 2, 342-353.

BRODY, J. (1987), «Particles Borrowed from Spanish as Discourse Markers in Mayan Languages», *Anthropological Linguistics,* 29, 4, 507-521.

— (1995), «Lending the "Unborrowable": Spanish Discourse Markers in Indigenous American Languages», C. Silva-Corvalán (ed.), *Spanish in Four Continents: Studies in Language Contact and Bilingualism,* Washington D.C., Georgetown University Press, 132-147.

BROWN, P. y FORD, M. (1964), «Address in American English», *Journal of Abnormal and Social Psychology,* 62, 2, 375-385.

— y GILMAN, A. (1960), «The pronouns of power and solidary», en T. A. Sebeok (ed.), *Style in Language,* Nueva York, Wiley, 253-276.

— y LEVINSON, S. (1987), *Politeness. Some Universals in Language Usage,* Cambridge, Cambridge University Press.

BRUMME, J. (2003), «Artículo 129. Historia de la planificación lingüística en la Península Ibérica», en G. Ernst *et al.* (eds.), *Romanische Sprachgeschichte. 2.* Teilband/*Histoire linguistique de la Romania,* t. 2, Berlín, Mouton de Gruyter (en prensa).

BUESA, T. (1980), *Unas calas en las hablas de Navarra,* Pamplona, Excma. Diputación Foral de Navarra.

— (1987), «Datos de Félix de Azara sobre el contacto de lenguas en el Paraguay», en *Actas del I Congreso Internacional sobre el español de América,* San Juan, Puerto Rico, 811-823.

BURNS, D. (1984), «Quechua/Spanish Bilingual Education and Language Policy in Bolivia (1977-1982)», *International Education Journal,* 1, 2, 197-220.

BUSTAMANTE, I. y NIÑO MURCIA, M. (1995), «Impositive Speech Acts in Northern Andean Spanish: A Pragmatic Description», *Hispania*, 78, 4, 885-897.

BUTRÓN, G. (1989), «Aspectos sociolingüísticos de la disponibilidad lexica», *Asomante*, 1, 2, 29-37.

BUTT, J. y BENJAMIN, C. (1988), *A new reference grammar of Modern Spanish*, Londres, E. Arnold.

BUXÓ, M. (1978), «Comportamiento lingüístico de la mujer en situaciones de aculturación y cambio social», en *Bilingüismo y biculturalismo*, Barcelona, Universidade de Barcelona, ICE, 177-192.

CABRERA, L. *et al.* (1987), «Ley de alfabetización de Guatemala», *Winak: Boletín Intercultural*, 3, 1, 50-66.

CALERO, M. A. (1993), *Estudio sociolingüístico del habla de Toledo*, Lérida, Pagés.

— (1999), *Sexismo lingüístico: análisis y propuestas ante la discriminación sexual en el lenguaje*, Madrid, Fundación Investigación y Ediciones.

CALERO, M. L. (2002), *La incidencia del «Foro Babel» en la sociedad catalana* (http: //elies.rediris.es/elies 16/).

CALSAMIGLIA, H. y TUSÓN, A. (1984), «Use of Languages and Code Switching in Groups of Youths in a Barri of Barcelona: Communicative Norms in Spontaneous Speech», *International Journal of the Sociology of Language*, 47, 105-121.

CALVET, J. L. (1981), *Lingüística y colonialismo*, Madrid, Júcar.

CALVO, J. (ed.) (2000), *El español de América en el candelero*, Frankfurt-Madrid, Vervuert-Iberoamericana.

CALVO RAMOS, L. (1998), «Algunos rasgos sexistas en el diccionario de la Real Academia Española de la lengua», *Revista de Llengua i Dret*, 30, 47-62.

CAMACHO, J., PAREDES, L. y SÁNCHEZ, L. (1995), «The Genitive Clitic and the Genitive Construction in Andean Spanish», *Probus*, 7, 2, 133-146.

CAMARGO, M. (1972-1973), «Formas de tratamento e estructuras sociais», *ALfaM*, 18/19, 339-381.

CAMERON, R. (1992), *Pronominal and Null Subject Variation in Spanish: Constraints, Dialects and Functional Compensation*, tesis doctoral, Filadelfia, University of Pennsylvania (edición en microficha).

— (1993), «Ambiguous Agreement, Functional Compensation, and Nonspecific *tú* in the Spanish of San Juan, Puerto Rico, and Madrid, Spain», *Language Variation and Change*, 5, 3, 305-334.

— (1996), «A Community-Based Test of a Linguistic Hypothesis», *Language in Society*, 25, 1, 61-111.

— (1998), «A Variable Syntax of Speech, Gesture, and Sound Effect: Direct Quotations in Spanish», *Language Variation and Change*, 10, 1, 43-83.

— (2000), «Language Change or Changing Selves? Direct Quotation Strategies in the Spanish of San Juan, Puerto Rico», *Diachronica*, 17, 2, 249-292.

CAMPBELL, L. (1987), «Syntactic change in Pipil», *International Journal of American Linguistics*, 53, 253-280.

— (1994), «Language death», en R. Asher y M. Simpson (eds.), *Encyclopedia of Language and Linguistics*, Chicago, Chicago University Press, 1960-1968.

— y MUNTZEL, M. (1982), «The Structural Consequences of Language Death», en S. Romaine (ed.), *Sociolinguistic Variation in Speech Communities,* Londres, Edward Arnold, 25-34.
— (1989), *Investigating Obsolescence: Studies in Language Contraction and Death,* Cambridge, Cambridge University Press, 181-196.
— (1994), «Purism vs. Compromise in Language Revitalization and Language Revival», *Language in Society,* 23, 4, 479-494.
CAMUS, B. (1997), «La expansión de un sufijo jergal en español: -ata», en C. García Turza, F. González Bachiller y J. Mangado Martínez (eds.), *Actas del IV Congreso Internacional de Historia de la Lengua Española,* Logroño, Universidad de La Rioja, 53-67.
CANTERO, G. (1979), «Casos de leísmo en México», *Anuario de Letras,* 17, 305-308.
CANTERO, M. (2000), «Adapted Borrowings in Spanish: A Morphopragmatic Hypothesis», en A. Roca (ed.), *Research on Spanish in the United States: Linguistic Issues and Challenges,* Cascadilla, Somerville, MA Publication, 177-183.
CAÑIZAL ARÉVALO, A. (1987), *Disponibilidad léxica en escolares de primaria terminada. Análisis de seis centros de interés* (Memoria de licenciatura inédita), México, Universidad Nacional Autónoma de México.
CARAVEDO, R. (1983), *Estudios sobre el español de Lima,* Lima, Pontificia Universidad Católica del Perú.
— (1987), «Constricciones contextuales del español hablado en Lima. El caso de /s/», en *Actas del I Congreso Internacional sobre el español de América,* San Juan, Puerto Rico, 665-675.
— (1990), *Sociolingüística del español de Lima,* Lima, Pontificia Universidad Católica del Perú.
— (1992), «Espacio geográfico y modalidades lingüísticas en el español del Perú», en *Historia y presente del español de América,* Valladolid, Junta de Castilla y León, 719-741.
— (1996-1997), «Pronombres objeto en el español andino», *Anuario de Lingüística Hispánica,* XII, 545-568.
CARRANZA, I. (1995), «Multilevel Analysis of Two-Way Immersion Classroom Discourse», *Georgetown University Round Table on Languages and Linguistics,* 169-187.
CARRANZA, M. A. (1982), «Attitudinal research on Hispanic language varieties», en E. Bouchard Ryan y H. Giles (eds.), *Attitudes Towards Language Variation: Social and Applied Contexts,* Londres, Arnold, 63-83.
— y BOUCHARD RYAN, E. (1975), «Evaluative reactions of bilingual Anglo and Mexican American adolescents toward speakers speakers of English and Spanish», *International Journal of the Sociology of Language,* 6, 83-104.
CARRASCO, R. L. (1981), «Expanded awareness of Student performance: A case study in applied ethnographic monitoring in a bilingual classroom», en H. Trueba *et al.* (eds.), *Culture and the bilingual classroom: Studies in classroom ethnography,* Rowley, MA, Newbury House, 153-177.
CASADO, C. (1995), «Resultados del contacto del español con el árabe y con las lenguas autóctonas de Guinea Ecuatorial», en C. Silva-Corvalán (ed.),

*Spanish in Four Continents: Studies in Language Contact and Bilingualism,* Washington D.C., Georgetown University Press, 281-292.

CASANOVA, E. (1996), «El castellano hablado en Valencia», en A. Briz, J. R. Gómez y M.ª J. Martínez (eds.), *Pragmática y Gramática del Español Hablado,* Valencia, Universidad de Valencia/Libros Pórtico.

CASANOVAS, M. (1995), «La interferencia fonética en el español de Lleida: algunos apuntes para su estudio», *Sintagma,* 7, 53-59.

— (1996a), «Consecuencias de la interferencia lingüística en la morfosintaxis del español hablado en Lleida», *Verba,* 23, 405-415.

— (1996b), «Algunos rasgos propios del español en las comunidades de habla catalana: fonética, morfosintaxis y léxico», *Analecta Malacitana,* 19, 1, 149-160.

— (1996c), «El contacto lingüístico en Lleida: algunas consecuencias en el léxico español de los catalanohablantes», *Sintagma,* 8, 57-63.

— (1998), «Interferencia lingüística y sintaxis: el español en Cataluña», *Anuario de Letras,* 34, 353-361.

— (1999), «La identidad semántica en la variación sintáctica: Un estudio empírico», en M. J. Serrano (ed.), *Estudios de variación sintáctica,* Frankfurt-Madrid, Vervuert-Iberoamericana, 237-260.

— (2000), «"No cale que vengas, porque hoy plegaré tarde": mecanismos de adaptación léxica en el español de los catalanohablantes», *Analecta Malacitana,* 23, 2, 697-709.

CASESNOVES, R. (2002a), «La elección de lengua en Valencia», *Documentos de Español Actual,* 3-4, 25-37.

— (2002b), «La transmission intergénerationelle du Valencien et son usage comme langue seconde», *Langage et Société,* 101, 11-33.

— (2002c), «Heterogeneidad de las actitudes hacia el castellano, el catalán y el valenciano, y su historia política y social», en *Actas del XIII Congreso Internacional de Lingüística y Filología de América Latina (ALFAL)* (Costa Rica, 2002) (en prensa).

— (2003), «Actitudes, identidad y elección de lengua», en *Actas del XX Congreso de la Asociación Española de Lingüística Aplicada,* León, Universidad de León (en prensa).

CASSANO, P. (1972), «A study of language contact in Chile», *Orbis,* 21, 1, 167-173.

— (1977), «Substratum Hypotheses concerning American Spanish», *Word,* 28, 3, 239-274.

— (1982), «Language Influence Theory Exemplified by Quechua and Maya», *Word,* 33, 1-2, 127-141.

CASTEJÓN, A. (1997), «Educational Policy, Mixed Discourses: Responses to Minority Learners in Catalonia», *Language Problems and Language Planning,* 21, 1, 20-34.

CASTILLO, N. del (1984), «El léxico negro-africano de San Basilio de Palenque», *Thesaurus,* 39, 80-169.

CASTRO, R. (1982), «Mexican Women's Sexual Jokes», *Aztlan,* 13, 1-2, 275-293.

CATALÁN, D. (1956), «El ceceo-zezeo al comenzar la expansión atlántica de Castilla», *Boletín de Filología,* 16, 306-334.

CEDERGREN, H. (1973), *Interplay of Social and Linguistic Factors in Panama*, Ithaca, Cornell University.
— (1978), «En torno a la variación de la -s final de sílaba en Panamá: análisis cuantitativo», en H. López Morales (ed.), *Corrientes actuales en la dialectología del Caribe hispánico, Actas de un Simposio*, Río Piedras, Editorial de la Universidad de Puerto Rico, 36-50.
— (1983), «Sociolingüística», en H. López Morales (ed.), *Introducción a la lingüística actual*, 147-165.
— (1987), «Consideraciones sociolingüísticas sobre la microevolución lingüística», en H. López Morales y M. Vaquero (eds.), *Actas del I Congreso Internacional sobre el español de América*, San Juan, Puerto Rico, 47-58.
— (1988), «The Spread of language change: Verifying Inferences of Linguistic Diffusion», *Georgetown University Round Table on Languaje and Linguistics*, 45-60.
— SANKOFF, D. y ROUSSEAU, P. (1986), «La variabilidad de /r/ implosiva en el español de Panamá y los modelos de ordenación de reglas», en P. Núñez Cedeño y J. Guitart (eds.), *Estudios sobre la fonología del español del Caribe*, Caracas, La Casa de Bello, 13-20.
CEPEDA, G. (1990a), «La alofonía de /s/ en Valdivia (Chile)», *Estudios Filológicos*, 25, 5-16.
— (1990b), «La variación de /s/ en Valdivia: sexo y edad», *Hispania*, 73, 1, 232-237.
— (1991), *Las consonantes de Valdivia*, Valdivia, Fondo Nacional de Desarrollo Científico y Tecnológico/Univ. Austral de Chile.
— (1992), «El condicionamiento morfofonológico de /s/ como marcador de plural en el SN del español de Valdivia», *RLA, Revista de Lingüística Teórica y Aplicada*, 30, 119-138.
— (1995a), «Retention and Deletion of Word-Final /s/ in Valdivian Spanish (Chile)», *Hispanic Linguistics*, 6-7, 329-353.
— (1995b), «La neutralización de /n/ y /l/ en *nos* y *nosotros* en Valdivia», *RLA, Revista de Lingüística Teórica y Aplicada*, 1995, 33, 31-41.
— (1995c), «La entonación del habla femenina de Valdivia, Chile: Su función comunicativa gramatical y expresiva», *Estudios Filológicos*, 30, 107-27.
— (1998), «El movimiento anticadencial en la entonación del español de Valdivia: ejemplos», *Estudios Filológicos*, 33, 23-40.
— *et al.* (1991), «La alofonía de /e/ en el estrato alto de Valdivia: análisis sonográfico en sílaba abierta», *Estudios Filológicos*, 26, 83-98.
— *et al.* (1992), «Análisis sonográfico de /e/ en sílaba trabada (estrato alto de Valdivia, Chile)», *Estudios Filológicos*, 27, 43-58.
— MIRANDA, J. y BRAIN, A. (1988), «El valor contrastivo de /p/ y /b/ a través de tres indicadores acústico-estadísticos», *Estudios Filológicos*, 1988, 24, 11-18.
— y POBLETE, M.ª T. (1993), «Retención y elisión de /b/ y /d/ en sufijos y morfemas radicales: Condicionamiento morfofonológico y sociolingüístico», *Estudios Filológicos*, 28, 87-96.

— y ROLDÁN, E. (1995), «La entonación del habla femenina de Valdivia, Chile: su función comunicativa gramatical y expresiva», *Estudios Filológicos*, 30, 107-127.

CERRÓN PALOMINO, R. (1989a), «Perspectivas sociolingüísticas y pedagógicas de la motosidad en el Peru», *Trabalhos em Lingüística Aplicada*, 14, 67-85.

— (1989b), «Language Policy in Peru: A Historical Overview», *International Journal of the Sociology of Language*, 77, 11-33.

— (1996), «También, todavía y ya en el castellano andino», *Signo y Seña*, 6, 103-123.

CESTERO, A. (1996), «Funciones de la risa en la conversación en lengua española», *LEA, Lingüística Española Actual*, 18, 2, 279-298.

— (2000), *El intercambio de turnos de habla en la conversación: análisis sociolingüístico*, Alcalá de Henares, Servicio de Publicaciones de la Universidad.

CHAMBERS, J. K. (1995), *Sociolinguistic Theory*, Oxford, Blackwell.

— y TRUDGILL, P. (1980), *Dialectology*, Cambridge, Cambridge University Press.

CHANG-RODRÍGUEZ, E. (1982), «Problems for Language Planning in Peru», *Word*, 33, 1-2, 173-191.

CHAPMAN, P. *et al.* (1983), *El yeísmo en Covarrubias* (manuscrito inédito), Los Ángeles, University of Southern California.

CHÁVEZ, E. (1988), «Sex Differences in Language Shift», *Southwest Journal of Linguistics*, 8, 2, 3-14.

CHELA-FLORES, B. (1986), «Lineamientos preliminares para una interpretación teleológica de algunos cambios en la pronunciación del español de Maracaibo», en M. T. Rojas *et al.* (eds.), *Actas del V Congreso Internacional de la Asociación de Lingüística y Filología de la América Latina (ALFAL)*, Caracas, Universidad Central de Venezuela, 288-301.

— (1994), «Entonación dialectal del enunciado declarativo de una región de Venezuela», *Estudios Filológicos*, 29, 63-72.

CHENG, L. y BUTLER, K. (1989), «Code-Switching: A Natural Phenomenon vs. Language "Deficiency"», *World Englishes*, 8, 3, 293-309.

CHESHIRE, J. (1982), «Linguistic variation and social function», en S. Romaine (ed.), *Sociolinguistic Variation in Speech Communities*, Londres, Edward Arnold, 153-166.

CHIODI, F. *et al.* (eds.) (1990), *La educación indígena en América Latina. México, Guatemala, Ecuador, Perú, Bolivia*, 2 vols., Quito-Santiago de Chile, UNESCO/ Oficina Regional de Educación para América Latina y el Caribe.

CHOI, J. (2000), «(– Person) Direct Object Drop: The Genetic Cause of a Syntactic Feature in Paraguayan Spanish», *Hispania*, 83, 3, 531-543.

— (2001), «The Genesis of *voy en el mercado:* The Preposition *en* with Directional Verbs in Paraguayan Spanish», *Word*, 52, 2, 181-196.

CHOMSKY, N. (1965), *Aspects of the Theory of Sintax*, Cambridge (MA), MIT Press (trad. esp.: Madrid, Aguilar).

CHOQUE, C. (2001), «Los avances de la educación intercultural bilingüe en el contexto diverso boliviano», en Comisión Nacional de Bilingüismo (CNB)/ LINGUAPAX (eds.), *Desafíos de la educación intercultural bilingüe en el tercer milenio. IV Congreso Latinoamericano de Educación Intercultural Bilingüe, Asunción, 6-9 de noviembre de 2000,* Asunción (Paraguay), Comisión Nacional de Bilingüismo, Ministerio de Educación y Cultura (MEC), Proyecto MEC-BID, LINGUAPAX, Organización de las Naciones Unidas por la Educación, la Ciencia y la Cultura (UNESCO), 387-404.

CHRISTIAN, C. (1976), «Sociolinguistic Criteria for Choice of Spanish Lexicon in Training Teachers of Mexican-Americans in Texas», *Journal of the Linguistic Association of the Southwest,* 2, 1, 41-48.

CHUMACEIRO, I. (1995), «Estudios de creencias actitudes lingüísticas en relación con la alternancia -ra/-se en el español de Caracas», en A. Matus *et al.* (eds.), *Actas del IV Congreso Internacional de «El español de América»,* Santiago, Pontificia Universidad Católica de Chile, 297-305.

CIÉRBIDE, R. (1996), «Consideraciones históricas en torno al Euskera en Álava. Nuevos testimonios», *Fontes Linguae Vasconum,* 28, 72, 287-295.

CIFUENTES, H. (1980-1981), «Presencia y ausencia del pronombre personal sujeto en el habla culta de Santiago de Chile», *Boletín de Filología de la Universidad de Chile,* XXXI, 743-752.

CITARELLA, L. (1990), «Perú», en F. Chiodi *et al.* (eds.), *La educación indígena en América Latina. México, Guatemala, Ecuador, Perú, Bolivia,* vol. 2, Quito-Santiago de Chile, UNESCO/Oficina Regional de Educación para América Latina y el Caribe, 7-225.

CLACHAR, A. (1997), «Ethnolinguistic Identity and Spanish Proficiency in a Paradoxical Situation: The Case of Puerto Rican Return Migrants», *Journal of Multilingual and Multicultural Development,* 18, 2, 107-124.

— (2000), «Redressing Ethnic Conflict through Morphosyntactic "Creativity" in Code-Mixing», *Language and Communication,* 20, 4, 311-327.

CLAMPITT, S. (2000), «Nationalism and Native-Language Maintenance in Puerto Rico», *International Journal of the Sociology of Language,* 142, 25-34.

CLEGG, J. (2000), «Morphological Adaptation of Anglicisms into the Spanish of the Southwest», en A. Roca (ed.), *Research on Spanish in the United States: Linguistic Issues and Challenges,* Cascadilla, Somerville, MA Publication, 154-161.

CLYNE, M. (1967), *Transference and triggering,* La Haya, Nijhoff.

— (1982), *Multilingual Australia,* Melbourne, River Seine Publications.

COATES, J. (1986), *Women, Men and Language,* Londres, Longman.

— y CAMERON, D. (eds.) (1990), *Women in their speech communities: New Perspectives on language and sex,* Londres y Nueva York, Longman.

COBARRUBIAS, J. (1983), «Ethical issues in status planning», en J. Cobarrubias y J. A. Fishman (eds.), *Progress in Language Planning: International perspectives,* Berlín, Nueva York, Amsterdam, Mouton, 41-85.

COHEN, A. (1974), «Mexican-American evaluational judgements about language varieties», *Linguistics,* 136, 33-51.

COLES, F. (1996), «Language Maintenance Institutions of the Isleño Dialect of Spanish», en A. Roca y J. B. Jensen (eds.), *Spanish in contact: issues in bilingualism,* Cascadilla, Somerville, MA Publication, 121-133.

COMBS, M. (1999), «Public Perceptions of Official English/English Only: Framing the Debate in Arizona», en T. Huebner y K. Davis (eds.), *Sociopolitical Perspectives on Language Policy and Planning in the USA*, Amsterdam, John Benjamins, 131-154.
COMPANY, C. (1997), «Conspiración de cambios sintácticos: dativos prominentes en la historia del español», en C. García Turza, F. F. González Bachiller y J. Mangado Martínez (eds.), *Actas del IV Congreso Internacional de Historia de la Lengua Española*, Logroño, Universidad de la Rioja, 431-444.
— (2001), «Multiple Dative-Marking Grammaticalization: Spanish as a Special Kind of Primary Object Language», *Studies in Language*, 25, 1, 1-47.
COMPARINI, L. y BHATIA, S. (2000), «Indexing self-other Relationships through Directives; The Construction of Class, Social Roles and Authority in Indian and Mexican-American Caregiver-Child Interaction», *Proceedings of the Annual Boston University Conference on Languaje Development*, 24, 1, 208-219.
CONTRERAS, C. (1998), «Oyente de dos lenguas, hablante de una: situación actual del escolar mapuche», en *Actas del XI Congreso Internacional de la Asociación de Lingüística y Filología de la América Latina (ALFAL)*, 2, 957-967.
— (1999), «El castellano hablado por mapuches. Rasgos del nivel morfosintáctico», *Estudios Filológicos*, 34, 83-98.
COOPER, R. L. (1989), *Language Planning and Social Change*, Cambridge, Cambridge University Press.
CORBELLA, D. y MEDINA. J. (eds.) (1996), *El español de Canarias hoy: análisis y perspectivas*, Madrid, Iberoamericana.
CORDELLA, M., LARGE, H. y PARDO, V. (1995), «Complimenting Behavior in Australian English and Spanish Speech», *Multilingua*, 14, 3, 235-252.
CORDER, L. y GABBIANI, B. (1989), «Estrategias ortográficas de niños bilingües», *Trabalhos em Lingüística Aplicada*, 14, 171-180.
CORONADO, S. (1992), «Educación bilingüe en México: propósitos y realidades», *International Journal of the Sociology of Language*, 96, 53-70.
CORREA, F. (1995), «El discurso oral del chicano como nueva perspectiva de análisis de la segunda persona singular», *Lenguas Modernas*, 22, 167-179.
CORTÉS, L. (1986), *Sintaxis del coloquio. Aproximación sociolingüística*, Salamanca, Ediciones de la Universidad de Salamanca.
CORVALÁN, G. (1984), «Education in the Mother Tongue and Educational Achievement in Paraguay», *Prospects*, 14, 1, 95-106.
— (1992), «El bilingüismo urbano en Paraguay. El caso de la ciudad de Asunción», *Anuario de Lingüística Hispánica*, 8, 9-41.
— (1998), «La educación escolar bilingüe del Paraguay. Avances y desafíos», *Revista Paraguaya de Sociología*, 35, 101-118.
— y GRANDA, G. de (eds.) (1982), *Sociedad y lengua: Bilingüismo en el Paraguay*, 2 vols., Asunción, Centro Paraguayo de Estudios Sociológicos.
COSTA, A. y CUENCA, M. J. (1994), «La enseñanza del catalán como segunda lengua: didáctica y planificación lingüística», en F. Sierra, M. Pujol y H. Den Boer (eds.), *Las Lenguas en la Europa Comunitaria: la enseñanza de segundas lenguas y/o de lenguas extranjeras*, Amsterdam, Rodopi, 137-149.

COULMAS, F. (1990), «Spanish in the USA: New Quandaries and Prospects», *International Journal of the Sociology of Language*, 84-95.
— (ed.) (1997), *The Handbook of Sociolinguistics*, Oxford, Basil Blackwell.
COUPLAND, N. *et al.* (1991), *Language, Society and the Elderly*, Oxford, Blackwell.
— (2001), «Sociolinguistic theory and social theory», en N. Coupland, S. Sarangi y C. N. Candin (eds.), *Sociolinguistics and Social Theory*, Londres, Longman, 1-26.
CRAWFORD, J. (2000), «Anatomy of English-only Movement», en J. Crawford (ed.), *At War with Diversity. US Language Policy in an Age of Anxiety*, Clevedon, Multilingual Matters LDT, 4-30.
CROESE, R. (1983), «Algunos resultados de un trabajo de campo sobre las actitudes de los mapuches frente a su lengua materna», *RLA, Revista de Lingüística Teórica y Aplicada*, 21, 23-34.
CROMPTON, R. (1993), *Class and Stratification. An Introduction to Current Debates*, Cambridge, Polite Press.
CRUZABIE, M. (2001), «Revitalización de la Lengua Materna. Realidad educativa indígena de la Región Occidental del Paraguay. Debilidades y Fortalezas», en Comisión Nacional de Bilingüismo (CNB)/LINGUAPAX (eds.), *Desafíos de la educación intercultural bilingüe en el tercer milenio. IV Congreso Latinoamericano de Educación Intercultural Bilingüe, Asunción, 6-9 de noviembre de 2000*, Asunción (Paraguay), Comisión Nacional de Bilingüismo, Ministerio de Educación y Cultura (MEC), Proyecto MEC-BID, LINGUAPAX, Organización de las Naciones Unidas por la Educación, la Ciencia y la Cultura (UNESCO), 421-425.
CUMMINS, J. (1989), *Empowering minority students*, Ontario (CA), California Association for Bilingual Education.
D'INTRONO, F. (1996), «Spanish-English Code-Switching: Conditions on Movement», en A. Roca y J. B. Jensen (eds.), *Spanish in contact: issues in bilingualism*, Cascadilla, Somerville, MA Publication, 187-199.
— FIALLO, A., RAM, K. y SICILIA, D. (1991), «Condiciones gramaticales para la alternancia», *Thesaurus*, 46, 3, 425-444.
— y SOSA, J. (1986), «Elisión de la /d/ en el español de Caracas: aspectos sociolingüísticos e implicaciones teóricas», en R. Núñez Cedeño y J. Guitart (eds.), *Estudios sobre la fonología del español del Caribe*, Caracas, La Casa de Bello, 135-163.
DABÈNE, L. y BILLIEZ, J. (1986), «Code-Switching in the Speech of Adolescents Born of Immigrant Parents», *Studies in Second Language Acquisition*, 8, 3, 309-325.
— y MOORE, D. (1995), «Bilingual speech of migrant people», en L. Milroy y P. Muysken (eds.), *One Speaker, Two Languages*, Cambridge, Cambridge University Press, 17-44.
DE MELLO, G. (1992), «Selección modal con tres verbos de creencia: "Creer", "pensar", y "parecer" en el español hablado culto», *Torre de Papel*, 2, 2, 64-107.
— (1993), «*Ra* vs. *Se* Subjunctive: A New Look at an Old Topic», *Hispania*, 76, 2, 235-244.

— (1994), «Pluralization of the Impersonal Verb Haber in Educated Spoken Spanish», *Studia Neophilologica,* 66, 1, 77-91.
— (1995a), «Tense and mood alter *no sé si*», *Hispanic Review,* 63, 555-573.
— (1995b), «Alternancia modal indicativo/subjuntivo con expresiones de posibilidad y probabilidad», *Verba,* 22, 339-361.
— (1995c), «El dequeísmo en el español hablado contemporáneo: ¿Un caso de independencia semántica?», *Hispanic Linguistics,* 6/7, 117-151.
— (1995d), «Preposición + Sujeto + Infinitivo: "Para yo hacerlo"», *Hispania,* 78, 4, 825-836.
— (1996), «"Juan lo compró para sí" *vs.* "Juan lo compró para él mismo"», *Bulletin of Hispanic Studies,* 73, 3, 297-310.
— (1999), «("Lo" + adjetivo + "es que") seguido de indicativo/subjuntivo: "Lo importante es que tienes/tengas amigos"», *Hispanic Review,* 67, 4, 493-507.
— (2002), «Leísmo in contemporary Spanish American educated speech», *Linguistics,* 40, 2, 261-283.
DELBECQUE, N. (2000), «¿Usos innovadores de estar + adjetivo en América?», en *Actas del XI Congreso Internacional de la Asociación de Lingüística y Filología de la América Latina (ALFAL),* vol. I, 183-200.
DEMUYAKOR, G. (1994), *Subject Pronoun Expression in the Spoken Spanish of Four Spanish English Bilingual Children in a Los Angeles Community,* tesis doctoral inédita, Los Ángeles, University of Southern California.
DENISON, N. (1977), «Language death or language suicide?», *International Journal of the Sociology of Language,* 12, 13-22 (también en *Linguistics,* 191).
DEUCHAR, M. (1988), «A pragmatic account of women's use of standard speech», en J. Coates y D. Cameron (eds.), *Women in their Speech Communities: New Perspectives on Language and Sex,* Londres y Nueva York, Longman, 27-32.
DÍAZ-PERALTA, M. (1997), «Variación sintáctica y estilo discursivo: La expresión de la futuridad en el español de Las Palmas de Gran Canaria», *Lingüística Española Actual,* 19, 2, 185-197.
— y ALMEIDA, M. (2000), «Sociolinguistic Factors in Grammatical Change: The Expression of the Future in Canarian Spanish», *Studia Neophilologica,* 72, 2, 217-228.
DIDION, J. (1987), *Miami,* Nueva York, Pocket Books.
DIETRICH, W. (1995), «El español del Paraguay en contacto con el guaraní. Ejemplos seleccionados de nuevas grabaciones lingüísticas», en K. Zimmermann (ed.), *Lenguas en contacto en Hispanoamérica,* Frankfurt, Vervuert, 203-216.
DISCIULLO, A. M., MUYSKEN, P. y SINGH, R. (1986), «Government and codemixing», *Journal of Linguistics,* 22, 1-24.
DONNI DE MIRANDE, N. (1977), *El español hablado en el litoral argentino,* Rosario, Universidad Nacional de Rosario.
— (1987a), *Variación y cambio en el español de la Argentina,* Rosario, Universidad Católica Argentina.
— (1987b), «Aspiración y elisión de la /s/ en el español de Rosario (Argentina)», en *Actas del I Congreso Internacional sobre el español de América,* San Juan, Puerto Rico, 675-688.

— (1989), «El segmento fonológico /s/ en el español de Rosario (Argentina)», *Lingüística Española Actual,* 11, 1, 89-115.
— (1992), «Algunos rasgos del español en Santa Fe durante el periodo hispano», *Revista Argentina de Lingüística,* 8, 1-2, 47-70.
— (2000), «Sistema fonológico del español en la Argentina», *Español Actual,* 74, 7-24.
DORIAN, N. (1981), *Language Death, The Life Cycle of a Scottish Gaelic Dialect,* Filadelfia, University of Pennsylvania Press.
— (ed.) (1989), *Investigating Obsolescence: Studies in Language Contraction and Death,* Cambridge, Cambridge University Press.
— (1994), «Purism vs. Compromise in Language Revitalization and Language Revival», *Language in Society,* 23, 479-494.
DORTA, J. (1986), «Dos actitudes ante el yeísmo en el norte de Tenerife», *Revista de Filología de la Universidad de La Laguna,* 5, 123-127.
DOWNES, W. (1984), *Language and Society,* Londres, Fontana.
DOYLE, H. (1996), «Referents of Catalan and Spanish for Bilingual youths in Barcelona», en A. Roca y J. B. Jensen (eds.), *Spanish in contact: issues in bilingualism,* Somerville, MA, Cascadilla, 29-43.
DRESSLER, W. (1985), «Language death», en F. Newmeyer (ed.) (1988), *Linguistics. The Cambridge Survey,* Cambridge, Cambridge University Press, 184-192.
— y WODAK, R. (1977), «Language death», *Linguistics,* 19, 1, 14-29.
DUMITRESCU, D (1975-1976), «Notas comparativas sobre el tratamiento en español y rumano», *Bulletin de la Société Roumaine de Linguistique Romane (BSRLR),* XI, 81-86.
DURÁN, D. (1981), *Latino language and communicative behavior,* Norwood (NJ), Ablex.
DUSSIAS, P. (2001), «Psycholinguistic Complexity in Codeswitching», *International Journal of Bilingualism,* 5, 1, 87-100.
DVORAK, T. (1983), «Subject-Object Reversals in the Use of *gustar* among New York Hispanics», en L. Elías-Olivares (ed.), *Spanish in the U.S. Setting: Beyond the Southwest,* Rosslyn (VA), National Clearinghouse for Bilingual Education, 21-36.
EBERENZ, R. (1989), «L'espagnol et les langes indigènes dans l'Amerique coloniale: les discours de la politique linguistique», *Études de Lettres,* 2, 97-117.
ECHAIDE, A. M.ª (1968), *Castellano y vasco en el habla de Orio,* Pamplona, Diputación Foral de Navarra (Institución Príncipe de Viana).
ECHENIQUE, T. (1998), «La lengua castellana hablada en el País Vasco: A propósito de los clíticos de 3.ª persona», en *Estudios de Lingüística y Filología Españolas en Homenaje a Germán Colón,* Madrid, Gredos, 185-195.
ECHEVERRÍA, M. *et al.* (1987), «Disponibilidad léxica en educación media», *RLA, Revista de Lingüística Teórica y Aplicada,* 25, 55-116.
— (1991), «Crecimiento de la disponibilidad léxica en estudiantes chilenos de nivel básico y medio», en H. López Morales (ed.), *La enseñanza del español como lengua materna, Actas del II Seminario Internacional sobre «Aportes de la*

*lingüística a la enseñanza del español como lengua materna»,* Río Piedras, Universidad de Puerto Rico, 61-78.

ECKERT, P. (1997), «Age as a Sociolinguistic Variable», en F. Coulmas (ed.), *The Handbook of Sociolinguistics,* Oxford, Basil Blackwell, 151-167.

EDWARDS, W. (1992), «Sociolinguistic behavior in a Detroit inner city black neighborhood», *Language and Society,* 93-115.

EGUILUZ, M. L. (1962), «Fórmulas de tratamiento en el español de Chile», *Boletín de Filología de la Universidad de Chile,* XIV, 169-233.

ELÍAS-OLIVARES, L. (1976), *Ways of Speaking in a Chicano community: a sociolinguistic approach,* Austin, University of Texas.

— (1982), «Language Diversity in Chicano Speech Communities: Implications for Language Teaching», en J. Fishman y G. Keller (eds.), *Bilingual Education for Hispanic Students in the United States,* Nueva York, Teachers College Press, Columbia University Press, 151-166.

— (ed.) (1983), *Spanish in the U.S Setting: Beyond the Southwest,* Rosslyn (VA), Nat. Clearinghouse for Bilingual Education.

— (1995), «Discourse Strategies of Mexican American Spanish», en C. Silva-Corvalán (ed.), *Spanish in Four Continents: Studies in Language Contact and Bilingualism,* Washington D.C., Georgetown University Press, 227-240.

ELIZAINCÍN, A. (1973), *Algunos aspectos de la sociolingüística del dialecto fronterizo,* Montevideo, Universidad de la República.

— (1976), «The emergence of bilingual dialect on the Brazilian-Uruguayan border», *Linguistics,* 177, 123-134.

— (1979), «Duplicidad de objetos en español», *Anuario de Letras,* 17, 257-265.

— (1989), «Algunas características del español rural uruguayo: primera aproximación», *Iberoromania,* 30, 63-69.

— (1995), «Personal Pronouns for Inanimate Entities in Uruguayan Spanish in Contact with Portuguese», C. Silva-Corvalán (ed.), *Spanish in Four Continents: Studies in Language Contact and Bilingualism,* Washington D.C., Georgetown University Press, 117-131.

— MALCOURI, M. y COLL, M. (1998), «Grafemática historica: seseo y yeísmo en el Rió de la Plata», en J. M. Blecua, J. Gutierrez y L. Sala (eds.), *Estudios de Grafemática en el dominio hispánico,* Santafé de Bogotá, Colombia, Instituto Caro y Cuervo, 75-82.

ENRÍQUEZ, E. (1984), *El pronombre personal sujeto en la lengua española hablada en Madrid,* Madrid, Consejo Superior de Investigaciones Científicas.

ESCOBAR, A. (ed.) (1972), *El reto del multilingüismo en el Perú,* Lima, IEP.

— (1976), «Bilingualism and Dialectology in Peru», *Linguistics,* 177, 85-96.

— (1978), *Variaciones sociolingüísticas del castellano en el Perú,* Lima, Instituto de Estudios Peruanos.

— (1992), «Epistemic Modality in Spanish in Contact with Quechua in Peru», *Mid America Linguistics Conference Papers,* 137-152.

— (1997), «From Time to Modality in Spanish in Contact with Quechua», *Hispanic Linguistics,* 9, 1, 64-99.

— (2001a), «Contact Features in Colonial Peruvian Spanish», *International Journal of the Sociology of Language*, 149, 79-93.
— (2001b), «Semantic and Pragmatic Functions of the Spanish Diminutive in Spanish in Contact with Quechua», *Southwest Journal of Linguistics*, 20, 1, 135-149.
ESCORIZA, L. (2004), *Perspectivas de análisis en el ámbito de la variación lingüística*, Cádiz, Universidad de Cádiz.
ESPINOSA, A. (1909), «Studies in New Mexico Spanish, part I: phonology», *Bulletin of the University of New Mexico*, 1, 47-162. Traducida y editada como *Estudios sobre el español de Nuevo Méjico*, en la Biblioteca de Dialectología Hispanoamericana, 1 (1930), 19-313.
ESPINOZA, F. (1996), *Language Loss and Its Impact on the Self Concept of Monolingual English Speaking Hispanics: A Participatory Research Study*, tesis doctoral, San Francisco, Universidad de San Francisco.
ESTEVA, C. (1977), «Aculturació lingüística d'inmigrats a Barcelona», *Treballs de Sociolingüística Catalana*, 1, 81-115.
— (1978), «El biculturalismo como contexto del bilingüismo», en *Bilingüismo y biculturalismo*, Barcelona, CEAC, 9-51.
— (1984), «Ethnocentricity and Bilingualism in Catalonia: The State and Bilingualism», *International Journal of the Sociology of Language*, 47, 43-57.
ETXEBARRÍA, M. (1985), *Sociolingüística urbana. El habla de Bilbao*, Salamanca, Universidad de Salamanca.
— (1986), «El castellano actual en el País Vasco: estudio de interferencias», en V. García de la Concha (ed.), *El castellano actual en las comunidades bilingües de España*, Salamanca, Junta de Castilla y León, 65-92.
— (1996), «Disponibilidad léxica en escolares del País Vasco», *Revista Española de Lingüística*, 26, 301-325.
— (2003), «Política lingüística y educación bilingüe en el País Vasco», en F. Moreno Fernández *et al.* (eds.) (2003), *Lengua, variación y contexto. Estudios dedicados a Humberto López Morales*, I, Madrid, Arco/Libros, 261-282.
FAIRCLOUGH, M. (2000), «Discurso directo *vs.* discurso indirecto en el español hablado en Houston», *Bilingual Review/Revista Bilingüe*, 24, 3, 217-229.
FANTINI, A. (1978), «Emerging Styles in Child Speech: Case Study of a Bilingual Child», *Bilingual Review/Revista Bilingüe*, 5, 3, 169-189.
FASOLD, R. (1984), *The Sociolinguistics of Society*, Oxford, Basil Blackwell.
— (1990), *The Sociolinguistics of Language*, Oxford, Basil Blackwell.
— y SCHIFFRIN, D. (eds.) (1989), *Language change and variation*, Washington D.C., Georgetown University Press.
FERGUSON, Ch. (1959), «Diglossia», *Word*, 15, 325-340.
— (1968), «Language developement», en J. Fishman, C. Ferguson y J. Das Gupta (eds.), *Language Problems of Developing Nations*, Nueva York, Wiley, 27-35.
FERNÁNDEZ, M. (1978), «Bilingüismo y diglosia», *Verba*, 5, 377-391.
— (1983), «Mantenemento e cambio da lingua en Galicia: o ritmo de desgalización nos últimos cincuenta anos», *Verba*, 10, 79-129.

— (1984), *Conocimiento, uso y actitudes lingüísticas de los alumnos de E.G.B. del municipio de Santiago,* Santiago, Universidad de Santiago.
— (1995), «Los orígenes del término *diglosia.* Historia de una historia mal contada», *Historiographia Lingüística,* 22, 163-195.
FERNÁNDEZ, R. (1990), «Actitudes hacia los cambios de código en Nuevo México: Reacciones de un sujeto a ejemplos de su habla», en J. Bergen (ed.), *Spanish in the United States: Sociolinguistic Issues,* Washington D.C., Georgetown University Press, 49-58.
FERNÁNDEZ DE LA REGUERA, I. y HERNÁNDEZ, A. (1984), «Estudio exploratorio de actitudes en una situación de bilingüismo. El caso mapuche», *RLA, Revista de Lingüística Teórica y Aplicada,* 22, 35-51.
FERNÁNDEZ LIESA, C. (1999), *Derechos lingüísticos y derecho internacional,* Madrid, Instituto de Derechos Humanos Bartolomé de las Casas, Universidad Carlos III de Madrid.
FERNÁNDEZ MARTÍN, C. (2005), «Gibraltar's multilingual past, monolingual society in the future?: a quantitative and qualitative analysis of the tree main varieties spoken in the rock», en J. L. Blas Arroyo *et al.* (eds.), *Actas del II Congreso sobre Lengua y Sociedad,* Castellón, Universitat Jaume I (9-11 de noviembre de 2004) (en prensa).
FERNÁNDEZ ORDÓÑEZ, I. (1993), «Leísmo, laísmo y loísmo: Estado de la cuestión», en O. Fernández Soriano (ed.), *Los pronombres átonos,* Madrid, Taurus, 63-96.
— (1999), «Leísmo, laísmo, loísmo», en I. Bosque y V. Demonte (eds.), *Gramática descriptiva de la lengua española,* Madrid, Espasa Calpe, vol. I, 1317-1397.
FERNÁNDEZ RAMÍREZ, S. (1986), *Gramática española,* Madrid, Arco/Libros (edición a cargo de J. Polo).
FERNÁNDEZ ULLOA, T. (1996), «Particularidades del castellano del País Vasco», *RLA, Revista de Lingüística Teórica y Aplicada,* 34, 95-120.
— (1999), «Actitudes hacia la lengua en una comunidad bilingüe (País Vasco)», en D. Fasla (ed.), *Contribuciones al estudio de la lingüística aplicada,* Castellón, AESLA, 439-446.
FERRER DE GREGORET, M. y SÁNCHEZ, C. (1986), «Variación y cambio en estructuras condicionales», *Anuario de Lingüística Hispánica,* 2, 39-56.
FIERRO, E. (1997), *Gibraltar, aproximación a un estudio sociolingüístico y cultural de la roca,* Cádiz, Servicio de Publicaciones de la Universidad de Cádiz.
FINA, A. de (1989), «Code-Switching: Grammatical and Functional Explanations», *Rassegna Italiana di Lingüistica Applicata,* 21, 3, 107-140.
FINEGAN, E. y BIBER, D. (1994), «Register and Social Dialect Variation: An Integrated Approach», en E. Finegan y D. Biber (eds.), *Sociolinguistic Perspective on Register,* Nueva York, Oxford University Press, 99-115
FISHMAN, J. (1965), «"Who Speaks What Language to Whom and When?", The Analysis of Multilingual Setting», *La Linguistique,* 67-88.
— (1966), *Language Loyalty in the United States,* La Haya, Mouton de Gruyter.
— (1967), «Bilingualism with and without diglossia, diglossia with and without bilingualism», *Journal of Social Issues,* 32, 29-38.

— (1968), «Sociolinguistic perspective on the study of bilingualism», *Linguistics*, 39, 21-49.
— (1970), «*Intellectuals* from the Island: Deals with Puerto Ricans in New York», *Monda Lingvo-Problemo*, 2, 1-16.
— (1972a), *The sociology of Language*, Rowley (MA), Newbury House Publishers (trad. esp.: *La sociología del lenguaje*, Madrid, Cátedra, 1982).
— (1972b), *Language and Nationalism: Two Integrative Essays*, Rowley (MA), Newbury House Publishers.
— (ed.) (1978), *Advances in the Study of Societal Multilingualism*, La Haya, Mouton de Gruyter.
— (1980), «Bilingualism and biculturalism as individual and societal phenomena», *Journal of Multilingual and Multicultural Development*, 1, 3-17.
— (1991), *Reversing Language Shift: Theoretical and Empirical Foundations of Assistance to Threatened Languages*, Avon, Multilingual Matters.
FISHMAN, J. A., COOPER, A. y MA, H. (1971), *Bilingualism in the Barrio*, Bloomington, Indiana University Press.
FLEISCHMANN, U. (1992), «Englisch versus Spanisch: Sprachgrenzen in Mittelamerika», *LiLi, Zeitschrift fur Literaturwissenschaft und Linguistik*, 22, 85, 77-95.
FLODELL, G. (1991), «Swedish Settlers in Misiones-Do They Still Exist?, Misiones-svenskan-lever den an?», en K. Herberts y Ch. Lauren (eds.), *Flersprakighet I Och Utanfor Norden*, Finlandia, Abo Akademi, 277-290.
FLORES, B. (1995), «El subjuntivo: presente y pretérito en en niños venezolanos por estrato social, edad y sexo», en A. Matus *et al.* (eds.), *Actas del IV Congreso Internacional de «El español de América»*, Santiago, Pontificia Universidad Católica de Chile, 1118-1125.
FLORES, L. (1987), «Converging Languages in a World of Conflicts: Code-Switching in Chicano Poetry», *Visible Language*, 21, 1, 130-152.
FLORES, M. (1997), «Individualización de la entidad en los orígenes del leísmo y el loísmo», en C. Company (ed.), *Cambios diacrónicos del español*, México, UNAM, 33-63.
— y HOPPER, R. (1975), «Mexican americans' evaluations of spoken Spanish and English», *Speech Monographs*, 42, 91-98.
— y TORO, J. (2000), «The Persistence of Dialect Features under Conditions of Contact and Leveling», *Southwest Journal of Linguistics*, 19, 2, 31-42.
FLORES FARFÁN, J. A. (1998), «On the Spanish of the Nahuas», *Hispanic Linguistics*, 10, 1, 1-41.
— (2000), «Por un programa de investigación del español indígena en México», en J. Calvo (ed.), *El español de América en el candelero*, Frankfurt-Madrid, Vervuert-Iberoamericana, 145-158.
— y VALINAS, L. (1989), «Nahuatl-Spanish Interferences: A Sociolinguistic Approach», *Sociolinguistics*, 18, 1-2, 19-32.
— (1992), «A Research Program for Nahuatl Sociolinguistics», *International Journal of the Sociology of Language*, 96, 97-109.

FLOYD, M. (1982), «Spanish language maintenance in Colorado», en F. Barkin *et al.* (eds.), *Bilingualism and language contact: Spanish, English, and Native American Languages*, Nueva York, Teachers College Press, 290-303.

FONTANELLA DE WEINBERG, M. (1970), «La evolución de los pronombres de tratamiento en el español bonaerense», *Thesaurus*, 25, 1, 12-22.

— (1973), «Comportamiento ante -s de hablantes femeninos y masculinos del español bonaerense», *Romance Philology*, 27, 50-58.

— (1979), *Dinámica social de un cambio lingüístico*, México, Universidad Nacional Autónoma de México.

— (1980), «Español del Caribe: ¿Rasgos peninsulares, contacto lingüístico e innovación», *Lingüística Española actual*, 2, 2, 189-201.

— (1982), *Aspectos del español hablado en el Río de la Plata durante los siglos XVI y XVII*, Bahía Blanca, Departamento de Humanidades-Universidad Nacional del Sur.

— (1983), «Variación y cambio lingüístico en el español bonaerense», *Lingüística Española Actual*, 5, 93-108.

— (1984), *El español bonaerense en el siglo XVIII*, Bahía Blanca, Departamento de Humanidades-Universidad Nacional del Sur.

— (1985), «El yeísmo bonaerense en los siglos XVIII y XIX», *Revista Argentina de Lingüística*, 1, 83-91.

— (1987), *El español bonaerense. Cuatro siglos de evolución lingüística (1580-1980)*, Buenos Aires, Hachette.

— (1989a), «La evolución de las palatales en español bonaerense», *RLA, Revista de Lingüística Teórica y Aplicada*, 27, 67-80.

— (1989b), «Avances y rectificaciones en el estudio del voseo americano», *Thesaurus*, 44, 3, 521-533.

— (1993), *El español de América*, Madrid, MAPFRE.

— (1995-1996), «Los sistemas pronominales de segunda persona en el mundo hispánico», *Boletín de Filología*, 35, 151-162.

— (1996), «El aporte de la sociolingüística histórica al estudio del español», *International Journal of the Sociology of Language*, 117, 27-38.

— (1997), «Evolución de los usos de *ser-estar* y *haber-tener* en español bonaerense», *Lingüística*, 9, 111-123.

— (1998), «La variable sexo y las grafías de los hablantes bonaerenses en los siglos XVIII y XIX», J. Blecua, J. Gutiérrez y L. Sala (eds.), *Estudios de Grafemática en el dominio hispánico*, Santafé de Bogotá, Colombia, Instituto Caro y Cuervo, 83-95.

— (1999), «Sistemas pronominales de tratamiento usados en el mundo hispánico», en I. Bosque y V. Demonte (coords.), *Gramática descriptiva de la lengua española*, vol. 1, Madrid, Espasa, 1399-1426.

— (coord.) (2000), *El español de la Argentina*, Buenos Aires, Edicial.

— *et al.* (1968), «Los pronombres de tratamiento en el español bonaerense», *Actas de la Quinta Asamblea Interuniversitaria de Filología y Literaturas Hispánicas*, Bahía Blanca, Universidad Nacional del Sur, 142-155.

FORBES, O. (1987), «Recreolización y decreolización en el habla de San Andrés y Providencia», *Glotta*, 2, 2, 13-17.

FOX, J. (1970), «The pronouns of address in Spanish», *Actas del X Congreso Internacional de Lingüistas,* vol. I, 685-691.
FRAGO, J. A. (1978), «Tres notas de diacronía lingüística: sobre fonética, morfología y sintaxis», *Archivo de Filología Aragonesa,* 12-13, 188-189.
FRANCIS, W. N. (2000), «Rincones de Lectura Comes to San Isidro: New Contexts for Biliteracy and Language Maintenance», *Language, Culture and Curriculum,* 13, 1, 31-50.
FREEDSON, M. y PÉREZ, E. (1995), «Educación bilingüe-bicultural y modernización en Los Altos de Chiapas», *América Indígena,* 1995, 55, 1-2, 383-424.
FRENCH, B. (1999), «Imagining the Nation: Language Ideology and Collective Identity in Contemporary Guatemala», *Language and Communication,* 19, 4, 277-287.
FRIES, C. y PIKE, K. (1949), «Coexistent phonemic systems», *Language,* 25, 29-50.
FUSTER, J. (1962), *Nosaltres els valencians,* Barcelona, Edicions 62.
GABBIANI, B. (1996), «El Paraguay visto desde el interior», *International Journal of the Sociology of Language,* 117, 115-123.
GAL, S. (1979), *Language Shift: Social Determinants of Linguistic Change in Bilingual Austria,* Nueva York, Academic Press.
GALINDO, L. (1993), «Bilingualism and Language Variation among Chicanos in the Southwest», en A. Glowka y D. Lance (eds.), *Language Variation in North American English: Research and Teaching,* Nueva York, Modern Language Association of America.
— (1995), «Language Attitudes toward Spanish and English Varieties: A Chicano Perspective», *Hispanic Journal of Behavioral Sciences,* 17, 1, 77-99.
— (1996), «Language Use and Language Attitudes: A Study of Border Women», *Bilingual Review/Revista Bilingüe,* 21, 1, 5-17.
GALUÉ, D. (1996), «El queísmo en el habla de Caracas: un caso de variación lingüística», *Núcleo,* 13, 9-26.
— (1998), *Me di cuenta que... Un estudio sociolingüístico del habla de Caracas,* tesis de maestría, Caracas, Universidad Central de Venezuela.
GALVÁN, J., PIERCE, J. y UNDERWOOD, G. (1976), «The Effects of Teachers Social and Educational Characteristics on Their Attitudes Toward Mexican-American English», *Journal of the Linguistic Association of Southwest,* 2, 1, 15-25.
GALVÁN, M. y TESCHNER, R. (1977), *Diccionario del español chicano,* Silver Spring, Institute of Modern Languages.
GARCÍA, C. (1992), «Refusing an Invitation: A Case Study of Peruvian Style», *Hispanic Linguistics,* 5, 1-2, 207-243.
— (1993), «Making a Request and Responding to It: A Case Study of Peruvian Spanish Speakers», *Journal of Pragmatics,* 19, 2, 127-152.
— (1996a), «Reprimanding and Responding to a Reprimand: A Case Study of Peruvian Spanish Speakers», *Journal of Pragmatics,* 26, 5, 663-697.
— (1996b), «Teaching Speech Act Performance: Declining an Invitation», *Hispania,* 79, 2, 267-279.

— (1999), «The Three Stages of Venezuelan Invitations and Responses», *Multilingua,* 18, 4, 391-433.
GARCÍA, C. (1976), «Interferencias lingüísticas entre gallego y castellano», *Revista de la Sociedad Española de Lingüística,* 6, 2, 327-343.
— (1986), «El castellano en Galicia», en V. García de la Concha (coord.), *El castellano en las comunidades bilingües de España,* Salamanca, Junta de Castilla y León, 49-64.
GARCÍA, E. (1975), *The role of theory in linguistic analysis: The Spanish pronoun system,* Amsterdam, North-Holland Publishing Co.
— (1985a), «Shifting variation», *Lingua,* 67, 189-224.
— (1985b), «Quantity into Quality: Synchronic Indeterminacy and Language Change», *Lingua,* 65, 4, 275-306.
— (1986), «The case of Spanish gender», *Neuphilologische Mitteilungen,* 87, 165-184.
— (1989), «El fenómeno del dequeísmo desde una perspectiva dinámica del uso comunicativo de la lengua», en J. Moreno de Alba (ed.), *Actas del II Congreso Internacional sobre el español de América,* México, UNAM, 46-65.
— (1992), «Sincronización y desfase del leísmo y loísmo», *Neuphilologishe Mitteilungen,* 93, 235-256.
— (1994), «Extra-Linguistic Conditioning of Grammatical Change», *Linguistische Berichte,* 153, 341-371.
GARCÍA, Eugene, (1980), «The Function of Language Switching during Bilingual Mother-Child Interactions», *Journal of Multilingual and Multicultural Development,* 1, 3, 243-252.
GARCÍA, I. y VÁZQUEZ, M. (1994), «Cambio lingüístico en una población Chontal de Tabasco», *América Indígena,* 54, 1-2, 169-185.
GARCÍA, M. E. (1982), «Syntactic variation in verb phrases of motion in U.S Mexican Spanish», en J. Amastae y L. Elías-Olivares (eds.), *Spanish in the United States,* Cambridge (MA), Cambridge University Press, 83-92.
— (1995), «En los sábados, en la manaña, en veces: A Look at *en* in the Spanish of San Antonio», en C. Silva-Corvalán (ed.), *Spanish in Four Continents: Studies in Language Contact and Bilingualism,* Washington D.C., Georgetown University Press, 196-213.
— (1998), «Gender Marking in a Dialect of Southwest Spanish», *Southwest Journal of Linguistics,* 17, 1, 49-58.
— (2001), «*Siempre* and *todo el tiempo:* Investigating Semantic Convergence in a Bilingual Dialect», *Hispania,* 84, 2, 300-314.
— y TALLÓN, M. (1995), «Postnuclear /-s/ in San Antonio Spanish: "Nohotros no aspiramos"», *Georgetown Journal of Languages and Linguistics,* 3, 2-4, 139-162.
GARCÍA, O. (2001), «La enseñanza del español en las escuelas de los Estados Unidos: pasado y presente», en *II Congreso Internacional de la Lengua Española. El Español en la Sociedad de la Información,* Valladolid, Centro Virtual Cervantes, 16-19 de octubre.
— *et al.* (1985), «Written Spanish in the United States: An Analysis of the Spanish of the Ethnic Press», *International Journal of the Sociology of Language,* 56, 85-98.

— (1988), «Spanish Language Use and Attitudes: A Study of two New York City Communities», *Language in Society*, 17, 475-511.
— y OTHEGUY, R. (1988), «The language situation of Cuban American», en S. L. MacKay y S. Wong (eds.), *Language diversity: Problem or resource?*, Nueva York, Newbury House, 166-192.
GARCÍA, R. y DÍAZ, C. (1992), «The Status and Use of Spanish and English among Hispanic youth in Dade County (Miami) Florida: A Sociolinguistic Study, 1989-1991», *Language and Education*, 6, 1, 13-32.
GARCÍA DOMÍNGUEZ, M. J. *et al.* (1994), «Estudio de la disponibilidad léxica en Gran Canaria. La variable geográfica y el tipo de educación», *REALE*, 2, 65-72.
GARCÍA FERNÁNDEZ, B. (1988), «Especificidad estructural, léxica y sintáctica del habla del bilingüe (dominio franco-español). Análisis cuantitativo del discurso», *Revista de la Sociedad Española de Lingüística*, 18, 1, 1-30.
GARCÍA GALLARÍN, C. (2000), «Los diminutivos en el discurso femenino (Edad Media y Siglos de Oro)», *Verba*, 27, 379-404.
GARCÍA MARCOS, F. J. (1987), «El segmento fónico *vocal + s* en ocho poblaciones de la costa granadina: Aportación informática, estadística y sociolingüística al reexamen de la cuestión», *Epos: Revista de Filología*, 3, 155-180.
— (1990), *Estratificación social del español de la costa granadina*, Almería, Departamento de Lingüística General y Teoría de la Literatura.
— y FUENTES GONZÁLEZ, A. (1996), *Mecanismos de Prestigio y Repercusión Sociolingüística*, Almería, Universidad de Almería.
— y MATEO, M. V. (1997), «Resultados de las encuestas sobre disponibilidad léxica realizadas en Almería», *REALE*, 7, 57-68.
GARCÍA MIGUEL, J. (1991), «La duplicación de complemento directo e indirecto como concordancia», *Verba*, 18, 375-410.
GARCÍA MOUTON, P. (1996a), «Lenguas en contacto en Vera de Bidasoa», *Revista de Dialectología y Tradiciones Populares*, 51, 1, 209-219.
— (1996b), *Lenguas y dialectos de España*, Madrid, Arco/Libros.
— (1999), *Cómo hablan las mujeres*, Madrid, Arco/Libros.
GARCÍA NEGRO, M. P. (1993), «La Legislation concernant la langue galicienne (la legalité vs la necessité)», *Plurilinguismes*, 6, 155-179.
GARDNER-CHLOROS, P. (1991), *Language Selection and Switching in Strasbourg*, Oxford, Oxford University Press.
GARMENDIA, M. C. (1994), «El proceso de normalización lingüística en el País Vasco: datos de una década», *International Journal of the Sociology of Language*, 109, 97-107.
GARVIN, P. (1973), «Some comments on language plannig», en J. Rubin y R. Shuy (eds.) *Language Planing: Current Issues and Research*, Washington, Georgetown University Press, 24-33.
— y MATHIOT, M. (1968), «The Urbanization of the Guaraní Language: A problem in Language and Culture», en J. Fishman (ed.), *Readings in the Sociology of Language*, La Haya, Mouton, 365-374.
GARZÓN, S. (1992), «The Process of Language Death in a Mayan Community in Southern México», *International Journal of the Sociology of Language*, 93, 53-66.

GAUCHAT, L. (1905), «L'unité phonétique dans le patois d'une commune», en *Aus romanischen Sprachen und Litteraturen. Festgabe für H. Morf,* Halle, Niemeyer.

GENERALITAT VALENCIANA (1989a), *Explotació de les dades publicades per la Conselleria d'Economia i Hisenda: Coneixement del valencià. Padró Municipal d'habitants 1986,* València, Direcció General de Política Lingüística.

— (1989b, 1992, 1995), *Enquesta general sobre coneixement i ús del valencià,* Valencia, Conselleria de Cultura i Educació.

GIDDENS, A. (1998), *Sociología,* Madrid, Alianza Editorial.

GILES, H. (1984), «The Dinamics of Speech Accomodation», *International Journal of the Sociology of Language,* 47, 5-32.

— BOURHIS, R. y DAVIES, A. (1975), «Prestige styles: the imposed norm and inherent value hypothesis», en W. McCormack y S. Wurm (eds.), *Language in Many Ways,* La Haya, Mouton, 75-89.

— BOURHIS, R. y TAYLOR, D. (1977), «Towards a theory of language in ethnic group relations», en H. Giles (ed.), *Lenguage, etnicity and intergroup relations,* Londres, Academic Press, 307-349.

— *et al.* (1973), «Towards a theory of interpersonal accomodation through language: some Canadian data», *Language in Society,* 2, 177-192.

GILI GAYA, S. (1961), *Curso superior de sintaxis,* Barcelona, Vox.

GIMENO, F. (1983), «Hacia una sociolingüística histórica», *Estudios de Lingüística de la Universidad de Alicante (ELUA),* 1, 181-226.

— (1984), «Estudio sociolingüístico histórico», en J. Estal *et al.* (eds.), *El libro de los primitivos privilegios de Alicante de Alfonso X el Sabio,* Madrid, Edilán, 13-16.

— (1985), «Multilingüismo y multilectismo», *Estudios de Lingüística de la Universidad de Alicante,* 2, 61-89.

— (1987), «A propósito de comunidad de habla: "The Social Dimension of Dialectology", de J. P. Rona», en H. López Morales y M. Vaquero (eds.), *Actas del I Congreso Internacional sobre el español de América,* San Juan, Puerto Rico, 689-698.

— (1988), «Sociolingüística histórica», en *Actes du XVIIIe Congrès International de Linguistique et de Philologie Romanes (Université de Trèves [Trier], 1986),* Tubinga, Niemeyer, 111-120.

— (1990), *Dialectología y sociolingüística españolas,* Alicante, Universidad de Alicante.

— (1995), *Sociolingüística histórica,* Madrid, Visor.

— (1998), «Grafemática y sociolingüística histórica: a proposito del Libro de los Primitivos Privilegios de Alicante», *Estudios de Grafemática en el Dominio Hispánico,* Santafé de Bogotá, Instituto Caro y Cuervo, 123-133.

— y MONTOYA, B. (1989), *Sociolingüística,* Valencia, Universitat de València.

GIRAL, J. y ENGUITA, J. M. (1998), *Aspectos gramaticales de las hablas de La Litera (Huesca),* Zaragoza, Institución Fernando el Católico.

GIVON, T. (1971), «Historical syntax and synchronic morphology: An archaelogist's field trip», *Papers from the Seventh Regional Meeting of the Chicago Linguistic Society,* 16-18, 394-415.

GLEICH, U. von (1994), «Language Spread Policy: The Case of Quechua in the Andean Republics of Bolivia, Ecuador, and Peru», *International Journal of the Sociology of Language,* 107, 77-113.

GODENZZI, J. (1995), «The Spanish Language in Contact with Quechua and Aymara: The Use of the Article», en C. Silva-Corvalán (ed.), *Spanish in Four Continents: Studies in Language Contact and Bilingualism,* Washington D.C., Georgetown University Press, 101-116.

— (1996), «Literacy and Modernization among the Quechua Speaking Population of Peru», en N. H. Hornberger (ed.), *Indigenous Literacies in the Americas: Language Planning from the Bottom Up,* Berlín, Mouton de Gruyter, 237-249.

GÓMEZ CAPUZ, J. (2000), *Anglicismos en el español actual: su estudio en el registro coloquial,* Valencia, Universitat de València.

GÓMEZ DACAL, G. (2001), «El español como segunda lengua en EE.UU.», *Revista de Occidente,* 240, 25-57.

GÓMEZ MOLINA, J. R. (1986), *Estudio sociolingüístico de la comunidad de habla de Sagunto (Valencia),* Valencia, Institució Alfons el Magnánim.

— (1998), *Actitudes lingüísticas en una comunidad bilingüe y multilectal (Área Metropolitana de Valencia),* Valencia, Universitat de València.

— y GÓMEZ DEVÍS, B. (1995), «Dequeísmo y queísmo en el español hablado de Valencia: factores lingüísticos y sociales», *Anuario de Lingüística Hispánica,* XI, 193-220.

GÓMEZ TORREGO, L. (1991), «Reflexiones sobre el dequeísmo y el queísmo en el español de España», *Español Actual,* 55, 23-44.

— (1995), *Manual de español correcto,* Madrid, Arco/Libros.

— (1999), «La variación en las subordinadas sustantivas: dequeísmo y queísmo», en I. Bosque y V. Demonte (eds.), *Gramática descriptiva del español,* Madrid, Espasa, II, 2105-2148.

GONZÁLEZ, J. y PEREDA, M. E. (1994), «Procesos postnucleares de las obstruyentes oclusivas en el habla caraqueña», comunicación presentada en las *VI Jornadas Lingüísticas de la ALFAL,* Coro, 13-18 noviembre de 1994.

GONZÁLEZ FERRERO, J. (1991), *Estratificación sociolingüística de una comunidad semiurbana: Toro,* Salamanca, Universidad de Salamanca.

GONZÁLEZ GÓMEZ, M. (1998), «Anglicismos usados en narraciones costarricenses del béisbol», *Kanina,* 22, 2, 91-99.

— (2000), «Anglicismos usados en narraciones costarricenses en el fútbol», *Revista de Filología y Lingüística de la Universidad de Costa Rica,* 26, 2, 221-233.

GONZÁLEZ GONZÁLEZ, M. *et al.* (1996), *Actitudes lingüísticas en Galicia,* A Coruña, Real Academia Galega (Seminario de Sociolingüística).

GONZÁLEZ LORENZO, M. (1985), *Bilingüismo en Galicia: Problemas y Alternativas,* Santiago, Universidad de Santiago.

GONZÁLEZ MARTÍNEZ, A. (1997), *Disponibilidad léxica de Cádiz,* tesis doctoral inédita, Cádiz, Universidad de Cádiz.

— (2003), «Bibliografía actualizada (1998-2003)», en *II Encuentro de Investigadores. Léxico disponible del mundo hispánico,* Monasterio de San Millán de la Cogolla, abril de 2003.

González Ollé, F. (1978), «El establecimiento del castellano como lengua oficial», *Boletín de la Real Academia Española*, 58, 229-280.
González Salas, M. (1993), *Sex Differential Lingüístic Markers in the Spanish of México City: Attitudes and Perceptions*, Austin, University of Texas.
González Tapia, C. (1990), «El español dominicano: un estudio diatópico de /r/ y /l/», *Anuario de Lingüística Hispánica*, 6, 225-253.
Gordon, A. M. (1987), «Distribución demográfica de los alófonos de /rr/ en Bolivia», en *Actas del I Congreso Internacional sobre el español de América*, San Juan, Puerto Rico, 715-724.
Granda, G. de (1979), «Un caso complejo de interferencia morfológica recíproca en situación de bilingüismo amplio (español y guaraní en el Paraguay)», *Studii di cercetari lingvistice*, 30, 4, 379-382.
— (1980a), «Algunos rasgos fonéticos del español paraguayo atribuibles a influencia guaraní», *Revista de la Sociedad Española de Lingüística (RSEL)*, 10, 2, 339-350.
— (1980b), «Algunas precisiones sobre el bilingüismo en el Paraguay», *Estudios Paraguayos*, 8, 1, 11-45.
— (1981), «Actitudes sociolingüísticas en el Paraguay», *Revista Paraguaya de Sociología*, 18, 7-22.
— (1985), «Fenómenos de interferencia fonética del fang sobre el español de Guinea Ecuatorial. Consonantismo», *Anuario de Lingüística Hispánica*, 1, 95-114.
— (1991), *El español en tres mundos. Retenciones y contactos lingüísticos en América y África*, Valladolid, Universidad de Valladolid.
— (1994a), «Observaciones metodológicas sobre la investigación sociolingüística en Hispanoamérica», *Lexis*, 18, 197-210.
— (1994b), «Dos procesos de transferencia gramatical de lenguas amerindias (quechua/aru y guaraní) al español andino y al español paraguayo. Los elementos validadores», *Revista de Filología Española*, 74, 1-2, 127-141.
— (1994c), *Español de América, español de África y hablas criollas*, Madrid, Gredos.
— (1994d), «El proceso de koinización en el periodo inicial de desarrollo del Español de América», en J. Lüdke (ed.), *El español de América en el siglo XVI*, Frankfurt, Iberoamericana, 87-108.
— (1995), «Un quechuismo morfosintáctico en dos áreas extremas del español andino. Las perífrasis verbales de gerundio con valor perfectivo en el noroeste argentino y el sur de Colombia», *Anuario de Lingüística Hispánica*, 11, 151-160.
— (1996), «Interferencia y convergencia sintácticas e isogramatismo amplio en el español paraguayo», *International Journal of the Sociology of Language*, 117, 63-80.
— (1997), «Replanteamiento de un tema controvertido. Génesis y retención del doble posesivo en el español andino», *RFE*, 77, 139-147.
— (2001), «Procesos de estandarización revertida en la configuración histórica del español americano: el caso del espacio surandino», *International Journal of the Sociology of Language*, 149, 95-118.

— (2003), «Sobre un —ilusorio— proceso de transferencia sintáctica por contacto en el español andino. La reiteración adjetival elativa», en F. Moreno Fernández *et al.* (eds.), *Lengua, variación y contexto. Estudios dedicados a Humberto López Morales,* II, Madrid, Arco/Libros, 655-664.

GREEN, K. (1994), «The Development of Dominican Vernacular Spanish», *CUNyForum,* 18, 1-25.

GRICE, P. (1975), «Logic and Conversation. Syntax and Semantics», en P. Cole y J. L. Morgan (eds.), *Syntax and Semantics. Vol. III. Speech Acts,* Nueva York, Academic Press, 41-58.

GRINVEVALD, C. (1997), «Language Contact and Language Degeneration», en F. Coulmas (ed.), *The Handbook of Sociolinguistics,* Oxford, Basil Blackwell, 257-270.

GROPPI, M. (1997-1998), «Pronombres clíticos en el español de Montevideo», *Pragmalingüística,* 5-6, 153-172.

GROSJEAN, F. (1982), *Life with Two Languages. An Introduction to Bilingualism,* Cambridge (MA), Harvard University Press.

GUERRERO, P. (1998), «Enseñanza de la segunda lengua en una comunidad bilingüe: el caso catalán», *Romance Quarterly,* 45, 1, 55-61.

GUILLÉN, R. (1992), «Una cuestión de fonosintaxis: realización en andaluz de la /s/ final de palabra seguida de vocal», *Anuario de Estudios Filológicos,* 15, 135-153.

GUIRAUD, P. (1954), *Les caractères statistiques du vocabulaire,* París, Presses Universitaires de France.

GUITART, J. (1997), «Variability, Multilectalism, and the Organization of Phonology in Caribbean Spanish Dialects», en F. Martinez Gil y A. Morales Front (eds.), *Issues in The Phonology and Morphology of The Major Iberian Languages,* Washington D.C., Georgetown University Press, 515-536.

GUITARTE, G. (1958), «Cuervo, Henríquez Ureña y la polémica sobre el andalucismo de América», *Vox Románica,* 17, 363-416.

GUMPERZ, J. (1964), «Linguistic and Social Interaction in two Communities», *American Anthropologist,* 66, 137-153.

— (1976), «The Sociolinguistic Significance of Conversational Code-Switching», *Working Papers of the Language Behavior Research Laboratory,* 46, 123-173.

— (1982), *Discourse Strategies,* Cambridge, Cambridge University Press.

— y HERNÁNDEZ CHÁVEZ, E. (1972), «Bilingualism, Bidialectalism and Classroom Interaction», en C. Cazden *et al.* (eds.), *Functions of Language in the Classroom,* Nueva York, Teachers College Press, 74-110.

— (1975), «Cognitive aspects of bilingual communication», en E. Hernández Chavez *et al.* (eds.), *El lenguage de los Chicanos,* Arlington, Center for Applied Linguistics, 154-164.

— y WILSON, R. (1971), «Convergence and Creolization. A case from the Indo Aryany Dravidian Border in India», en D. Hymes (ed.), *Pidginization and creolization of languages,* Cambridge, Cambridge University Press, 151-167.

GUTIÉRREZ, M. (1992), «The Extension of *Estar*: A Linguistic Change in Progress in the Spanish of Morelia, México», *Hispanic Linguistics,* 5, 1-2, 109-141.

— (1994), «La influencia de "los de abajo" en tres procesos de cambio lingüístico en el español de Morelia, Michoacan», *Language Problems and Language Planning*, 18, 3, 257-269.
— (1995), «On the Future of the Future Tense in the Spanish of the Southwest», en C. Silva-Corvalán (ed.), *Spanish in Four Continents: Studies in Language Contact and Bilingualism*, Washington D.C., Georgetown University Press, 214-226.
— (1996), «Tendencias y alternancias en la expresión de condicionalidad en el español hablado en Houston», *Hispania*, 79, 3, 567-577.
— (2002), «Innovación en el español de los Estados Unidos: ¿Progreso o decadencia?», *Revista de Lingüística Teórica y Aplicada*, 40, 113-128.
— y Silva-Corvalán, C. (1993), «Spanish Clitics in a Contact Situation», en A. Roca y J. Lipski (eds.), *Spanish in The United States: Linguistic Contact and Diversity*, Berlín, Mouton de Gruyter, 75-89.
Gutiérrez-Araus, M. L. (1995), *Formas temporales del pasado en indicativo*, Madrid, Arco/Libros.
Guy, G. (1988), «Language and social class», en F. Newmeyer (ed.), *Linguistics the Cambridge survey*, Cambridge, Cambridge University Press, 37-63.
— (1990), «The sociolinguistic types of language change», *Diachronica*, 7, 23-52.
Gynan, N. (1998a), «Attitudinal Dimensions of Guarani-Spanish Bilingualism in Paraguay», *Southwest Journal of Linguistics*, 17, 2, 35-57.
— (1998b), «Migration Patterns and Language Maintenance in Paraguay», *Journal of Sociolinguistics*, 2, 2, 259-270.
— (2001), «Paraguayan Language Policy and the Future of Guarani», *Southwest Journal of Linguistics*, 20, 1, 151-165.
Habick, T. (1991), «Burnouts versus Rednecks: effects of group membership on the phonemic system», en P. Eckert (ed.), *New Ways of Analyzing Sound Change*, San Diego, Academic Press, 185-212.
Haché de Yunen, A. (1982), «La /-n/ final de sílaba en el español de Santiago de los Caballeros», en O. Alba (ed.), *El español del Caribe*, Santiago de los Caballeros, Universidad Católica Madre y Maestra, 143-154.
Hakuta, K. y D'Andrea, D. (1992), «Some Properties of Bilingual Maintenance and Loss in Mexican Background High-School Students», *Applied Linguistics*, 13, 1, 72-99.
Hall, R. (2000), *Mood Choice after* «no saber si» *in Mexican Spanish*, tesis doctoral (edición en microficha), Oklahoma, Oklahoma State University.
Hamel, R. (1981), «Bilingüismo, educación indígena y conciencia lingüística en comunidades otomíes del Valle del Mezquital», *Estudios Filológicos*, 16, 127-162.
— (1988), *Sprachkonfiikt und Sprachverdrangung. Die zweisprachige Kommunikationspraxis der Otomí lndianer in México*, Berna *et al.*, Lang.
— (1992), «Interner Sprachkolonialismus in Mexiko. Die Minorisierung von Indianersprachen in der Alltagskommunikation», *LiLi, Zeitschrift fur Literaturwissenschaft und Linguistik*, 22, 85, 116-149.
— y Sierra, M. (1983), «Diglosia y conflicto intercultural. La lucha por un concepto o la danza de los significantes», *Boletín de Antropología Americana*, 8, 89-110.

HAMMOND, R. y RESNICK, M. (eds.) (1988), *Studies in Caribbean Spanish Dialectology,* Washington D.C., Georgetown University Press.
HAMP, E. (1980), «Problems of multilingualism in small linguistic communities», en J. Alatis (ed.), *Current issues in bilingual education,* Washington D.C., Georgetown University Press, 155-165.
HANLON, D. (1997), «A Sociolinguistic View of hazl in Andalusian Arabic muwashshah», *Bulletin of the School of Oriental and African Studies University of London,* 60, 1, 35-46.
HARDMAN, M. (1982), «The Mutual Influence of Spanish and the Andean Languages», *Word,* 1982, 33, 1-2, 143-157.
HARRIS, J. (1984), «Syntactic Variation and Dialect Divergence», *Journal of Linguistics,* 20, 2, 303-327.
HARRIS, T. (1994), *Death of a Language: The History of Judeo Spanish,* Newark (NJ), University of Delaware Press.
HARRISON, R. (1995), «The Language and Rhetoric of Conversion in the Viceroyalty of Peru», *Poetics Today,* 16, 1, 1-27.
HAUGEN, E. (1953), *The Norwegian Language in America: A Study in Bilingual Behavior,* Filadelfia, University of Pennsylvania Press.
— (1954), «Problems of bilingual descriptions», *Monograph Series on Languages and Linguistics,* 7, 9-19.
— (1966a), «Dialect, language, nation», *American Anthropologist,* 68, 922-935.
— (1966b), «Linguistics and language planning», en W. Bright (ed.), *Sociolinguistics. Proceeding of the UCLA Sociolinguistics Conference,* La Haya, Mouton de Gruyter, 50-71.
— (1970), «Linguistics and Dialinguistics», en J. Alatis (ed.), *Bilingualism and language contact,* Washington, Georgetown University Press, 1-12.
— (1971), «The ecology of language», *The Linguistic Reporter,* 25, 19-26.
— (1972), *The Ecology of Language,* Stanford, Stanford University Press.
— (1987), «Language Planning», en U. Ammon *et al.* (eds.), *Sociolinguistics. An International Handbook of Science of Language and Society,* I, Berlín, W. de Gruyter, 626-637.
HEAP, D. (1990), «Les Questions à sujet pronominal preposé dans les dialectes de l'espagnol des Caraibes», *Journal of the Atlantic Provinces Linguistic Association/Revue de l'Association de Linguistique des Provinces Atlantiques,* 12, 13-38.
HEATH, S. (1972), *La política del lenguaje en México. de la colonia a la nación,* México, Instituto Nacional Indigenista/Secretaría de Educación.
HEARTLAND CENTER (1996), *On many edges. The Hispanic Population of Indiana,* Indiana, Hammond.
HELLER, M. (1984), «Ethnic relations and language use in Montreal», en N. Wolson y J. Manes (eds.), *Language of inequality,* Berlín, Mouton de Gruyter, 75-90.
— (ed.) (1988), *Code switching. Anthropological and Sociolinguistic Perspectives,* Mouton de Gruyter.
HENRÍQUEZ UREÑA, P. (1921), «Observaciones sobre el español en América», *Revista de Filología Española,* 8, 357-390.

— (1976), *Observaciones sobre el español de América y otros estudios filológicos,* Buenos Aires, Academia Argentina de Letras.
HENSEY, F. (1972), *The Sociolinguistcs of the Brazilian Uruguayan border,* La Haya-París, Mouton de Gruyter.
— (1982), «Spanish, Portuguese, and Fronterizo: Languages in Contact in Northern Uruguay», *International Journal of the Sociology of Language,* 34, 7-23.
— (1993), «Portuguese and/or "Fronterizo" in Northern Uruguay», en R. Posner y J. N. Green (eds.), *Trends in Romance Linguistics and Philology Volume 5: Bilingualism and Linguistic Conflict in Romance,* Berlín, Mouton de Gruyter, 433-452.
HEREDIA, J. R. (1994), «Precisiones sobre el leísmo (le por la)», *Rilce. Revista de Filología Hispanica,* 10, 2, 49-62.
HERNÁNDEZ, C. (1971), *Sintaxis española,* Valladolid, Universidad de Valladolid.
— (1984), *Gramática funciónal del español,* Madrid, Gredos.
HERNÁNDEZ CHÁVEZ, E. (1978), «Language Maintenance, Bilingual Education, and Philosophies of Bilingualism in the United States», *Georgetown University Round Table on Languages and Linguistics,* 527-550.
— (1993), «Native Language Loss and Its Implications for Revitalization of Spanish in Chicano Communities», en B. Merino *et al.* (eds.), *Language and Culture in Learning: Teaching Spanish To Native Speakers of Spanish,* Washington D.C., The Falmer Press, 58-74.
— *et al.* (1975), *El lenguaje de los chicanos,* Arlington, Virginia, Center for Applied Linguistics.
HERNÁNDEZ HERRERO, A. (1999), «Analysis and comparison of complinenting behaviour in Costa Rica Spanish and American English», *Kanina,* 23, 3, 121-131.
HERNÁNDEZ SACRISTÁN, C. (2000), «Náhuatl y español en contacto: En torno a la noción de sincretismo», en J. Calvo (ed.), *El español de América en el candelero,* Frankfurt-Madrid, Vervuert-Iberoamericana, 61-72.
HERRERA, J. y MEDINA, J. (1991), «Perfecto simple/perfecto compuesto: análisis sociolingüístico», *Revista de Filología de La Universidad de La Laguna,* 10, 227-239.
HERRERAS, J. C. (1998), «20 ans de normalisation linguistique en Espagne», *Linguistique,* 34, 2, 49-59.
HERRERO, M. (1993), «Guerre des graphies et conflit glottopolitique: lignes de discours dans la sociolinguistique galicienne», *Plurilinguismes,* 6, 181-209.
HERRMANN, U. (1990), *Das Galicische: Studuen zur Geschichte und aktuellen Situation einer der nationalen Sprachen in Spanuen,* Frankfurt am Main, Editora Teo Ferrer de Mesquita/Domus Editoria Europaea.
HIDALGO, M. (1986), «Language Contact, Language Loyalty, and Language Prejudice on the Mexican Border», *Language in Society,* 15, 2, 193-220.
— (1987), «Español mexicano y español chicano: problemas y propuestas fundamentales», *Language Problems and Language Planning,* 11, 2, 166-193.
— (1990), «Sobre las variantes de /s/ en Mazatlan, Sinaloa», *Hispania,* 73, 2, 526-529.

— (1993), «The Dialectics of Spanish Language Loyalty and Maintenance on the U.S.-México Border: A Two-Generation Study», en A. Roca y J. Lipski (eds.), *Spanish in the United States: Linguistic contact and diversity,* Berlín, Mouton de Gruyter, 47-73.
— (1995), «Language and Ethnicity in the "Taboo" Region: The U.S.-Mexico Border», *International Journal of the Sociology of Language,* 114, 29-45.
— (2001), «Sociolinguistic Stratification in New Spain», *International Journal of the Sociology of Language,* 149, 55-78.
HILL, J. (1978), «Language death, language contact and language evolution», en W. McCormack y S. Wurm (eds.), *Approaches to Language: Anthropological Issues,* La Haya, Mouton, 45-78.
— y HILL, K. (1977), «Language death and relexification in Tlaxcalan Nahualth», *Linguistics,* 191, 550-568.
— (1980a), «Mixed Grammar, Purist Grammar, and Language Attitudes in Modern Nahuatl», *Language in Society,* 9, 3, 321-348.
— (1980b), «Metaphorical Switching in Modern Nahuatl: Change and Contradiction», *Papers from the Regional Meetings, Chicago Linguistic Society,* 16, 121-133.
— (1986), *Speaking Mexicano: dynamics of syncretic language in central Mexico,* Tucson, University of Arizona Press.
— (1988), «Mixed grammar, purist grammar and language attitudes in modern Nahualt», *International Journal of the Socioloy of Language,* 12, 55-69.
— (1996), «The Grammar of Consciousness and the Consciousness of Grammar», en D. Brenneis y R. Macaulay (eds.), *The Matrix of Language: Contemporary Lingüistic Anthropology,* Boulder (CO), Westview Press, 307-323.
— (1998), «Language, Race, and White Public Space», *American Anthropologist,* 100, 3, 680-689.
HINTON, L. (1999), «Trading Tongues: Loss of Heritage Languages in the United States», *English Today,* 15, 4, 21-30.
HOBBS, D. (1991), *Gender Based Strategies in Issuing Directives in Mexican Spanish,* Austin, University of Texas.
HOCHBERG, J. (1986), «Functional compensation for /s/ deletion in Puerto Rican Spanish», *Language,* 62, 609-621.
HOCKETT, Ch. (1950), *Curso de lingüística moderna,* Buenos Aires,
HOFFMANN, C. (1996), «Language Planning at the Crossroads: The Case of Contemporary Spain», en C. Hoffmann (ed.), *Language, Culture and Communication in Contemporary Europe,* Clevedon, Multilingual Matters, 93-110.
— (2001), «Balancing Language Planning and Language Rights: Catalonia's Uneasy Juggling Act», *Journal of Multilingual and Multicultural Development,* 21, 5, 425-441.
HOLLOWAY, C. (1997), *Dialect Death: The Case of Brule Spanish,* Amsterdam, John Benjamins Publishing.
HOLMQUIST, J. (1985), «Social Correlates of a Linguistic Variable: A Study in a Spanish Village», *Language in Society,* 14, 2, 191-203.

HORNBERGER, N. (1991), «Spanish in the Community: Changing Patterns of Language Use in Highland Peru», en C. Klee y L. Ramos (eds.), *Sociolinguistics of the Spanish Speaking world: Iberia, Latin America, United States,* Tempe (AR), Bilingual Press, 141-162.
— (1999), «Maintaining and Revitalising Indigenous Languages in Latin America: State Planning vs. Grassroots Initiatives», *International Journal of Bilingual Education and Bilingualism,* 2, 3, 159-165.
HOWARD, R. (1995), «"Pachamama Is a Spanish Word": Linguistic Tension between Aymara, Quechua, and Spanish in Northern Potosi (Bolivia)», *Anthropological Linguistics,* 37, 2, 141-168.
HUDSON, A. (1992), «Diglossia: A Bibliographic Review», *Language in Society,* 21, 4, 611-674.
— y BILLS, G. (1980), «Interjenerational laguaje Shift in an Albuquerque barrio», en E. Blansitt y A. Teschner (eds.); *Festchrift for Jacob Ornstein: Studies in General linguistics and Sociolinguistics,* Rowleg (MA), Newbury, 139-158.
— HERNÁNDEZ CHÁVEZ, E. y BILLS, G. (1995), «The Many Faces of Language Maintenance: Spanish Language Claiming in Five Southwestern States», en C. Silva-Corvalán (ed.), *Spanish in Four Continents: Studies in Language Contact and Bilingualism,* Washington D.C., Georgetown University Press, 165-183.
HUDSON, R. (1981), *La sociolingüística,* Barcelona, Anagrama.
— (1990), «Review: Investigating Obsolescence», *Language,* 66, 831-834.
HUGUET, A. (1995), «Evaluación del conocimiento lingüístico de los escolares de la Franja Oriental de Aragón. Incidencia de algunos factores», *Revista de Educación,* 305, 429-448.
— y BISCARRI, J. (1995), «Actitudes lingüísticas de los escolares en el Baix Cinca. Incidencia de algunos factores», *Revista de Formación del Profesorado,* 23, 163-175.
— y LLURDA, E. (2001), «Language Attitudes of School Children in Two Catalan/Spanish Bilingual Communities», *International Journal of Bilingual Education and Bilingualism,* 4, 4, 267-282.
— VILA, I. y LLURDA, E. (2000), «Minority language education in unbalanced bilingual situations: A case for the linguistic interdependence hypothesis», *Journal of Psycholinguistic Research,* 29, 313-333.
HURLEY, J. (1995a), «Pragmatics in a Language Contact Situation: Verb Forms Used in Requests in Ecuadorian Spanish», *Hispanic Linguistics,* 6-7, 225-264.
— (1995b), «The Impact of Quichua on Verb Forms Used in Spanish Requests in Otavalo, Ecuador», en C. Silva-Corvalán (ed.), *Spanish in Four Continents: Studies in Language Contact and Bilingualism,* Washington D.C., Georgetown University Press, 39-51.
ILLE, K. (1995), «Schichtspezifisches Sprachverhalten und Sprachbewusstsein einer Kastilisierten Mestizengesellschaft: Das Beispiel von Managua/Nicaragua», *Grazer Linguistische Studien,* 43, 51-67.
IULIANO, R. y STEFANO, L. de (1979), «Un análisis sociolingüístico del habla de Caracas: los valores del futuro», *Boletín de la Academia Puertorriqueña de la Lengua Española,* 7, 101-109.

JACOBSON, R. (1978), «Code-Switching in South Texas: Sociolinguistic Considerations and Pedagogical Applications», *Journal of the Linguistic Association of the Southwest*, 3, 1, 20-32.
— (1990), «How to trigger code-switching in a bilingual classroom», en R. Jacobson (ed.), *Code switching as a worldwide phenomenon*, II, Nueva York, Peter Lang, 33-57.
JAGENDORF, S. y OTHEGUY, R. (1995), «The Rise of Undetermined Preverbal Subjects in the Spanish of New York City», *Hispanic Linguistics*, 6-7, 153-190.
JAKOBSON, R. (1956), *Ensayos de Lingüística General*, Barcelona, Seix Barral.
JAMIESON, M. (1991), «El multilingüismo en Buenos Aires en los siglos XVI y XVII», *Revista Argentina de Lingüística*, 7, 2, 197-203.
JARAMILLO, J. (1995), «The Passive Legitimization of Spanish. A Macrosociolinguistic Study of a Quasi-Border: Tucson, Arizona», *International Journal of the Sociology of Language*, 114, 67-91.
— (1996), «Tú and Usted: Address Etiquette in the Mexican American Family», *Hispanic Journal of Behavioral Sciences*, 18, 4, 522-532.
JASPAERT, K. y KROON, S. (1988), «The relationship between Language Attitudes and Language Choice», en R. Hout y U. Knops (eds.), *Language Attitudes in the Dutch Language Area*, Dordrecht, Foris Publications, 157-172.
JENSEN, A. (1969), «How much can we boost in and scholastic achievement», *Harvard Educational Review*, 39, 1-123.
JERNUDD, B. (1973), «Language planning as a type of language treatment», en J. Rubin y R. Shuy (eds.) *Languaje Planning: Current Issues and Research*, Washington D.C., Georgetown University Press, 11-23.
JIMÉNEZ, F. (2000), «El español en la Suiza alemana: características léxicas de la segunda generación de hispanohablantes», *Estudios de Lingüística (ELUA)*, 14, 117-150.
JOAN, B. (1984), *Bilingüisme? Normalització? Dades sobre el conflicte lingüístic a l'illa d'Eivissa*, Palma, Promotora Mallorquina de Mitjans de Comunicació.
JONGE, B. de (1993), «Pragmatismo y gramaticalización en el cambio lingüístico: Ser y estar en expresiones de edad», *Nueva Revista de Filología Hispánica*, 41, 1, 99-126.
JONGH, E. (1990), «Interpreting in Miami's Federal Courts: Code-Switching and Spanglish», *Hispania*, 73, 1, 274-278.
JORDANA, C. (1933), *El català i castellà comparats*, Barcelona, Barcino.
JUILLAND, J. y CHANG-RODRÍGUEZ, E. (1964), *Frecuency Dictionary of Spanish Words*.
JUNCOS, O. (1996), «Narrative Speech in the Elderly: Effects of Age and Education on Telling Stories», *International Journal of Behavioral Development*, 19, 3, 669-685.
KABATEK, J. (1991), «Interferencias entre galego e castelan: problemas do galego estandar», *Cadernos de Lingua*, 4, 39-48.
KANY, Ch. (1969), *Sintaxis hispanoamericana*, Madrid, Gredos.
KARTTUNEN, F. y LOCKHART, J. (1976), «Nahuatl Nasals», *Linguistic Inquiry*, 7, 2, 380-383.

KELLER, G. (1974), «La norma de solidaridad y la de poder en los pronombres de tratamiento: Un bosquejo diacrónico y una investigación del español de Nueva York», *Bilingual Review/Revista Bilingüe,* 1, 1, 42-58.

KENISTON, H. (1937), *The Syntax of the Castilian Prose. The sixteenth century,* Chicago, University of Chicago Press.

KERBRAT-ORECCHIONI, C. (1990, 1992, 1994), *Les interactions verbales, I, II,* y *III,* París, Armand Colin.

KERNAN, K. y BLOUNT, B. (1966), «The acquisiton of Spanish grammar by Mexican children», *Anthropological Linguistics,* 1, 56-67.

KIM, H. S. (1987), *Contribución al estudio del sistema verbal en el habla de Madrid,* tesis inédita, Madrid, Universidad Complutense.

KING, K. (1999), «Inspecting the Unexpected: Language Status and Corpus Shifts as Aspects of Quichua Language Revitalization», *Language Problems and Language Planning,* 23, 2, 109-132.

KIPARSKY, P. (1972), «Explanation in phonology», en Peters y Stanley (eds.), *Goals in linguistic theory,* Englewood Cliffs (NJ), Prentice-Hall.

KIRSCHNER, C. (1984), «Style-Shifting and the Spanish-English Bilingual», *Hispanic Linguistics,* 1, 2, 273-282.

— (1992), «The Spanish Subjunctive and the Spanish-English Bilingual: A Semantically-Motivated Functional Shift», *Hispanic Linguistics,* 5, 1-2, 89-108.

— (1996), «Language Attrition and the Spanish-English Bilingual: A Case of Syntactic Reduction», *Bilingual Review/Revista Bilingüe,* 21, 2, 123-130.

KLAVANS, J. (1985), *The syntax of code switching: Spanish and English,* en L. King y C. Marley, *Selected Papers from the XIIIth Linguistic Synposium of Romance Languages,* Amsterdan, John Benjamins, 213-213.

KLEE, C. (1987), «Differential Language Usage Patterns by Males and Females in a Rural Community in the Rio Grande Valley», en T. Morgan, J. Lee y B. Van Patten (eds.), *Language and Language Use: Studies in Spanish,* Lanham (MD), UPs of America, 12-25.

— (1990), «Spanish-Quechua Language Contact: The Clitic Pronoun System in Andean Spanish», *Word,* 41, 1, 35-46.

— (2001), «Historical Perspectives on Spanish-Quechua Language Contact in Peru», *Southwest Journal of Linguistics,* 20, 1, 167-181.

— y OCAMPO, A. (1995), «The Expression of Past Reference in Spanish Narratives of Spanish-Quechua Bilingual Speakers», en C. Silva-Corvalán (ed.), *Spanish in Four Continents: Studies in Language Contact and Bilingualism,* Washington D.C., Georgetown University Press, 52-70.

— y RAMOS, L. A. (eds.) (1991), *Sociolinguistics of the Spanish Speaking World: Iberia, Latin America, United States,* Tempe, AZ, Bilingual Press/Editorial Bilingüe.

KLEIN-ANDREU, F. (1979), «Factores sociales en algunas diferencias lingüísticas en Castilla la Vieja», *Papers: Revista de Sociología,* 11, 45-64.

— (1980), «A quantitative study of sintactic and pragmatic indicators of change in the Spanish of bilingual in the United States», en W. Labov (ed.), *Locating Language in Time and Space,* Nueva York, Academic Press, 69-82.

— (1981), «Distintos sistemas de empleo de "le", "la", "lo": perspectiva sincrónica, diacrónica y sociolingüística», *Thesaurus,* 36, 2, 284-304.
— (1983), *Discourse Perspectives on Syntax,* Nueva York, Academic Press.
— (1985), «La cuestión del anglicismo: apriorismos y métodos», *Thesaurus,* 40, 3, 533-548.
— (1986), «Speaker-based and reference-based factors in language: non-past conditional sentences in Spanish», en J. Jaeggli y C. Silva-Corvalán (eds.), *Studies in Romance Linguistics,* Dordrecht, Foris, 99-119.
— (1996), «Anaphora, Deixis, and the Evolution of Latin Ille», en *Studies in Anaphora,* A. Fox, (ed.), Amsterdam, John Benjamins Publishing Co., 305-331.
— (1999), «Variación actual y reinterpretación histórica: Le/s, la/s, lo/s en Castilla», en M. J. Serrano (ed.), *Estudios de variación sintáctica,* Frankfurt-Madrid, Vervuert-Iberoamericana, 197-220.
KLOSS, H. (1968), «Notes Concerning a language-nation typology», en J. Fishman, C. Ferguson y J. Das Gupta (eds.), *Language Problems of Developing Nations,* Nueva York, John Wiley and Sons, 69-86.
— (1976), «Über, Diglossie», *DS,* 4, 313-323.
KOCK, J. de (1991), «Pretéritos perfectos simples y compuestos en España y América», *El español de América, Actas del III Congreso Internacional del Español de América,* I, Salamanca, Junta de Castilla y León, 481-494.
KOIKE, D. (1987), «Code Switching in the Bilingual Chicano Narrative», *Hispania,* 70, 1, 148-154.
— (1989), «Pragmatic Competence and Adult L2 Acquisition: Speech Acts in Interlanguage», *Modern Language Journal,* 73, 3, 279-289.
KRAKUSIN, M. y CEDEÑO, A. (1992), «Choice of Mood after *el hecho de que;* Selección del modo despues de *el hecho de que...», Hispania,* 75, 5, 1289-1293.
KRAMARAE, C. (1982), «Gender: How She Speaks», en Ellen Bouchard Ryan (ed.) y Howard Giles (ed. y pref.), *Attitudes towards Language Variation: Social and Applied Contexts,* Londres, Arnold, 84-98.
KRASHEN, S. (1998), «Language shyness and heritage language development», en S. Krashen *et al.* (eds.), *Heritage language development,* Culver City, Language Education Associates, 41-49.
— (2000), «Bilingual Education, the Acquisition of English and the Retention and Loss of Spanish», en A. Roca (ed.), *Research on Spanish in the United States: Linguistic Issues and Challenges,* Cascadilla, Somerville, MA Publication, 432-444.
KRAUSS, M. *et al.* (1992), «Endangered Languages», *Language,* 68, 1, 1-42.
KREMNITZ, G. (1991), «Aktuelle Probleme der Sprachpolitik in Euskadi», *Europa Ethnica,* 48, 1, 10-23.
KRIVOSHEIN DE CANESE, N. y CORVALÁN, G. (1987), *El español del Paraguay,* Asunción, Centro Paraguayo de Estudios Sociológicos.
KROCH, A. (1978), «Towards a the theory of social dialect variation», *Language in Society,* 7, 1, 17-36.
— (1989), «Reflexes of grammar in patterns of language change», *Language Variation and Change,* 1, 199-244.

KUBARTH, H. (1986), «El idioma como juego social: la conciencia sociolingüística del porteño», *Thesaurus,* 41, 1-3, 187-210.
LABOV, W. (1966), *The social stratification of English in New York City,* Washington D.C., Center for Applied Linguistics.
— (1970), «The study of Language in its Social Context», en J. B. Pride y J. Holmes (eds.), *Sociolinguistics: selected readings,* Harmondsworth, Penguin.
— (1971), «The notion of system in creole laguages», en D. Hymes (ed.), *Pidginization and creolization of languages,* Cambridge, Cambridge University Press, 447-472.
— (1972a), *Language in the Inner City,* Filadelfia, Pennsylvania University Press.
— (1972b), *Sociolinguistics Patterns,* Filadelfia, Pennsylvania University Press (trad. esp.: *Modelos sociolingüísticos,* Madrid, Cátedra, 1983).
— (1976), *Sociolinguistique,* París, Les Éditions de Minuit.
— (1978), «Where does the linguistic variable stop? A response to B. Lavandera», *Working Papers in Sociolinguistics,* 44, 2-25.
— (ed.) (1980), *Locating Language in Time and Space,* Nueva York, Academic Press.
— (1981), «What can be learned about change in progress from syncronic description?», en D. Sankoff y H. Ledergen (eds.), *Variation omnibus,* Edmonton, Linguistic Research, 177-199.
— (1982), «Building on Empirical Foundations», en J. Lehmann e Y. Malkiel (eds.), *Directions for Historical linguistics: A Symposium,* Austin, University of Texas Press, 17-92.
— (1991), «The Intersection of Sex and Social Class in the Course of Linguistic Change», *Language Variation and Change,* 2, 2, 205-254.
— (1994), *Principles of Linguistic Change: Internal Factors,* Filadelfia, Blackwell Publishing Co.
— COHEN, P., ROBINS, C. y LEWIS, J. (1968), *A study of the non standard English of Negro and Puerto Rican speakers in New York City,* United States Office of Education, Final Report, Research Project, núm. 3.288.
— WEINREICH, U. y HERZOG, M. I. (1968), «Empirical Foundations for a Theory of Language Change», en W. P. Lehmann e Y. Malkiel (eds.), *Directions for Historical Linguistic: A symposium,* Austin, University of Texas Press, 95-195.
LAFFORD, B. (1982), *Dynamic synchrony in the Spanish of Cartagena, Colombia: the influences of linguistic, stylistic and social factors on the retention, aspiration, and deletion of syllable and word final /s/,* Ithaca, Cornell University Press.
LAMBERT, W. (1967), «The Social Psycology of Bilingualism», *Journal of Social Issues,* 23, 91-109.
— (1972), *Language, Culture and Personality. Essays by W. E. Lambert,* Standford, Standford University Press.
— y TAYLOR, D. (1996), «Language in the Lives of Ethnic Minorities: Cuban American Families in Miami», *Applied Linguistics,* 17, 4, 477-500.
— y TUCKER, G. (1976), *Tu, vous, usted: A Social Psychological Study of Address Patterns,* Rowley (MA), Newbury House.
LAMBOY, E. (2000), *Caribbean Spanish in the Metropolis: A Study of the Spanish Language among Cubans, Dominicans, and Puerto Ricans in the New York City Area,* Filadelfia, Pennsylvania State University.

LAMEIRAS FERNÁNDEZ, M. (1994), *A medida das actitudes lingüísticas en contextos bilingües mediante escalas Ossgood-Estevens,* tesis doctoral, Santiago, Universidade de Santiago, Facultade de Psicología.
LAMÍQUIZ, V. (1971), «Cantara y cantase», *Revista de Filología Española,* LIV, 1-11.
— (1976), «Sociolingüística en un habla urbana: Sevilla», *Revista de la Sociedad Española de Lingüística (RSEL),* 6, 2, 345-362.
— (1983), «Sistema verbal y uso del sistema verbal en el habla culta sevillana», en J. Fernández Sevilla *et al.* (eds.), *Philologia Hispaniensia in honorem Manuel Alvar,* Madrid, Gredos, 337-346.
— (1985), «El sistema verbal idealizado y su comportamiento discursivo», en V. Lamíquiz y P. Carbonero (eds.), *Sociolingüística andaluza, 3,* Sevilla, Universidad de Sevilla, 113-120.
— y CARBONERO, P. (1982), *Sociolingüística andaluza 1: Metodología y estudios,* Sevilla, Publicaciones de la Universidad de Sevilla.
— y PINEDA, M. A. (1983), *Sociolingüística andaluza 2: Encuestas del habla urbana de Sevilla nivel culto,* Sevilla, Publicaciones de la Universidad de Sevilla.
— y RODRÍGUEZ IZQUIERDO, F. (1985), *Sociolingüística andaluza 3: el discurso sociolingüístico,* Sevilla, Publicaciones de la Universidad de Sevilla.
LANCE, D. (1969), *A brief study of Spanish English Bilingualism,* Final Report No. ORR —Liberal Arts— 15504, Texas A/M University.
— (1975), «Spanish-English code-switching», en E. Hernández Chávez, A. L. Cohen y A. Beltramo (eds.), *El lenguaje de los chicanos,* Arlington (VA), Center for Applied Linguitics, 138-153.
LANDA, F. (1995), «Two Issues in Null Objects in Basque Spanish: Morphological Decoding and Grammatical Permeability», en K. Zagona (ed.), *Grammatical Theory and Romance Languages: Selected Papers From The 25th Linguistic Symposium on Romance Languages (Seattle, 2-4 de marzo de 1995),* Amsterdam, John Benjamins Publishing Co, 159-168.
— (2000), «Del paralelismo estructural a la convergencia gramatical: contacto español-vasco», en *International Congress of Romance Linguistics and Philology,* 6, 285-292.
LANDIS, C. (1972), «National differences in conversation», *Journal of Abnormal and Social Psychology,* 21, 354-375.
LANGAN, K. (1992-1993), «El k'iche' y el español en Santo Tomás Chichicastenango: uso y actitudes según el nivel escolar», *Winak: Boletín Intercultural,* 8, 1-4, 25-42.
LANTOLF, J. (1980), «Constraints on Interrogative Word Order in Puerto Rican Spanish», *Bilingual Review/Revista Bilingüe,* 7, 2, 113-122.
LAPESA, R. (1970), «Personas gramaticales y tratamientos en español», *Revista de la Universidad de Madrid,* 19, 141-167.
— (1980), *Historia de la lengua española,* Madrid, Gredos.
LASTRA, Y. (1972a), «Códigos amplios y códigos restringidos en el español de Oaxaca, México» (manuscrito inédito).
— (1972b), «Los pronombres de tratamiento en la ciudad de México», *Anuario de Letras de México (ALM),* X, 213-217.

— (1989), «Sociolinguistics in Mexico», *Sociolinguistics,* 18, 1-2, 1-5.
— (1990), «Acerca del español de los otomíes de Toluca», en V. Demonte y B. Garza-Cuarón (eds.), *Estudios de lingüística de España y México,* México, Universidad Nacional Autónoma de México/Colegio de México, 56-73.
— (1992), *Sociolingüística para Hispanoamericanos,* México, UNAM.
— (1994), «El papel del español en las zonas indígenas de México», en A. Alonso, B. Garza y J. A. Pascual (eds.), *II Encuentro de lingüistas y filólogos de España y México,* Salamanca, Junta de Castilla y León, Consejería de Cultura y Turismo y Univ. Salamanca, 566-579.
— (1995), «Is There an Indian Spanish?», en J. Amastae *et al.* (eds.), *Contemporary Research in Romance Linguistics: Papers from the 22nd Linguistic Symposium on Romance Languages,* Amsterdam, John Benjamins Publishing Co, 123-133.
LAVANDERA, B. (1975), *Linguistic structure and sociolinguistic conditioning in the use of verbal endings in «si» clauses (Buenos Aires Spanish),* Filadelfia, University of Pennsylvania.
— (1978), «Where does the sociolinguistic variable stop?», *Language in Society,* 7, 171-183.
— (1979), «Análisis semántico de la variación en tiempos verbales: oraciones condicionales del español», *Anuario de Letras de México,* 17, 113-136.
— (1984), *Variación y significado,* Buenos Aires, Hachette.
LÁZARO CARRETER, F. (1981), «El dequeísmo», en *Gaceta Ilustrada,* 12 de julio de 1981.
LE PAGE, R. (1968), «Problems of description in multilingual communities», *Transactions of the Philological Society,* 189-212.
— y TABOURET-KELLER, K. (1985), *Acts of Identity,* Cambridge, Cambridge University Press.
LEBSANFT, F. (1997), *Spanische Sprachkultur: Studien zur Bewertung und Pflege des öffentlichen Sprachgebrauchs im heutigen Spanien,* Tubinga, Niemeyer.
LEMA, X. (1991), «Interferencias lingüísticas do galego no castelan de Galicia dos seculos escuros. Algunhas calas nunha comarca rural: a terra de Soneira», *Cadernos de Lingua,* 3, 111-133.
LEWIS, G. (1972), *Multilingualism in the Soviet Union, Aspects of language policy and implementation,* La Haya, Mouton.
LIPSKI, J. M. (1978a), «On the Use of the Indefinite Article», *Hispania,* 61, 1, 102-108.
— (1978b), «Code-switching and the problem of bilingual competence», en M. Paradis (ed.), *Aspects of bilingualism,* Columbia, Hornbeam Press, 250-264.
— (1983), «Reducción de /s/ en el español de Honduras», *Nueva Revista de Filología Hispánica,* 32, 2, 272-288.
— (1985a), «The Construction *pa(ra) atrás* among Spanish-English Bilinguals: Parallel Structures and Universal Patterns», *Revista/Review Interamericana,* 25, 1-4, 91-102.
— (1985b), «Linguistic aspects of Spanish-English language switching», *Series: Special Studies,* 25, Arizona State University, 13-34.

— (1986), «Sobre el bilingüismo anglo-hispánico en Gibraltar», *Neuphilologische Mitteilungen,* 87, 3, 414-427.
— (1986-1987), «Contemporary Philippine Spanish: Comments on Vestigial Usage», *Philippine Journal of Linguistics,* 17-18, 2-1, 37-48.
— (1987), «Language Contact Phenomena in Louisiana *Isleño* Spanish», *American Speech,* 62, 4, 320-331.
— (1990), *The Language of the Isleños: Vestigial Spanish in Louisiana,* Baton Rouge, Louisiana State University Press.
— (1996), *El español de América,* Madrid, Cátedra.
— (2000), «Back to Zero or Ahead to 2001? Issues and Challenges in U.S. Spanish Research», en A. Roca (ed.), *Research on Spanish in the United States: Linguistic Issues and Challenges,* Cascadilla, Somerville, MA Publication, 1-41.
LITVAK, D. (1986), *The Functions of Multilingual Codeswitching: A Case Study of Four Adult Spanish/English/Hebrew Speakers,* Nueva York, New York University Press.
LIZARDI, C. (1993), *Subject Position in Puerto Rican Wh Questions: Syntactic, Sociolinguistic, and Discourse Factors,* Ithaca, Cornell University Press.
LLORENTE MALDONADO, A. (1980), «Consideraciones sobre el español actual», *Anuario de Letras,* 18, 5-61.
LLOYD, P. (1992), «On Conducting Sociolinguistic Research in the Middle Ages», en E. Michael Gerli y H. Sharrer (eds.), *Hispanic Medieval Studies in Honor of Samuel G. Armistead,* Madison, Hispanic Seminary of Medieval Studies, 201-210.
LODARES, J. (1999), «Consideraciones sobre la historia económica y política de la lengua Española», *Zeitschrift fur Romanische Philologie,* 115, 1, 117-154.
— (2000), *El paraíso políglota,* Madrid, Taurus.
LONGMIRE, B. J. (1976), *The relationship of variables in Venezuelan Spanish to historical sound change in Latin and Romance Languages,* Washington D.C., Georgetown University Press.
LOPE BLANCH, J. M. (1967), «Proyecto de estudio del habla culta de las principales ciudades de Hispanoamérica», *El Simposio de Bloomington, Agosto de 1964, Actas, informes y comunicaciones,* Bogotá, PILEI/ICC, 255-264.
— (1972), «Sobre el uso del pretérito en el español de México», *Estudios sobre el español de México,* México, UNAM, 127-139.
— (1978), «Gramática y aprendizaje de la lengua materna», en H. López Morales (ed.), *Aportes de la lingüística a la enseñanza de la lengua materna,* número especial del *Boletín de la Academia de la lengua española,* 6, 1, 43-71.
— (1980), «La interferencia lingüística: un ejemplo del español yucateco», *Thesaurus,* 35, 1, 80-97.
— (1981), «Sobre la influencia fonética maya en el español de yucatán», *Thesaurus,* 1981, 36, 3, 413-428.
— (1987), «Fisonomía del español yucateco», en *Estudios sobre el español de Yucatán,* México, UNAM, 5-19.
— (1989), *El español hablado en el suroeste de los Estados Unidos,* México, Universidad Nacional Autónoma de México.

— (1990), «Precisiones sobre el uso mexicano de la preposición "hasta", *Anuario de Lingüística Hispánica,* 6, 295-323.
— (1999a), «Español de México frente a español de España», *Español Actual,* 71, 7-11.
— (1999b), «Actitudes sociolingüísticas: México y España», *Estudios de Lingüística,* 13, 149-154.
LÓPEZ, L. (1989), «Problemática sociolingüística y educativa de la población aymará-hablante en el Perú», *International Journal of the Sociology of Language,* 77, 55-67.
LÓPEZ CHÁVEZ, J. (1993), *El léxico disponible de escolares mexicanos,* México, Editorial Alhambra Mexicana.
LÓPEZ DEL CASTILLO, L. (1976), *Llengua standar i nivells de llenguatge,* Barcelona, Laia.
LÓPEZ GARCÍA, A. (1985), «Algunas concordancias gramaticales entre el castellano y el euskera», en J. Fernández Sevilla *et al.* (eds.), *Philologica Hispaniensia in honorem M. Alvar,* II, Madrid, Gredos, 391-407.
— (1997), «Tres actitudes ante un mismo problema: Cataluña, Galicia, País Vasco», *Revista de Antropología Social,* 6, 89-107.
— (2000), «El contacto de lenguas y la singularidad americana», en J. Calvo (ed.), *El español de América en el candelero,* Frankfurt-Madrid, Vervuert-Iberoamericana, 54-73.
— y MORANT, R. (1991), *Gramática sexual,* Madrid, Cátedra.
LÓPEZ MARTÍNEZ, M. (1994), «Unha aproximación descritiva o uso da preposición *a* con complemento directo en galego e castelan», *Cadernos de Lingua,* 9, 111-128.
LÓPEZ MORALES, H. (ed.) (1978), *Corrientes actuales en la dialectología del Caribe hispánico, Actas de un Simposio,* Río Piedras, Editorial de la Universidad de Puerto Rico.
— (ed.) (1979a), *Dialectología y sociolingüística. Temas puertorriqueños,* Madrid, Hispanova de Ediciones.
— (1979b), «Disponibilidad léxica y estratificación socioeconómica», en H. López Morales (ed.), *Dialectologia y sociolingüistica. Temas puertorriqueños,* Madrid, Hispanova de Ediciones, 173-181.
— (1981), «Velarization of -/n/ in Puerto Rican Spanish», en D. Sankoff y H. Cedergren (eds.), *Variation Omnibus,* Edmonton, Linguistic Research, 105-113.
— (1983a), *Estratificación social del español de Puerto Rico,* México, UNAM.
— (1983b), «Lateralización de -/r/ en el español de Puerto Rico: Sociolectos y estilos», en J. Fernández-Sevilla *et al.* (eds.), *Philologica Hispaniensia in Honorem Manuel Alvar, I: Dialectología,* Madrid, Gredos, 387-398.
— (1989), *Sociolingüística,* Madrid, Gredos.
— (1990), *Sociolingüística del tabú. El caso de Puerto Rico,* Madrid, Playor.
— (1992), «Style Variation, Sex and Linguistic Consciousness», *LynX,* 3, 43-54.
— (1994a), *Enseñanza de la lengua materna. Lingüística para maestros de español,* Madrid, Playor.

— (1994b), *Métodos de investigación lingüística,* Salamanca, Ediciones del Colegio de España.
— (1995-1996), «Los estudios de disponibilidad léxica: pasado y presente, II», *Boletín de Filología de la Universidad de Chile,* 35, 245-259.
— (1999), *Léxico disponible de Puerto Rico,* Madrid, Arco/Libros.
— y VAQUERO, M. (eds.) (1987), *Actas del I Congreso Internacional sobre el Español de América,* San Juan, Puerto Rico.
LOPEZ SCOTT, A. (1984), *A Sociolinguistic Analysis of /s/ Variation in Honduran Spanish,* Ann Arbor, University of Michigan Press.
LORENZO, E. (1996), *Anglicismos hispánicos,* Madrid, Gredos.
LOVELAND, N. (1992), «Transition Literacy Workshops in the Peruvian Andes», *Notes on Literacy,* 18, 1, 33-40.
LOZANO, A. (1983), «Mantenimiento del español: Enfoque y critica», en L. Elías-Olivares (eds.), *Spanish in the U.S. Setting: Beyond the Southwest,* Rosslyn (VA), Nat. Clearinghouse for Biling. Education, 251-257.
LOZANO DOMINGO, I. (1995), *Lenguaje femenino, lenguaje masculino (¿Condiciona nuestro sexo la forma de hablar?),* Madrid, Minerva Ediciones.
LÜDI, G. (1998), «La lengua española en Suiza. Aspectos demolingüísticos y sociolingüísticos», en *Estudios de Lingüística y Filología Españolas. Homenaje a Germán Colón,* Madrid, Gredos, 283-300.
LUNN, P. (1989), «Spanish Mood and the Prototype of Assertability», *Linguistics,* 27, 4, 687-702.
— (1995), «The Evaluative Function of the Spanish Subjunctive», en *Modality in Grammar and Discourse,* J. Bybee y S. Fleischman (eds.), Amsterdam, John Benjamins Publishing Co., 429-449.
LYNCH, A. (2000), «Spanish-Speaking Miami in Sociolinguistic Perspectiva; Bilingualism, Recontact, and Language Maintenance among the Cuban-Origin Population», en A. Roca (ed.), *Research on Spanish in the United States: Linguistic Issues and Challenges,* Cascadilla, Somerville, MA Publication, 271-283.
LYONS, C. (1978), «A look into the Spanish future», *Lingua,* 46, 2-3, 225-244.
MA, R. y HERASIMCHUK, E. (1971), «The linguistic dimension of a bilingual neighborhood», en J. Fishman (eds.), *Advances in the sociology of language,* La Haya, Mouton, 349-464.
MACCONVELL, O. (1988), «MIX-IM-UP: Aboriginal codeswitching, old and new», en Heller (ed.), *Codeswitching. Anthropological and Sociolinguistic Perspectives,* Berlín, Mouton de Gruyter, 97-151.
— (1990), «Understanding language shift: A step towards language maintenance», en B. Rigsby y S. Romaine (eds.), 15-34.
MACGREGOR, P. (1998), «Language and the Bilingual Teacher: Use, Attitudes, Roles», *Southwest Journal of Linguistics,* 17, 2, 83-99.
MACKAY, C. (1992), «Language Maintenance in Chipilo: A Veneto Dialect in Mexico», *International Journal of the Sociology of Language,* 96, 129-145.
MACKEY, W. F. (1976), *Bilinguisme et contact des langues,* París, Klincsieck.
MALAVER, I. (2002), «Dime cómo crees, qué hablas y te diré quién eres», *Oralia,* 5, 181-201.

MALKIEL, J. (1967), «Multiple versus simple causation in linguistic change», en *To Honor Roman Jakobson,* II, La Haya, Mouton, 1228-1246.
MALMBERG, B. (1965), *Estudios de fonética española,* Madrid, Consejo Superior de Investigación Científicas.
MALTZ, D. y BORKER, R. (1982), «A cultural approach to male-female miscommunication», en J. Gumperz (ed.), *Language and Social Identity,* Cambridge, Cambridge University Press, 112-126.
MAR-MOLINERO, C. (2000), *The Politics of Language in the Spanish-Speaking World. From colonisation to globalisation,* Londres, Nueva York, Routledge.
MARÍN, D. (1972), «El uso de *tú* y *usted* en el español actual», *Hispania,* 55, 904-908.
— (1980a), «El uso moderno de las formas RA y SE del subjuntivo», *Boletín de la Real Academia Española,* LX, 197-230.
— (1980b), «Los "falsos amigos" en español/inglés», *Canadian Modern Language Review,* 3, 66-98.
MARQUANT, H. (1985), «Quizá *vs.* quizás, ¿una alternancia en marcha?», *Langage et l'Homme,* 20, 3, 40-46.
MARSÀ, F. (1986), «Concurrencia de lenguas en Cataluña», en V. García de la Concha (ed.), *El castellano actual en las comunidades bilingües de España,* Salamanca, Junta de Castilla y Leon, 93-112.
MARSH, L. (1988), *Que de adentro sale/It Comes from Inside: Code Switching in a Dominican Household in New York City,* Nueva York, New York University Press.
MARTÍN, M. (1999), «Factores que afectan la lealtad lingüística en la comunidad de habla hispana en Australia», *Estudios Filológicos,* 34, 131-154.
MARTÍN BUTRAGÜEÑO, P. (1989), «Cambio de código en Filipinas», *Parole,* 1, 107-118.
— (1991), *Desarrollos sociolingüísticos en una comunidad de habla,* tesis inédita, Madrid, Universidad Complutense de Madrid.
— (1992), «Styles in Immigrant Dialects. The Case of Southern Dialects in the Urban Area of Madrid», *LynX,* 3, 91-109.
— (1994), «Hacia una tipología de la variación gramatical en sociolingüística del español», *Nueva Revista de Filología Hispánica,* 42, 1, 29-75.
— (1997), «Algunas observaciones sobre el estudio de la variación sintáctica», *Anuario de Letras,* XXXV, 45-67.
— (1999), «¿Es funcional la variación lingüística?», en M. J. Serrano (ed.), *Estudios de variación sintáctica,* Frankfurt-Madrid, Vervuert-Iberoamericana, 221-235.
MARTÍN ZORRAQUINO, M. (1998a), «Notas sobre lengua, mujer y sociedad en la España de fines del XVIII (Comentario a una carta periodística de 1797)», en *Estudios de Lingüística y Filología Españolas. Homenaje a Germán Colón,* Madrid, Gredos, 343-367.
— (1998b), «Sociolinguistic attitudes and beliefs towards dialectal and Standard Varieties in *La Franja oriental de Aragón* (Spain)», *Folia Lingüística,* XXXII/1-2, 131-143.

MARTÍN ZORRAQUINO, M. A. y FORT, M. R. (1996), «La frontera catalano-aragonesa», en M. Alvar (dir.), *Manual de dialectología hispánica. El español de España,* Barcelona, Ariel, 293-304.

— *et al.* (1995), *Estudio sociolingüístico de la Franja Oriental de Aragón,* Zaragoza, Gobierno de Aragón/Universidad de Zaragoza (Dpto. de Lingüística General e Hispánica, Serie Grammaticalia 2), 2 vols.

MARTINELL, E. (1984), «Posturas adoptadas ante los galicismos introducidos en el castellano en el siglo XVIII», *Revista de Filología de la Universidad de La Laguna,* 3, 101-128.

MARTÍNEZ, E. (1993), *Morph syntactic erosion between two generational groups of Spanish speakers in the United States,* Nueva York, Peter Lang.

MARTÍNEZ, G. (2000), «A Sociohistorical Basis of Grammatical Simplification: The Absolute Construction in Nineteenth-Century Tejano Narrative Discourse», *Language Variation and Change,* 12, 3, 251-266.

— (2001), «Política lingüística y contacto social en el español méxico-tejano: la oposición -ra y -se en Tejas durante el siglo XIX», *Hispania,* 84, 1, 114-124.

MARTÍNEZ, M. (1988), «Formas de tratamiento en el siglo XVII», *Estudios Humanísticos,* 10, 85-105.

MARTÍNEZ DE JIMÉNEZ, M. (1985), «Orientación del significado y clase social en un contexto narrativo. La referencia», *Lenguaje,* 15, 19-37.

MARTÍNEZ DE SOUSA, J. (1974), *Diccionario de usos y dudas del español actual,* Barcelona, Bibliograf.

MARTÍNEZ MARTÍN, M. (1983a), *Fonética y sociolingüística en la ciudad de Burgos,* Madrid, CSIC.

— (1983b), «La sustitución de *cantara* (cantase) por *cantaría* en el habla de la ciudad de Burgos», *LEA, Lingüística Española Actual,* 5, 2, 179-204.

MASCARÓ, I. (1981), *Enquesta sociolingüística als maonesos,* Ciudadela, Consell Insular de Menorca.

MAYORGA, C. y GONZÁLEZ, A. (1999), *Difusión Internacional del Español por Radio, Televisión y Prensa,* Santafé de Bogotá, Instituto Caro y Cuervo.

MAZEIKA, E. (1975), «Language Loyalty in the Barrios of Houston, Texas», *Journal of the Linguistic Association of the Southwest,* 1, 2, 5-17.

MCCLURE, E. (1977), «Aspects of Code-Switching in the Discourse of Bilingual Mexican-American Children», *Georgetown University Round Table on Languages and Linguistics,* 93-115.

— y MCCLURE, M. (1988), «Macro —and micro— sociolinguistic dimensions of code-switching in Vingard», en M. Heller (ed.), *Codeswitching. Anthropological and Sociolinguistic Perspectives,* Berlín, Mouton de Gruyter, 34-47.

MCDOWELL, J. (1982), «Sociolinguistic Contours in the Verbal Art of Chicano Children», *Aztlan,* 13, 1-2, 165-193.

MCINTOSH, R. y ORNSTEIN, J. (1974), «A brief sampling of West Texas teacher attitudes toward Southwest Spanish and English language varieties», *Hispania,* 57, 4, 920-926.

MCKAY, S. L. y WONG, S. C. (eds.) (2000), *New Immigrants in the United States: Readings for Second Language Educators,* Cambridge, Cambridge University Press.

McLauchlan, J. (1982), «Dequeísmo y queísmo en el habla culta de Lima», *Lexis, Revista de Lingüística y Literatura,* 6, 1, 11-55.
Média Pluriel Méditerranée (1997), *Enquete sur l'ùsage du Catalan et de l'Occitan. Région Languedoc Roussillon,* Montpellier, Média Pluriel Méditerrané.
Medina, M. y Escamilla, K. (1994), «Language Acquisition and Gender for Limited-Language-Proficient Mexican Americans in a Maintenance Bilingual Program», *Hispanic Journal of Behavioral Sciences,* 16, 4, 422-437.
Medina López, J. (1993), *Sociolingüística del tratamiento en una comunidad rural (Buenavista del Norte, Tenerife),* Santa Cruz de Tenerife, Ilmo. Ayuntamiento de Buenavista del Norte, Viceconsejería de Cultura y Deportes, Gobierno de Canarias.
— (1998), *El anglicismo en el español actual,* Madrid, Arco/Libros.
Medina Rivera, A. (1996), «Discourse genre, type of situation and topic of conversation in relation to phonological variables in Puerto Rico Spanish», en J. Arnold *et al.* (ed.), *Sociolinguistic Variation, Data, Theory and Analysis,* Stanford (CA), CSLI Publications, 209-222.
— (1999), «Variación fonológica y estilística en el español de Puerto Rico», *Hispania,* 82, 3, 529-541.
Mejías, H. y Anderson, P. (1984), «Language Maintenance in Southern Texas», *Southwest Journal of Linguistics,* 7, 2, 116-124.
Meliá, B. (1982), «Hacia una tercera lengua en el Paraguay», en G. Corvalán y G. Granda (eds.), *Sociedad y lengua: Bilingüismo en el Paraguay,* vol. 2, Asunción, Centro Paraguayo de Estudios Sociológicos, 107-168.
Mena, P. (1999), «Actitudes lingüísticas e ideologías educativas», *Alteridades,* 9, 17, 51-70.
Menchu, R. y Telón de Xulu, M. (1993), «Actitudes de los padres de familia, mayahablantes e hispanohablantes, hacia la educación bilingüe para todos en Totonicapan y Patzun», *Winak: Boletín Intercultural,* 9, 1-4, 5-59.
Mendieta, E. (1996), «Lengua y etnicidad en la comunidad hispana del noroeste de Indiana», *Journal of Hispanic Philology,* 20, 92-115.
— (1997), «Actitudes y creencias lingüísticas en la comunidad hispana del noroeste de Indiana», *Hispanic Linguistics,* 9, 2, 257-300.
— (1998), «Reacciones hacia diferentes variedades del español: El caso de Indiana, EE.UU.», *Hispanic Journal,* 19, 1, 75-89.
— (1999), *El préstamo en el español de los Estados Unidos,* Nueva York, Peter Lang.
— y Cintrón, Z. (1995), «Marked and Unmarked Choices of Code Switching in Bilingual Poetry», *Hispania,* 78, 3, 565-572.
— y Molina Martos, I. (1995), «Orden de palabras y bilingüismo en el español del País Vasco», *Romance Languages Annual,* 7, 543-548.
— (1997), «Anteposición de objeto en el habla culta de México y Madrid», *Revista de la Sociedad Española de Lingüística (RSEL),* 27, 447-477.
Mendizábal, N. (1994), «Algunos aspectos sociolingüísticos del habla de Valladolid», *Anuario de Lingüística Hispánica,* 10, 253-265.
Mendoza, J. (1991), «Aproximación morfosintáctica al castellano paceño», en C. A. Klee y L. A. Ramos-Garcia (eds.), *Sociolinguistics of The Spanish*

*Speaking World: Iberia, Latin America, United States,* Tempe, AZ, Bilingual Press/Editorial Bilingüe, 207-229.
— (1992), «Aspectos del castellano hablado en Bolivia», en *Historia y presente del español de América,* Valladolid, Junta de Castilla y León, 437-499.
MERINO, E. (1990), «Códigos y desventaja educacional», *Estudios Filológicos,* 25, 67-72.
MEYER-HERMAN, R. (1990), «Sobre algunas condiciones pragmáticas de la posición del sujeto en español», *Estudios de Lingüística,* 6, 73-88.
MILIAN, S. (1996), «Case assignment in Spanih/English codeswitching», comunicación presentada en el *Symposium on Codeswitching, Linguistic Society of America Annual Meeting.*
MILK, R. (1990), «Preparing ESL and Bilingual Teachers for Changing Roles: Immersion for Teachers of LEP Children», *TESOL Quarterly,* 24, 3, 407-426.
MILLÁN, A. (1991-1992), «Dequeísmo y queísmo en la Escuela Universitaria de Magisterio de Sevilla», *Cauce,* 14-15, 135-170.
MILLER, H. y MILLER, K. (1996), «Language Policy and Identity: The Case of Catalonia», *International Studies in Sociology of Education,* 6, 1, 113-128.
MILROY, J. y MILROY, L. (1997), «Varieties and Variation», en F. Coulmas (ed.), *The Handbook of Sociolinguistics,* Oxford, Blackwell.
MILROY, L. (1980), *Language and Social Networks. A Critical Account of Sociolinguistic Method,* Oxford, Blackwell.
— (1982), «Social network and linguistic focussing», en S. Romaine (ed.), *Sociolinguistic Variation in Speech Communities,* Londres, Edward Arnold, 141-152.
— (1987), *Observing and Analysing Natural Language,* Oxford, Basil Blackwell.
— (1988), «New perspectives in the analysis of sexes differentiation in language», comunicación presentada en la *I Conferencia sobre Lengua y Sociedad* (Hong Kong).
— y MARGRAIN, S. (1980), «Vernacular language loyalty and social network», *Language in Society,* 9, 43-70.
MIQUEL I VERGÉS, M. (1963), «Fórmulas de tratamiento en la ciudad de México», *Anuario de Letras de México (ALM),* 3, 35-86.
MIRANDA, H. (1980-1981), «Frecuencia de las formas verbales en el habla culta de Santiago de Chile», *Boletín de Filología de la Universidad de Chile,* XXXI, 865-880.
MIRAS, M. (1982), «La problematica lenguaje-clase social: Revisión de algunos aspectos», *Anuario de Psicología,* 27, 47-67.
MIRÓ, R. y PINEDA, M. A. (1982), «Determinación sociolingüística de la presencia/ausencia del pronombre personal sujeto», en M. T. Palet (ed.), *Sociolingüística andaluza 5. Habla de Sevilla y hablas americanas,* Sevilla, Universidad de Sevilla, 37-44.
MIYAJIMA, A. (2000), «Aparición del pronombre sujeto en español y semántica del verbo», *Sophia Linguistica,* 46-47, 73-88.
MOLINA MARTOS, I. (1992), *Estudio sociolingüístico de la ciudad de Toledo,* tesis doctoral (edición en microficha), Alcalá de Henares, Universidad de Alcalá.

— (1993), «Las fórmulas de tratamiento de los jóvenes madrileños. Estudio sociolingüístico», *LEA. Lingüística Española Actual*, 15, 2, 249-263.

MOLL, F. (1961), «El castellano en Mallorca», *Homenaje ofrecido a Dámaso Alonso*, vol. 2, Madrid, Gredos, 469-475.

MOLLÀ, T. (1999), *La política lingüística en la societat de la informació*, Barcelona, Graelles.

— y PALANCA, C. (1987), *Curs de Sociolingüística I*, Alcira, Edicions Bromera.

— y VIANA, A. (1989), *Curs de Sociolingüística II*, Alcira, Edicions Bromera.

MONTEAGUDO, H. y SANTAMARINA, A. (1993), «Galician and Castilian in Contact: Historical, Social, and Linguistic Aspects», en R. Posner y J. Green (eds.), *Trends in Romance Lingusitics and Philology, 5: Bilingualism and Linguistic Conflict in Romance*, Berlín, Mouton de Gruyter, 117-173.

MONTES, J. *et al.* (1998), *El español hablado en Bogotá*, Bogotá, Instituto Caro y Cuervo.

MONTES ALCALÁ, C. (2000), «Attitudes towards Oral and Written Codeswitching en Spanish-English Bilingual Youths», en A. Roca (ed.), *Research on Spanish in the United States: Linguistic Issues and Challenges*, Cascadilla, Somerville, MA Publication, 218-227.

MONTOYA, B. (1996), *Alacant: la llengua interrompuda*, Valencia, Denes.

MOODIE, S. (1986), «El español de Trinidad: variabilidad y desgaste articulatorio», *Anuario de Lingüística Hispánica*, 2, 177-195.

MOORE, Z. (1996), «Teaching Culture: A Study of Piropos», *Hispania*, 79, 1, 113-120.

MORALES, A. (1986), «Algunos aspectos de la gramática en contacto: la expresión del sujeto en el español de Puerto Rico», *Anuario de Letras*, 24, 71-85.

— (1995), «The Loss of the Spanish Impersonal Particle *se* among Bilinguals: A Descriptive Profile», en C. Silva-Corvalán (ed.), *Spanish in Four Continents: Studies in Language Contact and Bilingualism*, Washington D.C., Georgetown University Press, 148-162.

— (1997), «La hipótesis funcional y la aparición de sujeto no nominal: el español de Puerto Rico», *Hispania*, 80, 1, 153-165.

— (1998), «Bilingüismo y planificación lingüística en Puerto Rico», en *Actas del Simposio Internacional de la Lengua Española*, Austin, Texas.

— (1999), «Anteposición de sujeto en el español del caribe», en L. Ortiz López (ed.), *El Caribe hispánico: Perspectivas lingüísticas actuales*, Frankfurt-Madrid, Vervuert-Iberoamericana, 77-98.

— (2000), «¿Simplificación o interferencia?: el español de Puerto Rico», *International Journal of the Sociology of Language*, 142, 35-62.

— y VAQUERO, M. (eds.) (1979), *Actas del III Simposio de Dialectología del Caribe Hispánico*, número especial del *Boletín de la Academia Puertorriqueña de la Lengua Española*, 7.2.

MORAVSCIK, E. (1978), «Language contact», en J. Greenberg (ed.), *Universals of languages*, Cambridge (MA), The MIT, 93-123.

MORENO DE ALBA, J. G. (1977), «Vitalidad del futuro de indicativo en la norma culta del español hablado en México», en J. M. Lope Blanch (ed.), *Es-*

*tudios sobre el español hablado en las principales ciudades de América*, México, Universidad Nacional Autónoma de México, 129-146.
— (1997), «La oposición pretérito indefinido/pretérito perfecto compuesto», en C. García Turza, F. González Bachiller y J. Mangado Martínez (eds.), *Actas del IV Congreso Internacional de Historia de la Lengua Española*, Logroño, Universidad de La Rioja, 619-630.
— (1998), «Actitudes de los mejicanos», *Anuario de Letras*, 57-83.
MORENO FERNÁNDEZ, F. (1986), «Sociolingüística de los tratamientos. Estudio sobre una comunidad rural», *Lingüística española actual*, 8, 87-120.
— (1988), *Sociolingüística en EEUU, (1975 1985). Guía bibliográfica crítica*, Málaga, Librería Ágora.
— (1989a), «Análisis sociolingüístico de los actos de habla coloquiales. I», *Español Actual*, 51, 5-51.
— (1989b), «Análisis sociolingüístico de los actos de habla coloquiales. II», *Español Actual*, 52, 5-57.
— (1990), *Metodología sociolingüística*, Madrid, Gredos.
— (1991), «Planificación lingüística y dialectología», *LEA, Lingüística Española Actual*, 13, 2, 251-268.
— (1994), «Debilitamiento de -s en el español de Orán: análisis de sus contextos fónicos», *Boletín de la Academia Puertorriqueña de la Lengua Española*, 2.ª época, Y, 91-111.
— (1998), *Principios de sociolingüística y sociología del lenguaje*, Madrid, Ariel.
— *et al.* (1998), «Anotaciones sobre el leísmo, el laísmo y el loísmo en la provincia de Madrid», *Epos, Revista de Filología*, 4, 101-122.
— *et al.* (eds.) (2003), *Lengua, variación y contexto. Estudios dedicados a Humberto López Morales*, 2 vols., Madrid, Arco/Libros.
MORGAN, A., LEE, J. F. y VAN PATTEN, B. (eds.) (1987), *Language and Language Use: Studies in Spanish*, Lanham (MD), United Press of America.
MORGAN, N. (1988), *Language Maintenance and Shift among Haitians in the Dominican Republic*, tesis doctoral, Albuquerque, University Press of New Mexico.
MORÍN, A. (1987), «Estudio sociolingüístico de algunas parcelas del léxico en el habla de Vegueta (Las Palmas de Gran Canaria)», *Revista de Filología de la Universidad de La Laguna*, 6-7, 283-301.
MORIYÓN, C. (1988-1989), «Valdés y Salinas. Dos actitudes frente a la lengua», *Estudios de Lingüística*, 5, 291-301.
MOUGEON, R. y BENIAK, E. (1991), *Linguistic Consequences of Language Contact and Restriction. The Case of French in Ontario, Canada*, Oxford, Clarendon Press.
MOYA, J. A. y GARCÍA WIEDEMANN, E. (1995), *El habla de Granada y sus barrios*, Granada, Universidad de Granada.
MOYER, M. (2000), «Negotiating Agreement and Disagreement in Spanish-English Bilingual Conversations with *no?*», *International Journal of Bilingualism*, 4, 4, 485-504.
MRAK, N. (1998), «El discurso de pasado en el español de Houston: imperfectividad y perfectividad verbal en una situación de contacto», *Southwest Journal of Linguistics*, 7, 2, 115-128.

MULAC, A. y LUNDELL, T. (1980), «Differences in Perceptions Created by Syntactic-Semantic Productions of Male and Female Speakers», *Communication Monographs,* 47, 2, 111-118.

MULERO, L. (1998), «A la sombra del inglés: la estadidad», *El Nuevo Día,* 3 de diciembre de 1998.

MUNTEANU, D. (1996), «Casos de interferencias españolas en el habla de los rumanos», *LEA, Lingüística Española Actual,* 18, 1, 137-151.

MUNTZEL, M. C. (1987), «Contribución del español a la pérdida de lenguas mesoamericanas», en *Actas del I Congreso Internacional sobre el español de América,* San Juan, Puerto Rico, 853-863.

MUÑOZ, H. *et al.* (1980), «Castellanización y conflicto lingüístico. El caso de los Otomíes del Valle del Mezquital», *Boletín de Antropología Americana,* 2, 129-146.

MURILLO, J. (1998), «Subjuntivo e indicativo en las oraciones circunstanciales», *Kanina,* 23, 3, 143-156.

— (1999), «La selección modal en oraciones subordinadas sustantivas del habla culta costarricense: un Análisis pragmático», *Revista de Filología y Lingüística de la Universidad de Costa Rica,* 25, 2, 209-229.

MURILLO, M. (1995), «Formas pronominales de tratamiento en niños preescolares costarricenses: conversaciones espontáneas», *Educación, Revista de la Universidad de Costa Rica,* 19, 1, 17-27.

MURPHY, P. (1974), «Interference, Integration, and the Verbal Repertoire», *International Journal of the Sociology of Language,* 2, 59-67.

MUYSKEN, P. (1980), «Sources for the Study of Amerindian Contact Vernaculars in Ecuador», *Publikaties van het Instituut voor Algemene Taalwetenschap,* 31, 66-82.

— (1981), «Half-way between Spanish and Quechua: The case for relexification», en A. Highfield y A. Valdman (eds.), *Historicity and variation in creole studies,* Ann Arbor, Michigan, Karoma, 52-78.

— (1984), «Linguistic Dimensions of Language Contact The State of the Art in Interlinguistics», *Revue Québécoise de Linguistique,* 14, 1, 49-76.

— (1995), «Code-switching and grammatical theory», en L. Milroy y P. Muysken (eds.), *One Speaker, Two Languages,* Cambridge, Cambridge University Press, 177-198.

— (1996), «Media Lengua», en S. G. Thomason (ed.), *Contact Languages: A Wider Perspective,* Amsterdam, John Benjamins, 365-426.

MYERS-SCOTTON, C. (1993a), *Social Motivation for Code Switching. Evidence From Africa,* Oxford, Clarendon Press.

— (1993b), *Duelling Languages,* Oxford, Oxford University Press.

— y URY, W. (1977), «Bilingual strategies: the social functions of code-switching», *Linguistics,* 193, 5-20.

MYHILL, J. (1999), «Identity, Territoriality and Minority Language Survival», *Journal of Multilingual and Multicultural Development,* 20, 1, 34-50.

NAERSSEN, M. (1983), «Ignoring the reality of the future in Spanish», *Second Language Acquisition Studies,* 4, 56-67.

NASH, R. (1970), «Spanglish: Language contact in Puerto Rico», *American Speech,* 45, 3/4, 223-233.
NAVARRO, M. (1990), «La alternancia *-ra/se y -ra/ría* en el habla de Valencia (Venezuela)», *Thesaurus,* 45, 2, 481-488.
— (1991), «Valoración social de algunas formas verbales en el habla de Valencia (Venezuela)», *Thesaurus,* 46, 2, 304-315.
— (1995), *El español hablado en Puerto Cabello,* Valencia, Universidad de Carabobo.
NAVARRO TOMÁS, T. (1966), *El español en Puerto Rico,* Río Piedras, Editorial Universitaria.
NELDE, P. (1997), «Language Conflict», en F. Coulmas (ed.), *The Handbook of Sociolinguistics,* Oxford, Blackwell, 285-300.
NINYOLES, R. (1969), *Conflicte lingüístic valencià,* Valencia, Tres i Quatre.
— (1992), *La sociedad valenciana de los 90,* Valencia, Edicions Alfons el Magnànim.
— (1996), *Sociología de la ciutat de València,* Alcira, Germania.
— (ed.) (2000), *La societat valenciana: estructura social i institucional,* Alcira, Bromera.
NIÑO MURCIA, M. (1995), «The Gerund in the Spanish of the North Andean Region», en C. Silva-Corvalán (ed.), *Spanish in Four Continents: Studies in Language Contact and Bilingualism,* Washington D.C., Georgetown University Press, 83-100.
— (1997), «Ideología lingüística hispanoamericana en el siglo XIX: Chile, 1840-1880», *Hispanic Linguistics,* 9, 1, 100-142.
— (2001), «Late-Stage Standardization and Language Ideology in the Colombian Press», *International Journal of the Sociology of Language,* 149, 119-144.
NORTIER, J. y SCHATZ, H. (1992), «From One-Word Switch to Loan: A Comparison between Five Language Pairs», *Multilingua,* 11, 2, 173-194.
NOWIKOV, N. (1984), «El valor doble de la forma en *-SE* en el español peninsular y americano», *Ibero-americana Pragensia,* 18, 61-66.
NUSSBAUM, L. y TUSÓN, A. (1995), «The Ins and Outs of Conversation in Catalonia», *Catalan Review,* 9, 2, 199-221.
O'DONNELL, K. (1990), «Difference and dominance: how labor and management talk conflict», en A. D. Grimshaw (ed.), *Conflict Talk. Scoiolinguistic Investigations of Arguments in Conversations,* Cambridge, Cambridge Univ. Press, 210-240.
O'DONNELL, P. (1988), «Catalan and Castilian as Prestige Languages: A Tale of Two Cities», *Language Problems and Language Planning,* 12, 3, 226-238.
— (1991), «Lingüístically "Mixed" Families in Catalonia: Coexistence and Conflict», *Language Problems and Language Planning,* 15, 2, 177-190.
OBEDIENTE, E. (1998), *Fonética y Fonología,* Mérida, ULA.
OCAMPO, F. (1990), «El subjuntivo en tres generaciones de hablantes bilingües», en J. Bergen (ed.) (1990), *Spanish in the United States: Sociolinguistic Issues,* Washington D.C., Georgetown UP, 39-48.
— (1995a), «The Word Order of Two-Constituent Constructions in Spoken Spanish», en P. Downing y M. Noonan (eds.), *Word Order in Discourse,* Amsterdam, John Benjamins Publishing Co., 425-447.

— (1995b), «Spanish OV/VO Word-Order Variation in Spanish-Quechua Bilingual Speakers», en C. Silva-Corvalán (ed.), *Spanish in Four Continents: Studies in Language Contact and Bilingualism,* Washington D.C., Georgetown University Press, 71-82.

— (1998), «PPs without Ps in Spoken Rioplatense Spanish», en J. Lema y E. Treviño (eds.), *Theoretical Analyses on Romance Languages,* Amsterdam, John Benjamins Publishing Co., 15-35.

— (2001), «Word Order Variation in Constructions with a Verb and Two Adverbs in Spoken Spanish», en R. Bok-Bennema *et al.* (eds.), *Adverbial Modification,* Amsterdam, Rodopi, 47-60.

— y KLEE, C. (1995), «Spanish OV/VO Word-Order Variation in Spanish-Quechua Bilingual Speakers», en C. Silva-Corvalán (ed.), *Spanish in Four Continents: Studies in Language Contact and Bilingualism,* Washington D.C., Georgetown University Press, 71-82.

OLAZIREGI, I. (2001), «El euskera y la educación en la Comunidad Autónoma Vasca», *Europe Plurilingue,* 10, 22, 151-165.

OLGUIN, N. (1980-1981), «Los pronombres relativos en el habla culta de Santiago de Chile», *Boletín del Instituto de Filología de la Universidad de Chile,* 31, 2, 881-905.

OLIVERA, M. (1986), «Corrección y vicio de language *switching*», *Miscelanea,* 7, 3-20.

ORELLANA, F., EK, L. y HERNÁNDEZ, A (1999), «Bilingual education in an immigrant community: Proposition 227 in California», *International Journal of Bilingual Education and Bilingualims,* 2, 2, 114-130.

ORNSTEIN, J. (1982), «Research on Attitudes of Bilingual Chicanos Towards Southwest Spanish: Progress and Problems», en J. A. Fishman y G. D. Keller (eds.), *Bilingual Education for Hispanic Students in the United States,* Nueva York, Teachers College Press, 15-30.

OROZ, R. (1966), *La lengua castellana en Chile,* Santiago, Universidad de Chile.

ORTEGA, G. (1981), «El español hablado en Canarias: visión sociolingüística», *Revista de Filología de la Universidad de La Laguna,* 1, 111-115.

ORTIZ, L. (1975), *A sociolinguistic study of language maintenance in the northern New Mexico community of Arroyo Seco,* Albuquerque, University of New Mexico.

— (2000), «Proyecto para formar un ciudadano bilingüe: política lingüística y el español en Puerto Rico», en A. Roca (ed.), *Research on Spanish in the United States: Linguistic Issues and Challenges,* Cascadilla, Somerville, MA Publication, 390-405.

OTHEGUY, R. (1993), «A Reconsideration of the Notion of Loan Translation in the Analysis of U.S. Spanish», en A. Roca y J. Lipski (eds.), *Spanish in the United States. Linguistics Contact and Diversity,* Berlín, Mouton de Gruyter, 21-46.

— GARCÍA, O. y FERNÁNDEZ, M. (1989), «Transferring, Switching, and Modeling in West New York Spanish: An Intergenerational Study», *International Journal of the Sociology of Language,* 79, 41-52.

— *et al.* (1993), «Convergent Conceptualizations as Predictors of Degree of Contact in U.S. Spanish», en A. Roca y J. M. Lipski (eds.), *Spanish in the United States: Linguistic Contact and Diversity,* Berlín, Mouton de Gruyter, 135-154.

PADILLA, F. M. (1985), *Latino Ethnic Consciousness,* Notre Dame (IN), University of Notre Dame.

PALACIOS, A. (2000), «El sistema pronominal del español paraguayo: Un caso de contacto de lenguas», en J. Calvo Pérez (ed.), *Teoría y práctica del contacto: El español de América en el candelero,* Frankfurt-Madrid, Vervuert-Iberoamericana, 123-143.

PALET, M. T. (1987), «Un problema de lingüística contrastiva. Las preposiciones en español y catalán», *Revista de la Sociedad Española de Lingüística,* 17, 1, 69-84.

PALTRIDGE, J. y GILES, H. (1984), «Attitudes towards regional speakers of French», *Linguistische Berichte,* 90, 71-85.

PANDOLFI, A. y HERRERA, M. (1992), «Bases analíticas para la elaboración de un macroperfil de la producción lingüística infantil», *RLA, Revista de Lingüística Teórica y Aplicada,* 30, 231-247.

PARDINAS, P. *et al.* (1999), «El español, ¿lengua muerta en nuestra profesión?», *Hispania,* 82, 2, 177-189.

PAREDES, F. (1994), *Fonética y fonología de la Jara cacereña,* memoria de licenciatura inédita, Universidad de Alcalá de Henares.

— (1996), «Prefijación y sufijación en la comarca de La Jara (Cáceres)», *Lingüística Española Actual,* 18, 1, 79-111.

PAREDES, L. (2001), «The Proficiency Continuum in Quechua-Spanish Bilingual Speakers: An Analysis of the Verbal Clitic System», *Southwest Journal of Linguistics,* 20, 1, 183-195.

PARTON, N. (1997), «Managing Ethno-Linguistic Dissent in the Basque Country: A Comparison of Policy Styles in France and Spain», *Geolinguistics,* 23, 94-113.

PAYRATÓ, Ll. (1985), *La interferència lingüística (Comentaris i exemples catalá castellá),* Barcelona, Ed. Curial-Publicacions de l'Abadia de Montserrat.

PELLITERO, L. (1992), «Bilingüismo, horizonte imposible», *Cadernos de Lingua,* 5, 27-45.

PENNY, R. (1992), «Dialect Contact and Social Networks in Judeo-Spanish», *Romance Philology,* 46, 2, 125-140.

— (2000), *Gramática Histórica del Español,* Barcelona, Ariel.

PEÑALOSA, F. (1980), *Chicano Sociolinguistics: A Brief Introduction,* Rowley (MA), Newbury House.

PEREIRA SCHERRE, M. y NARO, A. (1991), «Marking in discourse: Birds of feather», *Language Variation and Change,* 3, 23-32.

PÉREZ SALAZAR, C. (1997), «Un dialectalismo histórico de Navarra: el uso del condicional como expresión de eventualidad», en C. García Turza, F. González Bachiller y J. Mangado Martínez (eds.), *Actas del IV Congreso Internacional de Historia de la Lengua Española,* Logroño, Universidad de La Rioja, 811-822.

PERISSINOTO, G. (1972), «Distribución demográfica de la asibilación de vibrantes en el habla de la ciudad de México», *Nueva Revista de Filología Hispánica*, 21, 71-79.

PERL, M. (1979), «On the Situation of English Lexical Units in Cuban Spanish», *Studii si cercetari lingvistice*, 30, 3, 257-261.

PFAFF, C. (1979), «Constraints on language mixing: intrasential code-switching and borrowing in Spanish/English», *Language*, 55, 291-318.

PHILLIPS, B. (1982), «Influences of English on /b/ in Los Angeles Spanish», en J. Amastae y L. Elías-Olivares (eds.), *Spanish in the United States*, Cambridge (MA), Cambridge University Press, 71-81.

PIERAS, F. (2000), *Social Dynamics of Language Contact in Palma de Mallorca: Attitude and Phonological Transfer*, tesis doctoral inédita (edición en microficha), Filadelfia, Pennsylvania State University.

PILLEUX, M. (1996a), «Edad y estrato social en el uso de los actos de habla», *RLA, Revista de Lingüística Teórica y Aplicada*, 34, 183-193.

— (1996b), «Uso preferencial de actos de habla en hombres y mujeres. Análisis sociolingüístico», *Estudios Filológicos*, 31, 151-162.

PIÑERO, G. (2000), *Perfecto simple y perfecto compuesto en la norma culta de Las Palmas de Gran Canaria*, Madrid-Frankfurt am Main, Iberoamericana-Vervuert.

PITARCH, V. (1984), *Reflexió crítica sobre la Lei d'Us i Ensenyament del Valencià*, Valencia, Tres i Quatre.

— (1986), «Les servituds de la política lingüística», *Ullal*, 9, 14-32.

— (1994), «Una experiencia histórica: l'ensenyament del catalá al País Valencià», *Treballs de Sociolingüística Catalana*, 14, 25-40.

PLAZA, M. J. (1999), *Language and Cultural Identity in Catalonia: Evidence from Students Having Different Native Language Backgrounds in Vocational and Secondary Public Schools*, tesis doctoral, University of Minnesota (edición en microficha).

PLAZA, P. y ALBÓ, X. (1989), «Educación bilingüe y planificación lingüística en Bolivia», *International Journal of the Sociology of Language*, 77, 69-91.

POBLETE, M.ª T. (1992), «La sonorización de las obstruyentes sordas /p, t, k/ en el habla urbana de Valdivia», *Estudios Filológicos*, 27, 73-94.

— (1995), «El habla urbana de Valdivia: Análisis sociolingüístico», *Estudios Filológicos*, 30, 43-56.

— (1996), «El rol de los marcadores discursivos en el intercambio conversacional», *RLA, Revista de Lingüística Teórica y Aplicada*, 34, 167-181.

PODESTA, R. (1990), «Dos casos de vitalidad etnolingüística en el estado de Puebla», *Escritos*, 6, 105-114.

POERSCH, J. (1995), «Atitudes e aptidoes no ensino de linguas: e possivel alfabetizar em lingua estrangeira?», *Letras de Hoje*, 30, 2 (100), 193-205.

POLLÁN, C. (2001), «The Expression of Pragmatic Values by Means of Verbal Morphology: A Variationist Study», *Language Variation and Change*, 13, 1, 59-89.

POPLACK, S. (1979), *Function and process in variable phonology*, Filadelfia, University of Pennsylvania.

— (1980), «Sometimes I'll start a sentence in English y *termino en español:* towards a typology of code-switching», *Linguistics,* 18 (7/8), 581-618.
— (1981), «Mortal phonemes as plural morphemes», en D. Sankoff y H. Cedergren (eds.), *Variation Omnibus,* Edmonton, Linguistic Research, 59-71.
— (1983), «Lenguas en contacto», en H. López Morales (ed.), *Introducción a la lingüística actual,* Madrid, Playor, 183-207.
— (1984), «Borrowing: The Synchrony of Integration», *Linguistics,* 22, 1, 99-135.
— (1986), «Acondicionamiento gramatical de la variación fonológica en un dialecto puertorriqueño», en R. Nuñez-Cedeño y J. Guitart (eds.), *Estudios sobre la fonología del español del Caribe,* Caracas, La Casa de Bello, 95-107.
— (1988), «Contrasting patterns of codeswitching in two communities», en M. Heller, *Codeswitching. Anthropologial and Sociolinguistic Perspectives,* Berlín, Mouton de Gruyter, 215-244.
— (1997), «The bare facts about code-switching and borrowing», comunicación presentada en el 26 Congreso NWAVE, Quebec (octubre de 1997).
— y SANKOFF, D. (1980), *Borrowing: the synchrony of integration,* Montreal, Centre de Recherches de Mathématiques Appliquées Rapport Tecnique, núm. 1158.
— (1981), «A comparative study of gender asignment to borrowed nouns», *Centro de Estudios Puertorriqueños Working Papers,* 10, 1-43.
— (1988), «Code-switching», en U. Ammon *et al.* (eds.) (1987-1988), *Sociolinguistics. An International Handbook of Science of Language and Society,* 2 vols., Berlín, W. de Gruyter.
— SANKOFF, D. y MILLER, Ch. (1988), «The social correlates and linguistic processes of lexical borrowing and assimilation», *Linguistics,* 26, 47-104.
— y TAGLIAMONTE, S. (1999), «The Grammaticization of *going to* in (African American) English», *Language Variation and Change,* 11, 3, 315-342.
PORTES, A. y HAO, L. (1998), «E pluribus unum: Bilingualism and loss of language in the second generation», *Sociology of Education,* 71, 269-294.
POUSADA, A. (1996): «Puerto Rico: On the hours of a language planning dilemma», *TESOL Quarterly,* 27, 259-273.
— y POPLACK, S. (1982), «No case for convergence: the Puerto Rican Spanish verb system in a language contact situation», en G. Keller y J. Fishman (eds.), *Bilingual education for Hispanic students in the United States,* Columbia University, Teachers College Press.
POWERS, M. D. (1981), *Sociolinguistic correlates of relative pronoun variation among Spanish speakers in Mexico City,* tesis (edición en microficha), Austin, University of Texas.
POZZI-ESCOT, I. (1998), *EL Multilingüismo en Perú,* Cuzco, CERA «Bartolomé de las Casas».
PRADILLA, M. A. (1999), «El secessionisme lingüístic valencià», en M. A. Pradilla (ed.), *La llengua catalana al tombant del mil.leni. Aproximació sociolingüística,* Barcelona, Empúries.
PRADO, M. (2000), *Diccionario de falsos amigos inglés-español,* Madrid, Gredos.

PRATT, Ch. (1980), *El anglicismo en el español peninsular contemporáneo,* Madrid, Gredos.
PRIETO, L. (1995-1996), «Análisis sociolingüístico del dequeísmo en el habla de Santiago de Chile», *Boletín de Filología,* 35, 379-452.
PRUÑONOSA, M. (2000), «Algunos rasgos fónicos de interferencia del guaraní en el español del Paraguay», en J. Calvo Pérez (ed.), *Teoría y práctica del contacto: El español de América en el candelero,* Frankfurt-Madrid, Vervuert-Iberoamericana, 113-122.
PUEYO, M. (1986), «Actitudes lingüísticas: la hipervaloración del prestigio y otros factores», en J. Ruiz (ed.), *Sociología de las lenguas minorizadas,* Martutene, Ttartalo.
PUJOL, M. (1994), «Le Langage comme activite: l'acquisition/apprentissage d'une langue seconde dans un contexte multilingue», en F. Sierra *et al.* (eds.), *Las lenguas en la Europa comunitaria: la adquisición de segundas lenguas y/o de lenguas extranjeras,* Amsterdam, Rodopi, 155-174.
PUJOLAR, J. (2001), *Gender, heteroglossia and power: a sociolinguistic study of youth cultura,* Berlín-Nueva York, Mouton de Gruyter.
QUESADA, J. (2000), «On Language Contact: Another Look at Spanish-Speaking (Central) America», *Hispanic Research Journal,* 1, 3, 229-242.
QUILIS, A. (1983), «Actitud de los ecuatoguineanos ante la lengua española», *Lingüística Española Actual,* I, 269-275.
— (1996a), «La lengua española en Filipinas», en M. Alvar (dir.), *Manual de dialectología hispánica. El español de América,* Barcelona, Ariel, 233-243.
— (1996b), *La lengua española en Guinea Ecuatorial,* Madrid, UNED.
— (1998), «Los estudios sobre lenguas americanas y filipinas en los siglos XVI y XVII», en *Estudios de Lingüística y Filología Españolas en Homenaje a Germán Colón,* Madrid, Gredos, 405-413.
— y CASADO, C. (1992), «La lengua española en Filipinas. Estado actual y directrices para su estudio», *Anuario de Lingüística Hispánica,* 8, 273-295.
— y VAQUERO, M. (1973), «Realizaciones de la /ch/ en el área metropolitana de San Juan de Puerto Rico», *Revista de Filología Española,* 56, 1-52.
— *et al.* (1985), *Los pronombres le, la, lo y sus plurales en la lengua española hablada en Madrid,* Madrid, CSIC.
QUILIS, M.ª J. (1986), «El dequeísmo en el habla de Madrid y en la telerradiodifusión española», *Boletín de la Academia Puertorriqueña de la Lengua Española,* 16, 139-149.
RABANALES, A. (1974), «Queísmo y dequeísmo en el español de Chile», originalmente en *Estudios Filológicos y Lingüísticos (Homenaje a Ángel Rosenblat),* 1974. Reproducido en *Estudios sobre el español hablado en las principales ciudades de América,* México, Universidad Nacional Autónoma de México, 1977, 541-569.
— (1987), «Fundamentos teóricos y pragmáticos del *"Proyecto de estudio coordinado de la norma lingüística culta del español"*», en H. López Morales (ed.), *Actas del I Congreso Internacional sobre el Español de América,* Madrid, Academia Puertorriqueña, 165-186.

RAE (1973), *Esbozo de una nueva gramática de la lengua española,* Madrid, Espasa Calpe.
RAMÍREZ, A. (1992a), *El español en los Estados Unidos,* Madrid, Mapfre.
— (1992b), «Español e inglés en contacto en los Estados Unidos: Algunas consideraciones sociolingüísticas», *Voz y Letra,* 3, 1, 123-154.
— (2000), «Linguistic Notions of Spanish among Youths from Different Hispanic Groups», en A. Roca (ed.), *Research on Spanish in the United States: Linguistic Issues and Challenges,* Cascadilla, Somerville, MA Publication, 284-295.
— y MENDIETA, E. (1990), «Hacia una sociolingüística sobre la influencia del inglés en el español del sudoeste», manuscrito inédito, Baton Rouge, Louisiana State University.
RAMÍREZ LUENGO, J. L. (2001), «Alternancia de las formas *ra/se* en el español uruguayo del siglo XIX», *Estudios Filológicos,* 36, 173-186.
RAMÍREZ-PARRA, M.ª J. y BLAS ARROYO, J. L. (2000), «La expresión variable del futuro verbal en el español castellonense», en *V Jornadas de Fomento a la Investigación,* Castellón, Servicio de Publicaciones de la Universidad Jaime I (edición en CD-ROM), 15-25.
RAMOS PELLICIA, M. (1999), «Progressive Constructions in the Spanish Spoken in Puerto Rico», *Ohio State University Working Papers in Linguistics,* 52, 97-112.
RAMPTON, B. (1995), *Crossing: Language and Ethnicity Among Adolescents,* Londres, Longman.
RANSON, D. (1988), «The Role of Context in Language Change: Evidence from Andalusian Spanish», *Georgetown University Round Table on Languages and Linguistics,* 280-292.
— (1991), «Person marking in the wake of /s/ deletion in Andalusian Spanish», *Language Variation and Change,* 3, 133-152.
— (1999), «Variación sintáctica del adjetivo demostrativo en español», en M. J. Serrano (ed.), *Estudios de variación sintáctica,* Frankfurt-Madrid, Vervuert-Iberoamericana, 121-143.
REGUEIRO, M. (1999), *Modelo armónico de relación lingüística. Estudio en Galicia,* Santiago de Compostela, Eurográficas.
REIXACH, M. (1975), *La llengua del poble,* Barcelona, Editorial Nova Terra.
RENIU I TRESSERRAS, M. (1996), «La Langue et l'identité nationale. La Planificatrion linguistique en Catalogne», *Europe Plurilingue* (suplemento), octubre, 55-66.
RESNICK, M. (1988), «Beyond the ethnic community: Spanish language roles and maintenance in Miami», *International Journal of the Sociology of Language,* 69, 89-104.
REYES, G. (1993), *Los procedimientos de cita: estilo directo y estilo indirecto,* Madrid, Arco/Libros.
REYES, R. (1976), «Language Mixing in Chicano Bilingual Speech», en J. D. Bowen y J. Ornstein (eds.), *Studies in Southwest Spanish,* Rowley, Newbury House, 182-188.

— (1989), «Mayan Language Planning for Bilingual Education in Guatemala», *International Journal of the Sociology of Language*, 77, 93-115.

REZZI, W. (1987), *Formas de tratamiento en el español de San Juan de Puerto Rico* (tesina inédita), Río Piedras, Universidad de Puerto Rico.

RHODES, N. (1980), «Attitudes toward Guarani and Spanish: A Survey», *Linguistic Reporter*, 22, 7, 4-15.

RIBES, B. (1998), «Spanglish Spoken», *Modern English Teacher*, 7, 3, 13-16.

RICCI, J. y RICCI, I. (1982), «Vio y viste en el español de Uruguay», *Lebende Sprachen*, 27, 1, 1-32.

RICHARDS, J. (1989), «La persistencia de la identidad étnica: reflexiones sobre procesos históricos y lingüísticos», *Winak: Boletín Intercultural*, 5, 2, 93-107.

RIDRUEJO, E. (1975), «Cantaría por cantara, en La Rioja», *Berceo*, 89, 123-134.

— (1983), «La forma verbal en *ra* en español del siglo XIII. (Oraciones independientes)», en F. Marcos Marín (coord.), *Introducción plural a la gramática histórica*, Madrid, Cincel, 170-185.

— (1989), «Cantaría por cantara en el español de Buenos Aires. A propósito de una interpretación sociolingüística», en *Actas del III Congreso Internacional del Español de América*, III, Salamanca, Universidad de Salamanca, 1193-1202.

RIEGELHAUPT, F. (2000), «Codeswitching and Language Use in the Classroom», en A. Roca (ed.), *Research on Spanish in the United States: Linguistic Issues and Challenges*, Cascadilla, Somerville, MA Publication, 204-217.

RIGATUSO, E. (1987), «Dinámica de los tratamientos en la interacción verbal: preparación y apertura conversacionales», *Anuario de Lingüística Hispánica*, 3, 161-182.

— (1992a), *Lenguas, Historia y Sociedad. Evolución de las fórmulas de tratamiento familia en el español bonaerense (1830-1930)*, Bahía Blanca, Universidad Nacional del Sur, Departamento de Humanidades.

— (1992b), «Un aspecto sociohistórico del español bonaerense: las fórmulas de tratamiento en el vínculo filial», *Revista Argentina de Lingüística*, 8, 1-2, 72-103.

RINGER UBER, D. (2000), «"Dealing" with Bilingualism: Business Language in Puerto Rico», *Southwest Journal of Linguistics*, 19, 2, 129-142.

RISSEL, D. (1981), «Diferencias entre el habla femenina y la masculina en español», *Thesaurus*, 36, 2, 305-322.

— (1989), «Sex, Attitudes, and the Assibilation of /r/ among young People in San Luis Potosí, México», *Language Variation and Change*, 1, 3, 269-283.

RIVAROLA, J. L. (1989), «Bilingüismo histórico y español andino», *Actas del IX Congreso de la Asociación Internacional de Hispanistas*, Frankfurt, Vervuert, 153-163.

— (1990), «La formación del español andino: aspectos morfosintácticos», en *La formación lingüística de Hispanoamérica*, Lima, Pontificia Universidad Católica de Perú, 149-171.

RIVERA MILLS, S. (2000), «Intraethnic Attitudes among Hispanics in a Northern California Community», en A. Roca (ed.), *Research on Spanish in the United*

*States: Linguistic Issues and Challenges,* Cascadilla, Somerville, MA Publication, 377-389.

RIZOS, C. (1998), «Rasgos coloquiales en la correspondencia familiar uruguaya entre 1800 y 1840», *Estudios Filológicos,* 35, 105-123.

ROCA, A. (1991), «Language maintenance and language shift in the Cuban American community of Miami: The 1990s and beyond», en D. F. Marshall (ed.), *Language Planning: Focusschrift in honor of Joshua A. Fishman,* Amsterdam, John Benjamins, 245-257.

— (2000a), «Introducción», en A. Roca (ed.), *Research on Spanish in the United States: Linguistic Issues and Challenges,* Cascadilla, Somerville, MA Publication, xii-xiv.

— (2000b), «El español en los Estados Unidos a principios del siglo XXI: Apuntes relativos a la investigación sobre la variedad de la lengua y la coexistencia con el inglés en las comunidades bilingües. Teoría y práctica del contacto», en J. Calvo (ed.), *El español de América en el candelero,* Frankfurt-Madrid, Vervuert-Iberoamericana, 193-211.

— (ed.) (2000c), *Research on Spanish in the United States: Linguistic Issues and Challenges,* Cascadilla, Somerville, MA Publication.

— y JENSEN, J. B. (eds.) (1996), *Spanish in contact: issues in bilingualism,* Somerville, MA, Cascadilla, 121-133.

— y LIPSKI, J M. (eds.) (1993), *Spanish in The United States: Linguistic Contact and Diversity,* Berlín, Mouton de Gruyter.

ROCA PONS, J. (1985), *Introducción a la gramática,* Barcelona, Teide.

RODRÍGUEZ, B. (1997), «Argot y lenguaje coloquial», en A. Briz, J. R. Gómez Molina, M. J. Martínez y Grupo Val.Es.Co. (eds.), *Pragmática y gramática del español hablado,* Valencia, Universidad de Valencia/Pórtico, 225-239.

RODRÍGUEZ, X. (1988), «Usage du galicien et du castillan dans les familles de la ville de Lugo (Galice)», *Plurilinguismes,* suplemento 1, 70-85.

— (1993), «Quelques reflexions a propos de la sociolinguistique galicienne», *Plurilinguismes,* 6, 225-258.

RODRÍGUEZ GONZÁLEZ, F. (1986), «Lenguaje y contracultura juvenil: anatomía de una generación», *Revista de Estudios de Juventud,* 23, 9, 69-88.

— (1994), «Anglicismos en el argot de la droga», *Atlantis,* 16, 1-2, 179-216.

— y ROCHET, B. L. (1999), «Variación sociolingüística en el léxico. *Mujer, esposa* y *señora* en el español contemporáneo», *Analecta Malacitana,* 22, 159-177.

— (1996), *Spanish loanword in the English language: a tendency towards hegemony reversal,* Berlín, Mouton de Gruyter.

RODRÍGUEZ SÁNCHEZ, F. (1991), *Conflicto lingüístico e ideoloxía na Galiza,* Santiago de Compostela, Laiovento.

RODRÍGUEZ SEGURA, D. (1998), *Panorama del anglicismo en Español: presencia y uso en los medios,* Almería, Servicio de Publicaciones de la Universidad.

ROJAS, E. (1980), *Aspectos del habla en San Miguel de Tucumán,* Tucumán, Universidad Nacional de Tucumán.

ROJO, G. (1981), «Conductas y actitudes lingüísticas en Galicia», *Revista Española de Lingüística,* 11, 2, 269-310.

— (1982), «La situación gallega», *Revista de Occidente,* 10-11, 93-110.
— (1985), «Diglosia y tipos de diglosia», en J. Fernández Sevilla *et al.* (eds.), *Philologica hispaniense in honorem M. Alva,* II, Madrid, Gredos, 603-617.
— (1996), «Sobre la distribución de las formas *llegara* y *llegase* en español actual», en M. Casado Velarde *et al.* (eds.), *Scripta Philologica in Memoriam Manuel Taboada Cid, I* y *II,* La Coruña, Univ. da Coruña, 677-691.
— *et al.* (1994), *Lingua inicial e competencia lingüística en Galicia,* La Coruña, Real Academia Galega (Seminario de Sociolingüística).
— *et al.* (1995), *Usos lingüísticos en Galicia,* La Coruña, Real Academia Galega (Seminario de Sociolingüística).
ROLDÁN, E. (1998), «Calidad y dinámica de la voz en grupos sociales en la ciudad de Valdivia», *Estudios Filológicos,* 33, 111-118.
ROMAINE, S. (1980), «A Critical Overview of the Methodology of Urban British Sociolinguistics», *English Worldwide,* 1, 2, 163-198.
— (1982a), *Socio Historical linguistics: its status and methodology,* Cambridge, Cambridge University Press.
— (ed.), (1982b), *Sociolinguistic Variation in Speech Communities,* Londres, Edward Arnold.
— (1984a), «On the problem of syntactic variation and pragmatic meaning in sociolinguistic theory», *Folia Lingüística,* 18, 3, 4, 409-437.
— (1984b), *The language of Children and Adolescents. The Acquisition of Communicative Competence,* Oxford, Basil Blackwell.
— (1989), *Bilingualism,* Oxford, Basil Blackwell.
— (1996), *El lenguaje en la sociedad,* Barcelona, Ariel.
ROMÁN, M. (1995a), «El dialecto gitano-español, caló: Análisis semántico del léxico conservado en la provincia de Valladolid», *Neuphilologische Mitteilungen,* 96, 4, 437-451.
— (1995b), «Revisión histórica del contacto, competencia comunicativa y actitud del caló con respecto al español», *Quaderns de Filología: Estudis Linguistics,* 1, 147-163.
ROMERO GUALDA, M. (1981), «Aspectos Sociolingüísticos de la Derivación con *-ero* e *-ista*», *Cuadernos de Investigación Filológica,* 7, 1-2, 15-22.
RONA, J. P. (1958), *Aspectos metodológicos de la dialectología hispanoamericana,* Montevideo, Universidad Pontificia.
— (1964), «El problema de la división del español americano en zonas dialectales», *Presente y futuro de la lengua española,* I, Madrid, OFINES, 215-226.
— (1965), *El dialecto «fronterizo» del norte de Uruguay,* Montevideo, Adolfo Linardi.
— (1966), «The social and cultural status of Guaraní in Paraguay», en W. Bright (ed.), *Sociolinguistics: Proceedings of the UCLA Sociolinguistics Conference,* 1964, 277-298.
— (1974), «A structural view of sociolinguistics», en P. Garvin e Y. Lastra (eds.), *Antología de estudios de etnolingüística y sociolingüística,* México, UNAM, 13-25.
ROPERO, M. (1982), «Identidad sociolingüística del andaluz», *Documentación en enseñanzas integradas,* 2, 17-25.

ROS, M. (1982), «Percepción y evaluación de los hablantes de cinco variedades lingüísticas», en R. Ninyoles (ed.) (1982), *Estructural social al País Valencià*, Valencia, Diputació Provincial, 679-698.
— (1984), «Speech attitudes to speakers of language varieties in a bilingual situation», *International Journal of the Sociology of Language*, 47, 73-90.
— y GILES, H. (1979), «The Valencian Language Situation: an Accommodation Perspective», *Review of Applied Linguistics*, 44, 3-24.
ROSEMAN, S. (1995), «"Falamos como Falamos": Linguistic Revitalization and the Maintenance of Local Vernaculars in Galicia», *Journal of Linguistic Anthropology*, 5, 1, 3-32.
ROSEN, H. (1972), *Language and class: a critical look at the theories of Basil Bernstein*, Bristol, Falling Wall Press.
ROSENBLAT, A. (1964), *La población indígena y el mestizaje en América*, Buenos Aires, Ed. Nova.
ROSS, R. (1993), «Marking Interpersonal Relationships in the "Today's Spanish Version"», *Bible Translator*, 44, 2, 217-231.
ROTAETXE, K. (1988), *Sociolingüística*, Madrid, Síntesis.
RUBAL, A. (1993), «The Future of Bilingualism in New York City», *Geolinguistics*, 19, 38-47.
RUBIN, J. (1968), *National bilingualism in Paraguay*, La Haya, Mouton.
RUIZ, G. (1990), «El idioma mestizo de la hispanidad», *Boletín de la Academia Colombiana*, 40, 169, 48-59.
RUIZ, J. (ed.) (1986), *Sociología de las lenguas minorizadas*, Martutate, Ttarttalo.
RUIZ MORALES, H. (1987), «Desplazamiento semántico en las formas de tratamiento del español de Colombia», en *Actas del I Congreso Internacional sobre el español de América*, San Juan, Universidad de Puerto Rico.
SALA, M. (1988), *El problema de las lenguas en contacto*, México, UNAM.
SALA, V. (1992), «El programa de Inmersió lingüística a la Comunitat Valenciana», en V. Pascual y V. Sala (eds.), *El programa d'Inmersió*, Valencia, Generalitat Valenciana, 12-25.
SALVADOR, G. (1952), «Fonética masculina y fonética femenina en el habla de Vertientes y Tarifa (Granada)», en *Estudios Dialectológicos*, Madrid, 182-193.
— (1983), «Sobre la deslealtad lingüística», *Lingüística Española Actual*, 5, 173-178.
— (1987), *Lengua española y lenguas de España*, Barcelona, Ariel.
— (1992), *Política lingüística y sentido común*, Madrid, Itsmo.
— (2004), «El español en los medios de comunicación», lección magistral en la Universidad Internacional Menéndez Pelayo, 5 de diciembre, Santander.
SAMPER, J. A. (1987-1988), «La elisión de -/s/ final en la FN y recursos desambiguadores en el español de Las Palmas de Gran Canaria», *Revista de Filología de la Universidad de La Laguna*, 6-7, 407-424.
— (1990), *Estudio sociolingüístico del español de Las Palmas de Gran Canaria*, Las Palmas, La Caja de Canarias.
— y HERNÁNDEZ, C. E. (1999), *Macrocorpus de la norma lingüística culta de las principales ciudades del mundo hispánico*, Las Palmas de Gran Canaria, Universidad de Las Palmas de Gran Canaria (edición en CD-ROM).

SÁNCHEZ, A. (1992), «Política de difusión del español», *International Journal of the Sociology of Language,* 95, 51-69.

SÁNCHEZ, L. (1996), «Word Order, Predication and Agreement in DPs in Spanish, Southern Quechua and Southern Andean Bilingual Spanish», en K. Zagona (ed.), *Grammatical Theory and Romance Languages,* Amsterdam, John Benjamins, 209-218.

— (1998), «Null Objects and D-Zero Features in Contact Spanish», en J. Authier *et al.* (eds.), *Formal Perspectives On Romance Linguistics: Selected Papers From The 28th Linguistic Symposium On Romance Languages: University Park, (16-19 de abril de 1998),* Amsterdam, John Benjamins, 227-242.

SÁNCHEZ, R. (1983), *Chicano Discourse: Socio historic Perspectives,* Rowley (MA), Newbury House.

— (1993), «Language Variation in the Spanish of the Southwest», en B. Merino *et al.* (eds.), *Language and Culture in Learning: Teaching Spanish To Native Speakers of Spanish,* Washington D.C., The Falmer Press, 75-81.

SÁNCHEZ ALBORNOZ, C. (2001), «De las lenguas amerindias al castellano. Ley o interacción en el periodo colonial», *Colonial Latin American Review,* 10, 1, 49-67.

SÁNCHEZ CARRIÓN, J. M. (1976), «Bilingüismo, diglosia y contacto de lenguas», *Anuario de Filología Vasca, Julio de Urquijo,* San Sebastián.

— (1981), *El espacio bilingüe,* Burlada, Eusko Ikaskuntza.

SANICKY, C. (1988), «El comportamiento de /f/ en el habla misionera», *Bulletin of Hispanic Studies,* 65, 3, 273-278.

SANKOFF, D. (1986), *Diversity and Diachrony,* Amsterdam, John Benjamins.

— (1988), «Sociolinguistic and sintactic variation», en F. Newmeyer (ed.), *Linguistics. The Cambridge Survey,* Cambridge, Cambridge University Press, 140-161.

— y LABERGE, S. (1978), «The linguistic market and the statistical explanation of variability», en D. Sankoff (ed.), *Linguistic variation: Models and Methods,* Nueva York, Academic Press.

— y POPLACK, S. (1981), «A Formal Grammar for Code-Switching», *Papers in Linguistics,* 14, 1-4, 3-45.

— POPLACK, S. y VANNIARAJAN, S. (1990), «Dramatically contrasting language mixture strategies in two communities of fluent Arabic-French bilinguals», comunicación presentada en la 19.ª edición del Congreso NWAVE, octubre de 1990, Universidad de Pensilvania.

— *et al.* (1989), «Montreal French: language, class, and ideology», en R. Fasold y D. Schiffrin (eds.), *Language change and variation,* Washington D.C., Georgetown University Press, 107-118.

SANKOFF, G. (1973), «Dialectology», *Annual Reviews of Antropology,* 2, 165-177.

SANTAMARÍA, A. (1999), *Foro Babel, El nacionalismo y las lenguas de Cataluña,* Barcelona, Altera.

SANZ, C. (1991), «Diglossia a Catalunya?: teoria i realitat als anys seixanta i actualment», *Sintagma,* 3, 49-61.

SAPIR, E. (1921), *Language. An introduction to the study of speech,* Nueva York, Harcourt Brace.

SARMIENTO, R. (2001), «Bilingüismo y educación en Galicia; de la Ley de Normalización Lingüística al bilingüismo armónico», *Actas de las I Jornadas de Educación Plurilingües,* Vitoria, Ayuntamiento de Vitoria/Universidad del País Vasco (edición en CD-ROM).
SARNOFF, J. (1960), «Psychoanalytic Theory and Social Attitudes», *Public Opinion Quarterly,* 24, 251-279.
SAVILLE-TROIKE, M. (1982), *The Ethnography of Communication,* Oxford, Basil Blackwell.
SAWOFF, A. (1980), «A Sociolinguistic Appraisal of the Sibilant Pronunciation in the City of Seville», *Grazer Linguistische Studien,* 11-12, 238-262.
SCHIFFRIN, D. (1987), *Discourse markers,* Cambridge, Cambridge University Press.
— (1994), *Approachs to Discourse,* Cambridge (MA), Blackwell.
SCHLIEBEN-LANGE, B. (1977), *Iniciación a la sociolingüística,* Madrid, Gredos.
SCHUCHARDT, H. (1980), *Pidgin and Creole languaes. Selected essays by Hugo Schuchardt,* Cambridge, Cambridge University Press.
SCHUMANN, J. (1976), «Social distance as a factor in second language acquisition», *Lenguage Learning,* 26, 1, 135-143.
SCHWENTER, S. (1994), «The grammaticalization of an anterior in progress: evidence from a Peninsular Spanish Dialect», *Studies in Language,* 18, 71-111.
— (1999), «Evidentiality in Spanish Morphosyntax: A Reanalysis of (De) queísmo», en M. J. Serrano (ed.), *Estudios de variación sintáctica,* Frankfurt-Madrid, Vervuert-Iberoamericana, 65-88.
SECO, Manuel (1961), *Diccionario de dudas y dificultades de la lengua española,* Madrid, Espasa Calpe.
— (1988), *Gramática esencial del español,* Madrid, Aguilar.
SEDANO, M. (1988), «Yo vivo *es* en Caracas», en M. Hammond y M. Resnick (eds.), *Studies in Caribbean Spanish Dialectology,* Washington D.C., Georgetown University Press, 115-123.
— (1994a), «El futuro morfológico y la expresión *ir a + infinitivo* en el español hablado en Venezuela», *Verba,* 21, 225-240.
— (1994b), «Evaluation of Two Hypotheses about the Alternation between *aquí* and *acá* in a Corpus of Present-Day Spanish», *Language Variation and Change,* 6, 2, 223-237.
SERRANO, M. C. (1996), «Interferencias léxicas y semánticas en una situación de contacto entre dos lenguas, catalán y castellano», en M. Pujol y F. Sierra (eds.), *Las lenguas en la Europa Comunitaria,* II, Amsterdam/Atlanta, Diálogos Hispánicos, 375-394.
SERRANO, M. J. (1994), *La variación sintáctica: formas verbales del periodo hipotético en español,* Madrid, Entitema.
— (1995a), «Sobre un cambio sintáctico en el español canario: del indicativo al subjuntivo y condicional», *Hispania,* 78, 1, 178-189.
— (1995b), «El uso de "la verdad" y "pues" como marcadores discursivos de respuesta», *Español Actual,* 64, 5-16.

— (1995-1996), «Sobre el uso del pretérito perfecto y pretérito indefinido en el español de Canarias: Pragmática y variación», *Boletín de Filología,* 35, 533-566.
— (1996), «El subjuntivo *ra y se* en oraciones condicionales», *Estudios Filológicos,* 31, 129-140.
— (1997), «El efecto de la gramaticalización en los procesos de cambio morfosintáctico», en C. García Turza, F. González Bachiller y J. Mangado Martínez (eds.), *Actas del IV Congreso Internacional de Historia de la Lengua Española,* Logroño, Universidad de La Rioja, 831-838.
— (1998), «Estudio sociolingüístico de una variante sintáctica: el fenómeno dequeísmo en el español canario», *Hispania,* 81, 2, 392-405.
— (1999), «*Bueno* como marcador discursivo de inicio de turno y contraposición: estudio sociolingüístico, *International Journal of the Sociology of Language,* 140, 115-133.
SHANNON, S. (1999), «The Debate on Bilingual Education in the U.S.: Language Ideology as Reflected in the Practice of Bilingual Teachers», en J. Blommaert (ed.), *Language Ideological Debates,* Berlín, Mouton de Gruyter, 171-199.
SHOUSE DE VIVAS, D. (1978), «El caso de /l/ en Puerto Rico», comunicación presentada en el *V Congreso Internacional de la Asociación de Lingüística y Filología de América Latina (ALFAL),* Caracas, Universidad Central de Venezuela.
SHUY, R. *et al.* (1969), *Sociolinguistic factors in speech identification,* Washington D.C., National Institute of Mental Health.
SIGUAN, M. (1976), «Bilingüisme i educació. Per a una sociologia del bilingüisme», en *Bilingüisme i Educació,* 5-36.
— (1984), «Language and Education in Catalonia», *Prospects,* 14, 1, 107-119.
— (1992), *España plurilingüe,* Madrid, Alianza Editorial.
— (1993), «Multilingual Spain», *European Studies on Multilingualism,* 2, 1-308.
— y CIS (1994), *Conocimiento y uso de las lenguas,* Madrid, CIS.
— (1999), *Conocimiento y uso de las lenguas,* Madrid, CIS.
— y MACKEY, W. F. (1986), *Educación y bilingüismo,* Madrid, Santillana/ UNESCO.
SILÉN, J. A. (1997), «Bilingüismo e ideología de la diversidad», *Diálogo,* 38, 37-58.
SILVA-CORVALÁN, C. (1979), *An investigation of phonological and syntactic variation in spoken Chilean Spanish,* tesis doctoral, Los Ángeles, University of California.
— (1980-1981), «La función pragmática de la duplicación de pronombres clíticos», *Boletín de Filología de la Universidad de Chile,* 31, 561-570.
— (1981), «Extending the Sociolinguistic Variable to Syntax: The Case of Pleonastic Clitics in Spanish», en D. Sankoff y H. Cedergren (eds.), *Variation Omnibus,* Edmonton, Linguistic Research, 335-342.
— (1982), «Subject expression and placement in spoken Mexican-American Spanish», en J. Amastae y L. Elías-Olivares (eds.), *Spanish in the United States,* Cambridge (MA), Cambridge University Press, 93-120.

— (1983), «Code-Shifting Patterns in Chicano Spanish», en L. Elias-Olivares (ed.), *Spanish in the U.S Setting: Beyond the Southwest,* Rosslyn (VA), Nat. Clearinghouse for Biling. Education, 69-87.
— (1984a), «The social profile of a syntactic-semantic variable: Three verbs forms in Old Castile», *Hispania,* 67, 594-601.
— (1984b), «Topicalización y pragmática en español», *Revista Española de Lingüística,* 14, 1, 1-19.
— (1986), «Bilingualism and Language Change: The Extension of *estar* in Los Angeles Spanish», *Language,* 62, 3, 587-608.
— (1987), «Variación sociofonológica y cambio lingüístico», en *Actas del I Congreso Internacional sobre el español de América,* San Juan, Puerto Rico, 777-791.
— (1989), *Sociolingüística: teoría y análisis,* Madrid, Alhambra.
— (1992), «Sobre la cuestión de la permeabilidad de los sistemas gramaticales», *Voz y Letra, Revista de Filología,* 3, 1, 53-67.
— (1994a), «The Gradual Loss of Mood Distinctions in Los Angeles Spanish», *Language Variation and Change,* 6, 3, 255-272.
— (1994b), *Language contact and change,* Oxford, Oxford University Press.
— (ed.) (1995), *Spanish in Four Continents: Studies in Language Contact and Bilingualism,* Washington D.C., Georgetown University Press.
— (1996-1997), «Avances en el estudio de la variación sintáctica: la expresión del sujeto», *Cuadernos del Sur,* 27, 35-50.
— (1998), «On borrowing as a mechanism of syntactic change», en A. Schwengler, B. Tranel y M. Uribe-Etxebarria (eds.), *Romance Linguistics, Theoretical Perspectives,* Amsterdam/Filadelfia, John Benjamins, 225-246.
— (1999), «Copias pronominales en cláusulas relativas en el español conversacional de Santiago de Chile», en J. A. Samper y M. Troya (eds.), *Actas del XI Congreso Internacional de la Asociación de Lingüística y Filología de la América Latina,* Las Palmas de Gran Canaria, Universidad de Las Palmas de Gran Canaria, 447-454.
— (2001), *Sociolingüística y Pragmática del Español,* Washington D.C., Georgetown University Press.
— y TERRELL, N. (1989), «Notas sobre la expresión de futuridad en el español del Caribe», *Hispanic Linguistics,* 2, 2, 191-208.
SILVA VALDIVIA, B. (1991), «Tipoloxia das manifestacions de contacto lingüístico en Galicia. Algunhas consideracions», *Cadernos de Lingua,* 4, 27-38.
SINGH, R. (1985), «Grammatical Constraints on Code-Mixing: Evidence from Hindi-English», *Canadian Journal of Linguistics/Revue Canadienne de Linguistique,* 30, 1, 33-45.
SLONE, T. (1998), «Defending the Spanish Language in Catalonia», *Geolinguistics,* 24, 63-67.
SMEAD, R. (2000), «Phrasal Calques in Chicano Spanish: Linguistic or Cultural Innovation?», en A. Roca (ed.), *Research on Spanish in the United States: Linguistic Issues and Challenges,* Cascadilla, Somerville, MA Publication, 162-172.

SMITH, D. (1998), «Strategies for Multiculturalism: The Catalan Case Considered: A Response to Miquel Strubell», *Current Issues in Language and Society,* 5, 3, 215-217.
SMITH, P. (1985), *Language, the sexes and society,* Oxford, Basil Blackwell.
SNOW, P. (2000), «The Case for Diglossia on the Panamanian Island of Bastimentos», *Journal of Pidgin and Creole Languages,* 15, 1, 165-169.
SOBIN, N. (1976), «Texas Spanish and Lexical Borrowing», *Papers in Linguistics,* 9, 1-2, 15-47.
— (1984), «On Code-Switching Inside NP», *Applied Psycholinguistics,* 5, 4, 293-303.
SOLÉ, C. (1975), «Language Maintenance and Language Shift among Mexican American College Students», *Journal of the Linguistic Association of the Southwest,* 1, 1, 22-48.
— (1977), «Continuidad/descontinuidad idiomática en el español tejano», *Bilingual Review/Revista Bilingüe,* 4, 3, 189-199.
— (1979), «Hispanic Organizational Interest in Language Maintenance», *Journal of the Linguistic Association of the Southwest,* 3, 2, 90-102.
— (1982), «Language loyalty and language attitudes among cuban-americans», en J. Fishman y G. Keller (eds.), *Bilingual Education for Hispanic Students in the United States,* Nueva York, Teachers College P, 254-268.
SOLÉ, Y. (1970), «Correlaciones socioculturales del uso del *tú, vos* y *usted* en la Argentina, Perú y Puerto Rico», *Thesaurus,* XXV, 161-195.
— (1978); «Sociocultural determinats of symmetrical and asymmetrical address forms in spanish», *Hispania,* 61, 4, 940-945.
— (1991), «El problema de la lengua en Buenos Aires: Independencia o autonomía lingüística», en C. Klee y L. Ramos (eds.), *Sociolinguistics of the Spanish Speaking World: Iberia, Latin America, United States,* Tempe (AR), Bilingual Press, 92-112.
— (1995), «Language, Nationalism, and Ethnicity in the Americas», *International Journal of the Sociology of Language,* 116, 111-137.
— (1996), «Language, Affect and Nationalism in Paraguay», en A. Roca y J. Jensen (eds.), *Spanish in Contact: Issues in Bilingualism,* Cascadilla, Somerville, MA Publication, 93-111.
SOLÍS, J. (2000), «Language as Possibility: Comments on Identity and Language», *International Journal of the Sociology of Language,* 142, 157-173.
SOSA, J. (2000), «Sobre el consonantismo, el vocalismo y la entonación en la delimitación dialectal del español de America», *Zeitschrift fur Romanische Philologie,* 116, 3, 487-509.
SPENCE, M. (1994), *A Case Study of Language Shift in Progress in Port Limon, Costa Rica,* Washington D.C., Georgetown University.
SPITZOVA, E. y BAYEROVA, M. (1987), «Posición del perfecto compuesto en el sistema temporal del verbo en el español de México», *Études-Romanes-de-Brno,* 18, 37-50.
ST. CLAIR, R. (1982), «From social history to language attitudes», en E. Bouchard Ryan y H. Giles (eds.), *Attitudes Towards Language Variation: Social and Applied Contexts,* Londres, Edward Arnold, 164-174.

STAVANS, A. (1992), «Sociolinguistic Factors Affecting Codeswitches Produced by Trilingual Children», *Language Culture and Curriculum,* 5, 1, 41-53.

STEENMEIJER, M. (1979), «El orden de constituyentes en el castellano de vascos bilingües (aspectos de transferencia lingüística)», *Fontes Linguae Vasconum,* 11 (33), 463-514.

STEWART, M. (1996), «Name Wars: The Case of Valencia», *International Journal of Iberian Studies,* 9, 3, 180-190.

STEWART, S. (1984), «Language Planning and Education in Guatemala», *International Education Journal,* 1, 1, 21-37.

STILES, N. (1987), «Purist Tendencies among Native Mayan Speakers of Guatemala», *Linguist,* 26, 4, 187-191.

STRATFORD, D. (1991), «Tense in Altiplano Spanish», en C. A. Klee y L. A. Ramos García (eds.), *Sociolinguistics of The Spanish Speaking World: Iberia, Latin America, United States,* Tempe, AZ, Bilingual Press/Editorial Bilingue, 163-181.

STRAUCH, H. (1992), «The Compelling Influence of Nonlinguistic Aims in Language Status Policy Planning in Puerto Rico», *Working Papers in Educational Linguistics,* 8, 2, 107-131.

STRUBELL, M. (1982), *Població i lengua a Catalunya,* Barcelona, La Magrana.

— (1984), «Language and Identity in Catalonia», *International Journal of the Sociology of Language,* 47, 91-104.

— (1988), «La immigració», en A. Bastardas y J. Soler (eds.), *Sociolingüística i llengua catalana,* Barcelona, La Magrana, 46-77.

— (1996), «Language Planning and Bilingual Education in Catalonia», *Journal of Multilingual and Multicultural Development,* 17, 2-4, 262-275.

— (1998), «Language, Democracy and Devolution in Catalonia», *Current Issues in Language and Society,* 5, 3, 146-180.

— y ROMANÍ, J. (1986), *Perspectives a la llengua catalana a l'àrea barcelonina (comentaris a una enquesta),* Barcelona, Generalitat de Catalunya.

— y TRUETA, M. (1993), «Catalan: Castilian», en R. Posner y J. Green (eds.), *Trends in Romance Lingusitics and Philology,* vol 5: *Bilingualism and Linguistic Conflict in Romance,* Berlín, Mouton de Gruyter, 175-207.

STUDERUS, L. (1995), «Some Unresolved Issues in Spanish Mood Use», *Hispania,* 78, 1, 94-104.

SUÑER, M. (1989), «Dialectal variation and clitic-doubled direct objects», en C. Kirschner y J. Deccasaris (eds.), *Studies in Romance linguistics,* Amsterdam, John Benjamins, 377-395.

TABOURET-KELLER, K. (1968), «Sociological factors of language maintenance and language shift: a methodological approach based on European and African examples», en J. Fishman, C. Ferguson y J. Das Gupta (eds.), *Language Problems of Developing Nations,* Nueva York, Wiley, 107-118.

TACELOSKY, K. (2001), «Bilingual Education and Language Use among the Shipibo of the Peruvian Amazon», *Journal of Multilingual and Multicultural Development,* 22, 1, 39-56.

Tapia, M. (1995), «Rasgos de entonación en preguntas absolutas y sus respuestas», *RLA, Revista de Lingüística Teórica y Aplicada,* 33, 195-207.

Tassara, G. (1988), «Le /s/ implosif dans l'espagnol de Concepción et de Valparaiso (Chili)», *Linguistique,* 24, 2, 131-141.

— (1992), «Actitudes lingüísticas ante la variación de /ĉ/», *RLA, Revista de Lingüística Teórica y Aplicada,* 30, 263-271.

Tavernier, M. (1979), «La frecuencia relativa de las formas verbales en -ra y -se», *Español Actual,* 35-36, 1-12.

Taylor, D. (1951), *The Black Carib of British Honduras,* Nueva York, Wenner-Gren Foundation for Anthropological Research.

Taylor, P. (1999), «Bronzing the Face of American English: The Double Tongue of Chicano Literature», en T. Hoenselaars y M. Buning (eds.), *English literature and the other languages,* Amsterdam, Rodopi, 255-268.

Terrell, N. y Hooper, J. (1974), «A semantically based analysis of mood in Spanish», *Hispania,* 57, 484-494.

Terrell, T. (1977), «Universal constraints on variable deleted final consonants: evidence from Spanish», *The Canadian Journal of Linguistics,* 22, 156-168.

— (1978a), «Sobre la aspiración y elisión de la /s/ implosiva y final en el español de Puerto Rico», *NRFH,* 27, 24-38.

— (1978b), «La aspiración y elisión de /s/ en el español porteño», *Anuario de Letras,* 16, 41-66.

— (1979), «Final /s/ in Cuban Spanish», *Hispania,* 62, 599-612.

— (1980-1981), «La marcación del plural: Evidencia del español dominicano», *Boletín del Instituto de Filología de la Universidad de Chile,* 31, 2, 923-936.

— (1981), «Diachronic Reconstruction by Dialect Comparison of Variable Constraints: S-Aspiration and Deletion in Spanish», en D. Sankoff y H. Cedergren (eds.), *Variation Omnibus,* Edmonton, Linguistic Research, 115-124.

Teschner, R. (1974), «A critical annotated bibliography of angliscisms in Spanish», *Hispania,* 57, 631-678.

— Bills, G. y Craddock, J. (1975), *Spanish and English of the United States Hispanos: a critical, annoted linguistic bibliography,* Arlington, Center for Applied Linguistics.

Thibault, P. y Daveluy, M. (1989), «Quelques traces du passage du temps dans le parler des Montréalais 1971-1984», *Language Variation and Change,* 1, 19-46.

Thomason, S. (1985), «Contact-induced Language Change Possibilities and Probabilities», en N. Boretzky *et al.* (eds.), *Akten des 2. Essener Kolloquiums über «Kreolsprachen und Sprachkontakten»,* Bochum, Studienverlag Dr. N. Broskmeier, 261-284.

— (2001), *Language Contact,* Washington D.C., Georgetown University Press.

— y Kaufman, T. (1988), *Language Contact, Creolization and Genetic Linguistics,* Berkeley, University of California Press.

Thon, S. (1986), «The Realizations of /y/ and /ll/ in Corrientes Argentina», en A. M. Kinloch *et al.* (eds.), *Papers from the Tenth Annual Meeting of the*

*Atlantic Provinces Linguistic Association,* Fredericton, New Brunswick, University of New Brunswick, 7-8, 158-171.
TIMM, L. (1975), «Spanish-English Code-Switching: El Porqué y how-not-to», *Romance Philology,* 28, 473-482.
— (1980), «Bilingualism, diglossia and language shift in Brittany», *International Journal of the Sociology of Language,* 25, 29-42.
— (1993), «Bilingual Code-Switching: An Overview of Research», en *Language and Culture in Learning: Teaching Spanish To Native Speakers of Spanish,* Merino, J. Barbara, 67-83.
TIÓ, J. (1982), *L'ensenyament del català als no catalanoparlants,* Vic, EUMO.
TORREBLANCA, M. (1987), «Sobre la evolución de sibilantes implosivas en español», *Journal of Hispanic Philology,* 11, 3, 223-249.
— (1989), «El paso de /l/ a /r/ postconsonántica en español», *Hispania,* 72, 3, 692-699.
TORREJÓN, A. (1986), «Acerca del Voseo Culto de Chile», *Hispania,* 69, 3, 677-683.
— (1991), «Fórmulas de tratamiento de segunda persona singular en el español de Chile», *Hispania,* 74, 4, 1068-1076.
TORRES, J. (1988), «Les enquestes sociolingüistiques catalanes del 1974 al 1984», *Treballs de Sociolingüística Catalana (TSC),* 7, 57-77.
TORRES, L. (1989), «Mood Selection among New York Puerto Ricans», *International Journal of the Sociology of Language,* 79, 67-77.
— (1992), «Code-Mixing as a Narrative Strategy in a Bilingual Community», *World Englishes,* 1992, 11, 2-3, 183-193.
— (1997), *Puerto Rican Discourse: A Sociolinguistic Study of a New York Suburb,* Mahwah (NJ), Lawrence Erlbaum.
TORRES CACOULLOS, R. (1999a), «Variation and Grammaticization in Progressives. Spanish *-ndo* Constructions», *Studies in Language,* 23, 1, 25-59.
— (1999b), «Construction Frequency and Reductive Change: Diachronic and Register Variation in Spanish Clitic Climbing», *Language Variation and Change,* 11, 2, 143-170.
— (1999c), «*A trabajarle:* la construcción intensiva en el español mexicano», *Southwest Journal of Linguistics,* 18, 2, 79-100.
— (2001), «From Lexical to Grammatical to Social Meaning», *Language in Society,* 30, 3, 443-478.
— (2002), «*Le:* From Pronoun to Intensifier», *Linguistics,* 40, 2, 285-318.
— y FERREIRA, F. (2000), «Lexical Frequency and Voiced Labiodental-Bilabial Variation in New Mexican Spanish», *Southwest Journal of Linguistics,* 19, 2, 1-17.
TORRES GUZMÁN, M. (1998), «Language, Culture, and Literacy in Puerto Rican Communities», en B. Pérez (ed.), *Sociocultural Contexts of Language and Literacy,* Mahwah, NJ, Lawrence Erlbaum, 99-122.
TREFFERS-DALLER, J. (1994), *Mixing to languages, French-Dutch contact in a comparative perspective,* Cambridge, Cambridge University Press.
TRIANDIS, R. *et al.* (1966), «Race, status, quality of spoken English and opinion about Civil Rights as determinants of interpersonal attitudes», *Journal of Personality and Social Psychology,* 3, 468-472.

TROYA, M. (2000), «Sobre el uso de *ir a + infinitivo* y del futuro en *-ré* en la norma culta de español de Las Palmas de Gran Canaria», en *Actas del XI Congreso Internacional de la Asociación de Lingüística y Filología de la América Latina (ALFAL),* 1293-1298.
— (2003), «La posición de los pronombres personales átonos en combinación con las perífrasis verbales en América y España», en F. Moreno Fernández *et al.* (eds.), *Lengua, variación y contexto. Estudios dedicados a Humberto López Morales,* II, Madrid, Arco/Libros, 875-894.
TRUDGILL, P., (1974a), *The social differentiation of English in Norwich,* Cambridge, Cambridge University Press.
— (1974b), *Sociolinguistics: An Introduction,* Nueva York, Penguin.
— (1983), *On Dialect,* Oxford, Basil Blackwell.
— (1986), *Dialect in contact,* Oxford, Basil Blackwell.
TRUJILLO, J. (2000), «Socioeconomic Identity and Linguistic Borrowing in Pre-Statehood New Mexico Legal Texts», *Southwest Journal of Linguistics,* 19, 2, 115-128
TSE, L. (1998), «Ethnic identify formation and its implications for heritage language development», en S. Krashen *et al.* (eds.), *Heritage Language Development,* Culver City, Language Education Associates, 51-72.
TSUZAKI, S. (1970), *English influences on Mexican Spanish in Detroit,* La Haya, Mouton.
TURELL, M. T. (1979), «Estudi sobre la diglòssia entre els grups professionals a Barcelona», *Treballs de Sociolingüística Catalana (TSC),* 2, 135-158.
— (1996), «El contexto de la variación lingüística y su aplicación al estudio del morfema español -ADO», en F. Gutiérrez Díez (ed.), *El español, Lengua Internacional (1492 1992),* Murcia, Compobell, 639-654.
— (ed.) (2001), *Multilingualism in Spain: sociolinguistic and psycholinguistic aspects of linguistic minority groups,* Clevedon, Multilingual Matters.
TURPANA, A. (1987), «Lenguas indígenas», *America Indígena,* 47, 4, 615-625.
UEDA, H. (2003), «Estudio de la variación léxica del español en el mundo. El método intensivo y el extensivo», en F. Moreno Fernández *et al.* (eds.), *Lengua, variación y contexto. Estudios dedicados a Humberto López Morales,* II, Madrid, Arco/Libros, 895-906.
UNIVERSIDAD DE LAS ISLAS BALEARES (1986), *Enquesta sociolingüística a la població de Mallorca,* Palma de Mallorca, Universitat de les Illes Balears.
URCIOLI, B. (1996), «The Political Topography of Spanish and English: The View from a Puerto Rican Neighborhood», en R. Singh (ed.), *Towards a Critical Sociolinguistics,* Amsterdam, John Benjamins, 255-279.
URROZ, J. M. (2001), «Situación de la enseñanza del euskera en Navarra», *Europe Plurilingue,* 2001, 10 (22), 167-180.
URRUTIA, H. (1988), «El español en el País Vasco: Peculiaridades morfosintácticas», *Letras de Deusto,* 18, 33-46.
— (1995), «Morphosyntactic Features in the Spanish of the Basque Country», en C. Silva-Corvalán (ed.), *Spanish in Four Continents: Studies in Language Contact and Bilingualism,* Washington D.C., Georgetown University Press, 243-259.

— (2000a), «Usos y actitudes sociolingüísticas en la CAV», en M. Etxenenique *et al.* (eds.), *Actas del V Congreso Internacional de Historia de la Lengua Española*, Madrid, Gredos, 1807-1843.
— (2000b), «Andrés Bello y sus relaciones con la Real Academia Española», *Letras de Deusto*, 30, 86, 47-75.
— (2002c), «Bilingüismo y Educación en la Comunidad Autónoma Vasca (CAV)», en J. L. Blas Arroyo, M., Casanova, S. Fortuño y M. Porcar (eds.) *Estudios sobre Lengua y Sociedad*, Castellón, Servei de Publicacions de la Universitat Jaume I, 17-52.
— y FERNÁNDEZ ULLOA, T. (1997), «La duplicación y supresión del clítico de 3.ª persona: Chile y País Vasco», en C. García Turza, F. González Bachiller y J. Mangado Martínez (eds.), *Actas del IV Congreso Internacional de Historia de la Lengua Española*, Logroño, Universidad de La Rioja, 863-881.
URUBURU, A. (1994), «El tratamiento del fonema /-d-/ en posición intervocálica en la lengua española hablada en Córdoba (España)», *La Linguistique, Revue de la Societé Internationale de Linguistique Fonctionnelle*, 30, 1, 85-104.
USATEGUI, E. (1993), «Implicaciones educativas de los análisis sociolingüísticos de Basil Bernstein», *Revista Interuniversitaria de Formación del Profesorado*, 16, 159-179.
VALDÉS, G. (1975), «Teaching Spanish to the Spanish Speaking: Classroom Strategies», *System*, 3, 1, 54-62.
— (1976), «Code-Switching in Bilingual Chicano Poetry», *Hispania*, 59, 4, 877-886.
— (1978), «Code-Switching and Language Dominance: Some Initial Findings», *General Linguistics*, 18, 2, 90-104.
— (1982a), «Language Attitudes and Their Reflection in Chicano Theatre: An Exploratory Study», *New Scholar*, 8, 1-2, 181-200.
— (1982b), «Social interaction and code-switching patterns: A case study of Spanish-English alternation», en *Spanish in the United States: Sociolinguistic Aspects*, Cambridge, Cambridge University Press, 209-229.
VALDÉS, S. (1994), «Factores que propiciaron la imposición del español como lengua nacional en Cuba», *Anuario de Lingüística Hispánica*, 10, 367-388.
VALDIVIESO, H. (1981), *Valoración subjetiva de los usos lingüísticos*, Concepción, Universidad de Concepción.
— (1983), «Prestigio y estigmatización: factor determinante en la enseñanza institucionalizada de la lengua materna», *RLA, Revista de Lingüística Teórica y Aplicada*, 21, 137-142.
— y MAGANA, J. (1988), «Variación lingüística: la /s/ implosiva en Concepción», *RLA, Revista de Lingüística Teórica y Aplicada*, 26, 91-103.
— (1991), «Variación fonética de /s/ en el habla espontánea», *RLA, Revista de Lingüística Teórica y Aplicada*, 29, 97-113.
— *et al.* (1988), «Le /s/ implosif dans l'espagnol de Concepción et de Valparaíso (Chile)», *Linguistique*, 24, 2, 131-141.

VALLADARES, S. (1990), «Restricción funcional del inglés entre los chicanos de California», en M. Buzó y T. Calvo (eds.), *Culturas hispanas en los Estados Unidos de América*, Madrid, Ediciones de Cultura Hispánica, 337-392.
VALLE, J. del (1998), «Andalucismo, poligénesis y koineización: Dialectología e ideología», *Hispanic Review*, 66, 2, 131-149.
VALLVERDÚ, F. (1968), *Aproximació crítica a la sociolingüística catalana*, Barcelona, Eds. 62.
— (1981), *El conflicto lingüístico en Cataluña: historia y presente*, Barcelona, Península.
— (1983), «Hi ha o no ha diglossia a Catalunya?», *Treballs de Sociolingüística Catalana (TSC)*, 5, 17-24.
— (1984), «A Sociolinguistic History of Catalan», *International Journal of the Sociology of Language*, 47, 13-28.
— (1988), «Algunes dades sobre la catalanització a l'área metropolitana de Barcelona», *Treballs de Sociolingüística Catalana (TSC)*, 7, 79-84.
— (1991), «Los estudios sociolingüísticos en España, especialmente en Cataluña», en C. Klee y L. Ramos (eds.), *Sociolinguistics of the Spanish Speaking World: Iberia, Latin America, United States*, Tempe (AR), Bilingual Press, 15-40.
VAN ESCH, M. (1993), «Spanish», en G. Extra y L. Verhoeven (eds.), *Community Languages in The Netherlands*, Amsterdam, Swets y Zeitlinger, 227-252.
VAN OVERBECKE, M. (1976), *Mecanismes de l'interférence linguistique*, Madrid, Fragua.
VANN, R. (1998), «Aspects of Spanish Deictic Expressions in Barcelona: A Quantitative Examination», *Language Variation and Change*, 10, 3, 263-288.
— (1999a), «Language Exposure in Catalonia: An Example of Indoctrinating Linguistic Ideology», *Word*, 50, 2, 191-209.
— (1999b), «Reversal of Linguistic Fortune: Dimensions of Language Conflict in Autonomous Catalonia», *Language and Communication*, 19, 4, 317-327.
VAÑO CERDÁ, A. (1982), *Ser y estar + adjetivos: un estudio sincrónico y diacrónico*, Tubinga, Narr.
VAQUERO, M. (1978), «Hacia una espectrografía dialectal: el fonema /ĉ/ en Puerto Rico», en H. López Morales (ed.), *Corrientes actuales en la dialectología del Caribe hispánico, Actas de una Simposio*, Río Piedras, Editorial de la Universidad de Puerto Rico, 239-245.
— (1991), «Español de América y lenguas indígenas», *Estudios de Lingüística*, 7, 9-26.
VARELA, B. (1996), «Ethnic Nicknames of Spanish Origin in American English», en Félix Rodríguez Gonzalez (ed.), *Spanish Loanwords in The English Language: A Tendency Towards Hegemony Reversal*, Berlín, Mouton de Gruyter, 139-155.
VÁZQUEZ AYORA, G. (1977), *Introducción a la traductología*, Washington, Georgetown University Press.
VEIGA, A. (1996), *La forma verbal española «cantara» en su diacronía*, anexos de Verba, Santiago de Compostela, Universidad de Santiago de Compostela.
VÉLIZ, M. *et al.* (1991), «Evaluación de la madurez sintáctica en estudiantes chilenos de cuarto medio», *Estudios Filológicos*, 26, 71-81.

VELLEMAN, B. (1997), «Domingo F. Sarmiento y la función social de la lengua», *Historiographia Lingüística,* 24, 1-2, 159-174.
VELTMAN, C. (1983), *Language Shift in the United States,* Nueva York, Mouton Publishers.
VILA, I. (1992), «La educación bilingüe en el Estado español», en C. Arnau, J. M. Sierra y I. Vila (eds.), *La educación bilingüe,* Barcelona, Horsori.
VILAR, K. (1995), *Lengua y emigración. Estudio sociolingüístico de los procesos diglósicos entre los jóvenes españoles en Alemania,* Granada, Servicio de Publicaciones de la Universidad de Granada.
VILAR GARCÍA, M. (2000), *El español, segunda lengua en los Estados Unidos. De su enseñanza como idioma extranjero en Norteamérica al bilingüismo,* Murcia, Universidad de Murcia.
VILHAR, X. (1986), «Notas sobre caracterizaçom sociolingüística do galego», en J. Ruiz (ed.), *Sociología de las lenguas minorizadas,* Martutene, Ttartalo, 18-23.
VILLARREAL, J. (2001), «El mestizaje lingüístico y sus manifestaciones socioculturales en *Puppet* de Margarita Cota-Cárdenas», *Confluencia,* 16, 2, 24-31.
VILLENA, J. (1992), *Fundamentos del pensamiento social sobre el lenguaje (constitución y crítica de la sociolingüística),* Málaga, Ágora.
— (2000), «Identidad y variación lingüística: prestigio nacional y lealtad vernacular en el español hablado en Andalucía», en *Identidades lingüísticas en la España autonómica,* 107-150.
VOGT, H. (1954), «Language Contacts», *Word,* 10, 365-374.
VRIES, L. (1998), *Política lingüística en Ecuador, Perú y Bolivia,* Quito, Proyecto EBI-CEDIME.
WARDHAUGH, R. (1986), *An introduction to sociolinguistics,* Oxford, Basil Blackwell (trad. gallega: Santiago de Compostela-Albuquerque, Universidad de Santiago de Compostela, 1992).
— (1987), *Languages in Competition: Dominance, Diversity, and Decline,* Oxford, Basil Blackwell.
WATTS, K. (2000), *English Maintenance in Costa Rica? The Case of Bilingual Monteverde,* tesis doctoral inédita, Albuquerque, University of New Mexico.
WATTS, R. (1992), «Linguistic Politeness and Political Behaviour. Reconsidering Claims for Universality», en R. Watts *et al.* (eds.), *Politeness in Language: Studies in its History, Theory and Practice,* Berlín, Mouton de Gruyter, 21-42.
WEINER, J. y LABOV, W. (1983), «Constraints on the Agentless Passive», *Journal of Linguistics,* 19, 1, 29-58.
WEINERMAN, C. (1976), *Sociolingüística de la forma pronominal,* México, UNAM.
WEINREICH, U. (1953), *Languages in Contact,* La Haya, Mouton (trad. cast.: *Lenguas en contacto. Descubrimientos y Problemas,* Caracas, Ediciones de la Biblioteca de la Universidad Central, 1974).
— *et al.* (1968), «Empirical Foundations for a Theory of Language Change», en W. P. Lehmann e Y. Malkiel (eds.), *Directions for Historical Linguistic: A symposium,* Austin, University of Texas Press, 95-195.

WEIS, D. (2000), «La agonía del judeo-español y la identidad sefardita: un estudio sociolingüístico en Salónica», *Mediterranean Language Review*, 12, 142-189.
WENTZ, J. y MCCLURE, E. (1977), «Monolingual "Codes": Some Remarks on the Similarities between Bilingual and Monolingual Code-Switching», *Papers from the Regional Meetings, Chicago Linguistic Society*, 13, 706-713.
WESCH, A. (1992), «Grammatische und lexikalische Aspekte des Spanischen von Barcelona», *Iberoromania*, 35, 1-14.
— (1997), «El castellano hablado de Barcelona y el influjo del catalán. Esbozo de un programa de investigación», *Verba*, 24, 287-312.
WHERRITT, I. y GARCÍA, O. (eds.) (1989), *US Spanish: The Language of Latinos*, número especial de *International Journal of the Sociology of Language*, 79.
WHERRITT, I. y GONZÁLEZ, N. (1989), «Spanish Language Maintenance in a Small Iowa Community», *International Journal of the Sociology of Language*, 79, 29-39.
WHITNEY, W. D. (1881), «On mixture in language», *Transactions of the American Philological Association*, 12, 5-26.
WIDDISON, K. (1995), «Two Models of Spanish s-Aspiration», *Language Sciences*, 17, 4, 329-343.
WILLIAMS, A. (1982), «The Use of the *-ra* and *-se* Forms of the Past Subjunctive in Navarre», *Hispania*, 65, 1, 89-93.
WILLIAMS, L. (1987), *Aspectos sociolingüísticos del habla de la ciudad de Valladolid*, Valladolid, Secretariado de Publicaciones de la Universidad Valladolid y Universidad de Exeter.
WINFORD, D. (1982), «The concept of "diglossia" in Caribbean Creole situations», *Cultural integration in the Caribbean Region. The role of the creole language*, Kingston, 87-100.
— (1996), «The Problem of Syntactic Variation», en J. Arnold *et al.* (eds.), *Sociolinguistic Variation: Data, Theory, and Analysis: Selected Papers From NWAV 23 At Stanford*, Stanford (CA), Center for the Study Language and Information, 177-192.
WODAK, R. y BENKE, G. (1997), «Gender as a Sociolinguistic Variable: New Perspectives on Variation studies», en F. Coulmas (ed.), *The Handbook of Sociolinguistics*, Oxford, Basil Blackwell, 127-150.
WÖLCK, W. (1977), «Language Shift among Migrants to Lima, Peru», *Language in Society*, 6, 3, 406-410.
WOLF, C. (1984), «Tiempo real y tiempo aparente en el estudio de una variación lingüística: Ensordecimiento y sonorización del yeísmo porteño», en L. Schwartz Lerner *et al.* (eds.), *Homenaje a Ana Maria Barrenechea*, Madrid, Castalia, 175-196.
— y JIMÉNEZ, E. (1979), «El ensordecimiento del yeísmo porteño: un cambio fonológico en marcha», en AA.VV., *Estudios lingüísticos y dialectológicos. Temas hispánicos*, Buenos Aires, Hachette, 115-144.
WOLFRAM, N. (1969), *A sociolinguistic description of Detroit negro speech*, Washington D.C., Center for Applied Linguistics.

— y FASOLD, R. (1974), *The study of social dialects in American English,* Englewood Cliffs, NJ, Prentice-Hall.
WOLFSON, N. (1989), «The Social Dynamics of Native and Non-Native Variation in Complimenting Behavior», *Working Papers in Educational Linguistics,* 5, 1, 11-33.
WOOLARD, K. (1984), «A Formal Measure of Language Attitudes in Barcelona: A Note from Work in Progress», *International Journal of the Sociology of Language,* 47, 63-71.
— (1985), «Language variation and cultural hegemony: Toward an integration of sociolinguistic and social theory», *American Etnologist,* 12, 738-748.
— (1988), «Codeswitching and comedy in Catalonia», en M. Heller (ed.), *Codeswitching. Anthropological and Sociolinguistic Perspectives,* Berlín, Mouton de Gruyter, 65-78.
— (1989), *Double Talk: Bilingualism and the Politics of Ethnicity in Catalonia,* Stanford (CA), Stanford University Press.
— (1991), «Linkages of Language and Ethnic Identity: Changes in Barcelona, 1980-1987», en J. Dow (ed.), *Language and Ethnicity: Focusschrift in Honor of Joshua A. Fishman on the Occasion of His 65th Birthday,* II, Amsterdam, John Benjamins, 61-81.
— (1999), «Simultaneity and Bivalence as Strategies in Bilingualism», *Journal of Linguistic Anthropology,* 8, 1, 3-29.
— y GAHNG, T. (1990), «Changing Language Policies and Attitudes in Autonomous Catalonia», *Language in Society,* 19, 3, 311-330.
WOOLFORD, E. (1983), «Bilingual Code-Switching and Syntactic Theory», *Linguistic Inquiry,* 14, 3, 520-536.
YAEGER-DROR, M. (1989), «Real tirne and apparent time change in Montréal French», *York Papers in Linguistics,* 13, 141-154.
YÁÑEZ, C. (1991), «The Implementation of Language Policy: The Case of Ecuador», *International Review of Education/Internationale Zeitschrift fur Erziehungswissenschaft/Revue Internationale de Pedagogie,* 37, 1, 53-66.
ZAMORA MUNNÉ, J. y GUITART, J. (1982), *Dialectología hispanoamericana,* Salamanca, Almar.
ZAVALA, V. (2001), «Borrowing Evidential Functions from Quechua: The Role of *pues* as a Discourse Marker in Andean Spanish», *Journal of Pragmatics,* 33, 7, 999-1023.
ZENTELLA, A. (1981), «Language Variety among Puerto Ricans», en Ch. Ferguson *et al.* (eds.), *Language in the USA,* Cambridge, Cambridge University Press, 218-238.
— (1982), *«Hablamos los dos. We Speak Both»: Growing Up Bilingual in El Barrio,* Nueva York, University of New York.
— (1987), «El habla de los niños bilingües del Barrio de Nueva York», en *Actas del I Congreso Internacional sobre el español de América,* San Juan, Puerto Rico, 877-886.
— (1990a), «Returned Migration, Language, and Identity: Puerto Rican Bilinguals in Dos Worlds/Two Mundos», *International Journal of the Sociology of Language,* 84, 81-100.

— (1990b), «Lexical Leveling in Four New York City Spanish Dialects: Linguistic and Social Factors», *Hispania,* 73, 4, 1094-1105.

— (1997), *Growing up bilingual: Puerto Rican children in New York,* Malden (MA), Blackwell.

ZIMMERMAN, D. y WEST., C. (1975), «Sex roles, interruptions and silences in conversation», en Thorne y Henley (eds.), *Language and Sex: Difference and Dominance,* Rowley (MA), Newbury House.

ZIMMERMANN, K. (1984), «Missionierung und Kulturkontakt. Eine Analyse protestantischer Konversionsgespraiche bei den Otomíes des Valle del Mezquital (Mexiko)», *Neue Romania,* I, 80-114.

— (1992), «Diglossie und Polyglossie», en G. Holtus, M. Metzeltm y C. Schmitt (eds.), *Lexikon der Romanistischen Linguistik (KLRL): vol. VI, Sprachen und Sprachgebiete: Spanish,* 341-354.

— (1995), *Lenguas en contacto en Hispanoamérica. Nuevos enfoques,* Madrid, Iberoamericana.

— (1999), *Política del lenguaje y planificación para los pueblos amerindios; ensayos de ecología lingüística,* Madrid-Frankfurt am Main, Iberoamericana-Vervuert.

# Índice analítico